TROISIÈME ÉDITION

LE GRAND ATLAS
du CANADA et du MONDE

AVEC LA COLLABORATION DE

Jacques Charlier
Université catholique de Louvain et Université de Paris-Sorbonne

Danielle Charlier-Vanderschraege
Haute Ecole Galilée, Bruxelles

Rodolphe De Koninck
Université de Montréal

Guy Dorval
Université Laval

D1087850

ERPI ❧ de boeck

Pour toute information sur notre fonds, consultez notre site web: www.deboeck.com

© Noordhoff Uitgevers bv Groningen, The Netherlands, 13e édition 2009

© Groupe De Boeck s.a.,
Rue des Minimes 39,
B-1000 Bruxelles

Diffusion et distribution au Canada :
Éditions du Renouveau Pédagogique Inc.
5757, rue Cypihot
Saint-Laurent
Canada, H4S 1R3
www.erpi.com

Images satellitaires (sauf Québec) : © WorldSat International Inc.
www.worldsat.ca   All Rights Reserved

Imprimé en Belgique

Dépôt légal : 2e trimestre 2009

3e édition - 2e tirage 2010
ISBN 978-2-7613-3238-5

Préface

Par rapport à la deuxième édition de 2006, cette troisième édition du **Grand Atlas du Canada et du monde** a été actualisée en profondeur. Comme il est de tradition d'une édition à l'autre, une mise à jour aussi systématique que possible a été entreprise en fonction des données disponibles les plus récentes et des évolutions enregistrées les plus significatives. Outre ces changements parfois peu visibles mais qui confèrent toute sa valeur à l'ouvrage, quelques modifications de contenu ont été apportées, sans toutefois pratiquement changer la pagination de l'ouvrage par rapport à la deuxième édition. La principale modification opérée à ce niveau a été de remplacer la carte de la Californie (précédemment en p. 73) par la frontière américano-mexicaine (qui prend désormais place en p. 75, amenant le glissement des mégalopoles américaines en p. 73 et de la Nouvelle-Angleterre et de la Floride en p. 74). Par ailleurs, de nouvelles cartes ont été introduites sur certaines planches préexistantes. C'est le cas pour le Mexique à la planche 77, pour la Turquie à la planche 140, pour l'Inde à la planche 145, ainsi que pour les nouveaux pays industrialisés d'Asie du Sud-Est à la planche 149 (où une carte de la région métropolitaine de Kuala Lumpur est venue compléter les cartes relatives à Hongkong et Singapour).

Un atlas est un produit vivant, qui se doit de refléter les évolutions, notamment politiques, du monde contemporain. Certaines risquent cependant d'être intervenues après la réalisation des cartes de cet ouvrage et elles seront alors prises en compte dans la prochaine édition. Par rapport à la précédente, la principale modification opérée est relative à l'ex-République de Serbie et Monténégro, la Serbie, le Monténégro et le Kosovo étant désormais pris en compte de manière distincte. A côté de tels changements politiques majeurs au niveau des pays, il arrive aussi que des villes soient rebaptisées et l'appellation figurant dans l'ouvrage est, ici encore, celle qui était couramment en vigueur au moment de sa finalisation.

Un outil pédagogique

L'enseignement de la géographie évolue parce qu'il est vivant à l'instar de notre monde et de la perception que nous en avons. Or, les moyens modernes de communication ont, au cours de ces dernières années, autant influencé notre vision du monde qu'ils ont diffusé des quantités de plus en plus considérables d'informations. Dès lors, quoi de plus naturel que la démarche du professeur de géographie tienne compte de ces évolutions ?

L'atlas est devenu un outil de travail privilégié dans la démarche géographique. La lecture de la carte ne peut plus consister en une simple localisation de réalités ponctuelles. Elle se doit plutôt d'être une mise en ordre, une structuration personnelle à partir d'un flot ininterrompu d'informations.

Les diverses cartes thématiques constituent autant de points de départ de recherches ou d'exercices spécifiques portant sur la question géographique fondamentale Pourquoi là? Elles permettent de jouer sur différents registres : l'**analyse détaillée** avec des cartes à grande échelle représentant, par exemple, des paysages-types marqués par l'activité humaine ou avec des documents permettant la présentation pluridimensionnelle d'un espace donné ; la **comparaison raisonnée**, sur base de cartes mono-thématiques ou encore la **synthèse** avec la présentation simultanée de cartes sur la population, les paysages agraires, l'industrie, l'urbanisation.

Qu'il s'agisse du Canada, des différents pays et continents ou du monde dans son ensemble, de nombreuses données quantitatives complètent les cartes. Que le professeur garde cependant à l'esprit qu'il ne suffit pas d'avancer des dimensions ou des tonnages pour rendre plus concrète l'approche d'un phénomène par ses élèves ; il peut, dans chaque cas, donner un sens à ces chiffres en faisant des graphiques le complément concret et dynamique des cartes. L'atlas varie à dessein les diverses formes de représentation des données, de manière à familiariser l'utilisateur à la lecture et à l'interprétation de graphiques variés.

Composition de l'atlas

Le grand Atlas du Canada et du monde propose d'abord une légende générale suivie de la page de titre et de la présente préface. Viennent ensuite la table des matières permettant de repérer rapidement la (ou les) carte(s) recherchée(s) et l'ensemble cartographique proprement dit, composé comme suit :

Recherche d'un renseignement

Pour trouver rapidement les données souhaitées, l'atlas fournit trois moyens :

– l'index des cartes en troisième page de couverture,

– la table des matières aux pages 2-3,

– l'index des noms géographiques aux pages 182-198.

• L'**index des cartes** constitue le moyen le plus simple pour rechercher un lieu. Sa double page reprend toutes les parties du monde et indique par des cadres rectangulaires sur quelle carte de l'atlas figure le lieu en question. Pour plus de clarté, le Canada est représenté à part et à une échelle supérieure sur la page de gauche du signet.

• Toutes les cartes générales et les cartes thématiques relatives à certaines régions ou grandes agglomérations sont mentionnées dans la **table des matières** dans l'ordre de leur présentation dans l'atlas. Dans les parties consacrées au Canada et aux différents pays ou continents, la répartition des cartes analytiques a un caractère systématique, des faits physiques majeurs aux principaux traits humains et économiques.

• L'**index des noms géographiques** est destiné à faciliter la recherche des éléments de la nomenclature géographique (pays, régions, localités, cours d'eau, montagnes, etc.). Les noms y sont classés par ordre alphabétique et sont suivis du numéro de la carte ou du carton où ils figurent. Les cartes générales et un certain nombre de cartons présentent des subdivisions déterminées par les méridiens et les parallèles ; ces subdivisions sont identifiées par des lettres et des chiffres indiqués en rouge en bordure du cadre, lesquels sont repris dans l'index après le numéro de la carte correspondante.

Remerciements

Les responsables de la production de cet atlas tiennent à remercier tout spécialement les nombreux enseignants œuvrant dans les collèges et universités du Québec qui ont bien voulu leur faire part de leurs conseils. Des remerciements sont aussi adressés au personnel du Département de géographie et de la cartothèque de la Bibliothèque générale de l'Université Laval, tout comme aux représentants des ministères canadiens et québécois qui ont aimablement donné suite à leurs demandes de documents.

Avertissement à la réimpression 2010

Nous avons profité de cette réimpression pour actualiser un certain nombre de cartes et graphiques. La place fait défaut pour une liste exhaustive de ces petits changements, mais nous pointerons plus particulièrement ici ceux opérés aux pages 29, 56, 63, 71 et 79. Relevons aussi la configuration territoriale du Canada actualisée à 2010 (49D). Par ailleurs, parce que nous sommes attentifs aux réactions des utilisateurs de l'atlas, nous avons opéré un certain nombre de retours en arrière pour revenir à des planches qui avaient été modifiées entre les 2e et 3e éditions. C'est ainsi que :

- page 25, nous revenons à une présentation plus classique de la végétation naturelle ;

- page 28 (D), nous proposons à nouveau une carte de l'Islam (à la place de la peine de mort dans le monde) ;

- pages 42/43, nous sommes revenus au mélange précédent de cartes relatives à l'environnement, reprenant notamment l'importante problématique du déboisement dans le monde ;

- page 98, nous proposons à nouveau une cartographie de l'économie européenne (à la place des transports).

Et bien évidemment, le titre et la légende de la carte 43B, qui étaient en néerlandais dans le premier tirage de cette 3e édition suite à une erreur technique, sont de nouveau en français !

Les auteurs
Avril 2009

TABLE DES MATIÈRES

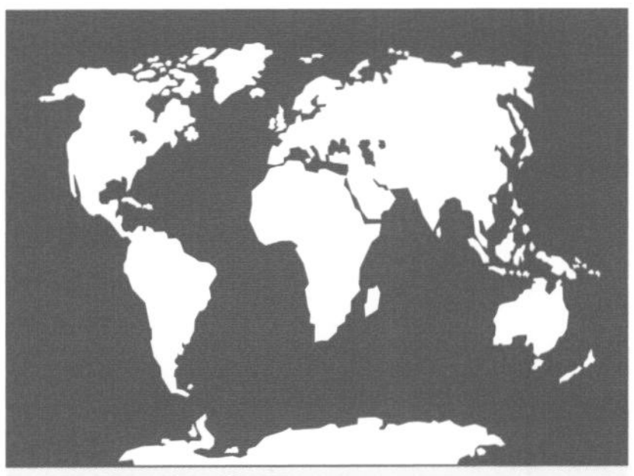

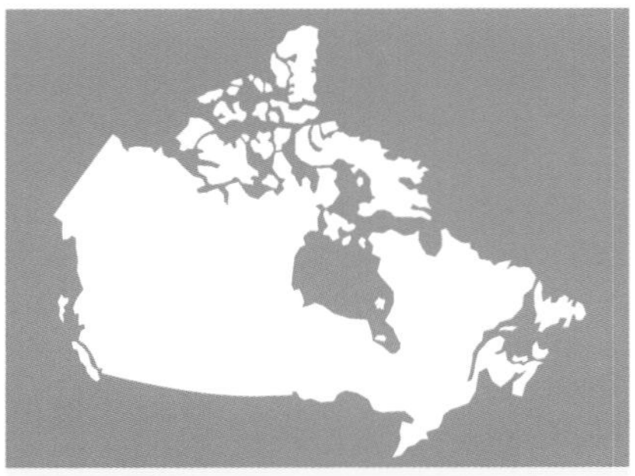

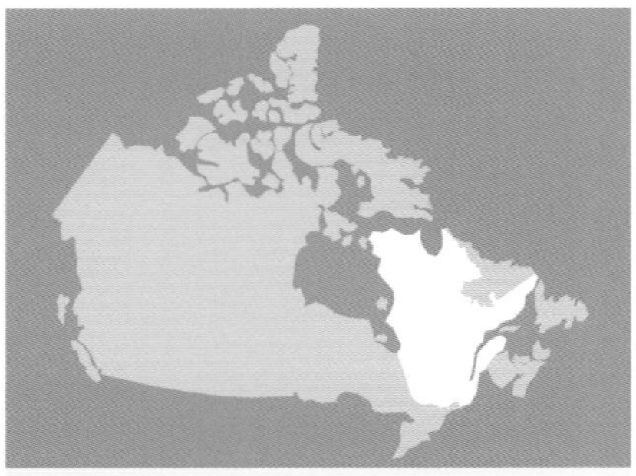

En général

Le grand Atlas du Canada et du monde

Le monde

Canada

Québec

* Cartes générales

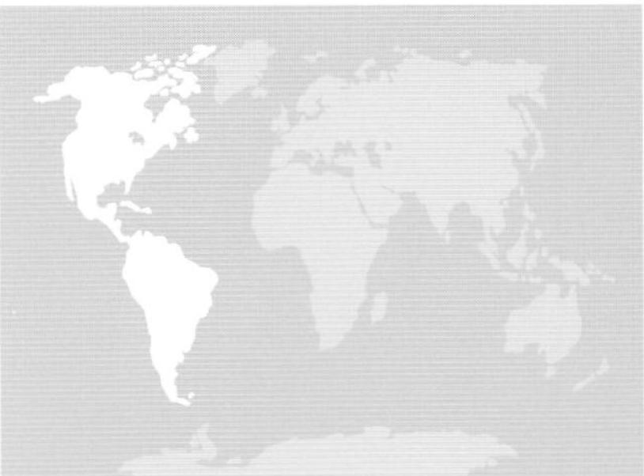

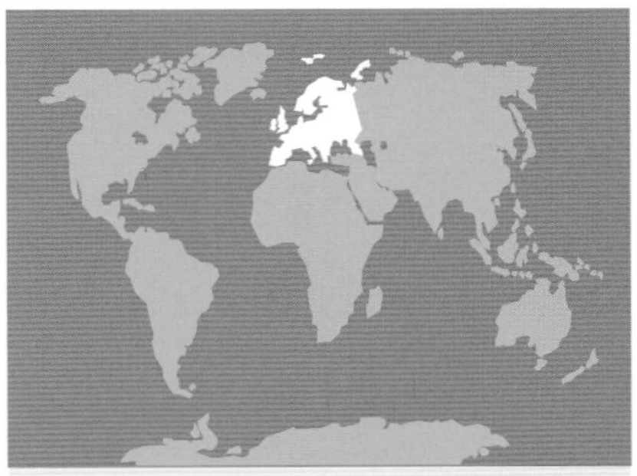

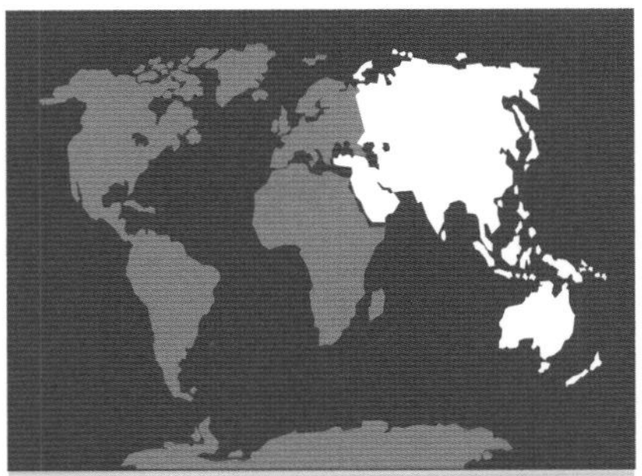

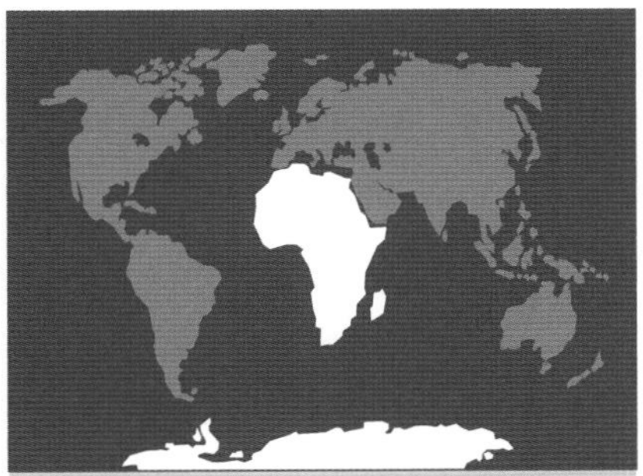

Amérique

Europe

Autres continents

Autres continents

* Cartes générales

TERRE ET UNIVERS

A. LE SOLEIL ET LES SAISONS

A1. Les positions de la terre lors de la succession des saisons

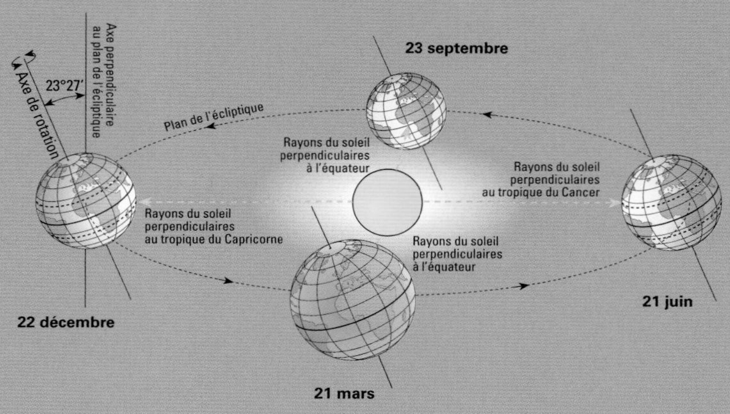

L'axe de rotation de la terre fait un angle de 23°27' avec la perpendiculaire au plan de révolution de la terre autour du soleil, dénommé écliptique. Le 21 juin, les rayons du soleil sont à la verticale (zénith) du tropique du Cancer ; c'est alors le début de l'été chez nous. Inversement, le 22 décembre, les rayons solaires sont au zénith du tropique du Capricorne ; c'est alors le début de l'hiver chez nous. Les saisons sont inversées dans les 2 hémisphères.

A2. Mouvement apparent du soleil au-dessus de l'horizon

A2a. Sous nos latitudes (51° Nord)

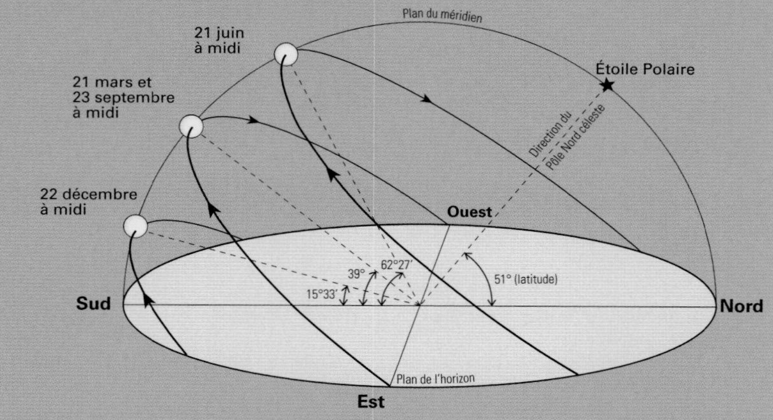

Le 21 juin, le soleil est vu partout dans l'hémisphère Nord à sa hauteur maximale sur l'horizon et il se situe alors au zénith du tropique du Cancer ; ce moment de l'année se nomme le solstice d'été. Inversement, le 22 décembre, le soleil est vu partout dans l'hémisphère Sud à sa hauteur maximale sur l'horizon et il se situe alors au zénith du tropique du Capricorne ; ce moment de l'année se nomme le solstice d'hiver.

A2b. Au pôle Nord

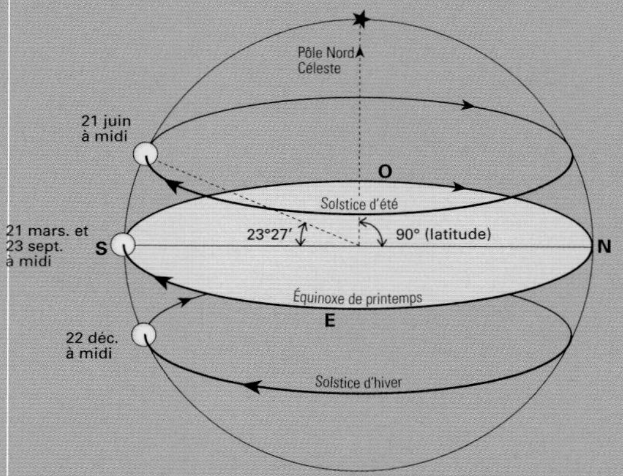

A2c. Au tropique du Cancer

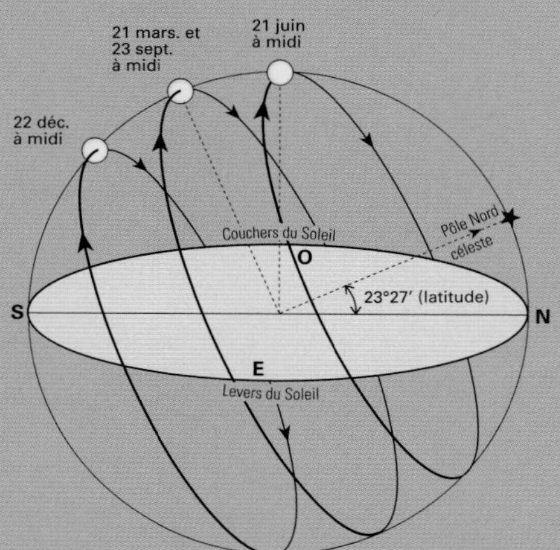

A2d. À l'Équateur

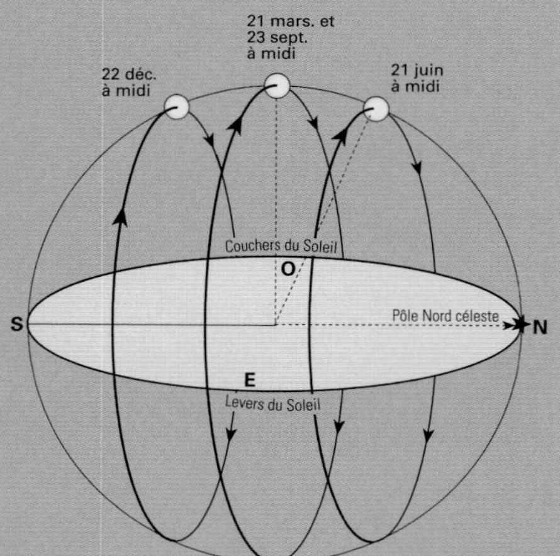

B. LE SYSTÈME SOLAIRE

B1. Disposition schématique des trajectoires des planètes

Dans ce schéma, les distances, les tailles, l'excentricité et l'inclinaison des orbites ne sont pas respectées.

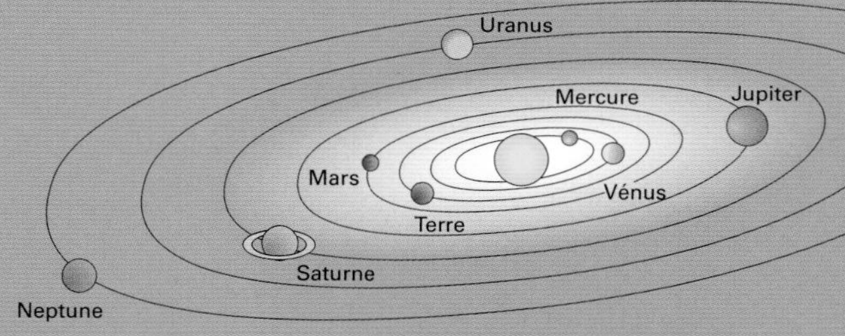

B2. Informations relatives aux planètes

	Révolution	Rotation	Satellites	Diamètre	Distance du Soleil (en U.A.)*
Mercure	88 j	59 j	0	4 900	0,4
Vénus	225 j	243 j	0	12 100	0,7
Terre	365 j	24 h56	1	12 800	1
Mars	687 j	24 h37	2	6 800	1,5
Jupiter	12 années	9 h50	15	143 000	5,2
Saturne	30 années	10 h15	18	120 500	9,5
Uranus	84 années	17 h	21	51 100	19
Neptune	165 années	16 h	8	49 500	30

* U.A = Unité Astronomique ou distance de la terre au soleil (149 600 000 km)

B3. La taille relative des planètes et du Soleil

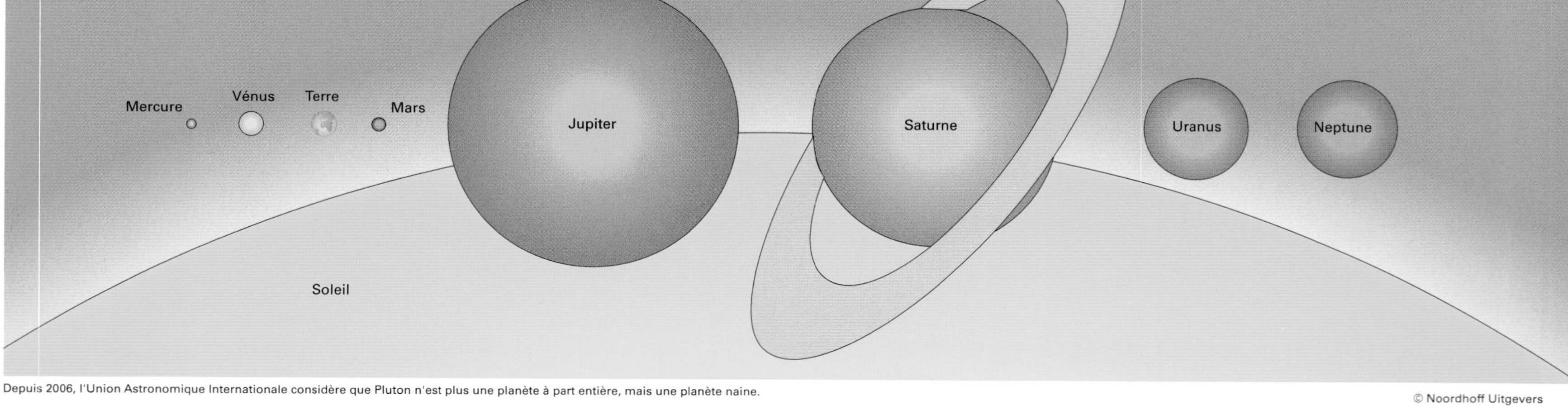

C. LA LUNE

C1. Les phases de la Lune

Dernier Quartier

déclinant

Pleine Lune

Premier Quartier

croissant

Nouvelle Lune

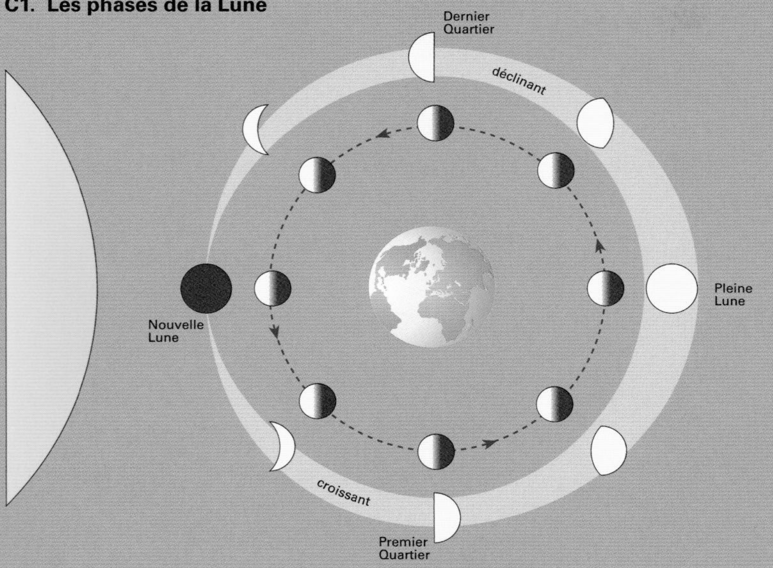

C2. Forme de l'orbite lunaire

Périgée

Apogée

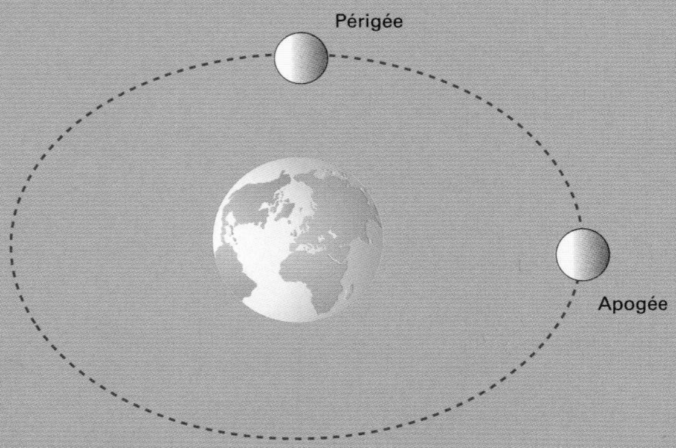

Vue de haut

L'orbite de la Lune n'est pas circulaire mais ellipsoïdale. Le point où la Lune se trouve la plus proche de la Terre se nomme Perigée et le point où elle en est la plus distance se nomme Apogée.

C3. Plan de l'orbite lunaire

Orbite terrestre

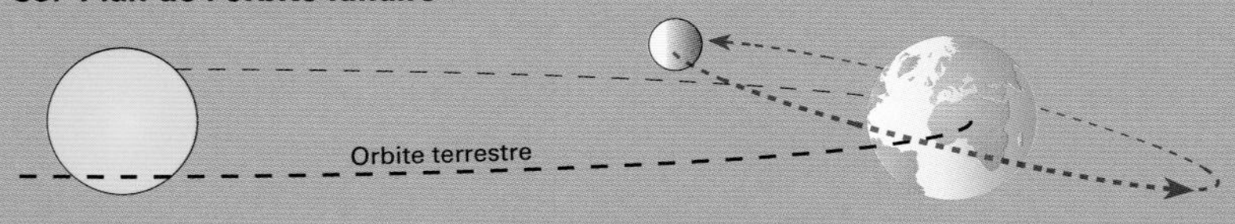

Vue transversale oblique

L'orbite terrestre et l'orbite lunaire ne se situent pas dans un même plan, mais font un angle de l'ordre de 5°.

D. LES ÉCLIPSES

D1. Le principe d'une éclipse lunaire

Cône d'ombre   Lune

Terre

Soleil

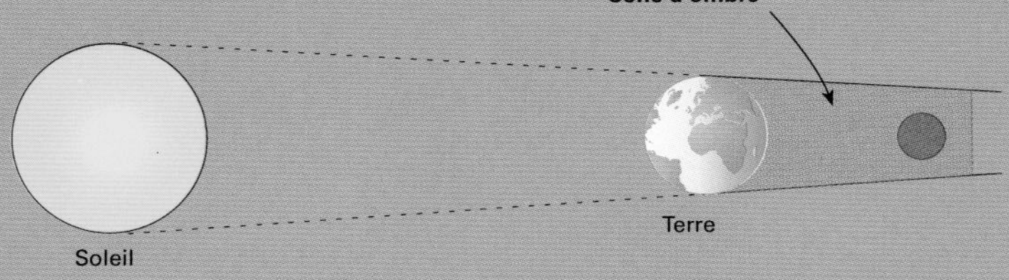

Vue transversale

D2. Le principe d'une éclipse solaire

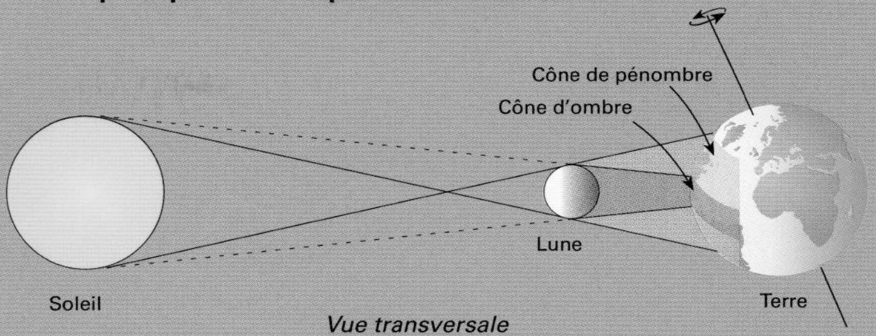

Cône de pénombre

Cône d'ombre

Lune

Terre

Soleil

Vue transversale

Soleil   Lune

1   2   3   4   5

Vue du Soleil et de la Lune depuis la Terre

D3. Formes particulières d'éclipses solaires
D3a. Éclipse de soleil annulaire

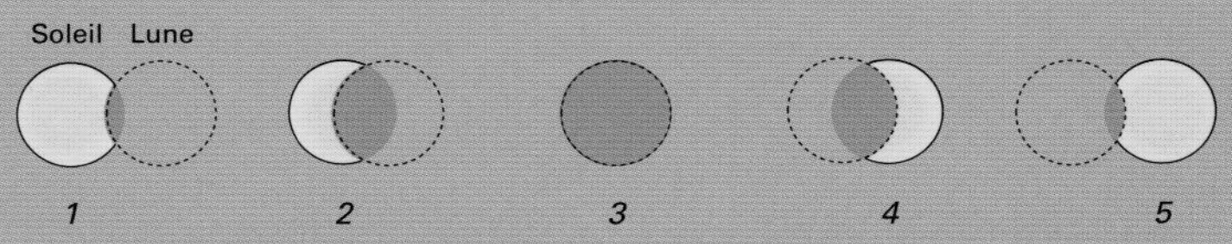

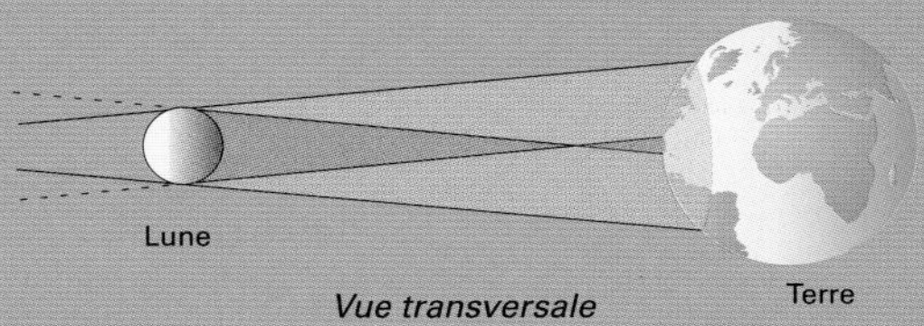

Lune   Terre

Vue transversale

1   2   3   4   5

Vue du Soleil et de la Lune depuis la Terre

D3b. Éclipse partielle du Soleil

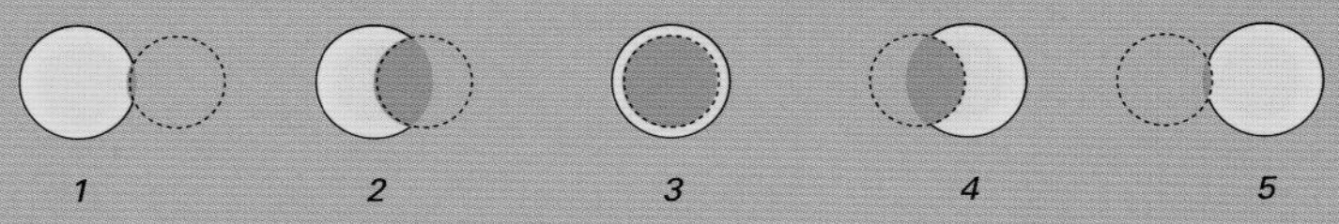

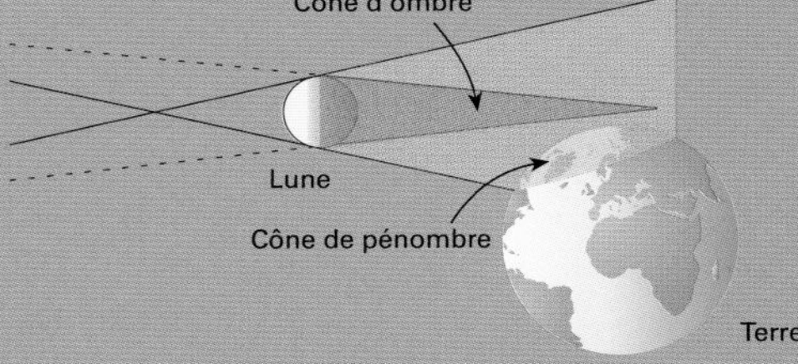

Cône d'ombre

Lune

Cône de pénombre

Terre

Vue transversale

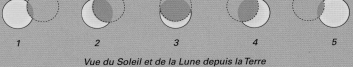

1   2   3   4   5

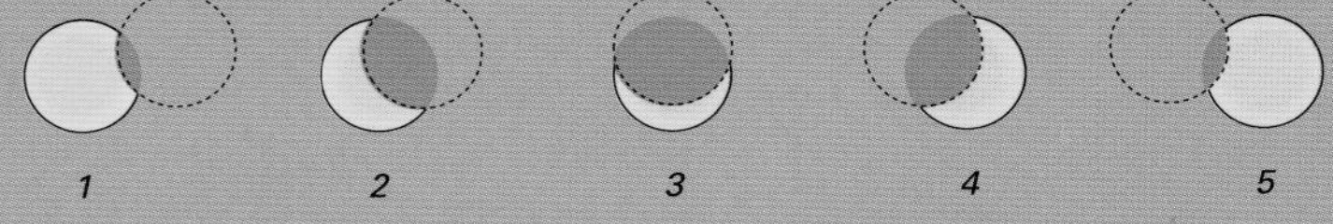

Vue du Soleil et de la Lune depuis la Terre

PROJECTIONS CARTOGRAPHIQUES

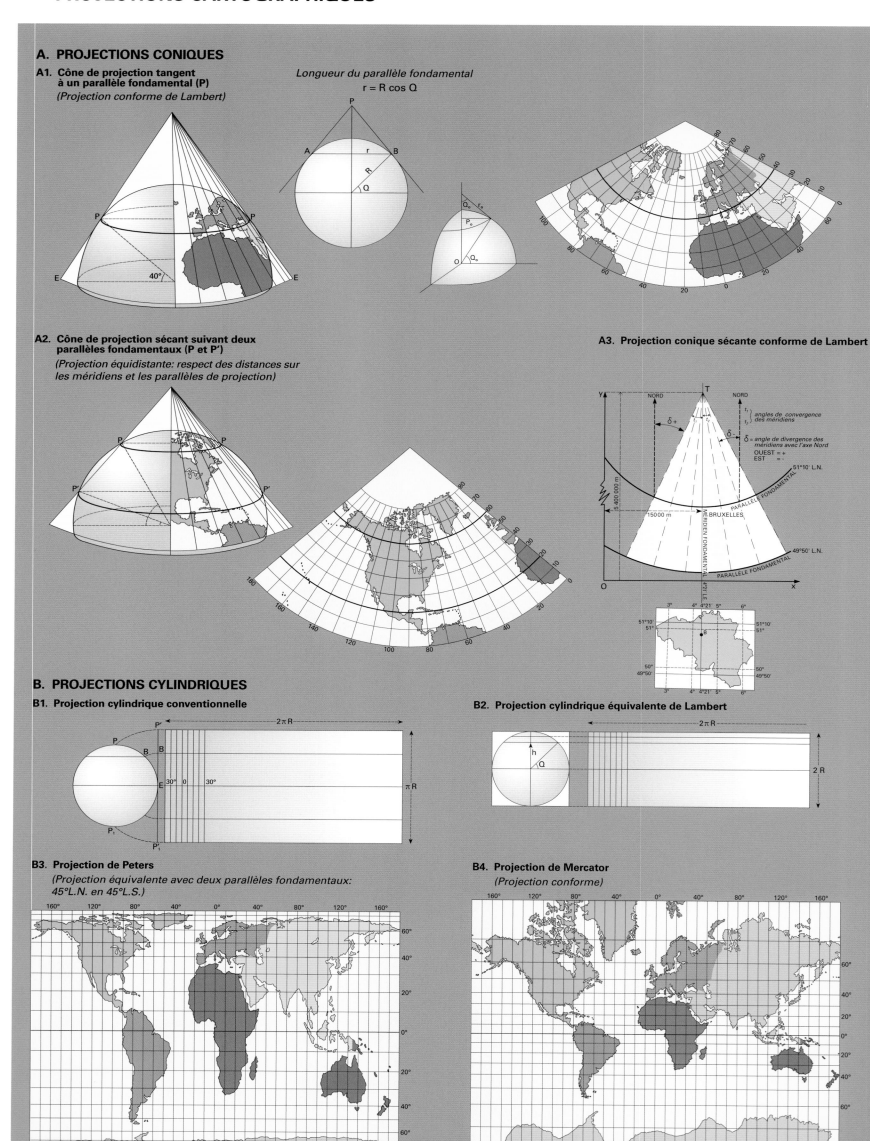

A. PROJECTIONS CONIQUES

A1. Cône de projection tangent à un parallèle fondamental (P)

(Projection conforme de Lambert)

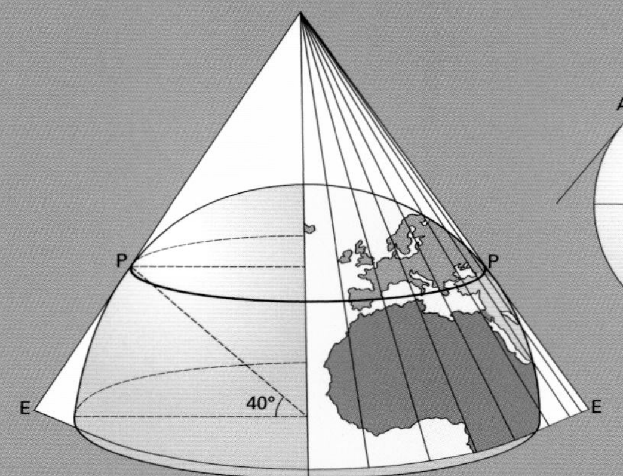

Longueur du parallèle fondamental

r = R cos Q

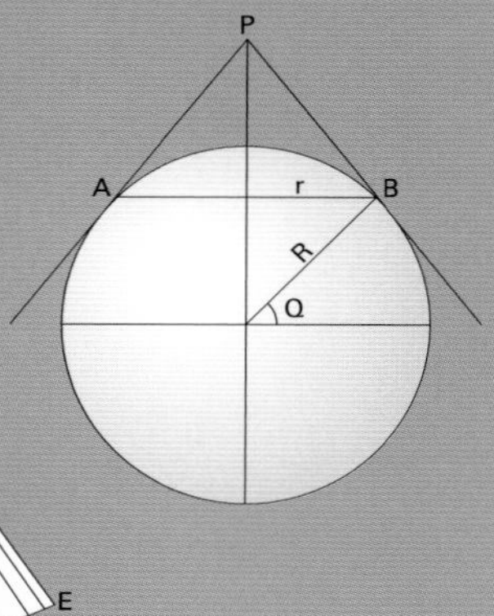

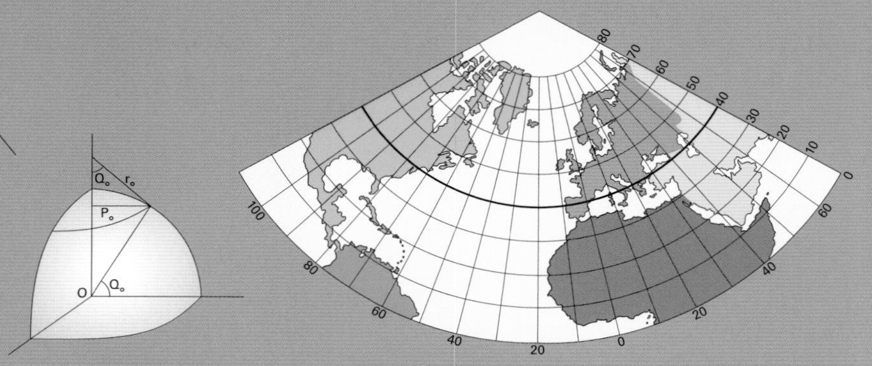

A2. Cône de projection sécant suivant deux parallèles fondamentaux (P et P')

(Projection équidistante: respect des distances sur les méridiens et les parallèles de projection)

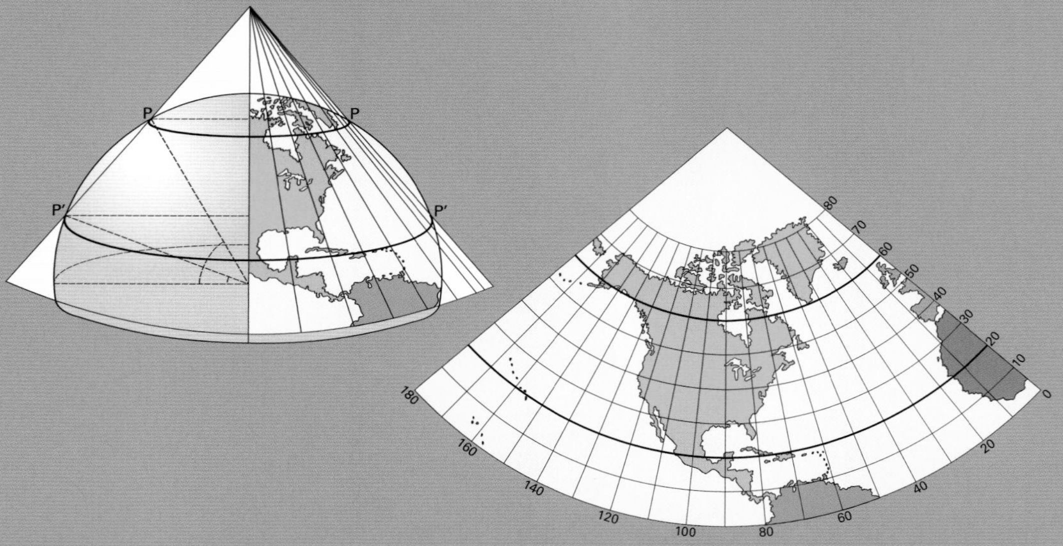

A3. Projection conique sécante conforme de Lambert

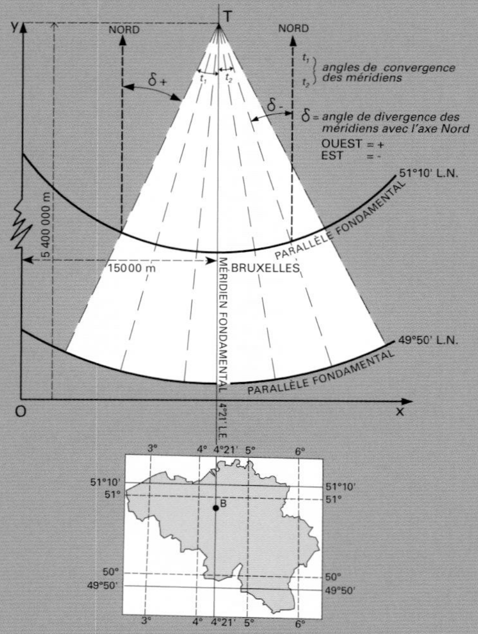

B. PROJECTIONS CYLINDRIQUES

B1. Projection cylindrique conventionnelle

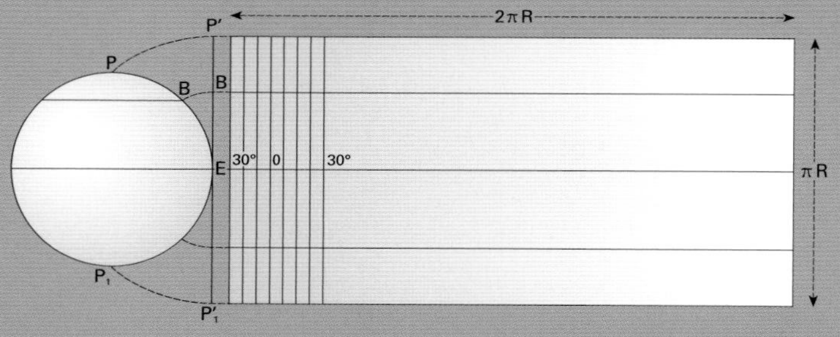

B2. Projection cylindrique équivalente de Lambert

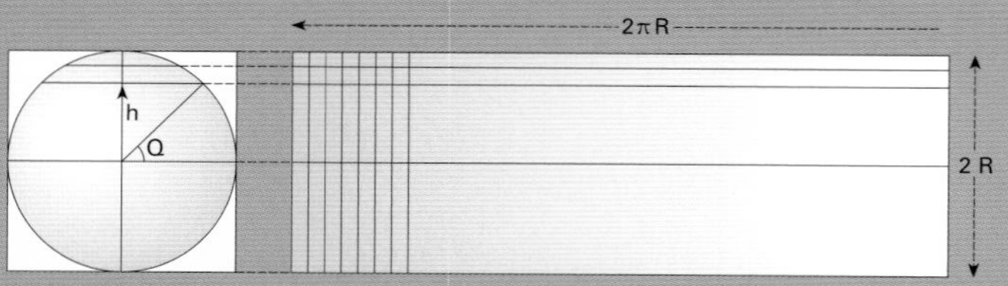

B3. Projection de Peters

(Projection équivalente avec deux parallèles fondamentaux: 45°L.N. en 45°L.S.)

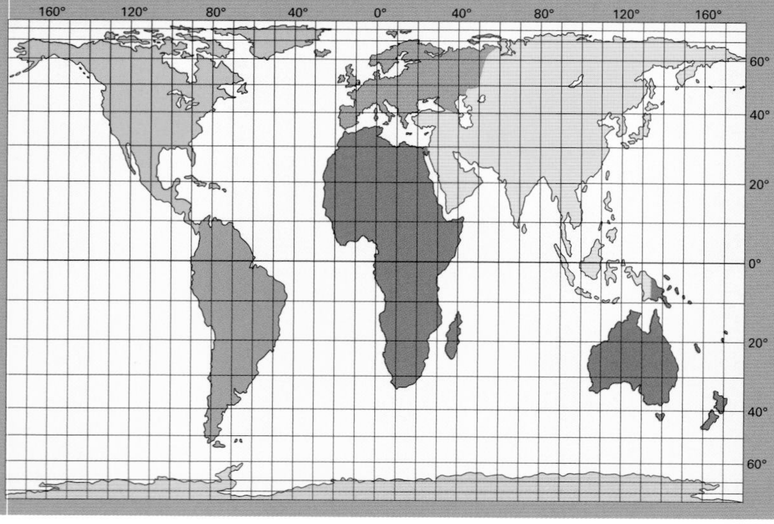

B4. Projection de Mercator

(Projection conforme)

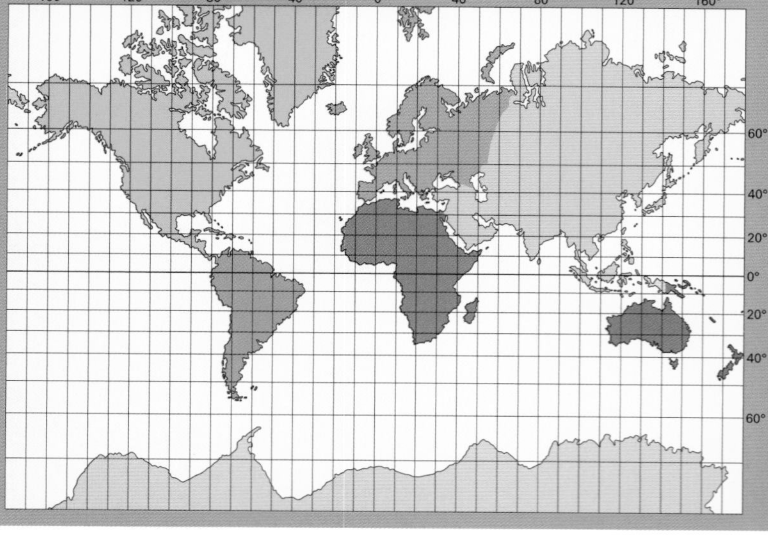

C. PROJECTIONS AZIMUTALES

C1. Projection orthographique polaire

(Point de vue à l'infini)

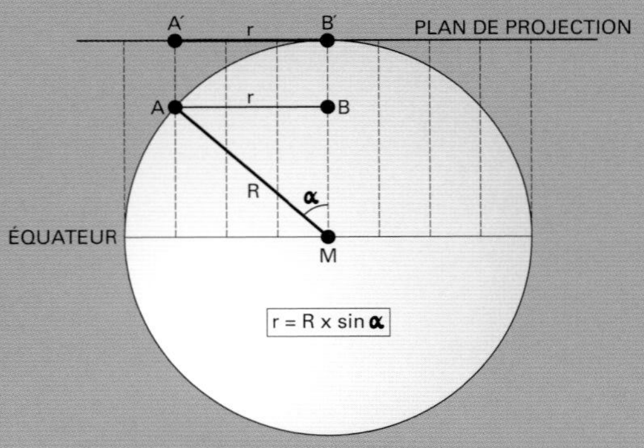

$r = R \times \sin\alpha$

α = complément de latitude

L'image de la carte

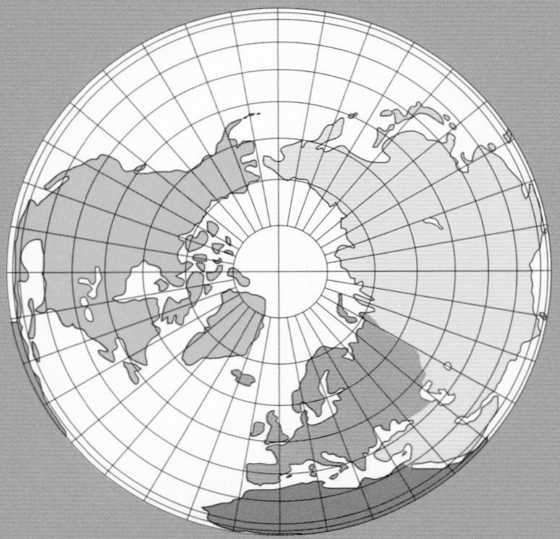

C2. Projection gnomonique ou équatoriale centrale

(Point de vue au centre du globe)

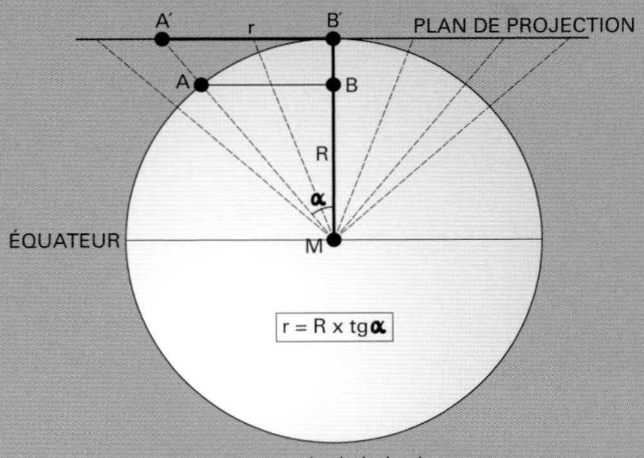

$r = R \times tg\alpha$

α = angle de latitude

L'image de la carte

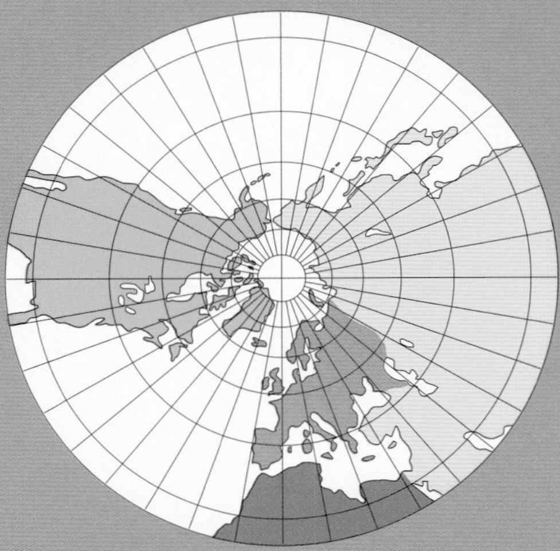

C3. Projection stéréographique équatoriale

(Point de vue à l'antipode du point de contact du plan de projection)

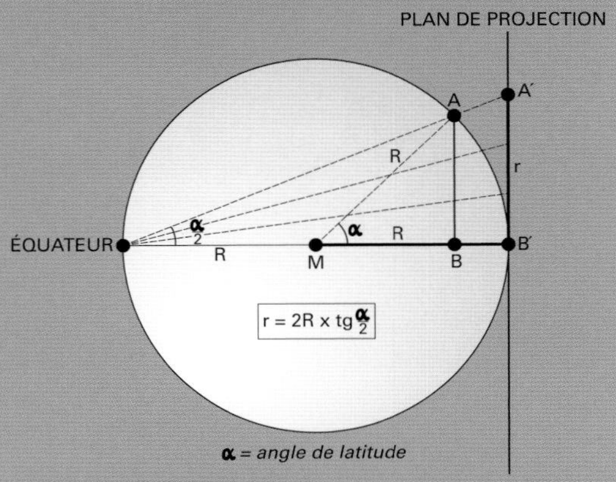

$r = 2R \times tg\dfrac{\alpha}{2}$

α = angle de latitude

L'image de la carte

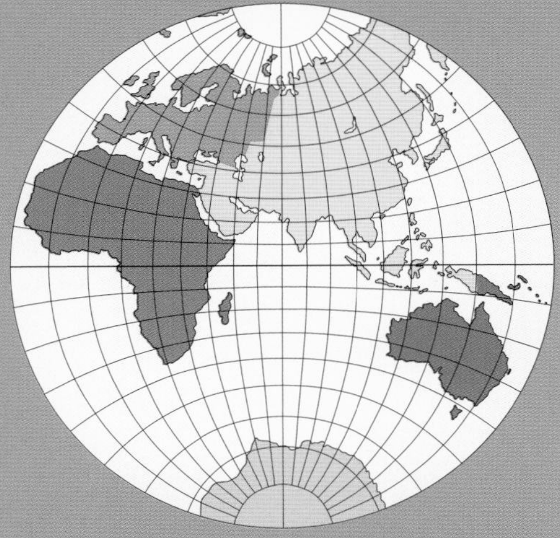

D. CANEVAS CONVENTIONNELS

D1. Projection de Mollweide - Babinet

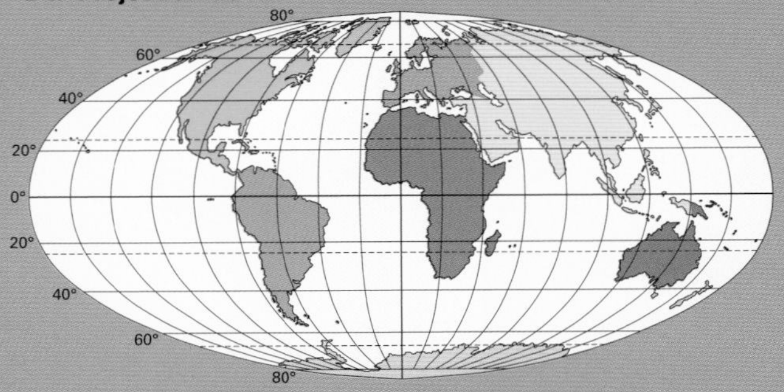

D2. Projection de Sanson - Flamsteed

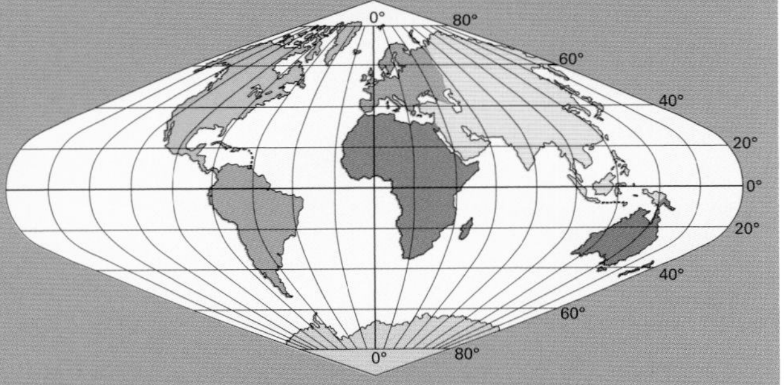

D3. Projection équivalente discontinue de Goode

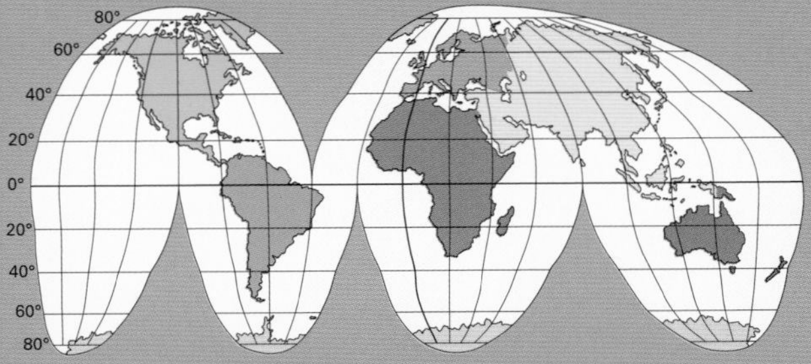

D4. Projection équivalente tétraédrique de Gregory

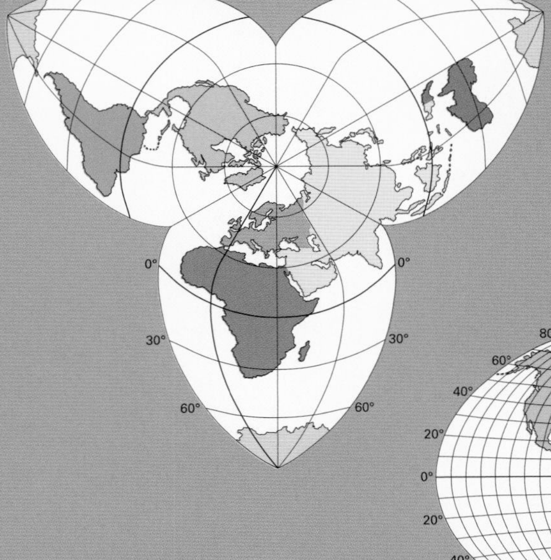

D5. Projection homalographique discontinue de Mollweide

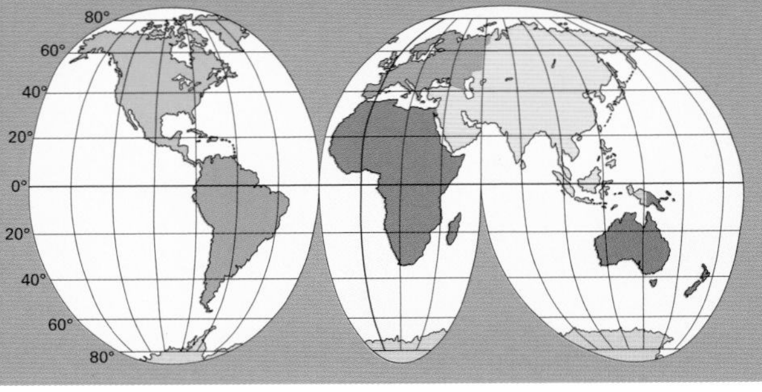

D6. Projection de Winkel

Les planisphères thématiques de cet atlas sont réalisés selon cette projection.

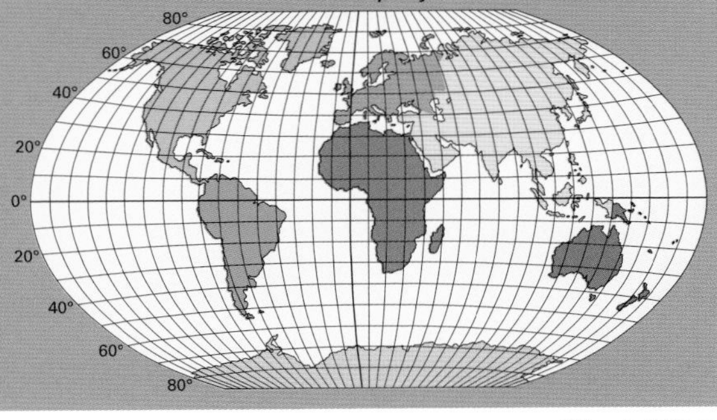

LE MONDE

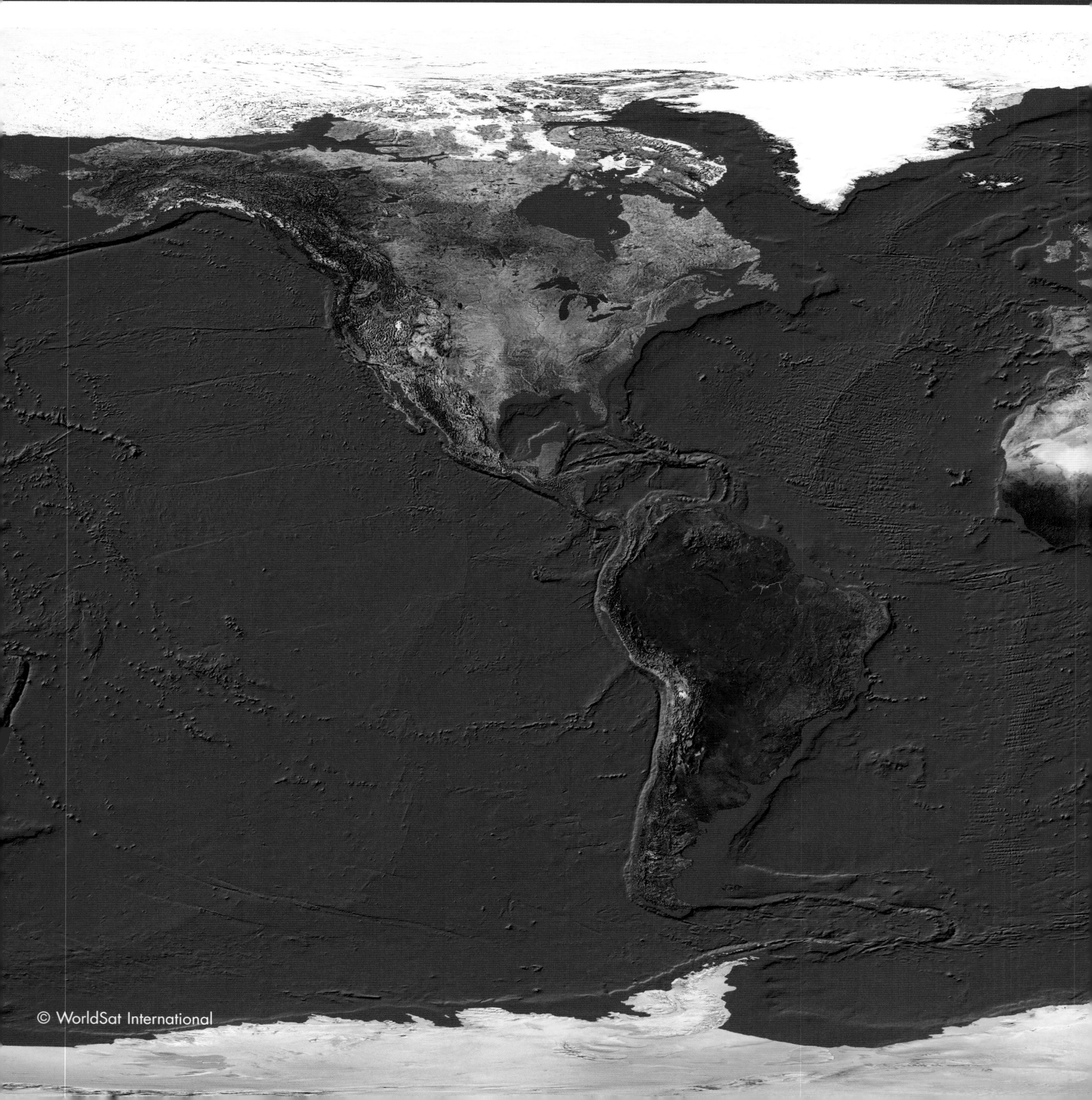

Les océans dominent la superficie de la planète Terre. Les grands blocs de forêts équatoriales et sibériennes contrastent avec les zones désertiques, du Sahara jusqu'en Asie Centrale, ainsi qu'en Australie.

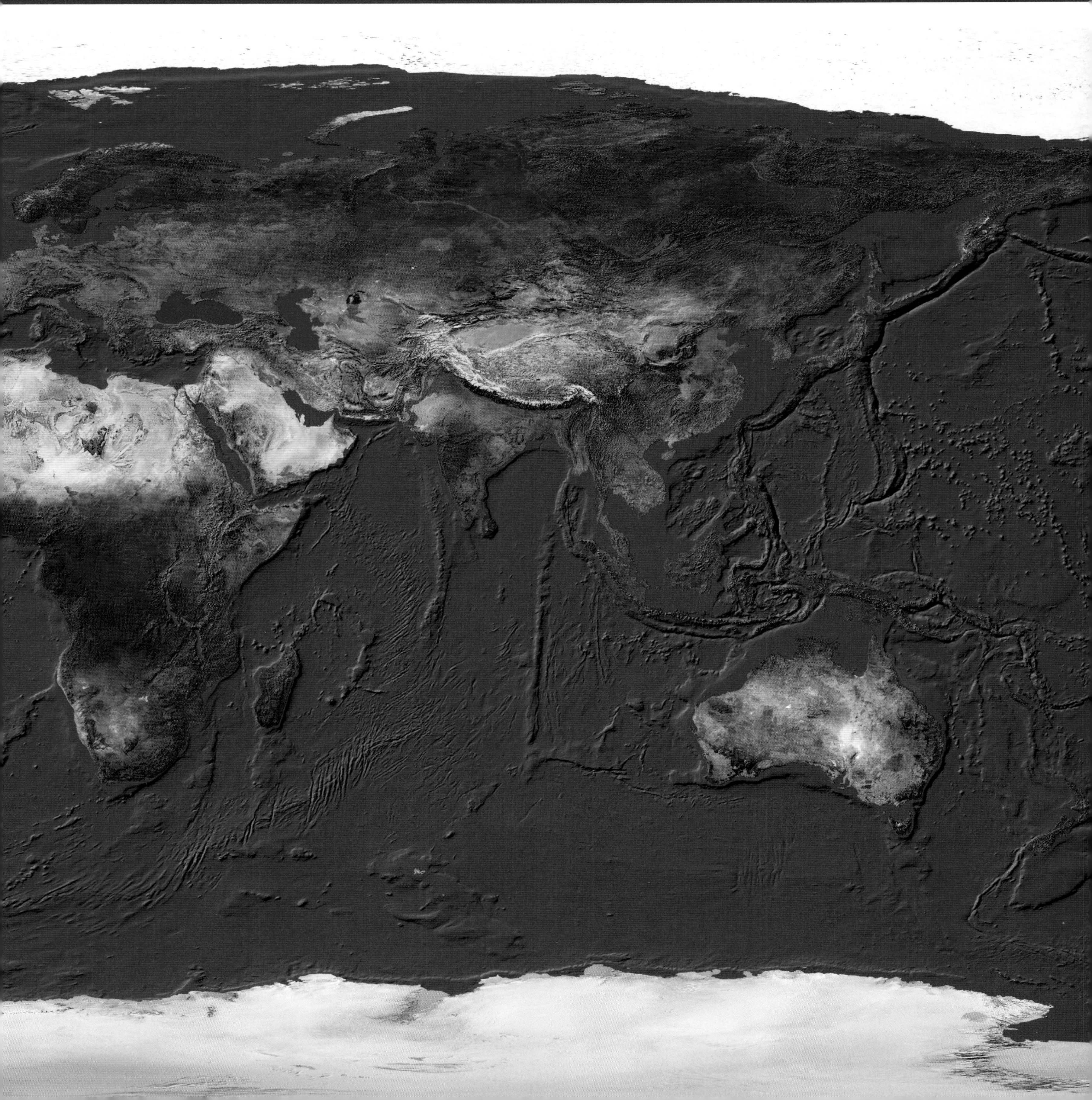

LE MONDE PHYSIQUE

-8000 -6000 -4000 -2000 -200 0 200 500 1000 2000 3000 4000 5000 m

au-dessous du niveau de la mer

Cercle Polaire Arctique
Mer des Tchouktches
Mer de Beaufort
Bassin Canadien
Dt de McClure
Îles de la Reine-Élisabeth
Mer de Lincoln
Océan
Dt de Béring
Golfe d'Anadyr
Île St-Laurent
Alaska
Banks
Melville
Dt de Melville
Ellesmere
Passage Kennedy
Mer du Groenland
Chaîne d'Alaska
Anchorage
Mt Logan 5959
6194
Yukon
Mackenzie
Victoria
Golfe d'Amundsen
Nuvik
Qaanaaq
Groenland
Spitzberg
Baie de Bristol
Kodiak
Golfe d'Alaska
Grand Lac de l'Ours
Grand Lac des Esclaves
Somerset
Dt de Lancaster
Devon
Golfe de Boothia
Baie de Baffin
Jan Mayen
Fosse des Aléoutiennes
Archipel Alexandre
Île de la Reine-Charlotte
Athabasca
Riv. de la Paix
Dt d'Hudson
Dt de Davis
Nuuk
Dt du Danemark
-3930
Bassin de Foxe
Bassin du Labrador
Hekla 1491
Islande
Norvégien
Bassin du Pacifique Nord-Oriental
Vancouver
Seattle
Fraser
Columbia
Calgary
Edmonton
Saskatchewan
Lac Athabasca
Churchill
Churchill
Baie d'Hudson
Mer du Labrador
Bassin du Labrador
Dorsale de Reykjanes
Îles Féroé
Îles Shetland
Massif Scandinave
Amérique du Nord
Missouri
Lac Winnipeg
Winnipeg
Nelson
Terre-Neuve
-4459
Grande Bretagne
Stockholm
Lac Vätter
Escarpement de Mendocino
San Francisco
Sacramento
Snake River
Grand Lac salé
Minneapolis
Lac Michigan
Lac Supérieur
Lac Huron
Québec
Montréal
Saint-Laurent
Irlande
Mer du Nord
Amsterdam
Londres
Berlin
Varsovie
Europe
Grand Bassin
Mt Elbert 4401
Denver
Platte River
Chicago
Lac Érié
Lac Ontario
Toronto
Bassin de l'Europe Occidentale
Golfe de Gascogne
Manche
Bruxelles
Paris
Elbe
Vistule
Vienne
Carpates
Mt Whitney 4420
Colorado
Arkansas
Red River
St. Louis
Ohio
Mississippi
New York
Washington
Boston
5858
Loire
Mt Blanc 4808
Alpes
Apennins
Danube
Balkans
Los Angeles
Dallas
Tennessee
Mt Mitchell 2038
Appalaches
Bassin d'Amérique
Açores
Lisbonne
Tage
Plateau de Madrid
Castille
Baléares
Rome
Sicile
Istanbul
Athènes
Escarpement de Murray
Rio Grande
La Nouvelle-Orléans
Bermudes
Dt de Gibraltar
Alger
Tunis
Crète
Mer Méditerranée
Tropique du Cancer
Monterrey
Golfe du Mexique
Miami
Floride
du Nord
Madère
Casablanca
Toubkal 4165
Ht Plateau du Mexique
Golfe de Campeche
Dt du Yucatán
Cuba
Dt de Floride
Îles Bahamas
-6995
Océan
Îles Canaries
Massif du Hoggar
Tibesti
Îles Revillagigedo
Mexico 5850
Orizaba
Yucatán
Grandes Antilles
Haïti
Fosse de Porto-Rico -9219
Sahara
Fosse de Cayman -7680
Amérique Centrale
Mer des Antilles
Petites Antilles
Bassin du
Sahel
Lac Tchad
Ndjamena
-6662
Curaçao
Caracas
Trinité
Bassin des Guyanes
Îles du Cap Vert
-7292
Dakar
Sénégal
Niger
Guinée
Afrique
Zone fracturée de Clipperton
Clipperton
Panama
Isthme de Panama
Orénoque
Cap Vert
Lagos
Abidjan
Mt Cameroun 4100
Volta
Benue
Océan
Pacifique
Seuil des Galápagos
Bogota
Magdalena
Massif des Guyanes
Paramaribo
Seuil du Para
-6040
Golfe de Guinée
Bassin de Guinée
Guinée
São Tomé
Bassin du Congo
Équateur
Îles Galápagos
Quito
Chimborazo 6310
Japurá
Manaus
Amazone
Belém
Congo
Kinshasa
4507 Virunga
Rio Negro
Branco
Bassin de l'Amazone
Madeira
Tapajós
Tocantins
Ascension
Kasai
Ubangi
Bassin du Congo
Lubumbashi
Ucayali
Plateau
São Francisco
Recife
Bassin du
Amérique
du
Sud
Lima
-6262
Lac Titicaca
La Paz
Illimani 6882
Mamoré
Brésil
Brasília
Atlantique
Sainte-Hélène
-6013
d'Angola
Cunene
Zambèze
Lac Titicaca
Cordillère des Andes
Paraguay
Rio Grande
Crête de Nazca
Fosse du Pérou
Bassin du Pérou
-5470
Paraná
Paraná
Mato Grosso
Rio de Janeiro
São Paulo
-6005
Crête de Walvis
Walvis Bay
Désert de Namib
Johannesburg
Tropique du Capricorne
Sala-y-Gómez
Île de Pâques
Pilcomayo
Asunción
Iguaçu
Uruguay
Porto Alegre
Seuil du Rio Grande
Orange
Kalahari
Vaal
-8064
Désert d'Atacama
Paraná
Le Cap
Bassin du Cap
Bassin des Aiguilles
Dorsale de Juan Fernández
Aconcagua 6959
Valparaíso
Îles Juan-Fernández
Colorado
Buenos Aires
Rio de la Plata
Bassin Argentin
Tristan da Cunha
Bassin du Chili
Puerto Montt
Rio Negro
Patagonie
Deseado
-6212
Crête Indien-Atlantique
Dorsale du Pacifique Méridional
Îles Falkland
Dt de Magellan
Georgie du Sud
Fosse des Îles Sandwich
Bouvet
Punta Arenas
Terre de Feu
Bassin des Antilles du Sud
Îles Sandwich du Sud
Seuil du Pacifique Méridional
Bassin du Pacifique Austral
Bassin des Antilles du Sud
Îles Shetland du Sud
Îles Orcades du Sud
Bassin Indien-Atlantique
-5290
Tremblement de terre important (catastrophe)
Volcan en activité
Pacifique-
Antarctique
Cercle Polaire Antarctique
Îles Adélaïde
Mer de Weddell
66°33'

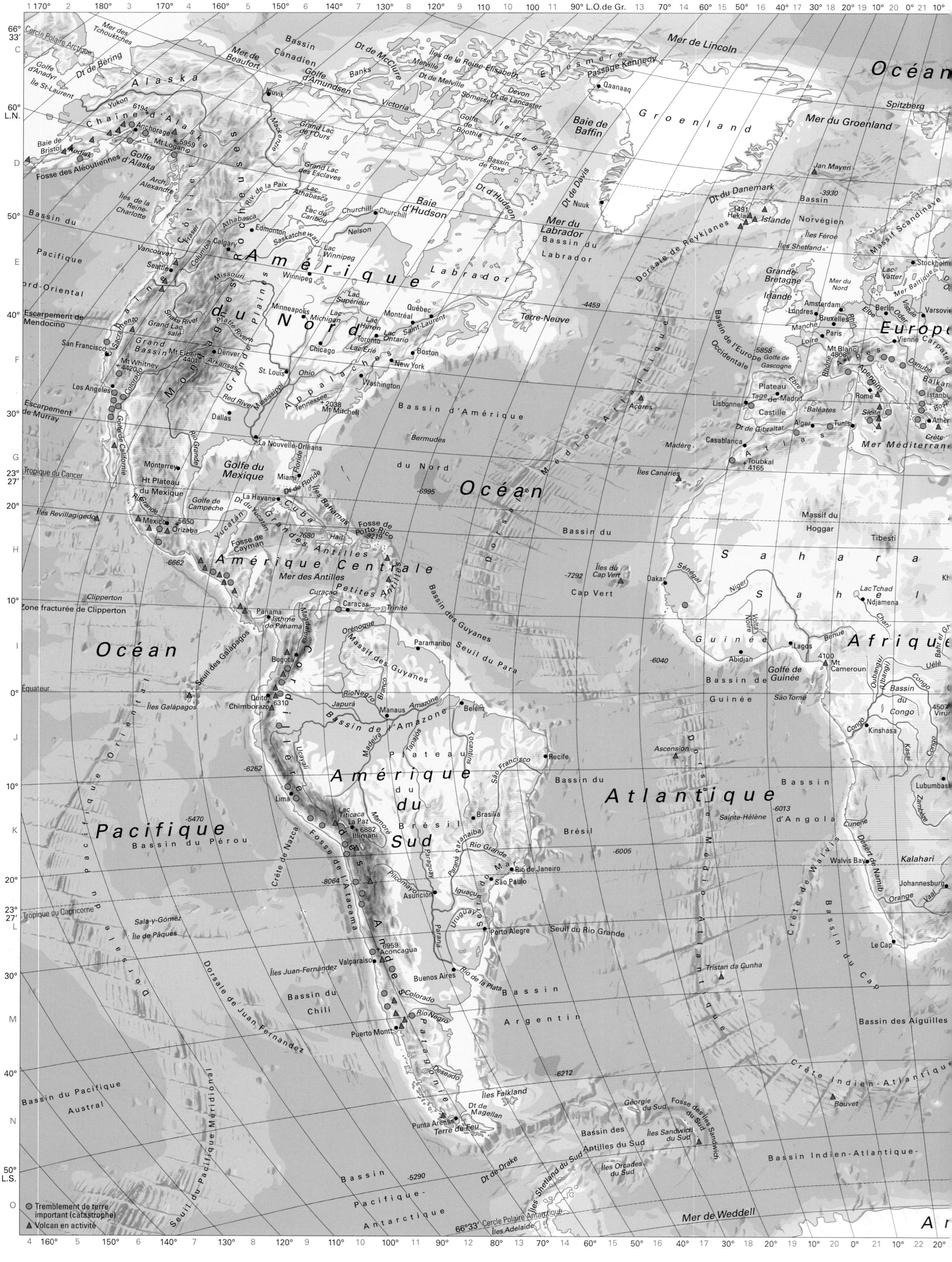

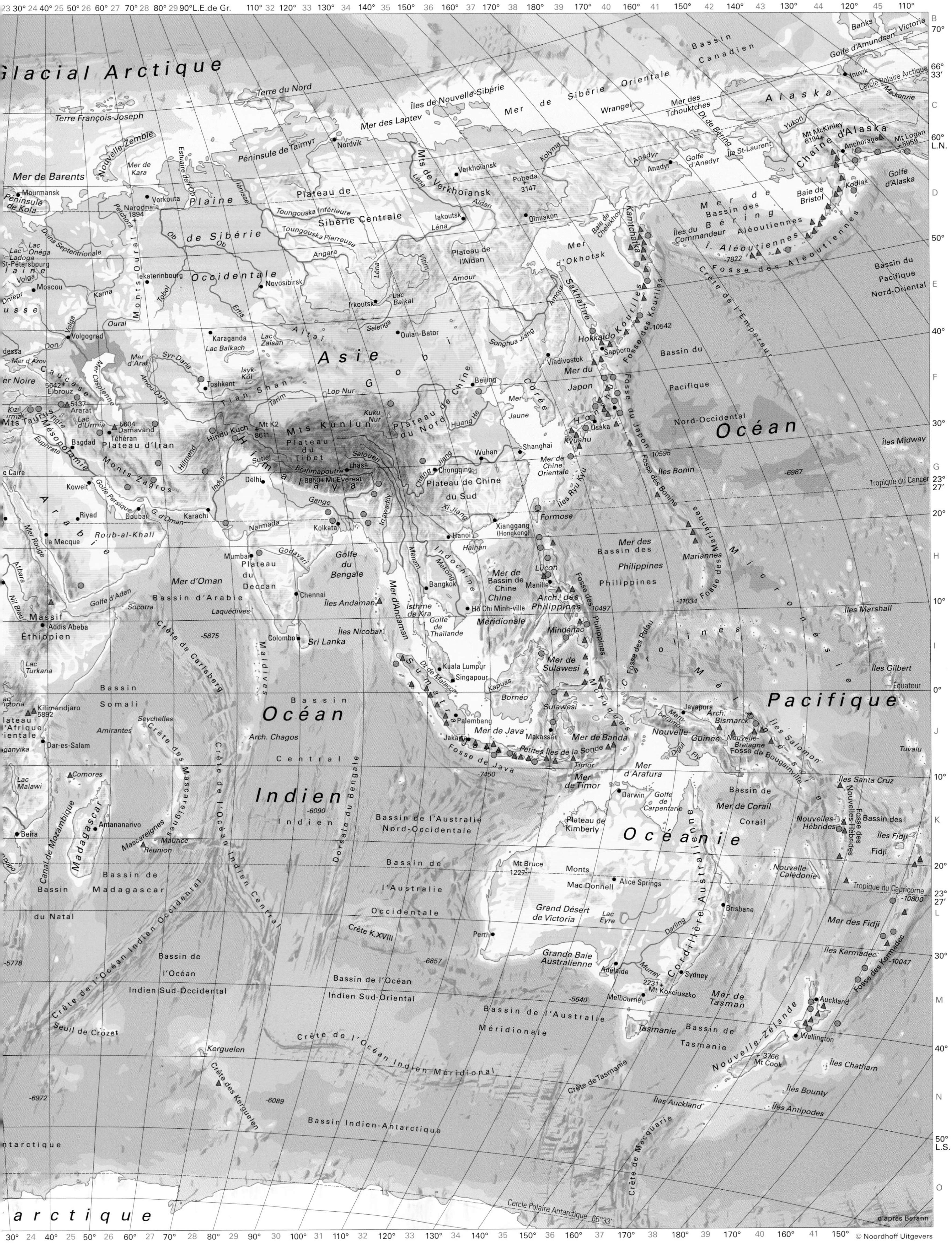
Échelle 1 : 60 000 000
0 500 1000 1500 2000 2500 3000 km
Glacial Arctique
Terre du Nord
Terre François-Joseph
Nouvelle-Zemble
Mer de Barents
Mer de Kara
Mourmansk
Péninsule de Kola
Péninsule de Taïmyr
Nordvik
Mer des Laptev
Îles de Nouvelle-Sibérie
Mer de Sibérie Orientale
Wrangel
Mer des Tchouktches
Dt de Béring
Bassin Canadien
Alaska
Banks
Victoria
Golfe d'Amundsen
Inuvik
Cercle Polaire Arctique
Mackenzie
Yukon
Mt McKinley 6194
Chaîne d'Alaska
Anchorage
Mt Logan 5959
Golfe d'Alaska
Kodiak
Baie de Bristol
Île St-Laurent
Anadyr
Golfe d'Anadyr
Mer de Béring
Bassin des Aléoutiennes
Îles du Commandeur
Î. Aléoutiennes
-7822
Fosse des Aléoutiennes
Bassin du Pacifique Nord-Oriental
Crête de l'Empereur
Estuaire de l'Ob
Ienisseï
Vorkouta
Narodnaia 1894
Petchora
Plaine de Sibérie Occidentale
Ob
Monts Oural
Plateau de Sibérie Centrale
Toungouska Inférieure
Toungouska Pierreuse
Angara
Mts de Verkhoïansk
Verkhoïansk
Léna
Pobeda 3147
Kolyma
Aldan
Iakoutsk
Oïmiakon
Baie de Chelekhov
Kamtchatka
Mer d'Okhotsk
Plateau de l'Aldan
Vitim
Amour
Sakhaline
Kouriles
Fosse des Kouriles
-10542
Lac Onéga
Lac Ladoga
St-Pétersbourg
Dvina Septentrionale
Volga
Moscou
Dniepr
Kama
Iekaterinbourg
Tobol
Irtych
Novossibirsk
Irkoutsk
Lac Baïkal
Selenga
Oulan-Bator
Oural
Volgograd
Don
Karaganda
Lac Balkach
Lac Zaïsan
Altaï
Asie
Gobi
Songhua Jiang
Hokkaido
Sapporo
Vladivostok
Mer du Japon
Honshu
Osaka
Kyushu
Fosse du Japon
Bassin du Pacifique Nord-Occidental
Océan
Îles Midway
Mer d'Azov
Mer Noire
Caucase
5642 Elbrouz
Mer Caspienne
Mer d'Aral
Syr-Daria
Amou-Daria
Issyk-Köl
Toshkent
Tian Shan
Tarim
Lop Nur
Kuku Nur
Beijing
Corée
Mer Jaune
Huang He
Plateau du Nord de Chine
5137 Ararat
Lac d'Urmia
Mts Taurus
Tigre
Euphrate
Mésopotamie
Bagdad
5604 Damavand
Téhéran
Plateau d'Iran
Hindu Kuch
Mt K2 8611
Mts Kunlun
Plateau du Tibet
Himalaya
Salouen
Lhassa
Brahmapoutre
8850 Mt Everest
Sutlej
Delhi
Indus
Hilmend
Monts Zagros
Koweït
Golfe Persique
Riyad
Doubaï
G. d'Oman
Karachi
Arabie
Roub-al-Khali
Mer Rouge
La Mecque
Le Caire
Shanghai
Mer de Chine Orientale
Wuhan
Chang Jiang
Chongqing
Plateau de Chine du Sud
Xi Jiang
Îles Ryu Kyu
-10595
Îles Bonin
Fosse des Bonins
-6987
Tropique du Cancer
Formose
Xianggang (Hongkong)
Hanoï
Haïnan
Gange
Kolkata
Narmada
Irrawaddy
Mumbai
Plateau du Deccan
Godavari
Golfe du Bengale
Indochine
Ménam
Mékong
Mer de Chine Méridionale
Luçon
Manille
Mer des Philippines
Bassin des Philippines
Fosse des Philippines
-10497
Arch. des Philippines
Mariannes
Fosse des Mariannes
-11034
Micronésie
Mer d'Oman
Bassin d'Arabie
Golfe d'Aden
Socotra
Laquédives
Chennai
Îles Andaman
Mer d'Andaman
Bangkok
Isthme de Kra
Hô Chi Minh-ville
Golfe de Thaïlande
Mindanao
Îles Marshall
Atbara
Nil Bleu
Massif Éthiopien
Addis Abeba
-5875
Crête de Carlsberg
Colombo
Sri Lanka
Îles Nicobar
Maldives
Sumatra
Dt de Malacca
Kuala Lumpur
Singapour
Kapuas
Bornéo
Mer de Sulawesi
Sulawesi
Moluques
Fosse des Palau
Carolines
Îles Gilbert
Équateur
Lac Turkana
Bassin Somali
Kilimandjaro 5892
Lac Victoria
Plateau de l'Afrique Orientale
Seychelles
Amirantes
Dar-es-Salam
Bassin Océan Central Indien
Arch. Chagos
Palembang
Jakarta
Mer de Java
Fosse de Java
-7450
Makassar
Petites Îles de la Sonde
Timor
Mer de Banda
Mer de Timor
Mer d'Arafura
Jayapura
Arch. Bismarck
Nouvelle-Guinée
Nouvelle-Bretagne
Fosse de Bougainville
Digul
Fly
Îles Salomon
Pacifique
Tuvalu
Mélanésie
Lac Malawi
Comores
Madagascar
Canal de Mozambique
Antananarivo
Beira
Mascareignes
Maurice
Réunion
Crête des Mascareignes
Crête de l'Océan Indien Central
Indien
-6090
Dorsale du Bengale
Bassin de l'Australie Nord-Occidentale
Darwin
Golfe de Carpentarie
Plateau de Kimberly
Océanie
Cordillère Australienne
Bassin de la Mer de Corail
Îles Santa Cruz
Nouvelles-Hébrides
Fosse des Nouvelles-Hébrides
Bassin des Fidji
Îles Fidji
Fidji
Bassin de Madagascar
Bassin du Natal
Crête de l'Océan Indien Occidental
Bassin de l'Australie Occidentale
Mt Bruce 1227
Monts Mac Donnell
Alice Springs
Nouvelle-Calédonie
Tropique du Capricorne
-10800
Grand Désert de Victoria
Lac Eyre
Brisbane
Darling
Mer des Fidji
Crête K.XVIII
Perth
-5778
Bassin de l'Océan Indien Sud-Occidental
-6857
Grande Baie Australienne
Adélaïde
Murray
Sydney
2231 Mt Kosciuszko
Îles Kermadec
Fosse des Kermadec
-10047
Bassin de l'Océan Indien Sud-Oriental
-5640
Melbourne
Mer de Tasman
Auckland
Crête de l'Océan Indien Occidental
Seuil de Crozet
Bassin de l'Australie Méridionale
Tasmanie
Bassin de Tasmanie
Wellington
Nouvelle-Zélande
3766 Mt Cook
Îles Chatham
Crête de l'Océan Indien Méridional
Kerguelen
Crête des Kerguelen
Crête de Tasmanie
Îles Bounty
Îles Auckland
Îles Antipodes
-6972
-6089
Bassin Indien-Antarctique
Crête de Macquarie
Antarctique
Cercle Polaire Antarctique 66°33'
d'après Berann

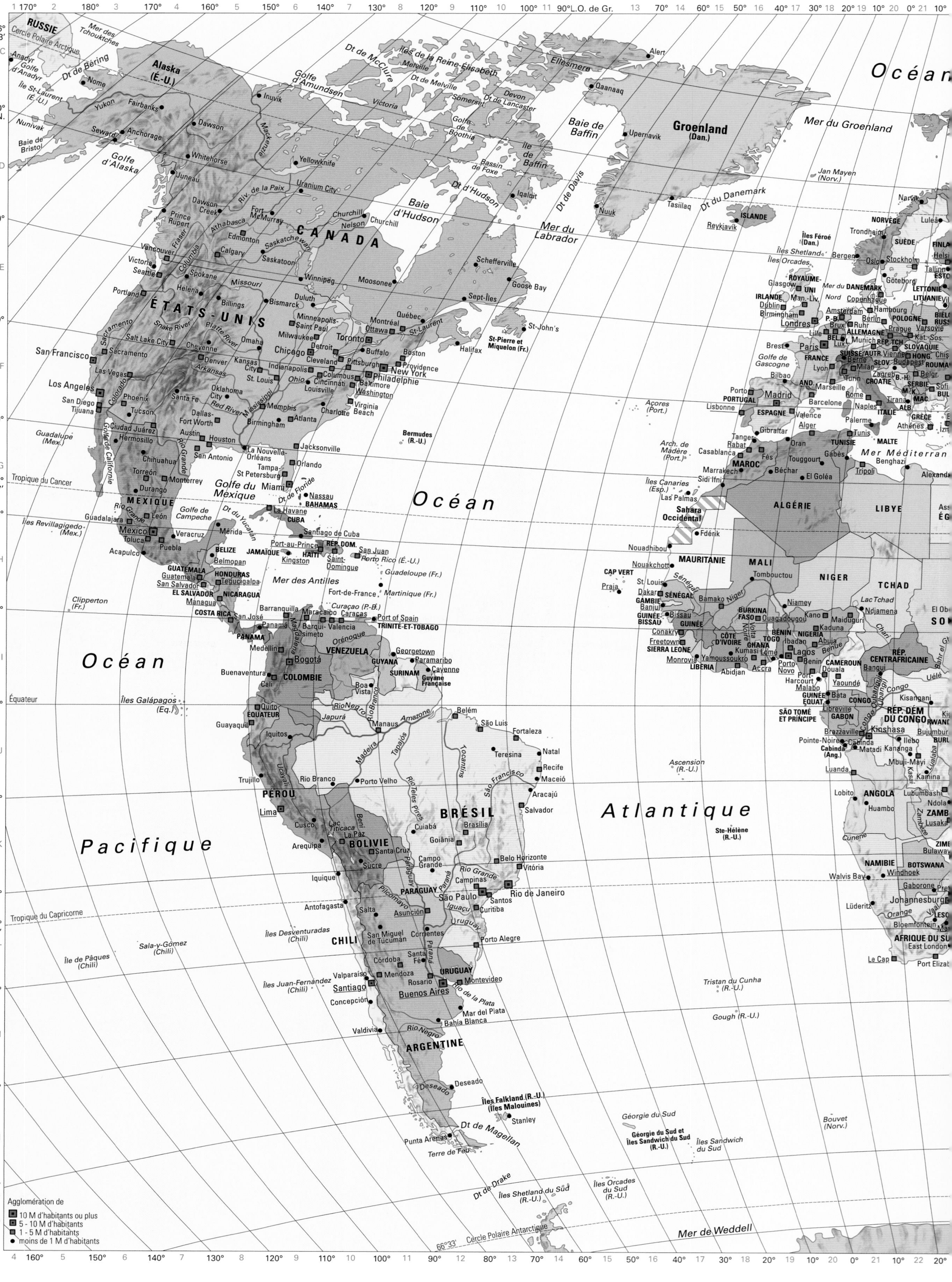

Agglomération de
- ■ 10 M d'habitants ou plus
- ▫ 5 - 10 M d'habitants
- ● 1 - 5 M d'habitants
- • moins de 1 M d'habitants

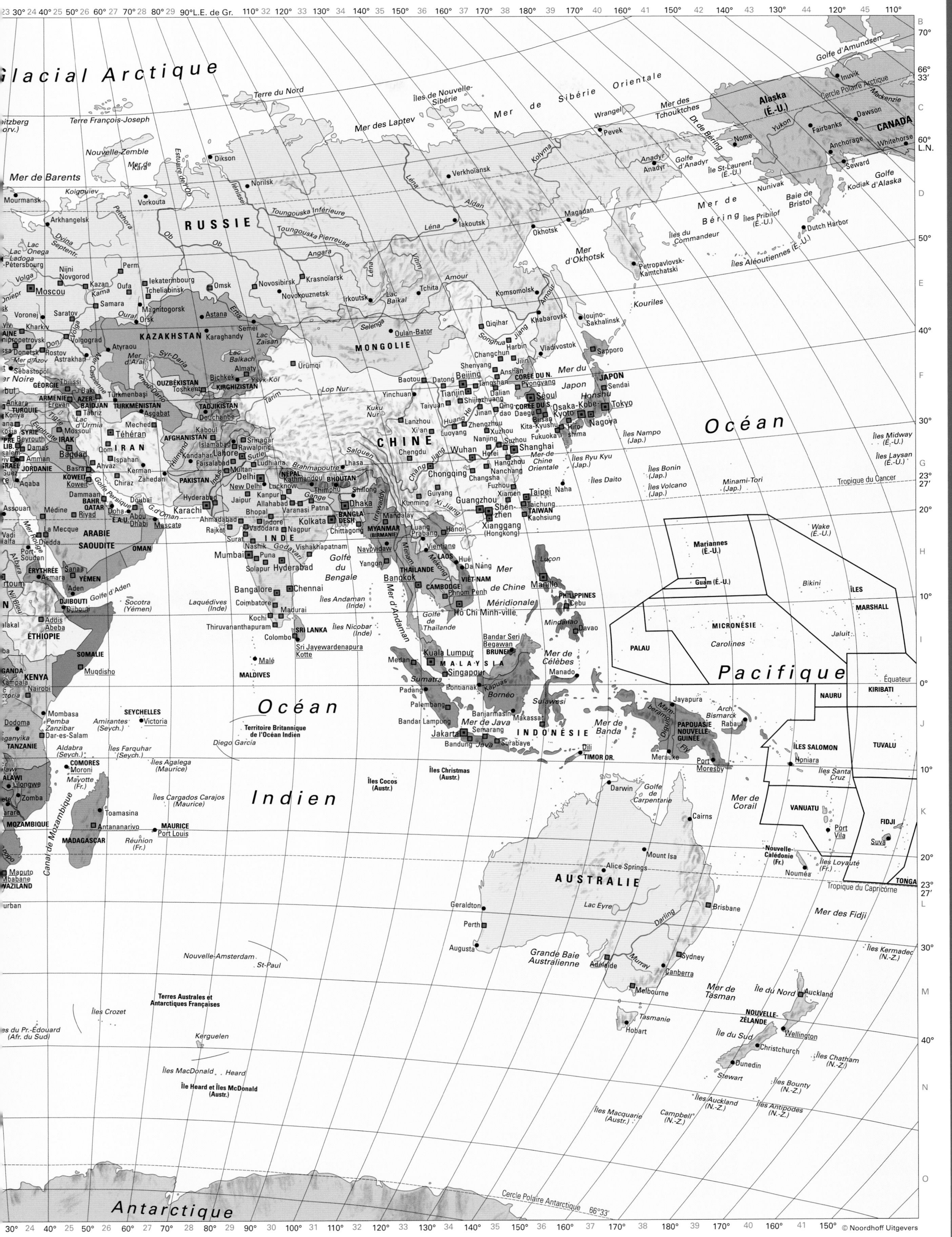

Échelle 1 : 60 000 000

0   500   1000   1500   2000   2500   3000 km

LE MONDE POPULATION

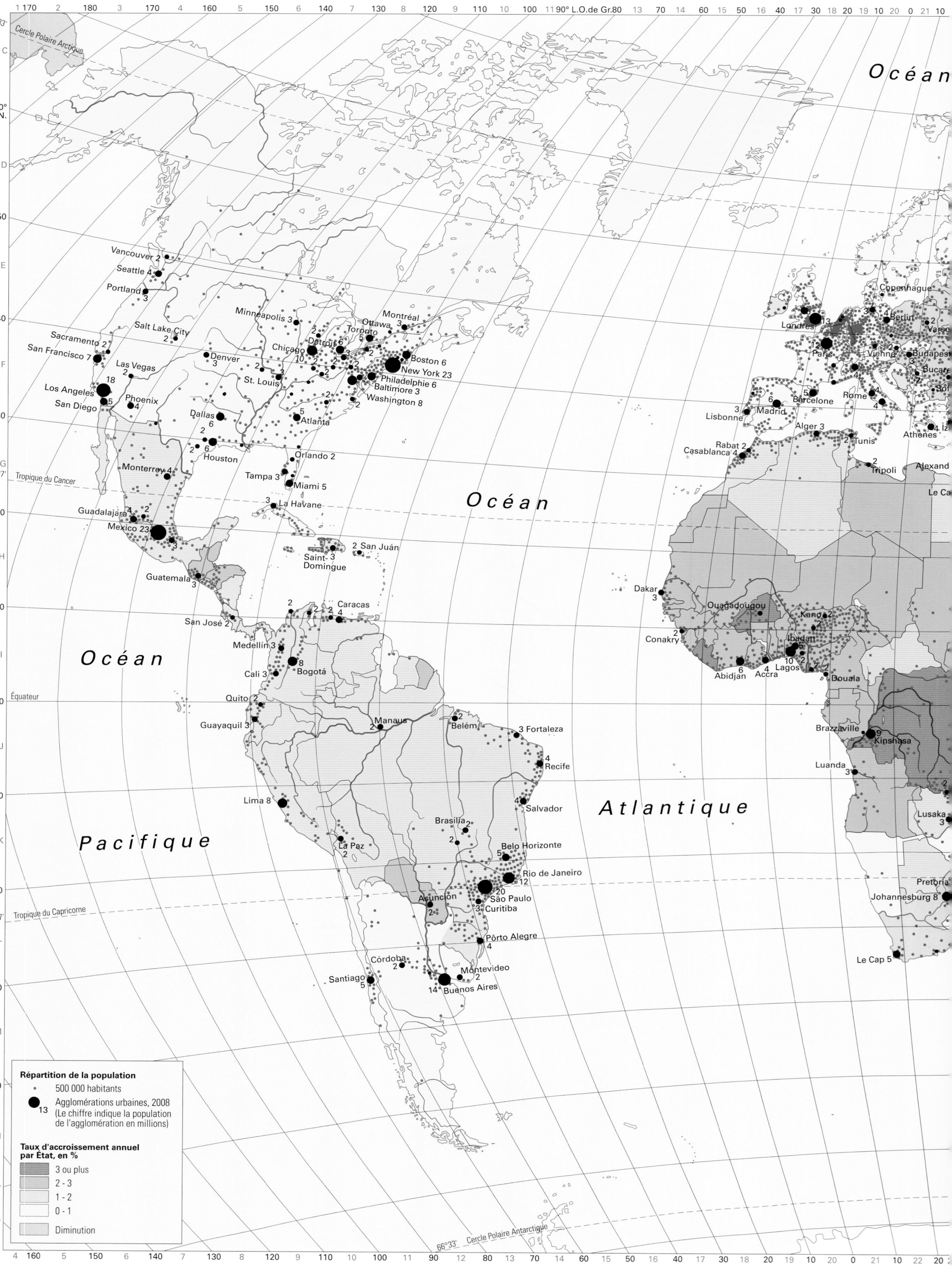

66°33'

C

Cercle Polaire Arctique

Océan

60° L.N.

D

E

Vancouver 2

Seattle 4

Portland 3

50

Copenhague

Minneapolis 3

Ottawa 3 Montréal 3

Londres 13 3 4 Berlin Vars

40

Salt Lake City 2

Toronto

Detroit 6

Chicago 10

Paris 2 Vienne Budapest

F

Sacramento 2

San Francisco 7

Denver 3

St. Louis

2 Boston 6

New York 23

Philadelphie 6

Baltimore 3

Washington 8

Rome

Barcelone

Madrid

Athènes

Las Vegas 2

Los Angeles 18

San Diego 5

Phoenix 4

Dallas 6

2

Atlanta 5

Lisbonne

Alger 3

Tunis

G

Monterrey 4

Houston 2 6

Orlando 2

Tampa 3

Miami 5

Rabat 2

Casablanca 2

Tripoli

Le Ca

23°27' Tropique du Cancer

Guadalajara 4 2

Mexico 23

3 La Havane

Océan

Dakar 3

Alexand

20

Guatemala 3

Saint- 3
Domingue

2 San Juán

Ouagadougou

Kano 2

H

San José 2

2

2

Caracas 4

2

Conakry 2

Ibadan 10 2

Abidjan 6 4 Lagos 2

Accra

Douala

10

Medellín 3

Brazzaville 9

Cali 3

8
Bogotá

Kinshasa

I

Océan

Quito 2

0 Équateur

Guayaquil 3

Manaus 2

Belém 2

3 Fortaleza

Luanda 3

J

4 Recife

Lima 8

4 Salvador

Atlantique

10

Pacifique

Brasília 2

Lusaka 3

K

La Paz 2

Belo Horizonte 5

Rio de Janeiro 12

20

Asunción 2

20
São Paulo

3 Curitiba

Pretoria

Johannesburg 8

23°27' Tropique du Capricorne

Pôrto Alegre 4

Córdoba 2

Montevideo 2

L

Le Cap 5

30

Santiago 5

14 Buenos Aires

M

40

Répartition de la population

· 500 000 habitants

● 13 Agglomérations urbaines, 2008
(Le chiffre indique la population
de l'agglomération en millions)

Taux d'accroissement annuel
par État, en %

	3 ou plus
	2 - 3
	1 - 2
	0 - 1
	Diminution

50° L.S.

N

O

66°33' Cercle Polaire Antarctique

Échelle 1 : 60 000 000

600   0   600   1200 km

Océan Glacial Arctique

Cercle Polaire Arctique 66°33'

60° L.N.

St-Pétersbourg
Moscou 15 2
Kiev
Iekaterinbourg Omsk Novosibirsk
Samara

Tbilissi Bakou Tochkent 3 Almaty Ürümqi 2

Istanbul Ankara Téhéran 13
Damas Bagdad Ispahan 3 Kaboul
Amman
Riyad 5 Médine
Djedda 3 La Mecque

Khartoum 9
Addis-Abeba 3
Nairobi 4 Muqdisho
Dar-es-Salam 3

Harbin
Changchun
Shenyang Sapporo 3
Beijing 12 Dalian 3 Pyongyang
Tianjin 8 Séoul 22 Tokyo/Yokohama 37
Lanzhou Xi'an Qingdao Pusan Nagoya 9
Chengdu Wuhan Nanjing 4 Osaka/Kobe/Kyoto 17
Chongqing 8 Shanghai
Changsha Hangzhou 5
Kabul Lahore 7 Delhi Guangzhou 6 Taipei 8
Karachi 12 Ahmadabad Dhaka Hanoi Hongkong Manille 19
Mumbai 21 Kolkata 15
Puna Hyderabad
Bangalore Chennai 7 Yangon 5 Bangkok 10
Colombo 3 Hô Chi Minh-ville 5
Medan 4 Kuala Lumpur 7
Singapour 5

Océan Indien

Antananarivo 2
Maputo 2
Durban

Jakarta 19 Surabaya 4
Bandung 6

Océan Pacifique

Équateur

Tropique du Cancer 23°27'
Tropique du Capricorne 23°27'

Brisbane 2
Perth
Adélaïde Sydney 4
Melbourne 4 Auckland

CerclePolaireAntarctique 66°33'

© Noordhoff Uitgevers

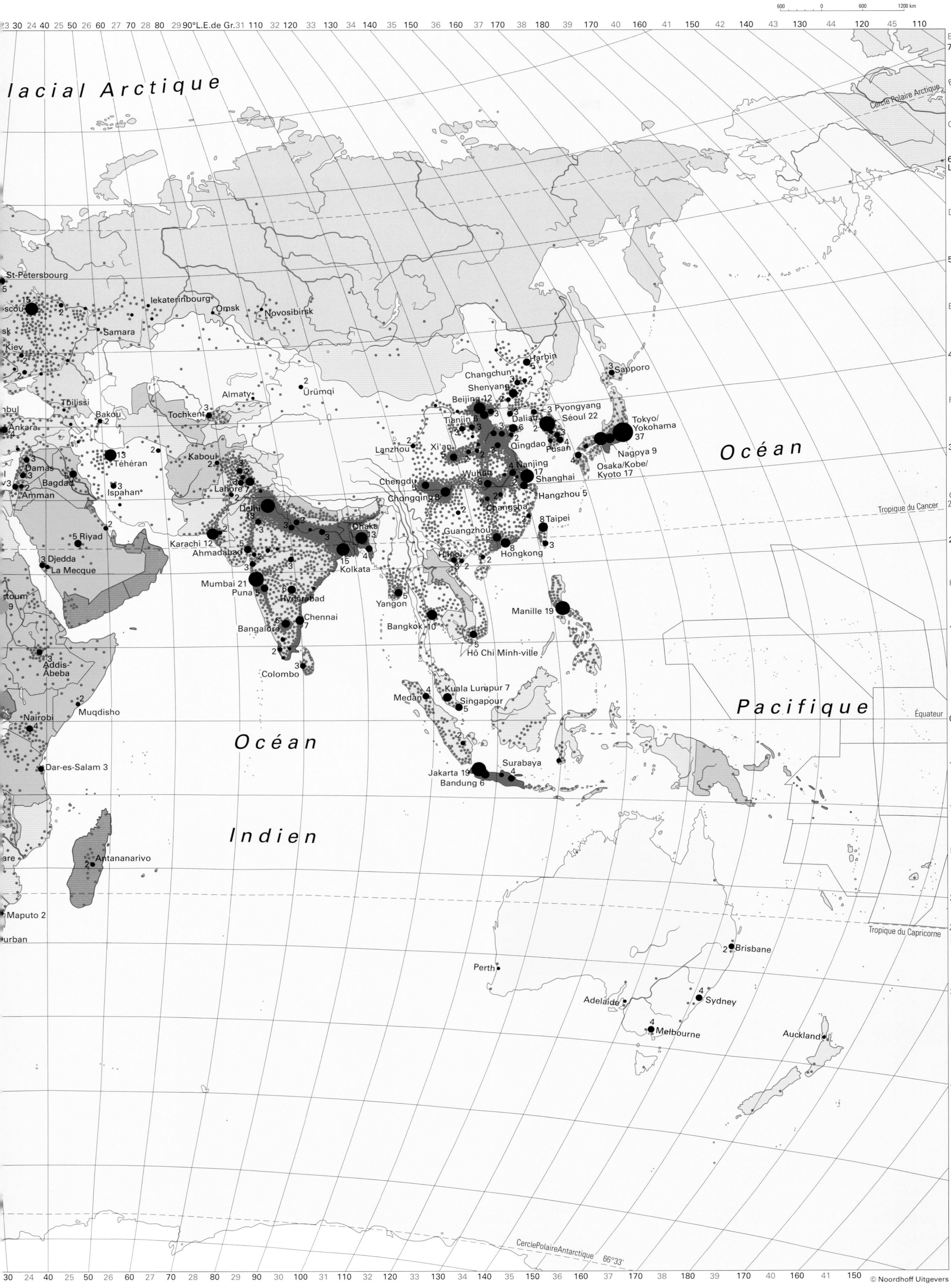

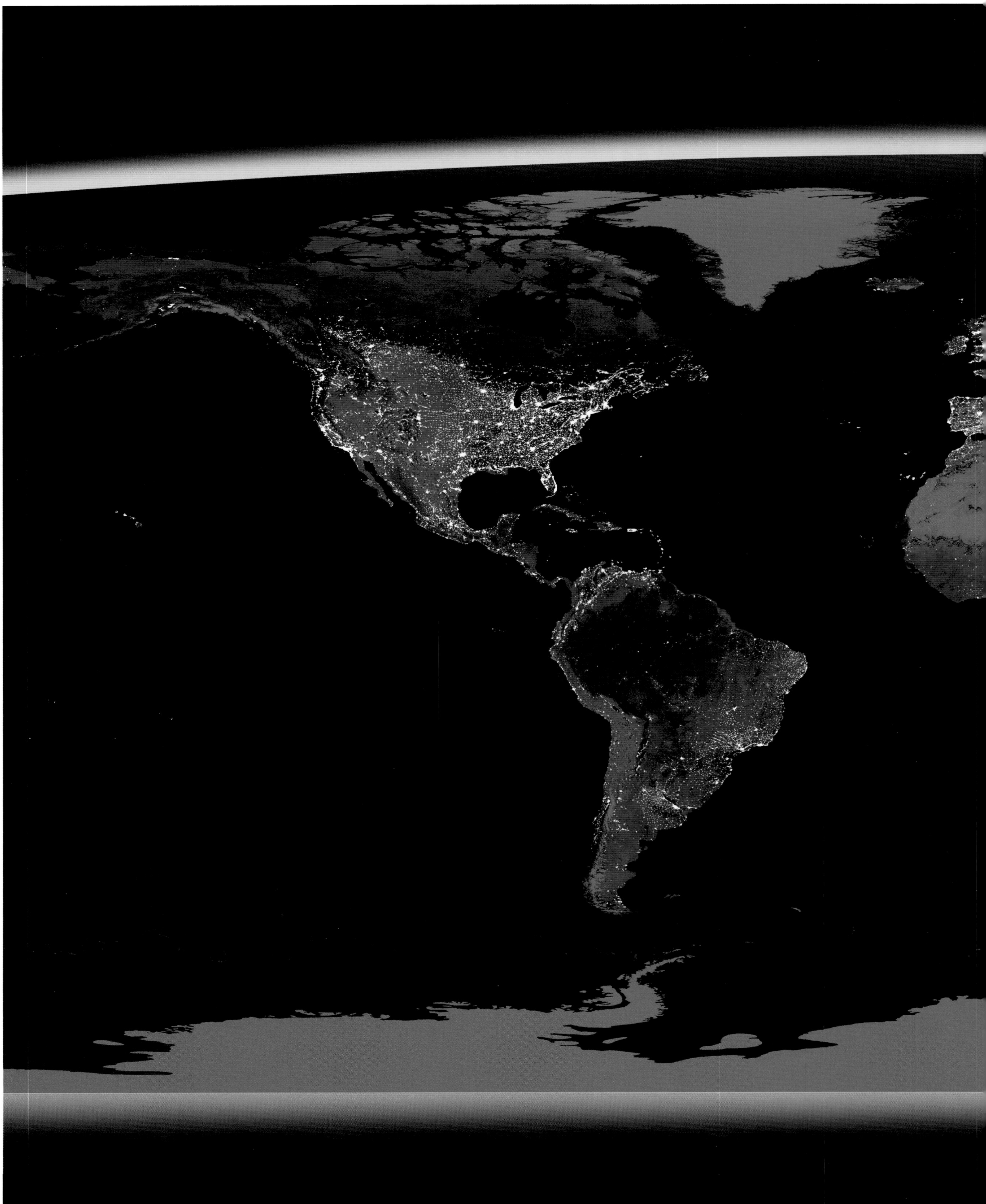

Cette vue satellitaire met en évidence les émissions lumineuses d'origine anthropique à l'échelle planétaire. Globalement, les espaces les plus brillants sont ceux qui sont les plus fortement urbanisés.

Ceux-ci ne reflètent cependant pas exactement les régions les plus densément peuplées, comme le montre notamment une comparaison de l'Europe Occidentale et de la Chine. Cette dernière est bien plus peuplée et

est cependant caratérisée par un niveau inférieur d'émissions lumineuses, même du côté oriental. Toujours globalement, il ressort clairement que les villes sont principalement localisées le long des côtes

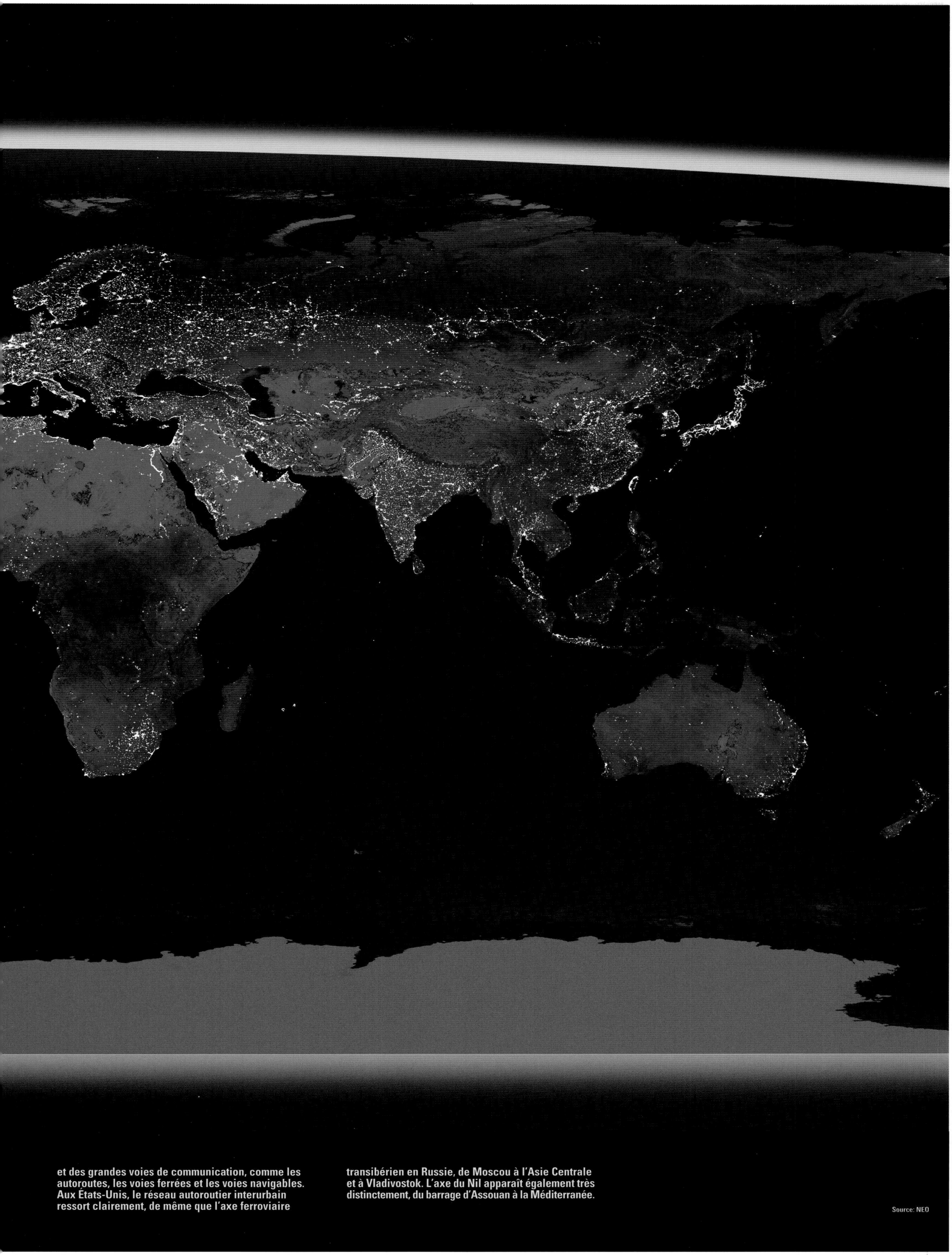

Source: NEO

et des grandes voies de communication, comme les autoroutes, les voies ferrées et les voies navigables. Aux États-Unis, le réseau autoroutier interurbain ressort clairement, de même que l'axe ferroviaire transibérien en Russie, de Moscou à l'Asie Centrale et à Vladivostok. L'axe du Nil apparaît également très distinctement, du barrage d'Assouan à la Méditerranée.

Source: NEO

LA TERRE GÉOLOGIE

Échelle 1 : 200 000 000

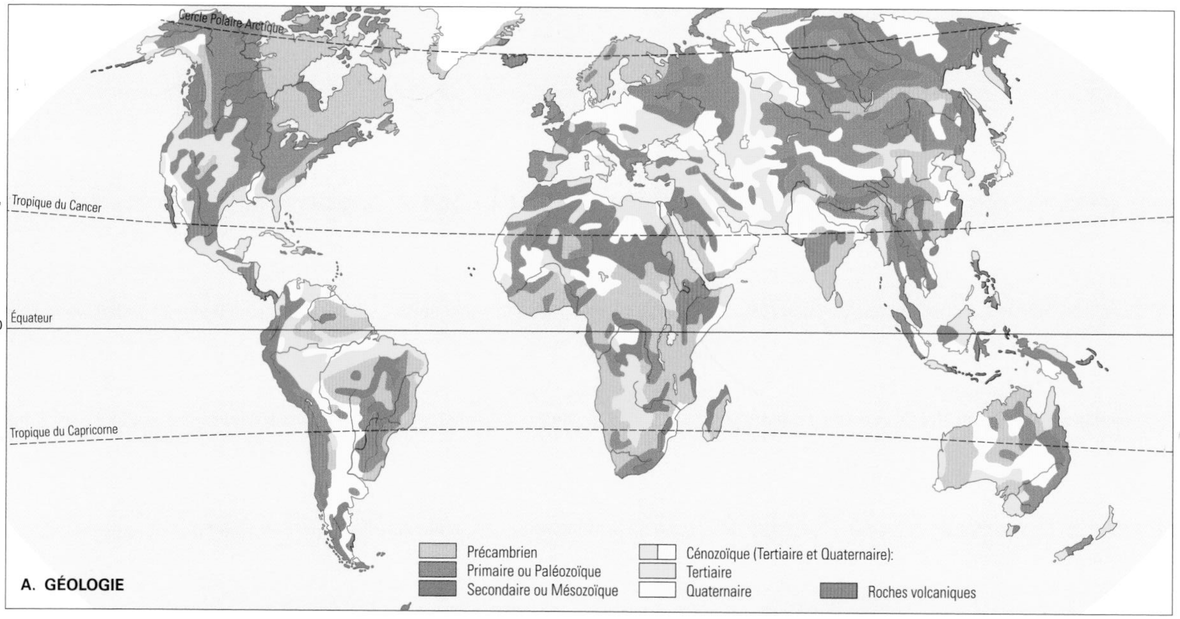

A. GÉOLOGIE

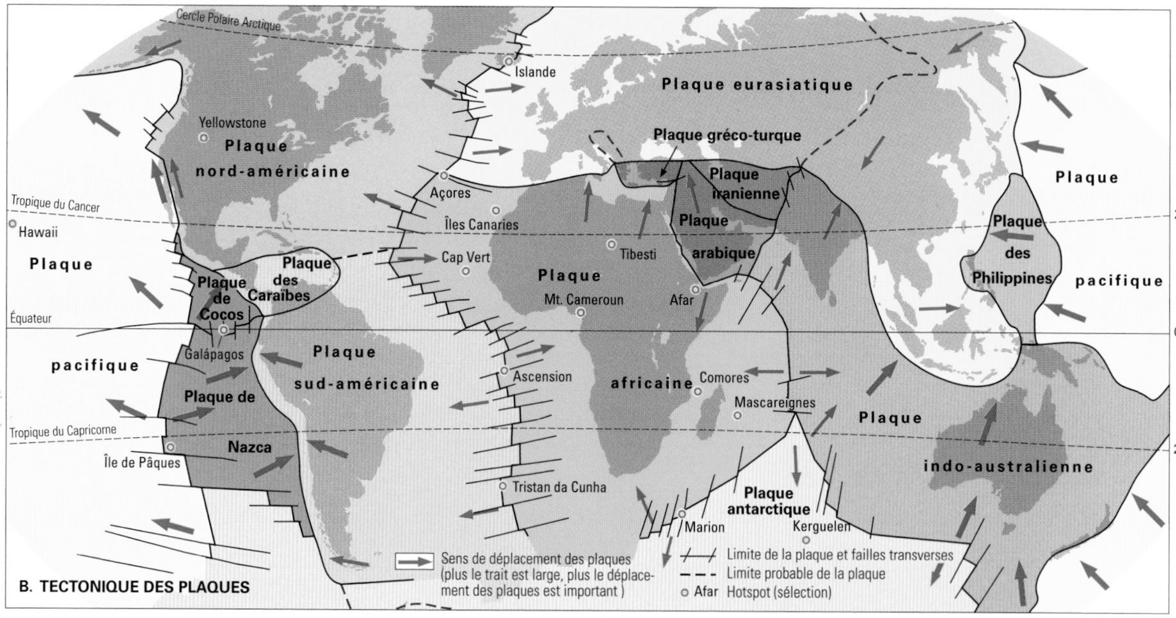

B. TECTONIQUE DES PLAQUES

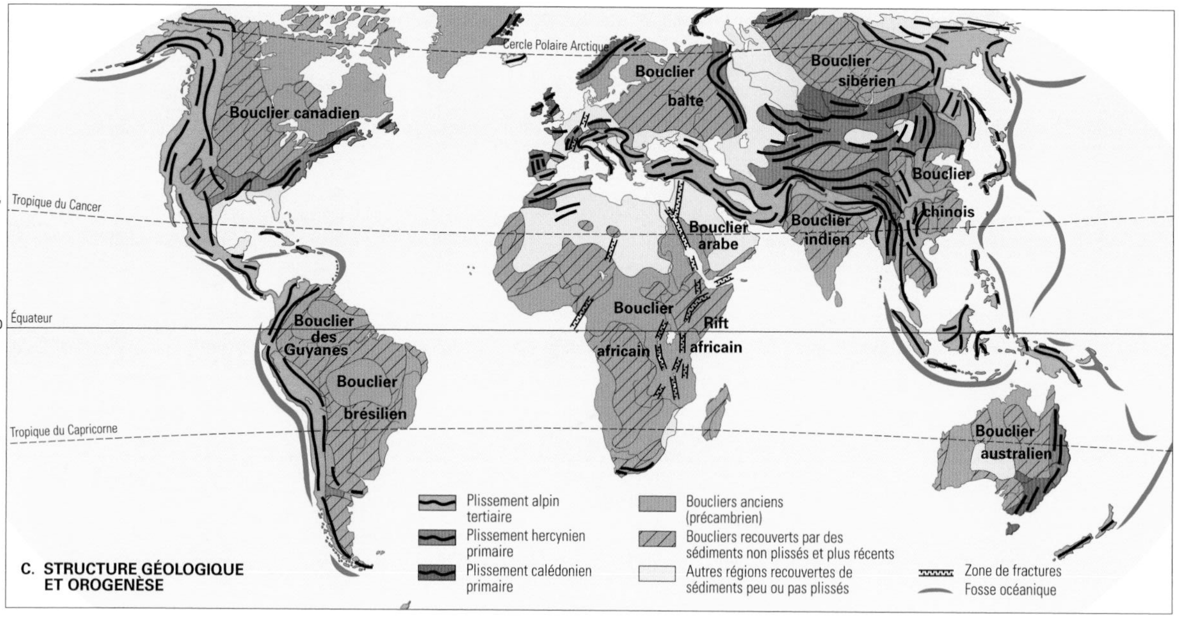

C. STRUCTURE GÉOLOGIQUE ET OROGENÈSE

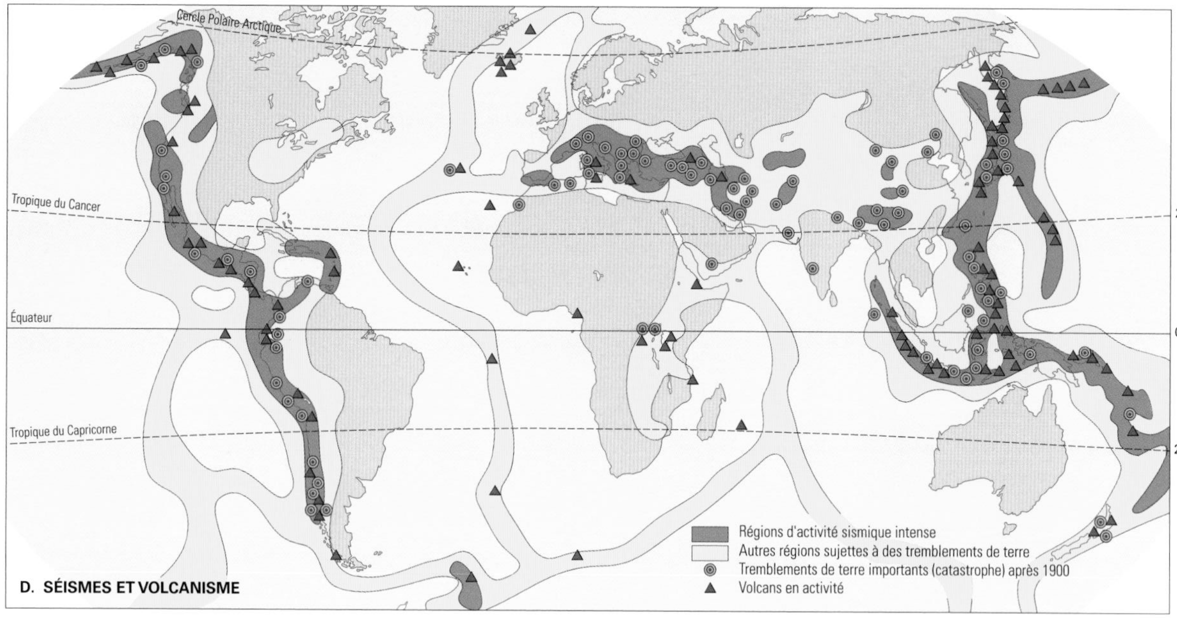

D. SÉISMES ET VOLCANISME

E. TABLEAU DES TEMPS GÉOLOGIQUES = ÉCHELLE STRATIGRAPHIQUE

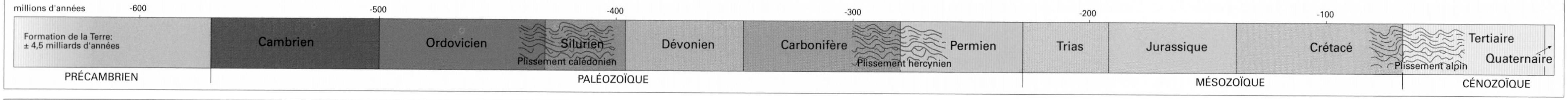

F. COUPE TRANSVERSALE LE LONG DE L'ÉQUATEUR

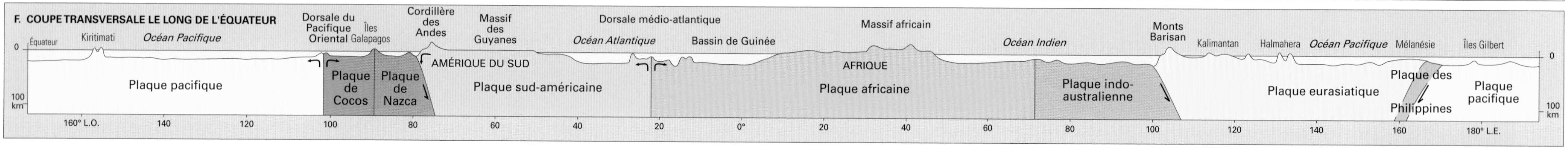

LA TERRE GÉOLOGIE

Échelle 1 : 200 000 000

A. "DÉRIVE" DES CONTINENTS

Téthys

Pangaea

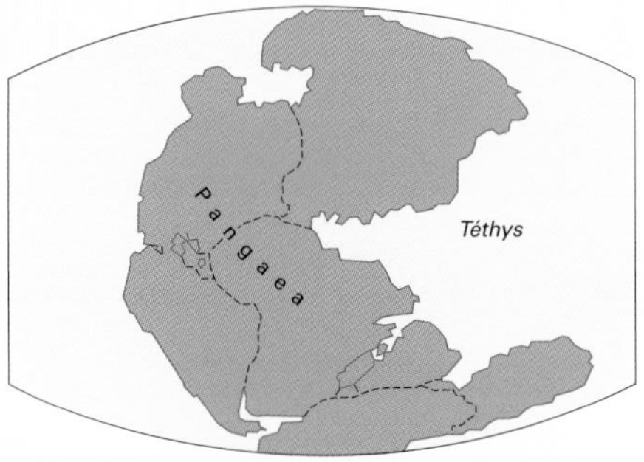

A1. Il y a 225 millions d'années (fin du Permien)

Laurasie

Téthys

Gondwana

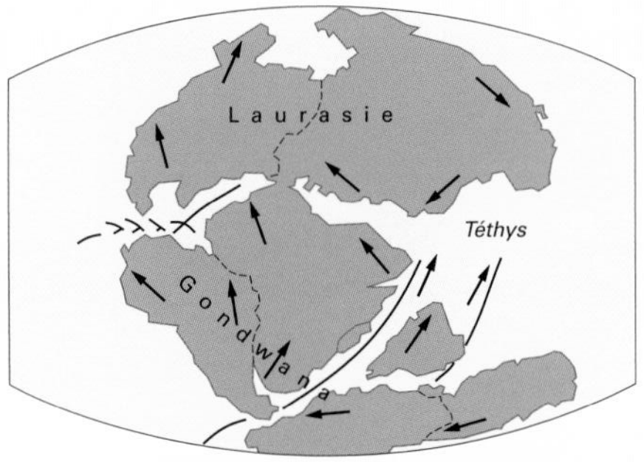

A2. Il y a 180 millions d'années (début du Jurassique)

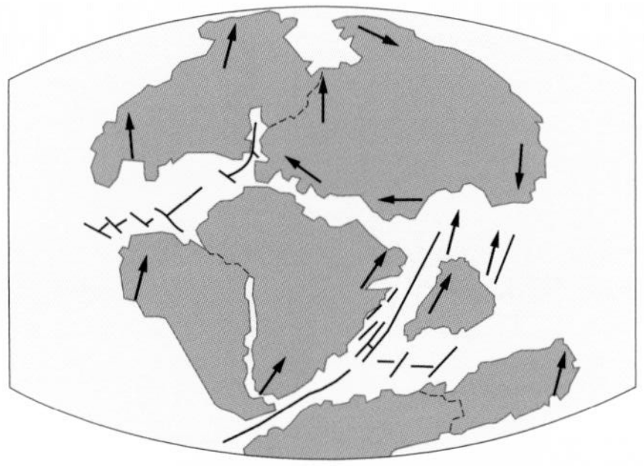

A3. Il y a 135 millions d'années (début du Crétacé)

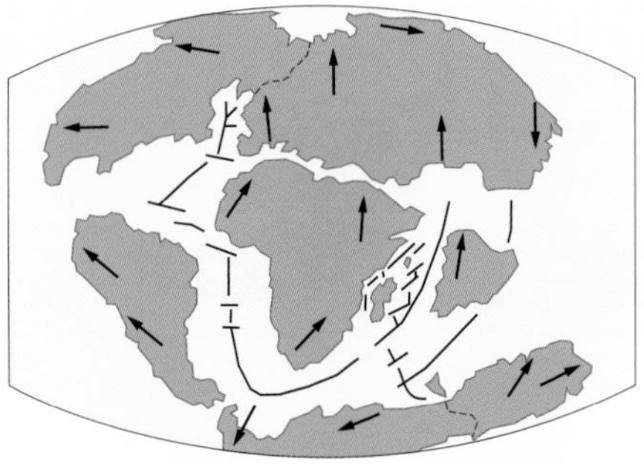

A4. Il y a 65 millions d'années (début du Tertiaire)

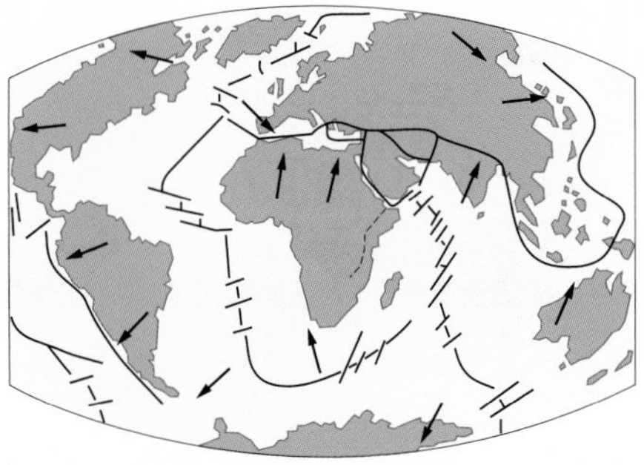

A5. La disposition actuelle

B. ÉROSION DES CONTINENTS

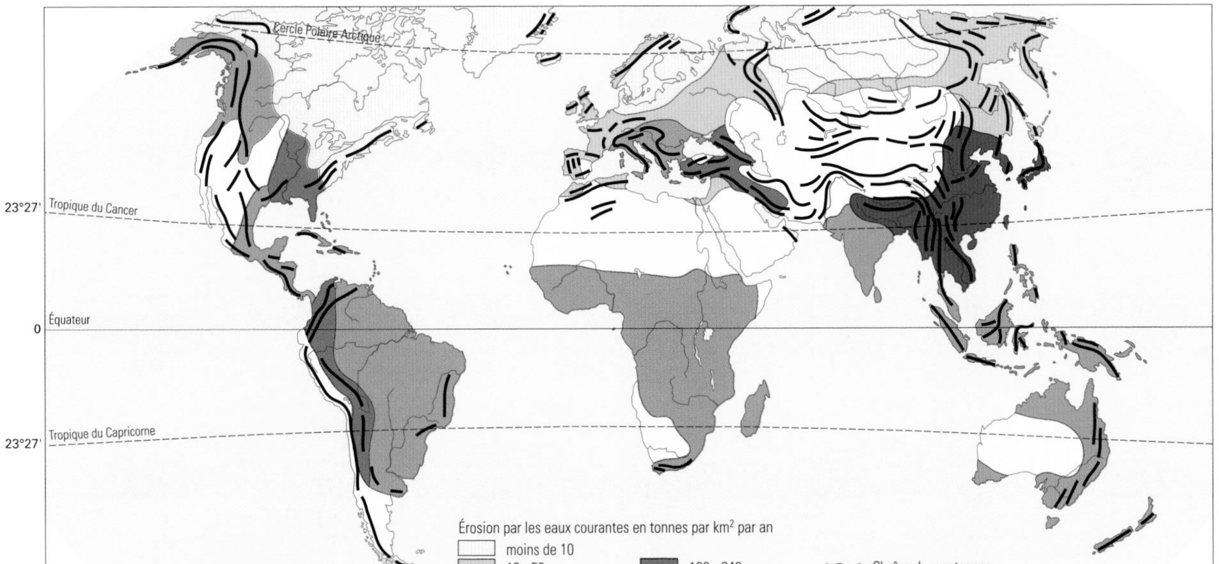

Érosion par les eaux courantes en tonnes par km² par an

- moins de 10
- 10 - 50
- 50 - 100
- 100 - 240
- 240 ou plus

Chaîne de montagnes

Zone sèche (aride) à érosion éolienne prédominante

C. LES GLACIATIONS DU QUATERNAIRE

Groenland

Labrador

Montagnes Rocheuses

Grandes Plaines

Plateau du Brésil

Bassin de l'Amazone

Andes

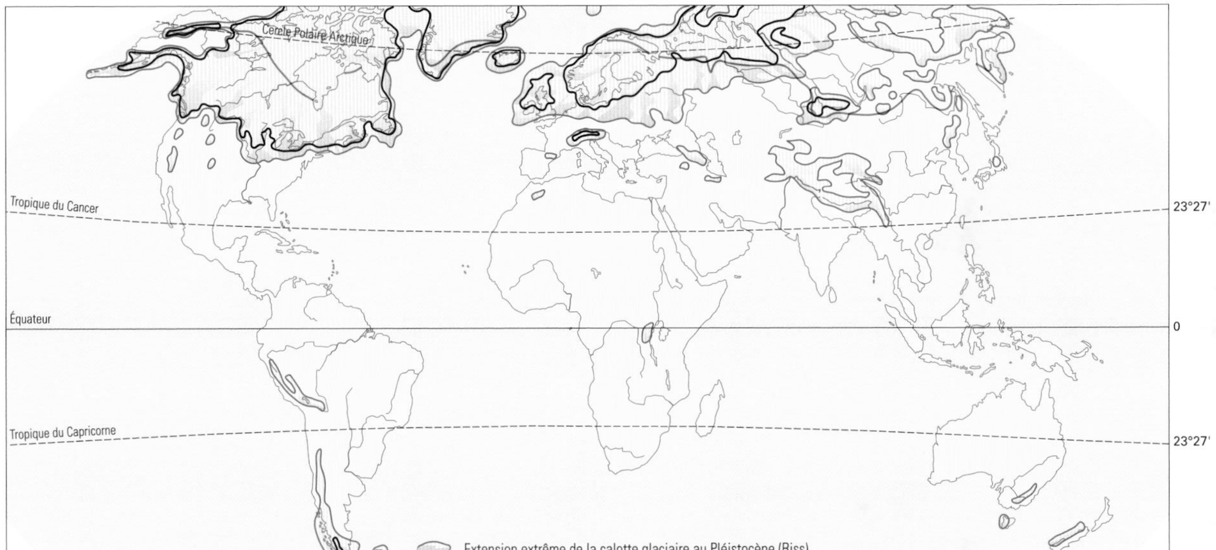

Extension extrême de la calotte glaciaire au Pléistocène (Riss)

Extension des glaces durant la dernière période glaciaire (Würm)

Limite méridionale actuelle du pergélisol (sous-sol gelé en permanence ou en partie)

D. GROUPES DE SOLS

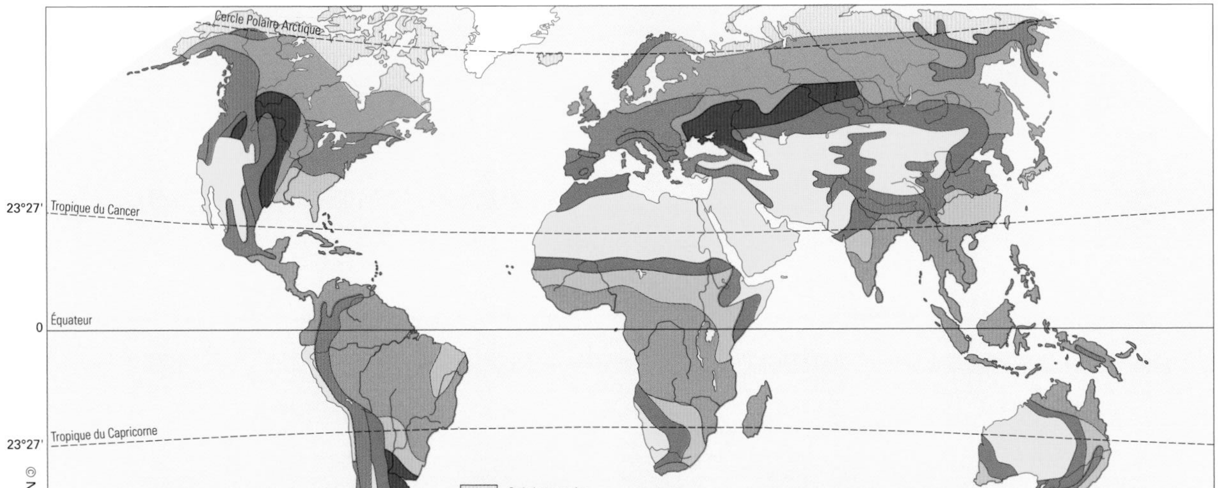

- Sol de toundra
- Podzol (sol à couleur cendrée)
- Sol gris-brun ou brun
- Sol rouge et jaune
- Sol latéritique (sol tropical)
- Autre sol tropical
- Sol de prairie
- Chernozem (Terre noire)
- Sol châtain ou autre sol de steppe
- Sol de désert
- Sol de montagne

E. ZONES DE RELIEF

Plaine de Sibérie Centrale

Plaine de Sibérie Occidentale

Plaine européenne

Alpes

Atlas

Sahara

Plateau de Guinée

Bassin du Congo

Plateau d'Éthiopie

Plateau d'Iran

Arabie

Himalaya

Gobi

Deccan

Great Dividing Range

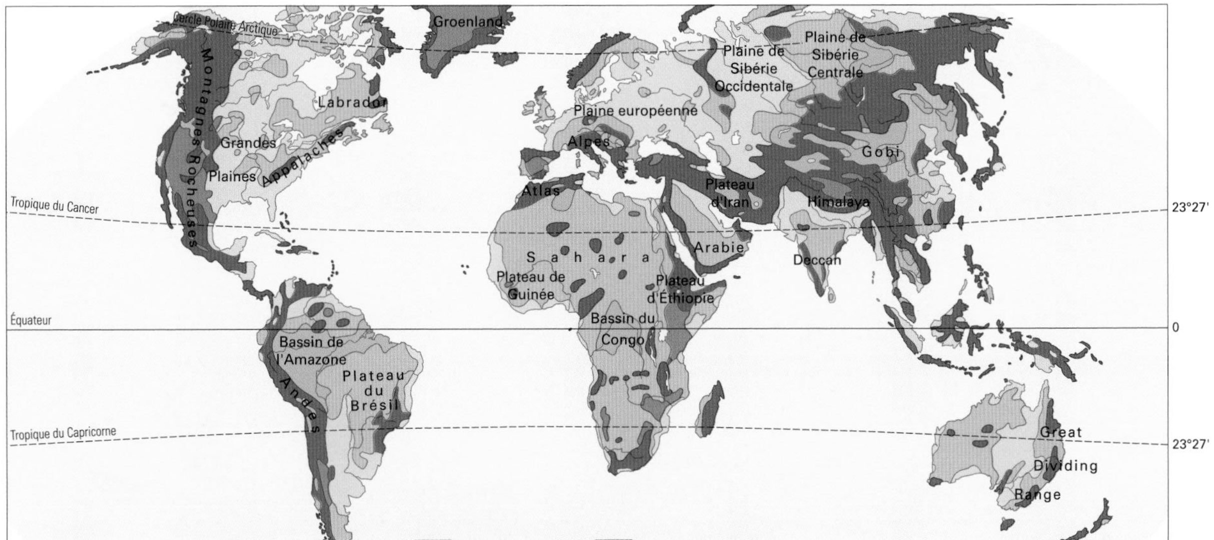

- Moyennes montagnes
- Plateaux
- Hautes montagnes
- Plaines
- Bassins et dépressions

© Noordhoff Uitgevers

LA TERRE CLIMAT

Échelle 1 : 200 000 000

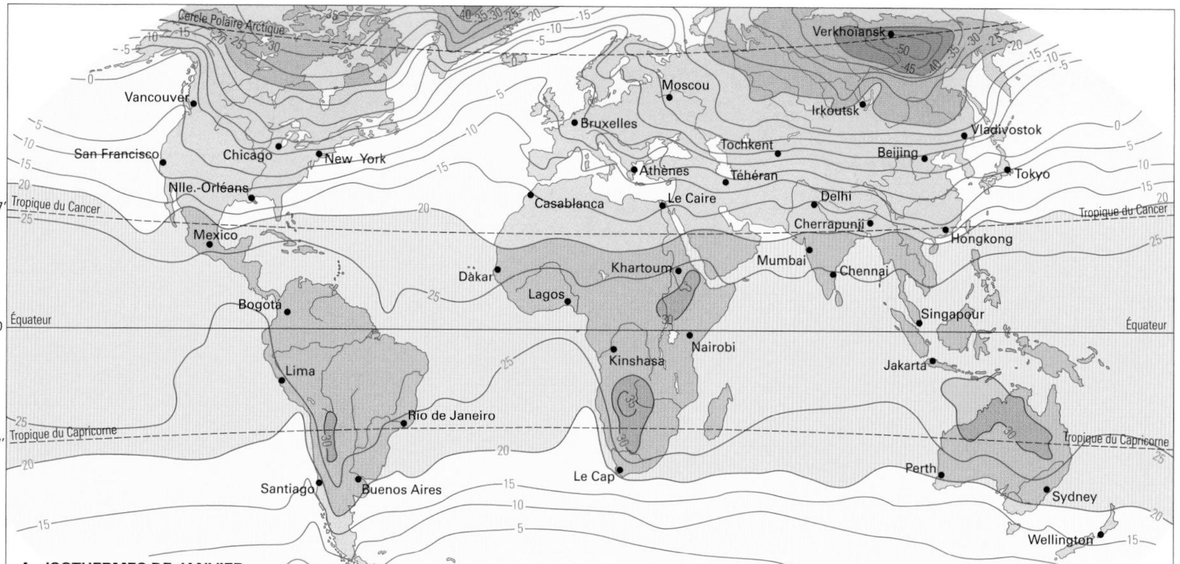

A. ISOTHERMES DE JANVIER
(réduites au niveau de la mer)

au dessous de -40 °C
-40 à -20 °C
-20 à 0 °C

0 à 20 °C
20 à 30 °C
30 °C ou plus

— 15 — Isotherme (la température est exprimée en °C)

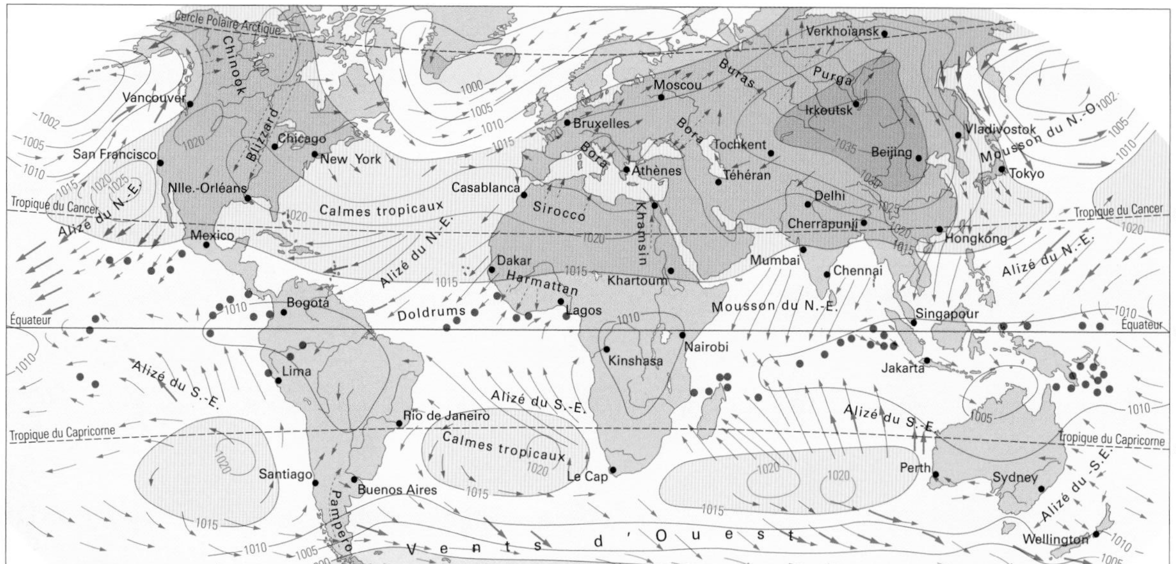

B. PRESSIONS ATMOSPHÉRIQUES ET VENTS EN JANVIER

Forces moyennes des vents au-delà de 4 Beaufort
Zones des calmes plats fréquents

Vents permanents
Vents variables
Vents locaux

Pression
Isobare (la pression est exprimée en hectopascals (hPa); 1013 hPa = 760 mm)

basse ← → haute

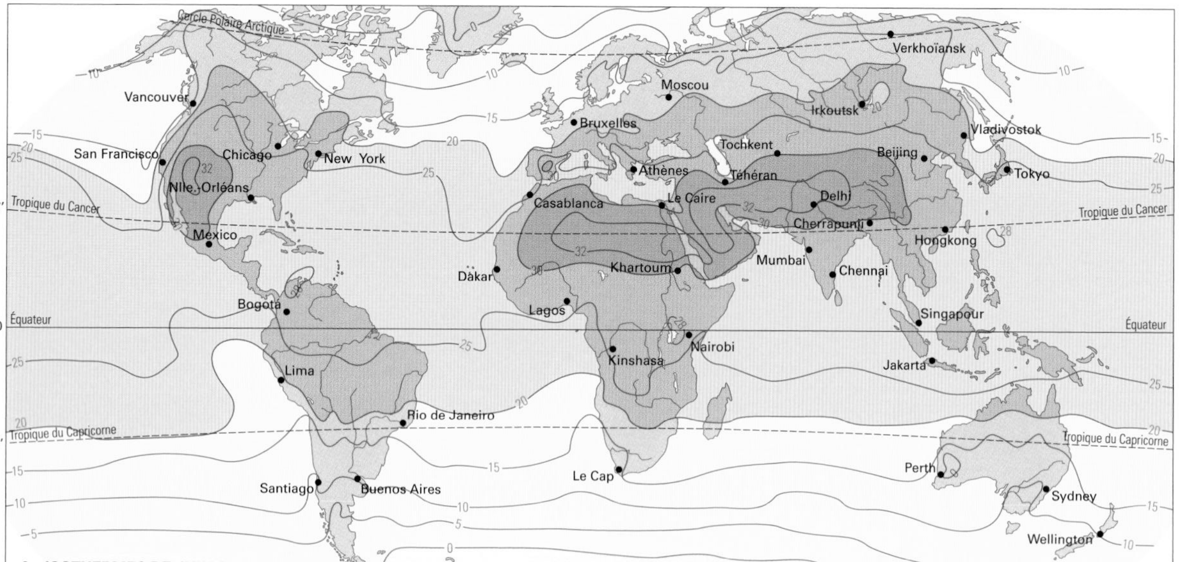

C. ISOTHERMES DE JUILLET
(réduites au niveau de la mer)

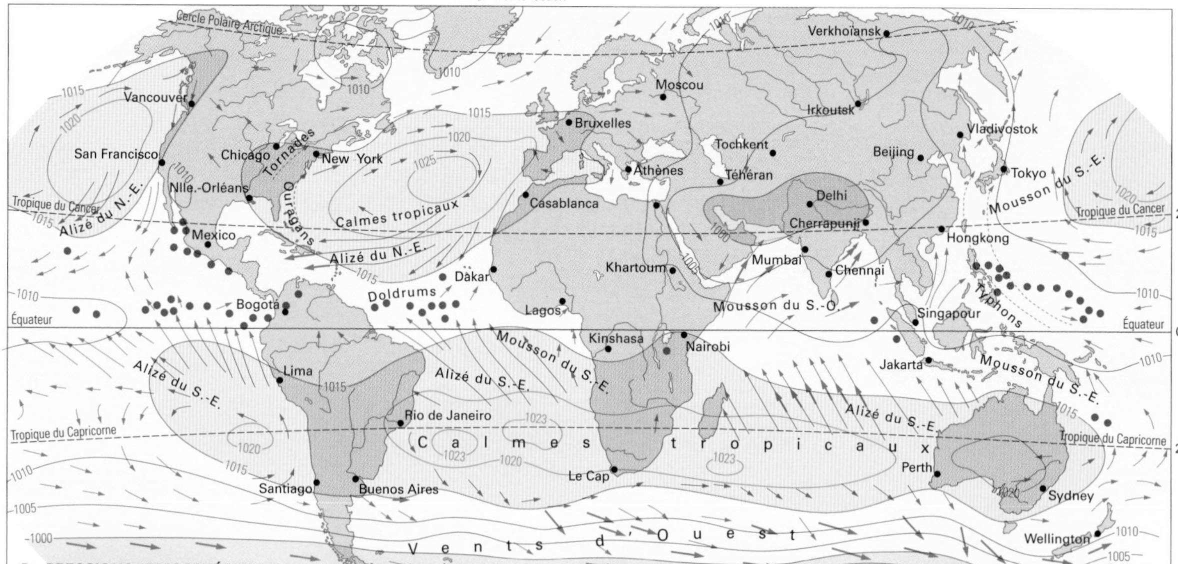

D. PRESSIONS ATMOSPHÉRIQUES ET VENTS EN JUILLET

E. DÉVELOPPEMENT DU PHÉNOMÈNE EL NIÑO DANS LE PACIFIQUE EN 1997

Variations du niveau moyen du plan d'eau

-120 -80 -40 0 40 80 120 mm

El Niño est un phénomène périodique qui fait qu'aux environs de l'Équateur, un puissant vent d'Ouest se met à souffler dans l'Océan Pacifique à la place des alizés orientaux habituels. Il en résulte que des eaux chaudes (30°C) sont poussées du large de l'Indonésie jusqu'en Amérique du Sud.
La séquence d'images satellitaires ci-contre montre la "vague du Niño" observée en 1997, grâce à une série de mesures périodiques de la hauteur relative du plan d'eau dans l'Océan Pacifique. Celles-ci mettent en évidence une alternance de surélévations chaudes, figurées en blanc, et de dépressions correspondant à des eaux plus fraîches, représentées en violet.

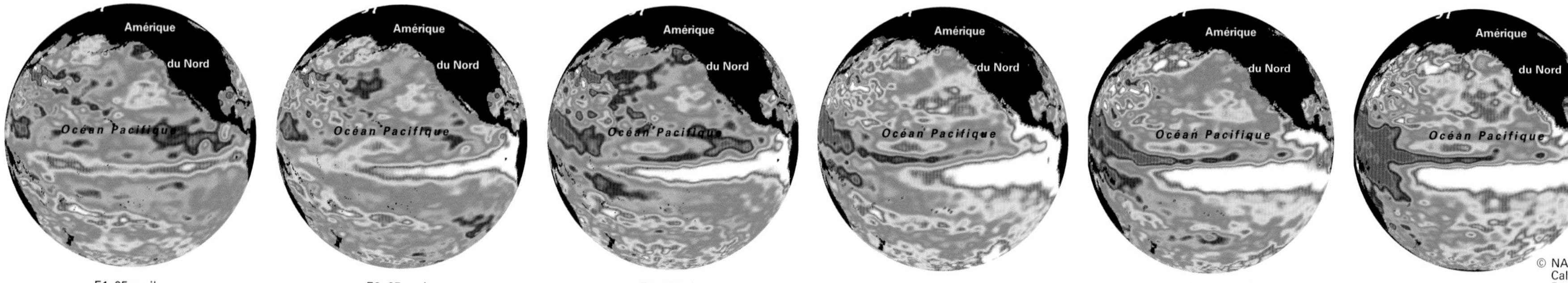

E1. 25 avril
E2. 25 mai
E3. 25 juin
E4. 25 juillet
E5. 21 août
E6. 20 septembre

© NASA / JPL / Caltech, Pasadena, CA.

© Noordhoff Uitgevers

LA TERRE CLIMAT

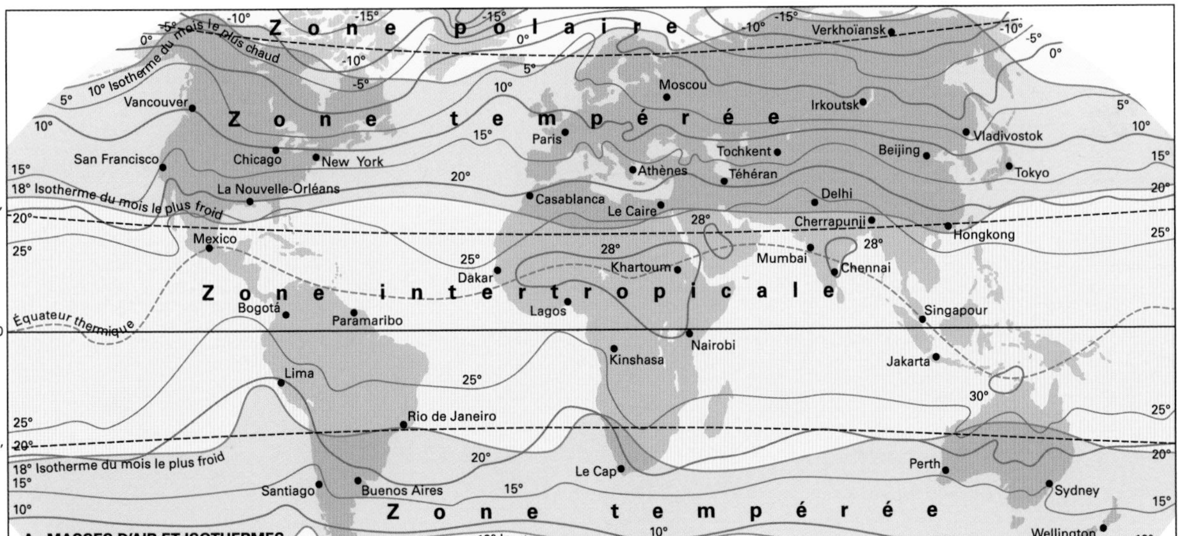

A. MASSES D'AIR ET ISOTHERMES ANNUELLES
(réduites au niveau de la mer)
1 : 200 000 000

Zone polaire
Zone tempérée
Zone intertropicale
Zone tempérée
Zone polaire

Équateur thermique
18° Isotherme du mois le plus chaud
18° Isotherme du mois le plus froid
10° Isotherme du mois le plus chaud
10° Isotherme du mois le plus froid

Zone froide ou polaire
Zone tempérée
Zone chaude ou tropicale

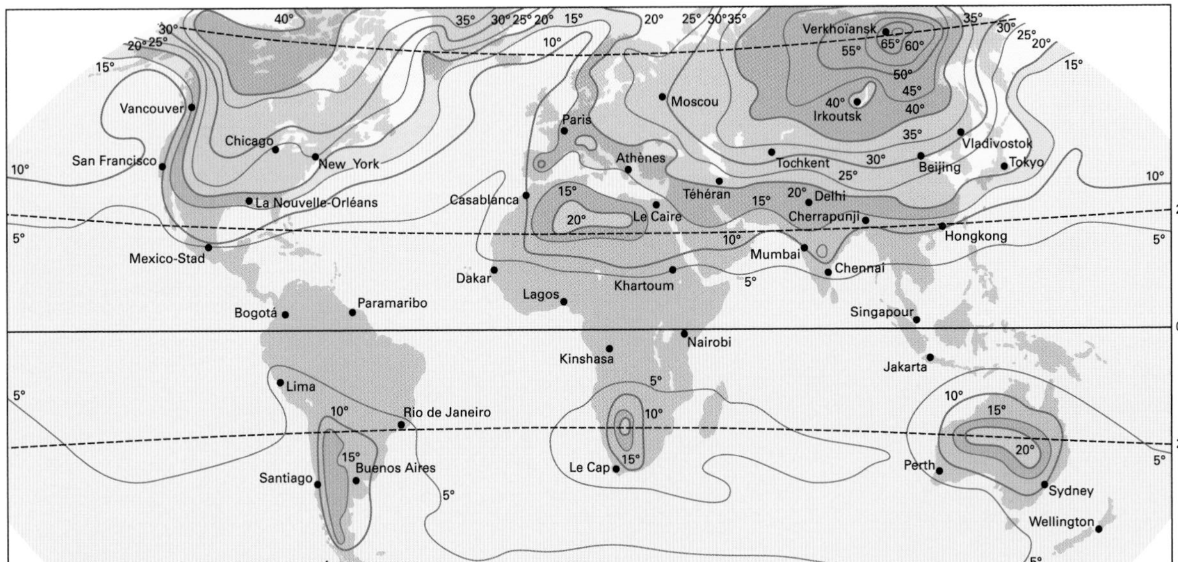

B. AMPLITUDES ANNUELLES DES TEMPÉRATURES
1 : 200 000 000

moins de 15 °C
15° à 20 °C
20° à 40 °C
plus de 40 °C

C. PRÉCIPITATIONS ANNUELLES
1 : 130 000 000

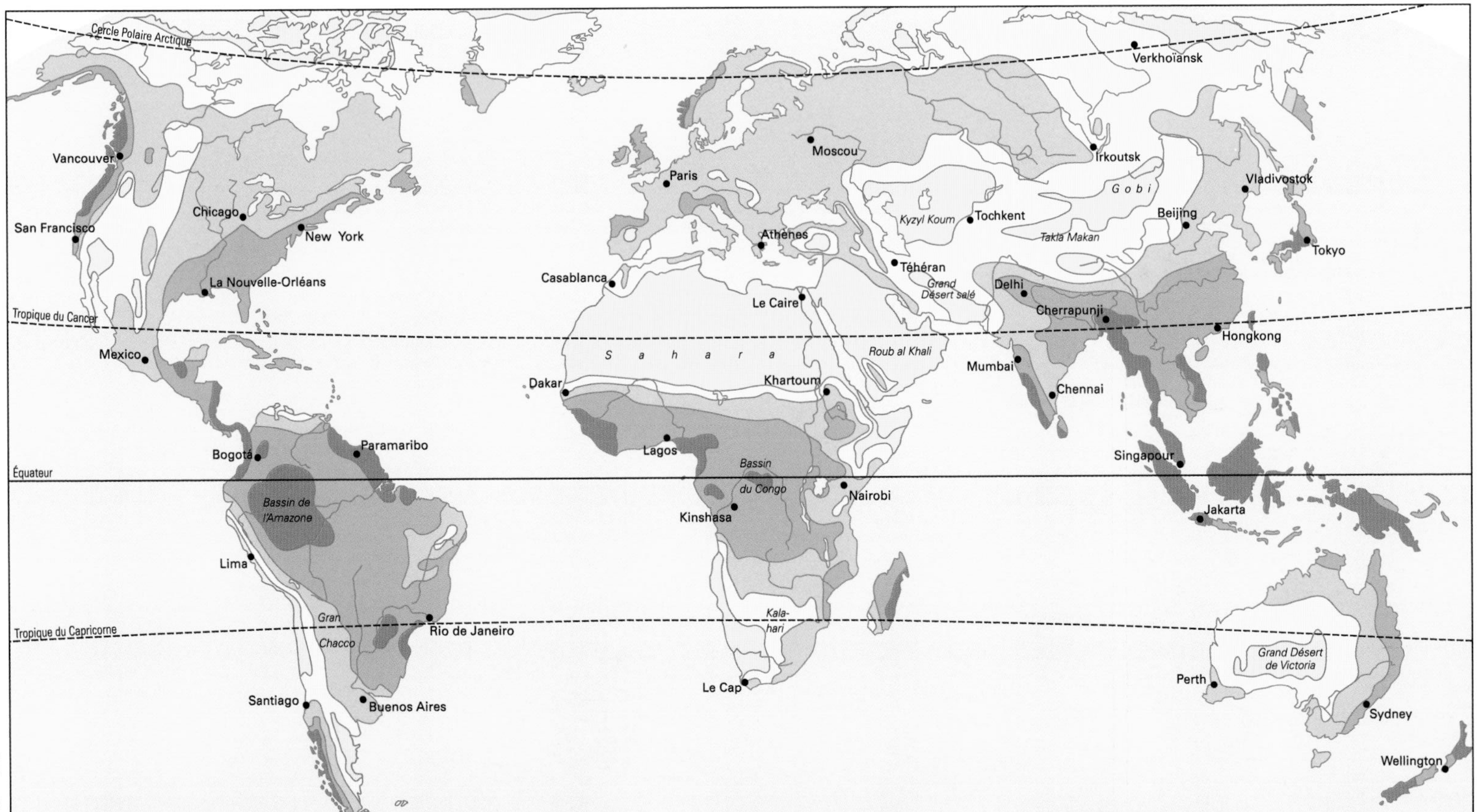

moins de 200 mm
200 - 400 mm
400 - 1000 mm
1000 - 2000 mm
plus de 2000 mm

D. CARTES DU TEMPS

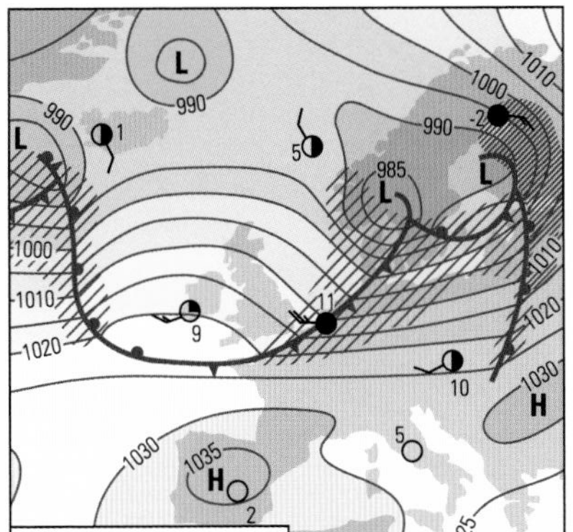

D1. Temps doux en hiver
D2. Temps doux en été
D3. Temps froid en hiver
D4. Temps chaud en été

PRESSION ATMOSPHÉRIQUE
1010 Isobares
Hectopascals
Zones de
H haute pression
L basse pression

NÉBULOSITÉ
Ciel complètement dégagé
Nébulosité 25 %
Nébulosité 50 %
Nébulosité 75 %
Ciel couvert

PRÉCIPITATIONS
Pluie
Neige

VITESSE DU VENT
Vent faible
20 km/heure
30 km/heure
50 km/heure

DIRECTION DU VENT
Vent du nord
Vent du sud
Vent d'est
Vent d'ouest

TEMPÉRATURE
5 Degrés Celsius

FRONTS
Front chaud
Front froid
Occlusion

PRESSION ATMOSPHÉRIQUE EN HECTOPASCALS
< 990
990 - 1000
1000 - 1010
1010 - 1020
1020 - 1030
1030 - 1040
> 1040

© Noordhoff Uitgevers

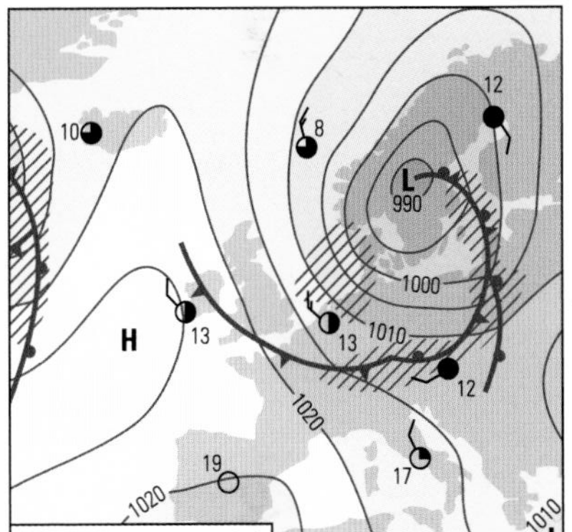

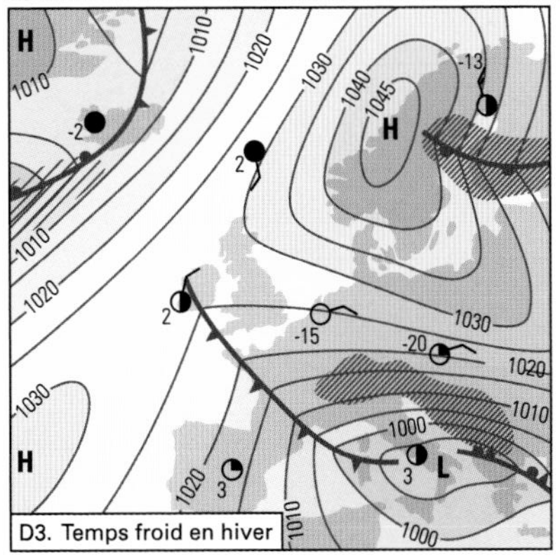

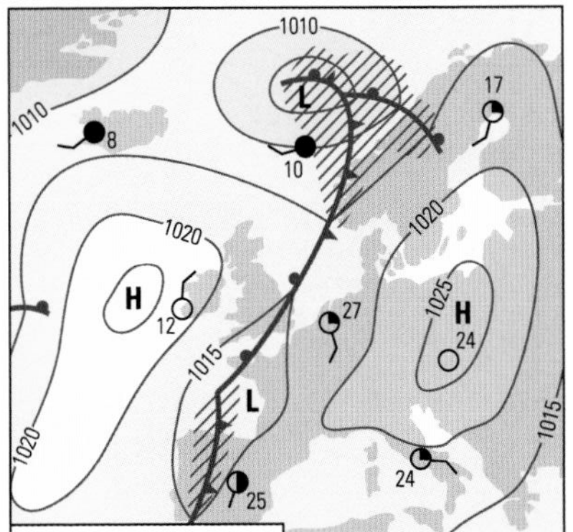

LA TERRE CLIMAT

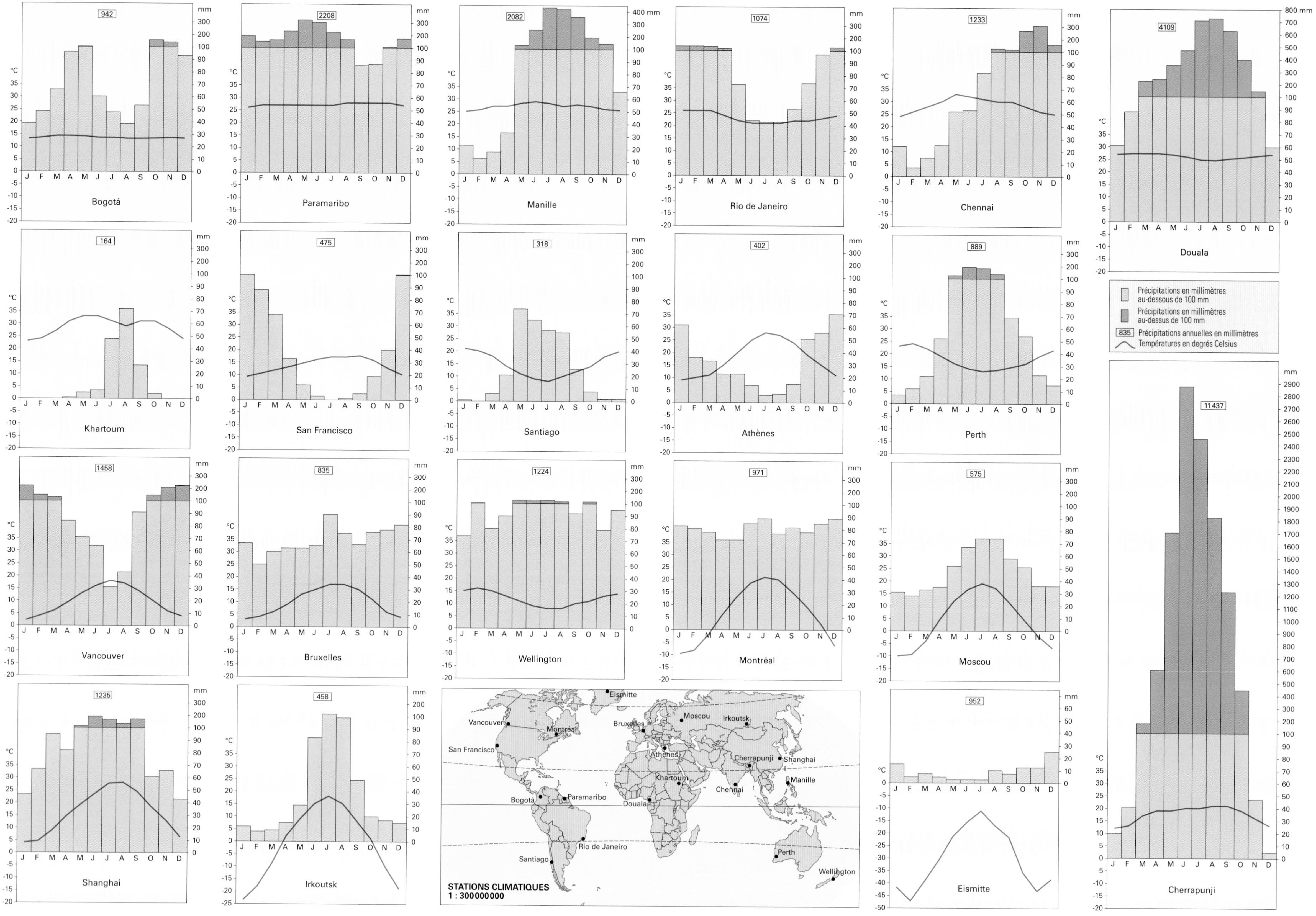

Précipitations en millimètres au-dessous de 100 mm
Précipitations en millimètres au-dessus de 100 mm
835 Précipitations annuelles en millimètres
Températures en degrés Celsius

Douala 4109

Cherrapunji 11437

Chennai 1233

Perth 889

Moscou 575

Eismitte 952

Rio de Janeiro 1074

Athènes 402

Montréal 971

Manille 2082

Santiago 318

Wellington 1224

STATIONS CLIMATIQUES
1 : 300000000

Paramaribo 2208

San Francisco 475

Bruxelles 835

Irkoutsk 458

Bogotá 942

Khartoum 164

Vancouver 1458

Shanghai 1235

LA TERRE   MODIFICATIONS CLIMATIQUES

Échelle 1 : 200 000 000

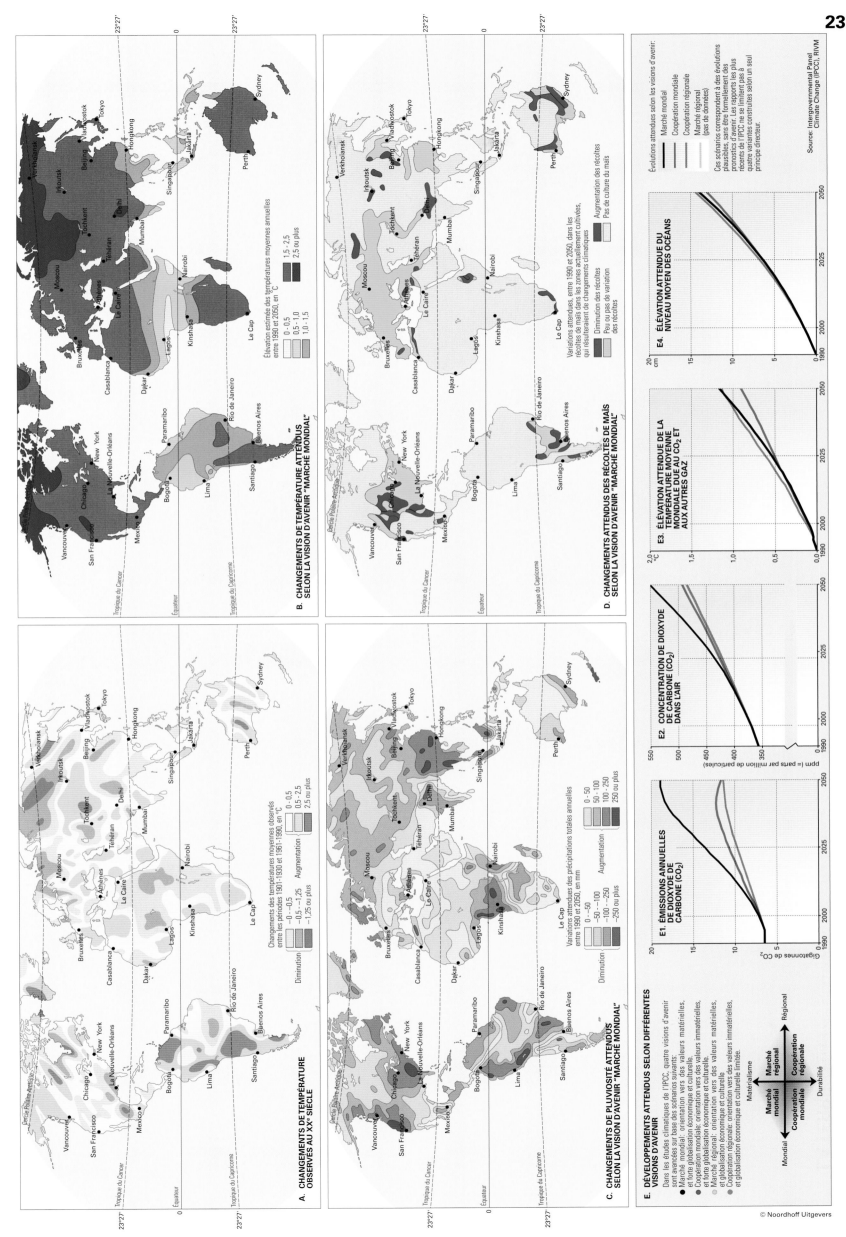

A. CHANGEMENTS DE TEMPÉRATURE OBSERVÉS AU XXe SIÈCLE

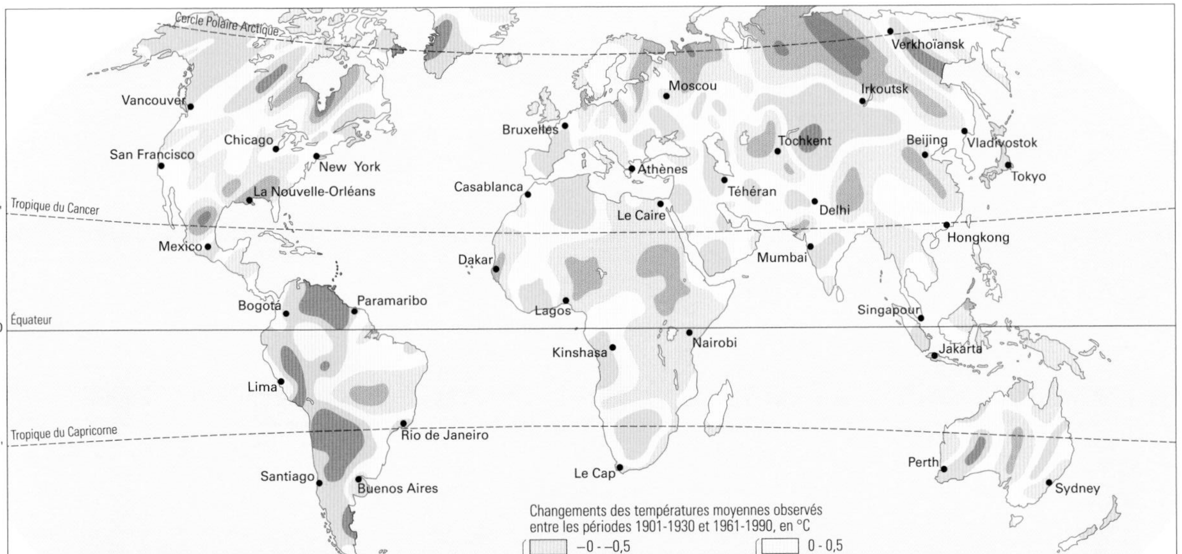

Changements des températures moyennes observés entre les périodes 1901-1930 et 1961-1990, en °C.

Diminution:
- 0 - 0,5
- 0,5 - 1,25
- 1,25 ou plus

Augmentation:
- 0 - 0,5
- 0,5 - 2,5
- 2,5 ou plus

B. CHANGEMENTS DE TEMPÉRATURE ATTENDUS SELON LA VISION D'AVENIR "MARCHÉ MONDIAL"

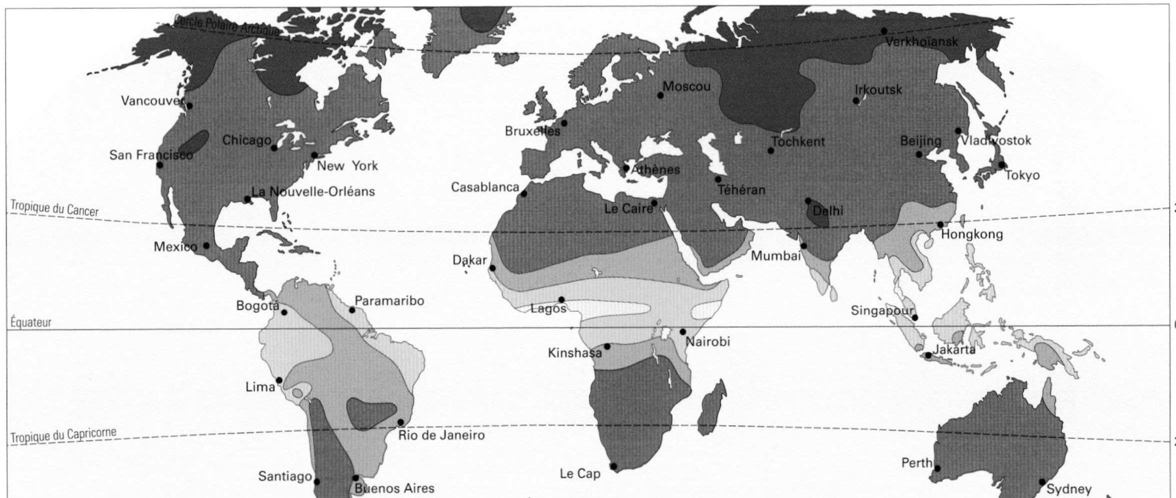

Élévation estimée des températures moyennes annuelles entre 1990 et 2050, en °C
- 0 - 0,5
- 0,5 - 1,0
- 1,0 - 1,5
- 1,5 - 2,5
- 2,5 ou plus

C. CHANGEMENTS DE PLUVIOSITÉ ATTENDUS SELON LA VISION D'AVENIR "MARCHÉ MONDIAL"

Variations attendues des précipitations totales annuelles entre 1990 et 2050, en mm

Diminution:
- 0 - 50
- 50 - 100
- 100 - 250
- 250 ou plus

Augmentation:
- 0 - 50
- 50 - 100
- 100 - 250
- 250 ou plus

D. CHANGEMENTS ATTENDUS DES RÉCOLTES DE MAÏS SELON LA VISION D'AVENIR "MARCHÉ MONDIAL"

Variations attendues, entre 1990 et 2050, dans les récoltes de maïs dans les zones actuellement cultivées, qui résulteraient de changements climatiques.

- Diminution des récoltes
- Peu ou pas de variation des récoltes
- Augmentation des récoltes
- Pas de culture du maïs

E. DÉVELOPPEMENTS ATTENDUS SELON DIFFÉRENTES VISIONS D'AVENIR

Dans les études climatiques de l'IPCC, quatre visions d'avenir sont avancées sur base des scénarios suivants:

- Marché mondial: orientation, vers des valeurs matérielles, et forte globalisation économique et culturelle.
- Coopération mondiale: orientation vers des valeurs immatérielles, et forte globalisation économique et culturelle.
- Marché régional: orientation, vers des valeurs matérielles, et globalisation économique et culturelle limitée.
- Coopération régionale: orientation vers des valeurs immatérielles, et globalisation économique et culturelle limitée.

Matérialisme — Durabilité

Marché mondial / Marché régional / Coopération mondiale / Coopération régionale

Mondial — Régional

E1. ÉMISSIONS ANNUELLES DE DIOXYDE DE CARBONE (CO$_2$)

Gigatonnes de CO$_2$

E2. CONCENTRATION DE DIOXYDE DE CARBONE (CO$_2$) DANS L'AIR

ppm (= parts par million de particules)

E3. ÉLÉVATION ATTENDUE DE LA TEMPÉRATURE MONDIALE MOYENNE DUE AU CO$_2$ ET AUX AUTRES GAZ

°C

E4. ÉLÉVATION ATTENDUE DU NIVEAU MOYEN DES OCÉANS

cm

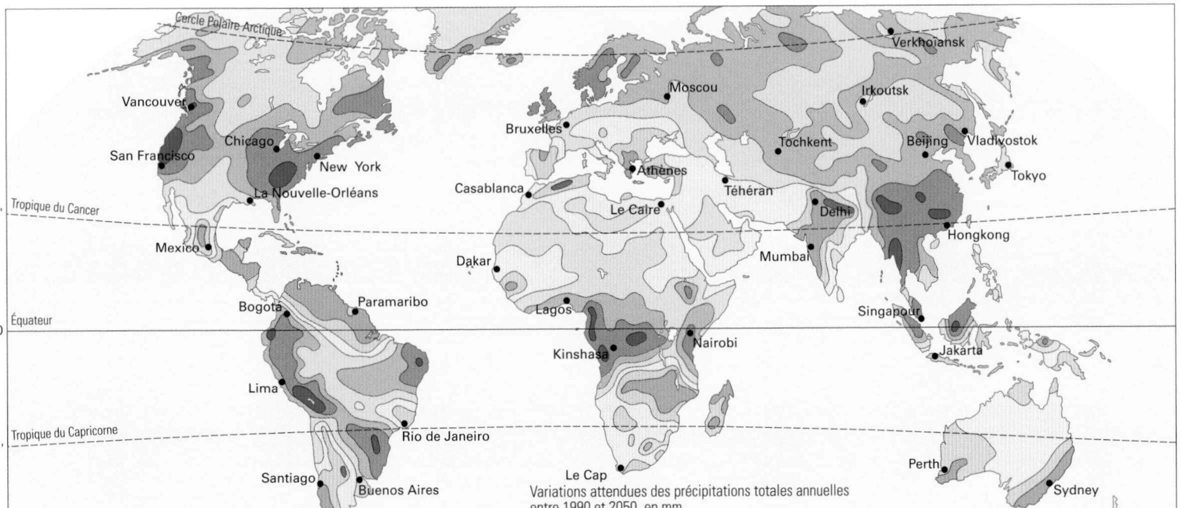

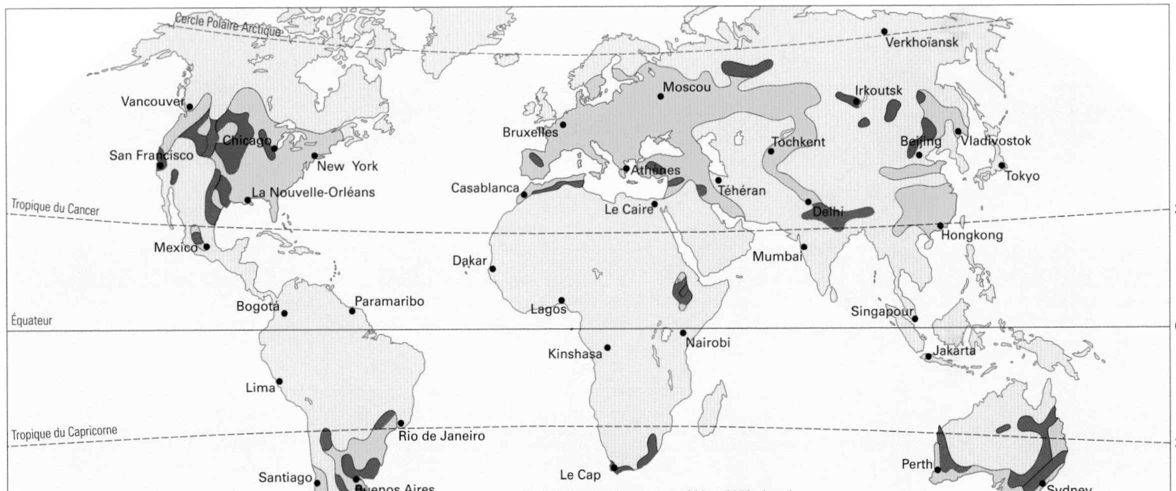

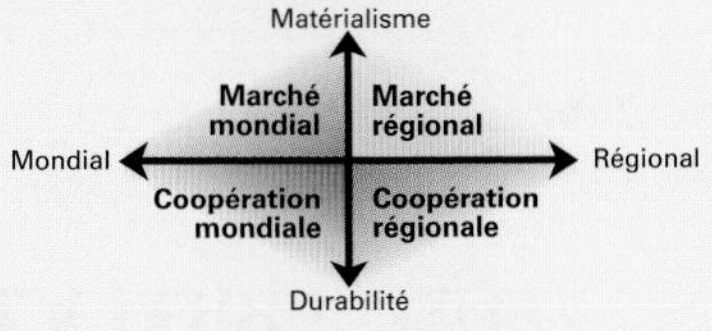

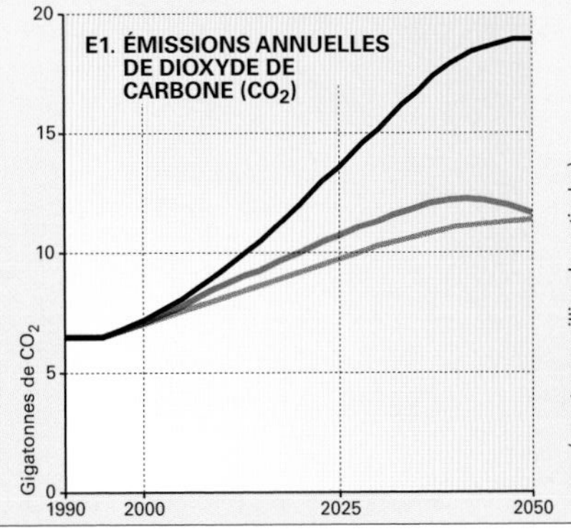

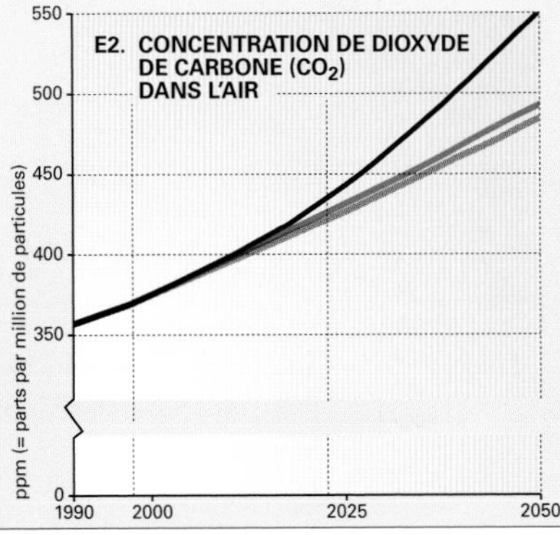

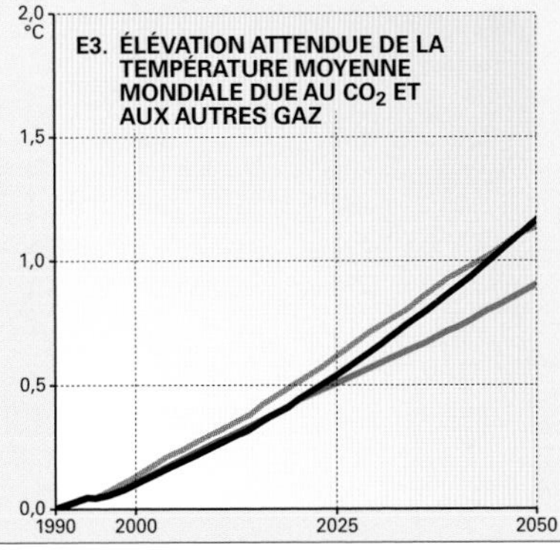

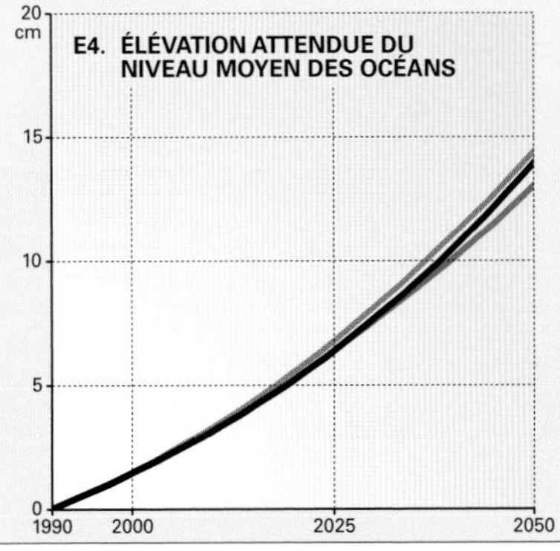

évolutions attendues selon les visions d'avenir:
- Marché mondial
- Coopération mondiale
- Coopération régionale
- Marché régional (pas de données)

Ces scénarios correspondent à des évolutions plausibles, sans être formellement des pronostics d'avenir. Les rapports les plus récents de l'IPCC ne se limitent pas à quatre variantes construites selon un seul principe directeur.

Source: Intergovernmental Panel Climate Change (IPCC), RIVM

LA TERRE   TYPES DE CLIMATS / COURANTS MARINS

Échelle 1 : 90000000

Projection de Winkel

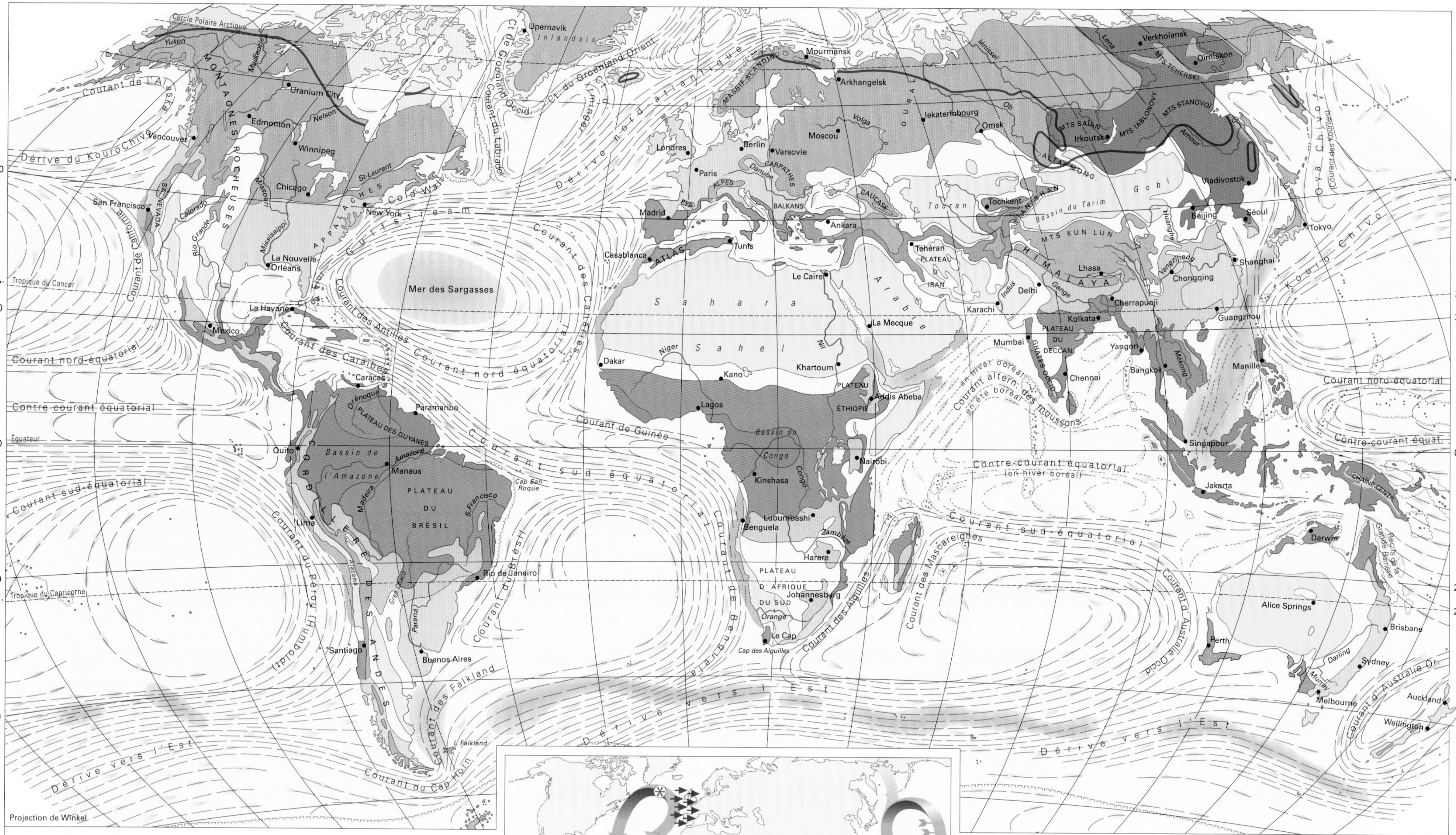

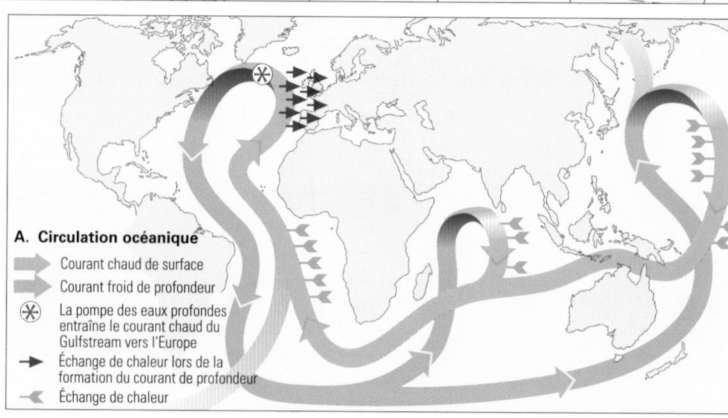

A. Climats pluvieux tropicaux
- Climat tropical de forêt humide (Af)
- Climat de savane (Aw et As)

B. Climats secs
- Climat steppique (BS)
- Climat désertique (BW)

C. Climats maritimes de la zone tempérée
- À été sec (climat méditerranéen; Cs)
- À hiver sec (climat chinois; Cw)
- Précipitations toute l'année (Cf)

D. Climats continentaux
- Précipitations toute l'année (Df)
- À hiver sec (Dw)

E. Climats polaires
- Climat de toundra (ET)
- Climat neigeux et de haute montagne (EF et EH)

(Zones climatiques d'après Köppen-Geiger)

- Limite du pergélisol
- Pergélisol = sous-sol gelé en permanence

Courants marins
- Courant marin relativement chaud
- Courant marin relativement froid

Dans la région des moussons:
- Circulation d'eau marine relativement chaude en été boréal
- Circulation d'eau marine relativement froide en hiver boréal

- Eaux côtières froides
- Limite de la banquise (hiver)
- Récifs coralliens
- Algues marines flottantes

A. Circulation océanique
- Courant chaud de surface
- Courant froid de profondeur
- La pompe des eaux profondes entraîne le courant chaud du Gulfstream vers l'Europe
- ✳ Échange de chaleur lors de la formation du courant de profondeur
- Échange de chaleur

© Noordhoff Uitgevers

LA TERRE VÉGÉTATION NATURELLE

Échelle 1 : 90000000

d'après National Geographic

Projection de Winkel

© Noordhoff Uitgevers

Légende

- Mangrove ou forêt inondée
- Marécages
- Forêt tropicale humide (ly compris zone de mousson)
- Forêt tropicale sèche et claire

- Savane et steppe herbeuse
- Steppe herbeuse (prairie, pampa)
- Désert et steppe désertique
- Végétation méditerranéenne toujours verte (sempervirente)

- Forêt de feuillus
- Forêt de conifères boréale (taïga)
- Forêt de conifères tempérée et tropicale

- Végétation de haute montagne
- Toundra
- Inlandsis

- Limite des céréales
- Limite de la vigne
- Limite du palmier

Toponymes et repères géographiques

Tropique du Cancer
23°27'
Équateur
Tropique du Capricorne
Cercle Polaire Arctique

Vancouver, Edmonton, San Francisco, Uranium City, Winnipeg, Chicago, New York, La Nouvelle Orléans, Mexico, Rio Grande, Grandes Plaines, Missouri, Mississippi, St-Laurent, Mackenzie, Nelson, Chaparral, Yukon, Upernavik, Inlandsis, Bassin de Grand, Sierra Madre, Californie, Grand Erg

La Havane, Caracas, Paramaribo, Quito, Lima, Manaus, Rio de Janeiro, Natal, Buenos Aires, Santiago, Amazone, Orénoque, Llanos, Selvas, Madeira, Paraná, Gran Chaco, Pampas, Campos, Caatingas, Puna, Punta, Atacama, S. Francisco

Londres, Paris, Madrid, Berlin, Varsovie, Moscou, Tunis, Casablanca, Le Caire, Le Caire, Danube

Mourmansk, Arkhangelsk, Iekaterinbourg, Verkhoïansk, Oïmiakon, Tokyo, Vladivostok, Beijing, Shanghai, Chongqing, Guangzhou, Manille, Bangkok, Yangon, Chennai, Kolkata, Mumbai, Delhi, Karachi, Téhéran, La Mecque, Ankara, Tachkent, Amour, Lena, Iénisséi, Ob, Volga, Toundra, Taïga, Gobi, Tibet, Takla Makan, Népal, Gange, Huanghe, Kvzyl Koum, Karakoum, Gd Désert salé, Steppe de la Faim, Steppe Kazakhe, Désert de Syrie, Nil, Roub-el-Khali, Dahna, Dés. d'Arabie, Dés. du Nefoud

Dakar, Bamako, Kano, Lagos, Niger, Khartoum, Addis Abeba, Nairobi, Zanzibar, Kinshasa, Lubumbashi, Harare, Johannesburg, Le Cap, Sahara, Sahel, Sudd, Savane Miombo, Steppe Massaï, Congo, Zambèze, Namib, Orange, Kalahari, Vaal, Désert de Libye

Jayapura, Jakarta, Singapour, Darwin, Perth, Brisbane, Sydney, Melbourne, Auckland, Wellington, Gd Dés. de Sable, Gd Dés. de Victoria, Dés. de Simpson, Scrub, Darling, Murray, Steppe à tussock

160°L.O. de Gr.140 160°L.E. de Gr.180

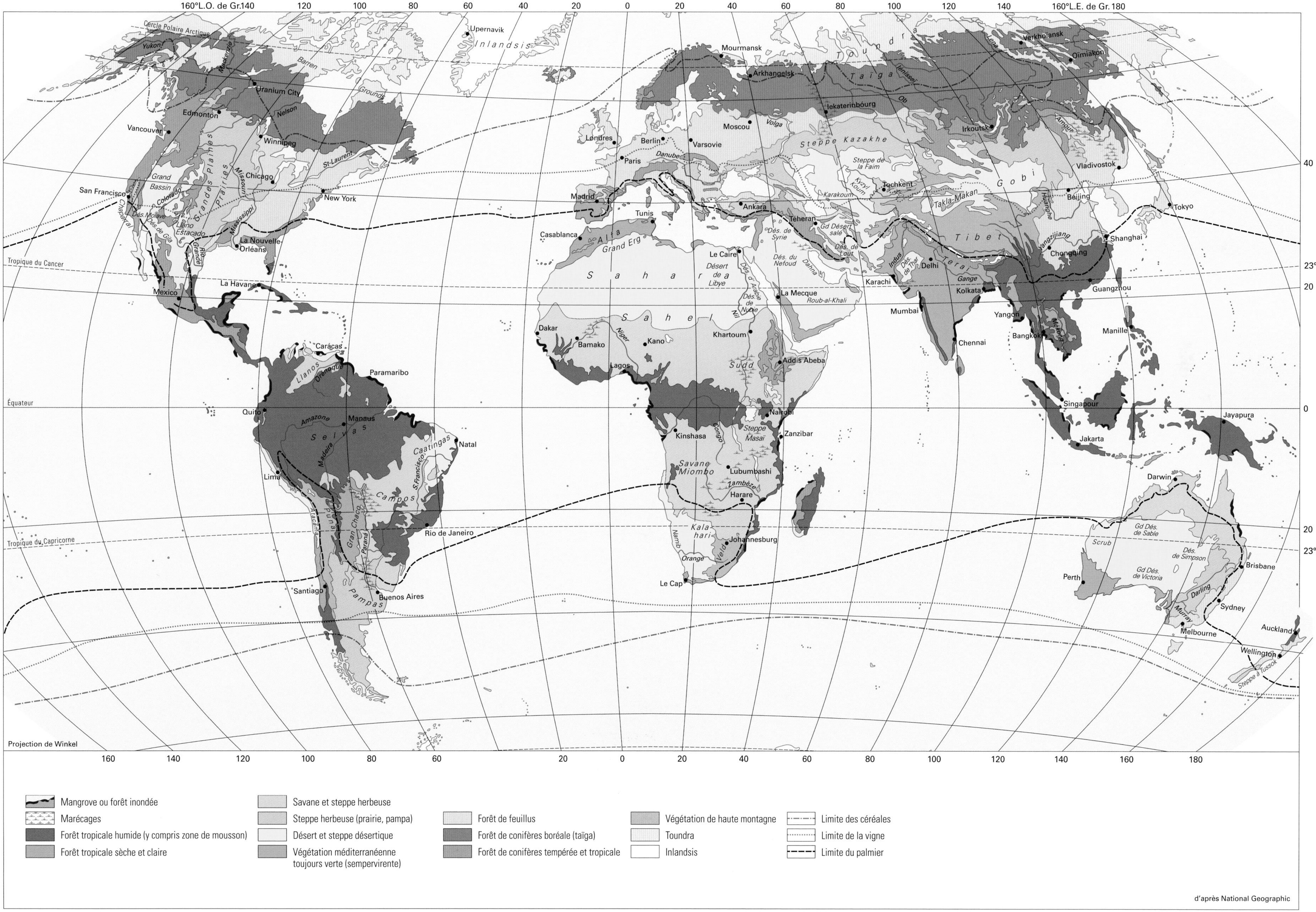

LA TERRE   LES ZONES DE CULTURE SUR LE GLOBE

Échelle 1 : 9 000 000

Légende

- Agriculture méditerranéenne
- Céréaliculture commerciale
- Exploitation mixte (élevage et culture)
- Production laitière commercialisée
- Cultures maraîchères et fruitières commercialisées
- Agriculture intensive dans les oasis
- Agriculture peu importante ou nulle

- Élevage nomade
- Élevage extensif et commercialisé (ranching)
- Agriculture primitive de subsistance (en partie itinérante, en partie sédentaire)
- Agriculture intensive de subsistance (riz dominant)
- Agriculture intensive de subsistance (riz non dominant)
- Agriculture de plantation

Projection de Winkel

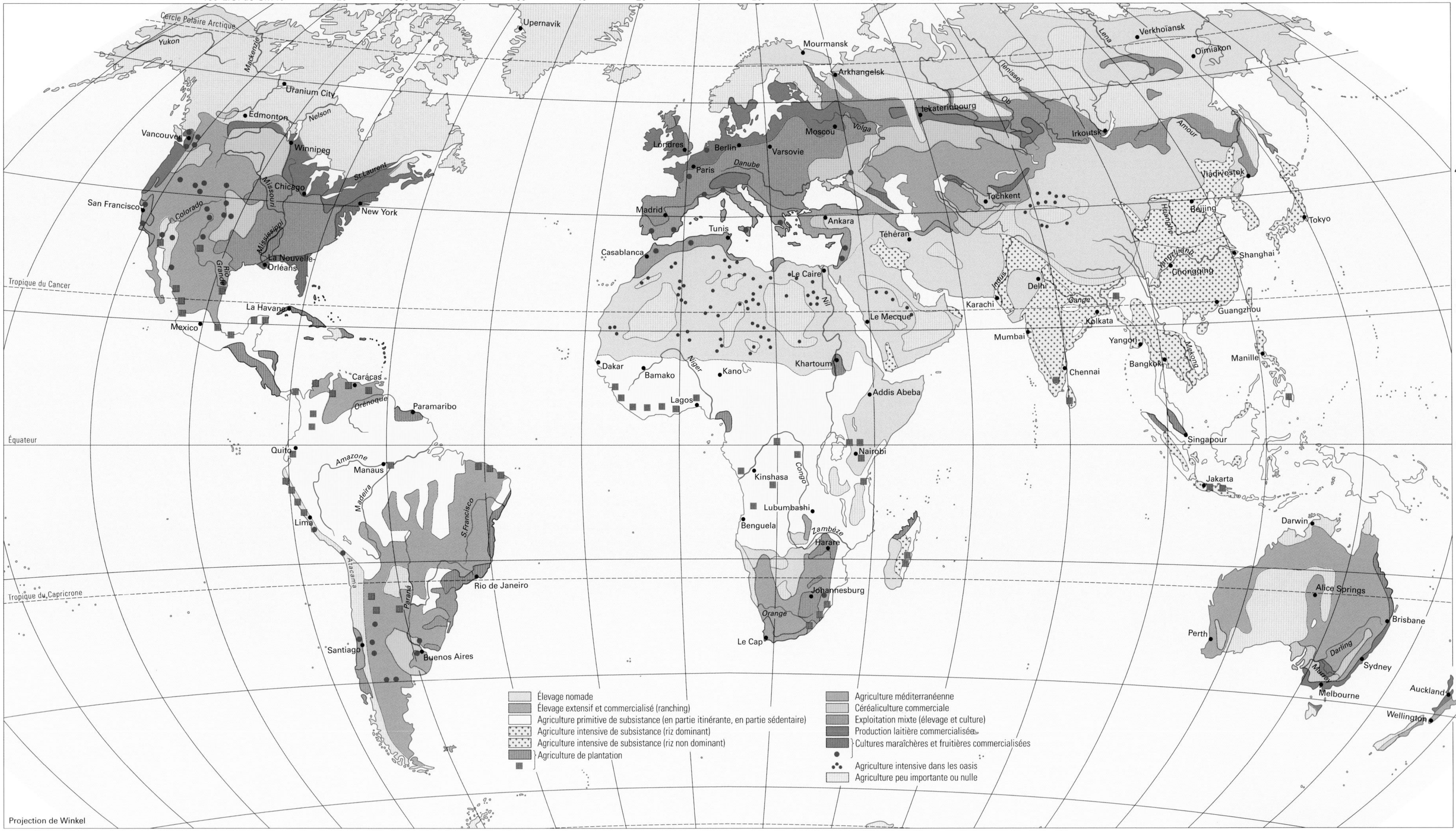

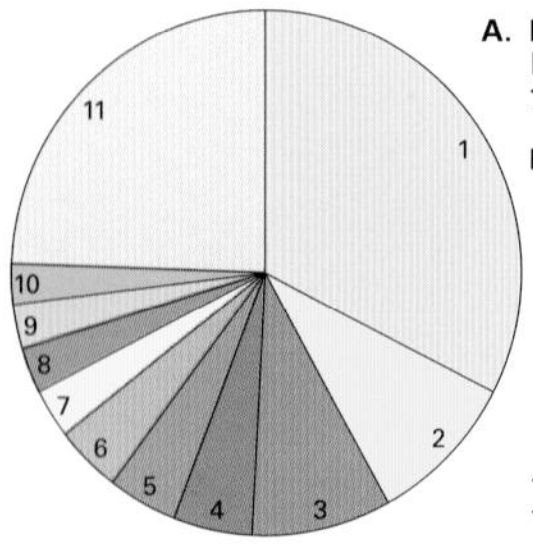

A. PRODUCTION MONDIALE DE CAFÉ (2005)
7 718 131 tonnes
Production par pays en %
1. Brésil 28,2
2. Viêt-Nam 12,8
3. Indonésie 9,9
4. Colombie 8,8
5. Mexique 3,6
6. Inde 3,4
7. Éthiopie 2,8
8. Guatemala 2,5
9. Honduras 2,4
10. Ouganda 2,4
11. Reste du monde 21,6

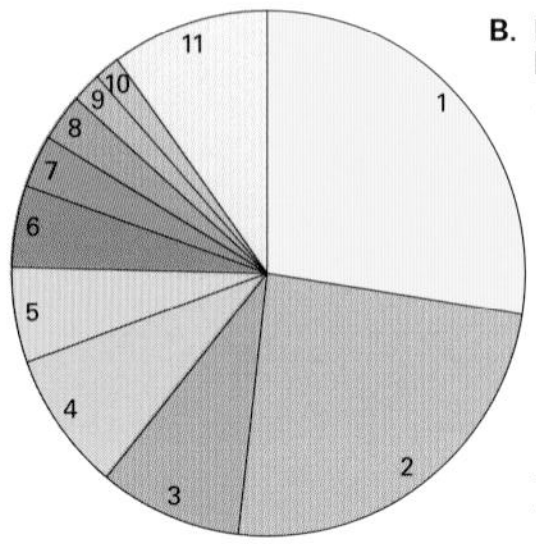

B. PRODUCTION MONDIALE DE THÉ (2005)
3 418 777 tonnes
Production par pays en %
1. Chine 27,5
2. Inde 24,3
3. Sri Lanka 9,0
4. Kenya 8,6
5. Turquie 5,9
6. Indonésie 5,0
7. Viêt-Nam 3,2
8. Japon 2,9
9. Argentine 1,9
10. Bangladesh 1,6
11. Reste du monde 10,1

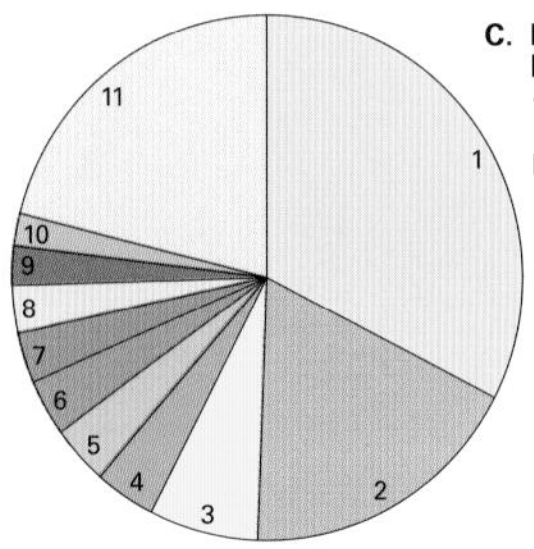

C. PRODUCTION MONDIALE DE SUCRE DE CANNE (2005)
1 289 820 050 tonnes
Production par pays en %
1. Brésil 32,6
2. Inde 18,0
3. Chine 6,9
4. Thaïlande 3,8
5. Pakistan 3,7
6. Mexique 3,5
7. Colombie 3,1
8. Australie 3,0
9. Philippines 2,4
10. États-Unis 2,0
11. Reste du monde 21,0

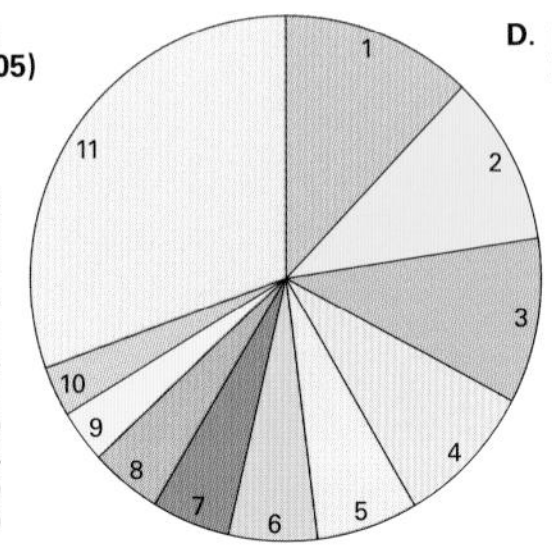

D. PRODUCTION MONDIALE DE SUCRE DE BETTERAVE (2005)
242 620 524 tonnes
Production par pays en %
1. France 12,1
2. Allemagne 10,5
3. États-Unis 10,2
4. Russie 8,9
5. Ukraine 6,4
6. Turquie 5,6
7. Italie 4,9
8. Pologne 4,5
9. Chine 3,3
10. Royaume-Uni 3,1
11. Reste du monde 30,5

E. UTILISATION DU SOL

- Terres arables
- Pâturages
- Forêts
- Improductif

Amérique du Nord	12% / 16% / 38% / 34%	
Amérique Centrale et du Sud	7% / 28% / 47% / 18%	
Europe	30% / 27% / 27% / —	
Russie	8% / 5% / 50% / 37%	
Asie	17% / 35% / 17% / 31%	
Afrique	6% / 29% / 24% / 40%	
Océanie	6% / 49% / 23% / 21%	
Antarctique	100%	

Pourcentage de la surface totale des terres émergées

© Noordhoff Uitgevers

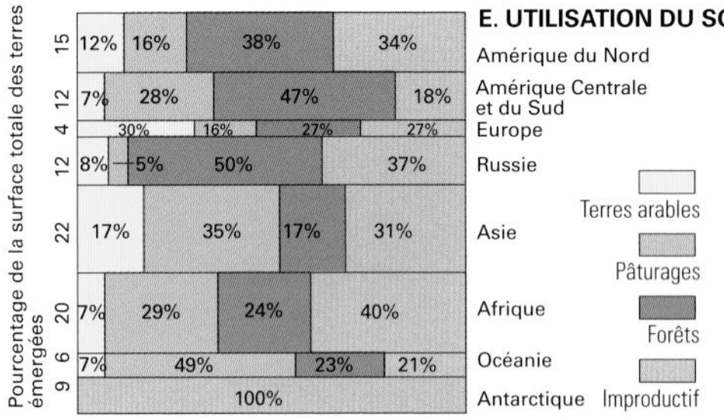

LA TERRE AGRICULTURE

Échelle 1 : 90000000

Projection de Winkel

Cercle Polaire Arctique

Tropique du Cancer

Équateur

Tropique du Capricorne

Canada

États-Unis

Europe

Ex-U.R.S.S.

Asie de l'Est et du Sud-Est

Asie du Sud et du Sud-Ouest

Afrique

Amérique Latine

Australie et Nouvelle-Zélande

Chaque point réprésente 100.000 tonnes
Blé
Riz
Maïs

Transport maritime de:
Blé
Riz

Prises ou production en millions de tonnes (2005)
200
100
50
25
10

Blé
Riz
Maïs

Pommes de terre
Viande
Poisson

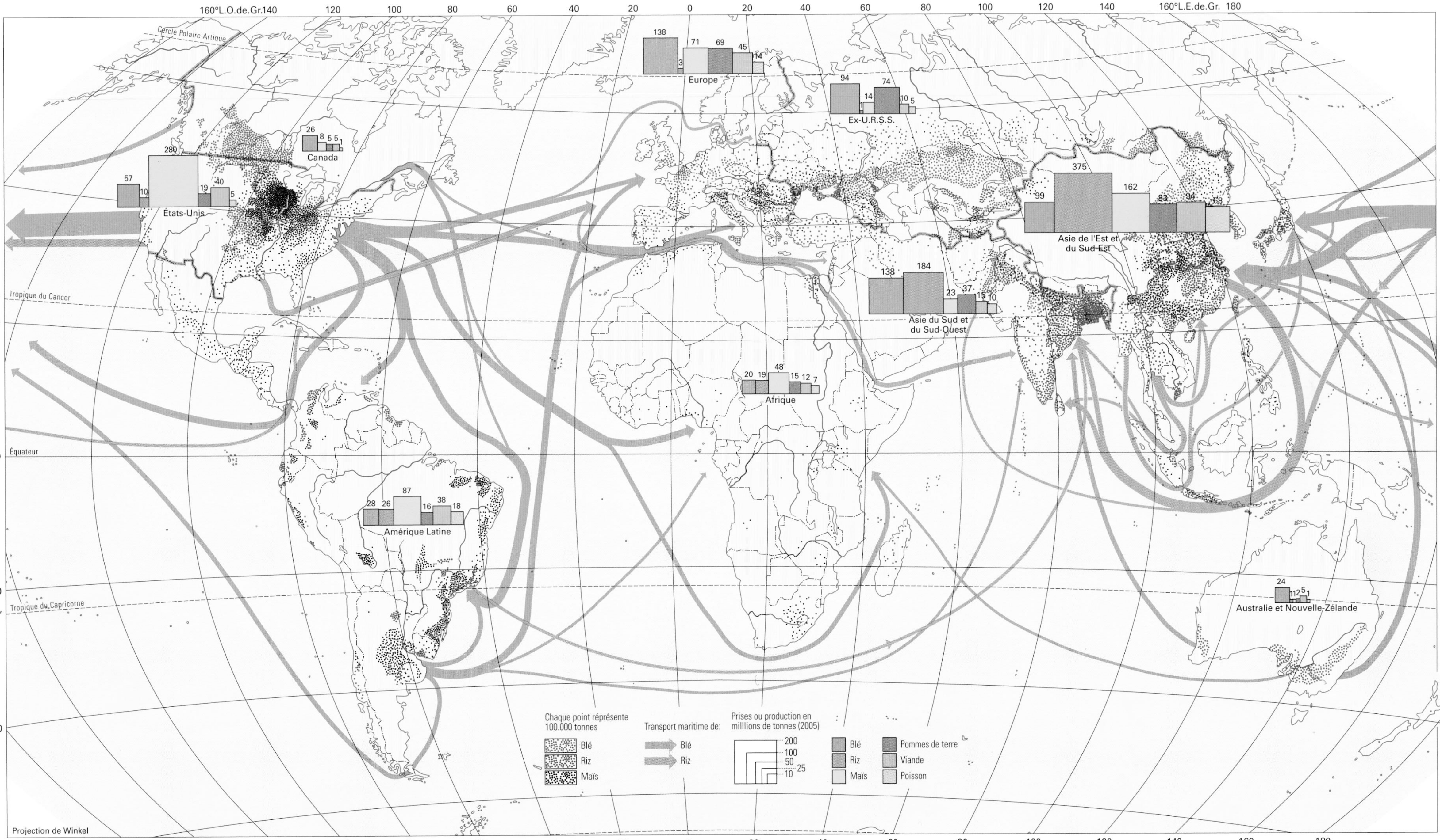

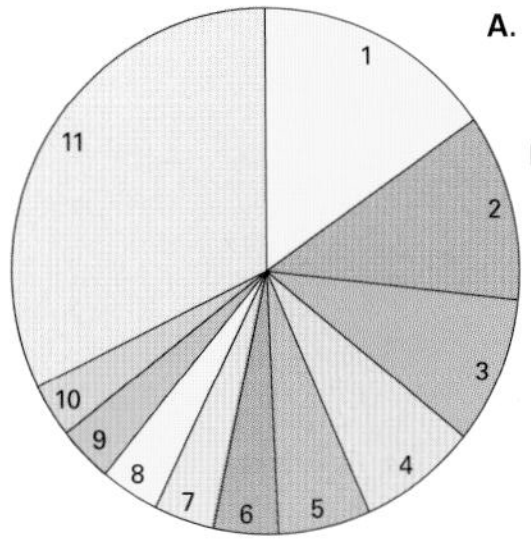

A. PRODUCTION MONDIALE DE BLÉ (2005)
628 101 035 tonnes

Production par pays en %

1. Chine 15,9
2. Inde 12,5
3. États-Unis 9,1
4. Russie 7,6
5. France 5,9
6. Canada 4,1
7. Australie 3,8
8. Allemagne 3,8
9. Pakistan 3,4
10. Turquie 3,3
11. Reste du monde ...30,6

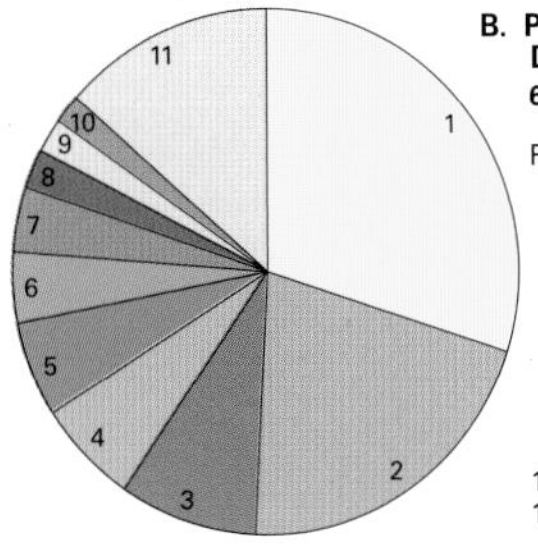

B. PRODUCTION MONDIALE DE RIZ (2005)
618 534 989 tonnes

Production par pays en %

1. Chine 30,0
2. Inde 20,9
3. Indonésie 8,7
4. Bangladesh 6,5
5. Viêt-Nam 5,9
6. Thaïlande 4,4
7. Myanmar 4,0
8. Philippines 2,4
9. Brésil 2,1
10. Japon 1,8
11. Reste du monde ...13,3

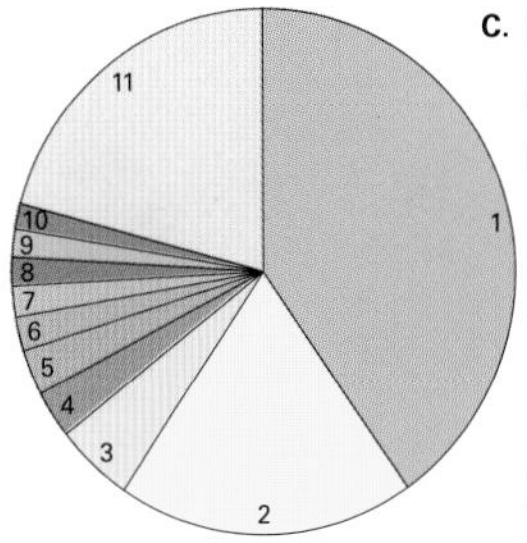

C. PRODUCTION MONDIALE DE MAÏS (2005)
694 575 552 tonnes

Production par pays en %

1. États-Unis 40,3
2. Chine 19,1
3. Brésil 5,0
4. Mexique 3,0
5. Argentine 2,8
6. Inde 2,1
7. France 1,9
8. Indonésie 1,7
9. Afrique du Sud . 1,7
10. Italie 1,5
11. Reste du monde ...20,9

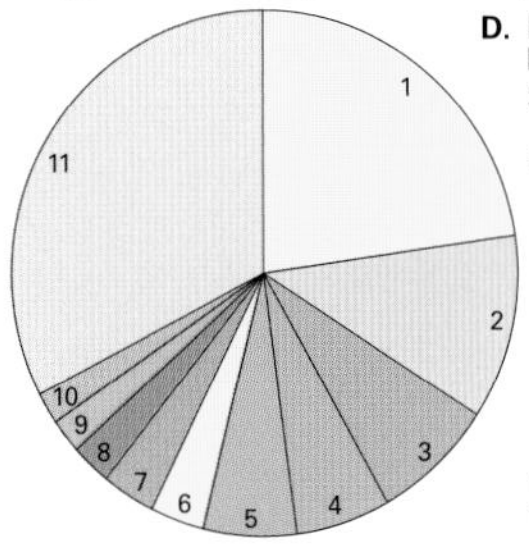

D. PRODUCTION MONDIALE DE POMMES DE TERRE (2005)
321 060 852 tonnes

Production par pays en %

1. Chine 22,7
2. Russie 11,3
3. Inde 7,8
4. Ukraine 6,1
5. États-Unis 6,0
6. Allemagne 3,5
7. Pologne 3,4
8. Biélorussie 2,5
9. Pays-Bas 2,1
10. France 2,0
11. Reste du monde ...32,6

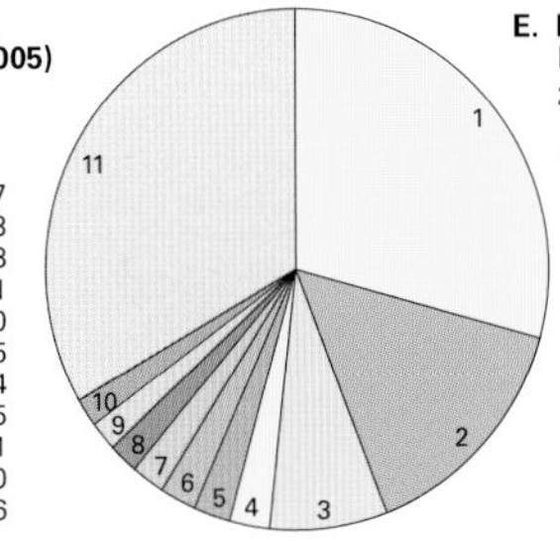

E. PRODUCTION MONDIALE DE VIANDE (2005)
211 675 000 tonnes

Production par pays en %

1. Chine 29,3
2. États-Unis 14,9
3. Brésil 7,5
4. Allemagne 2,6
5. Inde 2,4
6. France 2,3
7. Espagne 2,2
8. Mexique 1,9
9. Russie 1,8
10. Canada 1,8
11. Reste du monde ...33,3

© Noordhoff Uitgevers

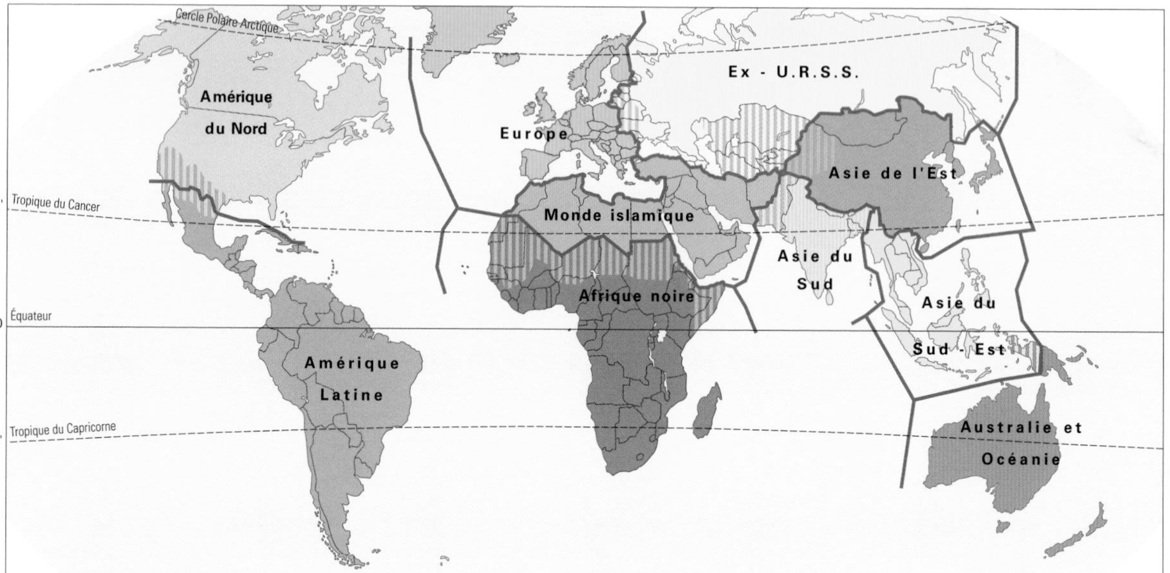

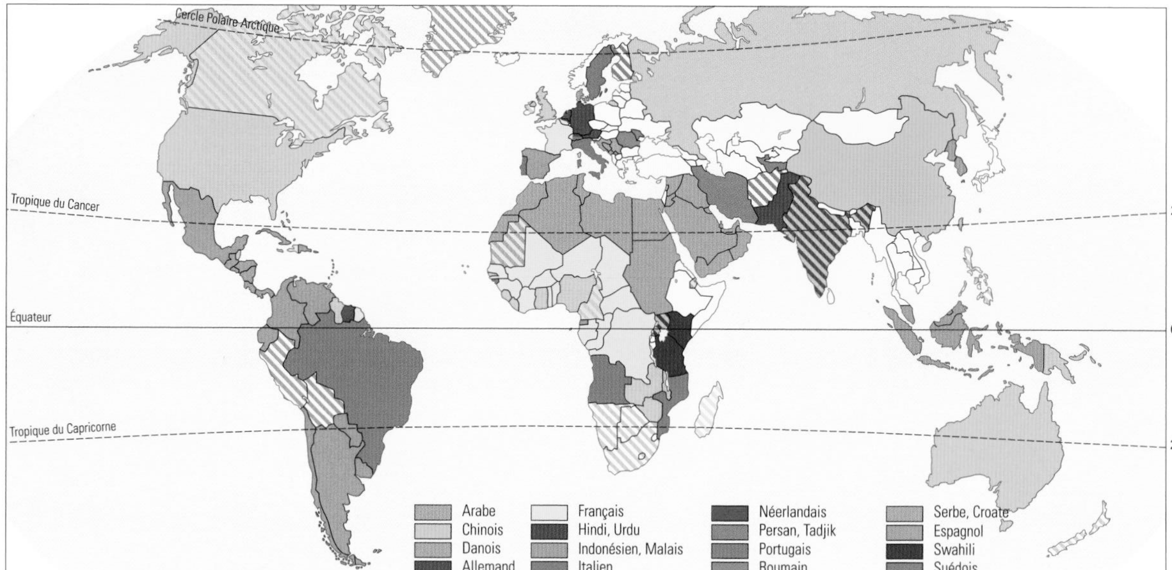

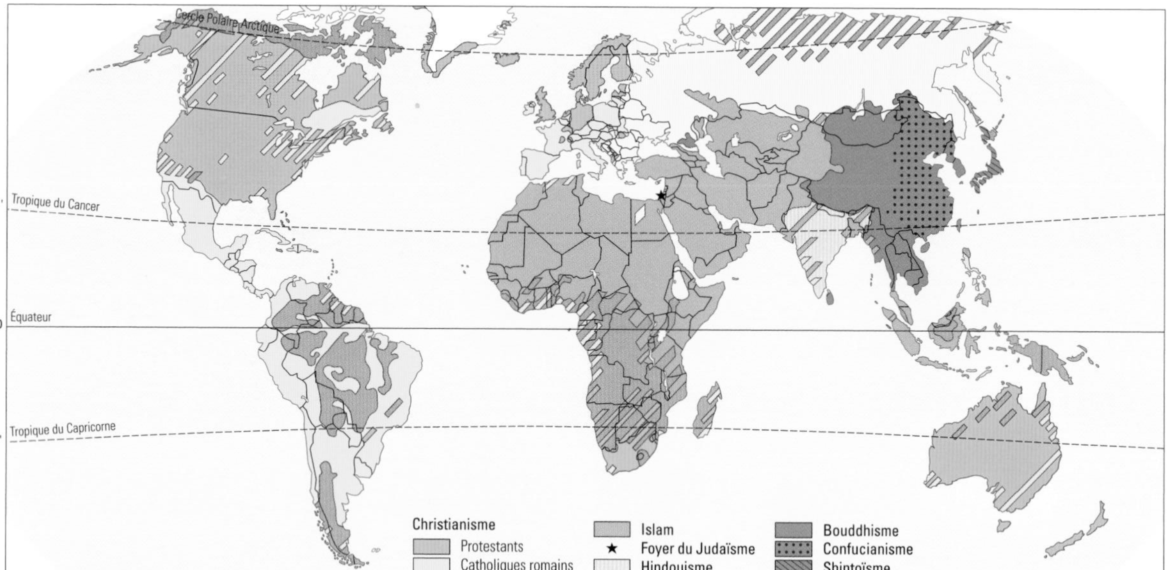

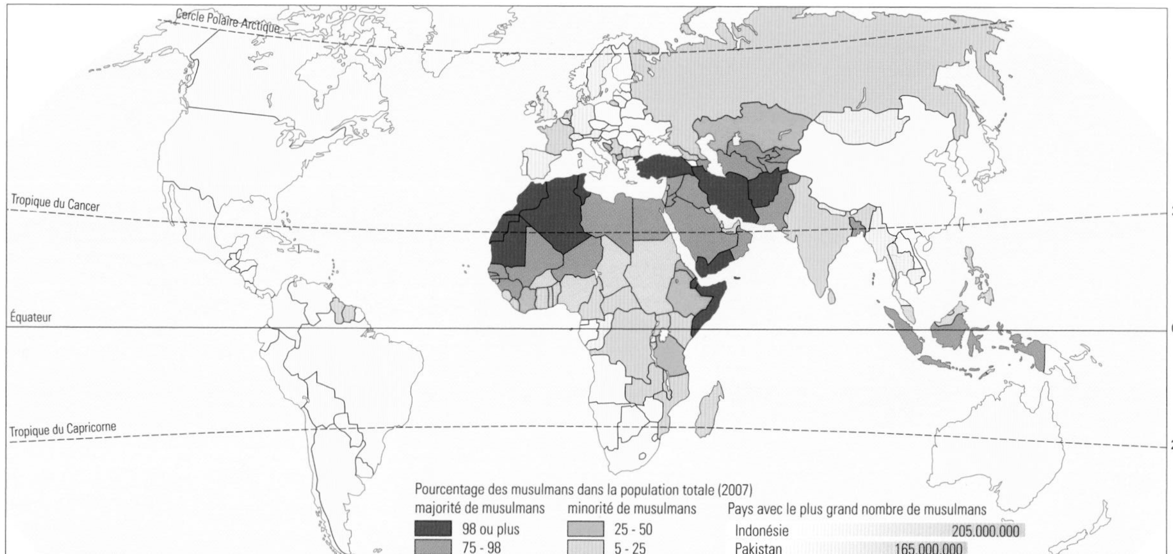

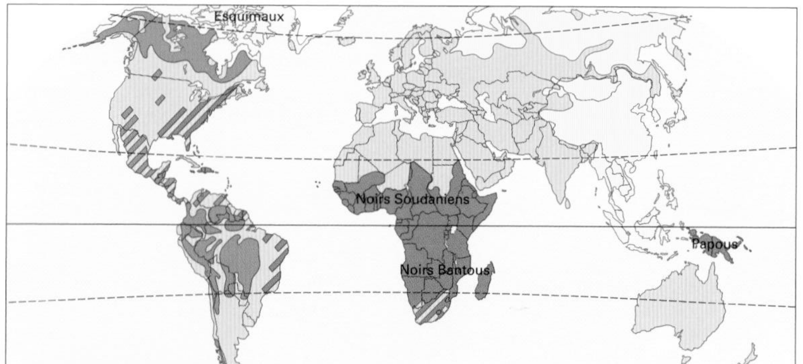

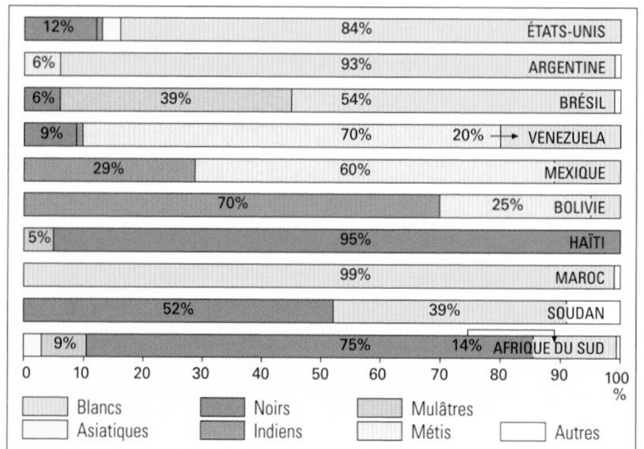

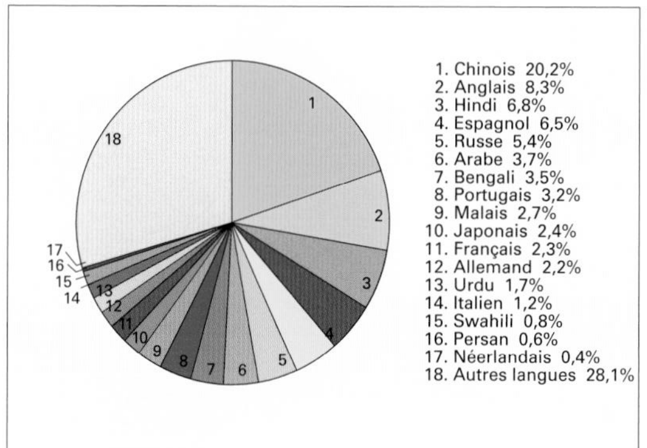

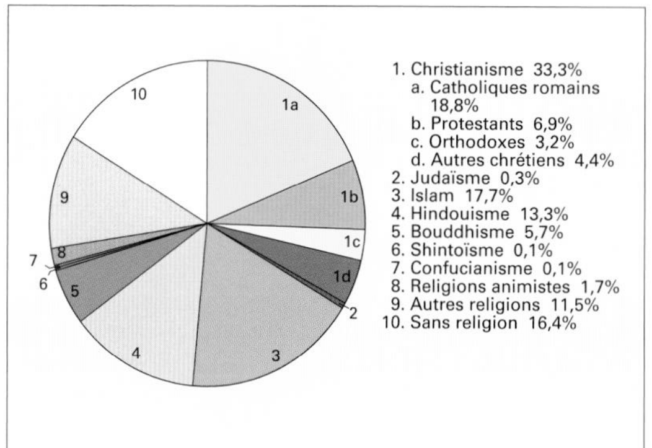

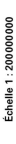

LA TERRE POPULATION

Échelle 1 : 200000000

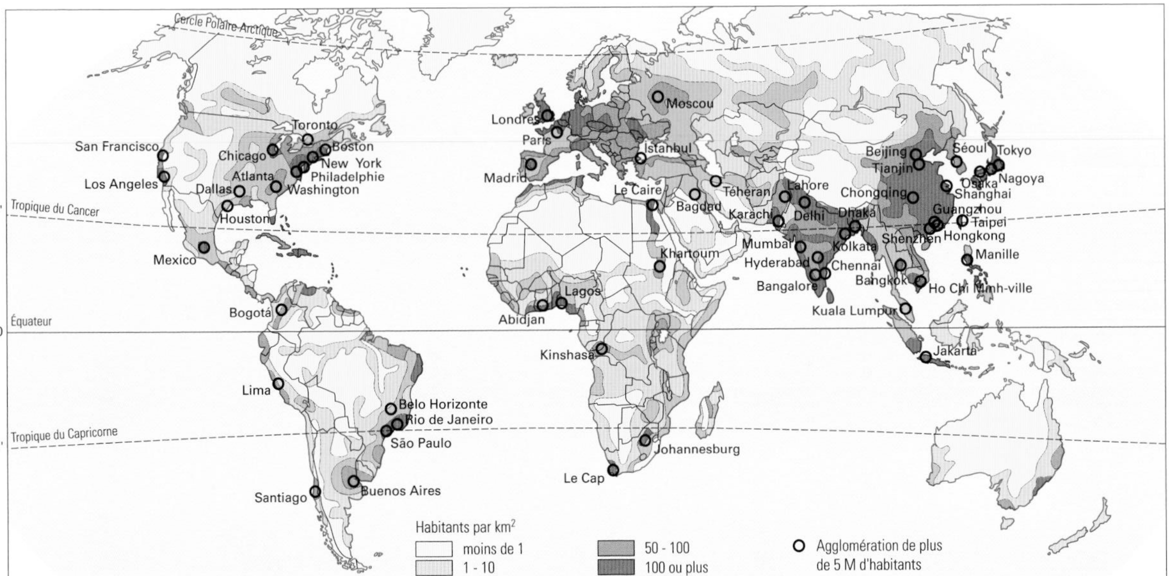

A. DENSITÉ DE LA POPULATION

Habitants par km²
- moins de 1
- 1 - 10
- 10 - 50
- 50 - 100
- 100 ou plus

○ Agglomération de plus de 5 M d'habitants

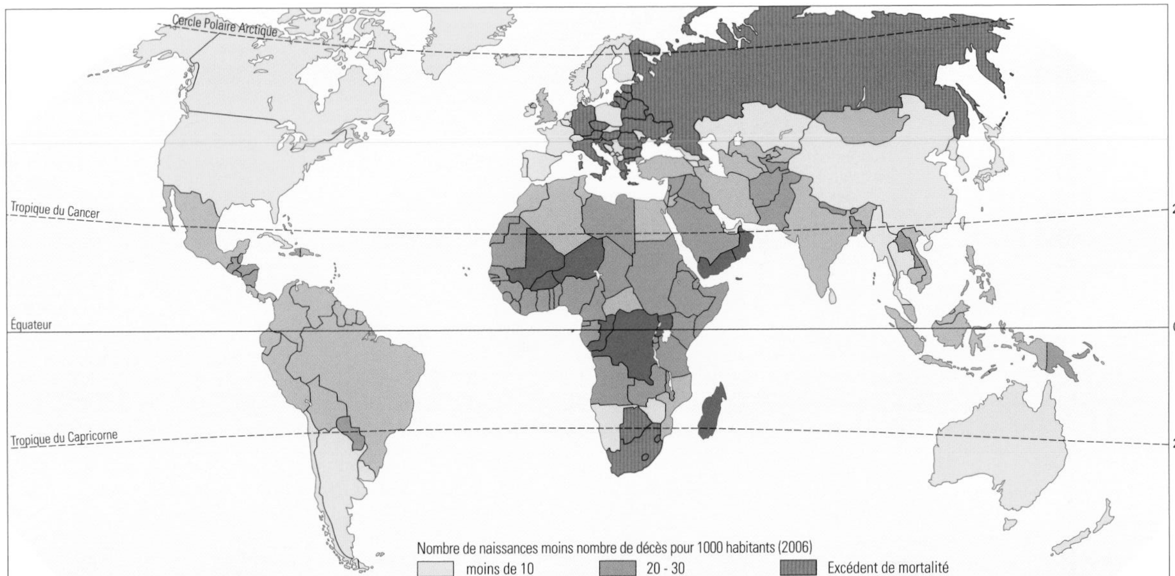

B. ACCROISSEMENT NATUREL

Nombre de naissances moins nombre de décès pour 1000 habitants (2006)
- moins de 10
- 10 - 20
- 20 - 30
- 30 ou plus

Excédent de mortalité

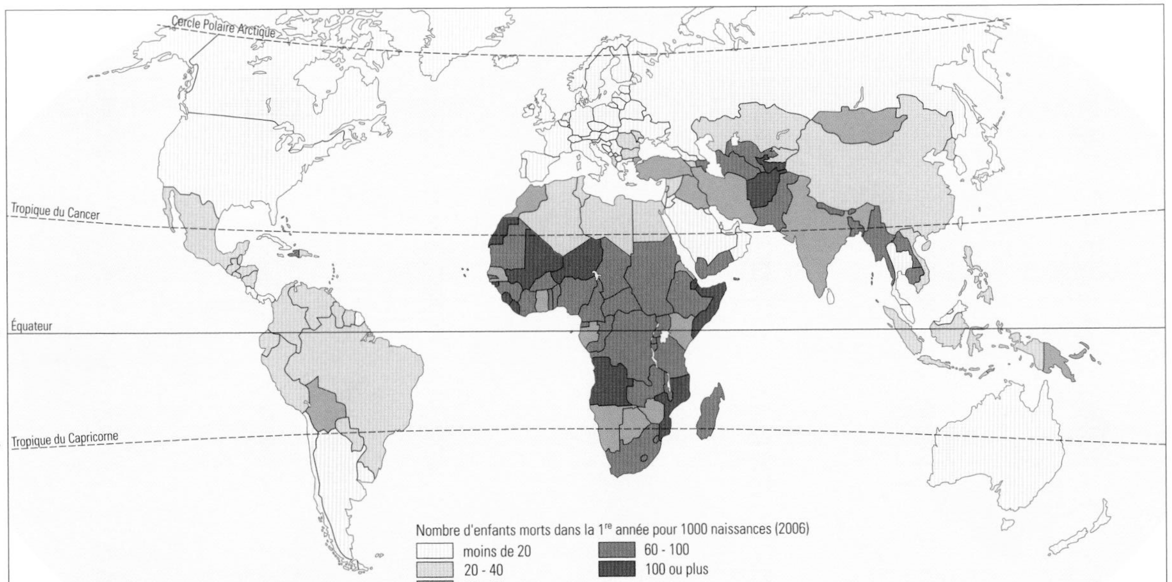

C. MORTALITÉ INFANTILE

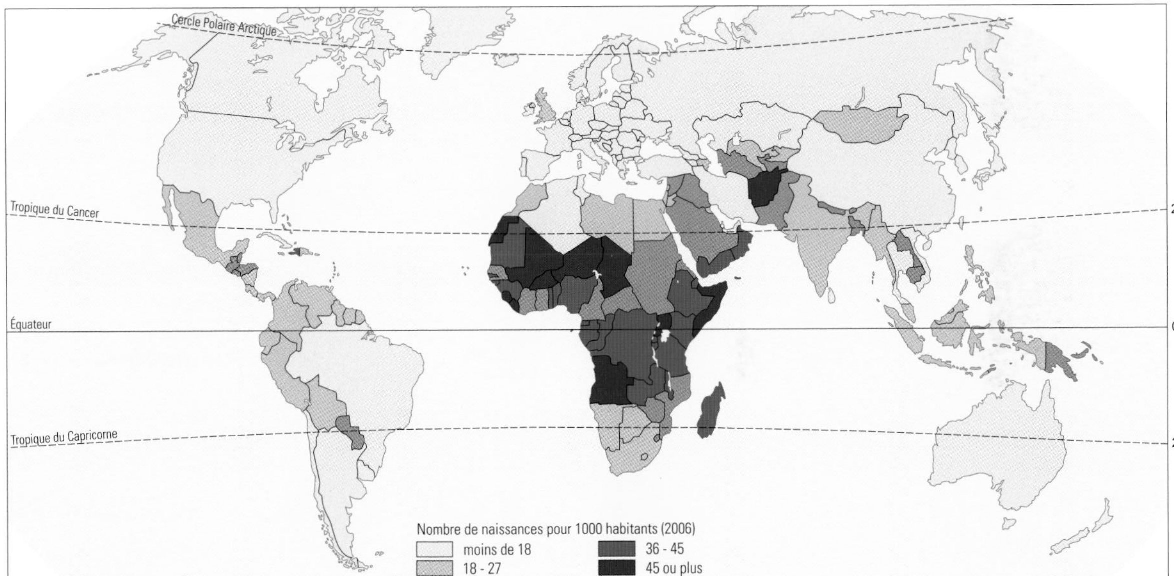

Nombre d'enfants morts dans la 1re année pour 1000 naissances (2006)
- moins de 20
- 20 - 40
- 40 - 60
- 60 - 100
- 100 ou plus

D. TAUX DE NATALITÉ

Nombre de naissances pour 1000 habitants (2006)
- moins de 18
- 18 - 27
- 27 - 36
- 36 - 45
- 45 ou plus

E. ACCROISSEMENT DE LA POPULATION DANS LES PAYS INDUSTRIALISÉS ET LES PAYS EN VOIE DE DÉVELOPPEMENT

Pays industrialisés

Pays en voie de développement

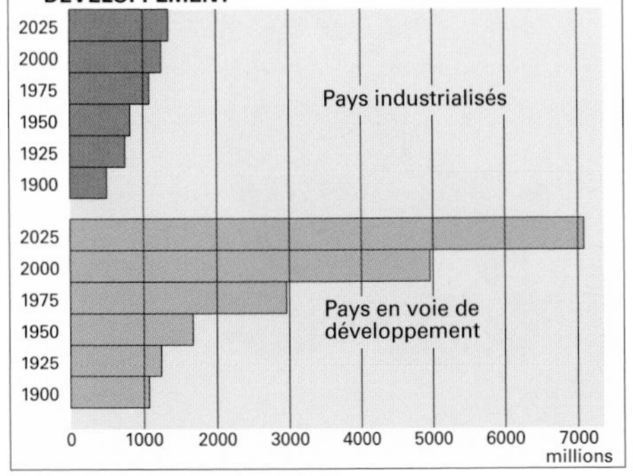

F. ACCROISSEMENT DE LA POPULATION (1965 - 2005)

Pays en voie de développement

Pays industrialisés

G. PYRAMIDES DES ÂGES

G1. France 2010

G2. États-Unis 2010

G3. Pérou 2010

G4. Cameroun 2010

G5. Chine 2010

Hommes
Femmes

© Noordhoff Uitgevers

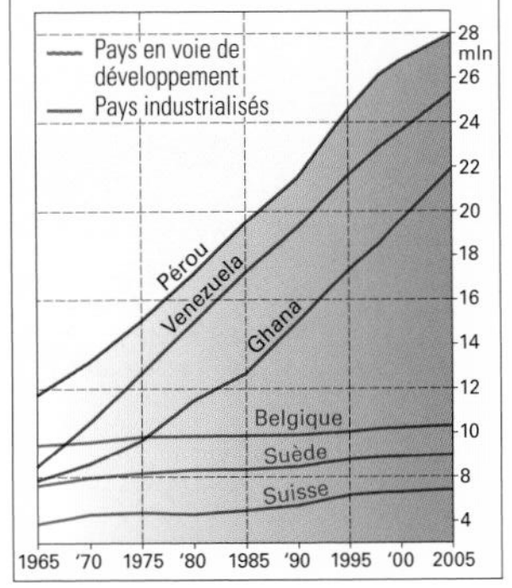

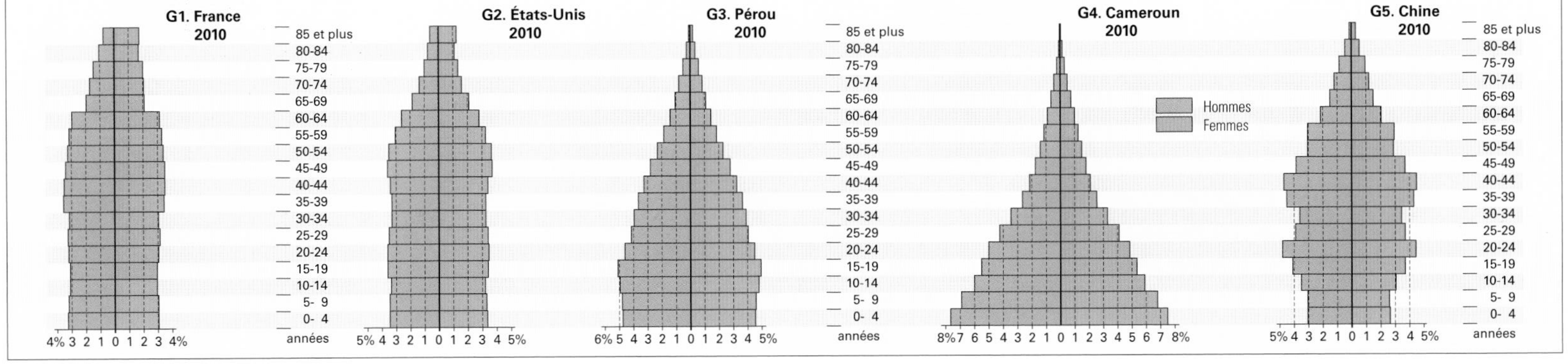

LA TERRE POPULATION / URBANISATION

Échelle 1 : 200 000 000

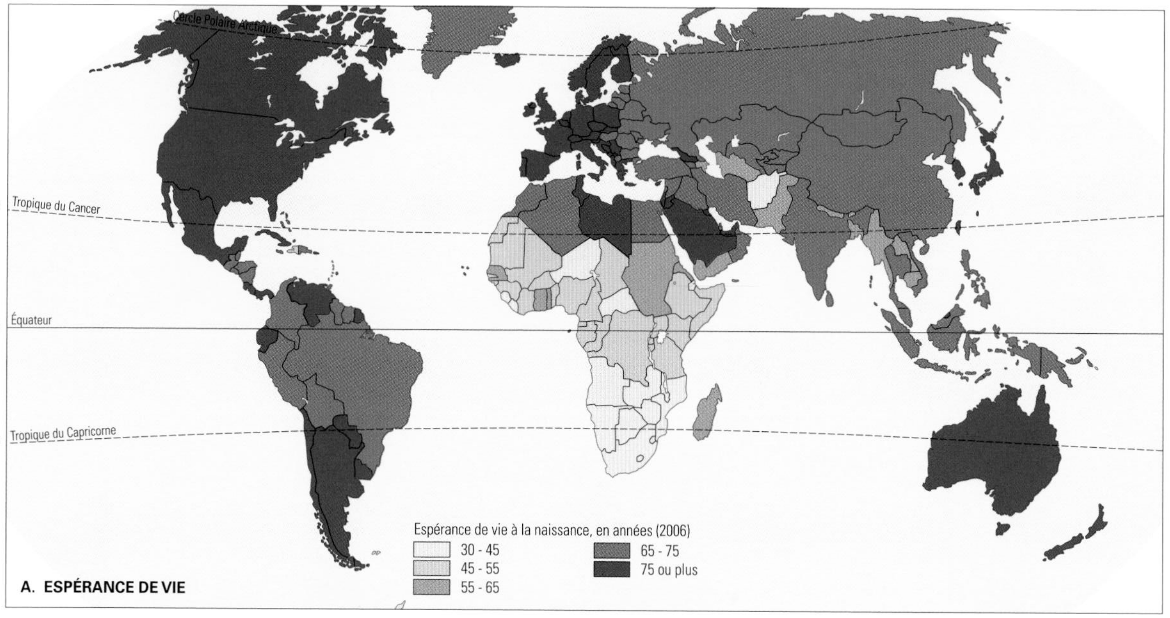

A. ESPÉRANCE DE VIE

Espérance de vie à la naissance, en années (2006)

- 30 - 45
- 45 - 55
- 55 - 65
- 65 - 75
- 75 ou plus

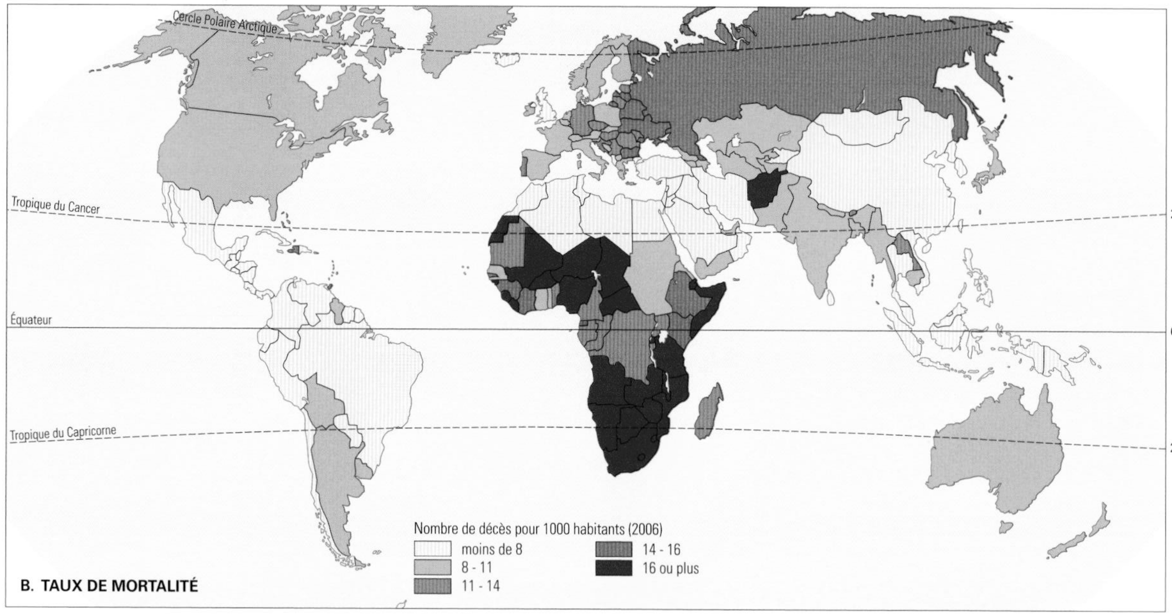

B. TAUX DE MORTALITÉ

Nombre de décès pour 1000 habitants (2006)

- moins de 8
- 8 - 11
- 11 - 14
- 14 - 16
- 16 ou plus

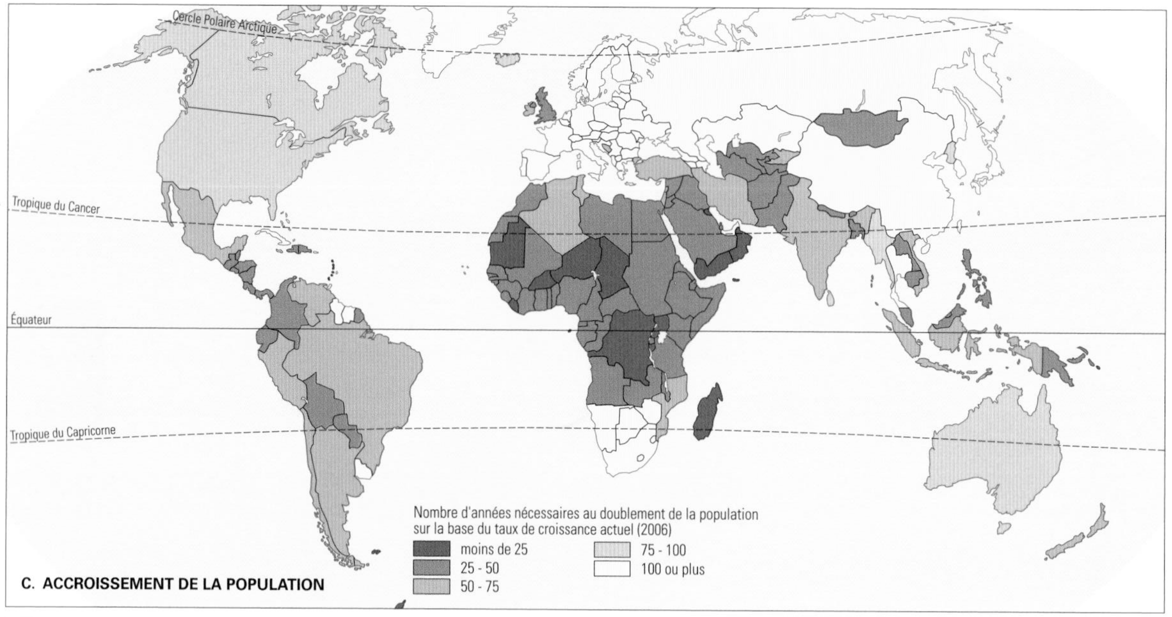

C. ACCROISSEMENT DE LA POPULATION

Nombre d'années nécessaires au doublement de la population sur la base du taux de croissance actuel (2006)

- moins de 25
- 25 - 50
- 50 - 75
- 75 - 100
- 100 ou plus

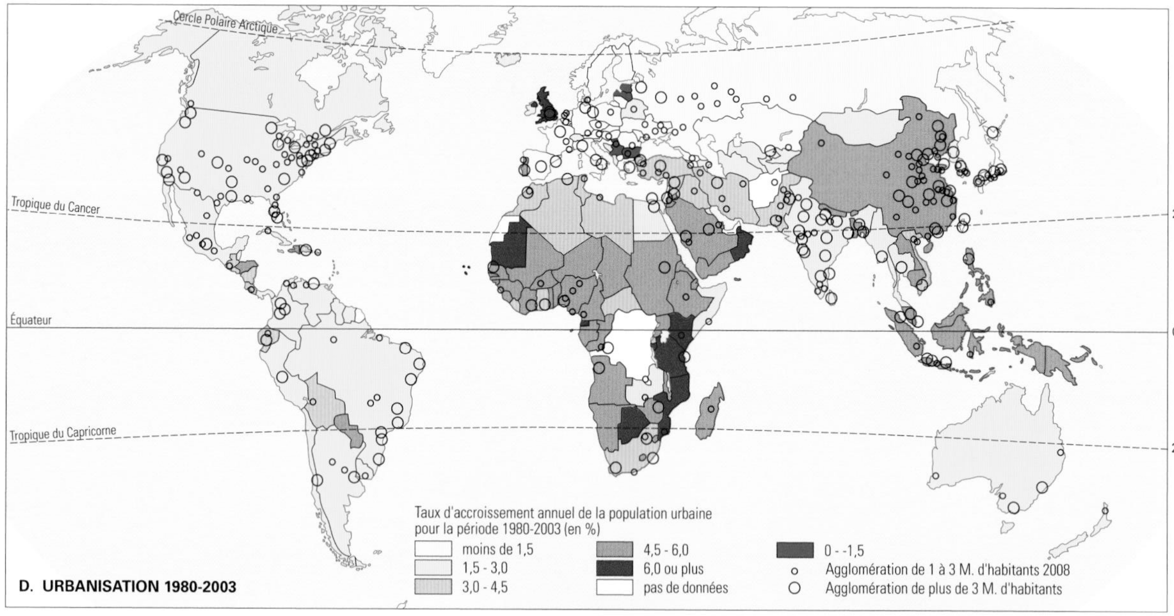

D. URBANISATION 1980-2003

Taux d'accroissement annuel de la population urbaine pour la période 1980-2003 (en %)

- moins de 1,5
- 1,5 - 3,0
- 3,0 - 4,5
- 4,5 - 6,0
- 6,0 ou plus
- pas de données

Agglomération de 1 à 3 M. d'habitants 2008
Agglomération de plus de 3 M. d'habitants

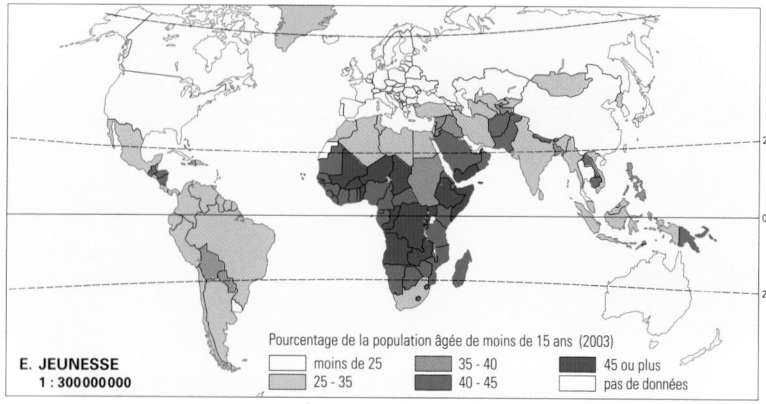

E. JEUNESSE
1 : 300 000 000

Pourcentage de la population âgée de moins de 15 ans (2003)

- moins de 25
- 25 - 35
- 35 - 40
- 40 - 45
- 45 ou plus
- pas de données

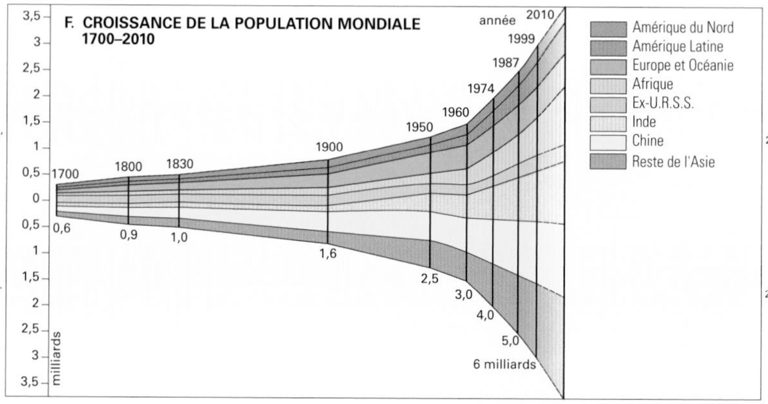

F. CROISSANCE DE LA POPULATION MONDIALE 1700–2010

année: 1700 1800 1830 1900 1950 1960 1974 1987 1999 2010
milliards: 0,6 0,9 1,0 1,6 2,5 3,0 4,0 5,0 6 milliards

- Amérique du Nord
- Amérique Latine
- Europe et Océanie
- Afrique
- Ex-U.R.S.S.
- Inde
- Chine
- Reste de l'Asie

G. PERSONNES ÂGÉES
1 : 300 000 000

Pourcentage de la population âgée de 65 ans et plus (2003)

- moins de 3
- 3 - 6
- 6 - 9
- 9 - 12
- 12 ou plus
- pas de données

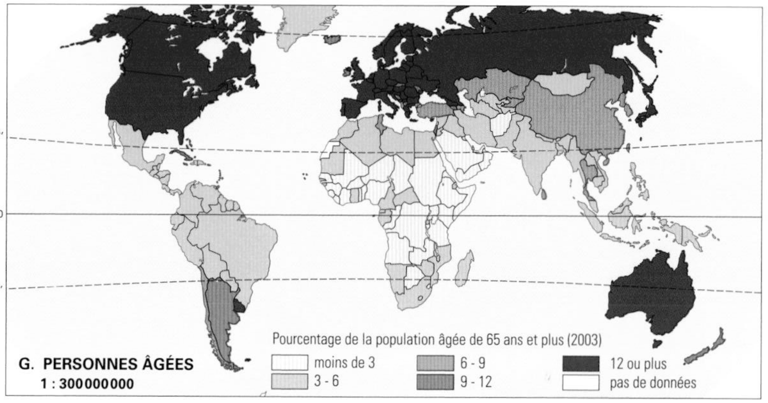

LA TERRE URBANISATION

Échelle 1 : 200 000 000

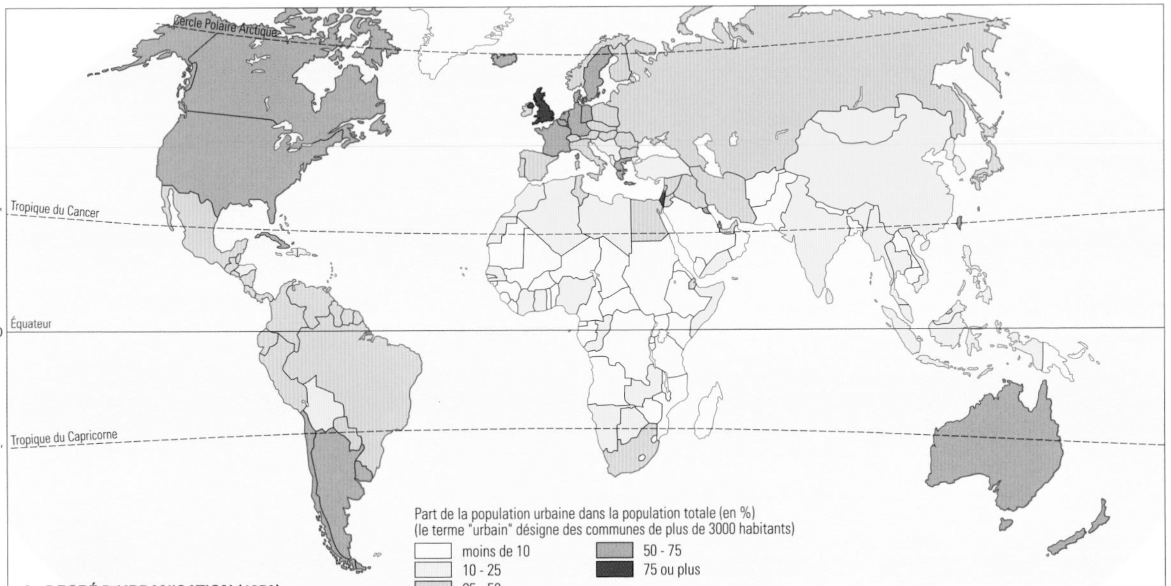

A. DEGRÉ D'URBANISATION (1950)

Part de la population urbaine dans la population totale (en %)
(le terme "urbain" désigne des communes de plus de 3000 habitants)

- moins de 10
- 10 - 25
- 25 - 50
- 50 - 75
- 75 ou plus

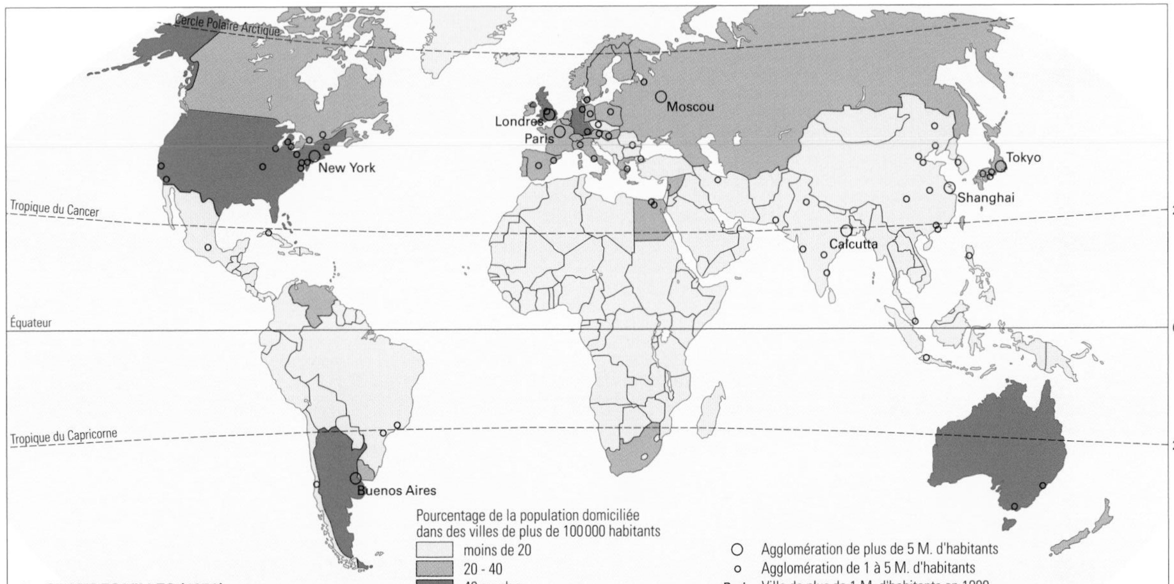

B. GRANDES VILLES (1950)

- Agglomération de plus de 5 M. d'habitants
- Agglomération de 1 à 5 M. d'habitants
- Paris Ville de plus de 1 M. d'habitants en 1900

Pourcentage de la population domiciliée
dans des villes de plus de 100 000 habitants

- moins de 20
- 20 - 40
- 40 ou plus

Tokyo
Shanghai
Calcutta
Moscou
Londres
Paris
New York
Buenos Aires

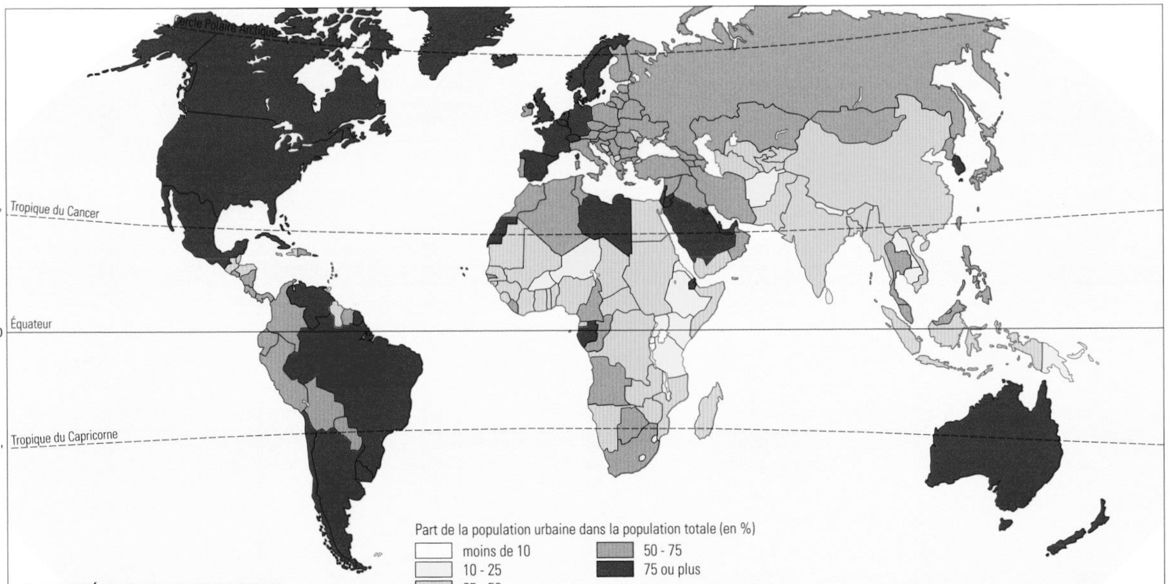

C. DEGRÉ D'URBANISATION (2005)

Part de la population urbaine dans la population totale (en %)

- moins de 10
- 10 - 25
- 25 - 50
- 50 - 75
- 75 ou plus

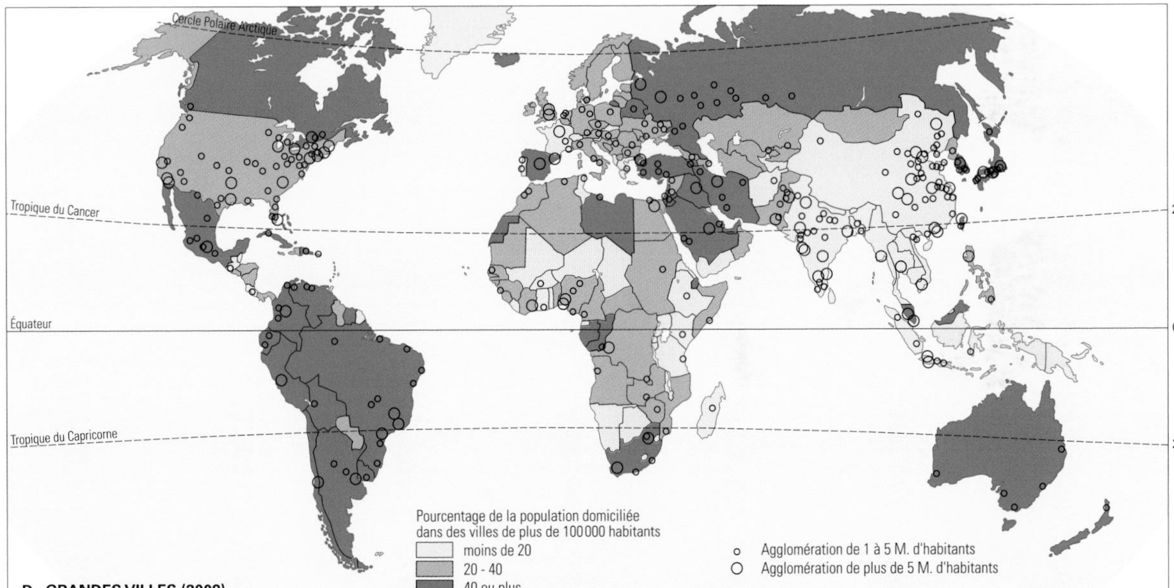

D. GRANDES VILLES (2008)

- Agglomération de 1 à 5 M. d'habitants
- Agglomération de plus de 5 M. d'habitants

Pourcentage de la population domiciliée
dans des villes de plus de 100 000 habitants

- moins de 20
- 20 - 40
- 40 ou plus

E. POPULATION MONDIALE - URBANISATION 1950 - 2003

- Population rurale
- Population urbaine domiciliée dans des villes de plus de 100 000 habitants
- Autre population urbaine

1950
1970
2003

AMÉRIQUE DU NORD
AMÉRIQUE DU SUD
AFRIQUE
EUROPE
Ex-U.R.S.S.
ASIE

300 600 900 1200 1500 1800 2100 2400 2700 3000 3300 3600 M.

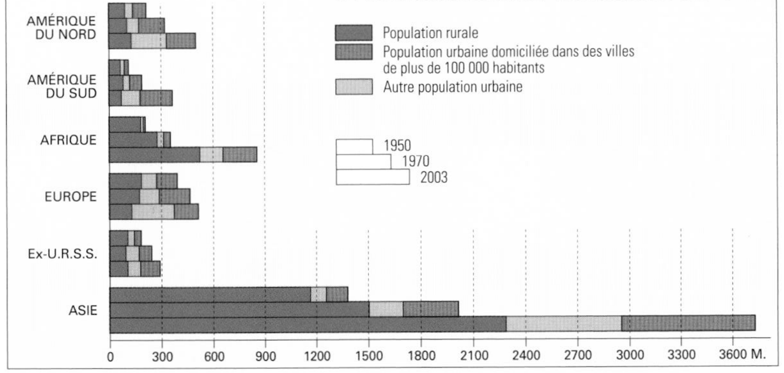

F. CROISSANCE DE QUELQUES MÉTROPOLES

1925
1950
2008

Nombre d'habitants par métropole
15 M.
10 M.
5 M.
2 M.
1 M.

BRUXELLES
CHICAGO
SAINT-PÉTERSBOURG
TOKYO
PARIS
SHANGHAI
SYDNEY
SÃO PAULO
LE CAIRE
KARACHI

G. PRODUIT NATIONAL BRUT ET URBANISATION 2003

Part de la population urbaine dans la population totale, en %

Produit National Brut, par habitant, en dollars (x 1000)

0 2 4 6 8 10 12 14 16 18 20 22 24 26 28 30 32 34 36 38 40 42 44 46 48 50

Belgique
Islande
Royaume-Uni
Australie
Israël
Nouvelle Zélande
Allemagne
Danemark
États-Unis
Canada
Japon
Norvège
France
Émirats Arabes Unis
Suisse
Finlande
Argentine
Venezuela
Arabie Saoudite
Chili
Rép. Tchèque
Portugal
Grèce
Brésil
Gabon
Colombie
Russie
Pologne
Panama
Algérie
Malaysia
Maroc
Afrique du Sud
Nigeria
Égypte
Chine
Rép. Dém. du Congo
Inde
Éthiopie
Népal

© Noordhoff Uitgevers

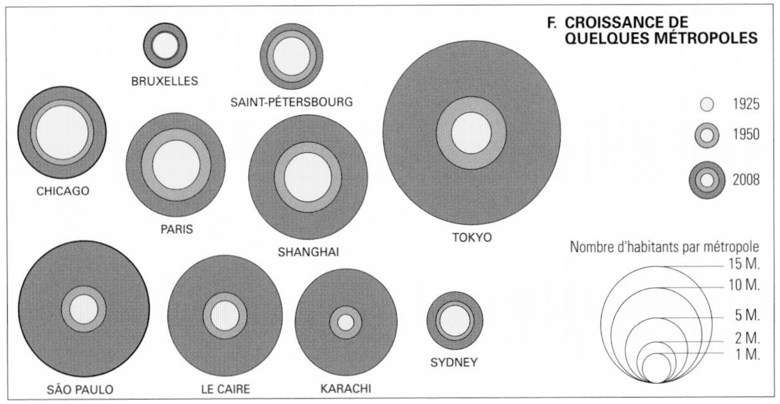

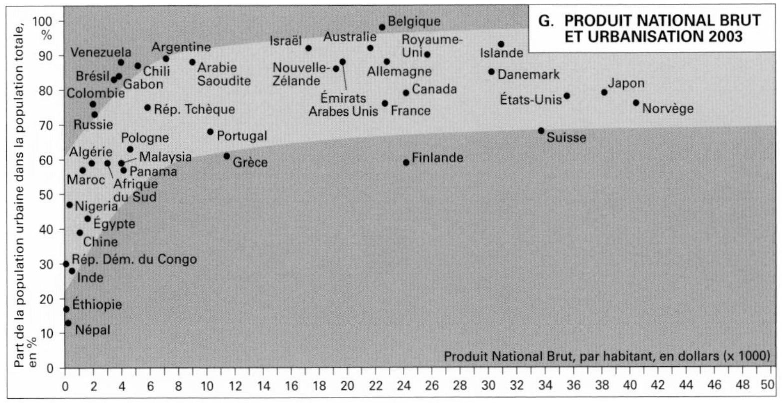

LA TERRE ÉNERGIE

Échelle 1 : 200000000

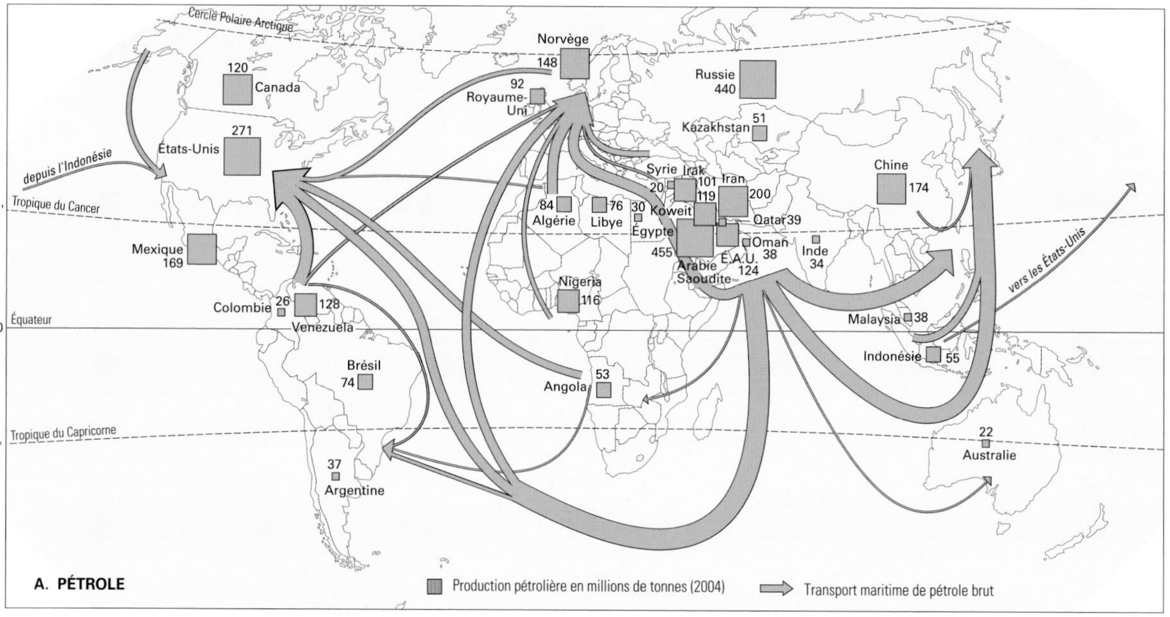

A. PÉTROLE

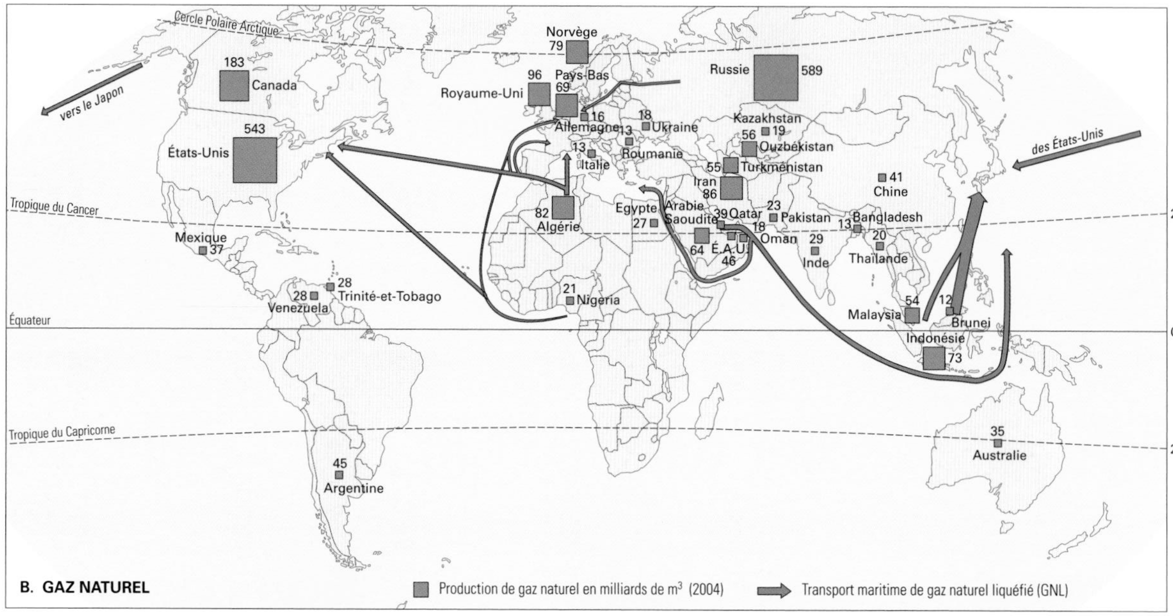

Production pétrolière en millions de tonnes (2004)

Transport maritime de pétrole brut

B. GAZ NATUREL

Production de gaz naturel en milliards de m³ (2004)

Transport maritime de gaz naturel liquéfié (GNL)

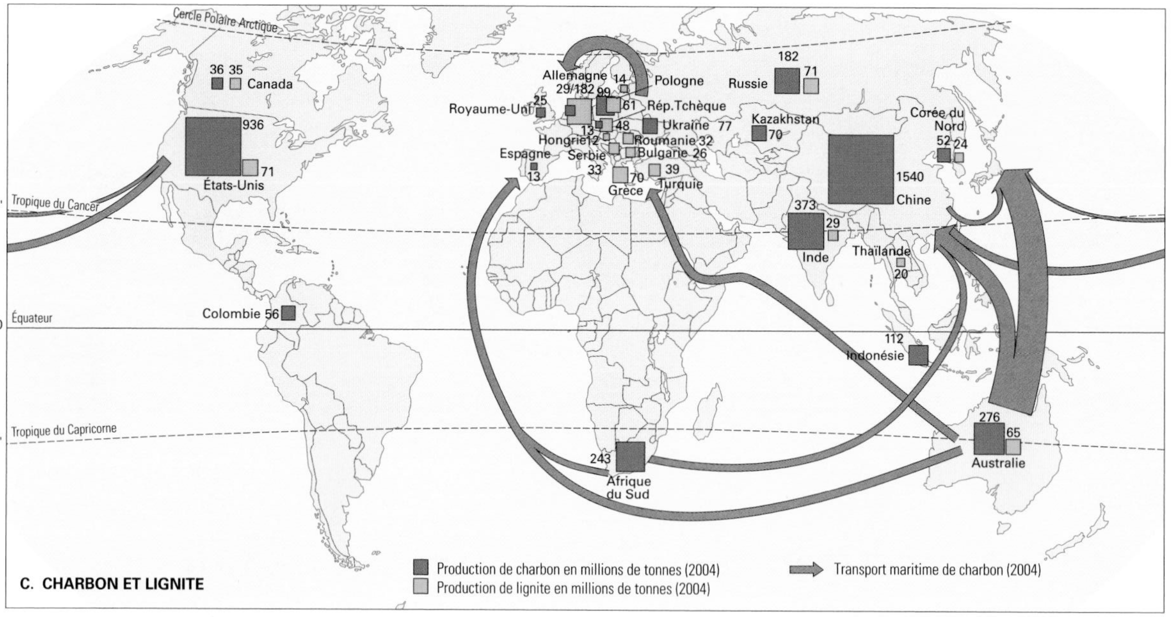

C. CHARBON ET LIGNITE

Production de charbon en millions de tonnes (2004)
Production de lignite en millions de tonnes (2004)

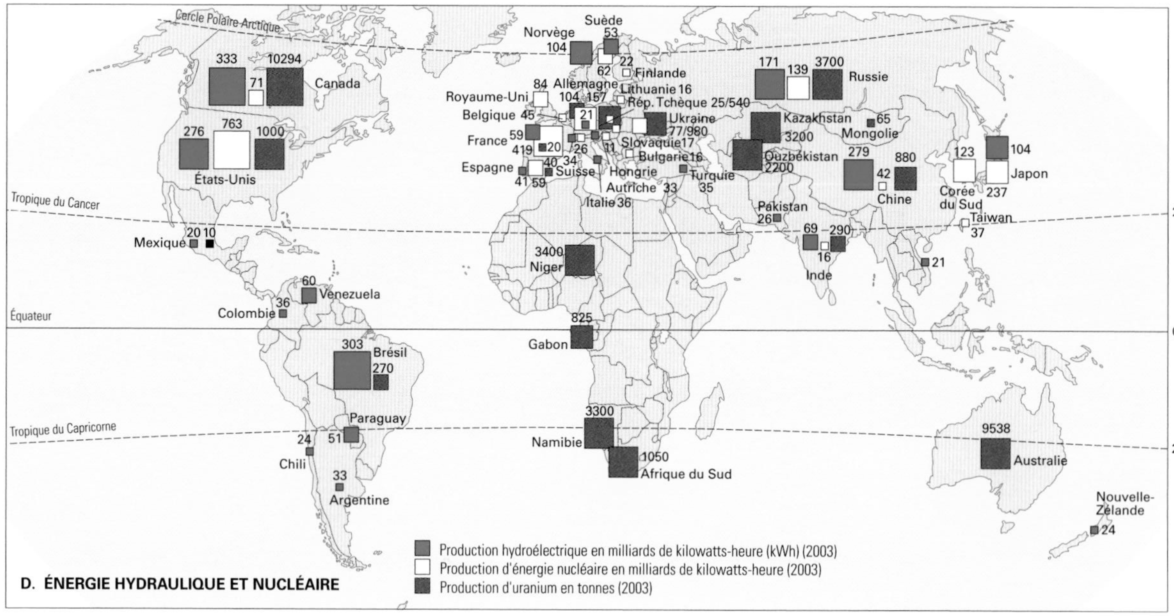

D. ÉNERGIE HYDRAULIQUE ET NUCLÉAIRE

Production hydroélectrique en milliards de kilowatts-heure (kWh) (2003)
Production d'énergie nucléaire en milliards de kilowatts-heure (2003)
Production d'uranium en tonnes (2003)

E. PRODUCTION MONDIALE DE PÉTROLE (2004)

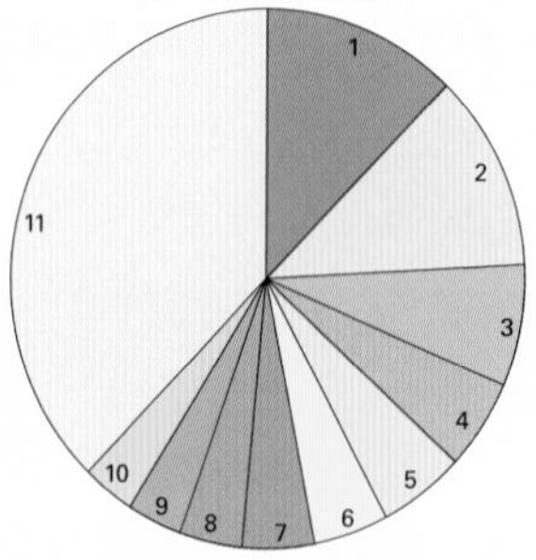

3,7 milliards de tonnes

Production par pays en %
1. Arabie Saoudite 12,3
2. Russie 11,9
3. États-Unis 7,3
4. Canada 5,4
5. Iran 5,4
6. Chine 4,7
7. Mexique 4,6
8. Norvège 4,0
9. Venezuela 3,4
10. Émirats Arabes Unis ... 3,4
11. Autres pays 37,8

F. PRODUCTION MONDIALE DE GAZ NATUREL (2004)

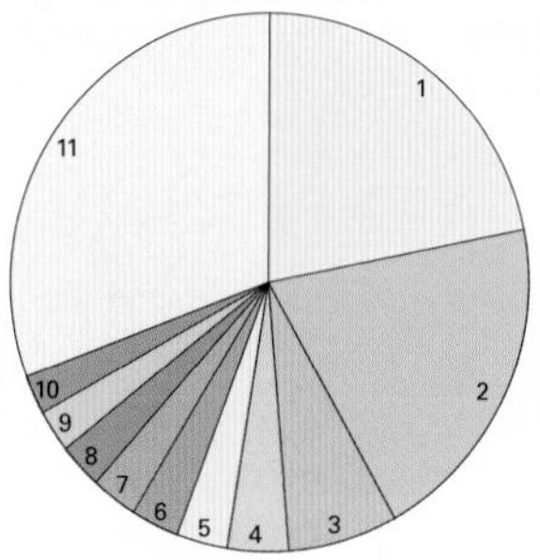

2703 milliards de m³

Production par pays en %
1. Russie 21,8
2. États-Unis 20,1
3. Canada 6,8
4. Royaume-Uni 3,8
5. Iran 3,2
6. Algérie 3,0
7. Norvège 2,9
8. Indonésie 2,7
9. Pays-Bas 2,5
10. Arabie Saoudite 2,4
11. Autres pays 30,8

G. RÉSERVES MONDIALES D'ÉNERGIE 2004 (exploitables économiquement)

COMBUSTIBLES FOSSILES
1.071 milliards de tonnes équivalent charbon

Charbon 51%
Lignite 13%
Pétrole 20%
Gaz naturel 16%

CHARBON
502 milliards de tonnes (Production mondiale 2004: 4,2 Md. de tonnes)
23% | 8% | 10% | 38% | 19%

PÉTROLE
151 milliards de tonnes (Production mondiale 2004: 3,7 Md. de tonnes)
4% | 10% | 9% | 66% | 3% | 7%

GAZ NATUREL
171 039 milliards de m³ (Production mondiale 2004: 2703 Md. de m³)
4% | 4 | 3 | 8% | 42% | 6% | 32%

Amérique du Nord
Amérique latine
Europe
Afrique
Moyen-Orient
Extrême-Orient et Océanie
Russie

H. CONSOMMATION D'ÉNERGIE / POPULATION (1955 - 2004)

milliards de tonnes équivalent charbon

Hydroélectricité et énergie nucléaire
Gaz naturel
Pétrole
Charbon et lignite
Habitants

milliards d'habitants

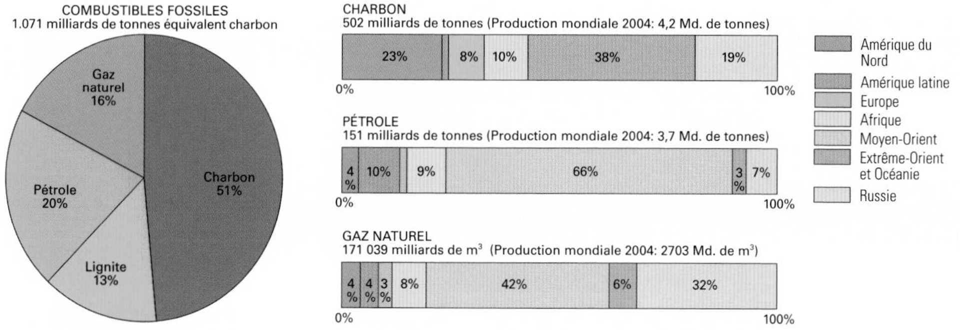

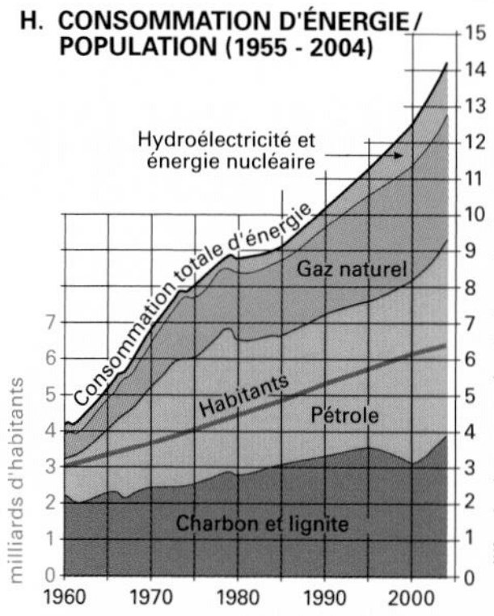

LA TERRE ÉNERGIE / MINES

Échelle 1 : 200000000

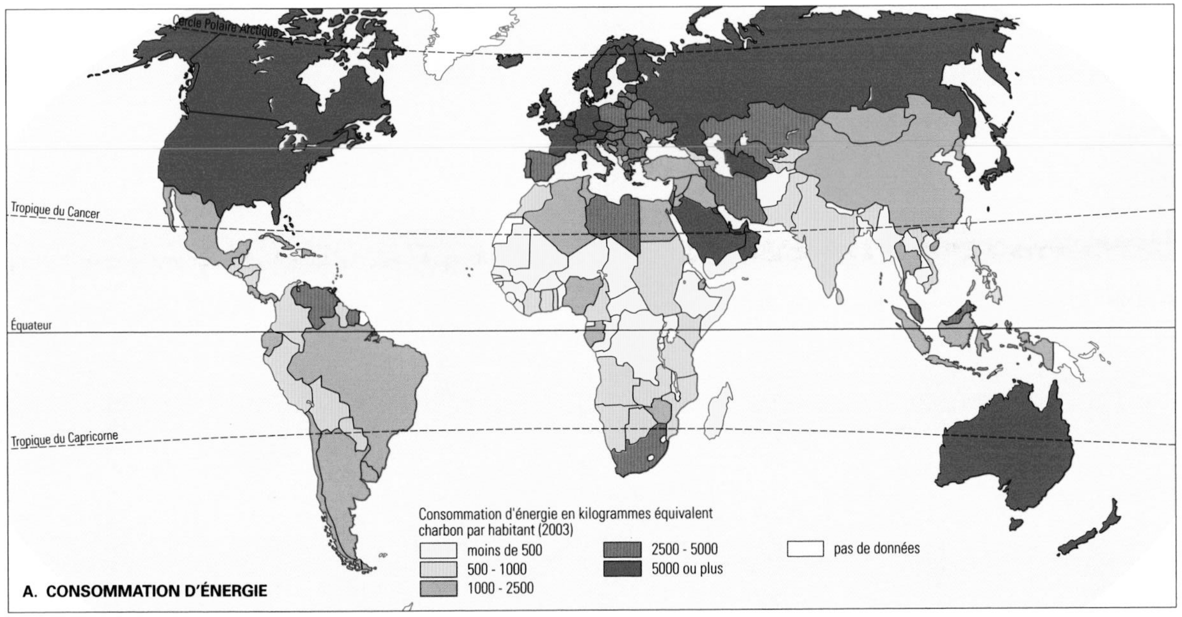

A. CONSOMMATION D'ÉNERGIE

Consommation d'énergie en kilogrammes équivalent charbon par habitant (2003)

- moins de 500
- 500 - 1000
- 1000 - 2500
- 2500 - 5000
- 5000 ou plus
- pas de données

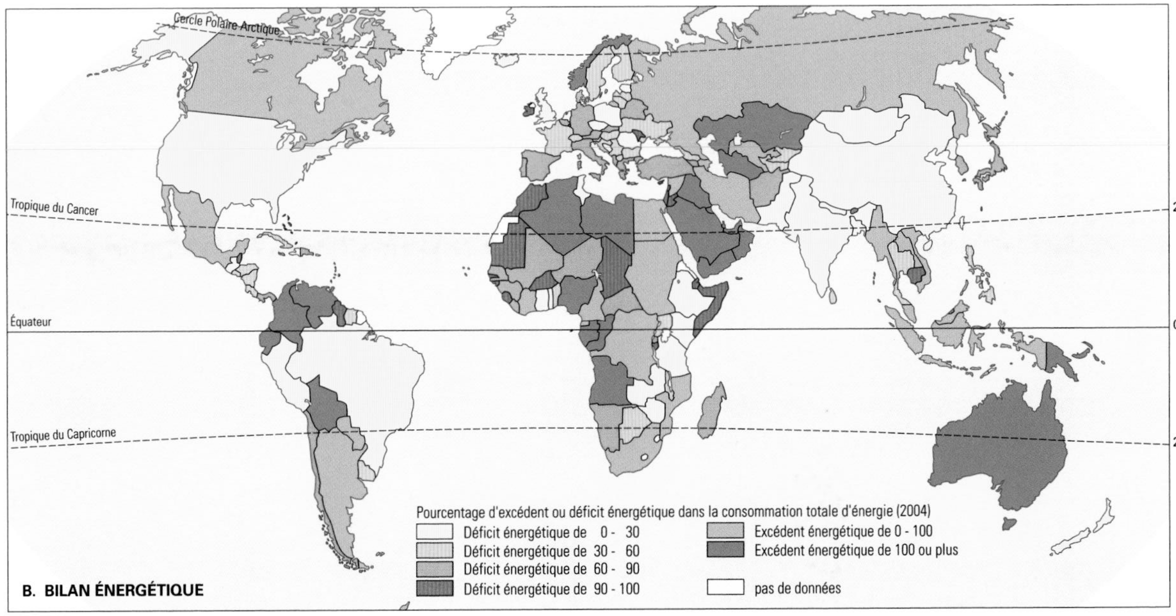

B. BILAN ÉNERGÉTIQUE

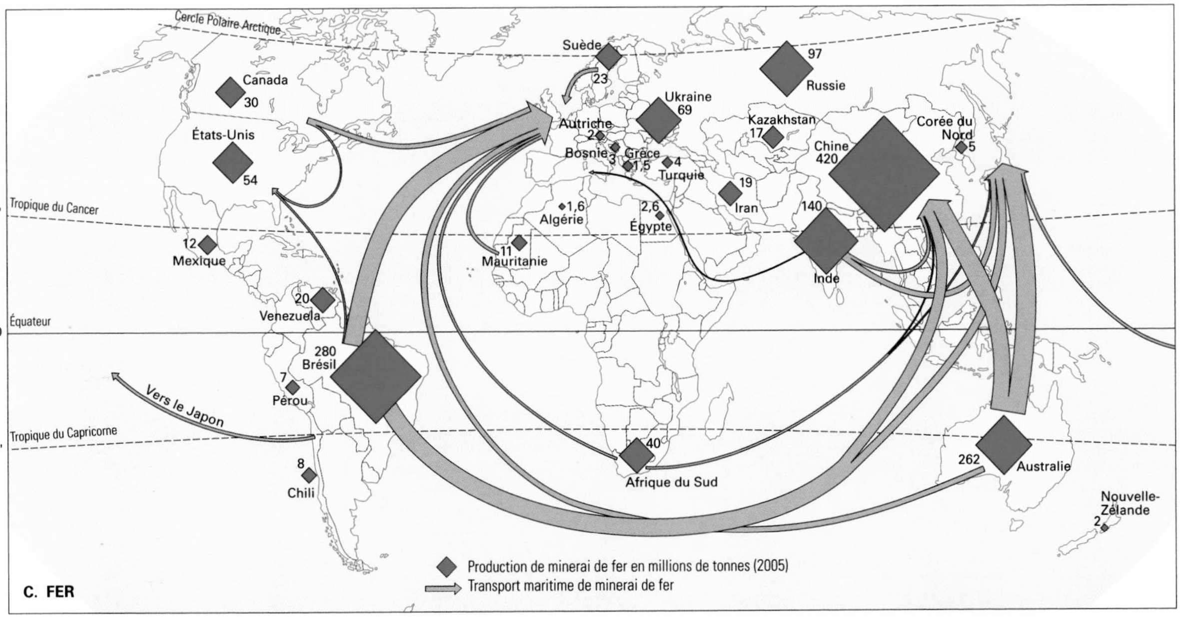

Pourcentage d'excédent ou déficit énergétique dans la consommation totale d'énergie (2004)

- Déficit énergétique de 0 - 30
- Déficit énergétique de 30 - 60
- Déficit énergétique de 60 - 90
- Déficit énergétique de 90 - 100
- Excédent énergétique de 0 - 100
- Excédent énergétique de 100 ou plus
- pas de données

C. FER

◆ Production de minerai de fer en millions de tonnes (2005)
➜ Transport maritime de minerai de fer

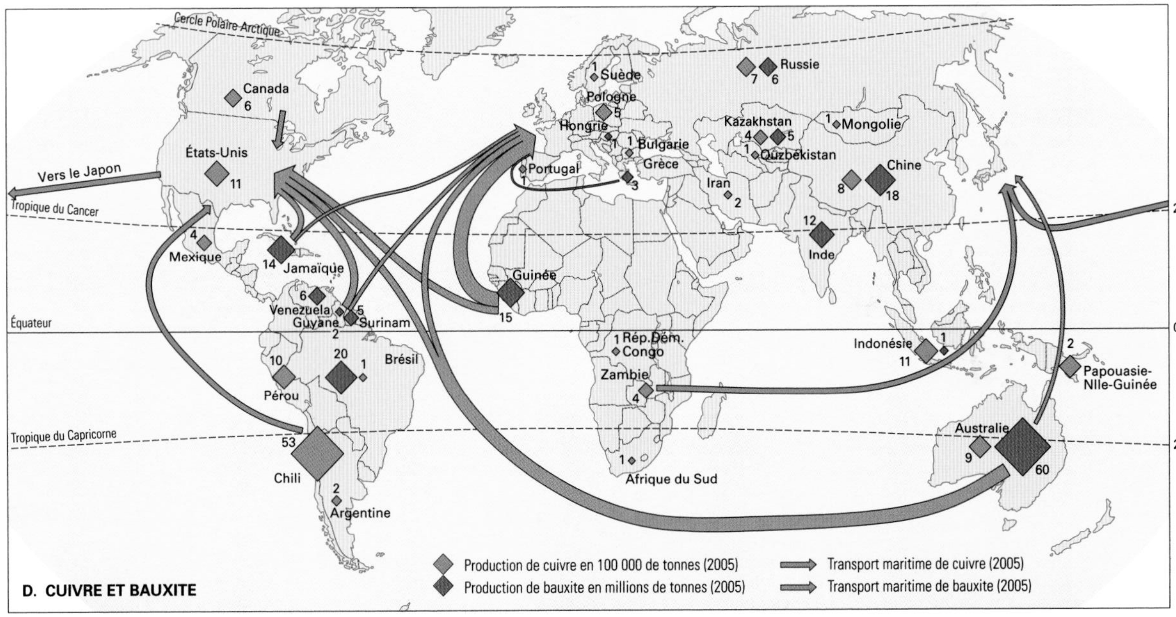

D. CUIVRE ET BAUXITE

◆ Production de cuivre en 100 000 de tonnes (2005)
◆ Production de bauxite en millions de tonnes (2005)
➜ Transport maritime de cuivre (2005)
➜ Transport maritime de bauxite (2005)

Capacité de raffinage pétrolier en millions de tonnes par an

100   500   1000

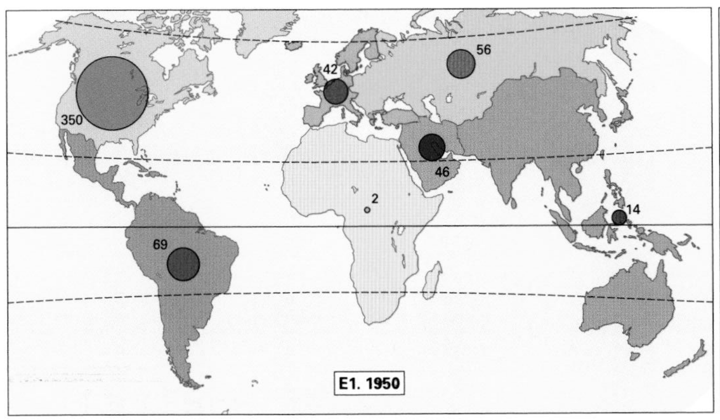

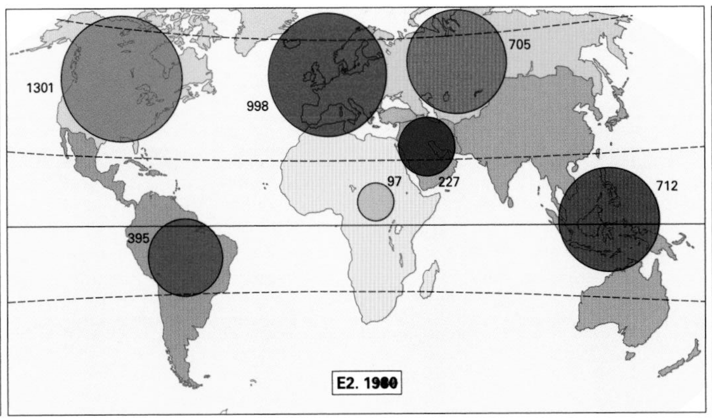

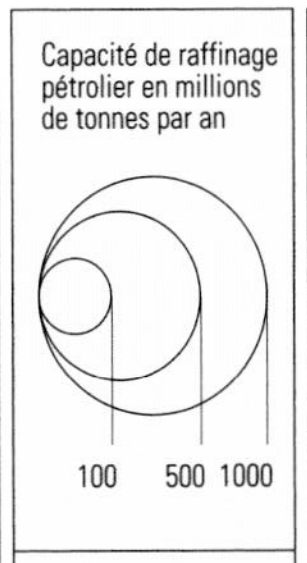

Capacité mondiale
1950   579 M tonnes
1980 4165 M tonnes
2005 4021 M tonnes

E. CAPACITÉ DE RAFFINAGE PÉTROLIER 1950 - 2005
1 : 300000000

- Amérique du Nord
- Amérique Latine
- Europe occidentale
- Ex-U.R.S.S. et Europe de l'Est
- Afrique
- Moyen-Orient
- Extrême-Orient et Australie

E1. 1950

E2. 1980

E3. 2005

© Noordhoff Uitgevers

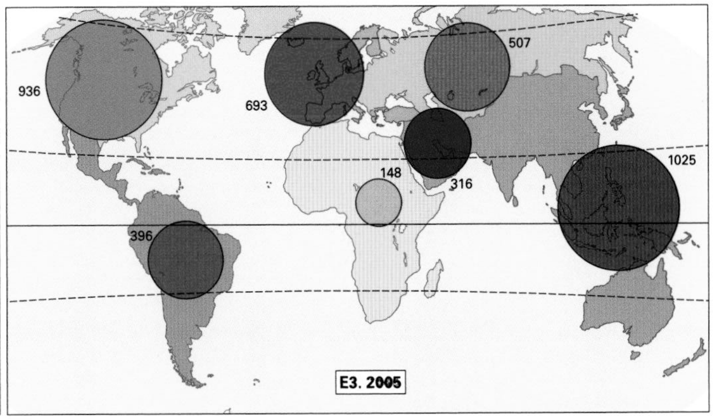

LA TERRE INDUSTRIES

Échelle 1 : 200000000

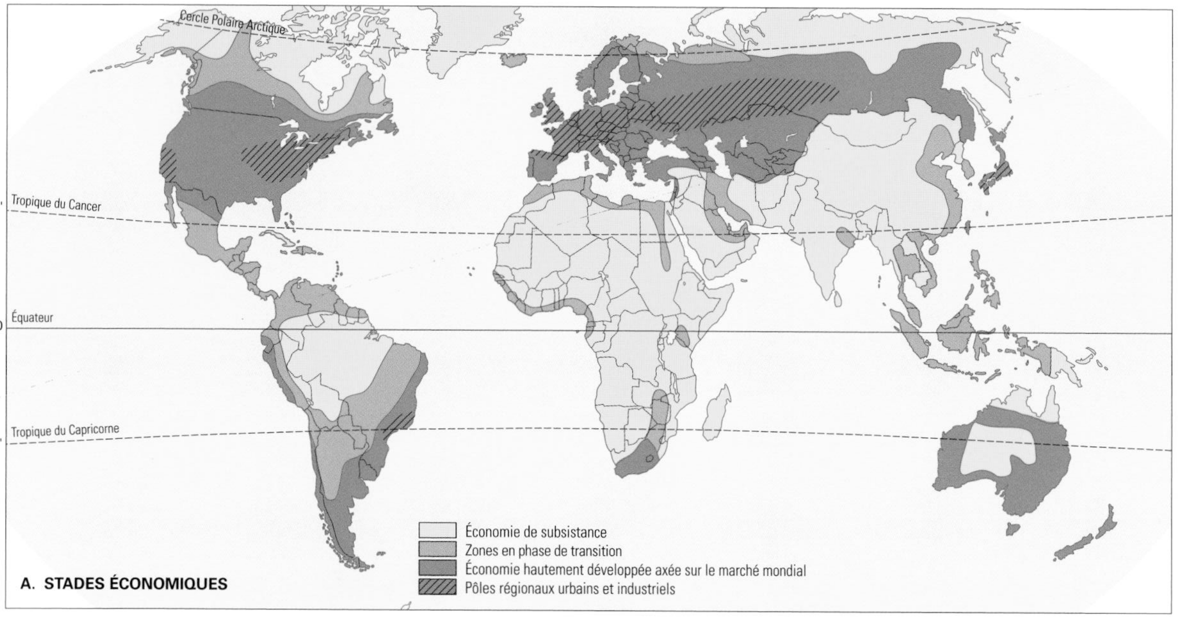

A. STADES ÉCONOMIQUES

Économie de subsistance
Zones en phase de transition
Économie hautement développée axée sur le marché mondial
Pôles régionaux urbains et industriels

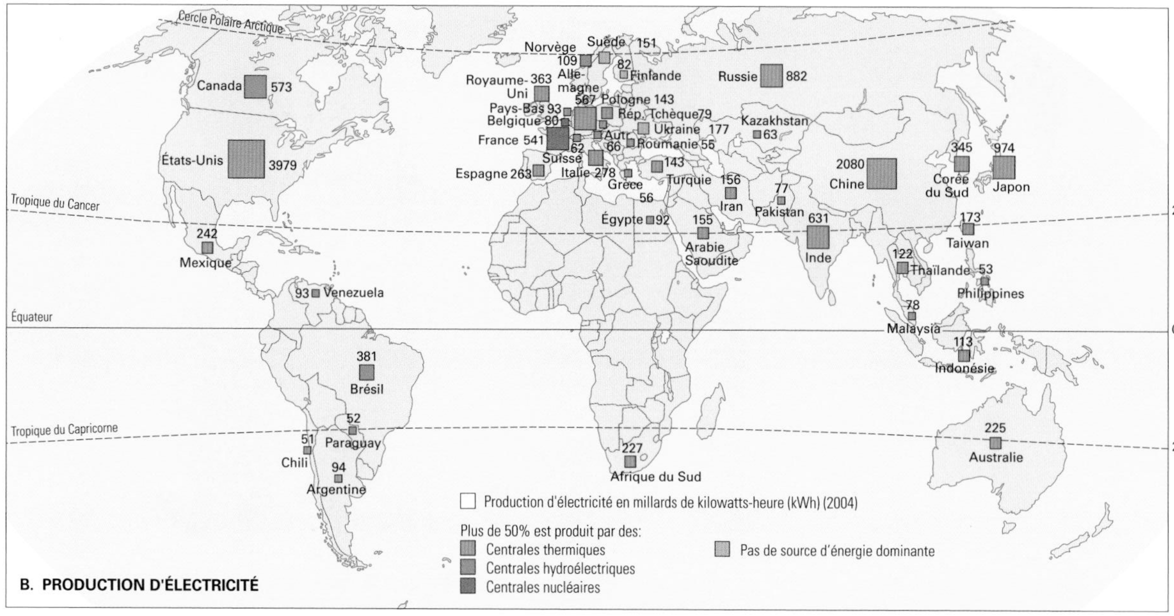

B. PRODUCTION D'ÉLECTRICITÉ

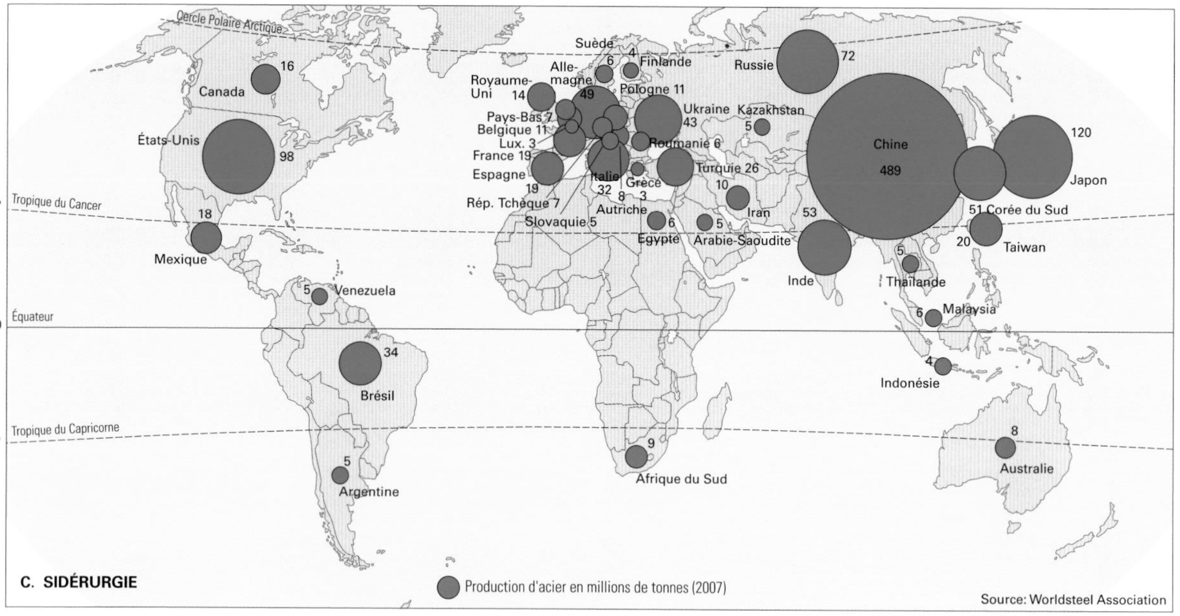

Production d'électricité en milliards de kilowatts-heure (kWh) (2004)

Plus de 50% est produit par des:
Pas de source d'énergie dominante
Centrales thermiques
Centrales hydroélectriques
Centrales nucléaires

C. SIDÉRURGIE

Production d'acier en millions de tonnes (2007)

Source: Worldsteel Association

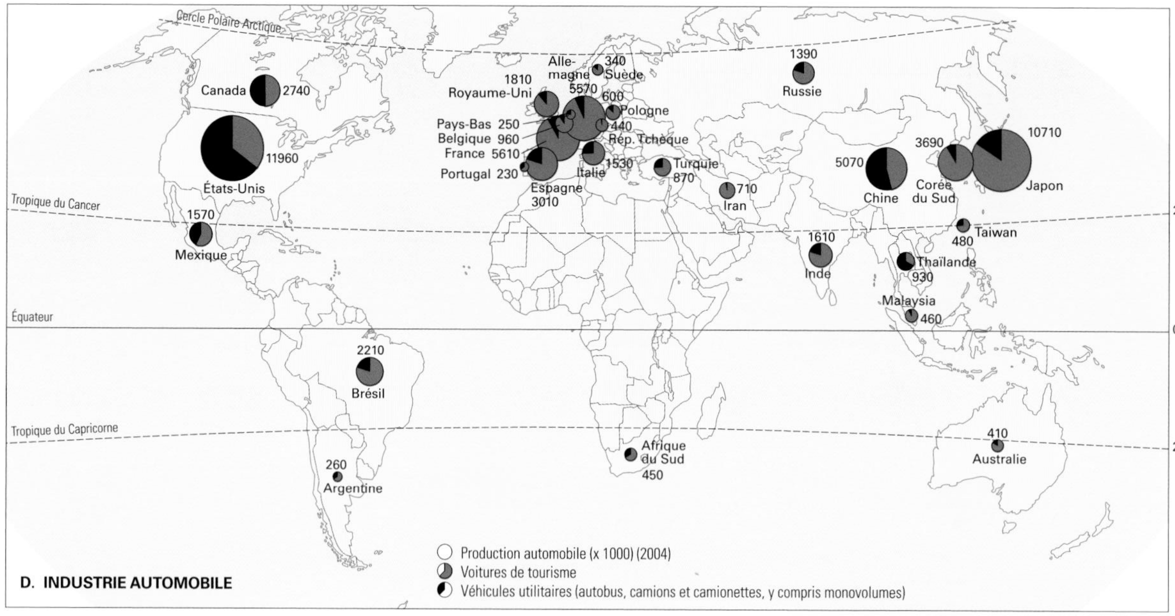

D. INDUSTRIE AUTOMOBILE

Production automobile (x 1000) (2004)
Voitures de tourisme
Véhicules utilitaires (autobus, camions et camionnettes, y compris monovolumes)

Production d'acier
en millions de tonnes
par an

100 250 500 750

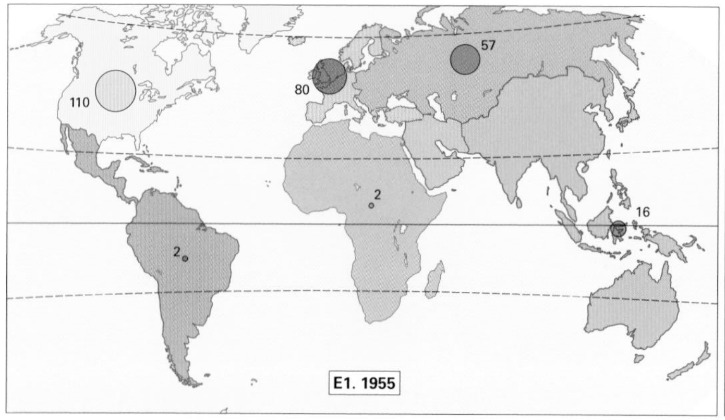

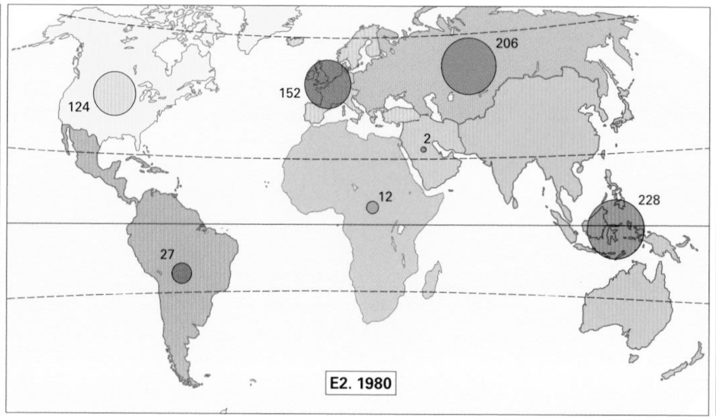

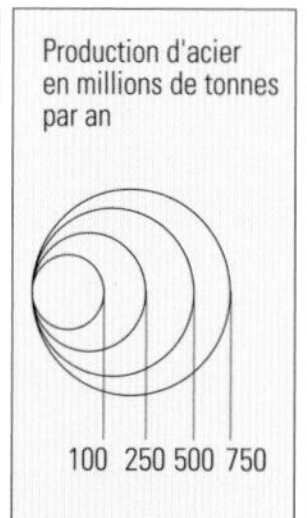

Capacité mondiale
1955 266 M. tonnes
1980 749 M. tonnes
2006 1344 M. tonnes

E. PRODUCTION D'ACIER 1955 - 2006
1 : 300000000

Amérique du Nord
Amérique Latine
Europe Occidentale
Ex-U.R.S.S. et Europe de l'Est
Afrique
Moyen-Orient
Extrême-Orient et Australie

E1. 1955
E2. 1980
E3. 2006

© Noordhoff Uitgevers

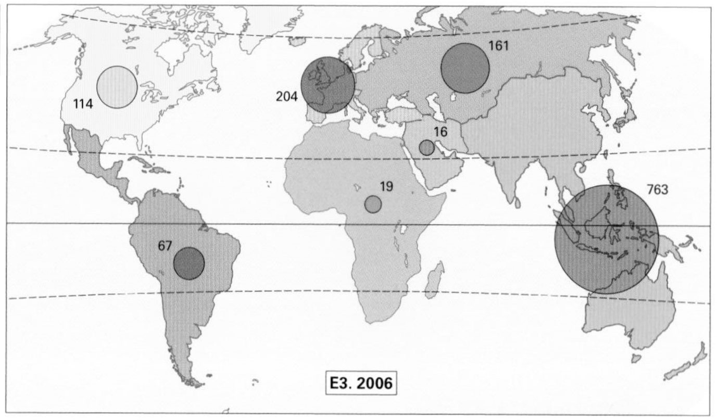

Échelle 1 : 200 000 000

LA TERRE MONDIALISATION

A. ÉCHANGES COMMERCIAUX

Asie-Pacifique
2116

Europe de l'Est
et ex-Union Soviétique
236

États du Golfe
346

Afrique
206

Amérique du Nord
1173

Europe
Occidentale
3572

Amérique du Sud
245

Flux commerciaux interrégionaux
en milliards d'euros

10
50
100
300
500

Montant total du
commerce de marchandises
en milliards d'euros (2003)

4000
2000
1000
500
250

Part des échanges
commerciaux réalisés

à l'intérieur de la zone
avec les autres régions

Source: OMC et CNUCED

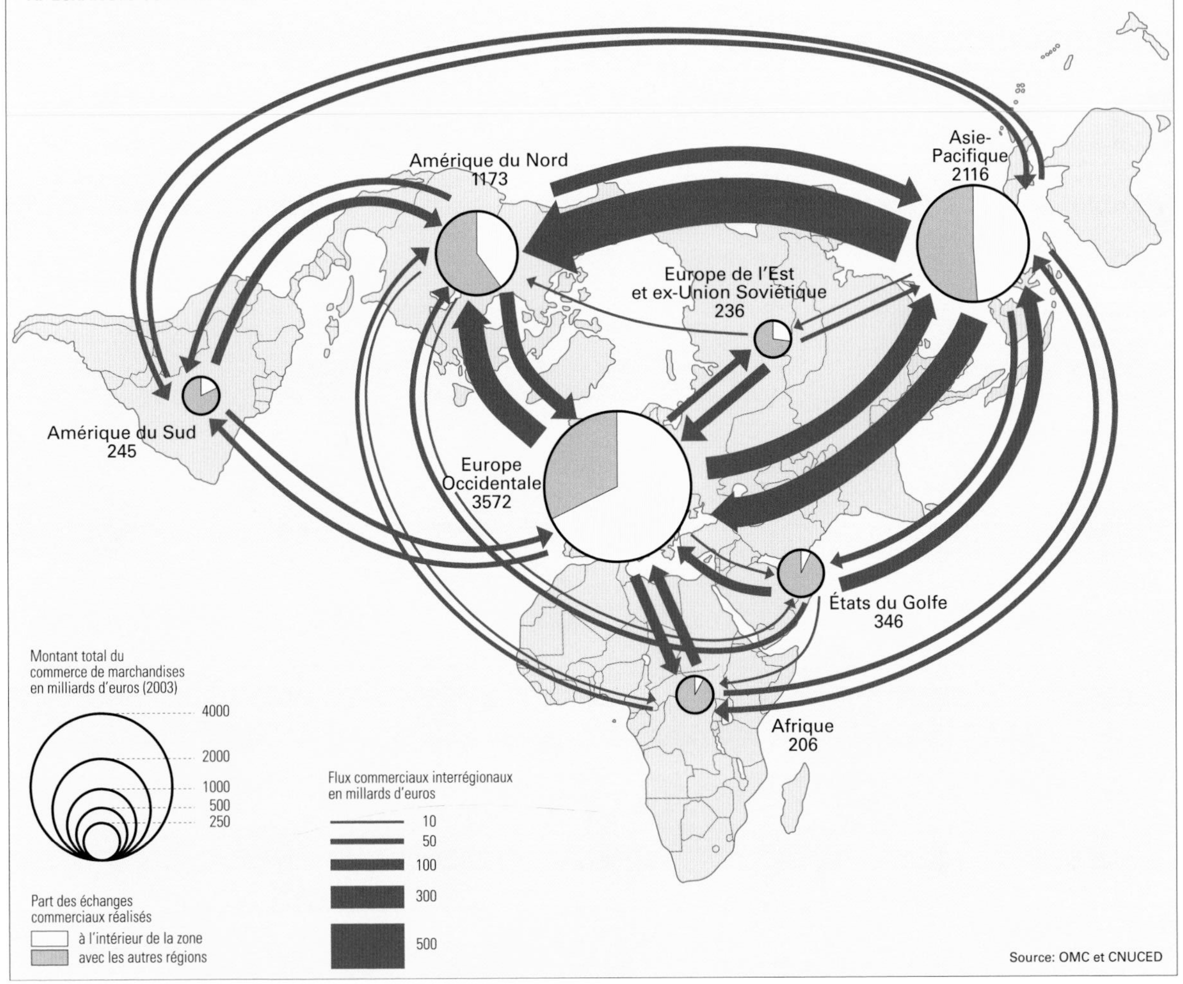

B. LA PLANÈTE INTERNET

Asie-
Pacifique
190

Proche et
Moyen-Orient
5

États-Unis
Canada
190

Europe
200

Afrique
6

Amérique
Latine
33

56 000

1700

850

208 000

1250

24 000

200   Nombre de personnes connectées,
en millions par grandes régions

●   Principaux hubs techniques

Flux moyens, en mégabits par seconde (MBps)

Flux secondaires

Nombre de personnes connectées à
Internet pour 1000 habitants (2002)

moins de 5
5 - 25
25 - 100
100 - 300
300 - 500
500 ou plus
pas de données

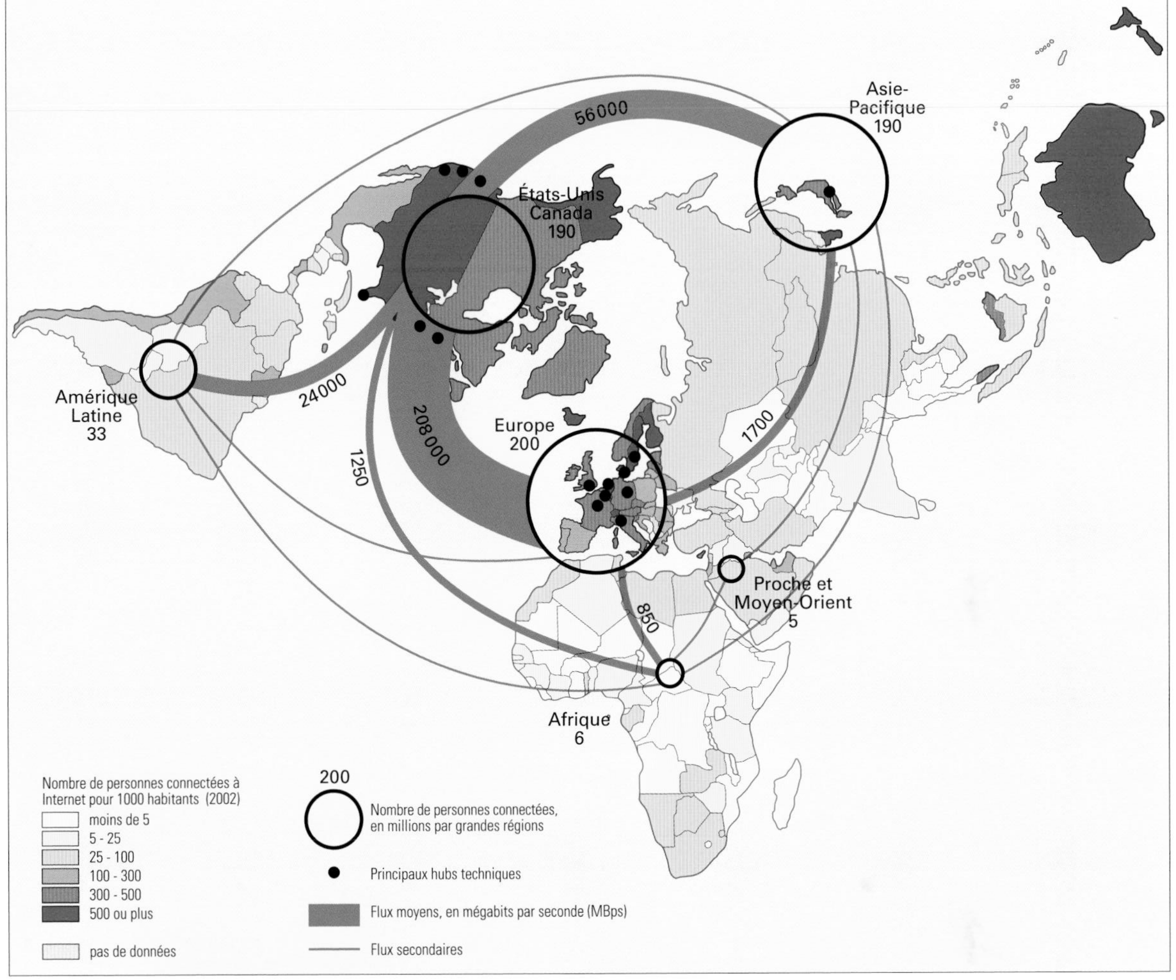

C. SOCIÉTÉS MULTINATIONALES

Japon

Chine

Taiwan

Hongkong
(Chine)

Singapour

Australie

Norvège
Suède
Finlande
Pays-Bas
Allemagne
Suisse
Royaume-Uni
France
Italie
Espagne

Brésil

Argentine

Chili

États-Unis

Mexique

Sièges sociaux des 1200
premières multinationales en
2005 (selon leur valeur boursière)

région de forte concentration
de sièges sociaux

●   siège social isolé

Valeur boursière cumulée
par pays des 1200
premières multinationales

12 000
Md. de
dollars

2500

1000
500
100

Source: Standards & Poors

D. DÉVELOPPEMENT TECHNOLOGIQUE

L'indice de développement technologique est une combinaison de huit
variables exprimant diverses facettes du développement technologique
des pays; quatre classes peuvent être reconnues.

leaders affirmés
leaders potentiels
utilisateurs dynamiques

pays en marge
des technologies
données non disponibles

16   Premiers pôles régionaux ou locaux
d'innovation technologique pour 100 sur
une échelle de scores allant de 4 à 16
4 ●   en fonction de multiples critères

Source: PNUD

Tropique du Cancer
Équateur
Tropique du Capricorne
Cercle Polaire Arctique

23°27'
0
23°27'

© Noordhoff Uitgevers

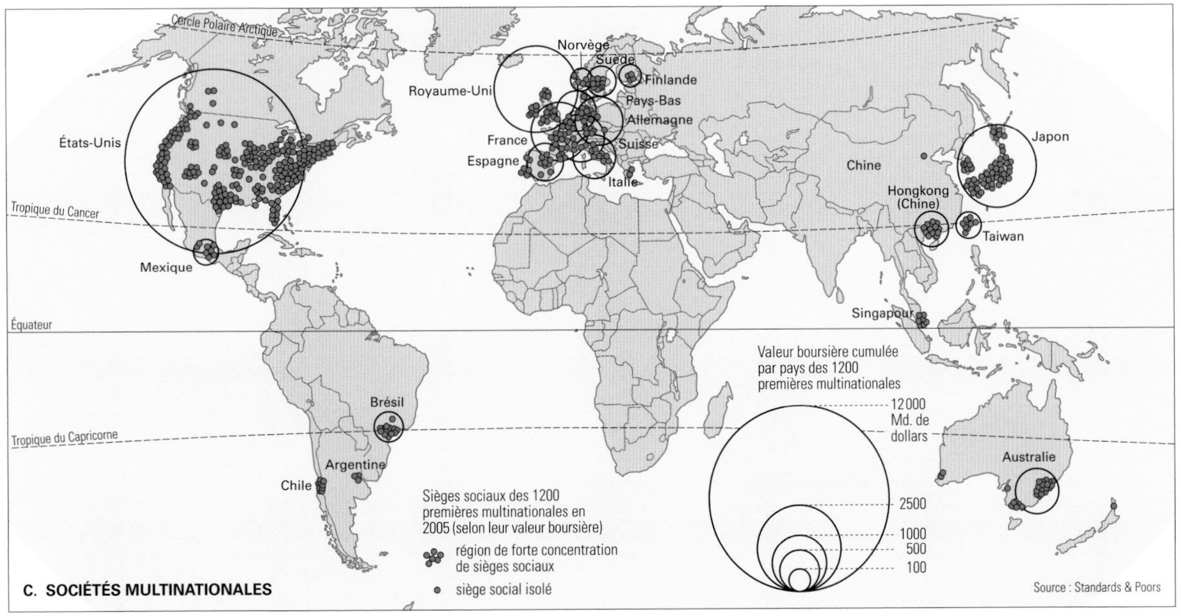

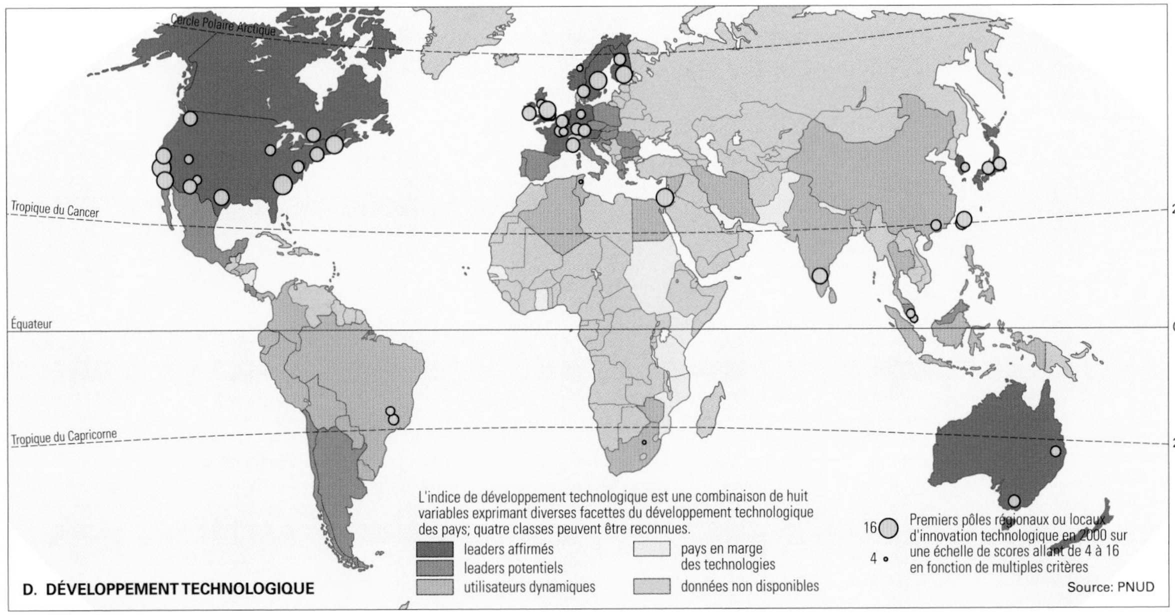

LA TERRE TOURISME

Échelle 1 : 90 000 000

Légende

Littoraux touristiques :
Métropoles et villes à fonctions touristiques

Métropoles touristiques ●
Villes "touristifiées" ●

Tourisme de sports d'hiver
Tourisme montagnard estival
Principale zone de croisières
Zone de croisières secondaire

Croisières fluviales
○ Grands sites culturels visités
◉ Grands sites naturels visités
Ⓣ Trek

Voir carte 97A pour Europe tourisme

Projection de Winkel

Tropique du Cancer
Équateur
Tropique du Capricorne
Cercle Polaire Arctique

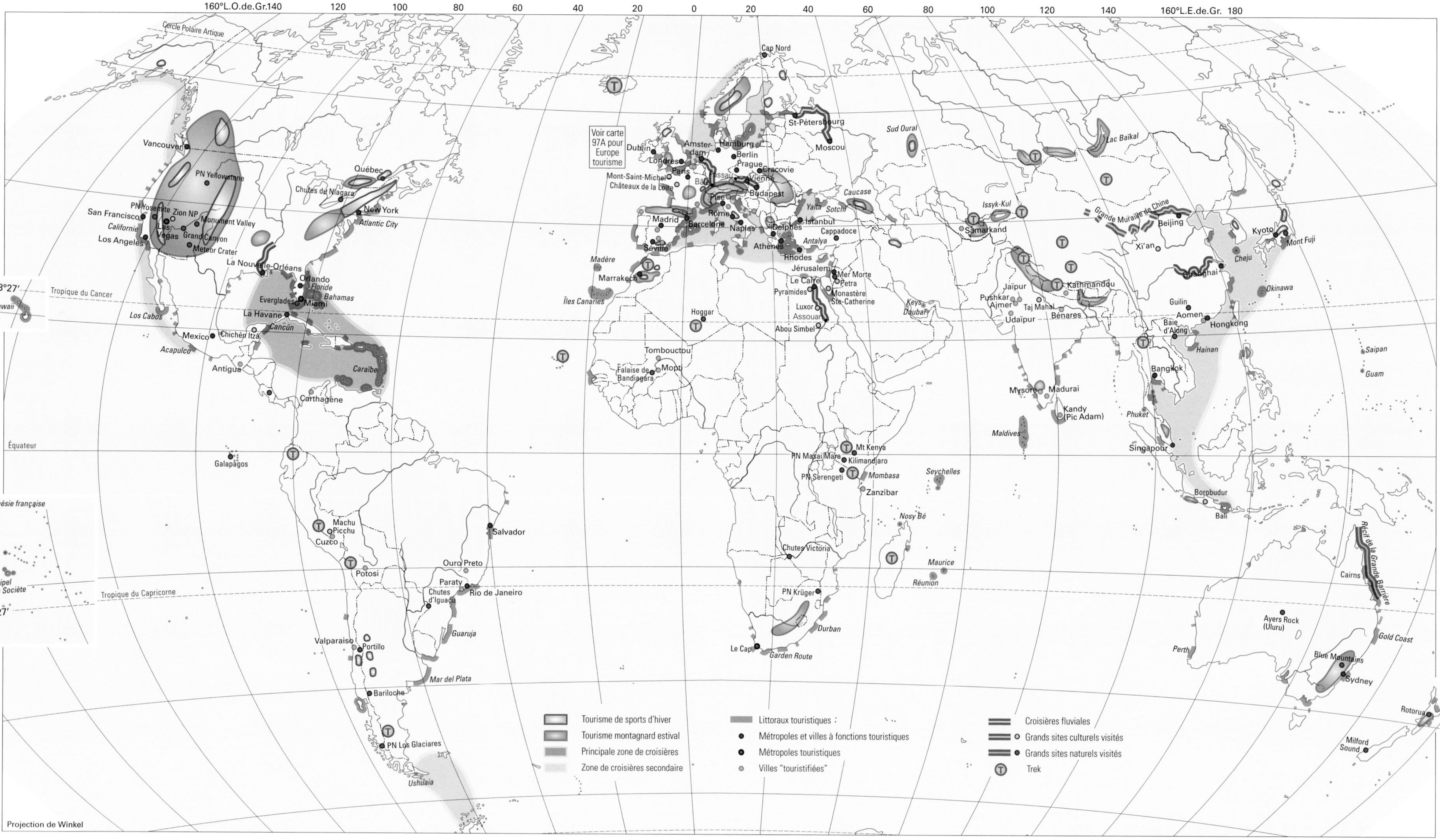

A. ÉVOLUTION DU NOMBRE DE DÉPARTS INTERNATIONAUX, PAR GRANDES RÉGIONS

millions de touristes

Moyen-Orient
Europe
Asie et Pacifique
Amériques
Afrique

1950 1960 1965 1970 1975 1980 1982 1984 1986 1988 1990 1992 1994 1996 1998 2000 2002 2004

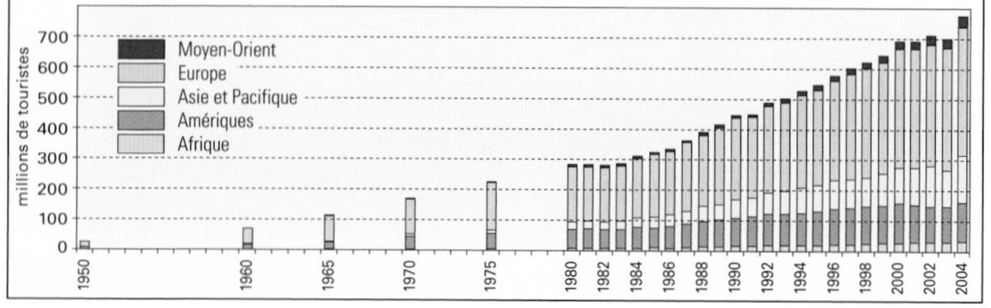

B. ARRIVÉES ET SORTIES DE TOURISTES INTERNATIONAUX EN 2003

États avec le plus de sorties touristiques :
Allemagne
Royaume-Uni
États-Unis
Pologne
Rép. Tchèque
Malaysia
Canada (C)
Pays-Bas (P)
Ukraine (U)
Hongrie (H)
Japon (J)
Suède (S)
Belgique (B)

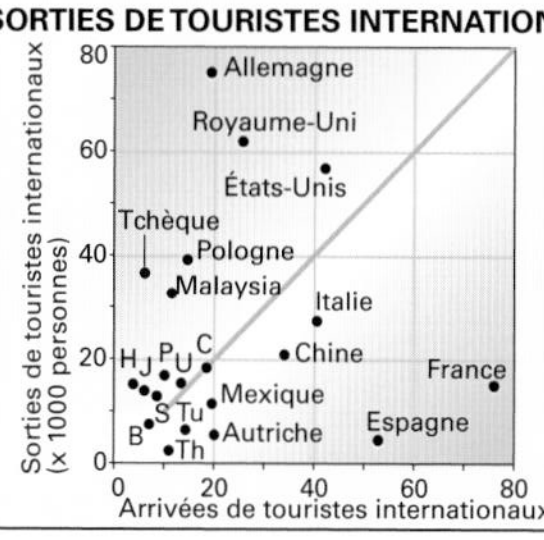

États avec le plus d'arrivées touristiques :
France
Espagne
Chine
Italie
Autriche
Mexique
Turquie (Tu)
Thaïlande (Th)

Sorties de touristes internationaux (x 1000 personnes)
Arrivées de touristes internationaux (x 1000 personnes)

C. PART DU TOURISME DANS LE RNB DE QUELQUES ÉTATS

Maldives
Seychelles
Croatie
Malte
Maurice
Chypre
Bulgarie
Maroc
Tunisie
Thaïlande
Autriche
Égypte
Turquie
Espagne
Suisse
Irlande
Afrique du Sud
Australie
Pays-Bas
Italie
France
Royaume-Uni
Pérou
Canada
Russie
Chine
États-Unis
Brésil
Japon

%

© Noordhoff Uitgevers

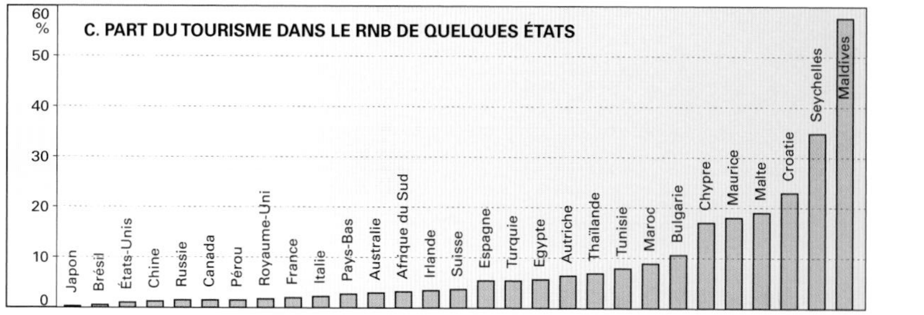

LA TERRE POLITIQUE

Échelle 1 : 200000000

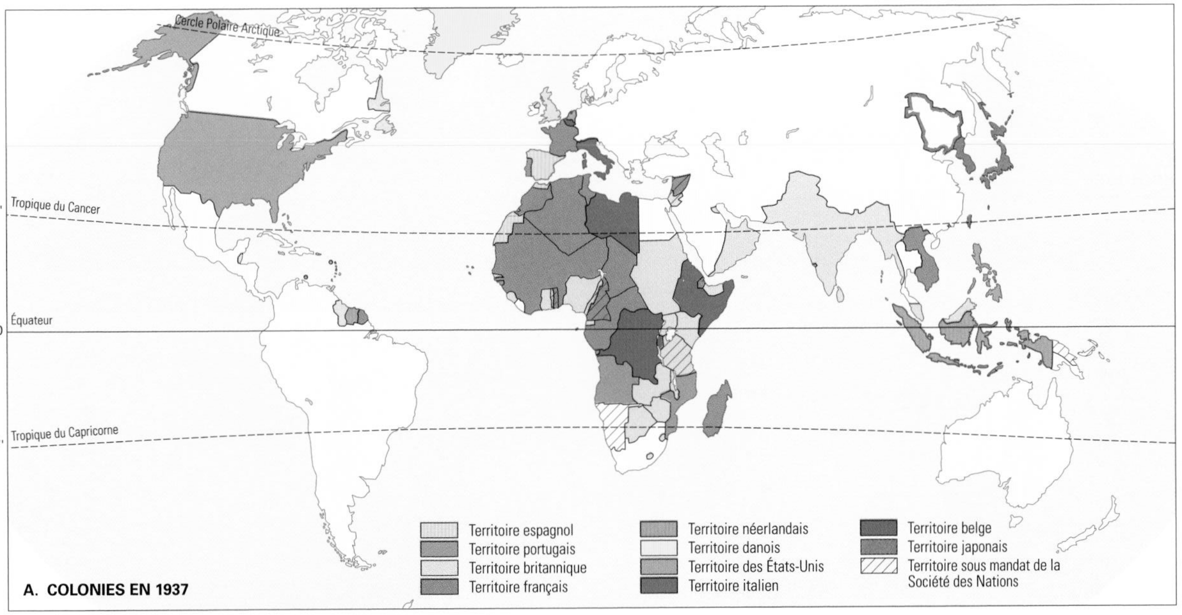

A. COLONIES EN 1937

Territoire espagnol
Territoire portugais
Territoire britannique
Territoire français
Territoire néerlandais
Territoire danois
Territoire des États-Unis
Territoire italien
Territoire belge
Territoire japonais
Territoire sous mandat de la Société des Nations

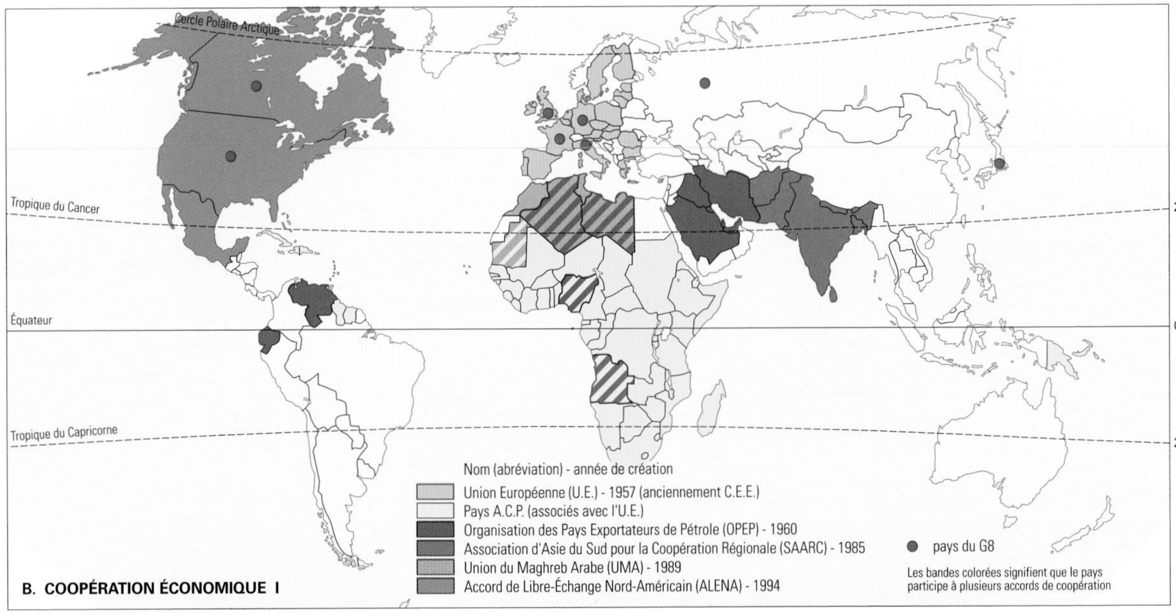

B. COOPÉRATION ÉCONOMIQUE I

Nom (abréviation) - année de création :
Union Européenne (U.E.) - 1957 (anciennement C.E.E.)
Pays A.C.P. (associés avec l'U.E.)
Organisation des Pays Exportateurs de Pétrole (OPEP) - 1960
Association d'Asie du Sud pour la Coopération Régionale (SAARC) - 1985
Union du Maghreb Arabe (UMA) - 1989
Accord de Libre-Échange Nord-Américain (ALENA) - 1994

pays du G8
Les bandes colorées signifient que le pays participe à plusieurs accords de coopération

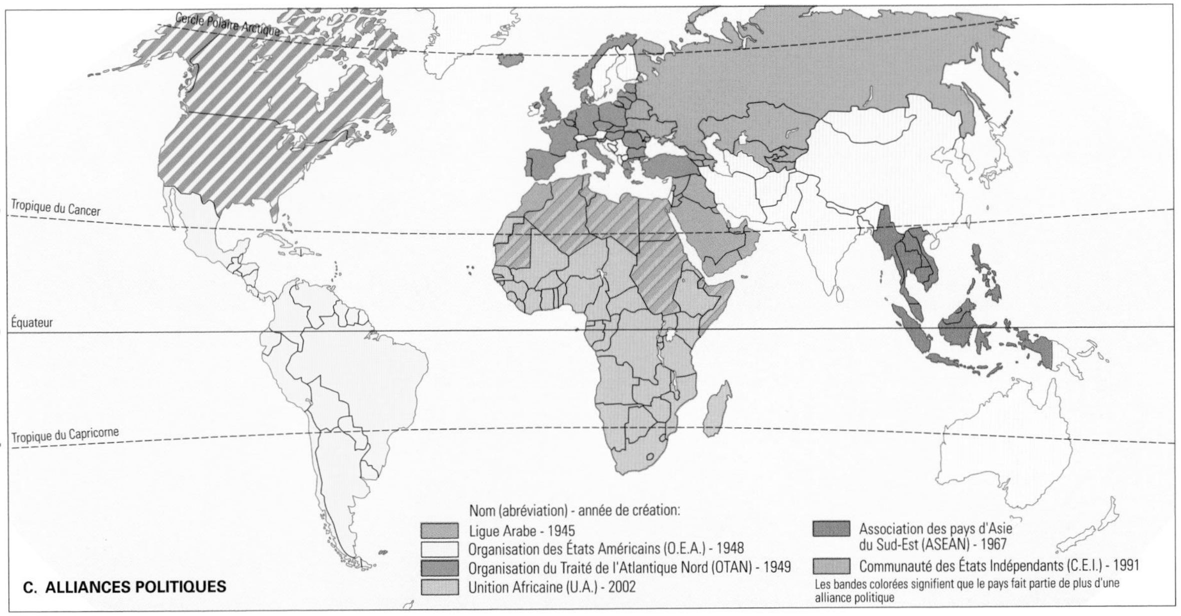

C. ALLIANCES POLITIQUES

Nom (abréviation) - année de création :
Ligue Arabe - 1945
Organisation des États Américains (O.E.A.) - 1948
Organisation du Traité de l'Atlantique Nord (OTAN) - 1949
Union Africaine (U.A.) - 2002
Association des pays d'Asie du Sud-Est (ASEAN) - 1967
Communauté des États Indépendants (C.E.I.) - 1991

Les bandes colorées signifient que le pays fait partie de plus d'une alliance politique

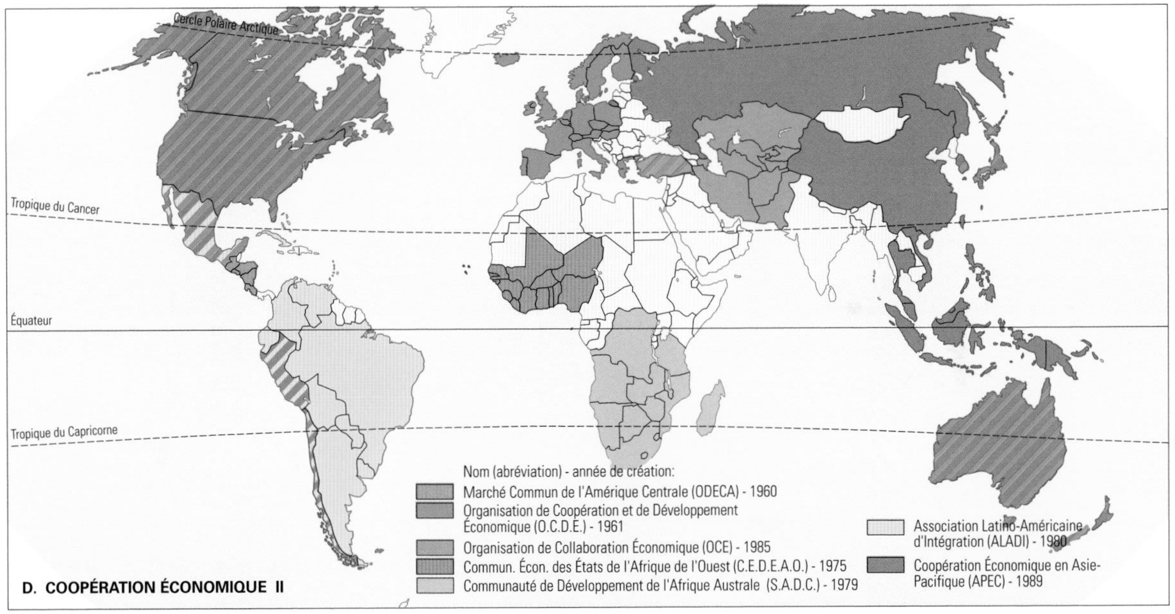

D. COOPÉRATION ÉCONOMIQUE II

Nom (abréviation) - année de création :
Marché Commun de l'Amérique Centrale (ODECA) - 1960
Organisation de Coopération et de Développement Économique (O.C.D.E.) - 1961
Organisation de Collaboration Économique (OCE) - 1985
Commun. Écon. des États de l'Afrique de l'Ouest (C.E.D.E.A.O.) - 1975
Communauté de Développement de l'Afrique Australe (S.A.D.C.) - 1979
Association Latino-Américaine d'Intégration (ALADI) - 1980
Coopération Économique en Asie-Pacifique (APEC) - 1989

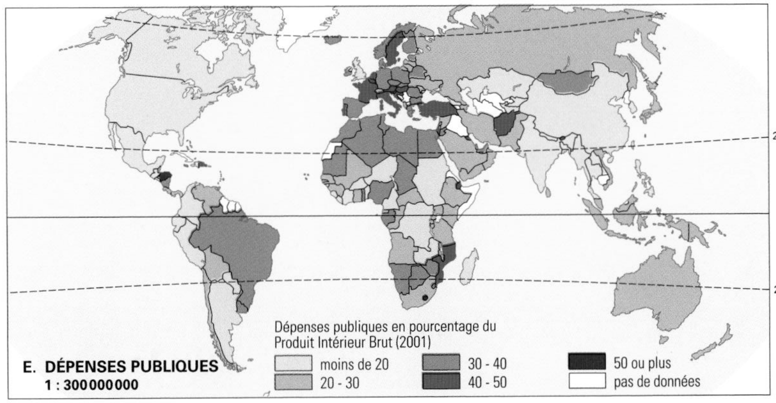

E. DÉPENSES PUBLIQUES
1 : 300000000

Dépenses publiques en pourcentage du Produit Intérieur Brut (2001)
moins de 20
20 - 30
30 - 40
40 - 50
50 ou plus
pas de données

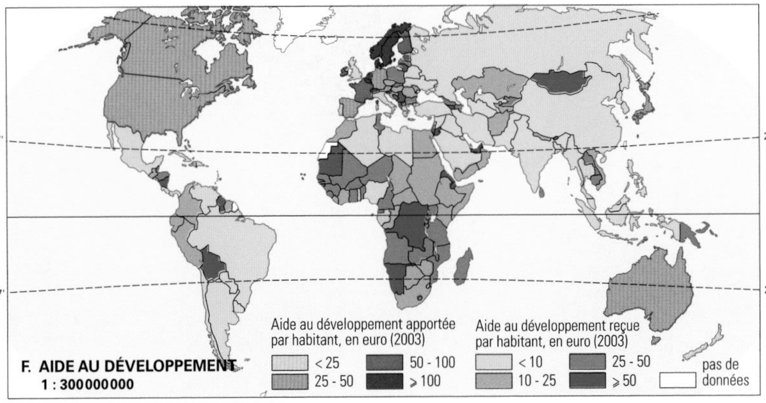

F. AIDE AU DÉVELOPPEMENT
1 : 300000000

Aide au développement apportée par habitant, en euro (2003)
< 25
25 - 50
50 - 100
> 100
Aide au développement reçue par habitant, en euro (2003)
< 10
10 - 25
25 - 50
> 50
pas de données

G. DÉPENSES MILITAIRES
1 : 300000000

Dépenses militaires en pourcentage du Produit Intérieur Brut (2003)
moins de 2
2 - 5
5 - 10
10 - 20
20 ou plus
pas de données

© Noordhoff Uitgevers

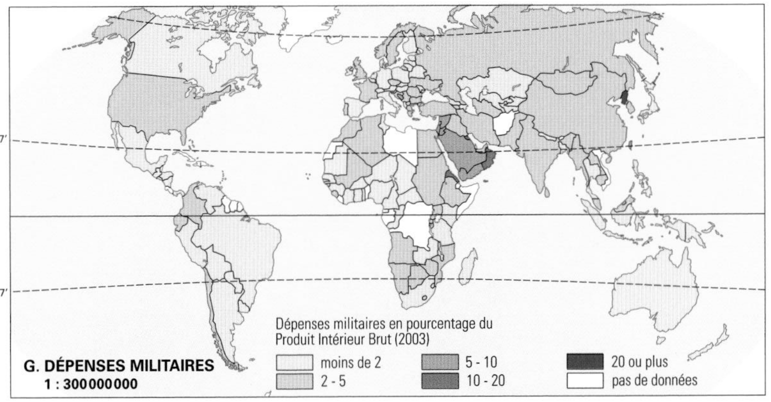

LA TERRE   DÉVELOPPEMENT

Échelle 1 : 200000000

A. ACTIFS DANS LE SECTEUR PRIMAIRE

Pourcentage de la population active travaillant
dans l'agriculture et la pêche (2003)

- moins de 10
- 10 - 30
- 30 - 50
- 50 - 70
- 70 ou plus
- pas de données

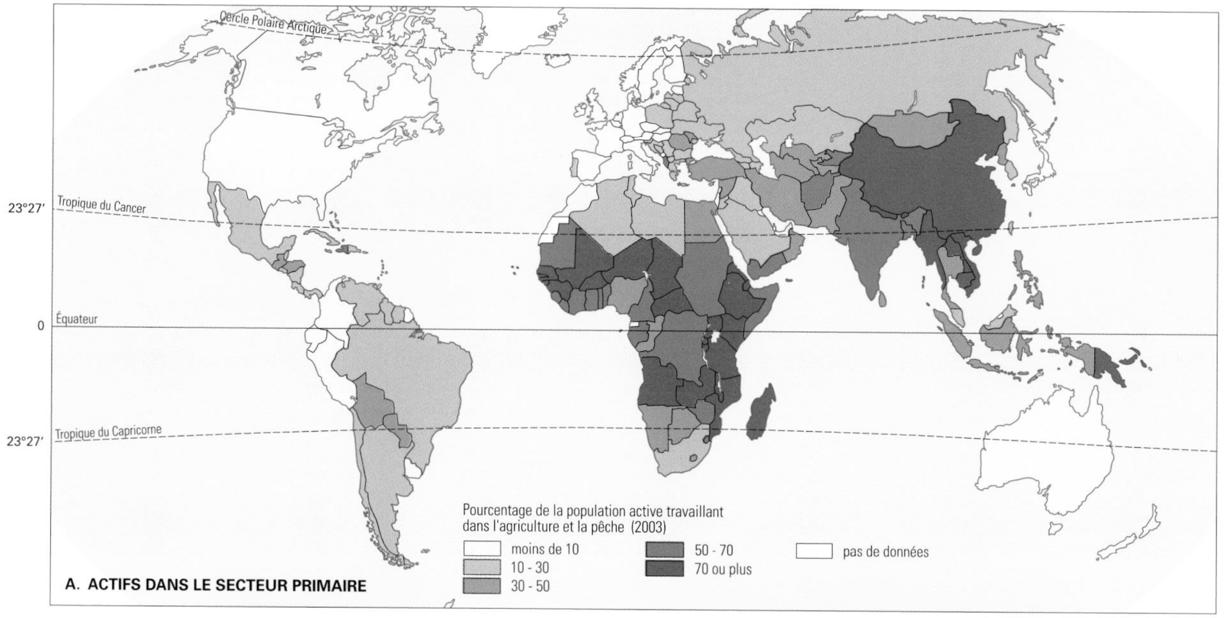

B. ACTIFS DANS LE SECTEUR SECONDAIRE

Pourcentage de la population active travaillant
dans l'industrie et l'extraction minière (2003)

- moins de 12
- 12 - 18
- 18 - 24
- 24 - 30
- 30 ou plus
- pas de données

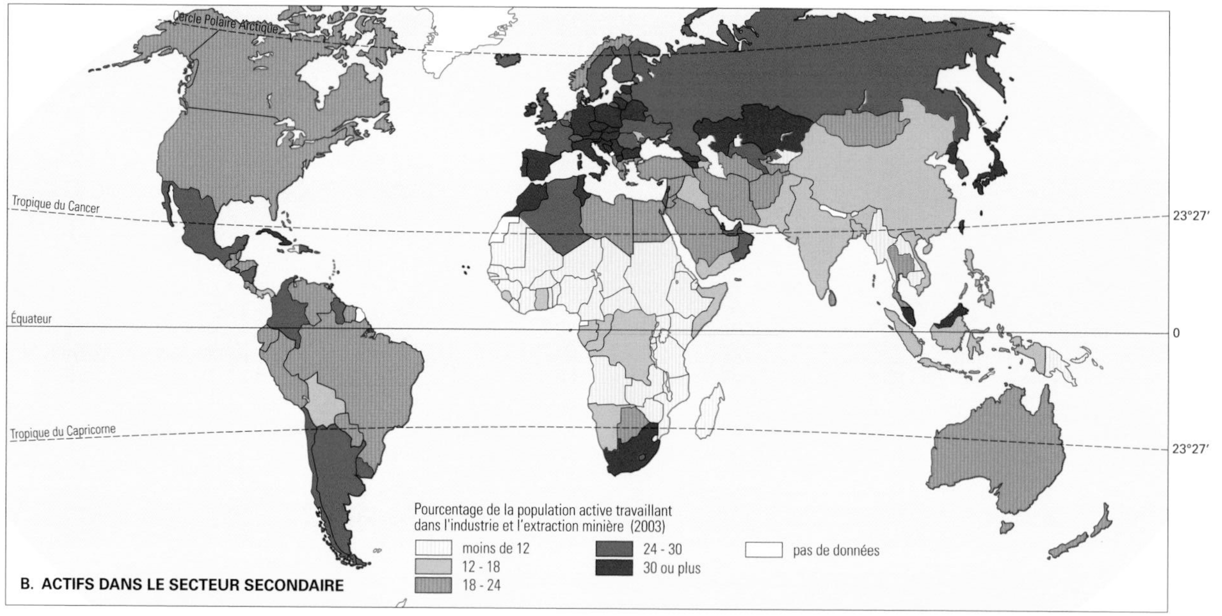

C. ACTIFS DANS LE SECTEUR TERTIAIRE

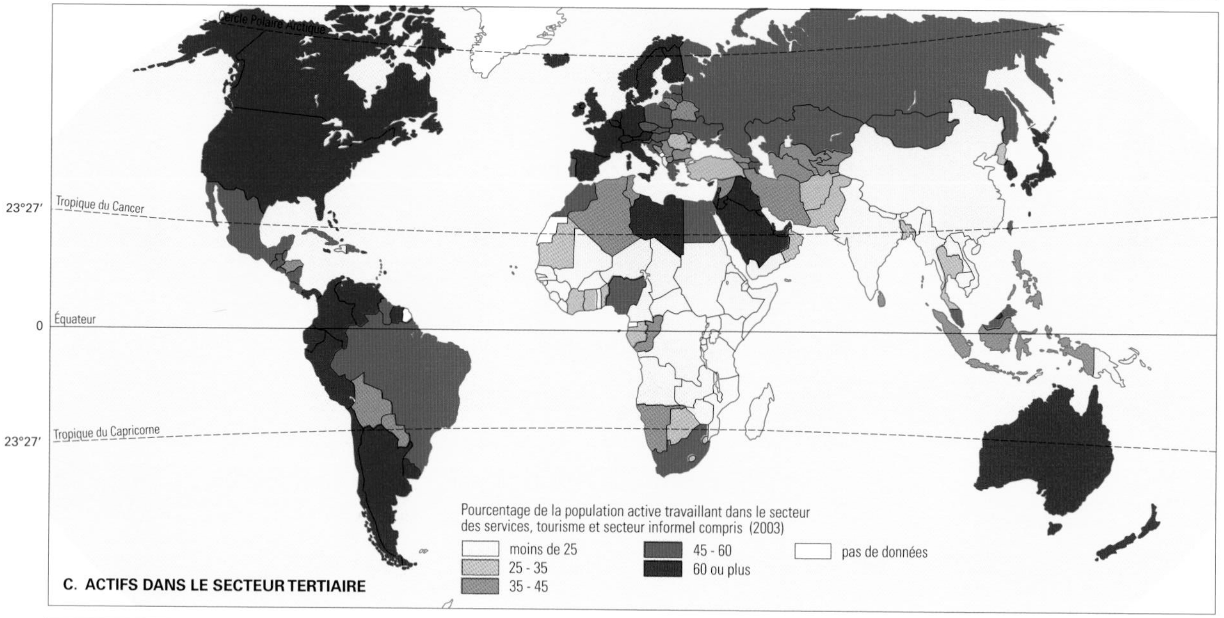

Pourcentage de la population active travaillant dans le secteur
des services, tourisme et secteur informel compris (2003)

- moins de 25
- 25 - 35
- 35 - 45
- 45 - 60
- 60 ou plus
- pas de données

D. TYPES D'ÉCONOMIE

Classification sur la base du type dominant d'exportations
(50% ou plus des exportations totales)

- Matières premières
- Combustibles
- Produits industriels
- Services (y compris tourisme)
- Économie diversifiée
- Pas de données

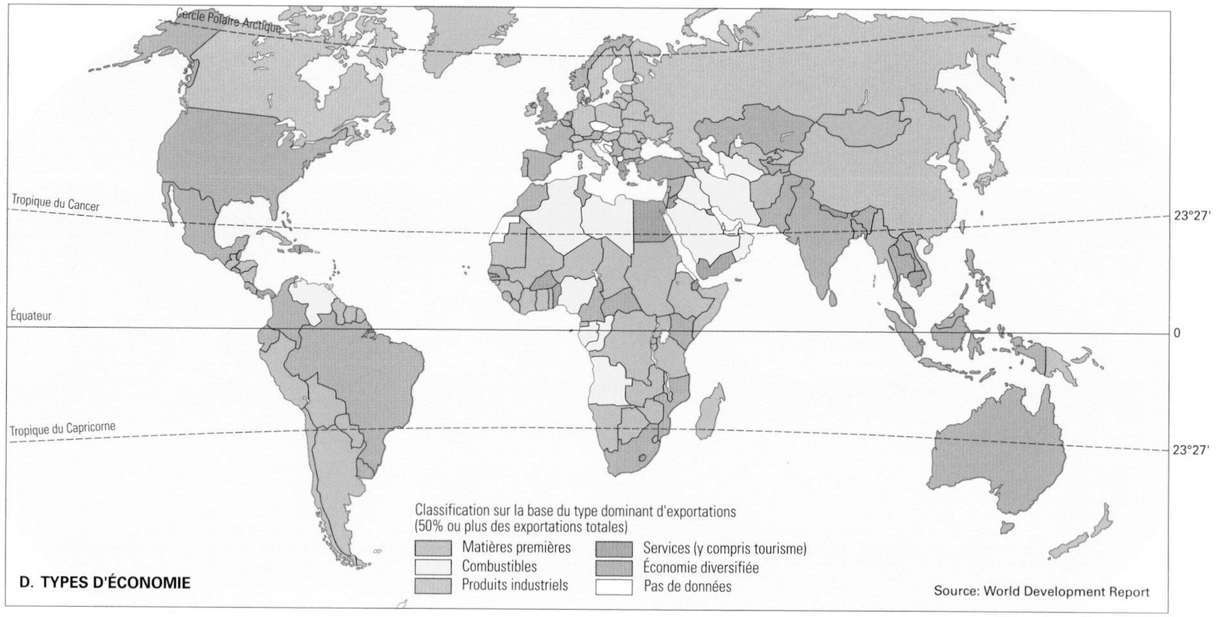

Source: World Development Report

E. ÉVOLUTION DE LA STRUCTURE DE LA POPULATION ACTIVE (1960 - 2001)

- Services
- Industrie
- Agriculture

États-Unis   Russie   Royaume-Uni

France   Brésil   Japon

Éthiopie   Indonésie   Corée du Sud

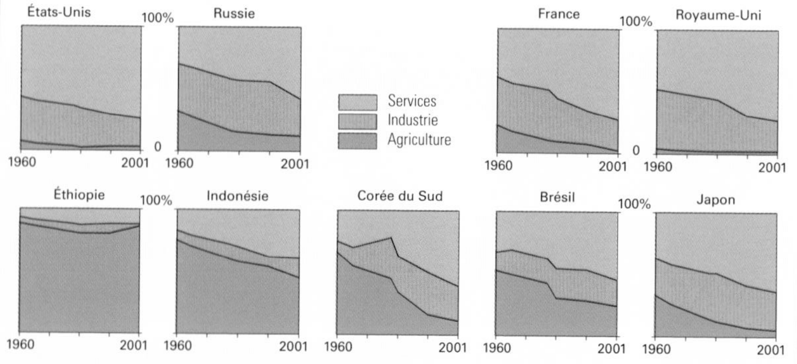

F. STRUCTURE DES IMPORTATIONS (2003)

- Matières premières
- dont pétrole, gaz naturel et charbon
- Produits industriels

Pays en voie de développement (total)
Amérique Latine
Afrique
OPEP
Pays occidentaux (total)
Union Européenne
États-Unis
Japon
Russie

G. STRUCTURE DES EXPORTATIONS (2003)

- Matières premières
- dont pétrole, gaz naturel et charbon
- Produits industriels

Pays en voie de développement (total)
Amérique Latine
Afrique
OPEP
Pays occidentaux (total)
Union Européenne
États-Unis
Japon
Russie

© Noordhoff Uitgevers

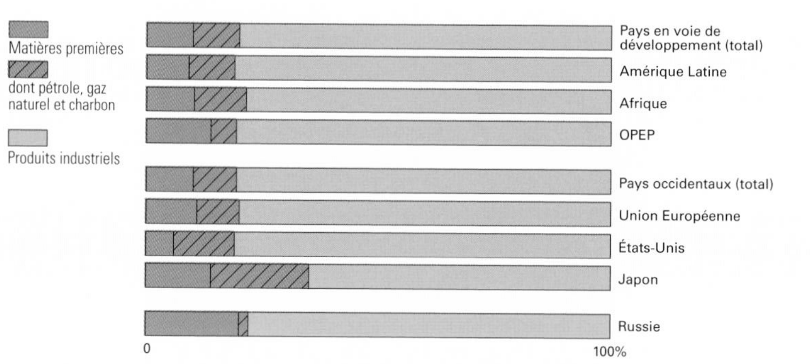

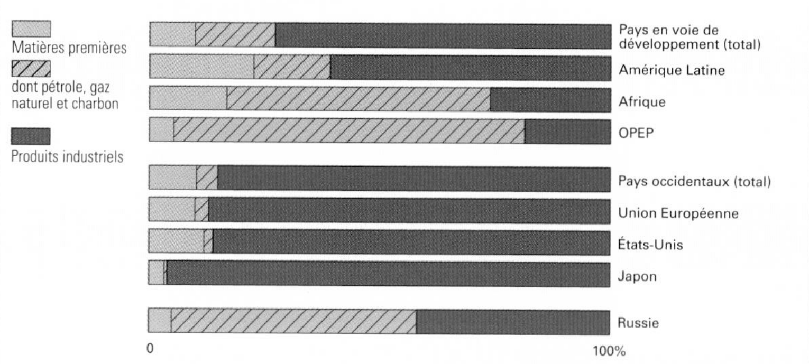

LA TERRE DÉVELOPPEMENT

Échelle 1 : 200000000

39

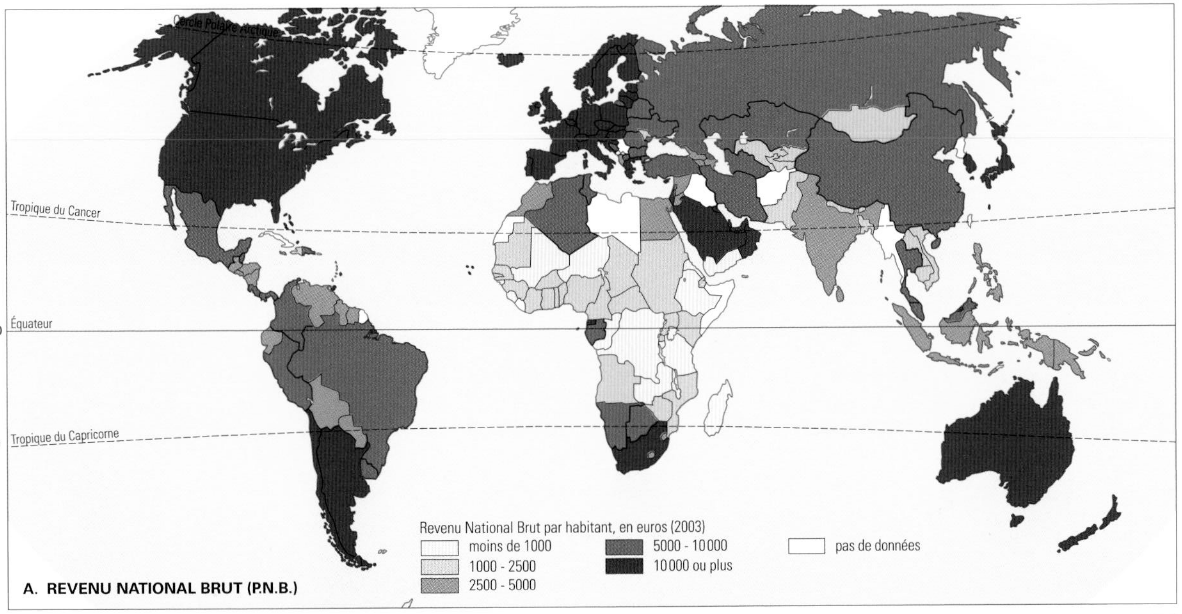

A. REVENU NATIONAL BRUT (P.N.B.)

Revenu National Brut par habitant, en euros (2003)
- moins de 1000
- 1000 - 2500
- 2500 - 5000
- 5000 - 10000
- 10000 ou plus
- pas de données

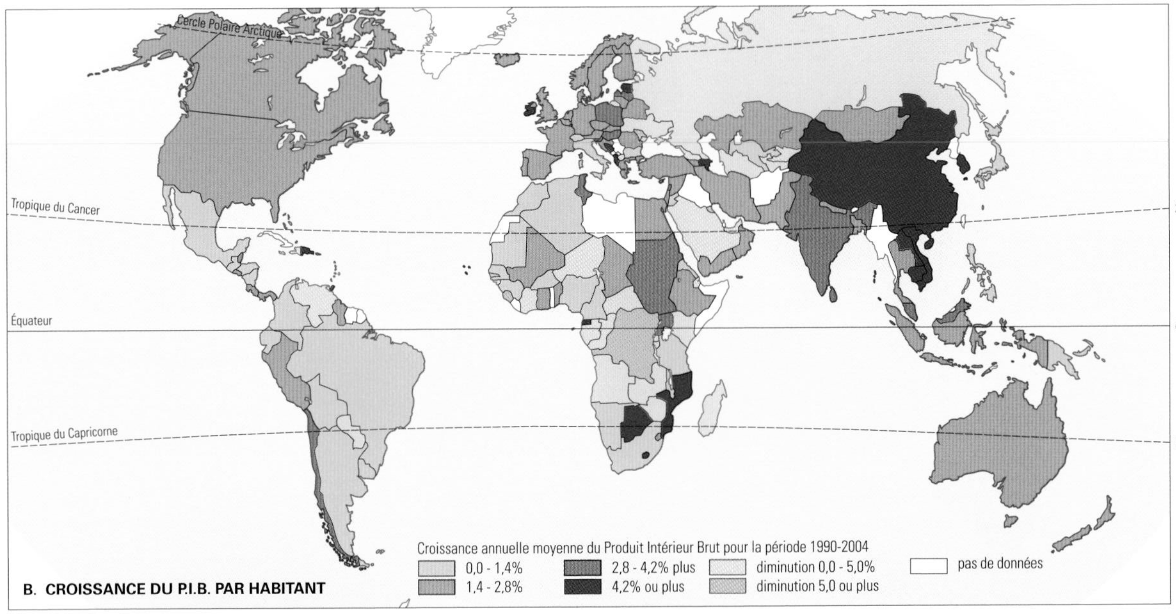

B. CROISSANCE DU P.I.B. PAR HABITANT

Croissance annuelle moyenne du Produit Intérieur Brut pour la période 1990-2004
- diminution 0,0 - 5,0%
- diminution 5,0 ou plus
- 0,0 - 1,4%
- 1,4 - 2,8%
- 2,8 - 4,2% plus
- 4,2% ou plus
- pas de données

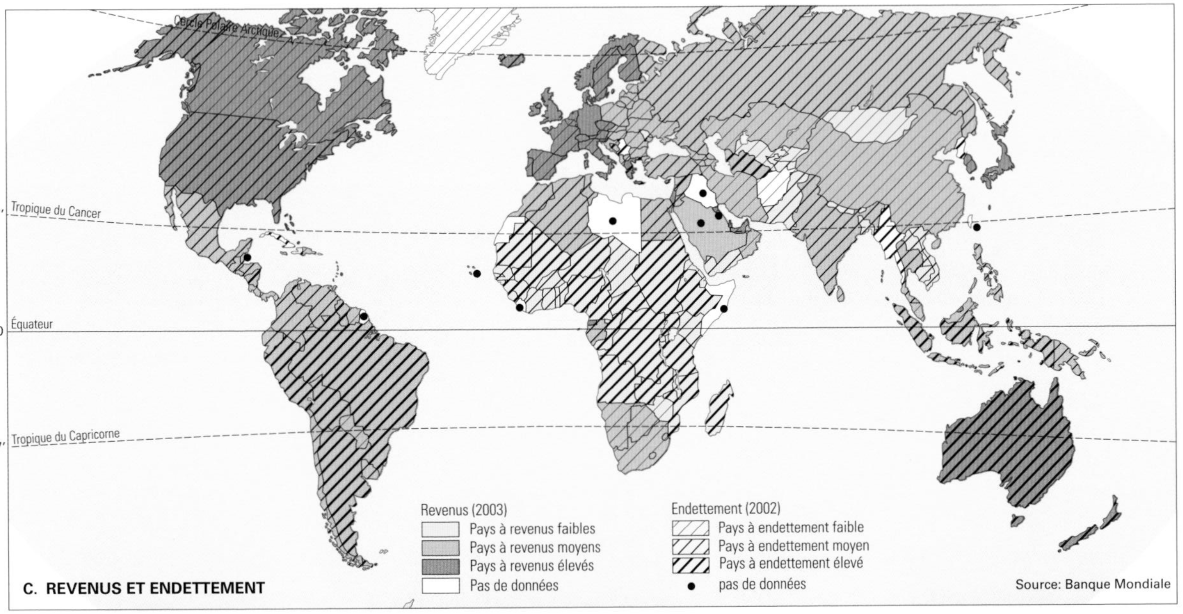

C. REVENUS ET ENDETTEMENT

Revenus (2003)
- Pays à revenus faibles
- Pays à revenus moyens
- Pays à revenus élevés
- Pas de données

Endettement (2002)
- Pays à endettement faible
- Pays à endettement moyen
- Pays à endettement élevé
- pas de données

Source: Banque Mondiale

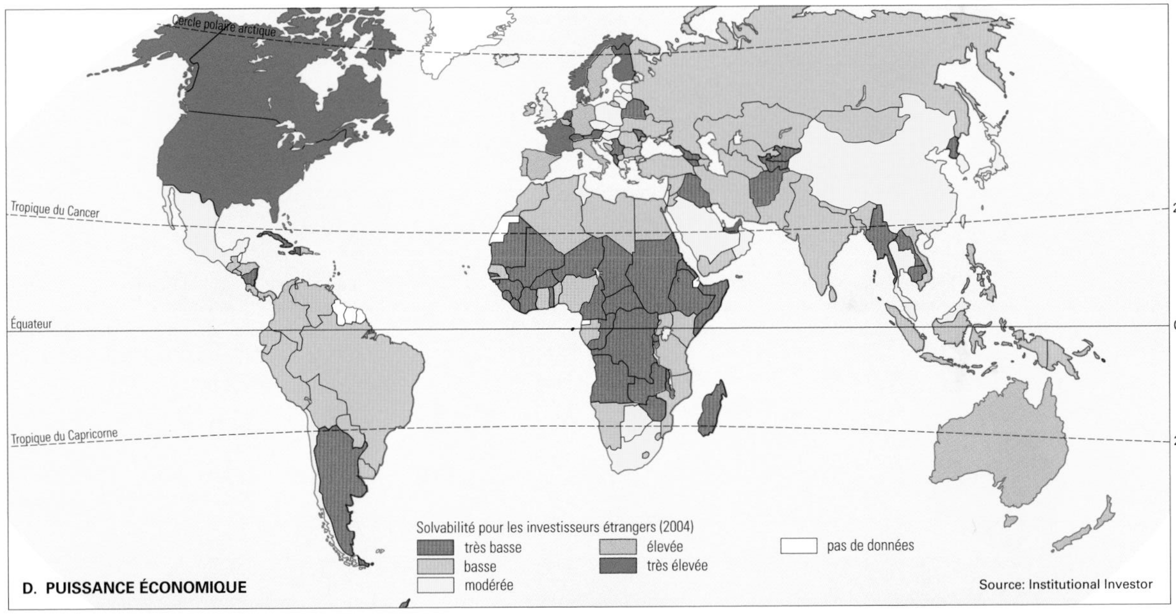

D. PUISSANCE ÉCONOMIQUE

Solvabilité pour les investisseurs étrangers (2004)
- très basse
- basse
- modérée
- élevée
- très élevée
- pas de données

Source: Institutional Investor

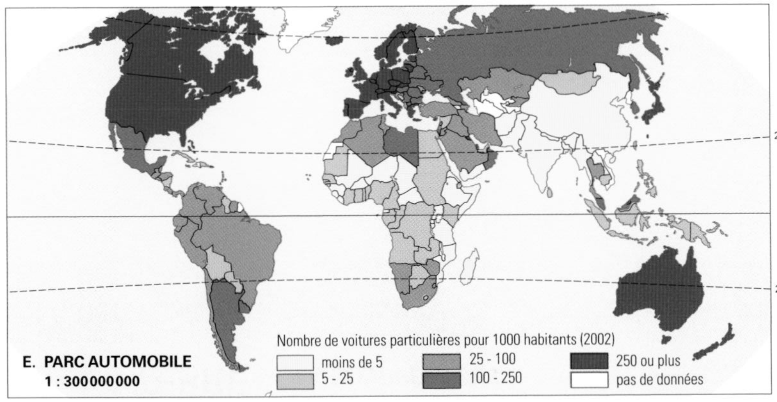

E. PARC AUTOMOBILE
1 : 300000000

Nombre de voitures particulières pour 1000 habitants (2002)
- moins de 5
- 5 - 25
- 25 - 100
- 100 - 250
- 250 ou plus
- pas de données

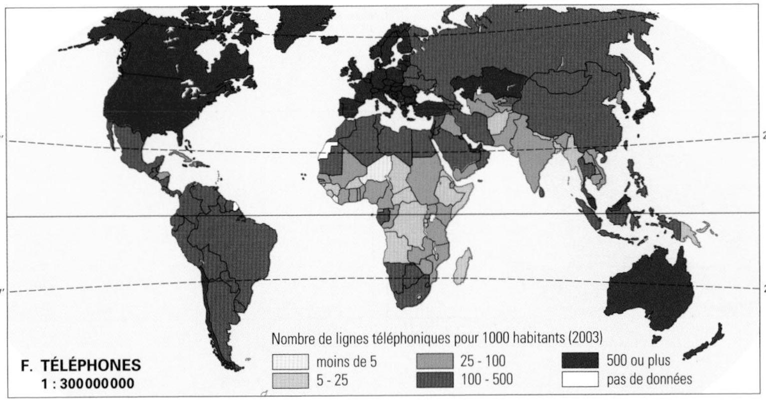

F. TÉLÉPHONES
1 : 300000000

Nombre de lignes téléphoniques pour 1000 habitants (2003)
- moins de 5
- 5 - 25
- 25 - 100
- 100 - 500
- 500 ou plus
- pas de données

G. TÉLÉVISIONS
1 : 300000000

Nombre de téléviseurs pour 1000 habitants (2002)
- moins de 10
- 10 - 50
- 50 - 250
- 250 - 500
- 500 ou plus
- pas de données

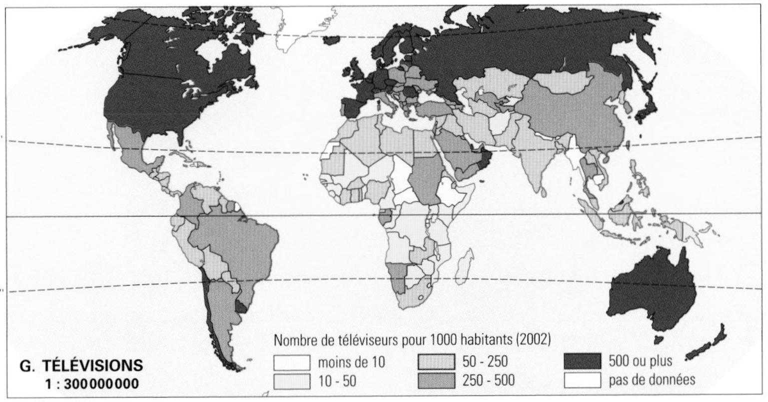

LA TERRE DÉVELOPPEMENT

Échelle 1 : 200 000 000

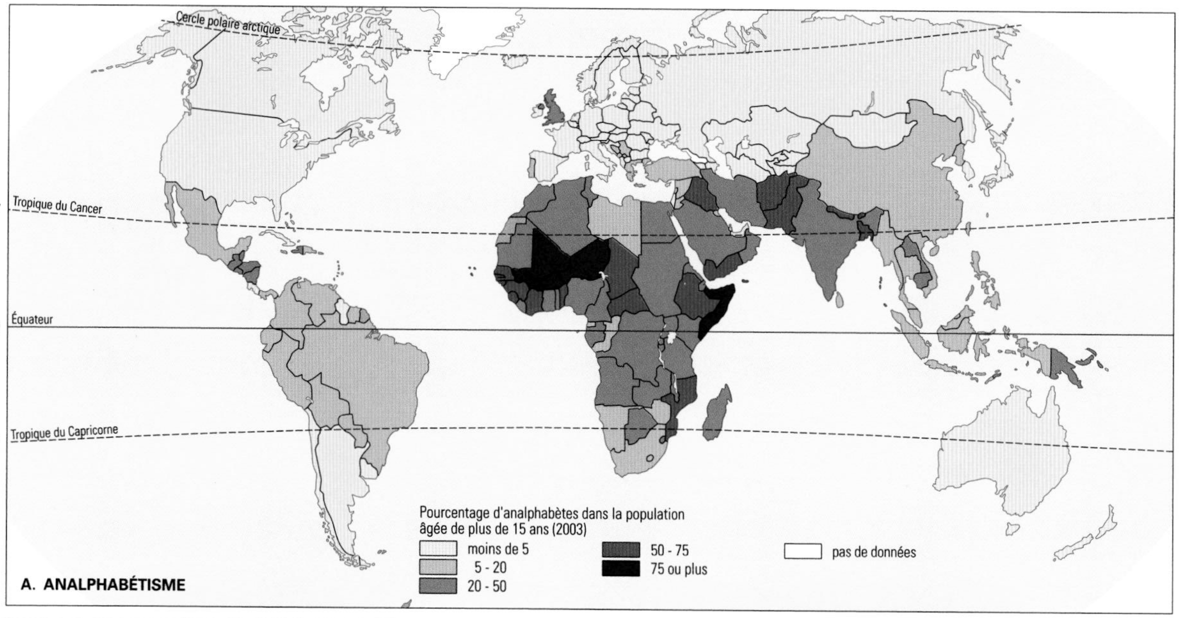

A. ANALPHABÉTISME

Pourcentage d'analphabètes dans la population
âgée de plus de 15 ans (2003)

- moins de 5
- 5 - 20
- 20 - 50
- 50 - 75
- 75 ou plus
- pas de données

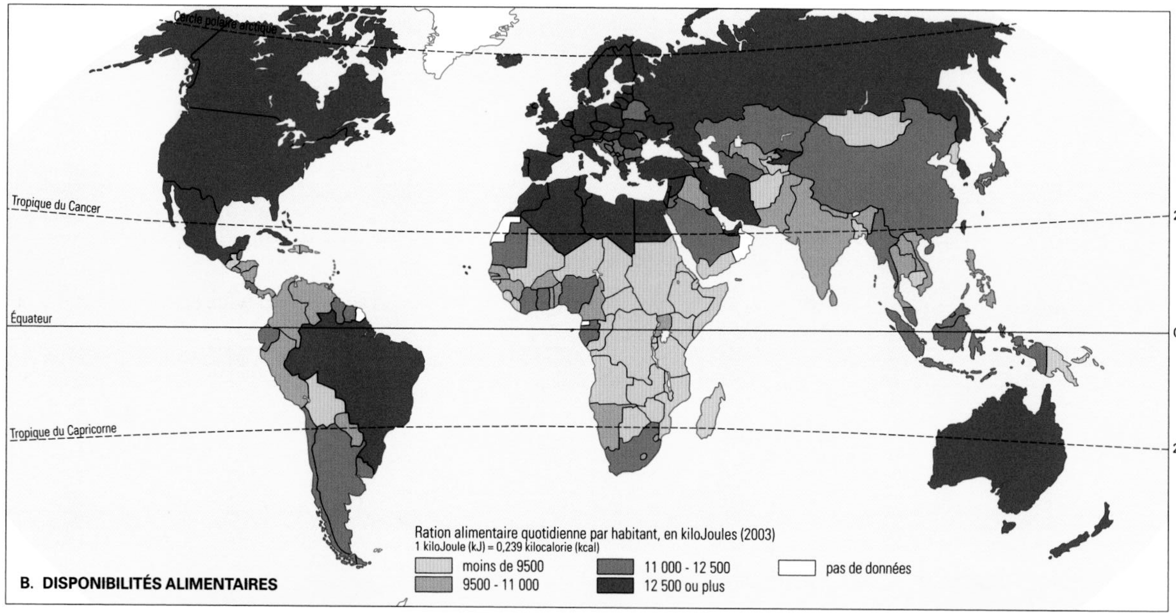

B. DISPONIBILITÉS ALIMENTAIRES

Ration alimentaire quotidienne par habitant, en kiloJoules (2003)
1 kiloJoule (kJ) = 0,239 kilocalorie (kcal)

- moins de 9500
- 9500 - 11 000
- 11 000 - 12 500
- 12 500 ou plus
- pas de données

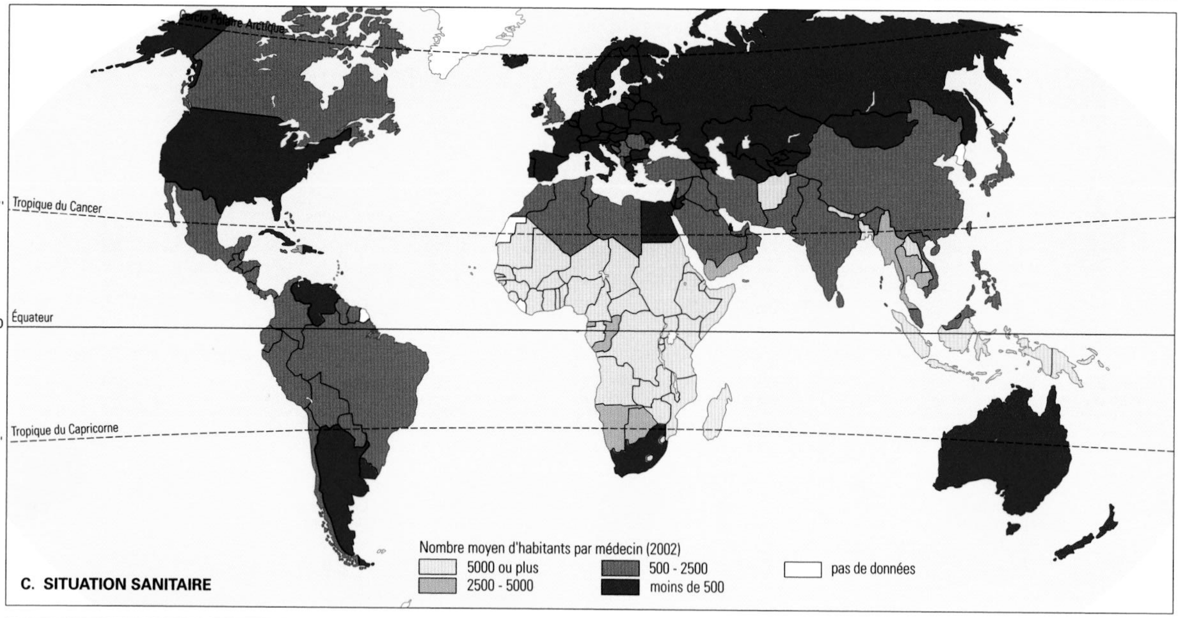

C. SITUATION SANITAIRE

Nombre moyen d'habitants par médecin (2002)

- 5000 ou plus
- 2500 - 5000
- 500 - 2500
- moins de 500
- pas de données

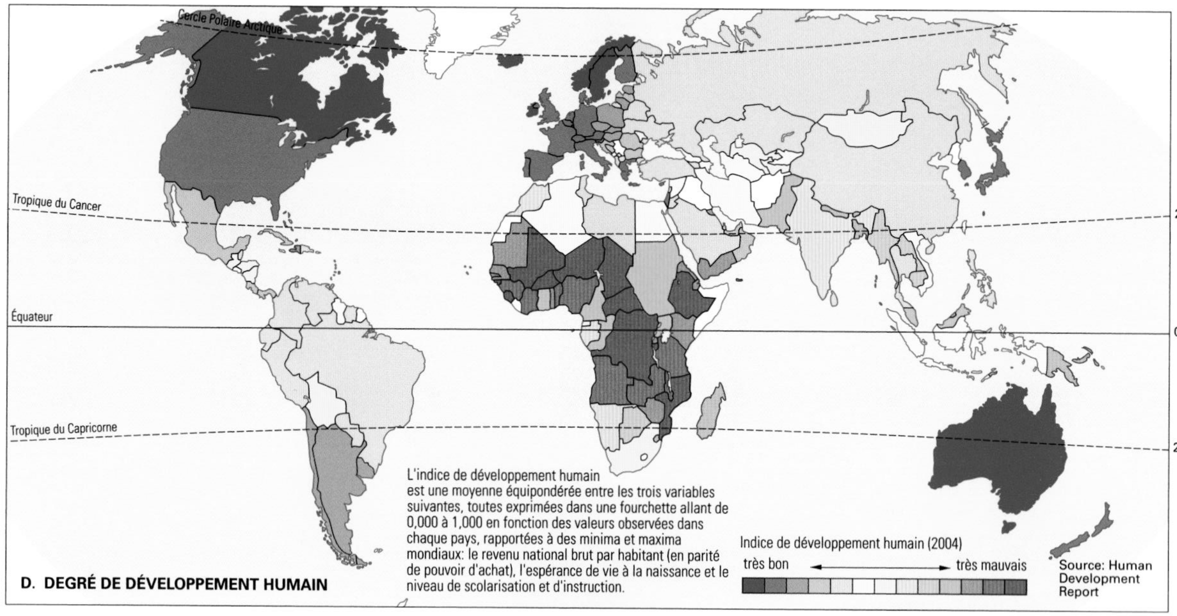

D. DEGRÉ DE DÉVELOPPEMENT HUMAIN

L'indice de développement humain
est une moyenne équipondérée entre les trois variables
suivantes, toutes exprimées dans une fourchette allant de
0,000 à 1,000 en fonction des valeurs minima et maxima observées dans
chaque pays, rapportées à des minima et maxima
mondiaux : le revenu national brut par habitant (en parité
de pouvoir d'achat), l'espérance de vie à la naissance et le
niveau de scolarisation et d'instruction.

Indice de développement humain (2004)
très bon ← → très mauvais

Source: Human Development Report

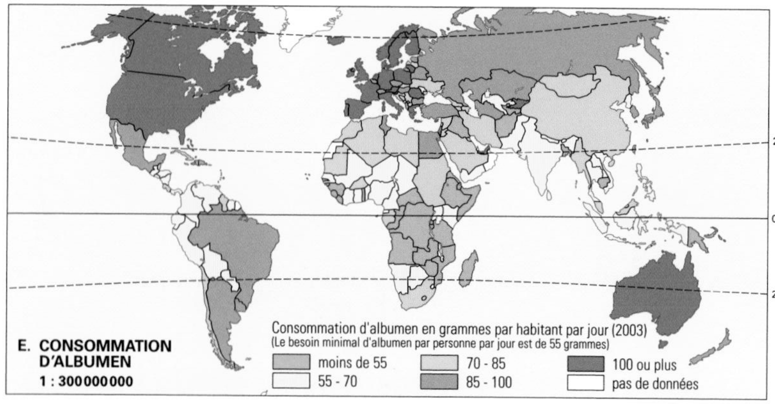

E. CONSOMMATION D'ALBUMEN
1 : 300 000 000

Consommation d'albumen en grammes par habitant par jour (2003)
(Le besoin minimal d'albumen par personne par jour est de 55 grammes)

- moins de 55
- 55 - 70
- 70 - 85
- 85 - 100
- 100 ou plus
- pas de données

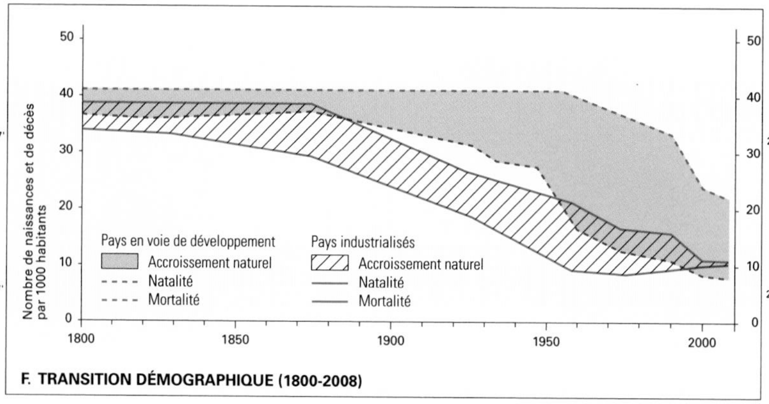

F. TRANSITION DÉMOGRAPHIQUE (1800-2008)

Nombre de naissances et de décès par 1000 habitants

Pays en voie de développement
- Accroissement naturel
- Natalité
- Mortalité

Pays industrialisés
- Accroissement naturel
- Natalité
- Mortalité

G. VACCINATIONS
1 : 300 000 000

Pourcentage d'enfants de moins d'un an vaccinés contre
la diphtérie, le tétanos et la polio (2003)

- 50 - 75
- 75 - 85
- 85 - 95
- 95 ou plus
- pas de données

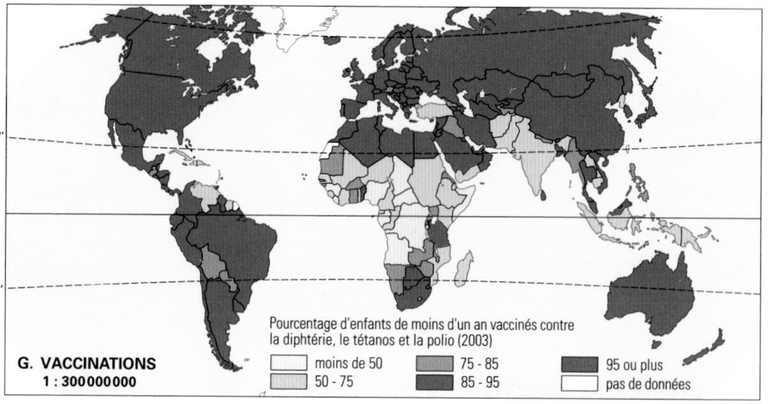

LA TERRE DÉVELOPPEMENT

Échelle 1 : 200000000

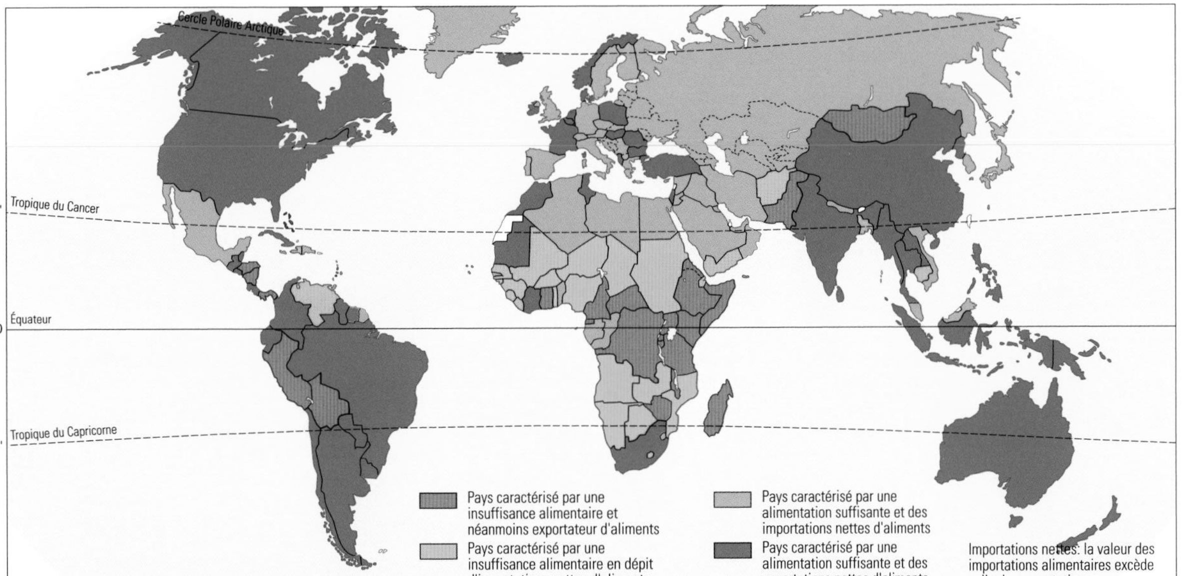

A. FAIM ET COMMERCE ALIMENTAIRE

Pays caractérisé par une insuffisance alimentaire et des importations nettes d'aliments

Pays caractérisé par une insuffisance alimentaire en dépit d'importations nettes d'aliments

Pays caractérisé par une alimentation suffisante et néanmoins exportateur d'aliments

Pays caractérisé par une alimentation suffisante et des exportations nettes d'aliments

Importations nettes: la valeur des importations alimentaires excède celle des exportations

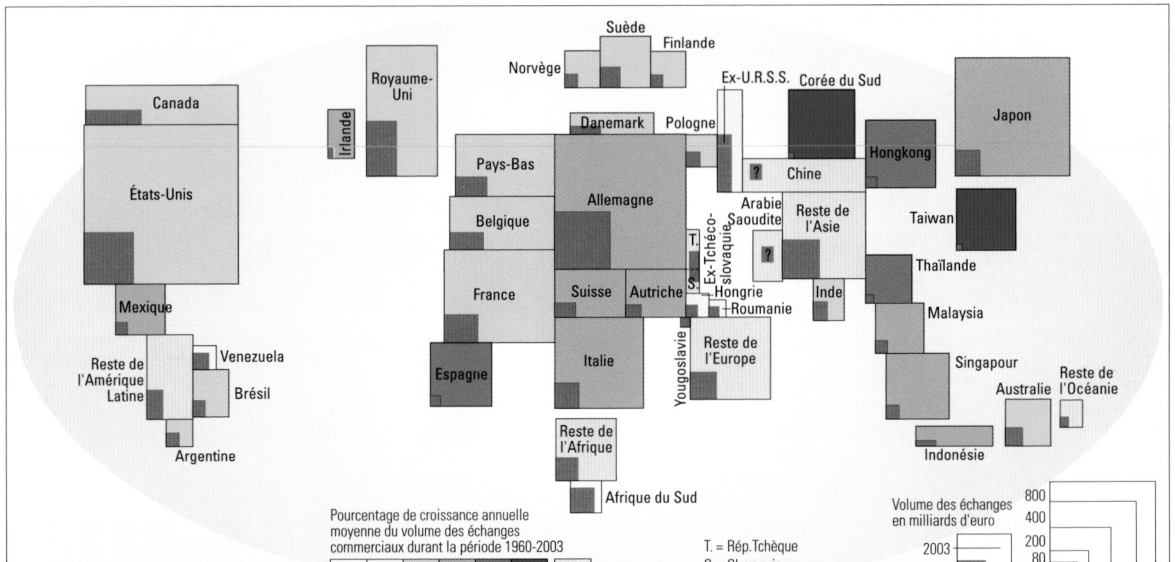

B. CROISSANCE DU COMMERCE MONDIAL ENTRE 1960 ET 2003

Volume des échanges en milliards d'euro
800 400 200 80 40
2003
1960
pas de données pour 1960

Pourcentage de croissance annuelle moyenne du volume des échanges commerciaux durant la période 1960-2003
1,6 4,4 7,2 10,0 12,8
pas de données

T. = Rép. Tchèque
S. = Slovaquie
? = pas de données

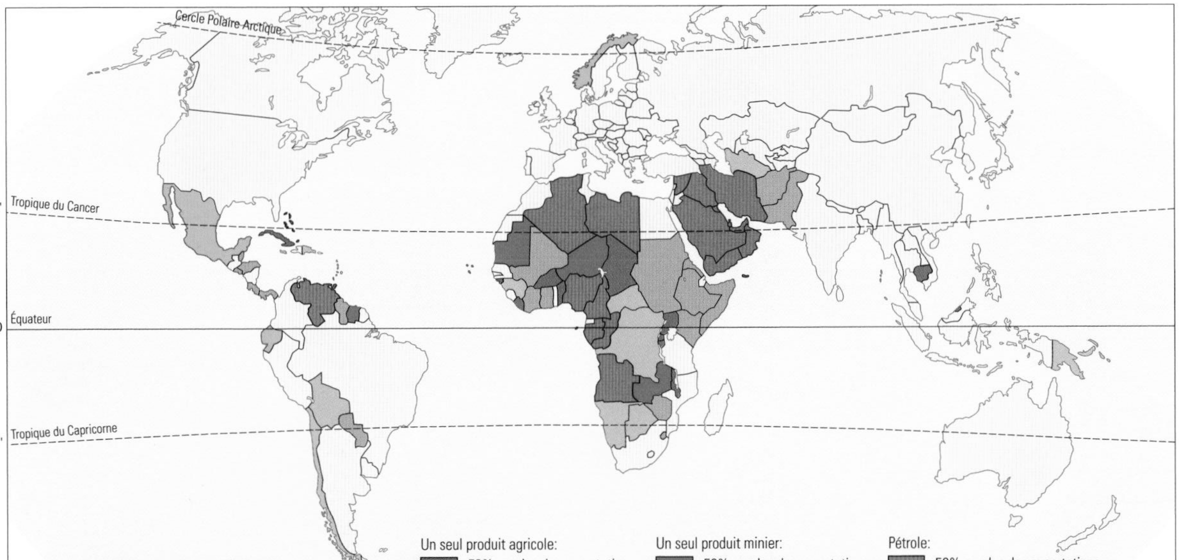

C. EXPORTATIONS UNILATÉRALES PAR PRODUIT

Un seul produit agricole:
50% ou plus des exportations
25-50% des exportations

Un seul produit minier:
50% ou plus des exportations
25-50% des exportations

Pétrole:
50% ou plus des exportations
25-50% des exportations

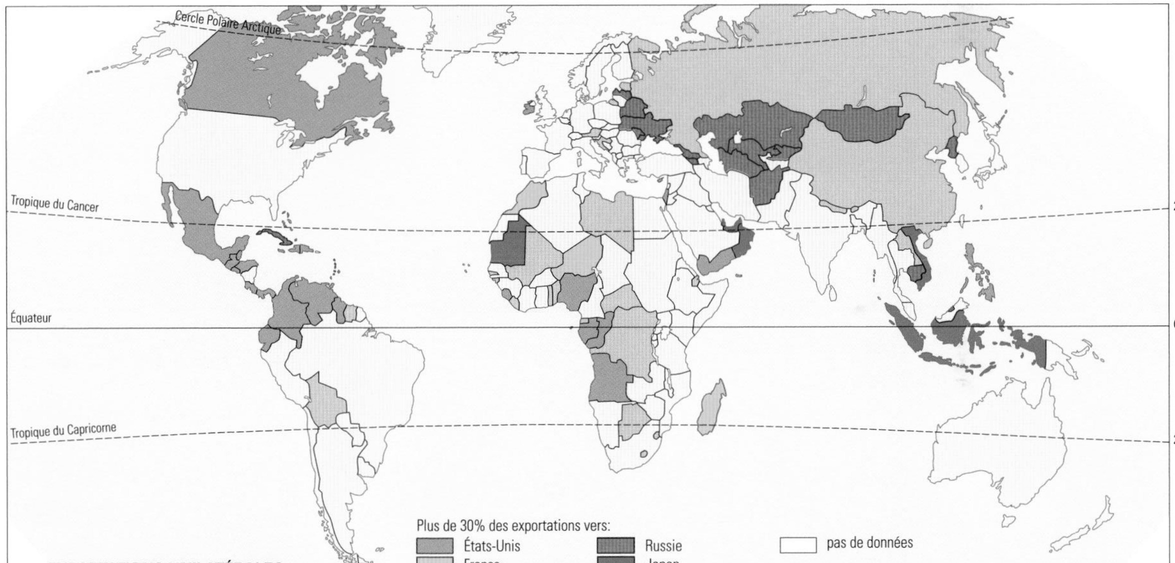

D. EXPORTATIONS UNILATÉRALES EN FONCTION DE LA DESTINATION

Plus de 30% des exportations vers:
États-Unis
France
Royaume-Uni
Russie
Japon
Autres pays
pas de données

E. PART DES EXPORTATIONS DE PRODUITS MANUFACTURÉES

Pourcentage des exportations de marchandises (moyenne annuelle 1998-2003)

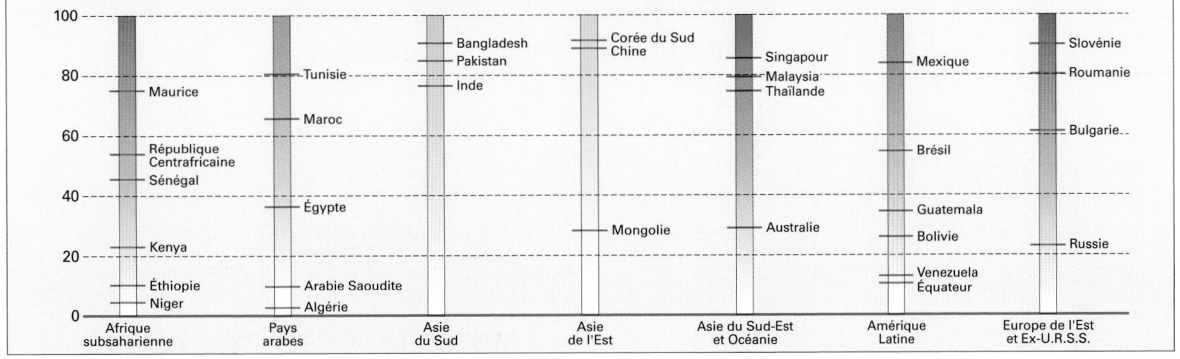

F. CROISSANCE DES EXPORTATIONS DE BIENS ET DE SERVICES

Pourcentage de croissance annuel moyen entre 1998 et 2003

© Noordhoff Uitgevers

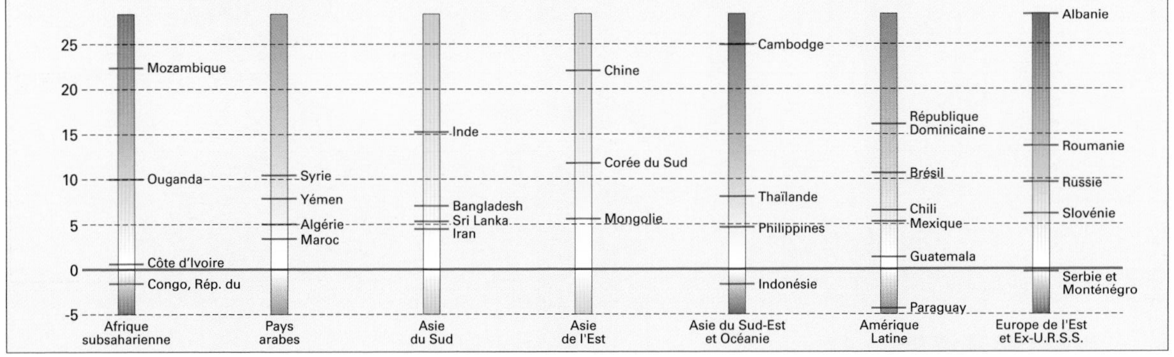

LA TERRE ENVIRONNEMENT

Échelle 1 : 200000000

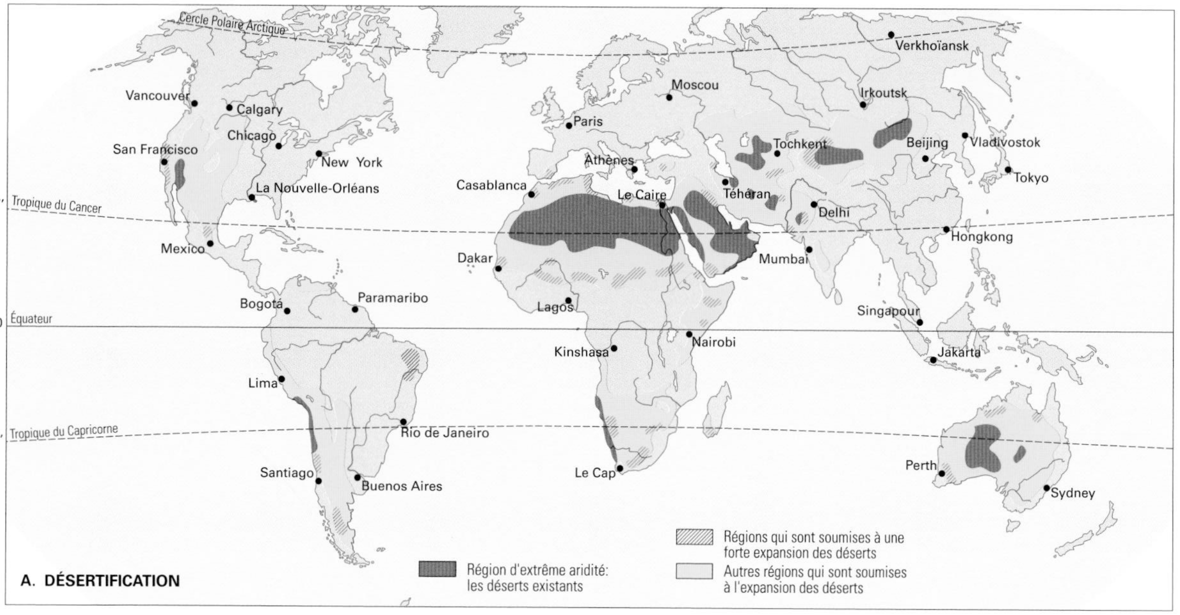

A. DÉSERTIFICATION

Région d'extrême aridité:
les déserts existants

Régions qui sont soumises à une
forte expansion des déserts

Autres régions qui sont soumises
à l'expansion des déserts

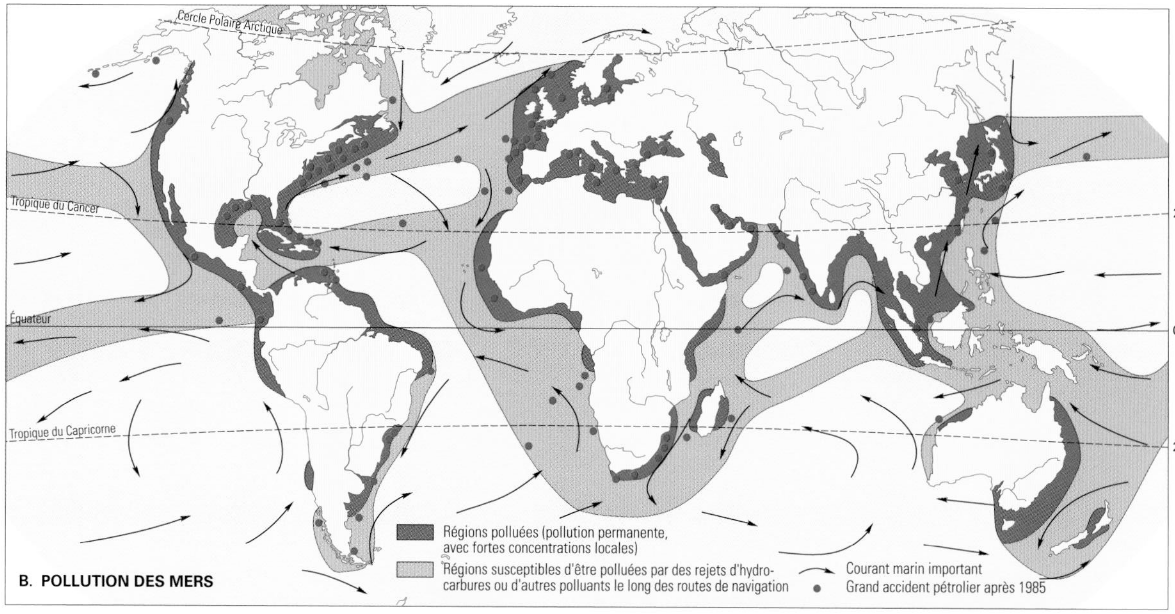

B. POLLUTION DES MERS

Régions polluées (pollution permanente,
avec fortes concentrations locales)

Régions susceptibles d'être polluées par des rejets d'hydro-
carbures ou d'autres polluants le long des routes de navigation

Courant marin important

Grand accident pétrolier après 1985

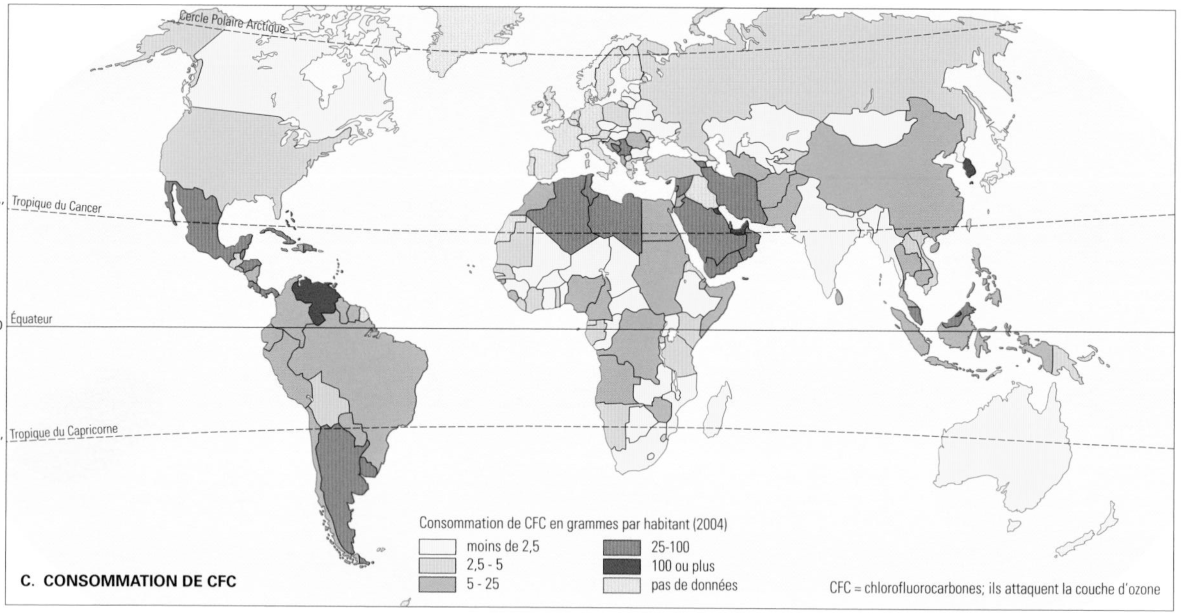

C. CONSOMMATION DE CFC

Consommation de CFC en grammes par habitant (2004)

moins de 2,5

2,5 - 5

5 - 25

25-100

100 ou plus

pas de données

CFC = chlorofluorocarbones; ils attaquent la couche d'ozone

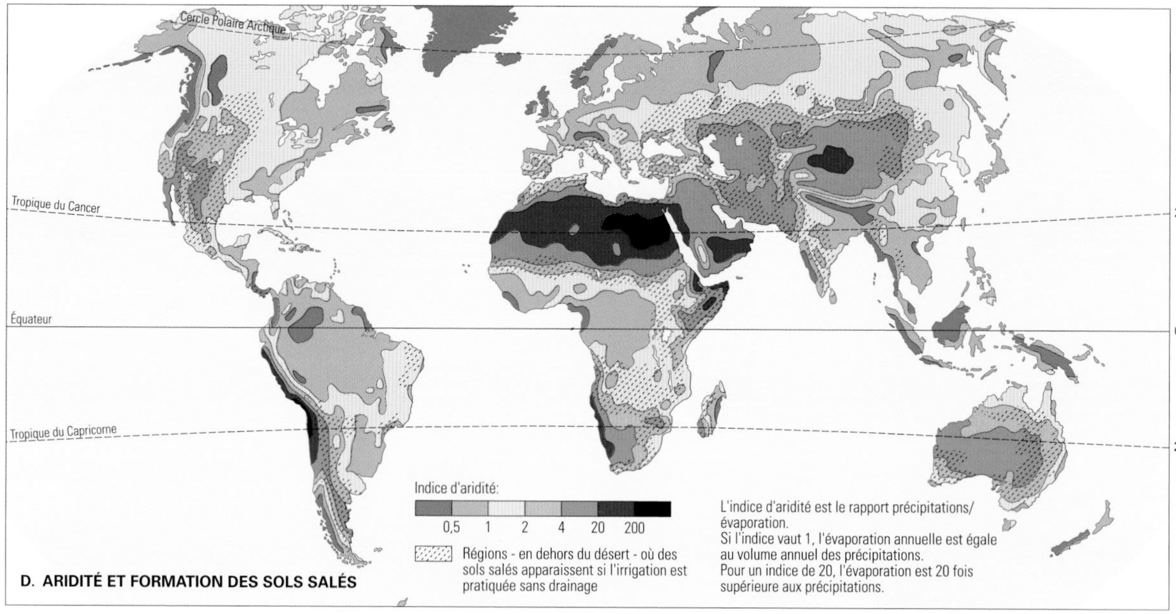

D. ARIDITÉ ET FORMATION DES SOLS SALÉS

Indice d'aridité:

0,5

1

2

4

20

200

Régions - en dehors du désert - où des
sols salés apparaissent si l'irrigation est
pratiquée sans drainage

L'indice d'aridité est le rapport précipitations/
évaporation.
Si l'indice vaut 1, l'évaporation annuelle est égale
au volume annuel des précipitations.
Pour un indice de 20, l'évaporation est 20 fois
supérieure aux précipitations.

**E. LE 'TROU' DANS LA COUCHE D'OZONE
AU DESSUS DE L'ANTARCTIQUE**

Concentrations moyennes d'ozone en UD *

moins de 250

250 - 300

300 - 350

350 - 400

400 ou plus

* l'Unité Dobson est la mesure de l'épaisseur de la
couche d'ozone, et correspond à 10 microns d'ozone
réduits au niveau de la mer.
300 UD correspondent à 3 mm d'ozone.

Source: KNMI, De Bilt

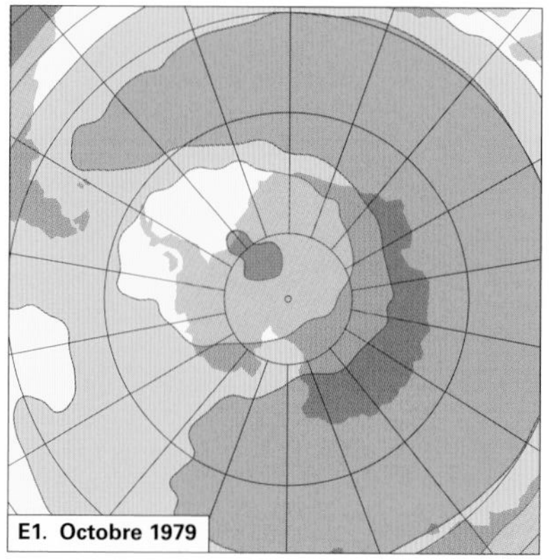

E1. Octobre 1979

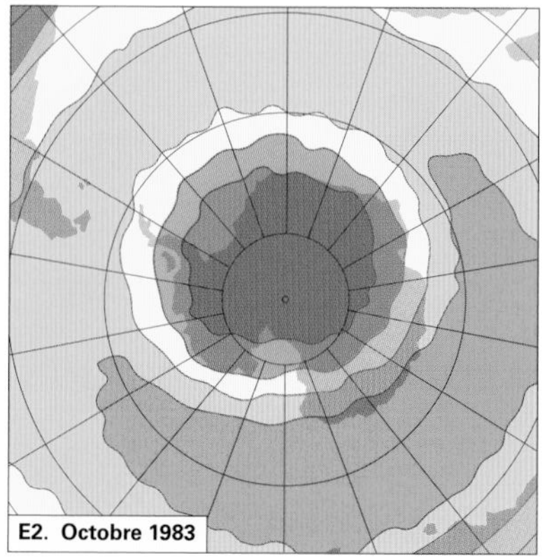

E2. Octobre 1983

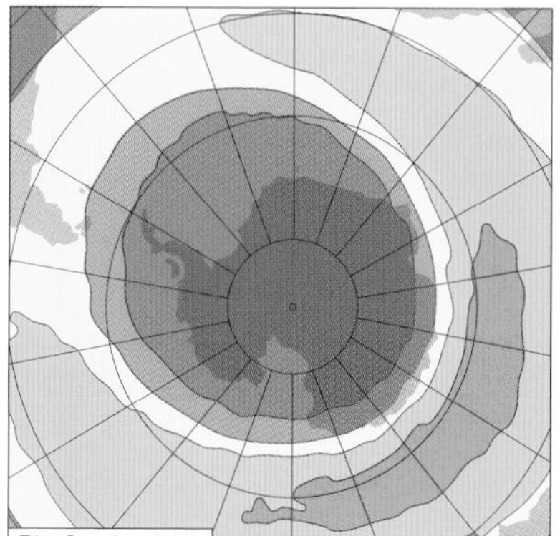

E3. Octobre 1993

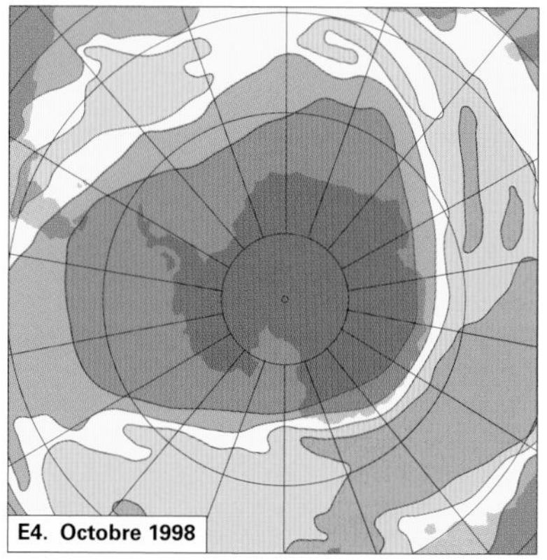

E4. Octobre 1998

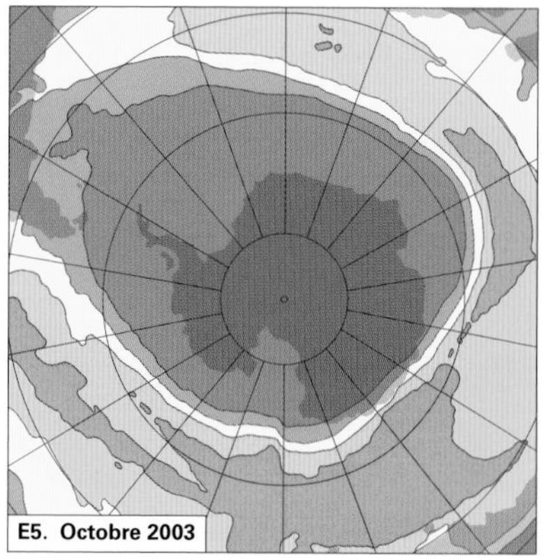

E5. Octobre 2003

LA TERRE ENVIRONNEMENT

Échelle 1 : 200 000 000

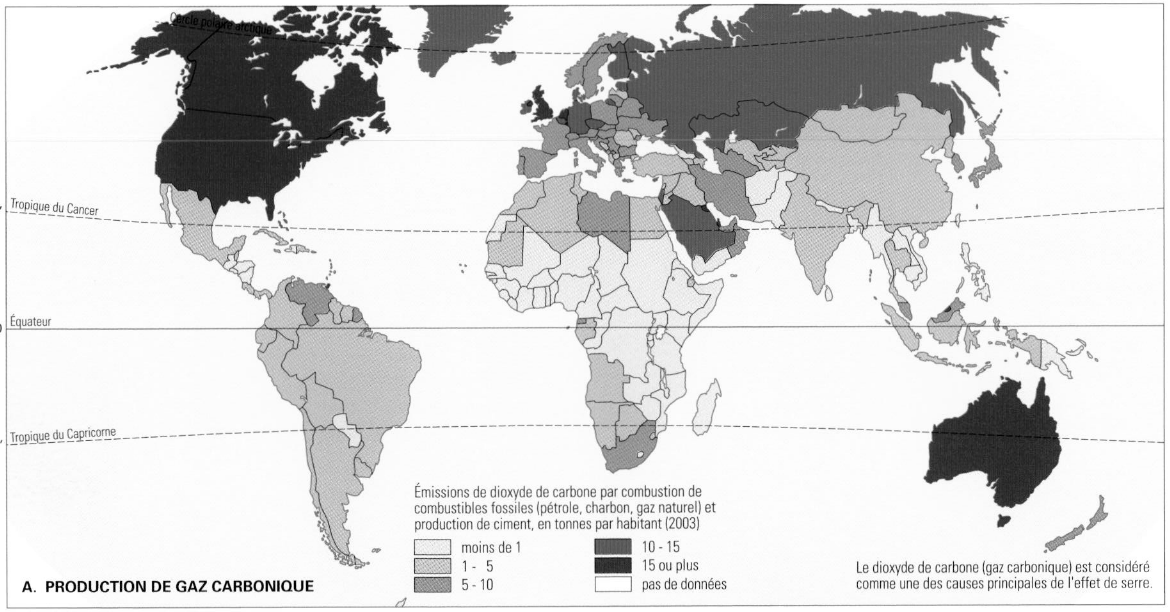

A. PRODUCTION DE GAZ CARBONIQUE

Émissions de dioxyde de carbone par combustion de combustibles fossiles (pétrole, charbon, gaz naturel) et production de ciment, en tonnes par habitant (2003)

moins de 1
1 - 5
5 - 10
10 - 15
15 ou plus
pas de données

Le dioxyde de carbone (gaz carbonique) est considéré comme une des causes principales de l'effet de serre.

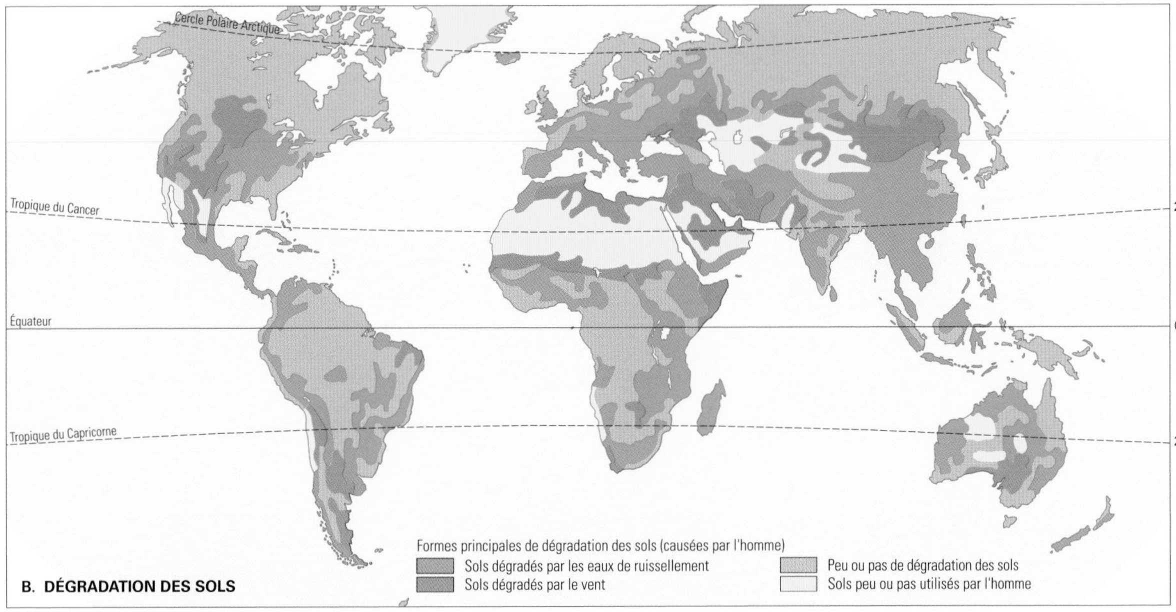

B. DÉGRADATION DES SOLS

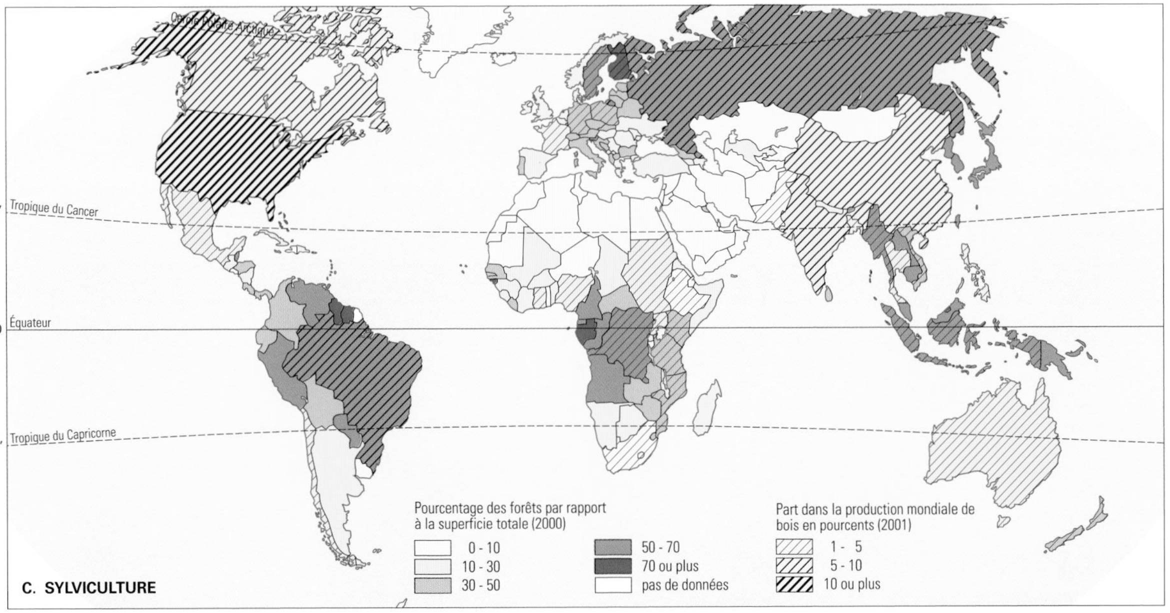

Formes principales de dégradation des sols (causées par l'homme)
Sols dégradés par les eaux de ruissellement
Sols dégradés par le vent
Peu ou pas de dégradation des sols
Sols peu ou pas utilisés par l'homme

Cercle Polaire Arctique
Tropique du Cancer
Équateur
Tropique du Capricorne

C. SYLVICULTURE

Pourcentage des forêts par rapport à la superficie totale (2000)
0 - 10
10 - 30
30 - 50
50 - 70
70 ou plus
pas de données

Part dans la production mondiale de bois en pourcents (2001)
1 - 5
5 - 10
10 ou plus

D. DÉBOISEMENT

Diminution annuelle moyenne des territoires boisés en pourcentage durant la période 1990-2000
0,0 - 0,5
0,5 - 1,0
1,0 - 1,5
1,5 ou plus
Augmentation des superficies boisées
pas de données

Cercle Polaire Arctique
Tropique du Cancer
Équateur
Tropique du Capricorne

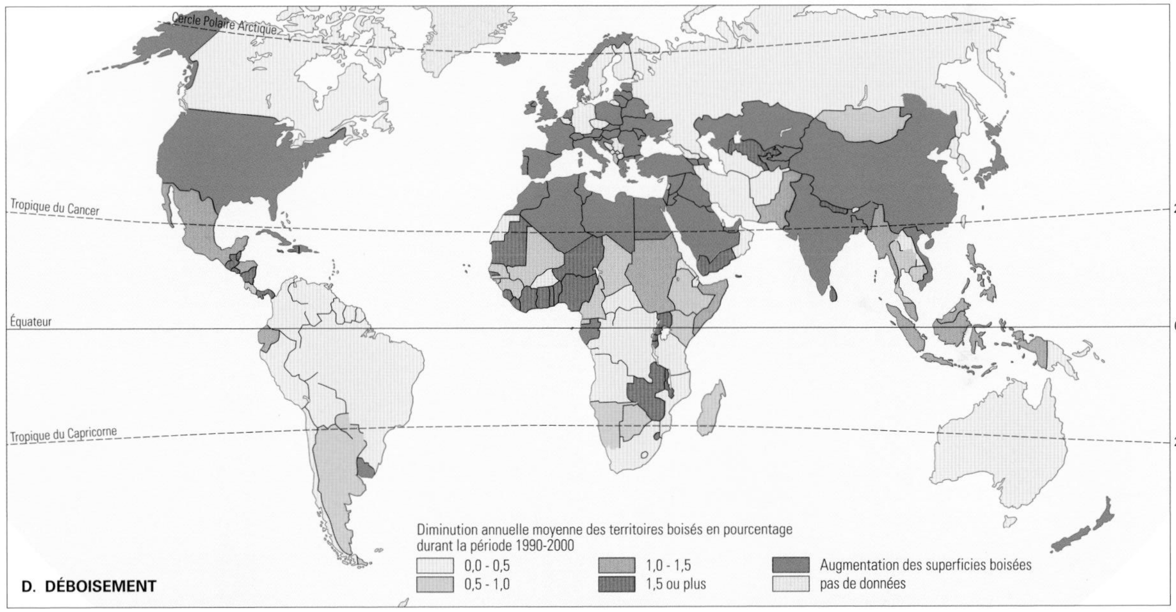

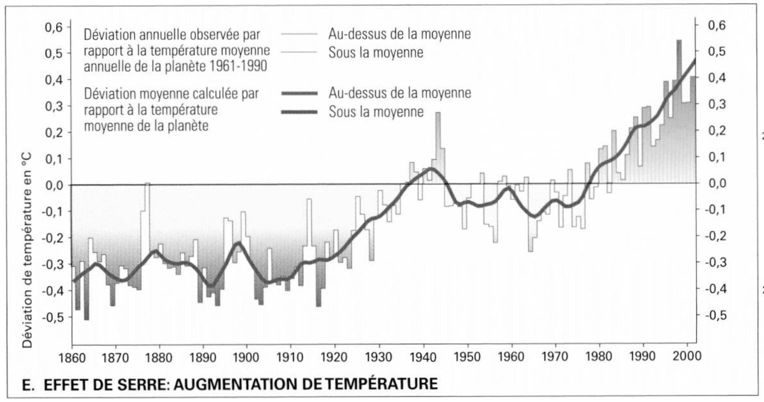

E. EFFET DE SERRE: AUGMENTATION DE TEMPÉRATURE

Déviation de température en °C

Déviation annuelle observée par rapport à la température moyenne annuelle de la planète 1961-1990
Au-dessus de la moyenne
Sous la moyenne
Déviation moyenne calculée par rapport à la température moyenne de la planète
Au-dessus de la moyenne
Sous la moyenne

0,6 0,5 0,4 0,3 0,2 0,1 0,0 -0,1 -0,2 -0,3 -0,4 -0,5

1860 1870 1880 1890 1900 1910 1920 1930 1940 1950 1960 1970 1980 1990 2000

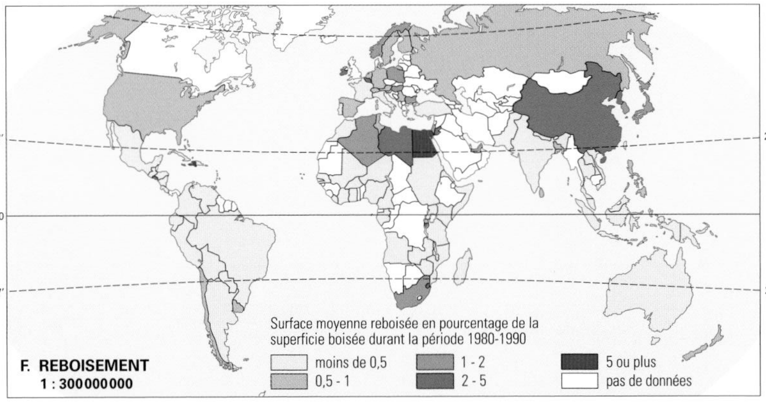

F. REBOISEMENT
1 : 300 000 000

Surface moyenne reboisée en pourcentage de la superficie boisée durant la période 1980-1990
moins de 0,5
0,5 - 1
1 - 2
2 - 5
5 ou plus
pas de données

G. BOIS DE CHAUFFAGE
1 : 300 000 000

Part du bois de chauffage dans la production totale de bois, en % (2004)
moins de 10
10 - 30
30 - 60
60 - 90
90 ou plus
pas de données

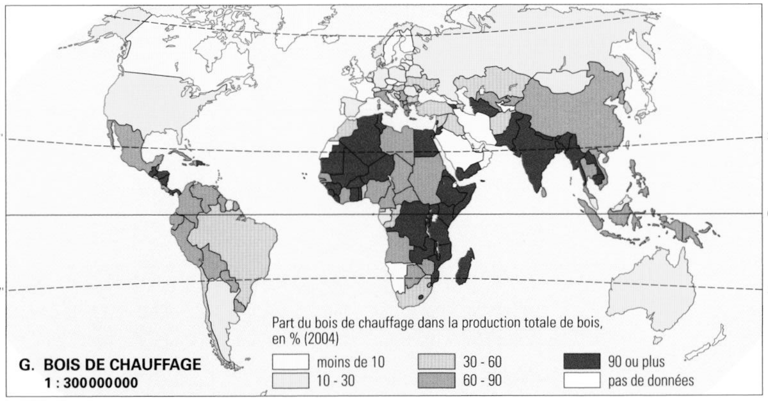

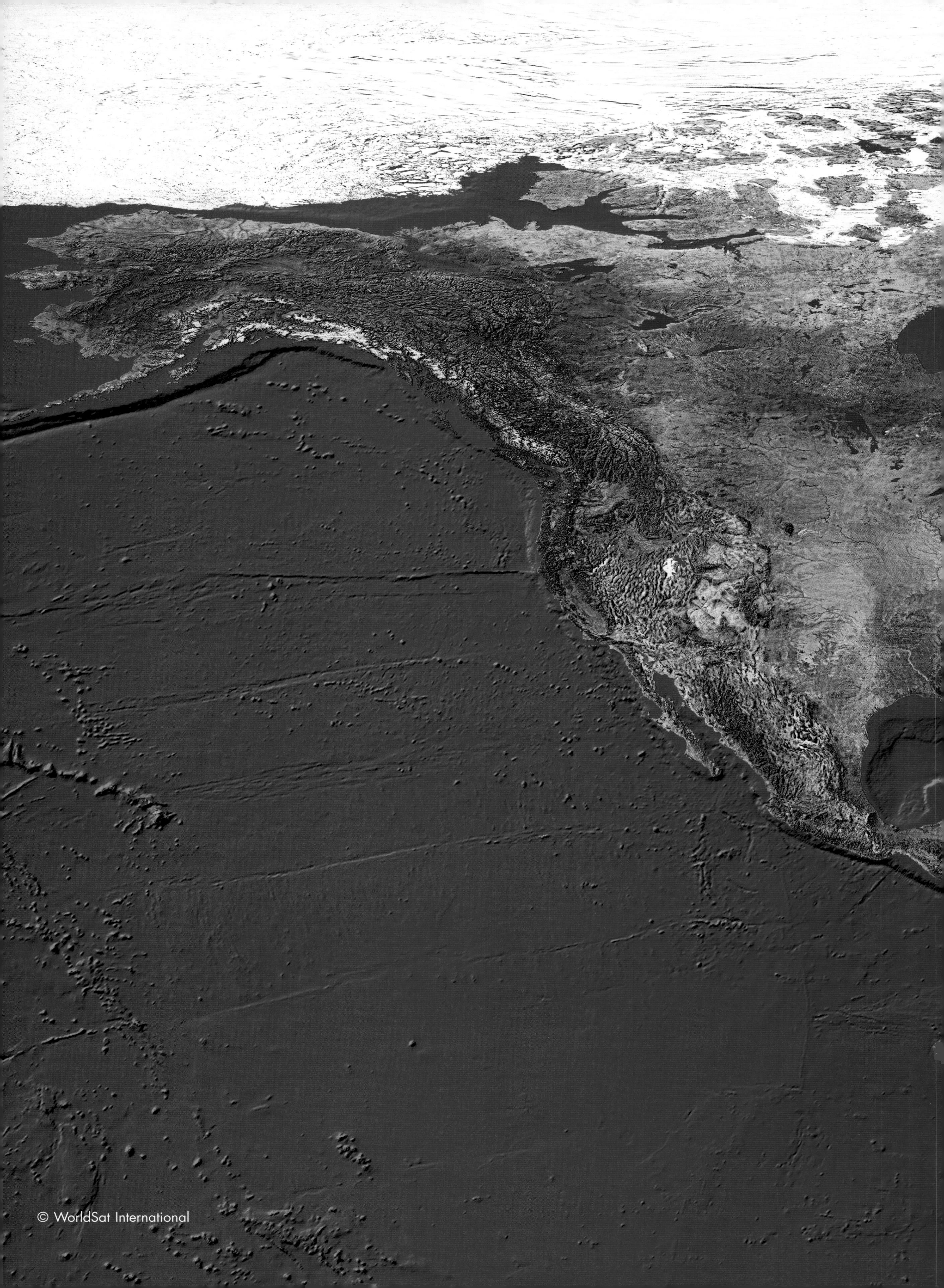

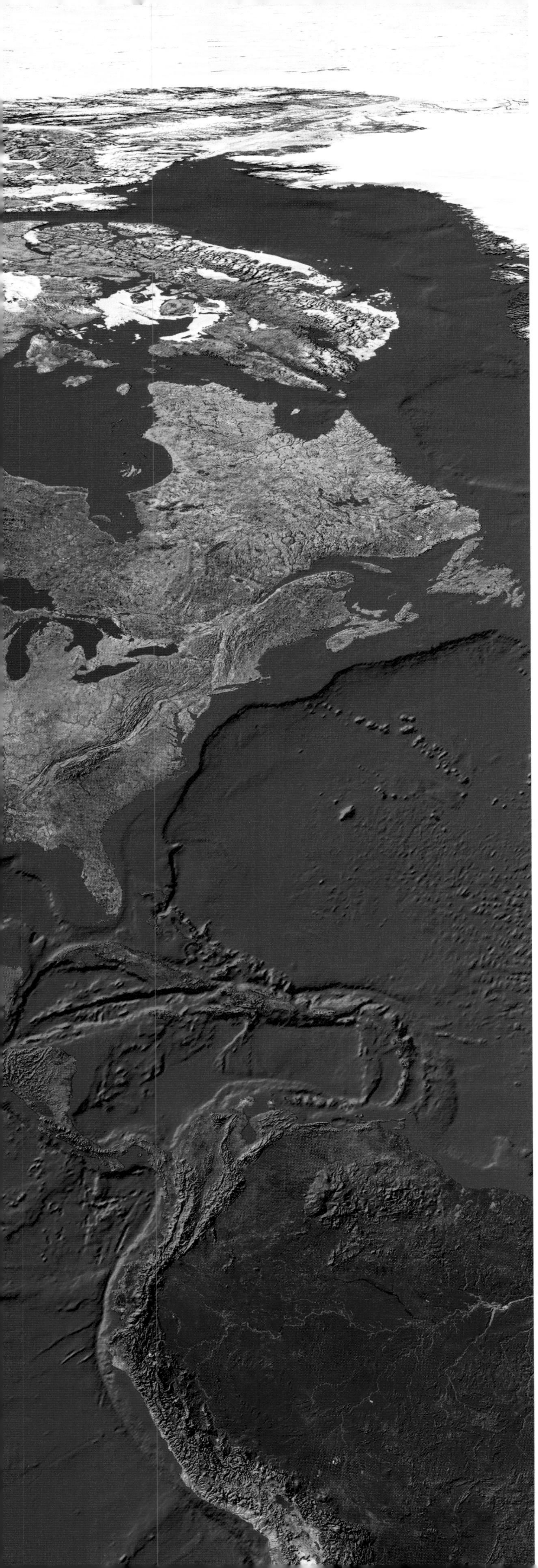

AMÉRIQUE DU NORD ET CENTRALE

La chaîne des Montagnes Rocheuses forme un cordon Nord-Sud dans la partie occidentale de l'Amérique du Nord. Les grandes plaines agricoles au centre des États-Unis et du Canada apparaissent dans des teintes plus claires, étant donné les sols nus après les récoltes. En Amérique Centrale, les forêts tropicales sont plus vertes que les forêts boréales du Nord du Canada et de l'Alaska.

AMÉRIQUE DU NORD

Échelle 1 : 25 000 000

0 200 400 600 800 1000 km

5000 m
3000
2000
1000
500
200
100
0
au-dessous du niveau de la mer
-200
-2000
-4000
-6000
-8000

NORVÈGE
Bergen
ROYAUME-UNI
Îles Shetland (G.-B.)
Féroé (Dan.)
Dorsale d'Islande
ISLANDE
Reykjavik
Hekla
Cercle Polaire Arctique
Dorsale de Reykjanes
Dt du Danemark
Côte de Frédéric VI
Cap Farvel
Mer du Groenland
Groenland (Dan.)
Terre de Knud-Rasmussen
Mer de Baffin
Baie de Baffin
Clyde River
Île de Baffin
Cap Chidley
Schefferville
Péninsule du Labrador
Mer du Labrador
St John's
Terre-Neuve
Cap Race
St-Pierre et Miquelon (Fr.)

Océan Atlantique Nord

Bassin d'Amérique du Nord

Ellesmere
Île d'Ellesmere
Pôle Nord Magnétique (janvier 2005)
Resolute
Île Devon
Dt de Lancaster
Îles Parry
Melville
Île Victoria
Île de Banks
Dt de McClure
Golfe d'Amundsen

Océan Glacial Arctique

Mer de Beaufort
Prudhoe Bay
Barrow
Pte Barrow
Inuvik
Mackenzie

RUSSIE
Wrangel
Mer des Tchouktches
Dt de De Long
Dt de Béring
Anadyr
Providenia
Île St-Laurent
Mts Koriatski
Nunivak
Unimak
Péninsule d'Alaska
Îles des Aléoutiennes
Mer de Béring
Île Pribilof
Kodiak
Golfe d'Alaska
Seward
Anchorage
Valdez
Mt McKinley (Denali)
Chaîne d'Alaska
Alaska (É.-U.)
Fairbanks
Yukon
Koyukuk
Nome
Kuskokwim
Chaîne de Brooks

Whitehorse
Skagway
Juneau
Archipel Alexandre
Prince Rupert
Îles de la Reine-Charlotte
Dawson
Pelly
Chaîne Côtière
Mt Logan
Tanana

Mts Mackenzie
Monts Mackenzie
Norman Wells
Fort Simpson
Liard
Fort Nelson
Yellowknife
Gd Lac des Esclaves
Gd Lac de l'Ours
Echo Bay
Kugluktuk
Cambridge Bay
Baker Lake
Chesterfield Inlet
Repulse Bay

Lac Athabasca
Fort McMurray
Lac des Esclaves
Uranium City

C A N A D A

Churchill
Baie d'Hudson
Îles Belcher
Thompson
Lynn Lake
Flin Flon
Lac Winnipeg
Lac Manitoba
Winnipeg
Regina
Moose Jaw
Saskatoon
Edmonton
Calgary
Medicine Hat
Lethbridge
Saskatchewan
Assiniboine
Grandes Plaines (Prairie)

Rocheuses
Montagnes Rocheuses
Prince George
Kamloops
Vancouver
Île de Vancouver
Victoria
Fraser
Chaîne des Cascades
Mt Rainier
Seattle
Portland
Spokane
Boise
Snake
Great Falls
Billings
Black Hills
Denver
Mt Elbert
Salt Lake City
Gd Lac Salé
Las Vegas
Sacramento
San Francisco
Golden Gate
Sierra Nevada
Mt Whitney
Mt Shasta
Cap Mendocino
Pte Concepcion

É T A T S - U N I S

Océan Pacifique

Minneapolis St Paul
Omaha
Kansas City
Wichita
St Louis
Mississippi
Missouri
Chicago
Milwaukee
Lac Michigan
Lac Supérieur
Lac Huron
Lac Érié
Lac Ontario
Duluth
Thunder Bay
Fargo
Riv. Rouge
Lac des Bois
Sault Ste-Marie
Sudbury
Cochrane
Moosonee
Lac Mistassini
Baie James
Severn
Nelson

Détroit
Detroit
Cleveland
Toledo
Cincinnati
Indianapolis
Louisville
Pittsburgh
Buffalo
Toronto
Hamilton
Kitchener
London
Windsor
Ottawa
Montréal
Québec
Saguenay
Chicoutimi
Golfe du Saint-Laurent
St-Laurent
Île du Prince-Édouard
Île du Cap-Breton
Sydney
Halifax
Cap Sable
Cap Canso
Fredericton
St Jean
Baie de Fundy
Golfe du Maine
Portland
Boston
Providence
New York
Long Island
Nantucket
Cap Cod
Philadelphie
Baltimore
Washington
Virginia Beach
Baie de Chesapeake
Cap Hatteras
Baie de Delaware
Connecticut
Albany
Hudson
Péninsule d'Ungava
Baie d'Ungava
Kuujjuaq
Inukjuak
Péninsule de Melville
Southampton
Coral Harbour
Bassin de Foxe
Dt de Foxe
Île Southampton
Baie de Cumberland
Iqaluit
Baie Frobisher
Dt de Davis
Nuuk
Upernavik
Qaanaaq (Thulé)
Ittoqqortoormiit

Verkhoïansk
Mourmansk
Irkoutsk
Tokyo
Amsterdam
Rome
Le Caire

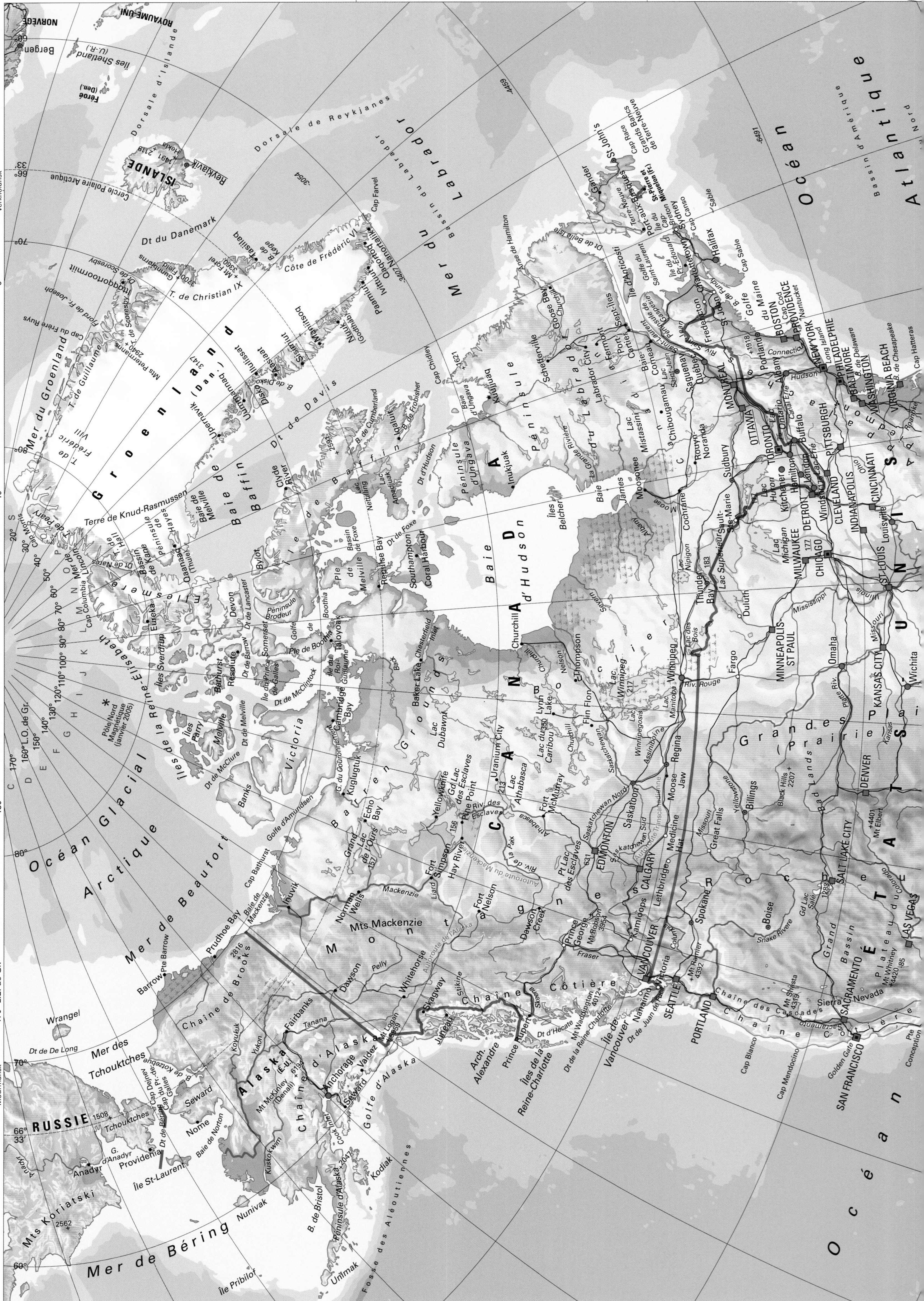

47

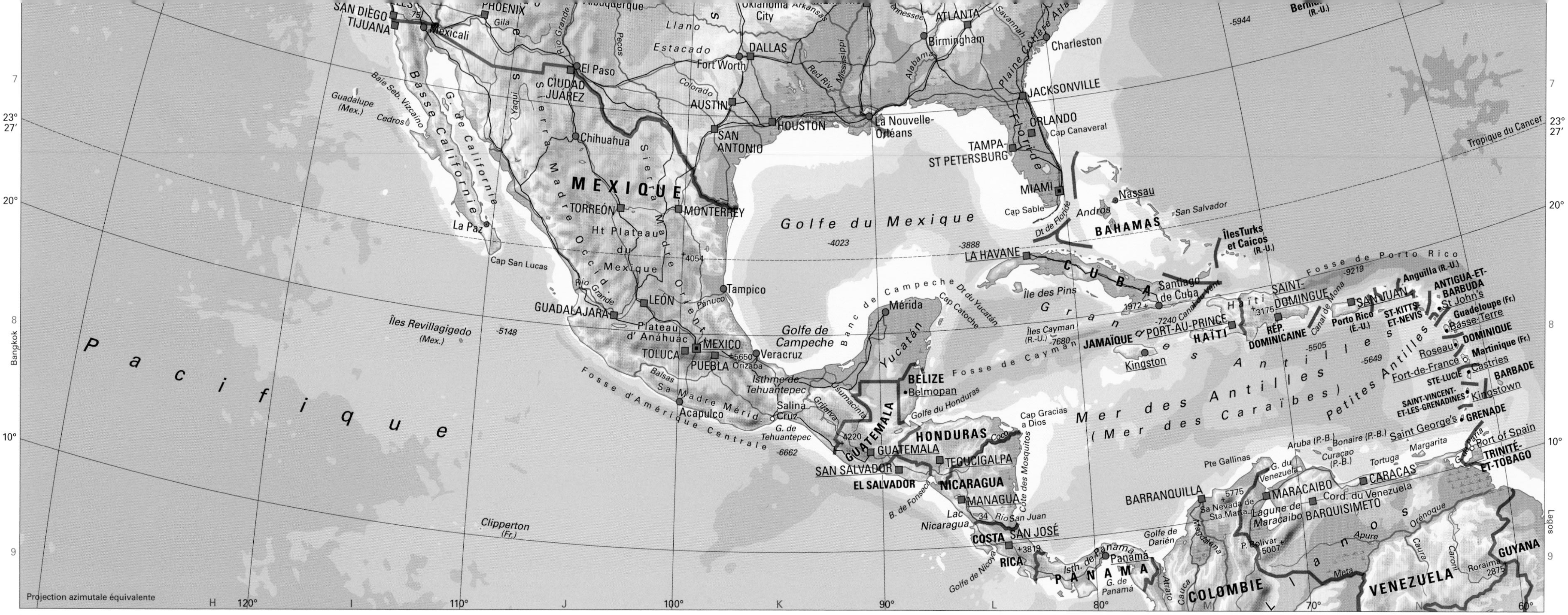

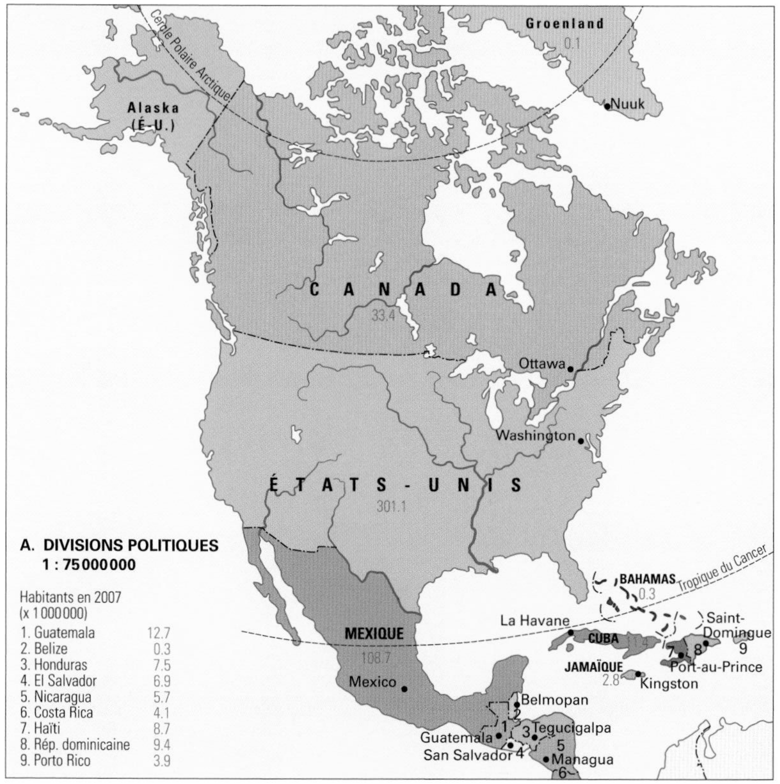

A. DIVISIONS POLITIQUES
1 : 75 000 000

Habitants en 2007
(x 1 000 000)

1. Guatemala   12.7
2. Belize   0.3
3. Honduras   7.5
4. El Salvador   6.9
5. Nicaragua   5.7
6. Costa Rica   4.1
7. Haïti   8.7
8. Rép. dominicaine 9.4
9. Porto Rico   3.9

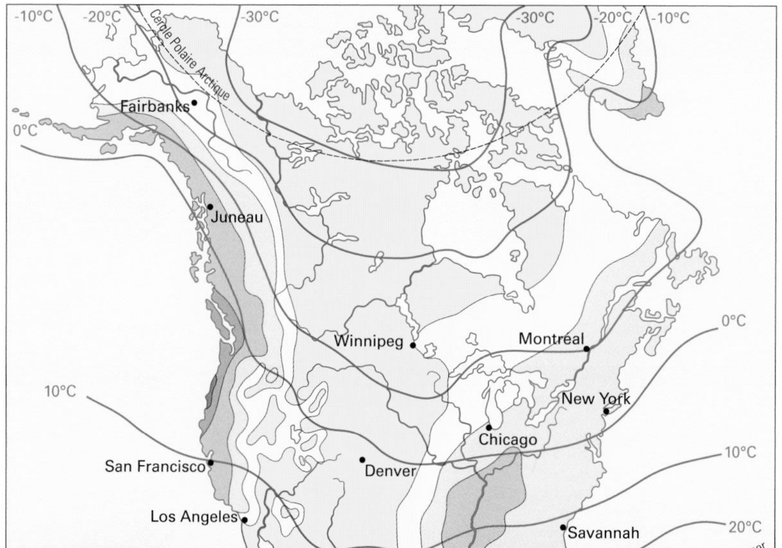

B. ISOTHERMES ET PRÉCIPITATIONS DE JANVIER
1 : 75 000 000

Précipitations
moins de 25 mm
25 - 50 mm
50 - 100 mm
100 - 200 mm
200 - 300 mm
300 mm ou plus
Isotherme (réduite au niveau de la mer)

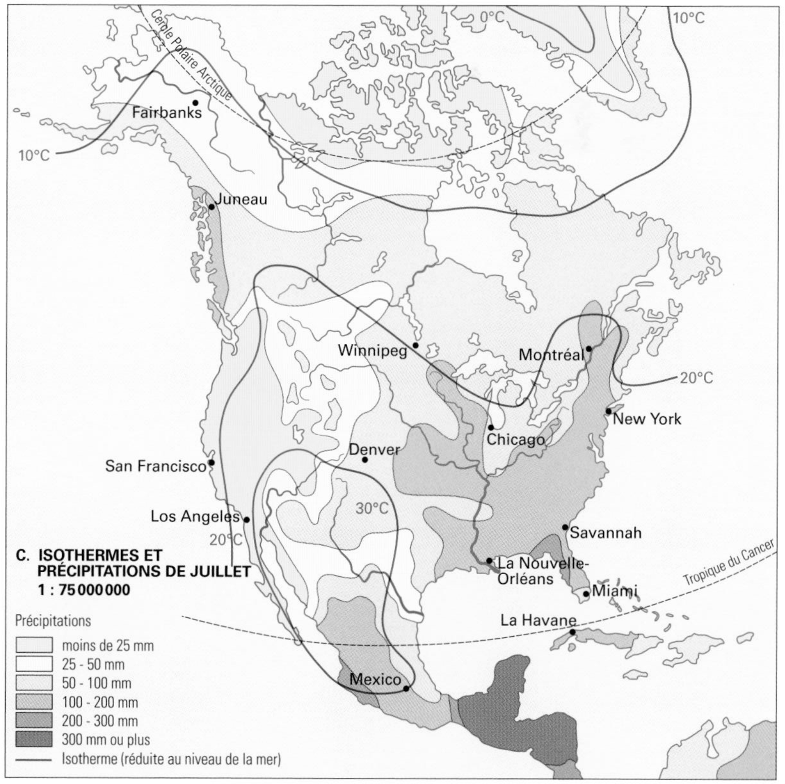

C. ISOTHERMES ET PRÉCIPITATIONS DE JUILLET
1 : 75 000 000

Précipitations
moins de 25 mm
25 - 50 mm
50 - 100 mm
100 - 200 mm
200 - 300 mm
300 mm ou plus
Isotherme (réduite au niveau de la mer)

Projection azimutale équivalente

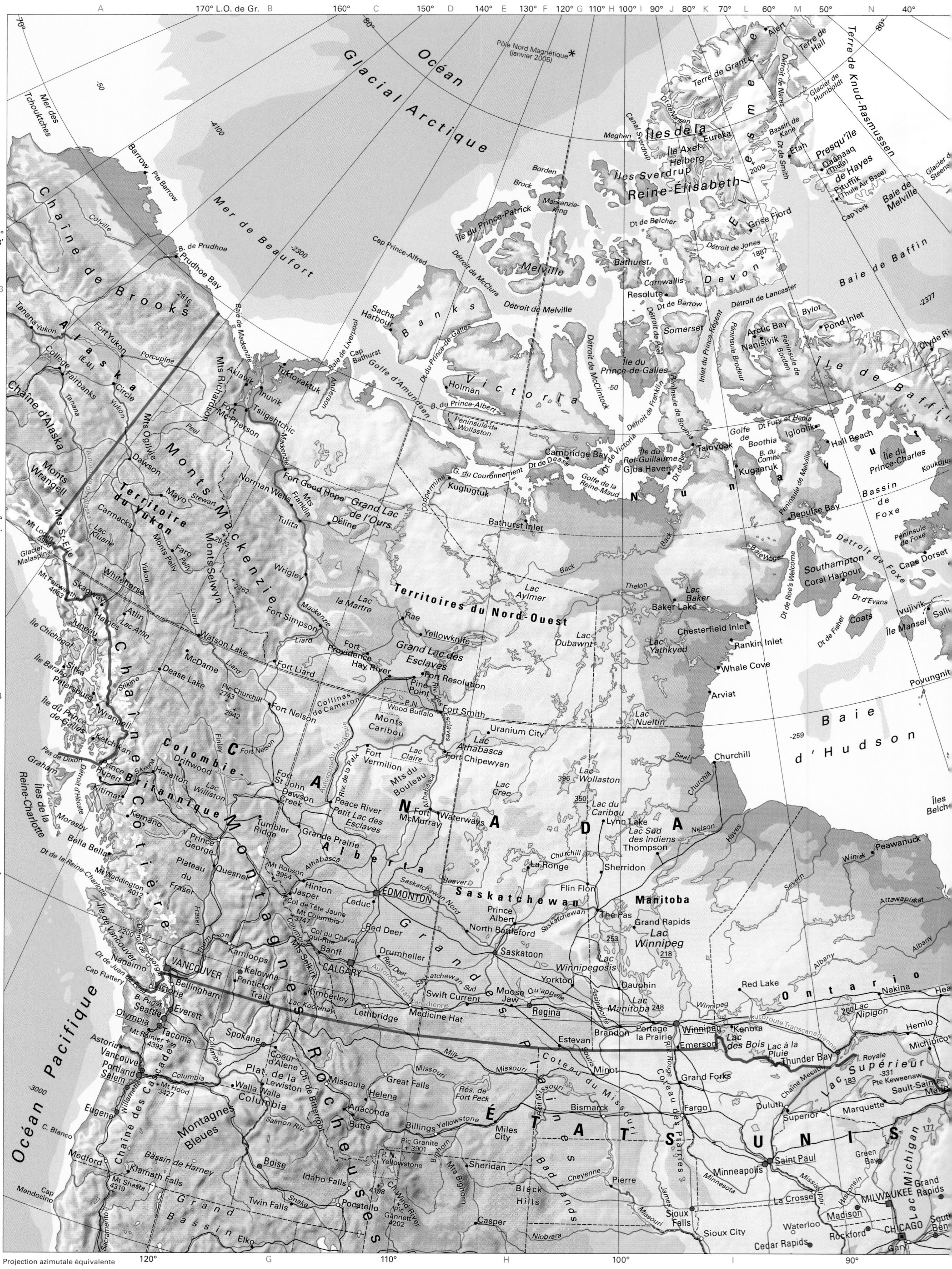

CANADA

Océan Glacial Arctique

Pôle Nord Magnétique (janvier 2005)

Îles de la Reine-Élisabeth

Îles Sverdrup

Baie de Baffin

Territoires du Nord-Ouest

Grand Lac de l'Ours

Victoria

Grand Lac des Esclaves

Yellowknife

Baie d'Hudson

C A N A D A

Colombie-Britannique

Alberta

Saskatchewan

Manitoba

Ontario

Lac Winnipeg

VANCOUVER

CALGARY

EDMONTON

Saskatoon

Regina

Winnipeg

Montagnes Rocheuses

Océan Pacifique

É T A T S - U N I S

Lac Supérieur

Lac Michigan

CHICAGO

MILWAUKEE

Projection azimutale équivalente

Échelle 1 : 15 000 000

0 100 200 300 400 500 km

A. L'AMÉRIQUE DU NORD EN 1811
1 : 85 000 000

Alaska

Terre de Rupert
(Compagnie de la Baie
d'Hudson)

Terre-
Neuve

Oregon

Haut-
Canada

Bas-Canada

Île-du-
Prince-
Édouard

États-Unis

Nouvelle-
Écosse

Nouveau-
Brunswick

Nouvelle-
Espagne

Possessions
Anglaises
Américaines (États)
Américaines (Territoires)
Espagnoles
Russes
Territoires contestés

B. L'AMÉRIQUE DU NORD EN 1867
1 : 85 000 000

Alaska

Territoires du
Nord-Ouest

Terre-
Neuve

Colombie-
Britannique

Terre de Rupert

Québec

Île-du-
Prince-
Édouard

Ontario

Nouvelle-
Écosse

États-Unis

Nouveau-
Brunswick

Mexique

Territoires anglais
États américains
Territoires américains
Mexique
Canada
Colonies de la couronne (GB)

C. LE CANADA EN 1949
1 : 65 000 000

Territoire
du Yukon

Territoires
du Nord-Ouest

Terre-Neuve

Colombie-
Britannique

Alberta

Saskat-
chewan

Manitoba

Québec

Île-du-
Prince-
Édouard

Ontario

Nouvelle-
Écosse

Nouveau-
Brunswick

Date d'entrée comme province dans la
confédération canadienne
1867   1871   1905
1870   1873   1949

D. LE CANADA EN 2010
1 : 65 000 000

Territoire
du Yukon

Territoires
du Nord-Ouest

Nunavut

Nunavik

Terre-Neuve-et-
Labrador

Colombie-
Britannique

Alberta

Saskat-
chewan

Manitoba

Québec

Île-du-
Prince-
Édouard

Ontario

Nouveau-
Brunswick

Nouvelle-
Écosse

Territoires couverts par la convention de la Baie
James et du Nord Québécois (1975) et par la
convention du Nord-Est Québécois (1978)
Traités modernes jusqu'en 2007
Revendications en cours

Limite méridionale
du Nunavik
Nunavut: depuis avril 1999
Régions sans traité

© Noordhoff Uitgevers

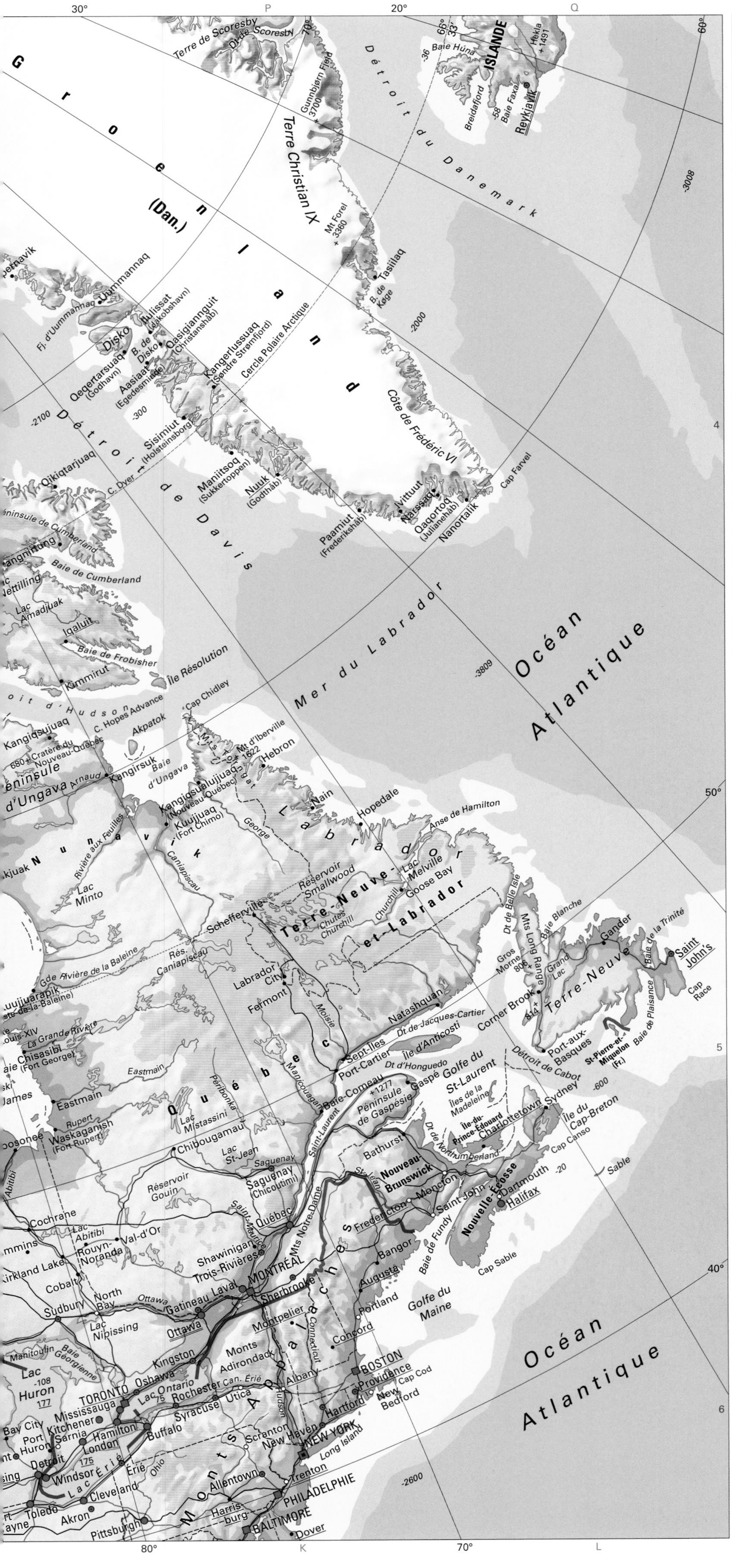

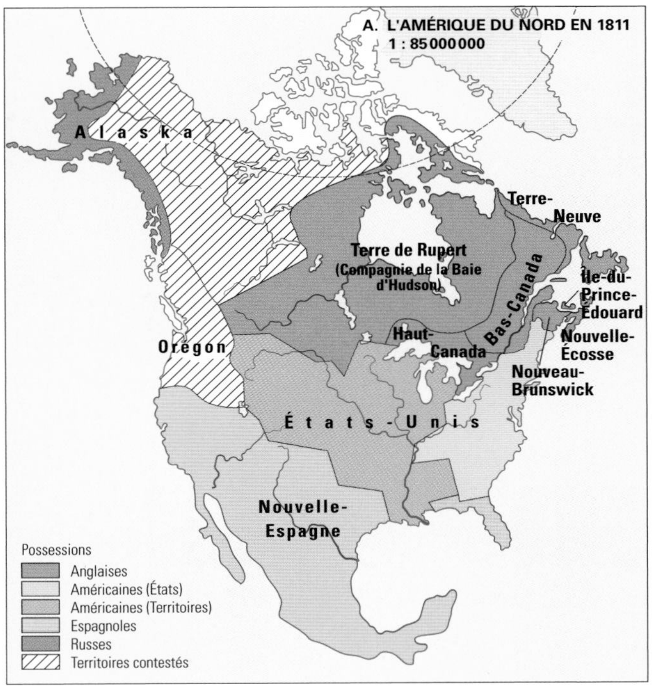

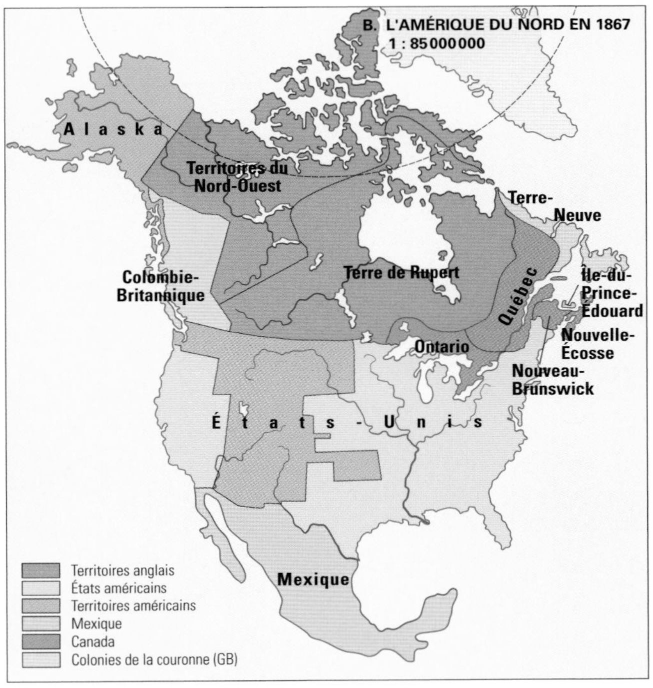

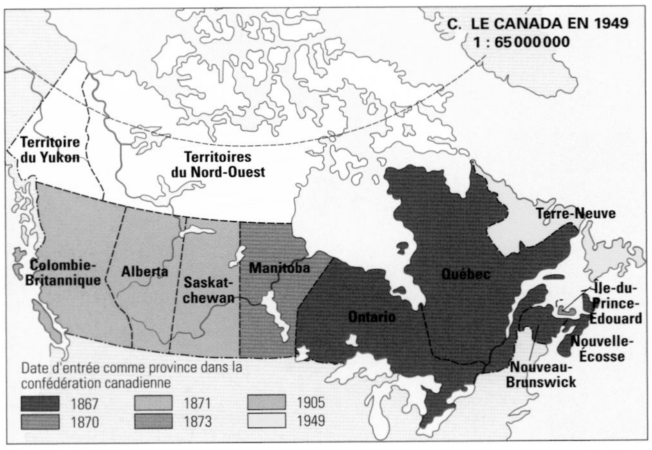

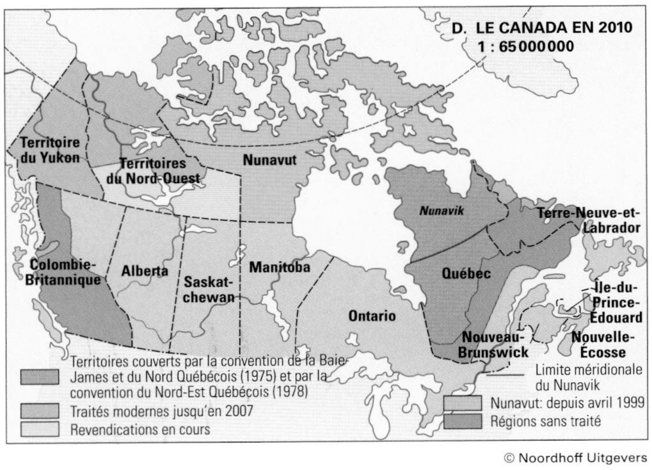

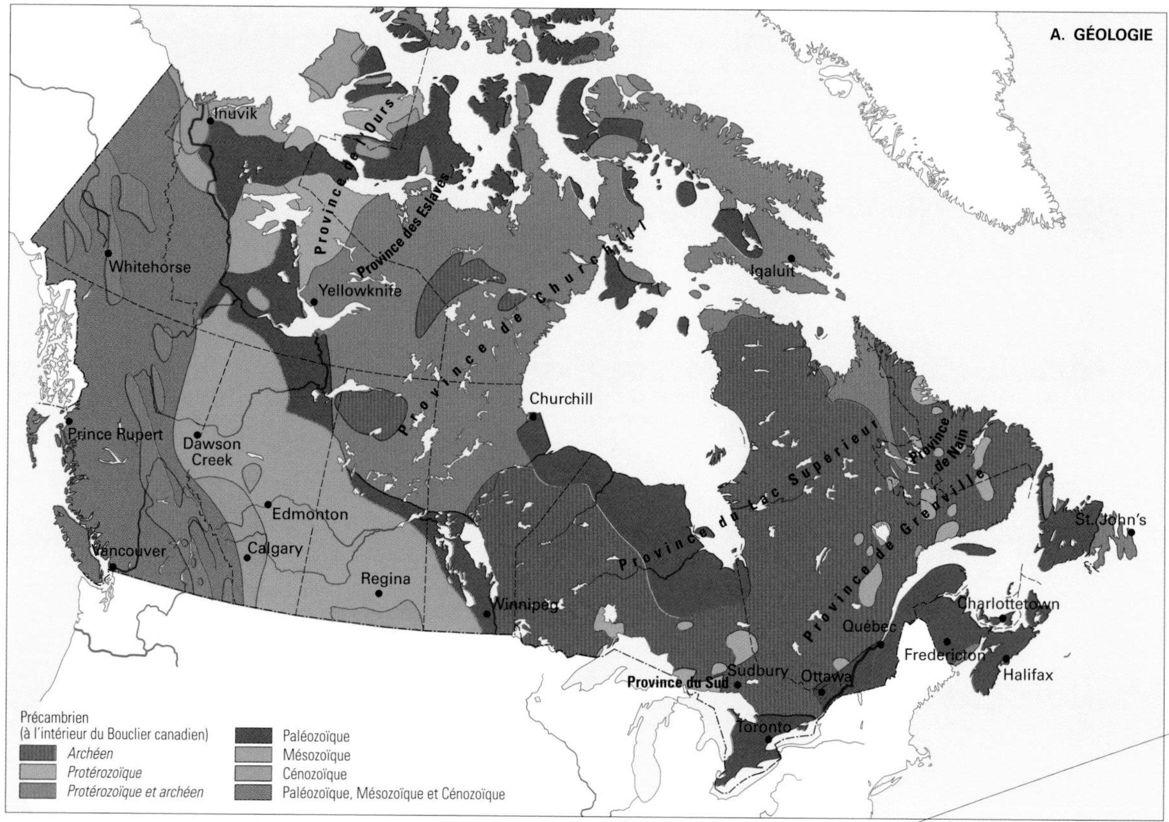

CANADA MILIEU PHYSIQUE

Échelle 1 : 36 000 000

A. GÉOLOGIE

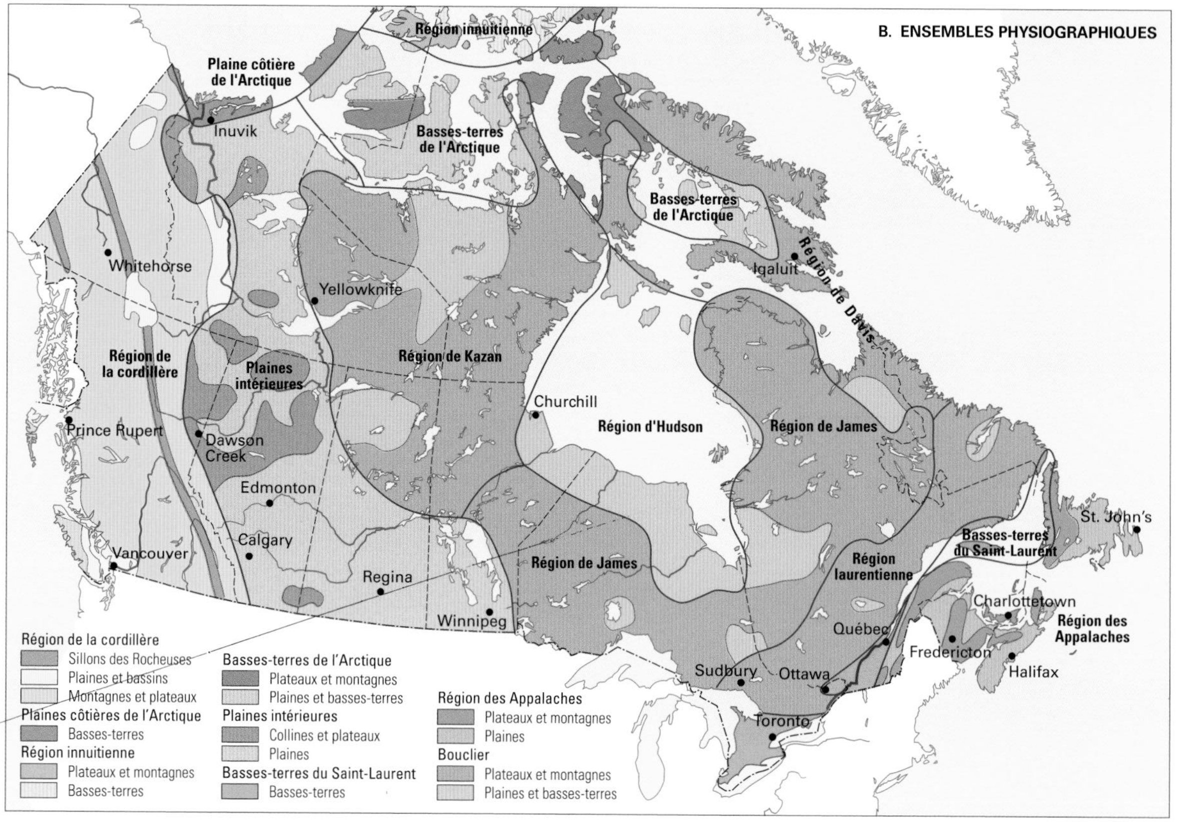

B. ENSEMBLES PHYSIOGRAPHIQUES

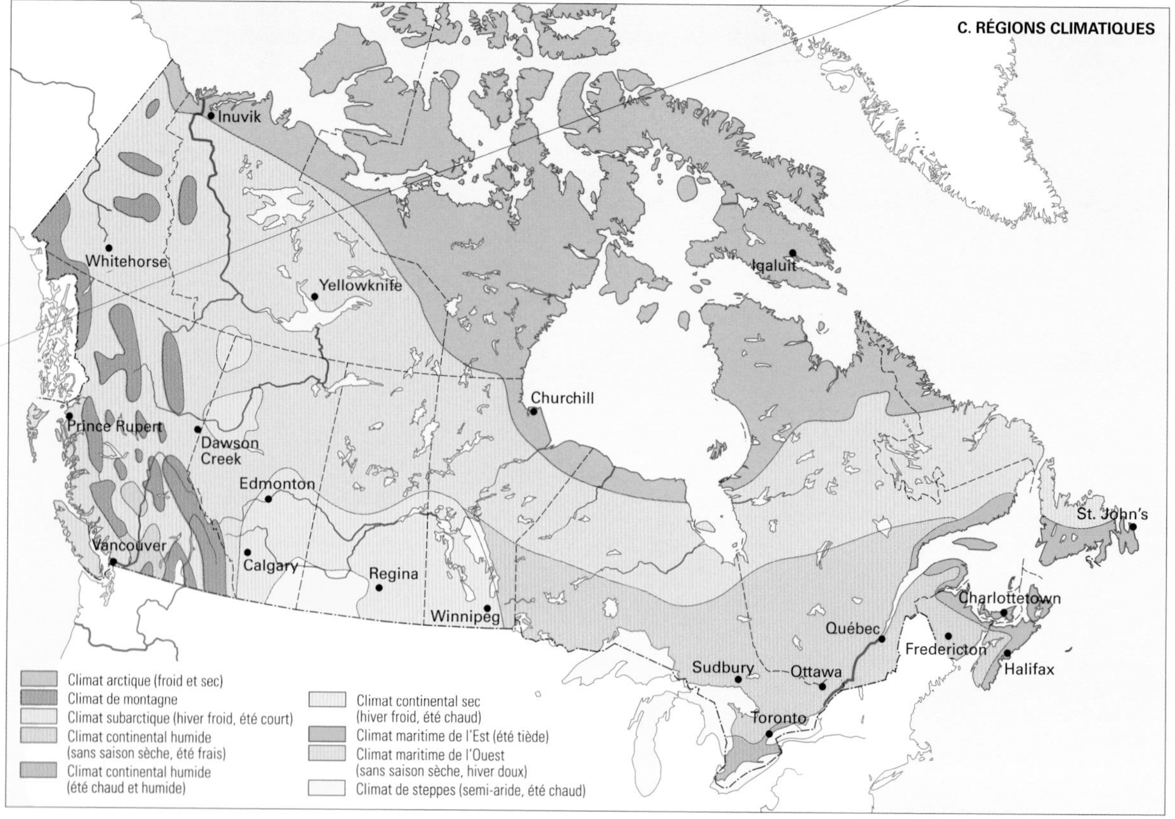

C. RÉGIONS CLIMATIQUES

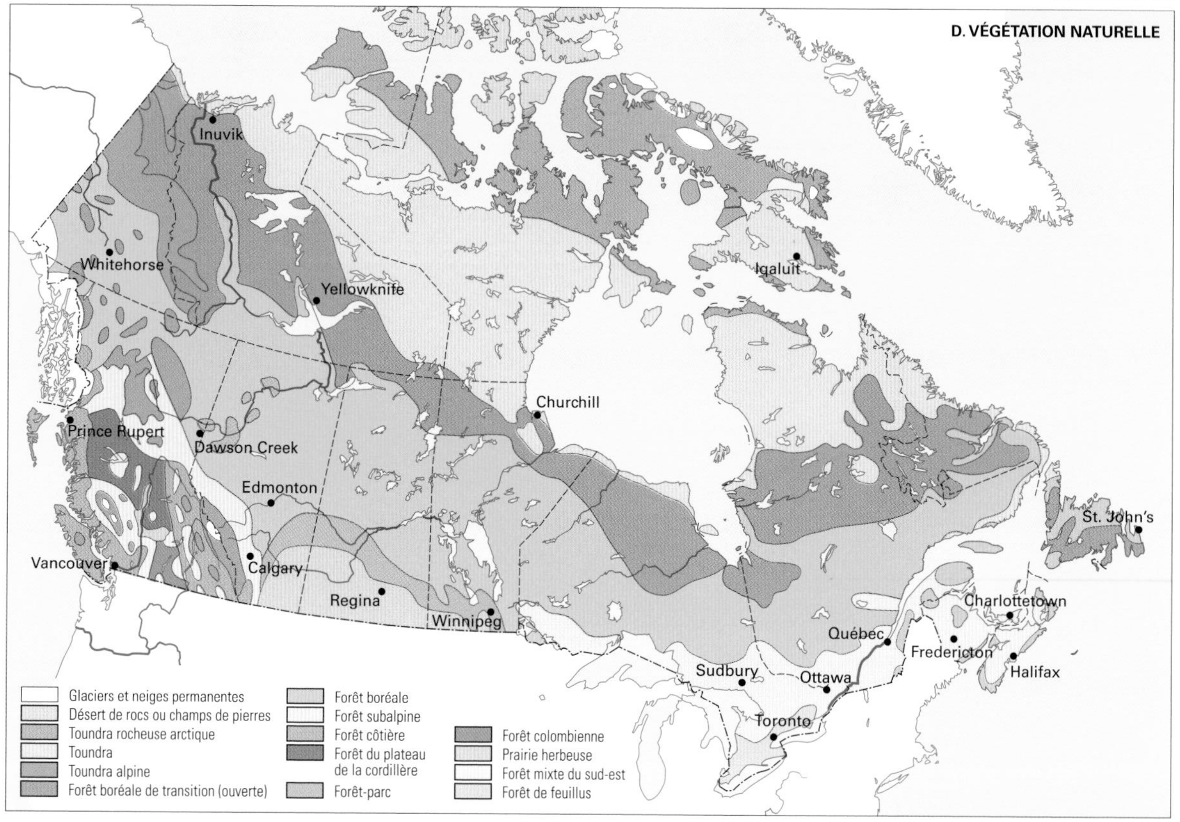

D. VÉGÉTATION NATURELLE

© Noordhoff Uitgevers

50

CANADA CLIMAT

Échelle 1 : 36 000 000

B. TEMPÉRATURES MOYENNES DE JUILLET

Saison végétative (nombre de jours où la température dépasse 5,6°C)

	220
	180
	140
	100
	60

au dessous de 4°C
4 – 6°C
6 – 10°C
10 – 12°C
12 – 16°C
16 – 18°C
18 – 20°C

A. TEMPÉRATURES MOYENNES DE JANVIER

Limite méridionale du pergélisol
Limite méridionale du pergélisol discontinu

-12 – 20°C
-6 – -12°C
0 – -6°C
0 – +4°C

au dessous de -34°C
-28 – -34°C
-26 – -28°C
-20 – -26°C

D. PRÉCIPITATIONS MOYENNES ANNUELLES

Précipitations en mm

400 – 500
500 – 1000
1000 – 1500
1500 – 2000

moins de 100
100 – 200
200 – 300
300 – 400

C. PRÉCIPITATIONS NIVALES MOYENNES ANNUELLES

Précipitations nivales en cm

moins de 100
100 – 200
200 – 300
300 – 400
plus de 400

© Noordhoff Uitgevers

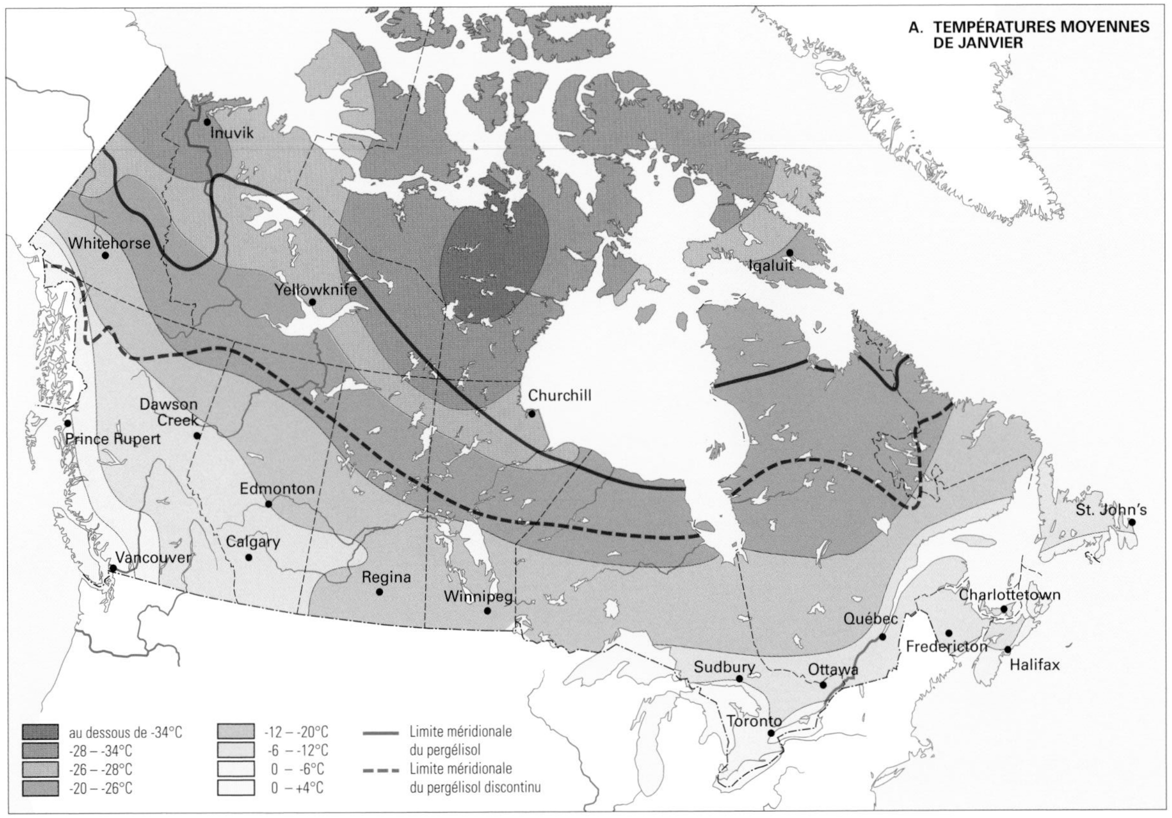

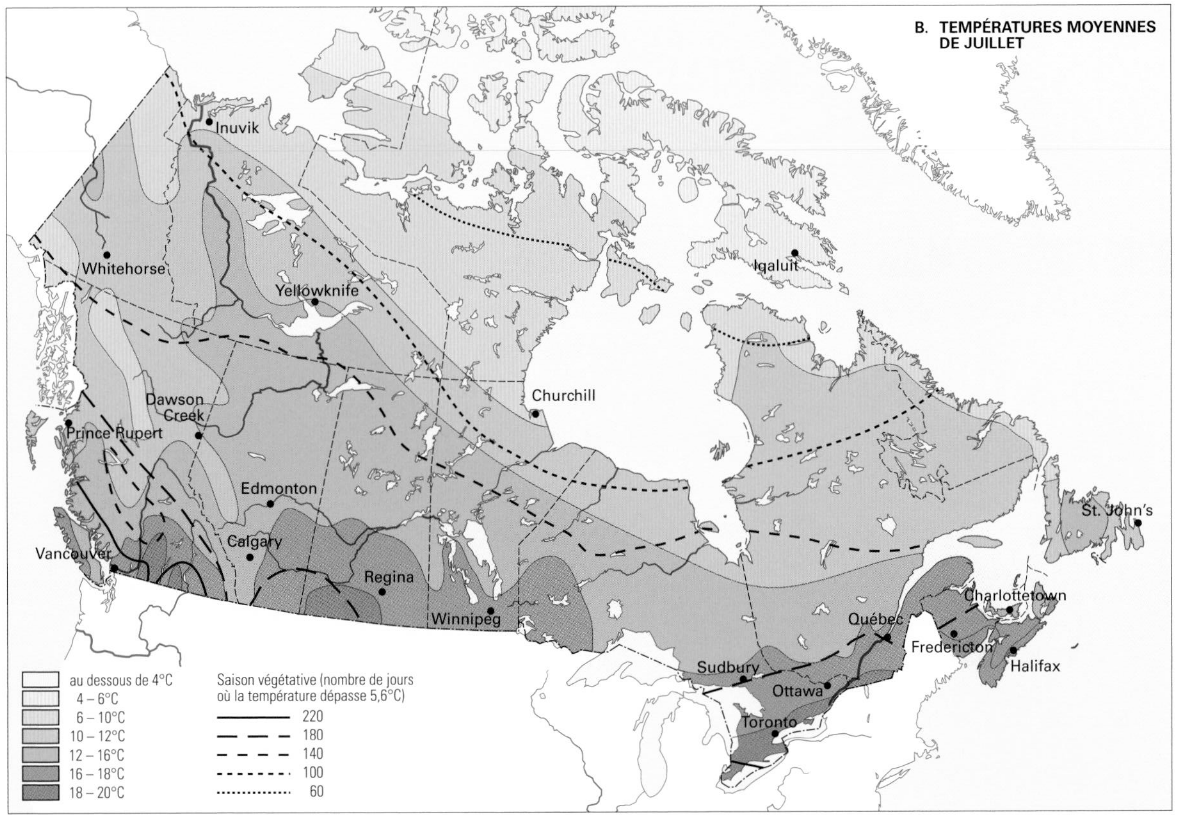

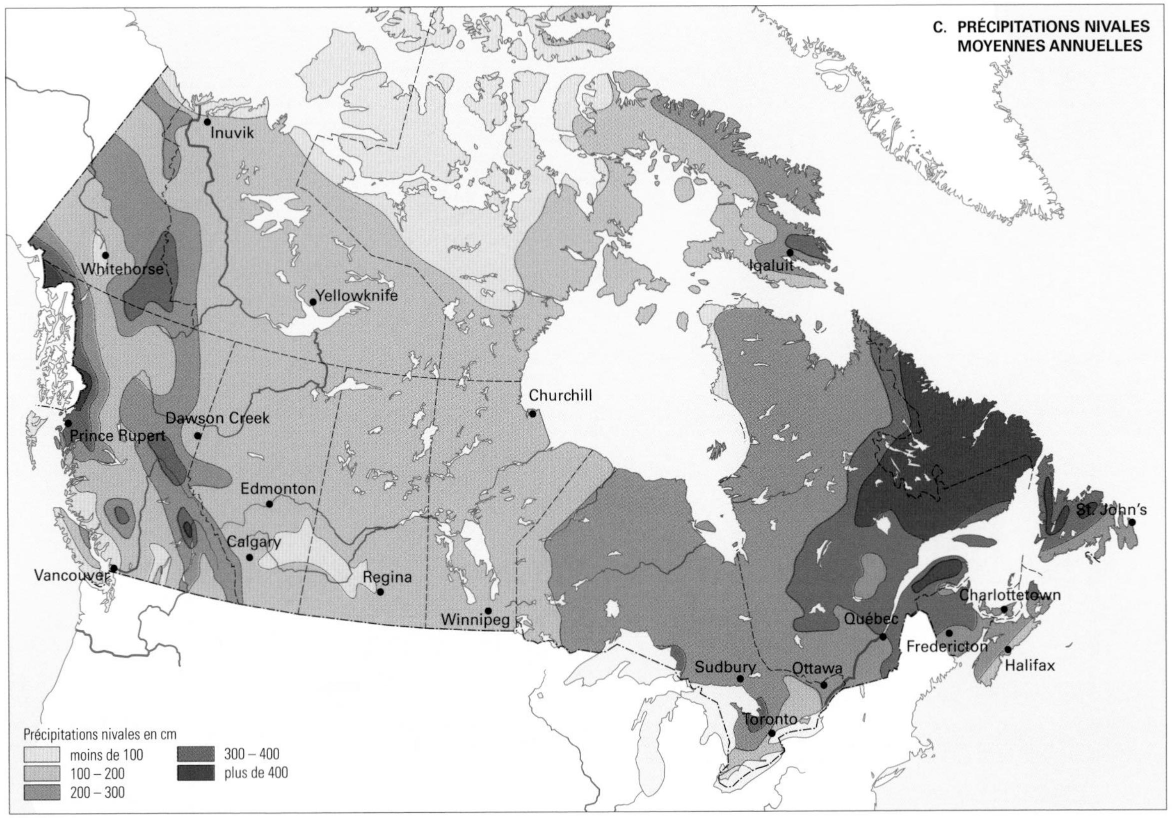

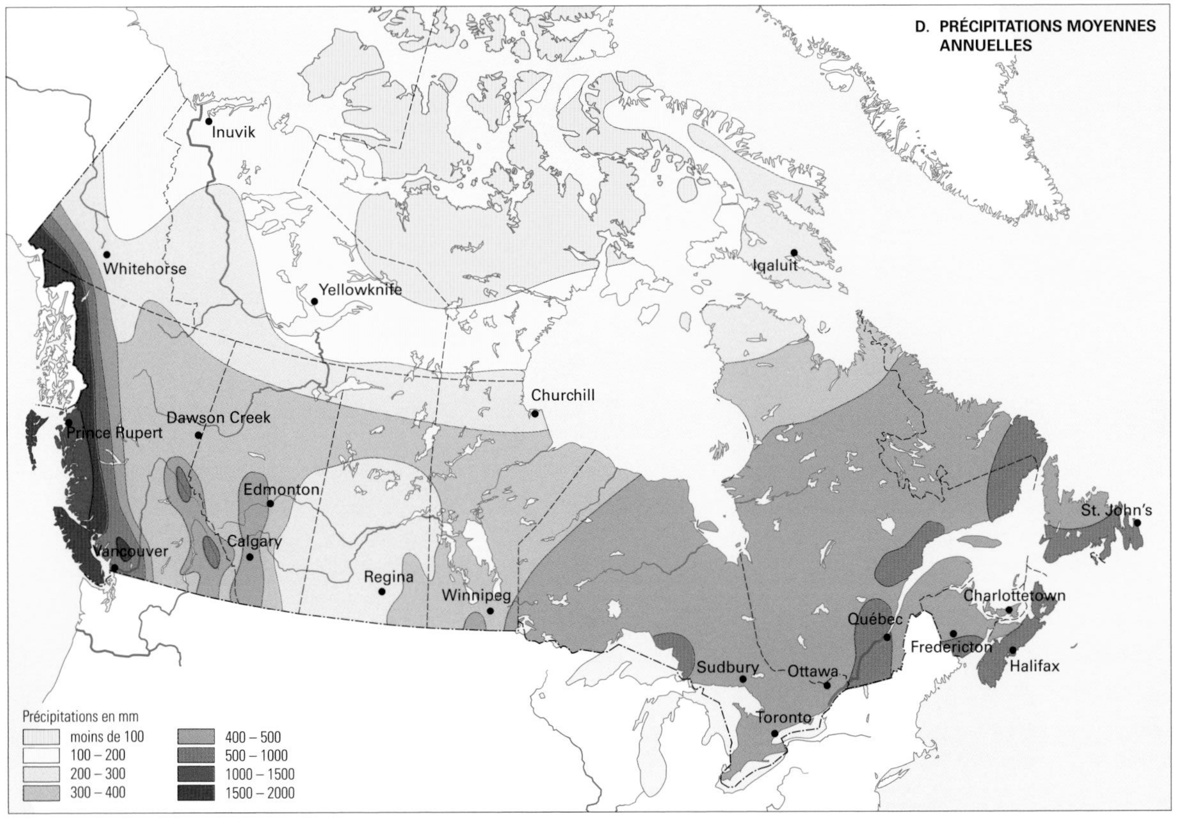

CANADA POPULATION

Échelle 1 : 25 000 000

A. DENSITÉ DE LA POPULATION ET LANGUES MATERNELLES

Habitants par km²
- moins de 1
- 1 - 5
- 5 - 15
- 15 - 50
- 50 et plus

Agglomération ou ville de
- 1 - 5 M d'habitants
- 500 000 - 1 M d'habitants
- 100 000 - 500 000 habitants
- 10 000 - 100 000 habitants

Pyramide des âges

≥85, 80-84, 75-79, 70-74, 65-69, 60-64, 55-59, 50-54, 45-49, 40-44, 35-39, 30-34, 25-29, 20-24, 15-19, 10-14, 5-9, 0-4

années

5% 4 3 2 1 0 1 2 3 4 5%
Hommes   Femmes

Langues maternelles non officielles
(pourcentage du total des autres langues)

Terre-Neuve-et-Labrador, Île-du-Prince-Édouard, Nouvelle-Écosse, Nouveau-Brunswick, Québec, Ontario, Manitoba, Saskatchewan, Alberta, Colombie-Britannique, Yukon, Terr. du Nord-Ouest

0   20   40   60   80   100%

- Allemand
- Arabe
- Chinois
- Cri
- Espagnol
- Grec
- Inuktitut
- Italien
- Néerlandais
- Pendjabi
- Polonais
- Portugais
- Tagalog (philippin)
- Ukrainien
- Vietnamien

Langues maternelles

Autres* — Anglais — Français

* Les autres langues maternelles sont subdivisées dans le graphique

Yukon, Whitehorse, Territoires du Nord-Ouest, Yellowknife, Nunavut, Colombie-Britannique, Prince Rupert, Alberta, Saskatchewan, Manitoba, Québec, Terre-Neuve-et-Labrador, Edmonton, Calgary, Saskatoon, Regina, Winnipeg, Ontario, Île-du-Prince-Édouard, St. John's, Charlottetown, Québec, Sudbury, Montréal, Fredericton, Halifax, Ottawa, Nouveau-Brunswick, Nouvelle-Écosse, Toronto, Hamilton, Vancouver

Pourcentage de la population

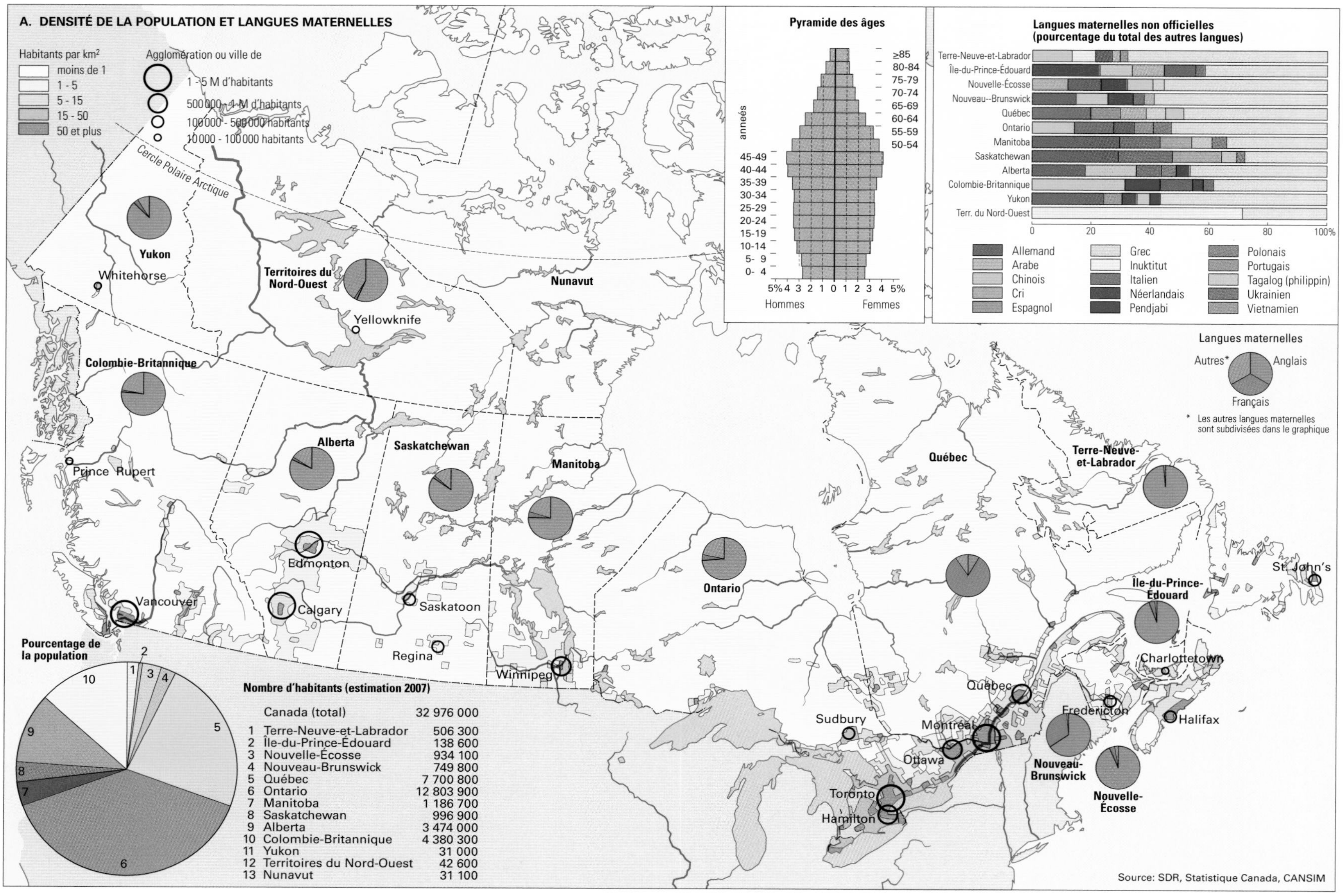

Nombre d'habitants (estimation 2007)

Canada (total)		32 976 000
1	Terre-Neuve-et-Labrador	506 300
2	Île-du-Prince-Édouard	138 600
3	Nouvelle-Écosse	934 100
4	Nouveau-Brunswick	749 800
5	Québec	7 700 800
6	Ontario	12 803 900
7	Manitoba	1 186 700
8	Saskatchewan	996 900
9	Alberta	3 474 000
10	Colombie-Britannique	4 380 300
11	Yukon	31 000
12	Territoires du Nord-Ouest	42 600
13	Nunavut	31 100

Source: SDR, Statistique Canada, CANSIM

B. ÉTABLISSEMENTS AUTOCHTONES SELON LES FAMILLES LINGUISTIQUES

Établissements autochtones

- Inuktituk
- Algonquine
- Athapascane
- Salishane
- Siouse
- Iroquoise
- Wakashane
- Haïda
- Tsimshiane
- Kootenaise
- Tlingit

Pourcentage par province ou territoire de la population autochtone du Canada

4,94%
Inuits — Amérindiens
Métis

2,59% de la population canadienne est autochtone

150 000, 100 000, 50 000, 10 000, 2000

Yukon 0,77%

Territoires du Nord-Ouest 1,92%

Nunavut 2,31%

Colombie-Britannique

Ontario 17,71%

Québec 8,94%

Terre-Neuve-et-Labrador 1,78%

Saskatchewan

Alberta

Manitoba

Ontario

Île-du-Prince-Édouard 0,12%

Nouveau-Brunswick 1,28%

Nouvelle-Écosse 1,55%

Colombie-Britannique 17,48%

Alberta 15,37%

Saskatchewan 13,92%

Manitoba 16,10%

© Noordhoff Uitgevers

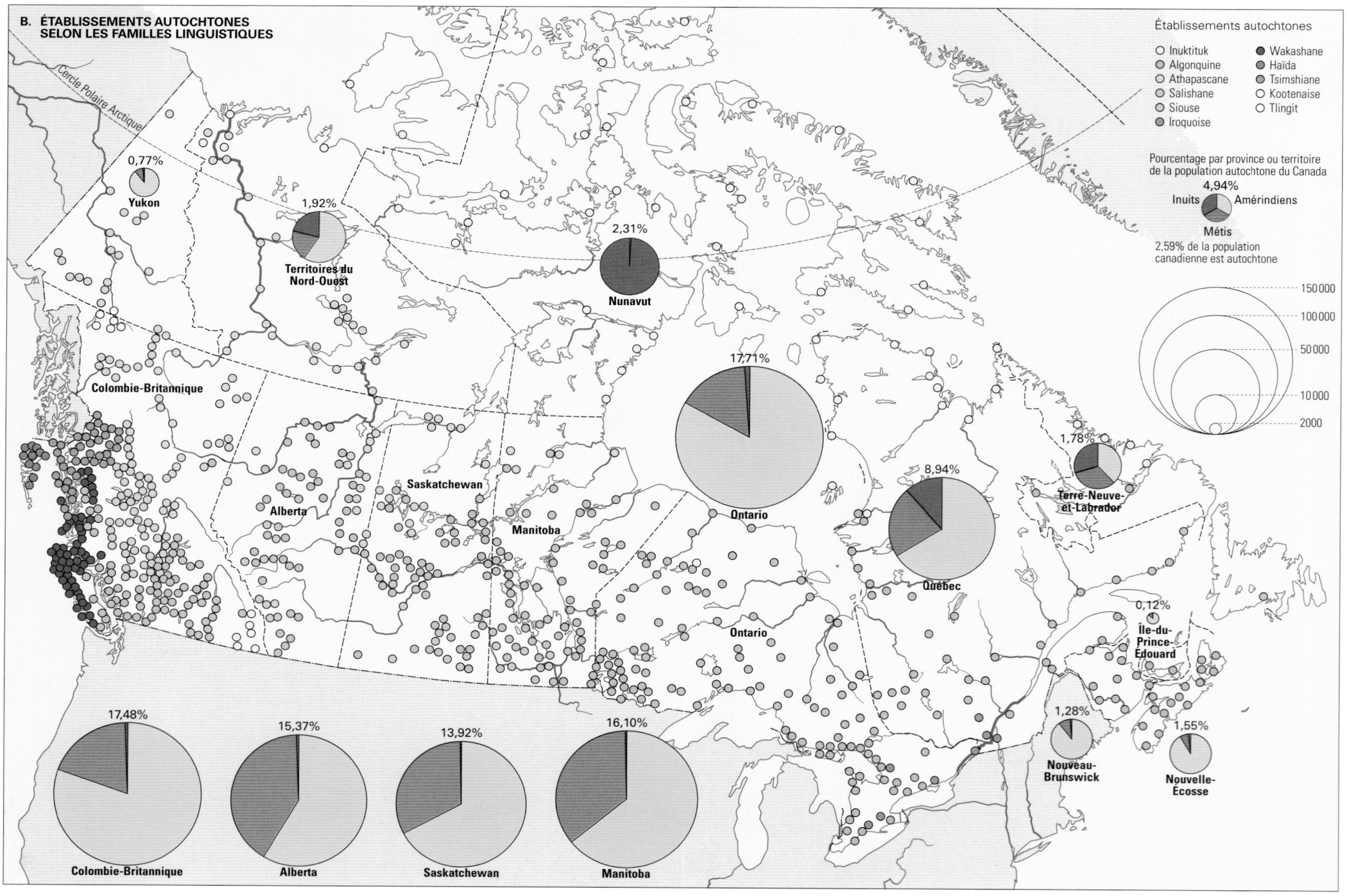

CANADA   INDUSTRIE / ÉNERGIE

A. INDUSTRIE

Axe Windsor - Québec
Échelle 1 : 12 500 000

voir carton d'extension

Région industrielle	Production d'aluminium
Sidérurgie	Industrie textile
Métallurgie des métaux non ferreux	Industrie alimentaire
Construction automobile	Industrie du papier
Construction navale	Industrie chimique
Construction aéronautique	Industrie mécanique et électrotechnique
Construction ferroviaire	Haute technologie

B. ÉNERGIE

Gazoduc	Centrale hydroélectrique
Gazoduc en projet	Centrale thermique
Oléoduc	Centrale nucléaire
Raffinage pétrolier (100 000 barils/jour)	Centrale éolienne (750 KW)
Champ pétrolier	Centrale marémotrice (20MW)
Gisement de sables bitumineux	Lignes de transport d'électricité (400 KV)
Exploitation de gaz	

© Noordhoff Uitgevers

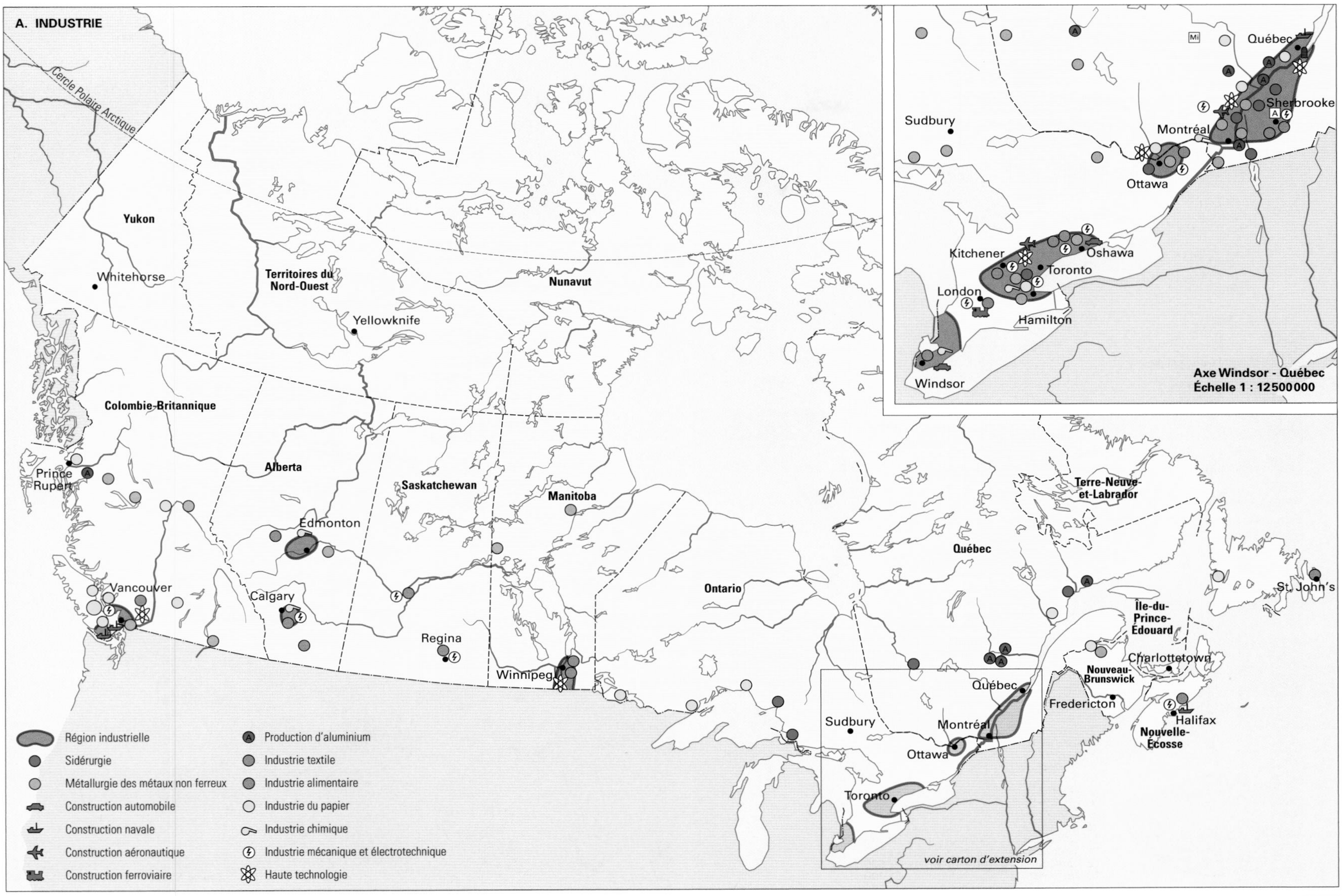

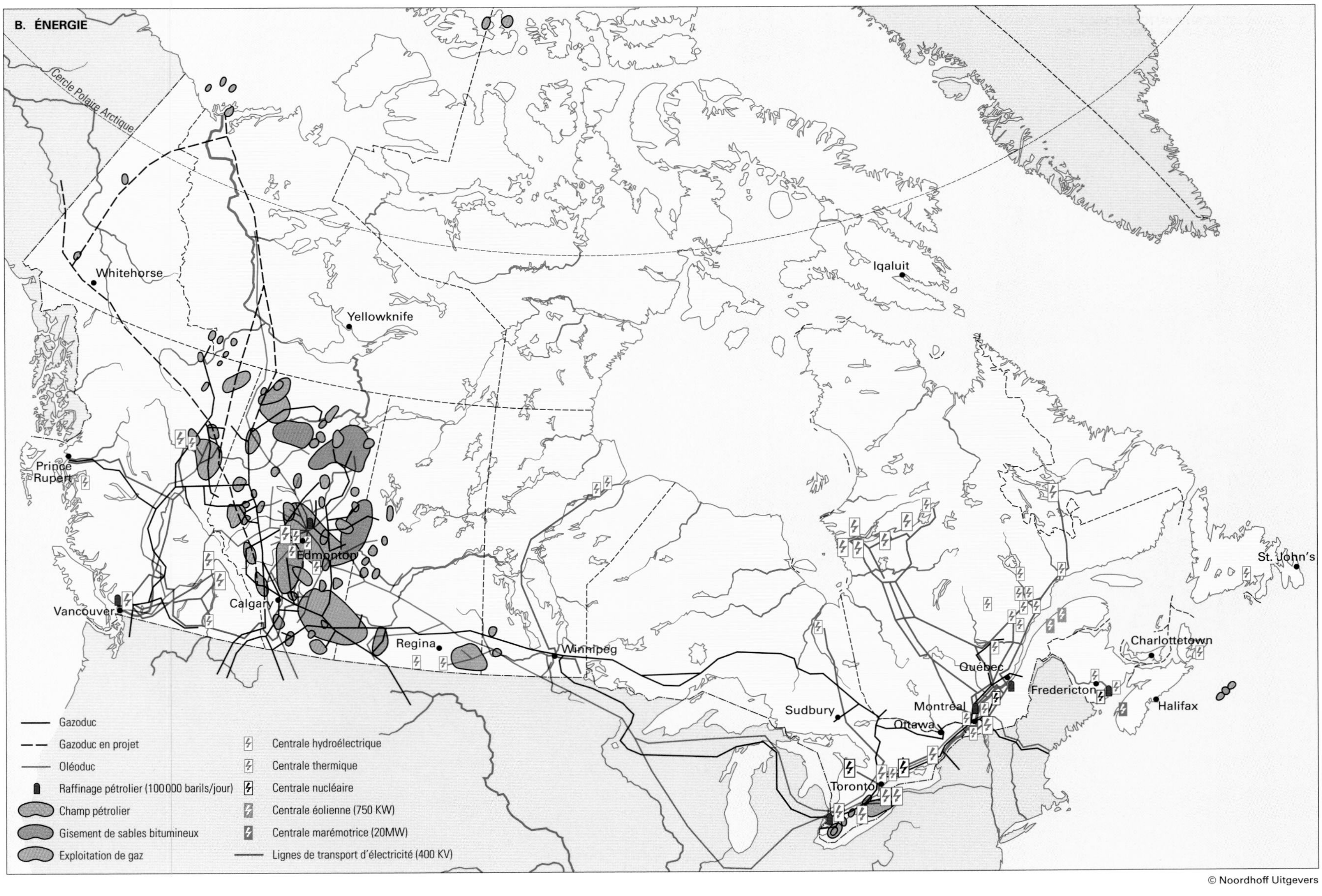

CANADA ÉCONOMIE

A. MINES

Minerai de fer
Antimoine
Molybdène
Nickel
Niobium
Cuivre
Zinc
Plomb et zinc
Or
Argent
Magnésite (Magnesium)
Titane
Potasse
Sel
Silice
Asbeste (Amiante)
Diamant
Gypse
Mica
Uranium
Charbon

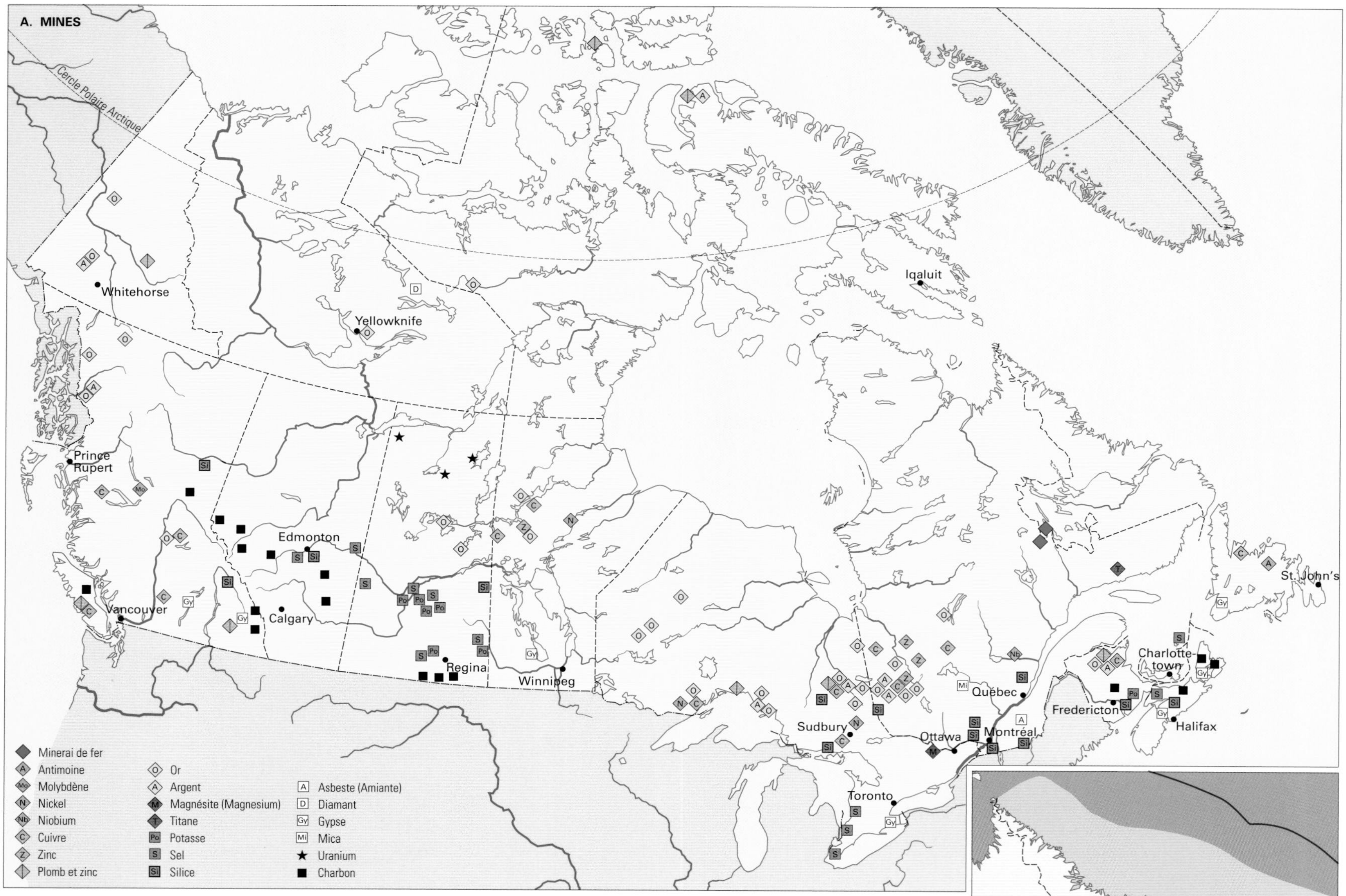

B. UTILISATION DU SOL ET RESSOURCES HALIEUTIQUES

Utilisation du sol
Élevage (laitier prédominant)
Élevage (bovin prédominant)
Céréales
Élevage et céréales
Élevage et polyculture
Culture maraîchère et fruitière
Forêt commerciale
Scierie (plus de 236 milliers de m³)

Ressources halieutiques
(cartons d'extension)
Espèces démersales
Mollusques et crustacés
Espèces pélagiques et estuariennes
Limite de la zone de pêche

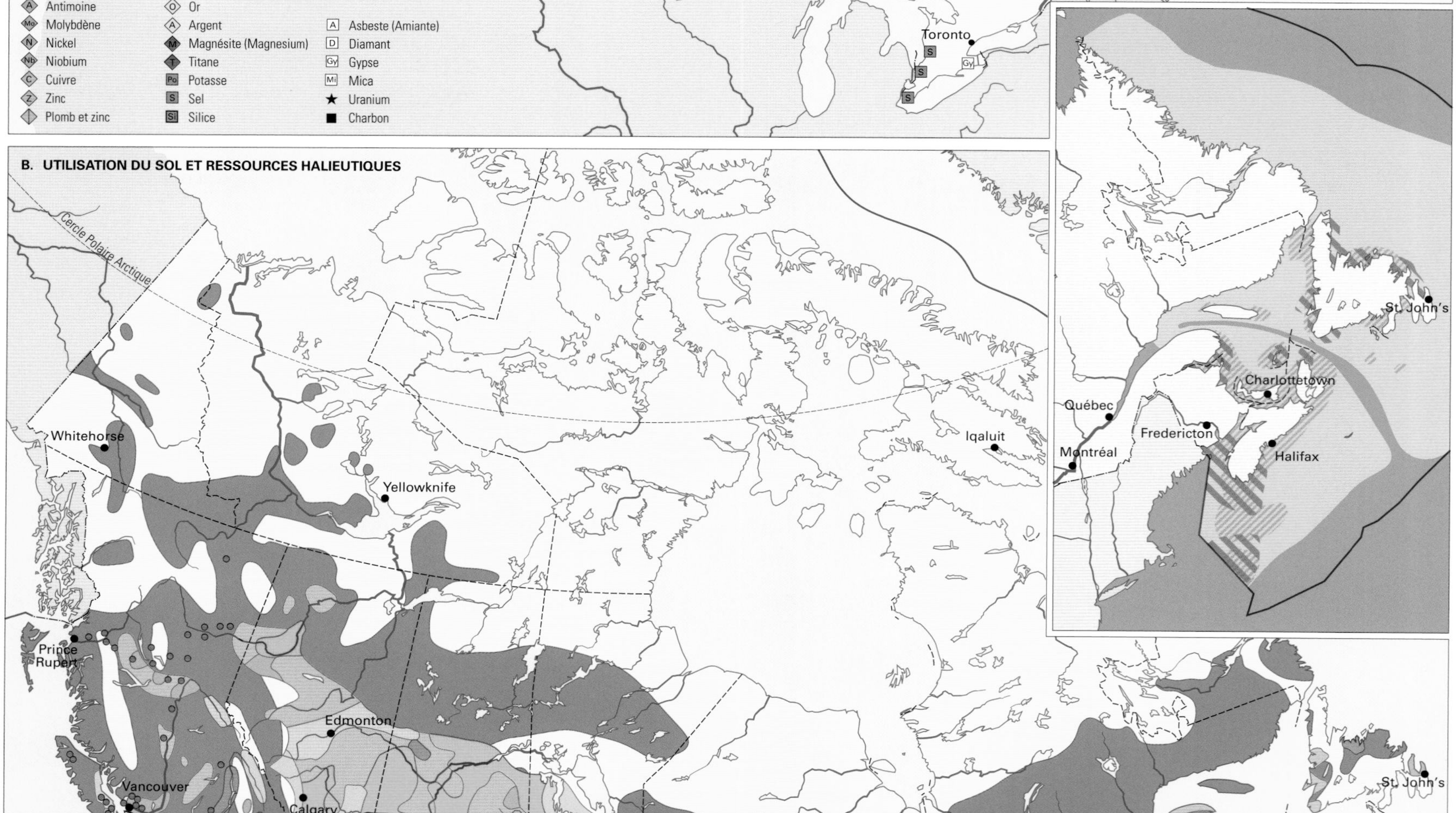

CANADA ÉCONOMIE

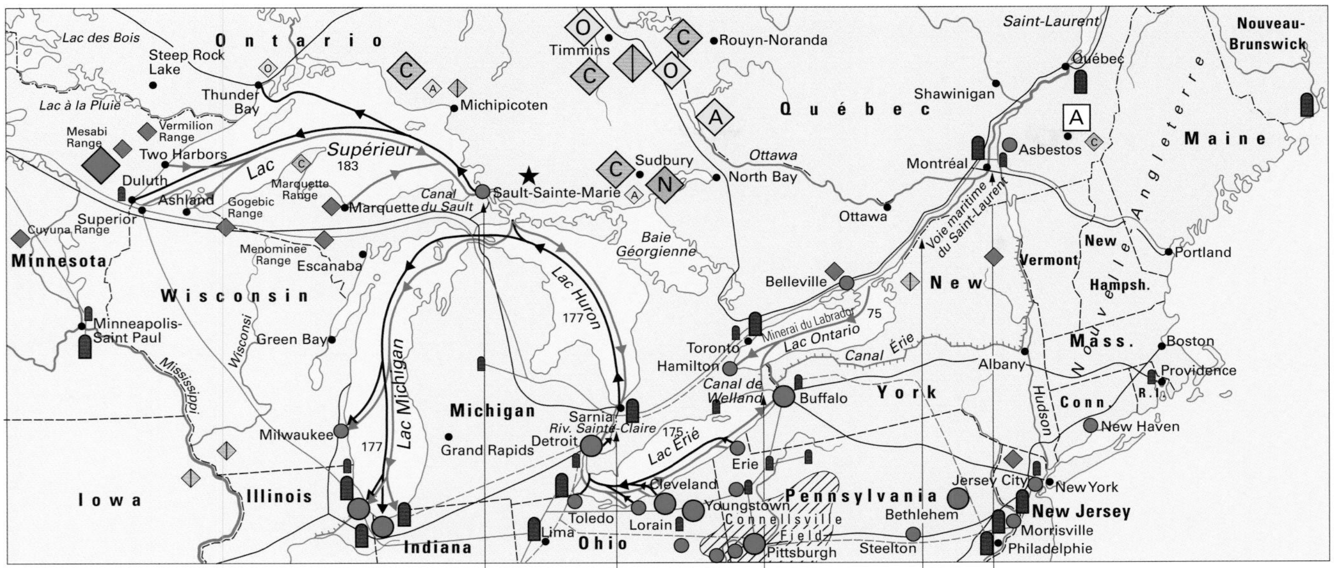

A. VOIE MARITIME GRANDS LACS - SAINT-LAURENT
1 : 12500000

- ★ Uranium
- Bassin houiller (charbon à coke)
- Oléoduc
- Gazoduc
- Conduite de produits pétroliers
- Transport de charbon
- Transport de minerai de fer
- Minerai de fer
- Nickel
- Cuivre
- Plomb et zinc
- Or
- Argent
- Asbeste (Amiante)
- Production de fer et d'acier
- Raffinage de pétrole

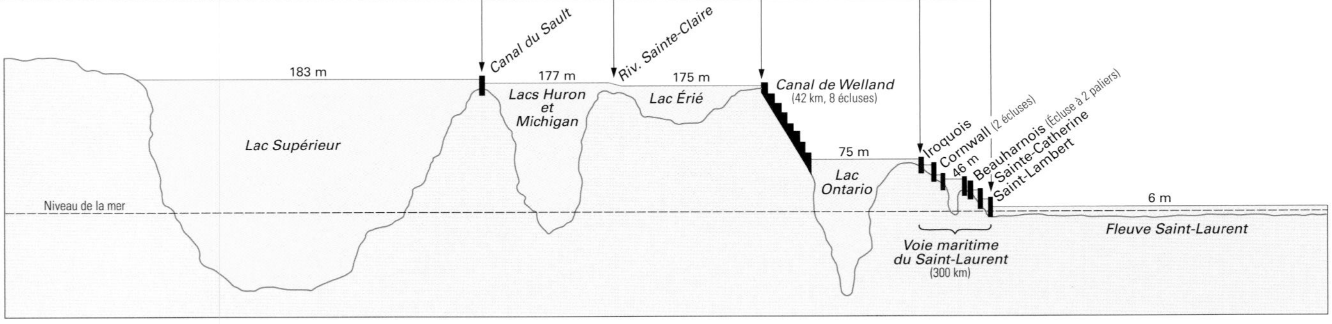

B. GRANDS LACS: DIFFÉRENCES DE NIVEAU

Écluse pour la navigation

C. PART DE LA PRODUCTION MONDIALE (2007)

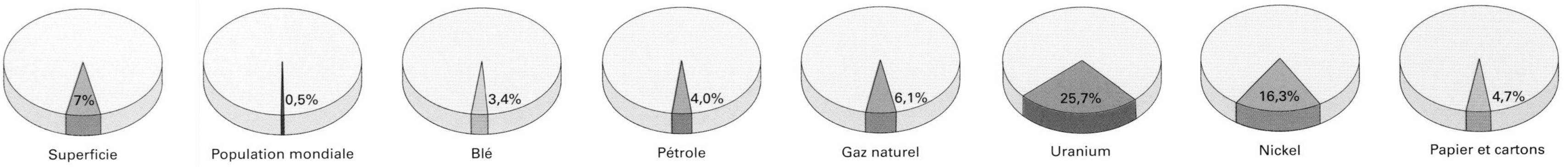

D. PARCS ET SITES DU PATRIMOINE MONDIAL
1 : 25000000

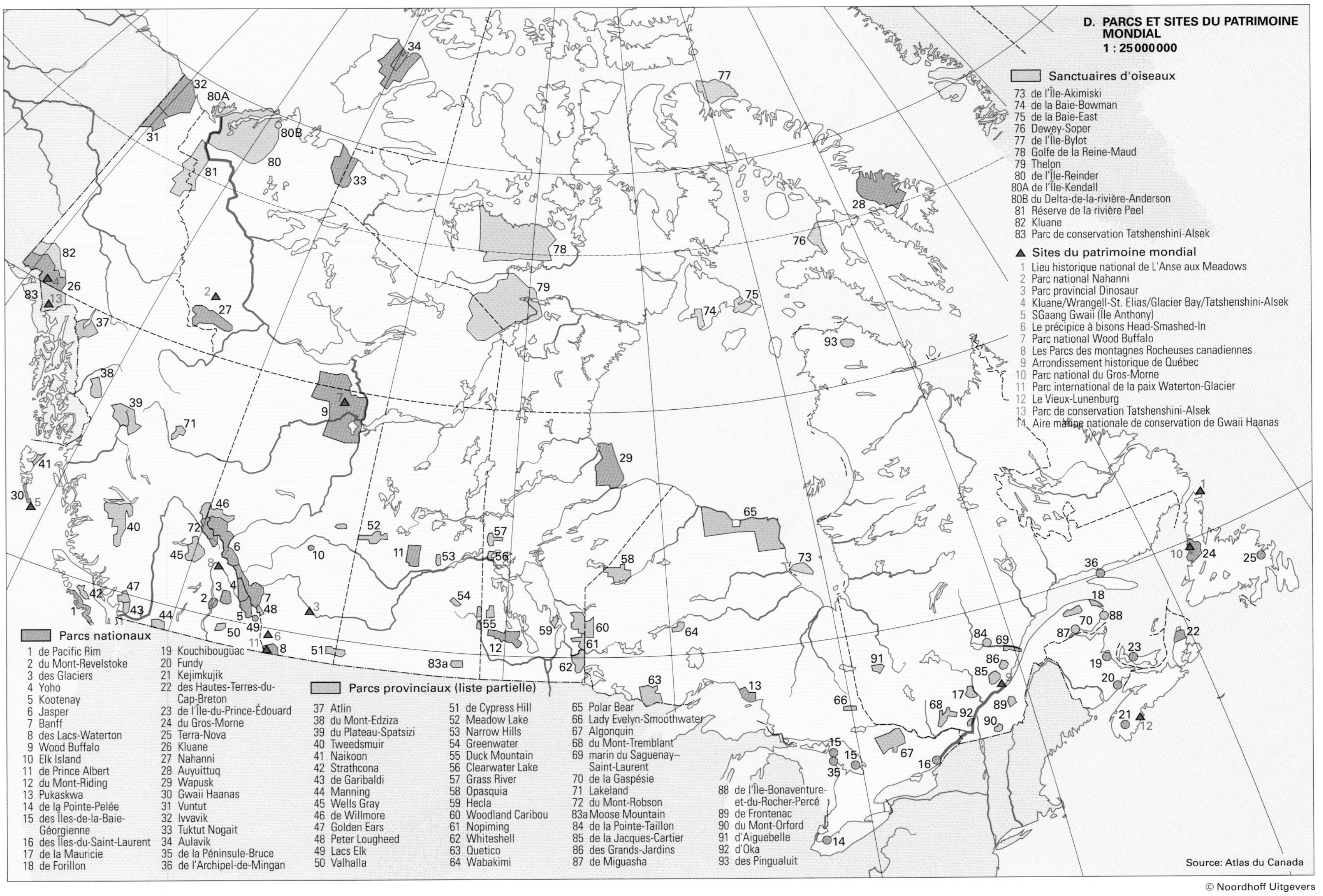

CANADA COMMUNICATIONS

A. TRANSPORT AÉRIEN ET MARITIME

- Ligne aérienne
- Aéroport international
- Aérodrome
- Port

Transport maritime
Tonnage manutentionné en milliers de tonnes (2007)

- Déchargées
- Chargées

Références: Statistique Canada

Transport maritime
Conteneurs manutentionnés (en vingt pieds) (x1000)

Références: Statistique Canada

Transport aérien
Nombre total de voyageurs par aéroport international au Canada en 2007 (en millions)

Pearson, Toronto
Vancouver
Pierre-Elliott-Trudeau, Montréal
Calgary
Edmonton
Macdonald-Cartier, Ottawa
Winnipeg
Halifax
Autres aéroports

Références: Statistique Canada

Transport aérien
Tonnage de marchandises transportées (2007): 786.437

- Vols intérieurs 23%
- Vols transfrontaliers 35,8%
- Vols internationaux 41,2%

Références: Statistique Canada

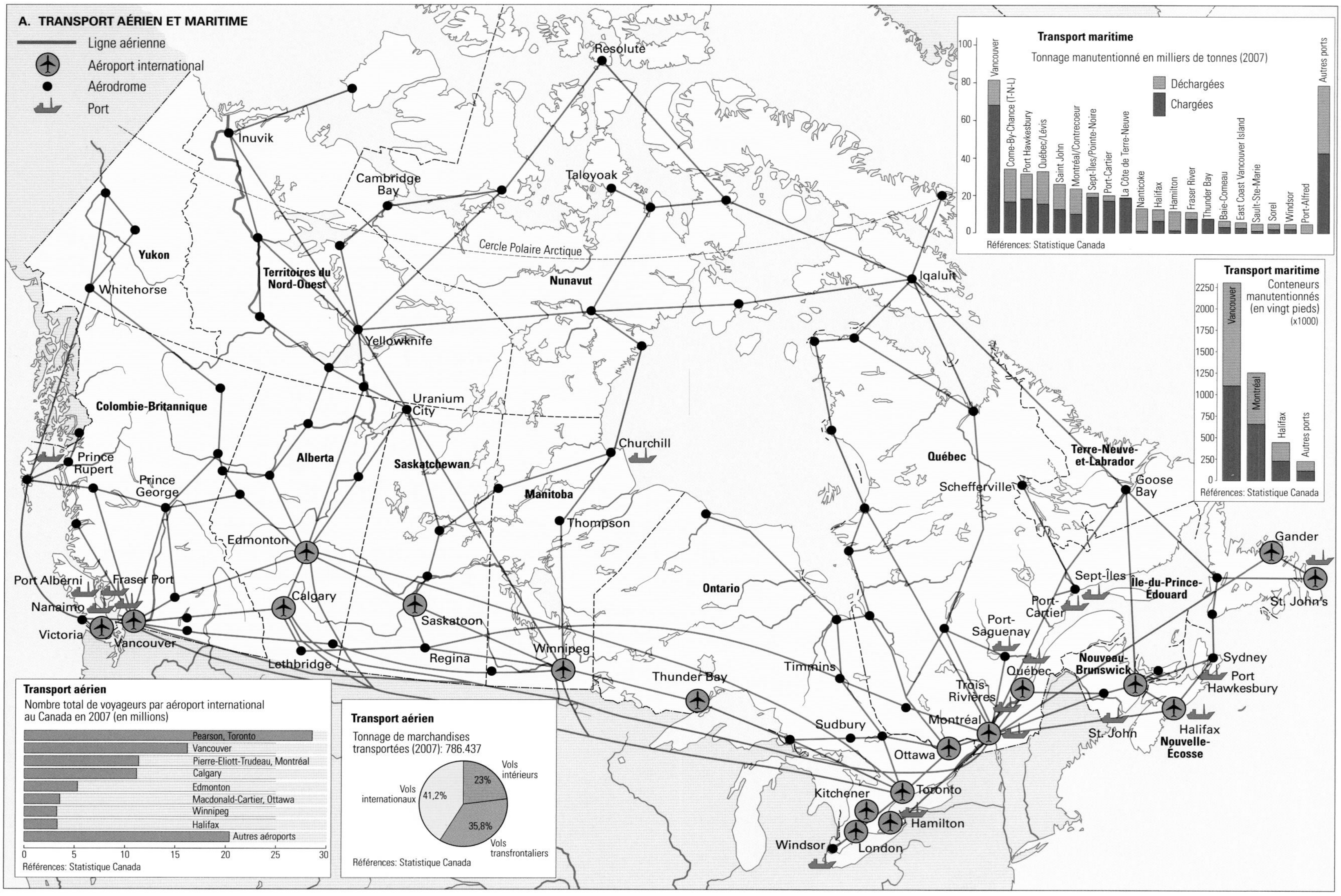

B. TRANSPORT FERROVIAIRE ET ROUTIER

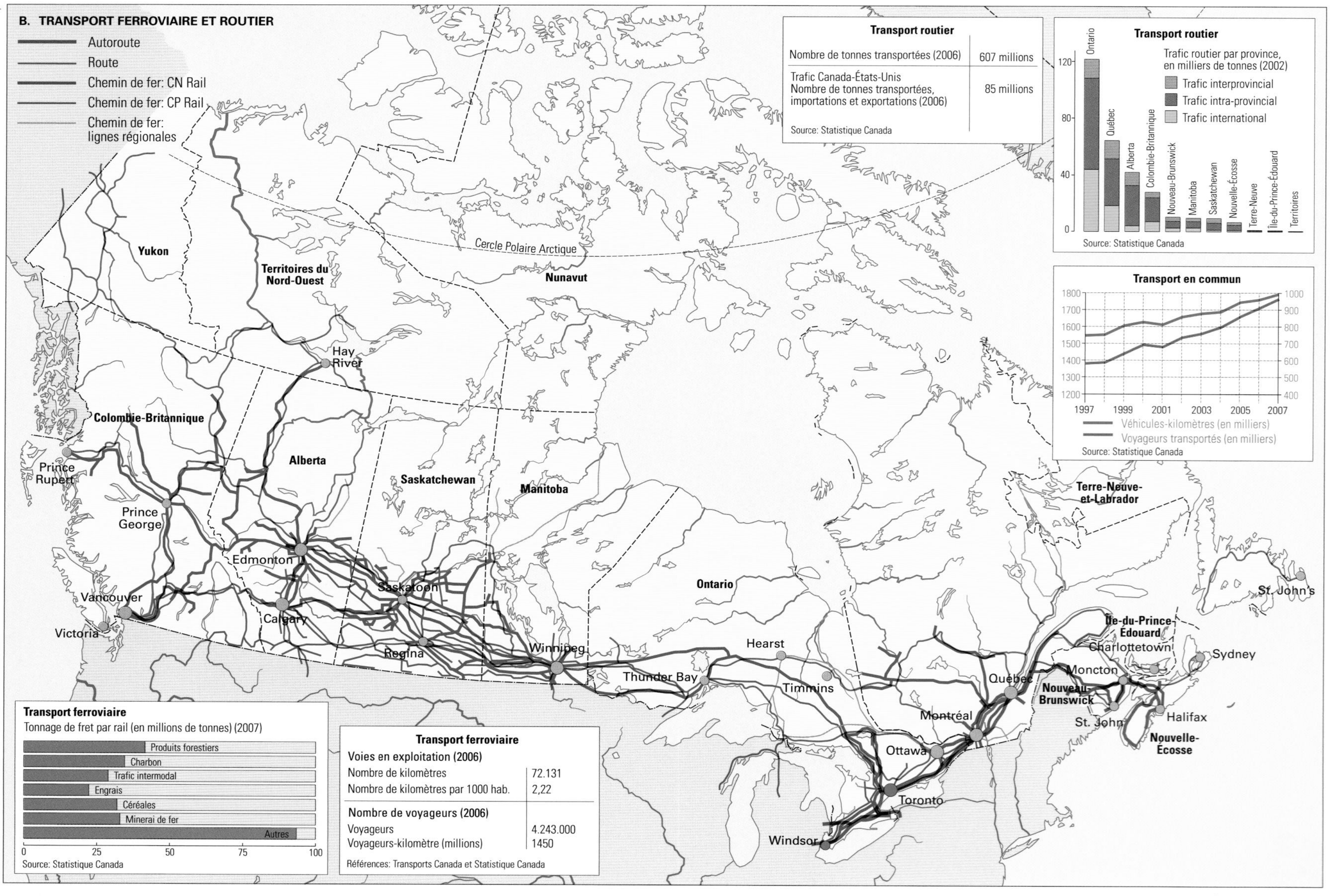

- Autoroute
- Route
- Chemin de fer: CN Rail
- Chemin de fer: CP Rail
- Chemin de fer: lignes régionales

Transport routier

Nombre de tonnes transportées (2006)	607 millions
Trafic Canada-États-Unis Nombre de tonnes transportées, importations et exportations (2006)	85 millions

Source: Statistique Canada

Transport routier
Trafic routier par province, en milliers de tonnes (2002)

- Trafic interprovincial
- Trafic intra-provincial
- Trafic international

Source: Statistique Canada

Transport en commun

1997 1999 2001 2003 2005 2007

- Véhicules-kilomètres (en milliers)
- Voyageurs transportés (en milliers)

Source: Statistique Canada

Transport ferroviaire
Tonnage de fret par rail (en millions de tonnes) (2007)

Produits forestiers
Charbon
Trafic intermodal
Engrais
Céréales
Minerai de fer
Autres

Source: Statistique Canada

Transport ferroviaire
Voies en exploitation (2006)

Nombre de kilomètres	72.131
Nombre de kilomètres par 1000 hab.	2,22

Nombre de voyageurs (2006)

Voyageurs	4.243.000
Voyageurs-kilomètre (millions)	1450

Références: Transports Canada et Statistique Canada

© Noordhoff Uitgevers

CANADA VILLES

B. TORONTO-CENTRE
1 : 25 000

Wellesley St.
College St.
Dundas St.
Queen St.
Adelaide St.
King St.
Wellington St.
Front St.
Beverley St.
University Avenue
Yonge St.
Jarvis St.
Spadina Avenue
Queens Quay
Lake Ontario

A. RÉGION DE TORONTO
1 : 300 000

Malton
Hippodrome Woodbine
Aéroport international Lester B. Pearson
Etobicoke
Missisauga
Islington
Port Credit
North York
Aéroport de Dowsview
York
Forest Hill
Leaside
Don Mills
Scarborough
East York
Scarborough Bluffs
Aéroport du centre-ville
Îles de Toronto
Parc Tommy Thompson
Lac Ontario

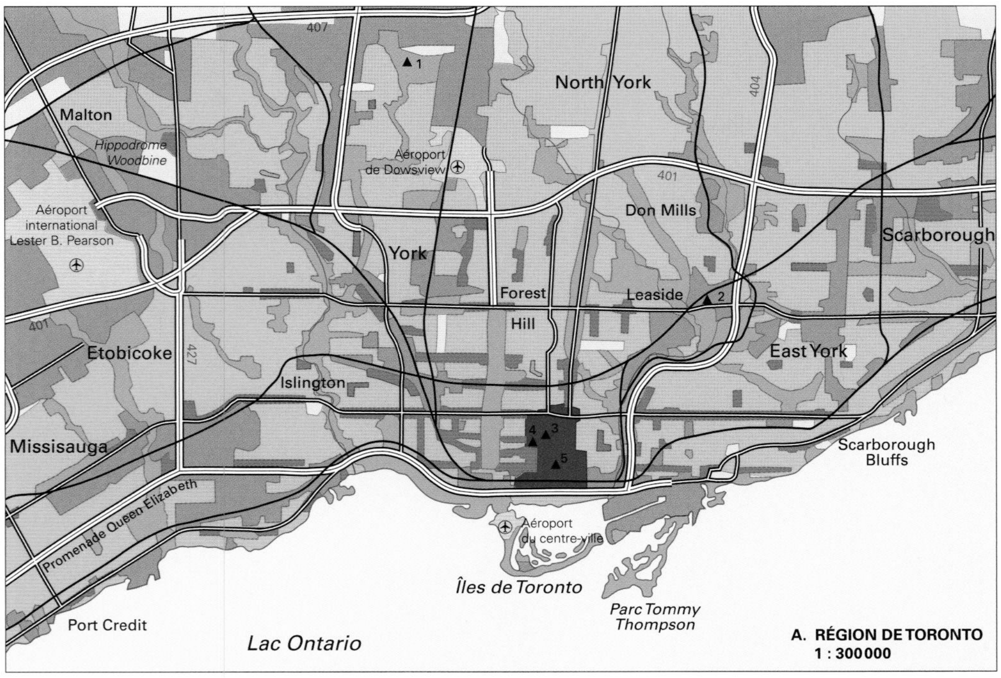

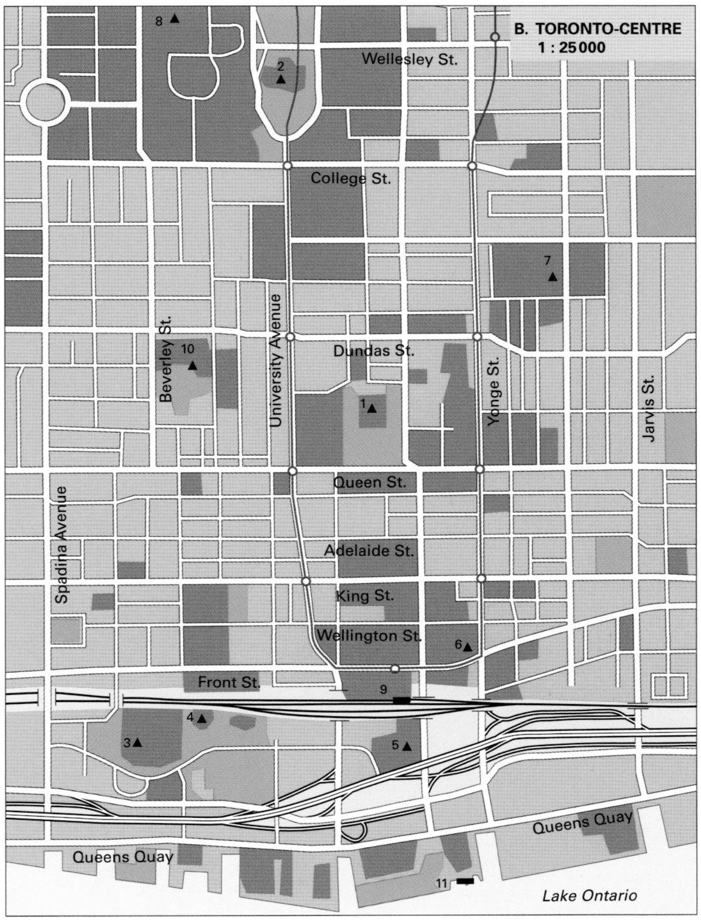

Légende pour A-D:

	Centre des affaires
	Zone résidentielle
	Terrain institutionnel et commercial
	Espace industriel
	Aéroport
	Parc
	Zone non urbanisée
	Autoroute
	Route principale
	Chemin de fer
	Ligne de métro avec gare

Région de Toronto (57A):
1 Université de York
2 Centre des sciences de l'Ontario
3 Parlement
4 Université de Toronto
5 Hôtel de ville de Toronto

Région de Vancouver (57C):
1 Université de Colombie-Britannique
2 Parc Stanley
3 Aquarium de Vancouver
4 Parc Hasting
5 Université Simon Fraser

Toronto-Centre (57B):
1 Hôtel de ville
2 Parlement
3 Skydome
4 Tour du CN
5 Centre Air Canada
6 Hockey Hall of Fame
7 Université Ryerson
8 Université de Toronto
9 Gare de train (Via Rail)
10 Musée des beaux-arts de l'Ontario
11 Terminal de traversier

Vancouver-Centre (57D):
1 Parc Stanley
2 Musée maritime
3 Planétarium et musée
4 Musée des beaux-arts de Vancouver
5 Place Canada
6 Terminal Seabus
7 Jardin Chinois Dr. Sun Yat-Sen
8 Stade place de la C.-B.
9 Le Monde de la science
10 Hôtel de ville
11 Gare de train (Via Rail)

C. RÉGION DE VANCOUVER
1 : 300 000

West Vancouver
Bras de mer Burrard
Baie English
North Vancouver
Deep Cove
Port Moody
Port Coquitlam
Coquitlam
Burnaby
Burquitlam
Sea Island
Aéroport international de Vancouver
Richmond
New Westminster
Fleuve Fraser
Annacis Island
Annieville
Douglas Island
Surrey

D. VANCOUVER-CENTRE
1 : 40 000

Denman St.
Davie St.
Jervis St.
Robson St.
Thurlow St.
Georgia St.
Burnaby St.
Hastings St.
Gastown
Water St.
Chinatown
Beach Avenue
Pacific St.
Granville St.
Seymour St.
Dunsmuir St.
Burrard St.
Burrard Bridge
Granville Bridge
Granville Island
Pacific Blvd
Cambie Bridge
4th Avenue
6th Avenue
Broadway
12th Avenue

E. HALIFAX-CENTRE
1 : 25 000

Cogswell St.
Rainnie Dr.
Duke St.
George St.
Brunswick St.
Bedford Row
Granville St.
Barrington St.
Lower Water St.
Marginal Rd
Ribbie St.
Bell Rd
Sackville St.
Spring Garden Rd
Morris St.
Watt St.
College St.
South St.

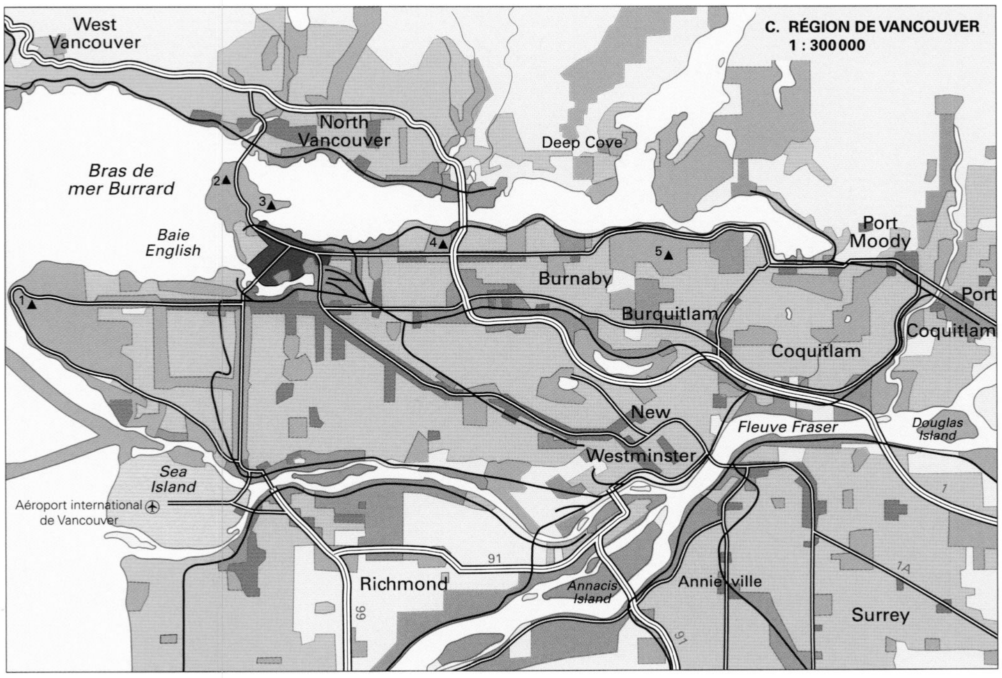

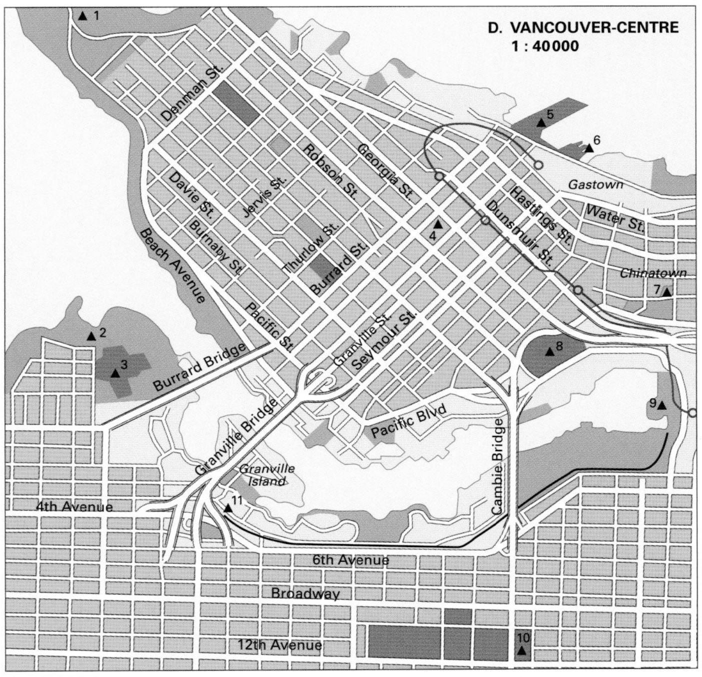

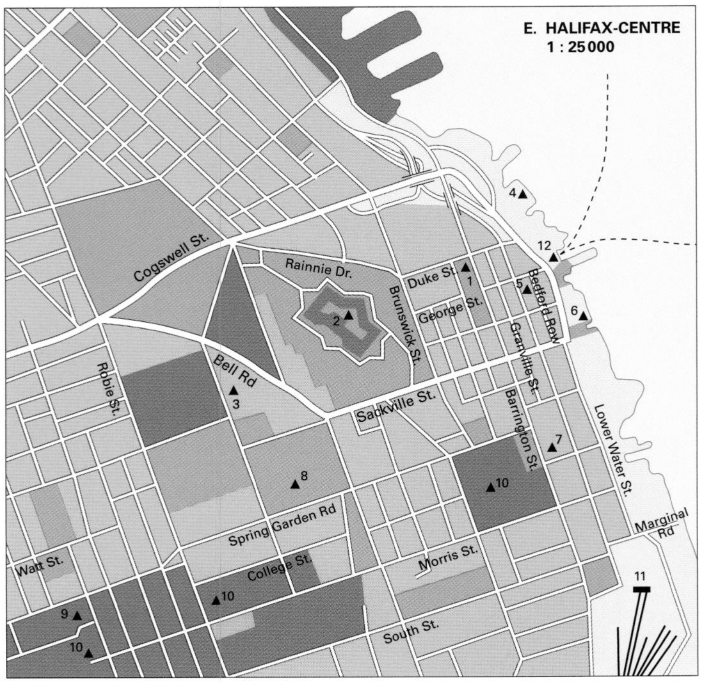

Légende pour E et F:

	Zone résidentielle
	Terrain institutionnel et commercial
	Parc
	Zone non bâtie
	Chemin de fer
	Passage d'eau
	Queensway (Ottawa)

Halifax-Centre (57E):
1 Hôtel de ville
2 Citadelle
3 Musée d'histoire naturelle
4 Casino
5 Galerie d'art de la Nouvelle-Écosse
6 Musée maritime de l'Atlantique
7 Parlement
8 Jardins publics
9 Université King College
10 Université de Dalhousie
11 Gare de train (Via Rail)
12 Terminal de traversier

Ottawa-Gatineau-Centre (57F):
1 Palais de congrès
2 Musée canadien des civilisations
3 Galerie nationale du Canada
4 Musée canadien de la guerre
5 Parlement canadien
6 Court suprême du Canada
7 Archive nationale et libraire nationale du Canada
8 Hôtel de ville d'Ottawa
9 Université d'Ottawa
10 Conseil nationale de recherche du Canada

F. OTTAWA-GATINEAU-CENTRE
1 : 30 000

Rue Eddy
Rue de l'Hôtel-de-ville
Rue Victoria
Rue Champlain
Rue Notre-Dame-de-Île
Rue Laurier
Boul. Maisonneuve
Pont Macdonald-Cartier
Sussex Dr.
Boul. Alexandre-Taché
Pont des Chaudières
Pont du Portage
Pont Alexandra
Rivière des Outaouais
Ville de Gatineau
Ville d'Ottawa
St. Patrick St.
Murray St.
Rideau St.
King Edward Ave.
Wellington St.
Queen St.
Albert St.
Slater St.
Laurier St.
Booth St.
Bronson Ave.
Lyon St.
Kent St.
Bank St.
O'Connor St.
Elgin St.
Canal Rideau

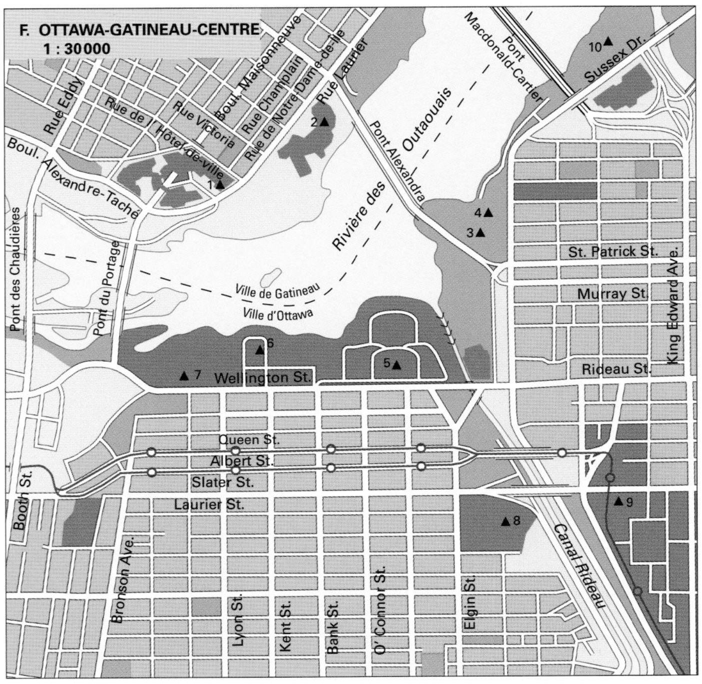

QUÉBEC

0   100   200   300   400 km

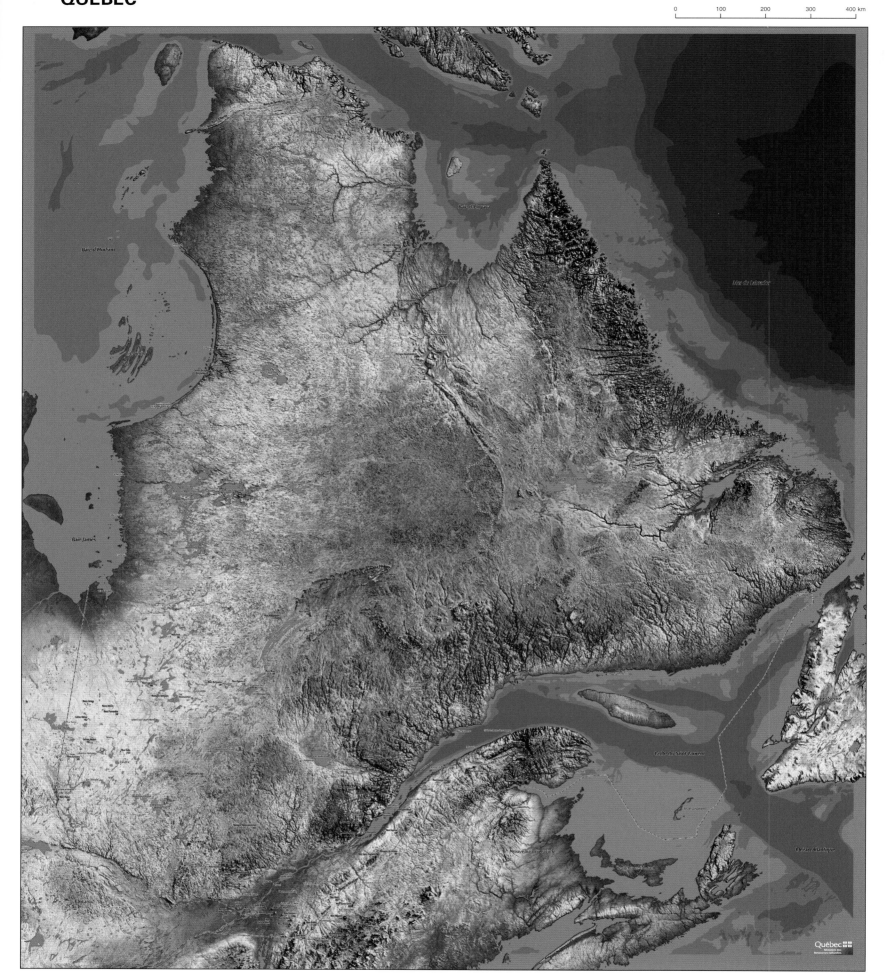

Source : Ex. Le Québec en relief. Gouvernement du Québec.
Ministère des Ressources naturelles. Photocartothèque québécoise.

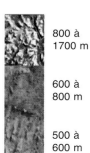 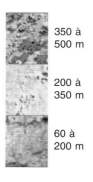

800 à 1700 m	350 à 500 m	0 à 60 m
600 à 800 m	200 à 350 m	0 à −100 m −100 à −200 m −200 à −500 m −500 à −1000 m −1000 à −2000 m −2000 à −3000 m −3000 m et moins
500 à 600 m	60 à 200 m	

Projection : conique conforme de Lambert
Ellipsoïde : NAD83 - GRS 1980
Méridien central : −63°30'00" W

Latitude de référence : 44°00'00" N
1er parallèle standard : 46°00'00" N
2e parallèle standard : 60°00'00" N

L'image est issue de l'intégration de deux types d'information : une mosaïque de 313 modèles numériques d'altitude à l'échelle 1/250 000 illustrant par des couleurs le relief global ; puis, une mosaïque des données radar du satellite RADARSAT ajoutant le microrelief, particulièrement dans les basses terres. Les corrections géométriques de la mosaïque RADARSAT ont été effectuées à partir de la Base de données géographiques et administratives (BDGAN) à l'échelle 1/1 000 000 de la Direction générale de l'information géographique.

QUÉBEC

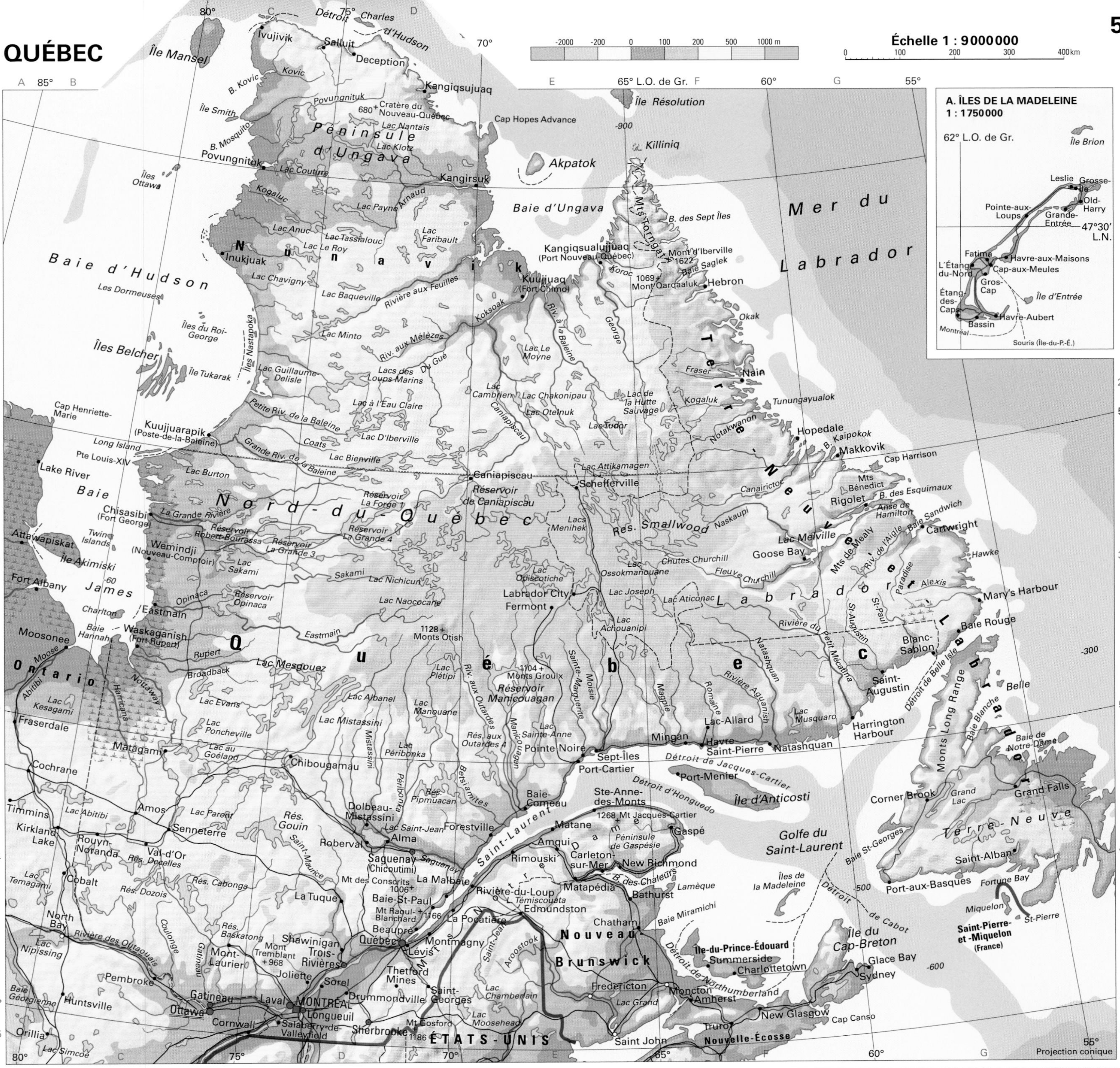

Échelle 1 : 9 000 000

-2000 -200 0 100 200 500 1000 m

0 100 200 300 400 km

A. ÎLES DE LA MADELEINE
1 : 1 750 000

62° L.O. de Gr.

Île Brion
Leslie — Grosse-Île
Pointe-aux-Loups — Grande-Entrée — Old-Harry
47°30' L.N.
Fatime — Havre-aux-Maisons
L'Étang-du-Nord — Cap-aux-Meules
Gros-Cap
Étang-des-Caps — Île d'Entrée
Bassin
Havre-Aubert
Montreal
Souris (Île-du-P.-É.)

Principal map labels

Île Mansel, Ivujivik, Salluit, Détroit d'Hudson, Charles, Deception, Kangiqsujuaq, Cap Hopes Advance, Île Résolution, Killiniq, Akpatok
Île Smith, B. Kovic, Kovic, Povungnituk, Cratère du Nouveau-Québec, Lac Nantais, Kangirsuk, Mer du Labrador
Péninsule d'Ungava, Lac Klotz, B. des Sept Îles
Îles Ottawa, B. Mosquito, Povungnituk, Lac Coutier, Lac Payne, Rivière Arnaud, Kangiqsualujjuaq (Port Nouveau-Québec), Mts Torngat, Mont d'Iberville 1622, Baie Saglek
Baie d'Ungava
Nunavik
Inukjuak, Lac Anuc, Lac Le Roy, Lac Faribault, Soroc, Mont Qarqaaluk 1069, Hebron
Kogaluc, Kuujjuaq (Fort Chimo), Okak
Baie d'Hudson, Les Dormeuses, Lac Chavigny, Lac Baqueville, Rivière aux Feuilles, Koksoak, Lac Minto, Lac Le Moyne, Nain
Îles Belcher, Île du Roi-George, Lac Guillaume Delisle, Lacs des Loups Marins, Du Gué, Fraser
Île Tukarak, Lac Nastapoka, Lac à l'Eau Claire, Lac Cambrien, Lac Chakonipau, Lac de la Hutte Sauvage, Kogaluk, Tunungayualok
Cap Henriette-Marie, Kuujjuarapik (Poste-de-la-Baleine), Petite Riv. de la Baleine, Lac D'Iberville, Lac Todor, Notakwanon, Hopedale
Long Island, Grande Riv. de la Baleine, Coats, Lac Bienville, Lac Attikamagen, B. Kaipokok, Makkovik
Lake River, Lac Burton, Caniapiscau, Scheffervile, Canairictor, Cap Harrison
Baie James, Chisasibi (Fort George), La Grande Rivière, Réservoir La Forge, Réservoir de Caniapiscau, Mts Bénédict, B. des Esquimaux, Rigolet
Attawapiskat, Twin Islands, Wemindji (Nouveau-Comptoir), Réservoir Robert-Bourassa, Réservoir La Grande 4, Réservoir La Grande 3, Lacs Menihek, Chutes Churchill, Rés. Smallwood, Naskaupi, Lac Melville, Anse de Hamilton, Lac de l'Aigle, Baie Sandwich
Nord-du-Québec, Lac Sakami, Sakami, Lac Nichicun, Lac Opiscotiche, Ossokmanuan, Fleuve Churchill, Goose Bay, Mts de Mealy, Cartwright
Fort Albany, Île Akimiski, Réservoir Opinaca, Lac Naococcane, Labrador City, Fermont, Lac Joseph, Lac Aticonac, St-Augustin, Hawke
Charlton, Eastmain, Lac Achouanipi, Rivière du petit Mécatina, St-Paul, Paradise, Alexis
Moosonee, Baie Hannah, Waskaganish (Fort Rupert), 1128 Monts Otish, Sainte-Marguerite, Moisie, Natashquan, Rivière Aguanish, Blanc-Sablon, Mary's Harbour
Ontario, Rupert, Lac Mesgouez, 1104 Monts Groulx, Magpie, Romaine, Saint-Augustin, Détroit de Belle Isle, Baie Rouge
Broadback, Lac Plétipi, Réservoir Manicouagan, Sainte-Anne, Lac-Allard, Lac Musquaro, Belle
Lac Kesagami, Lac Evans, Lac Albanel, Lac Manouane, Rés. aux Outardes 4, Mingan, Harrington Harbour, Baie Blanche
Fraserdale, Matagami, Lac Mistassini, Lac au Goéland, Lac Poncheville, Péribonka, Pointe Noire, Havre Saint-Pierre, Natashquan, Monts Long Range, Baie de Notre-Dame
Cochrane, Lac Parent, Chibougamau, Sept-Îles, Port-Cartier, Détroit de Jacques-Cartier, Corner Brook, Grand Lac, Grand Falls
Timmins, Lac Abitibi, Amos, Senneterre, Rés. Gouin, Dolbeau-Mistassini, Lac Saint-Jean, Alma, Baie-Comeau, Port-Menier, Île d'Anticosti, Terre-Neuve
Kirkland Lake, Rouyn-Noranda, Val-d'Or, Rés. Decelles, Roberval, Saguenay (Chicoutimi), Matane, 1268 Mt Jacques-Cartier, Gaspé, Saint-Alban
Cobalt, Rés. Dozois, Rés. Cabonga, Mt des Conscrits 1006, La Malbaie, Forestville, Amqui, Péninsule de Gaspésie, Golfe du Saint-Laurent
North Bay, Lac Temagami, La Tuque, Baie-St-Paul, Rimouski, Carleton-sur-Mer, New Richmond, Îles de la Madeleine, Baie St-Georges, Port-aux-Basques, Fortune Bay
Rivière des Outaouais, Rés. Baskatong, Mt Tremblant 968, Mt Raoul Blanchard 1166, La Pocatière, Rivière-du-Loup, Lac Témiscouata, Edmundston, Matapédia, Bathurst, B. des Chaleurs, Lamèque, Détroit de Cabot, Miquelon, St-Pierre
Lac Nipissing, Gatineau, Mont-Laurier, Shawinigan, Trois-Rivières, Québec, Lévis, Montmagny, Beaupré, Chatham, Baie Miramichi, Île du Cap-Breton, Saint-Pierre-et-Miquelon (France)
Pembroke, Huntsville, Joliette, Sorel, Thetford Mines, Nouveau Brunswick, Île-du-Prince-Édouard, Summerside, Glace Bay
Baie Géorgienne, Gatineau, Ottawa, Laval, MONTRÉAL, Longueuil, Drummondville, Saint-Georges, Lac Chamberlain, Fredericton, Moncton, Amherst, Charlottetown, Sydney
Orillia, Lac Simcoe, Cornwall, Salaberry-de-Valleyfield, Sherbrooke, Mt Bosford 1186, ÉTATS-UNIS, Lac Moosehead, Lac Grand, Truro, Nouvelle-Écosse, New Glasgow, Cap Canso, Saint John

Projection conique

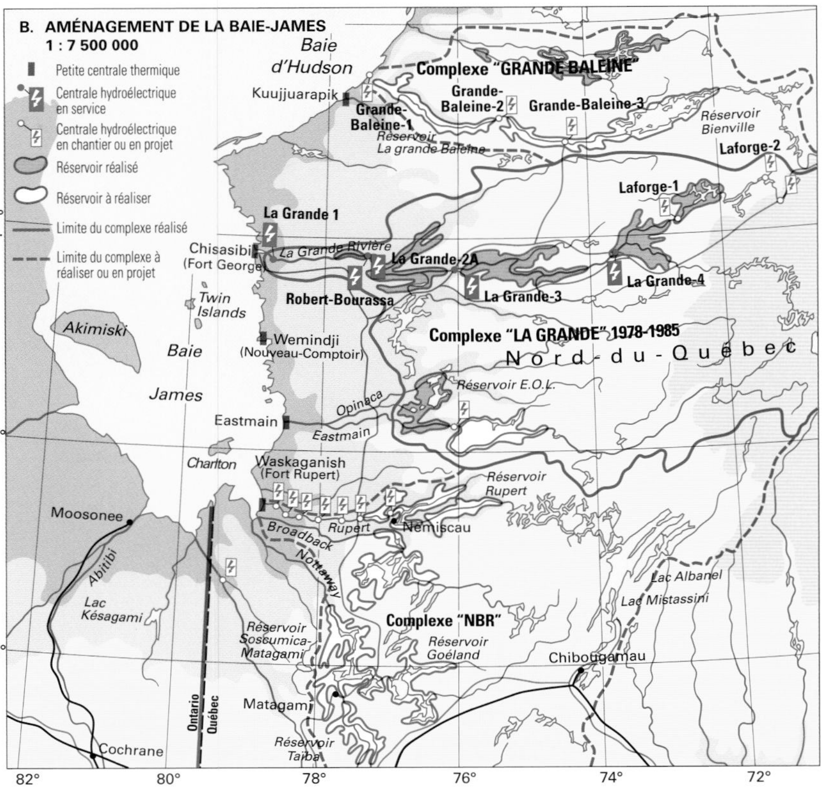

B. AMÉNAGEMENT DE LA BAIE-JAMES
1 : 7 500 000

Légende:
- ■ Petite centrale thermique
- Centrale hydroélectrique en service
- Centrale hydroélectrique en chantier ou en projet
- Réservoir réalisé
- Réservoir à réaliser
- Limite du complexe réalisé
- Limite du complexe à réaliser ou en projet

Baie d'Hudson
Complexe "GRANDE BALEINE"
Kuujjuarapik, Grande-Baleine-1, Grande-Baleine-2, Grande-Baleine-3, Réservoir Bienville, Réservoir La grande Baleine, Laforge-2, Laforge-1
La Grande 1, Chisasibi (Fort George), La Grande Rivière, La Grande-2A, La Grande-3, La Grande-4, Robert-Bourassa
Complexe "LA GRANDE" 1978-1985
Twin Islands, Akimiski, Wemindji (Nouveau-Comptoir), Nord-du-Québec
Baie James, Eastmain, Opinaca, Réservoir E.O.L., Charlton
Moosonee, Waskaganish (Fort Rupert), Réservoir Rupert, Nemiscau, Broadback, Nottaway, Lac Albanel
Abitibi, Lac Kesagami, Réservoir Soscumica-Matagami, Complexe "NBR", Réservoir Goéland, Lac Mistassini
Ontario | Québec, Matagami, Réservoir Taïbi, Chibougamau, Cochrane

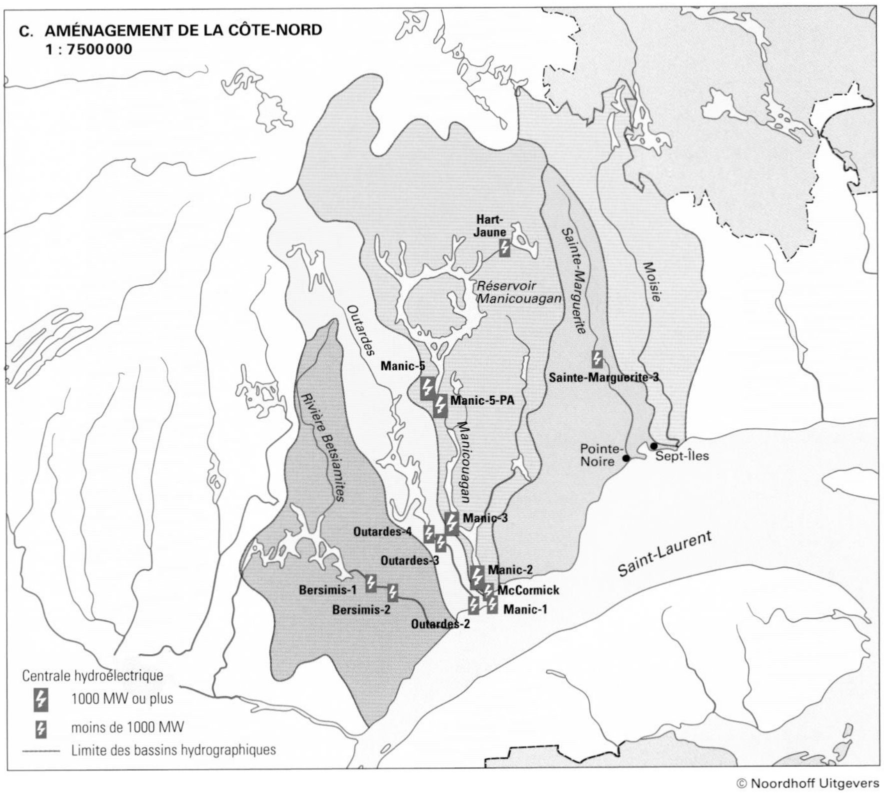

C. AMÉNAGEMENT DE LA CÔTE-NORD
1 : 7 500 000

Hart-Jauné, Sainte-Marguerite, Réservoir Manicouagan, Moisie
Manic-5, Manic-5-PA, Sainte-Marguerite-3
Rivière Bersimis, Manicouagan, Pointe-Noire, Sept-Îles
Outardes, Manic-3
Outardes-4, Manic-2, McCormick, Saint-Laurent
Outardes-3, Bersimis-1, Bersimis-2, Outardes-2, Manic-1

Légende:
Centrale hydroélectrique
- ⚡ 1000 MW ou plus
- ⚡ moins de 1000 MW
- Limite des bassins hydrographiques

© Noordhoff Uitgevers

QUÉBEC MILIEU PHYSIQUE

A. STRUCTURES GÉOLOGIQUES

Provinces géologiques
Bouclier (en milliards d'années)

- Churchill (1,7 G)
- Fosse d'Ungava
- Fosse du Labrador
- Belcher
- Supérieur (2,7 G)
- Nain (1,6 G)
- Normanville
- Mistassini
- Grenville (1,1 G)
- **Basses Terres** (Rift/St-Laurent, 550 M)
- **Appalaches** (440 M)

Structure cratériforme (en milliards d'années)
1 Charlevoix (350 M)
2 Manicouagan (210 M)
3 La Moinerie (340 M)
4 L'Eau Claire (275 M)
5 Lac Couture (310 M)
6 Nouveau-Québec (1.3M)

Montérégienne (90-125 M)

Failles
- Normale
- Chevauchement
- Décrochement

Volcanisme archéen (2,7 G)

B. RÉGIONS PHYSIOGRAPHIQUES

1 Plateau de Salluit
2 Monts de Povungnituk et monts d'Youville
3 Fjords du détroit d'Hudson
4 Plateau de l'Ungava
5 Cuestas hudsoniennes
6 Contreforts des Monts Torngat
7 Plateau de la George
8 Basses-terres de la rivière à la Baleine
9 Collines du Labrador
10 Plateau de la Caniapiscau
11 Plateau central lacustre
12 Plateau hudsonien
13 Basses-terres de la Baie James
14 Ceinture argileuse de l'Abitibi
15 Plateau de la Rupert
16 Lac Mistassini
17 Monts Otish
18 Laurentides boréales
19 Plateau du Petit Mécatina
20 Laurentides méridionales
21 Basses-terres du Lac-Saint-Jean
22 Basses-terres de la Côte-Nord et d'Anticosti
23 Massif gaspésien
24 Bas plateau de la baie des Chaleurs
25 Monts Notre-Dame
26 Basses-terres des Appalaches
27 Chaînons de l'Estrie, de Beauce et de Bellechasse
28 Monts Sutton et Mégantic
29 Basses-terres du Saint-Laurent

C. DERNIÈRE GLACIATION

- Transgression marine
- Transgression lacustre
- 12000 ans
- 10000 ans
- 8000 ans
- 7000 ans
- Esker
- Strie
- Moraine côtelée
- Moraine frontale
1 Moraine de Harricana
2 Moraine de Narcisse
3 Moraine des Hautes-terres appalachiennes
4 Moraine de la Côte-Nord
5 Moraine de Sakami

D. POTENTIEL ÉOLIEN

Force du vent en mètre/seconde à 50 m d'altitude
- 3 - 5 m/s
- 5 - 7 m/s
- 7 - 9 m/s
- Plus de 9 m/s

Parc éolien actuel:
- Plus de 10 MW produits
- Moins de 10 MW produits
- Parc éolien projeté

Parcs éoliens actuels
1. Le Nordais (1999) } Cap-Chat: 76 éoliennes (57 MW)
2. Matane: 57 éoliennes (42,8 MW)
3. de Matane (1998): 3 éoliennes (2,25 MW)
4. du Mont Copper (2004-2005): 30 éoliennes (54 MW)
5. du Mont Miller (2005): 30 éoliennes (54 MW)
6. du Renard, Rivière-au-renard (2003): 3 éoliennes (2,25 MW)
7. de l'Anse à Valleau (2007): 67 éoliennes (100,5 MW)
8. de Baie des Sables (2006): 73 éoliennes (109,5 MW)
9. de Carleton (2008): 73 éoliennes (109,5 MW)
Total: 212,3 MW

Parcs éoliens projetés (2009)
10. de Murdochville: 15-18 éoliennes (54MW) ou 30-36 éoliennes (54 MW)
11. de Rivière-du-loup: 130 éoliennes (200 MW)
12. des Méchins: 100 éoliennes (150 MW)
13. de Monts-Louis: 67 éoliennes (100,5 MW)
14. de Gros-Morne: 141 éoliennes (211,5 MW)
15. de la Montagne-Sèche: 39 éoliennes (58,5 MW)
Total (horizon 2012): 518 MW

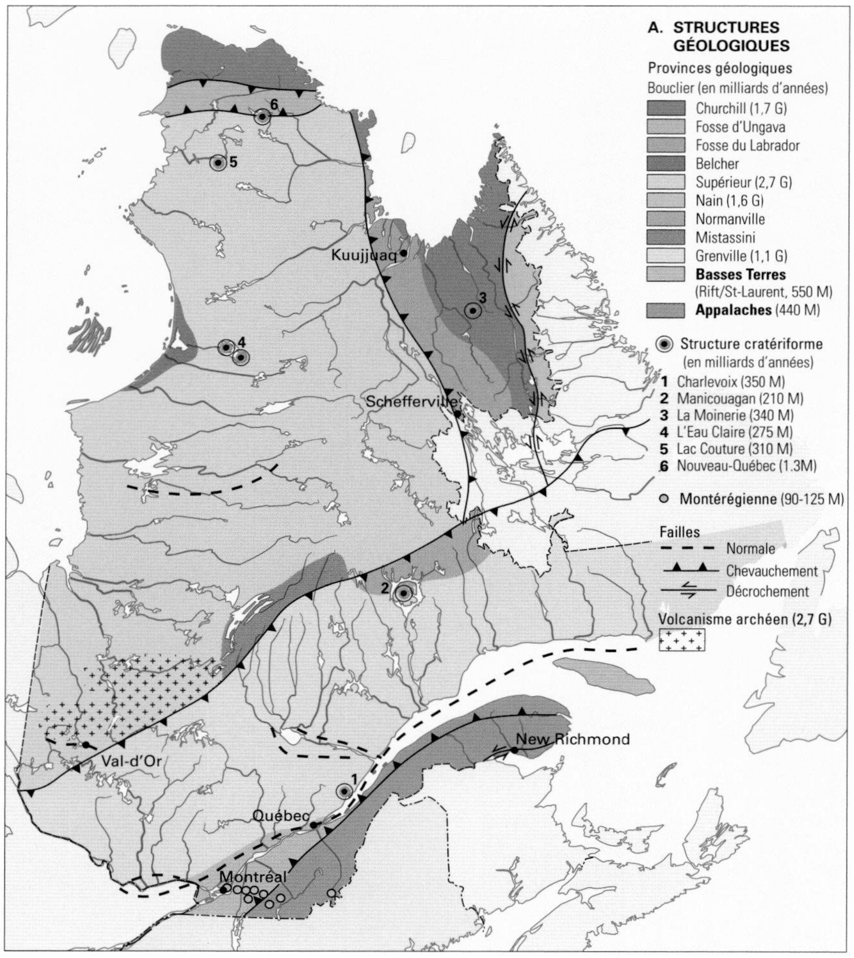

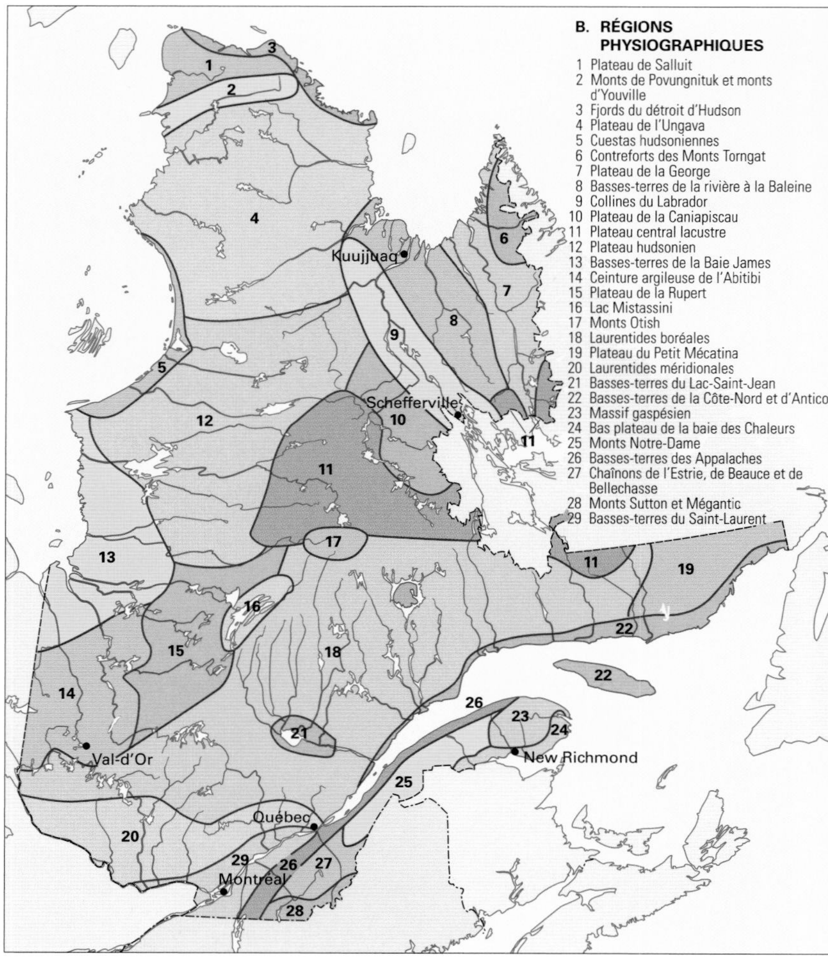

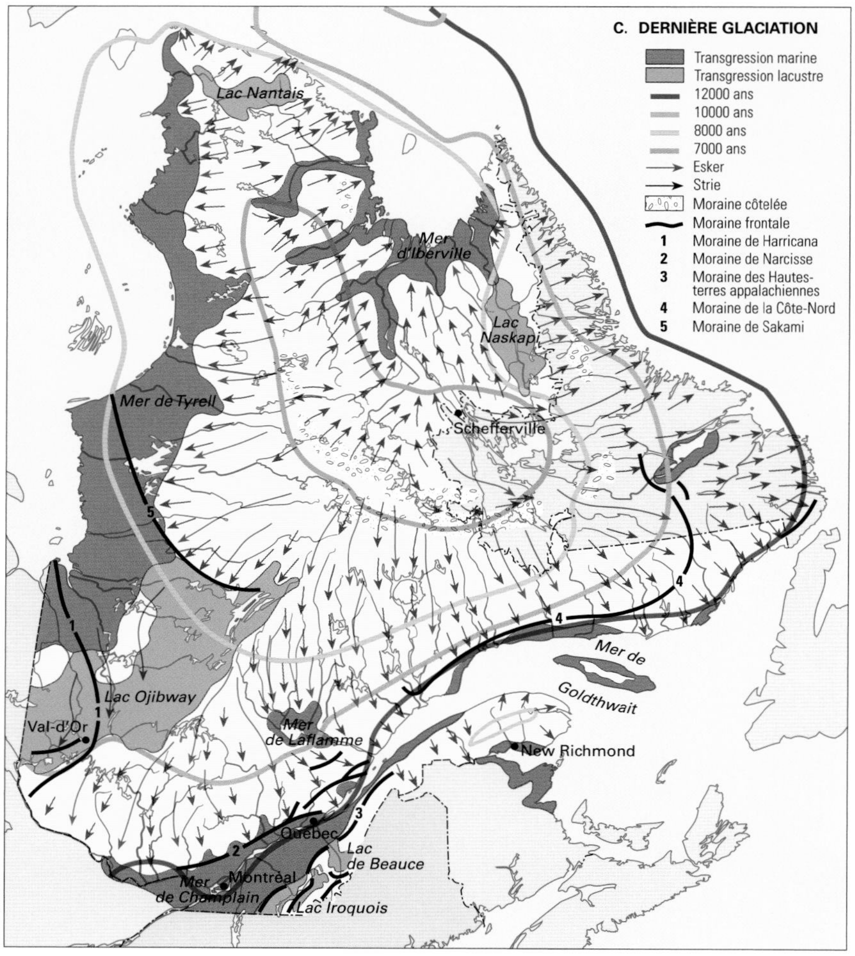

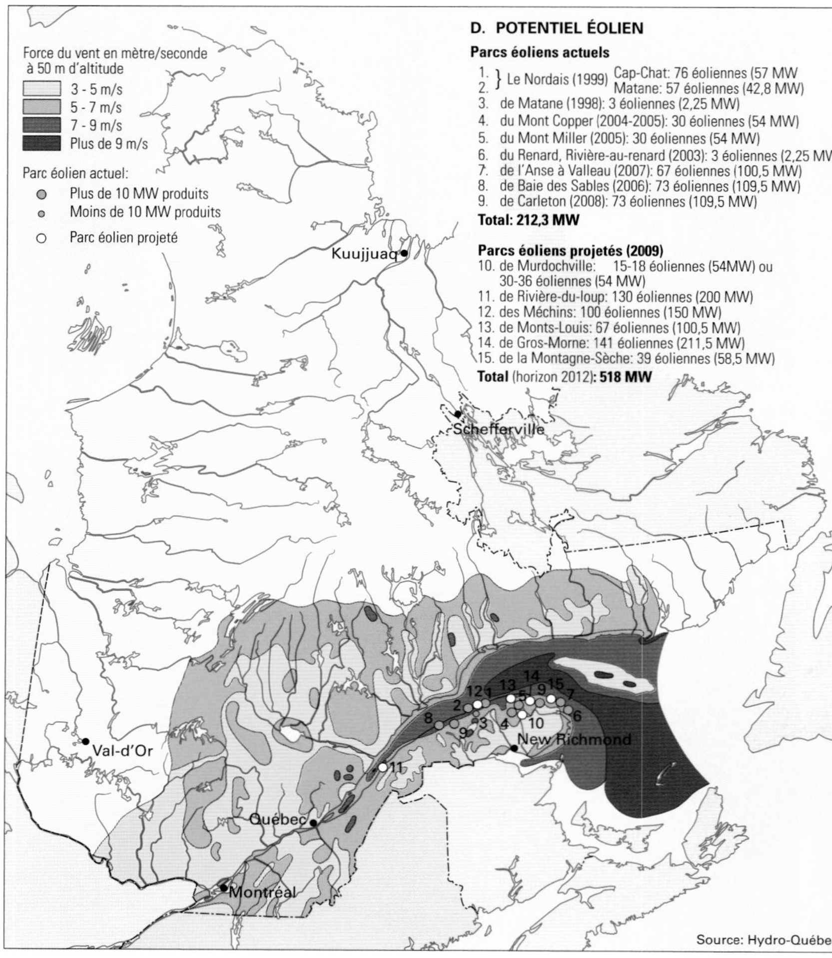

Source: Hydro-Québec

E. CONSOMMATION D'ÉNERGIE AU QUÉBEC (2005)

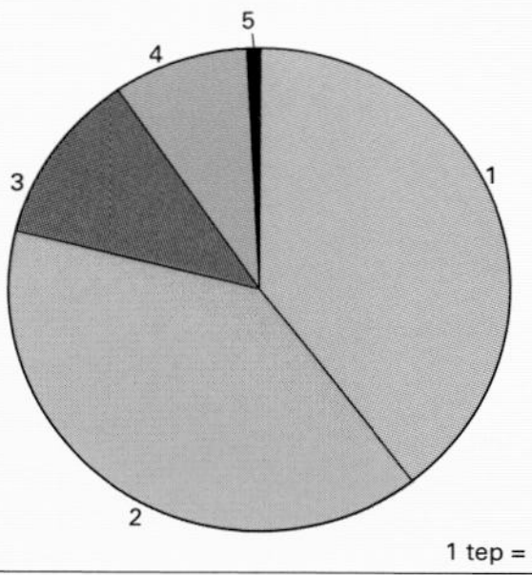

Consommation totale d'énergie: 42.3 tep

1. Électricité 39,5%
2. Pétrole 39,3%
3. Gaz naturel 11,6%
4. Biomasse 8,7%
5. Charbon 0,9%

F. CONSOMMATION TOTALE D'ÉNERGIE SELON LE SECTEUR (2005)

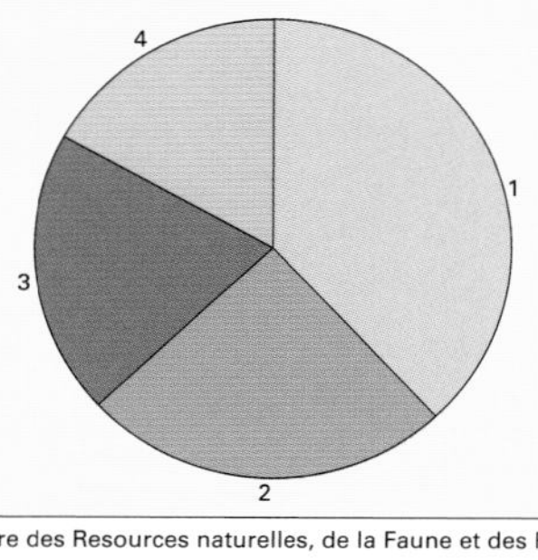

Consommation totale d'énergie: 42.3 tep

1. Industriel 38,9%
2. Transport 25,8%
3. Résidentiel 18,2%
4. Commercial 17,1%

1 tep = tonne équivalent pétrole

G. L'ÉLECTRICITÉ AU QUÉBEC (2005)

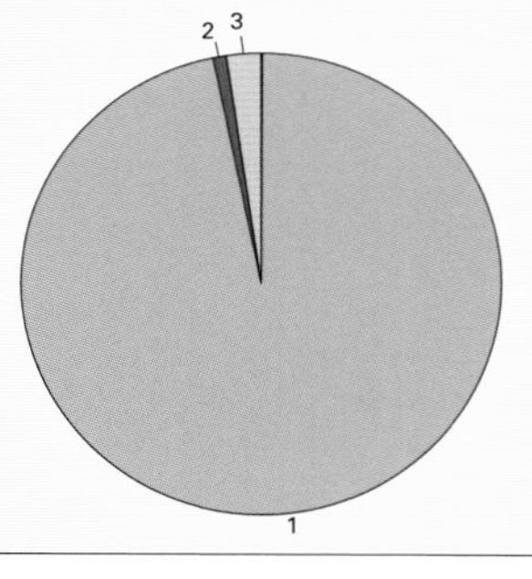

Production d'électricité selon la source d'energie: 211.6 M kWh

1. Hydraulique 96,8%
2. Thermique 0,5%
3. Nucléaire 2,3%
4. Éolienne 0,2%
5. Biomasse 0,2%

H. BALANCE COMMERCIALE DU SECTEUR ÉNERGÉTIQUE

Millions de $ CAD

électr. 1012
charbon -115
gaz -963
pétrole -4299
solde -4364

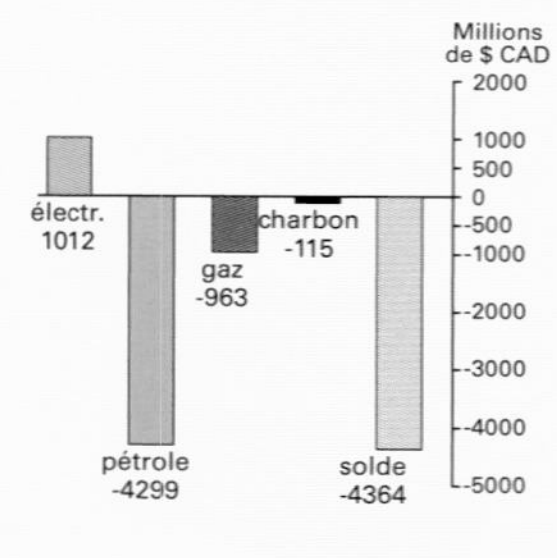

E/G Source: Institut de la statistique du Québec
F/H Source: Ministère des Resources naturelles, de la Faune et des Parcs

© Noordhoff Uitgevers

QUÉBEC CLIMAT

A. TEMPÉRATURE MOYENNE QUOTIDIENNE DE JANVIER

Température à °C
- moins de -25
- -25 – -22,5
- -22,5 – -20
- -20 – -17,5
- -17,5 – -15
- -15 – 12,5
- -12,5 – -10
- -10 ou plus

B. TEMPÉRATURE MOYENNE QUOTIDIENNE DE JUILLET

Température à °C
- moins de 7,5
- 7,5 - 10
- 10 - 12,5
- 12,5 - 15
- 15 - 17,5
- 17,5 - 20
- 20 ou plus

C. PRÉCIPITATIONS TOTALES MOYENNES ANNUELLES

Précipitations annuelles en mm
- moins de 400
- 400 - 500
- 500 - 600
- 600 - 700
- 700 - 800
- 800 - 900
- 900 - 1000
- 1000 - 1200
- 1200 ou plus

D. PRÉCIPITATIONS NIVALES MOYENNES ANNUELLES

Précipitations annuelles en cm
- moins de 200
- 200 - 250
- 250 - 300
- 300 - 400
- 400 - 500
- 500 ou plus

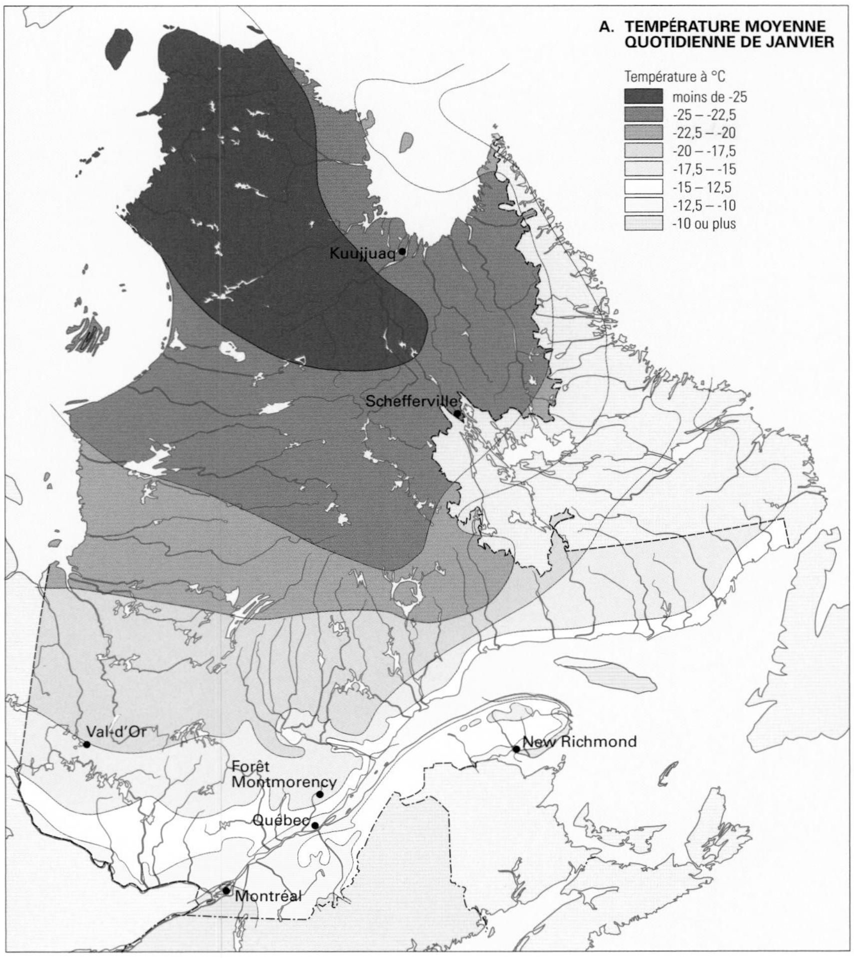

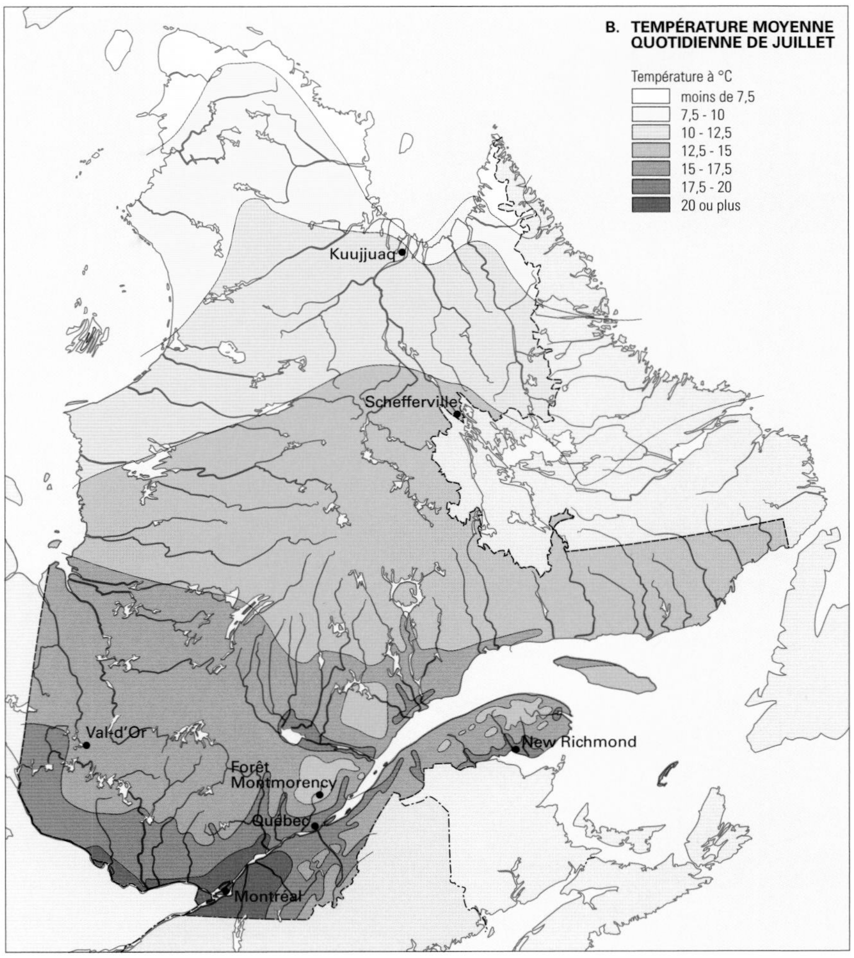

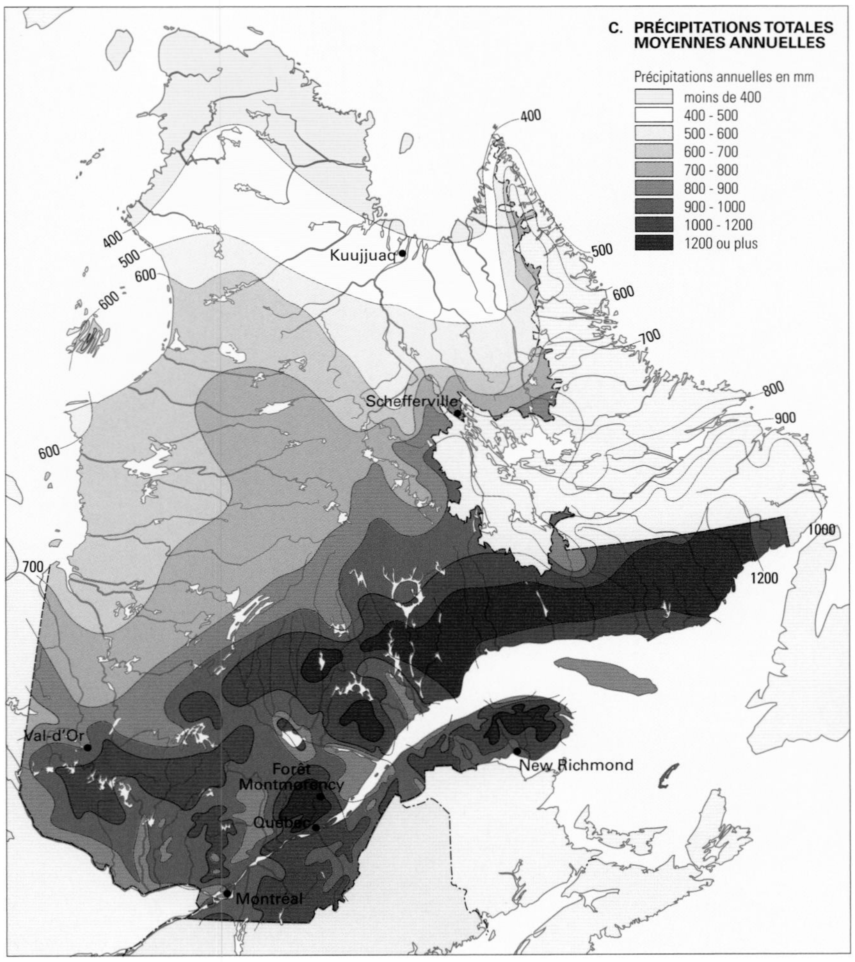

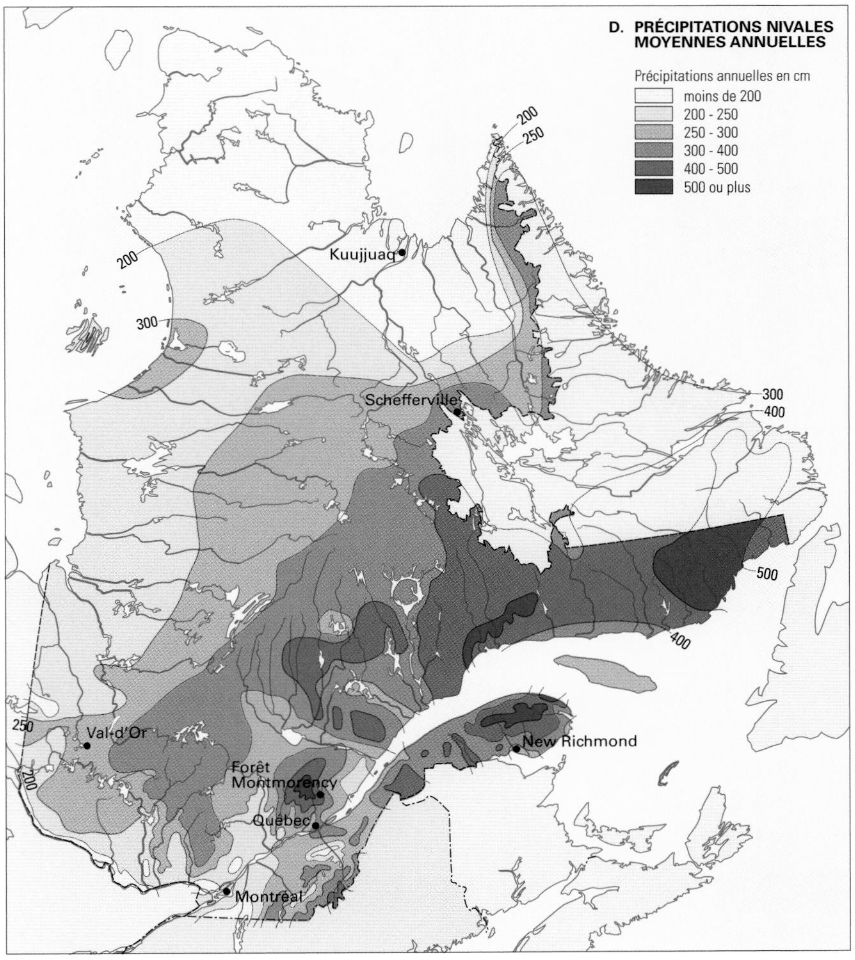

E. DIAGRAMMES CLIMATIQUES — Précipitations en centimètres — Températures en degrés Celsius — 52 Précipitations annuelles en centimètres — Forêt Montmorency Station climatique

Kuujjuaq — 52
Schefferville — 79
Val-d'Or — 93
Québec — 121
Montréal — 94
New Richmond — 102
Forêt Montmorency — 153

© Noordhoff Uitgevers

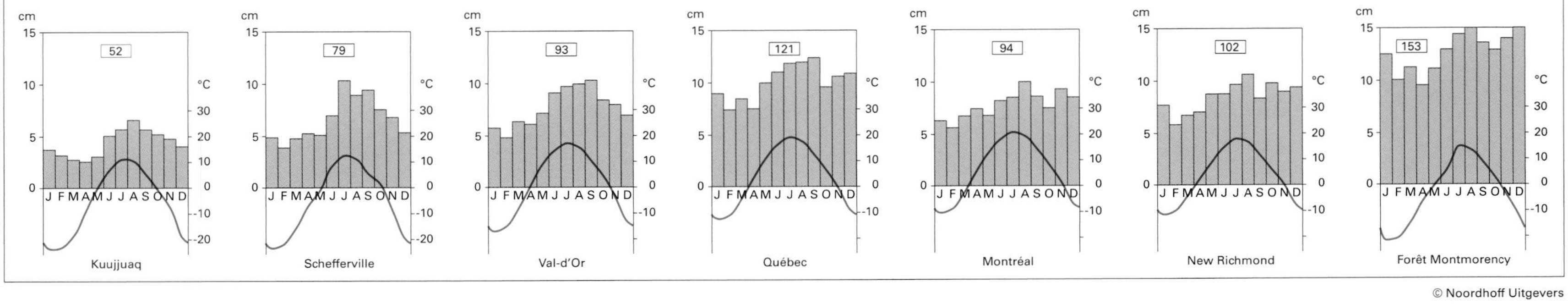

QUÉBEC MILIEU PHYSIQUE / ÉCONOMIE

A. TYPES DE SOL
1 : 18 000 000

- Sols gleysoliques
- Sols luvisoliques
- Sols organiques
- Podzols
- Affleurements rocheux
- Sols brunisoliques

B. VÉGÉTATION
1 : 18 000 000

Zone tempérée nordique
Forêt décidue
- Érablière à caryer cordiforme
- Érablière à tilleul
- Érablière à bouleau jaune
Forêt mélangée
- Sapinière à bouleau jaune

Zone boréale
Forêt boréale continue
- Sapinière à bouleau blanc
- Pessière à mousses et sapinière à épinette noire
Taïga
- Pessière à lichens
Toundra forestière
- Toundra forestière

Zone arctique
Bas-arctique
- Toundra arctique arbustive
- Toundra arctique herbacée

Source: Atlas du Canada

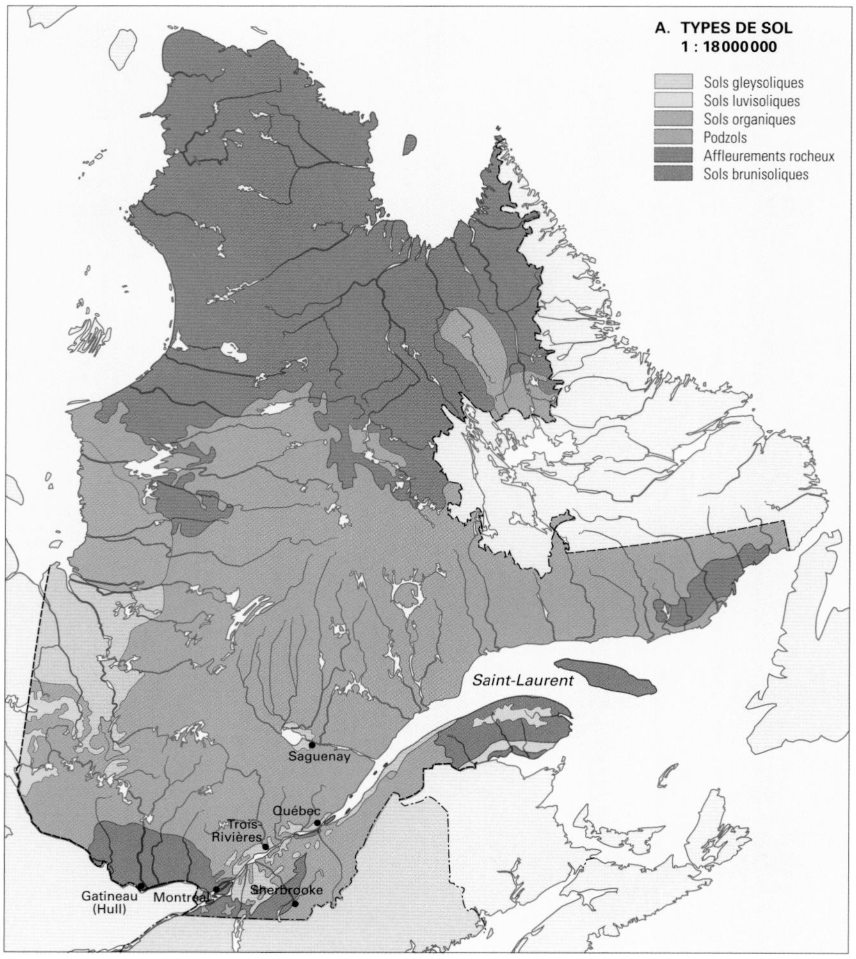

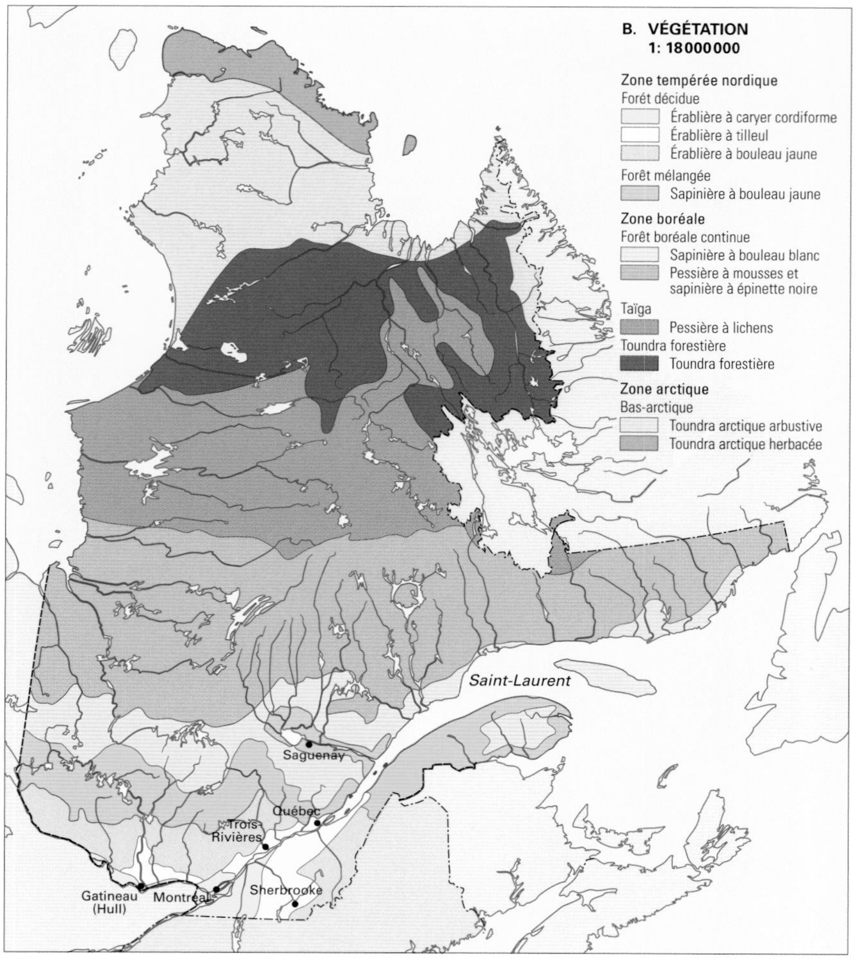

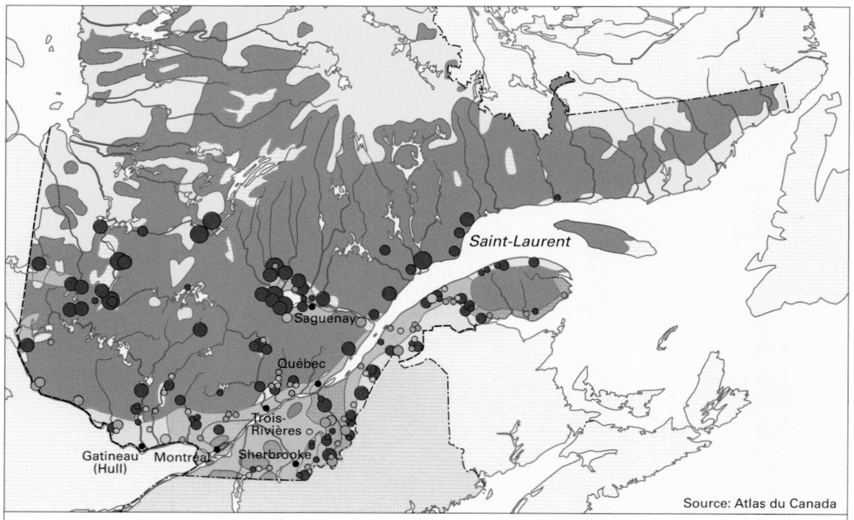

C. UTILISATION DU SOL
1 : 18 000 000

- Élevage intensif
- Élevage extensif
- Produits forestiers et élevage
- Polyculture
- Élevage et polyculture
- Cultures maraîch. et fruit.
- Improductif
- Forêt commerciale
- Activités de subsistance

Production de bois d'oeuvre, en milliers de m³
- 300 - 1031
- 100 - 300
- 30 - 100
- 10 - 30
Bois mixte
Bois de résinaux
Bois de feuillus

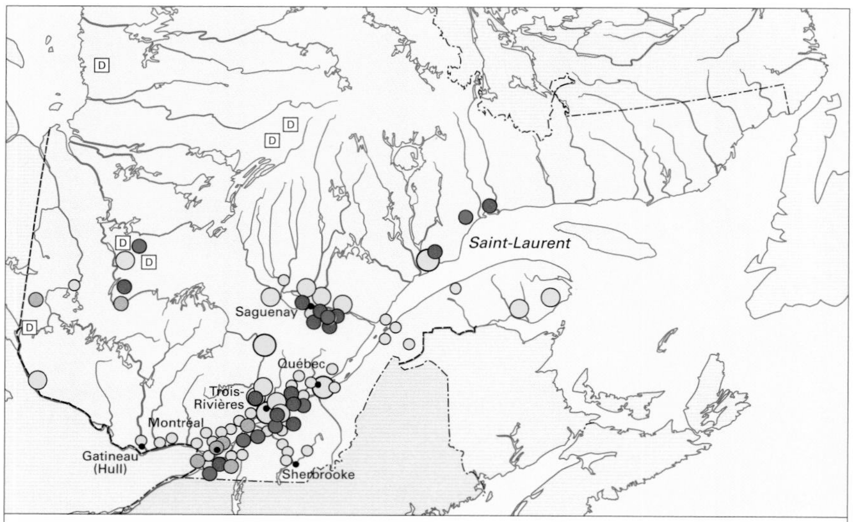

D. SIDÉRURGIE, ALUMINERIE, MÉTALLURGIE ET PAPIER
1 : 18 000 000

- Sidérurgie
- Aluminerie
- Métallurgie des métaux non ferreux
- D Champ de kimberlite

Industrie du papier
(en tonnes par jour)
- 0 - 500
- 500 - 1000
- 1000 - 2500

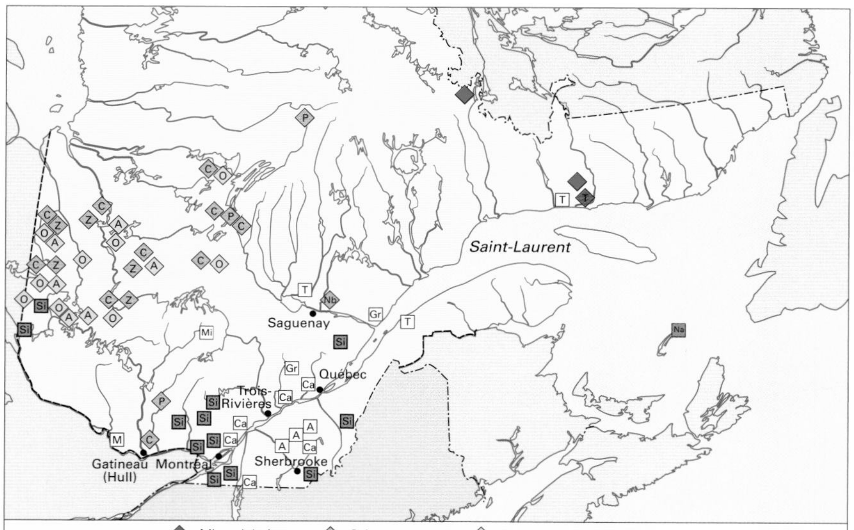

E. MINES
1 : 18 000 000

- Minerai de fer
- N Nickel
- Nb Niobium
- Co Cobalt
- C Cuivre
- Z Zinc
- Ti Titane
- P Plomb
- O Or
- A Argent
- Na Sel
- Si Silice
- A Asbeste (Amiante)
- Gr Granite
- Ca Calcaire
- M Marbre dolomitique
- T Tourbe
- Mi Mica

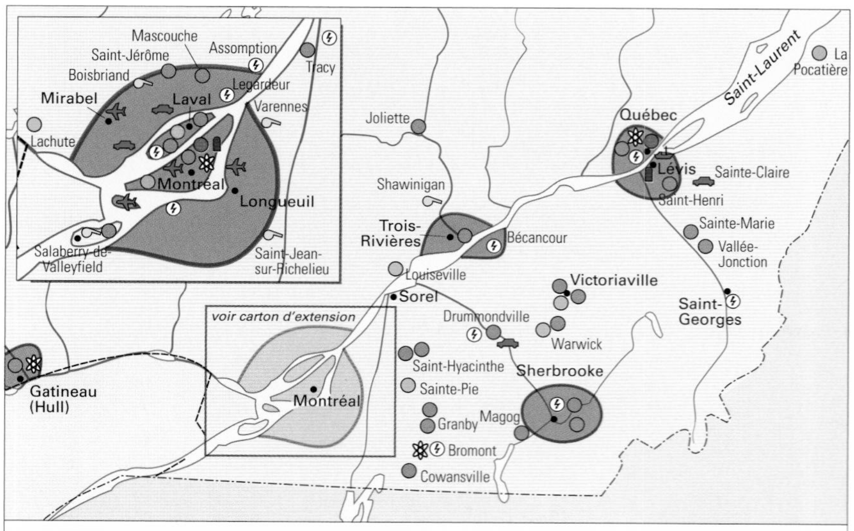

F. AUTRES INDUSTRIES
1 : 5 000 000

- Construction automobile
- Construction navale
- Construction aéronautique
- Raffinage pétrolier
- Région industrielle
- Construction ferroviaire
- Construction mécanique et électronique
- Haute technologie
- Industrie textile
- Industrie alimentaire
- Industrie chimique
- Industrie du bois (meuble)
- Industrie environnement

voir carton d'extension

© Noordhoff Uitgevers

QUÉBEC GESTION DES TERRITOIRES

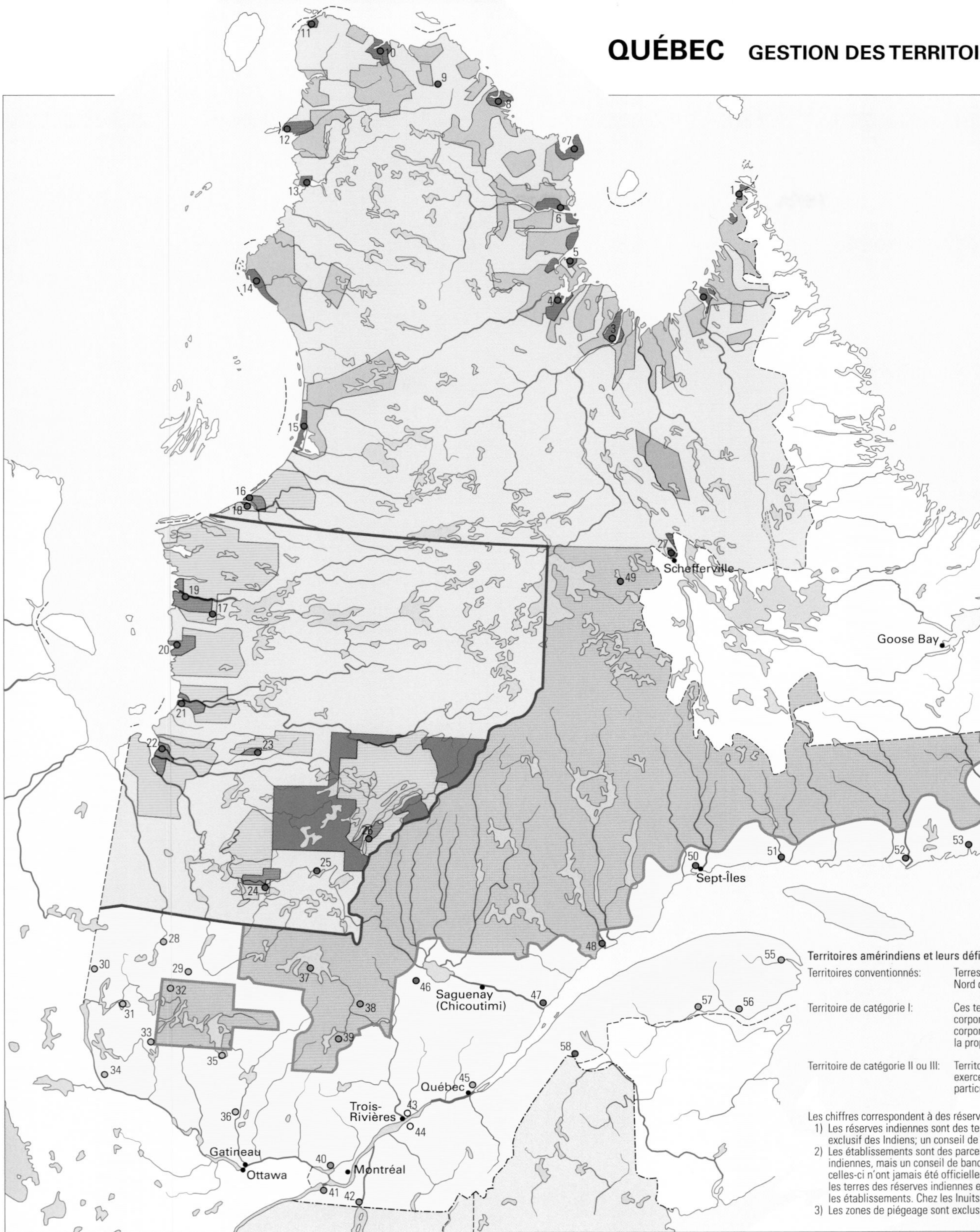

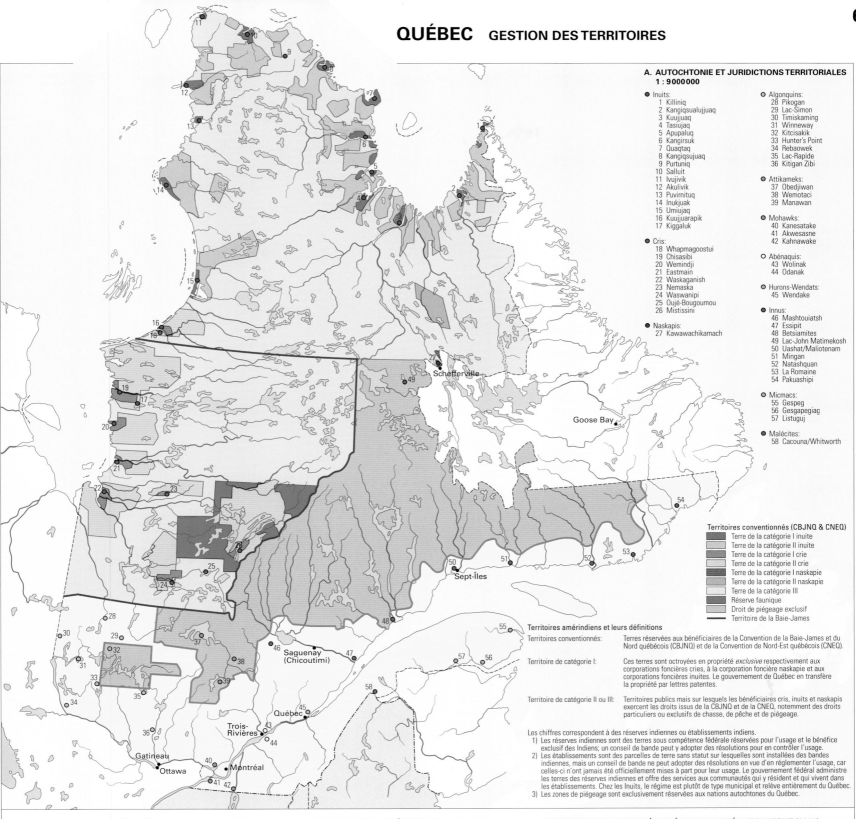

A. AUTOCHTONIE ET JURIDICTIONS TERRITORIALES
1 : 9 000 000

Inuits:
1 Killiniq
2 Kangiqsualujjuaq
3 Kuujjuaq
4 Tasiujaq
5 Apupaluq
6 Kangirsuk
7 Quaqtaq
8 Kangiqsujuaq
9 Purtuniq
10 Salluit
11 Ivujivik
12 Akulivik
13 Puvirnituq
14 Inukjuak
15 Umiujaq
16 Kuujjuarapik
17 Kiggaluk

Cris:
18 Whapmagoostui
19 Chisasibi
20 Wemindji
21 Eastmain
22 Waskaganish
23 Nemaska
24 Waswanipi
25 Oujé-Bougoumou
26 Mistissini

Naskapis:
27 Kawawachikamach

Algonquins:
28 Pikogan
29 Lac-Simon
30 Timiskaming
31 Winneway
32 Kitcisakik
33 Hunter's Point
34 Rebaowek
35 Lac-Rapide
36 Kitigan Zibi

Attikameks:
37 Obedjiwan
38 Wemotaci
39 Manawan

Mohawks:
40 Kanesatake
41 Akwesasne
42 Kahnawake

Abénaquis:
43 Wolinak
44 Odanak

Hurons-Wendats:
45 Wendake

Innus:
46 Mashtouiatsh
47 Essipit
48 Betsiamites
49 Lac-John Matimekosh
50 Uashat/Maliotenam
51 Mingan
52 Natashquan
53 La Romaine
54 Pakuashipi

Micmacs:
55 Gespeg
56 Gesgapegiag
57 Listuguj

Malécites:
58 Cacouna/Whitworth

Territoires conventionnés (CBJNQ & CNEQ)
- Terre de la catégorie I inuite
- Terre de la catégorie II inuite
- Terre de la catégorie I crie
- Terre de la catégorie II crie
- Terre de la catégorie I naskapie
- Terre de la catégorie II naskapie
- Terre de la catégorie III
- Réserve faunique
- Droit de piégeage exclusif
- Territoire de la Baie-James

Territoires amérindiens et leurs définitions

Territoires conventionnés:	Terres réservées aux bénéficiaires de la Convention de la Baie-James et du Nord québécois (CBJNQ) et de la Convention de Nord-Est québécois (CNEQ).
Territoire de catégorie I:	Ces terres sont octroyées en propriété *exclusive* respectivement aux corporations foncières cries, à la corporation foncière naskapie et aux corporations foncières inuites. Le gouvernement de Québec en transfère la propriété par lettres patentes.
Territoire de catégorie II ou III:	Territoires publics mais sur lesquels les bénéficiaires cris, inuits et naskapis exercent les droits issus de la CBJNQ et de la CNEQ, notemment des droits particuliers ou exclusifs de chasse, de pêche et de piégeage.

Les chiffres correspondent à des réserves indiennes ou établissements indiens.
1) Les réserves indiennes sont des terres sous compétence fédérale réservées pour l'usage et le bénéfice exclusif des Indiens; un conseil de bande peut y adopter des résolutions pour en contrôler l'usage.
2) Les établissements sont des parcelles de terre sans statut sur lesquelles sont installées des bandes indiennes, mais un conseil de bande ne peut adopter des résolutions en vue d'en réglementer l'usage, car celles-ci n'ont jamais été officiellement mises à part pour leur usage. Le gouvernement fédéral administre les terres des réserves indiennes et offre des services aux communautés qui y résident et qui vivent dans les établissements. Chez les Inuits, le régime est plutôt de type municipal et relève entièrement du Québec.
3) Les zones de piégeage sont exclusivement réservées aux nations autochtones du Québec.

B. SUPERFICIE DES TERRES RÉSERVÉES AUX AUTOCHTONES

Nations	Superficie (km²)
Total	14 786,5
Non conventionnées	746,4
Abénaquis	6,8
Algonquins	208,0
Attikameks	49,8
Hurons-Wendats	1,1
Innus (Montagnais)	295,1
Malécites	1,7
Micmacs	41,4
Mohawks	142,5
Conventionnées	14 040,1
Cris	5 551,7
Inuits	8 162,1
Naskapis	326,3

C. POPULATIONS AUTOCHTONES AU QUÉBEC (2005)

	Nombre de communautés	Nombre total de résidents
Total	58	82 834
Populations amérindiennes	41	72 770
Abénaquis	2	2 048
Algonquins	9	9 111
Attikameks	3	5 868
Cris	9	14 632
Hurons-Wendats	1	2 988
Innus (Montagnais)	9	15 385
Malécites	1	759
Micmacs	3	4 865
Mohawks	3	16 211
Naskapis	1	834
Indiens inscrits mais non associés à une nation		69
Population inuite	17	10 064
Inuits	17	10 064

D. POPULATIONS AYANT DÉCLARÉ UNE IDENTITÉ AUTOCHTONE (2006)
selon la langue maternelle, par province et territoires

	Canada	Québec
Population autochtone totale	1 172 790	108 425
Total des réponses uniques	1 155 795	106 685
Anglais	851 500	11 665
Français	96 745	55 560
Langues non-officielles:	207 555	39 460
- Langues autochtones	207 205	39 425
- Cri	77 970	13 225
- Ojibway	24 025	25
- Montagnais-Naskapi	10 535	8 935
- Micmac	7 310	565
- Atikamekw	5 135	5 130
- Inuktitut	31 925	9 535
- Autres langues autochtones	50 660	2 010
Total des réponses multiples	22 040	2 680
Anglais et langue autochtone	10 915	340
Français et langue autochtone	815	405
Anglais, Français et langues autochtones	215	60

E. AUTOCHTONES ET STATUT PERSONNEL (2001)
Population de 15 ans et plus, selon l'état matrimonial légal, en pourcentage de la population totale

Québec (5 832 350)
- 5,9%
- 40,8%
- 10,1%
- 40,8%

Population ayant une identité autochtone (55 890)
- 4,6%
- 8,3%
- 51,5%
- 32,9%

Légende:
- Célibataire (jamais marié)
- Légalement marié (non séparé)
- Divorcé
- Veuf
- Données non complétées

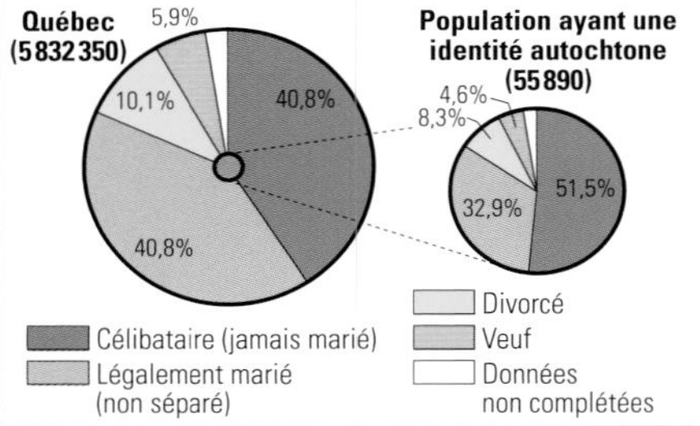

F. AUTOCHTONES ET ÉDUCATION AU QUÉBEC (2006)
Population totale de 15 ans et plus, selon le niveau scolaire atteint

Total de la population n'ayant pas une origine autochtone — 6 143 965
Total de la population ayant une origine autochtone unique — 40 525

Légende:
- Niveau inférieur au certificat d'études secondaires
- Certificat d'études secondaires seulement
- Diplôme collégial
- Grade universitaire complète

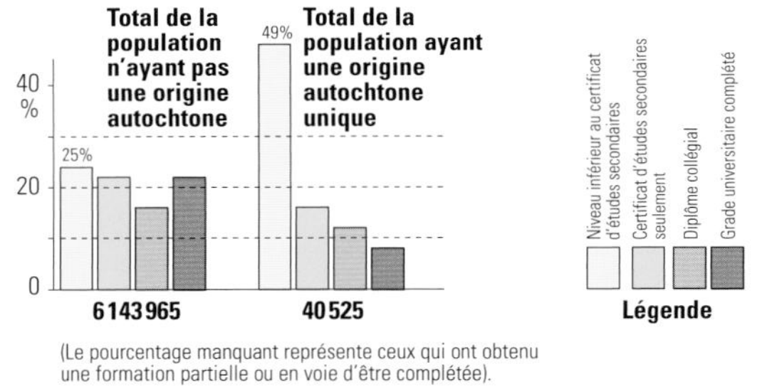

(Le pourcentage manquant représente ceux qui ont obtenu une formation partielle ou en voie d'être complétée).

G. AUTOCHTONES ET EMPLOI AU QUÉBEC (2006)
Population totale de 15 ans et plus, selon le secteur d'activité

Population ayant une origine autochtone (80 910)
- 45,2% | 15,6% | 39,2%

Population n'ayant pas une origine autochtone (6 103 575)
- 58,1% | 6,9% | 35,0%

Légende:
- Personnes occupées
- Chômeurs
- Population active
- Population inactive

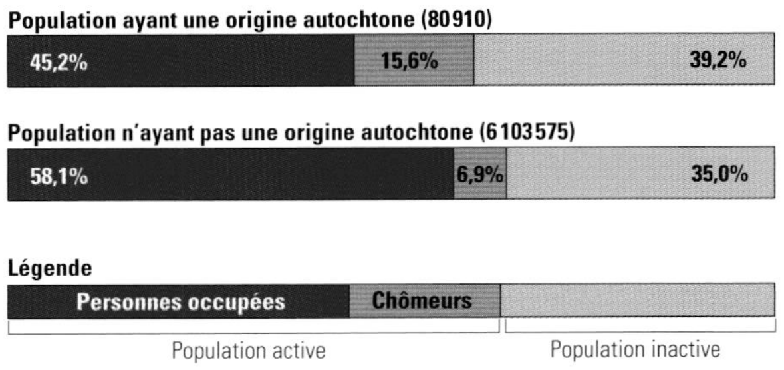

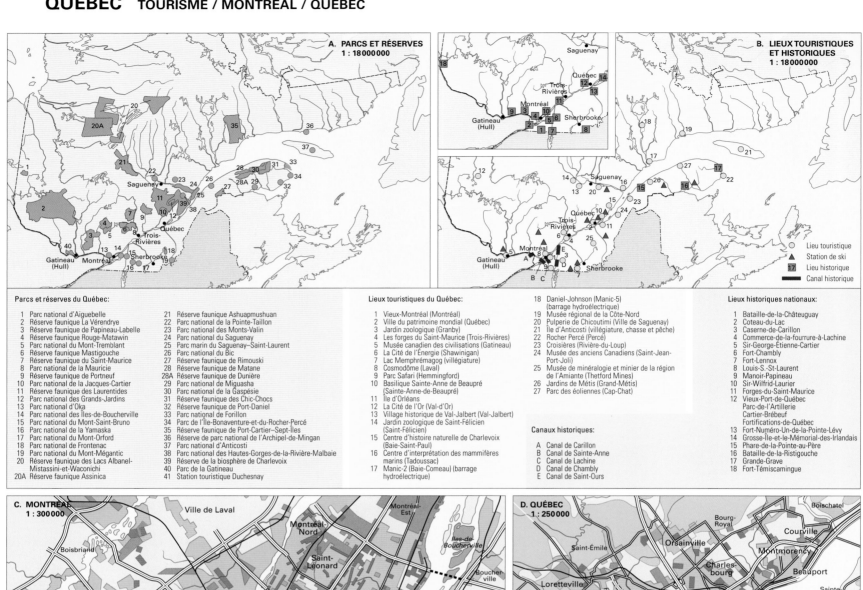

A. PARCS ET RÉSERVES 1 : 18 000 000

B. LIEUX TOURISTIQUES ET HISTORIQUES 1 : 18 000 000

Lieu touristique ○
Station de ski ▲
Lieu historique 17

Canal historique ▬

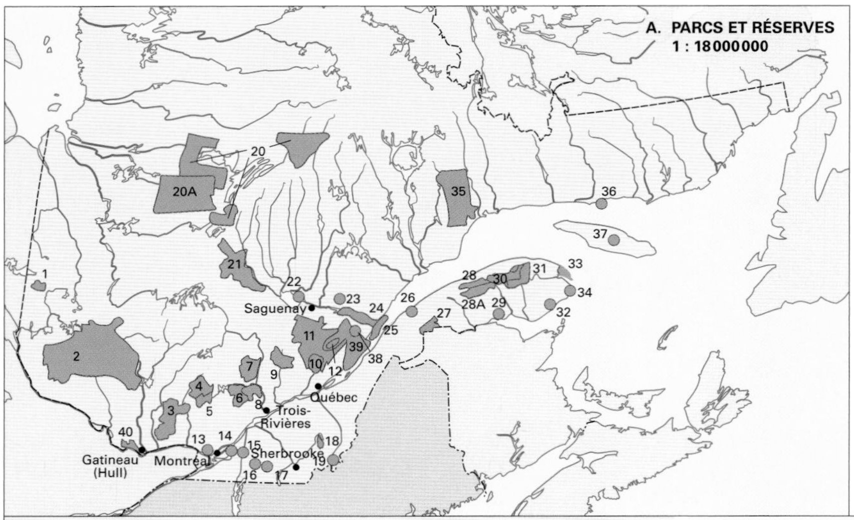

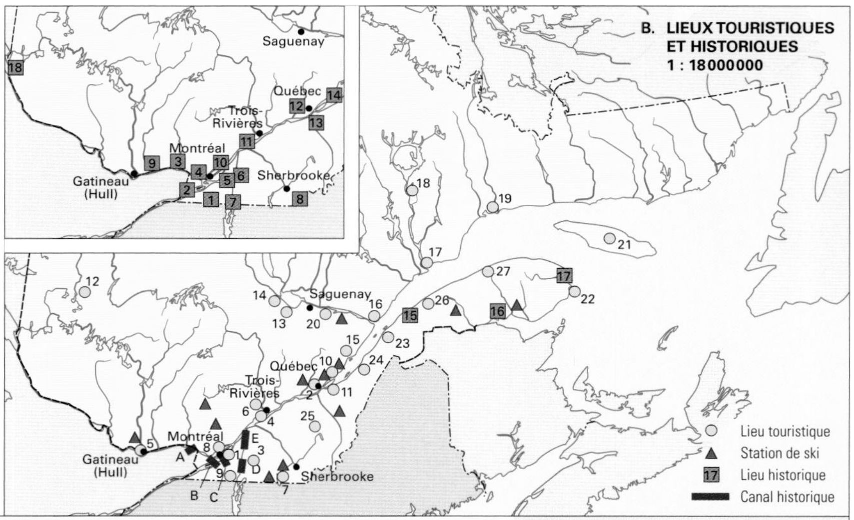

Parcs et réserves du Québec:

1 Parc national d'Aiguebelle
2 Réserve faunique La Vérendrye
3 Réserve faunique de Papineau-Labelle
4 Réserve faunique Rouge-Matawin
5 Parc national du Mont-Tremblant
6 Réserve faunique Mastigouche
7 Réserve faunique du Saint-Maurice
8 Parc national de la Mauricie
9 Réserve faunique de Portneuf
10 Parc national de la Jacques-Cartier
11 Parc national des Laurentides
12 Parc national des Grands-Jardins
13 Parc national d'Oka
14 Parc national des Îles-de-Boucherville
15 Parc national du Mont-Saint-Bruno
16 Parc national de la Yamaska
17 Parc national du Mont-Orford
18 Parc national de Frontenac
19 Parc national du Mont-Mégantic
20 Réserve faunique des Lacs Albanel-Mistassini-et-Waconichi
20A Réserve faunique Assinica

21 Réserve faunique Ashuapmushuan
22 Parc national de la Pointe-Taillon
23 Parc national des Monts-Valin
24 Parc national du Saguenay
25 Parc marin du Saguenay–Saint-Laurent
26 Parc national du Bic
27 Réserve faunique de Rimouski
28 Réserve faunique de Matane
28A Réserve faunique de Dunière
29 Parc national de Miguasha
30 Parc national de la Gaspésie
31 Réserve faunique des Chic-Chocs
32 Parc national de Port-Daniel
33 Parc national de Forillon
34 Parc de l'Île-Bonaventure-et-du-Rocher-Percé
35 Réserve faunique de Port-Cartier–Sept-Îles
36 Réserve de parc national de l'Archipel-de-Mingan
37 Parc national d'Anticosti
38 Parc national des Hautes-Gorges-de-la-Rivière-Malbaie
39 Réserve de la biosphère de Charlevoix
40 Parc de la Gatineau
41 Station touristique Duchesnay

Lieux touristiques du Québec:

1 Vieux-Montréal (Montréal)
2 Ville du patrimoine mondial (Québec)
3 Jardin zoologique (Granby)
4 Les forges du Saint-Maurice (Trois-Rivières)
5 Musée canadien des civilisations (Gatineau)
6 La Cité de l'Énergie (Shawinigan)
7 La Cité de l'Or (Val-d'Or)
8 Cosmodôme (Laval)
9 Basilique Sainte-Anne de Beaupré (Sainte-Anne-de-Beaupré)
10 Basilique Sainte-Anne de Beaupré (Sainte-Anne-de-Beaupré)
11 Île d'Orléans
12 La Cité de l'Or (Val-d'Or)
13 Village historique de Val-Jalbert (Val-Jalbert)
14 Jardin zoologique de Saint-Félicien (Saint-Félicien)
15 Centre d'histoire naturelle de Charlevoix (Baie-Saint-Paul)
16 Centre d'interprétation des mammifères marins (Tadoussac)
17 Manic-2 (Baie-Comeau) (barrage hydroélectrique)

18 Daniel-Johnson (Manic-5) (barrage hydroélectrique)
19 Musée régional de la Côte-Nord
20 Pulperie de Chicoutimi (Ville de Saguenay)
21 Île d'Anticosti (villégiature, chasse et pêche)
22 Rocher Percé (Percé)
23 Croisières (Rivière-du-Loup)
24 Musée des anciens Canadiens (Saint-Jean-Port-Joli)
25 Musée de minéralogie et minier de la région de l'Amiante (Thetford Mines)
26 Jardins de Métis (Grand-Métis)
27 Parc des éoliennes (Cap-Chat)

Canaux historiques:

A Canal de Carillon
B Canal de Sainte-Anne
C Canal de Lachine
D Canal de Chambly
E Canal de Saint-Ours

Lieux historiques nationaux:

1 Bataille-de-la-Châteauguay
2 Coteau-du-Lac
3 Caserne-de-Carillon
4 Commerce-de-la-fourrure-à-Lachine
5 Sir-George-Étienne-Cartier
6 Fort-Chambly
7 Fort-Lennox
8 Louis-S.-St-Laurent
9 Manoir-Papineau
10 Sir-Wilfrid-Laurier
11 Forges-du-Saint-Maurice
12 Vieux-Port-de-Québec
   Parc-de-l'Artillerie
   Cartier-Brébeuf
   Fortifications-de-Québec
13 Fort-Numéro-Un-de-la-Pointe-Lévy
14 Grosse-Île-et-le-Mémorial-des-Irlandais
15 Phare-de-la-Pointe-au-Père
16 Bataille-de-la-Ristigouche
17 Grande-Grave
18 Fort-Témiscamingue

C. MONTRÉAL 1 : 300 000

D. QUÉBEC 1 : 250 000

E. VIEUX-MONTRÉAL 1 : 15 000

F. VIEUX-QUÉBEC 1 : 20 000

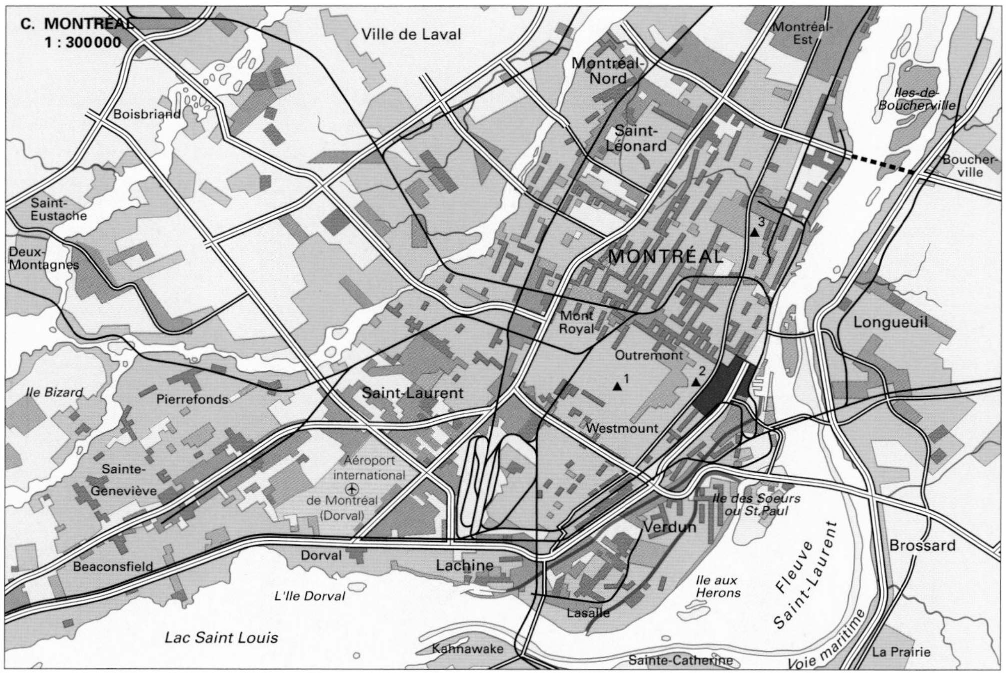

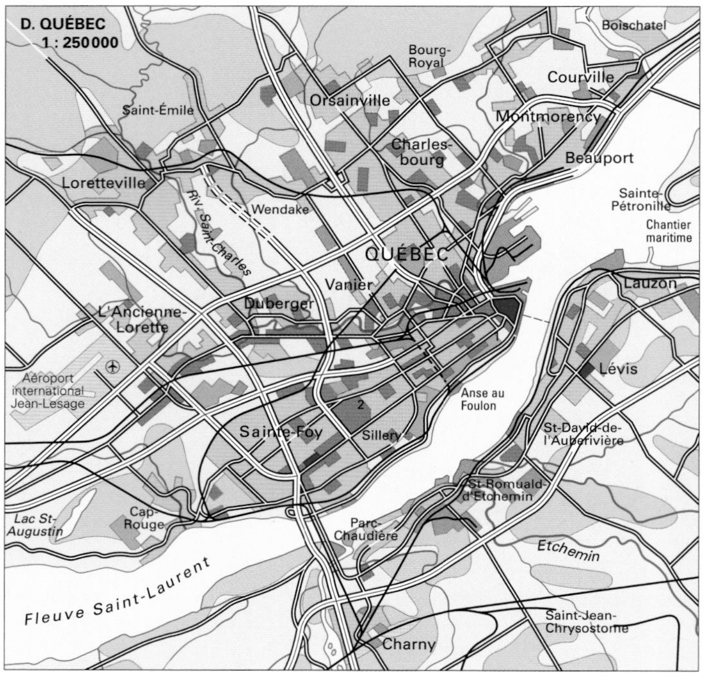

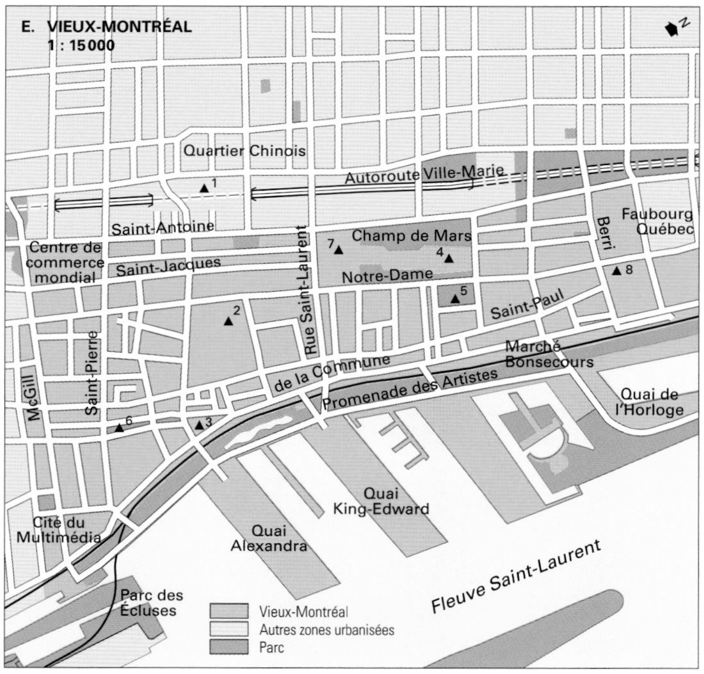

Légende pour C et D:

Centre des affaires
Zone résidentielle
Terrain institutionnel et commercial
Espace industriel
⊕ Aéroport
+ Aérodrome
Parc
Forêt
Zone non urbanisée
Chemin de fer
Route principale
Autoroute

▲ Bâtiment remarquable

Québec:
1 Citadelle
2 Université Laval

Montréal:
1 Université de Montréal
2 Université McGill
3 Stade Olympique

Légende pour E:

Vieux-Montréal
1 Palais des congrès de Montréal
2 Basilique Notre-Dame
3 Musée d'archéologie et d'histoire
4 Hôtel de ville
5 Musée Château-Ramesay
6 Centre d'histoire de Montréal
7 Palais de justice
8 École Nationale du Cirque

Vieux-Montréal
Autres zones urbanisées
Parc

Aires bâties
Terrains institutionnels
Parcs et conservation
Aires non bâties
Remparts avec porte

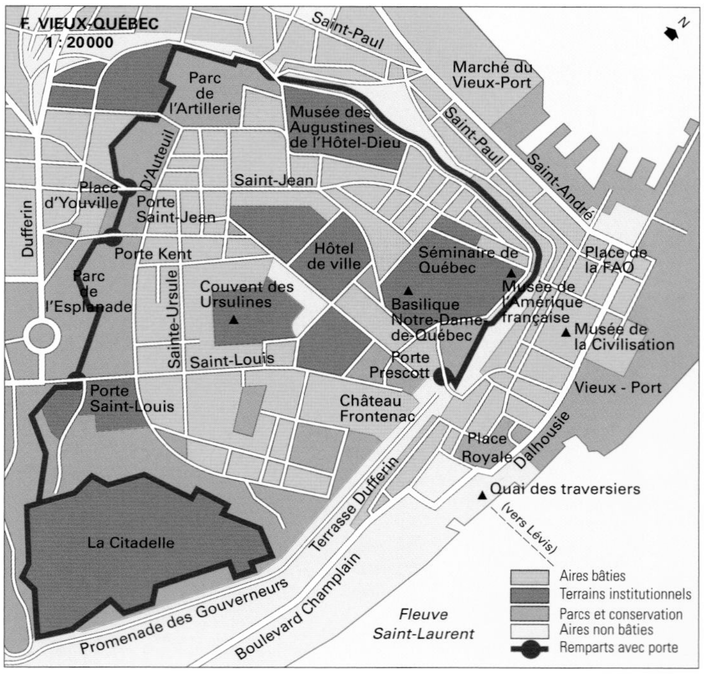

QUÉBEC POPULATION

A. DENSITÉ DE LA POPULATION
1 : 11 000 000

Habitants par km²
- moins de 1
- 1 - 4
- 4 - 10
- 10 - 100
- 100 - 1500
- 1500 - 3600

Agglomération ou ville de
- 1 - 5 M d'habitants
- 500 000 - 1 M d'habitants
- 100 000 - 500 000 habitants

Limite de région administrative
Frontière provinciale
Frontière internationale

Nord-du-Québec
Côte-Nord
Saguenay–Lac-Saint-Jean
Abitibi-Témiscamingue
Gaspésie–Îles-de-la-Madeleine
Bas-Saint-Laurent
Mauricie
Capitale-Nationale
Laurentides
Outaouais
Lanaudière
Centre-du-Québec
Chaudière-Appalaches
Laval
Montréal
Montérégie
Estrie
Ontario
ÉTATS-UNIS

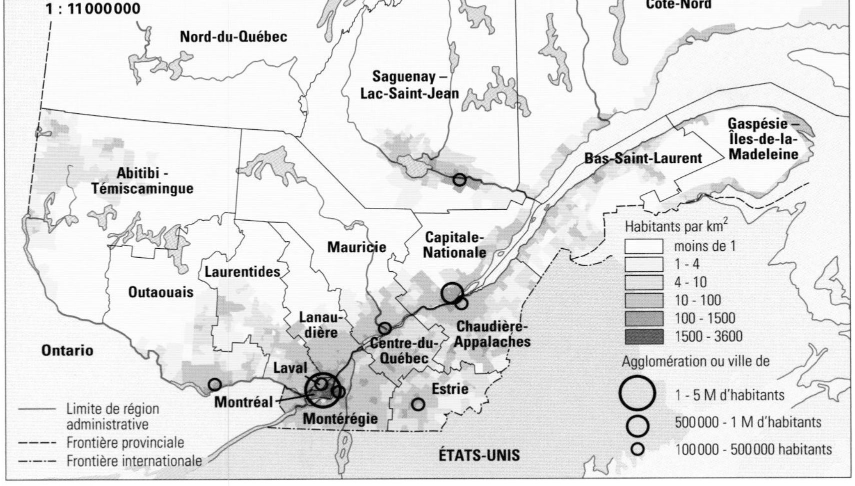

B. VARIATION DE LA POPULATION
1 : 11 000 000

Variation de la population en % (2001-2006)
- 20 ou plus
- 10 – 20
- 5 – 10
- 2,5 – 5
- -2,5 – 2,5
- -5 – -2,5
- -10 – -5
- -20 – -10
- moins de -20

Limite de région administrative
Frontière provinciale
Frontière internationale

Ontario
ÉTATS-UNIS

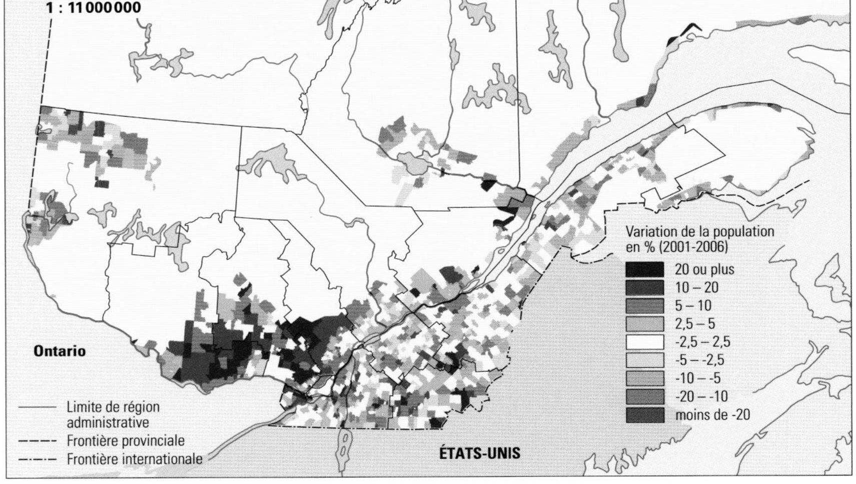

C. SUPERFICIE DES RÉGIONS ADMINISTRATIVES

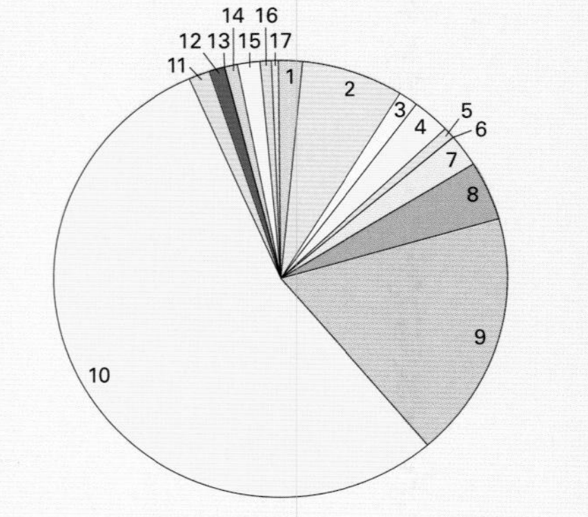

	Régions administratives	superficie en km²
1	Bas-Saint-Laurent	22 185
2	Saguenay–Lac-Saint-Jean	95 893
3	Capitale-Nationale	18 639
4	Mauricie	35 452
5	Estrie	10 196
6	Montréal	498
7	Outaouais	30 504
8	Abitibi-Témiscamingue	57 340
9	Côte-Nord	236 700
10	Nord-du-Québec	718 229
11	Gaspésie–Îles-de-la-Madeleine	20 272
12	Chaudières-Appalaches	15 071
13	Laval	246
14	Lanaudière	12 313
15	Laurentides	20 560
16	Montérégie	11 111
17	Centre-du-Québec	6 921

D. POPULATION PAR RÉGION ADMINISTRATIVE

Nombre d'habitants (2007)
Population urbaine (en pourcentage, 2001)

	% urbaine	habitants
1	52,4%	201 642
2	71,8%	273 434
3	87,7%	675 450
4	75,0%	261 149
5	63,9%	303 730
6	100%	1 871 846
7	74,2%	349 377
8	54,8%	145 192
9	68,8%	95 668
10	51,2%	40 913
11	27,8%	95 461
12	58,1%	399 563
13	100%	381 651
14	71,9%	445 188
15	69,4%	528 318
16	81,7%	1 403 360
17	58,7%	228 865

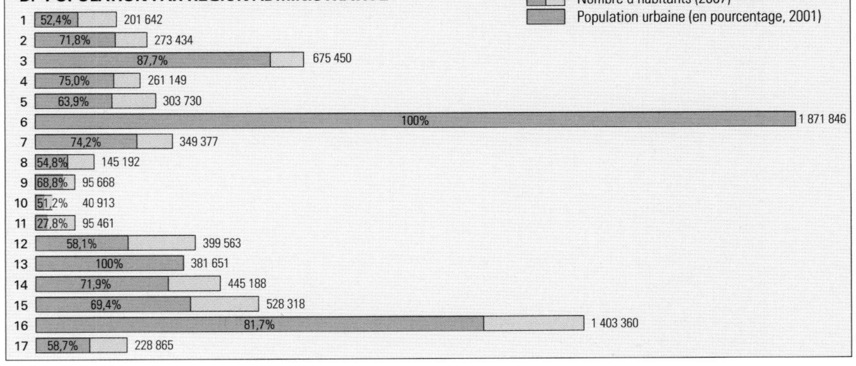

E. LA RÉORGANISATION MUNICIPALE: QUÉBEC - LÉVIS
1 : 745 000

Nouvelle ville de Québec
Arrondissements
- La Cité
- des Rivières
- Sainte-Foy-Sillery
- Charlesbourg
- Beauport
- Limoilou
- La-Haute-Saint-Charles
- Laurentien
- Municipalités reconstituées en janvier 2006

Lac-Saint-Charles
Charlesbourg
Beauport
Québec
Saint-Émile
Wendake
Lorette-ville
Val-Bélair
Québec
Vanier
L'Ancienne-Lorette
Notre-Dame-des-Anges
Saint-Joseph-de-la-Pointe-de-Lévy
Sainte-Foy
Sillery
Lévis
Saint-Augustin-de-Desmaures
Cap-Rouge
Saint-Romuald
Pintendre
Charny
Saint-Jean-Chrysostome
Saint-Rédempteur
Saint-Nicolas
Sainte-Hélène-de-Breakeyville
Saint-Étienne-de-Lauzon

Saint-Laurent

Nouvelle ville de Lévis
Arrondissements
- Desjardins
- Chutes-de-la-Chaudière-Est
- Chutes-de-la-Chaudière-Ouest

Nouvelle ville de Montréal
Arrondissements
- Dorval/L'Île-Dorval
- Mont-Royal
- Kirkland
- Westmount
- Outremont
- L'Île-Bizard/Sainte-Geneviève/Sainte-Anne-de-Bellevue
- Beaconsfield/Baie-d'Urfé
- Pointe-Claire
- Anjou
- Côte-Saint-Luc/Hampstead/Montréal-Ouest
- Dollard-des-Ormeaux/Roxboro
- Pierrefonds/Senneville
- Saint-Léonard
- Saint-Laurent
- Montréal-Nord
- LaSalle
- Rivière-des-Prairies/Pointe-aux-Trembles/Montréal-Est
- Ville-Marie
- Sud-Ouest
- Plateau Mont-Royal
- Mercier/Hochelaga-Maisonneuve
- Ahuntsic/Cartierville
- Rosemont/Petite-Patrie
- Villeray/Saint-Michel/Parc-Extension
- Côte-des-Neiges/Notre-Dame-de-Grâce
- Lachine

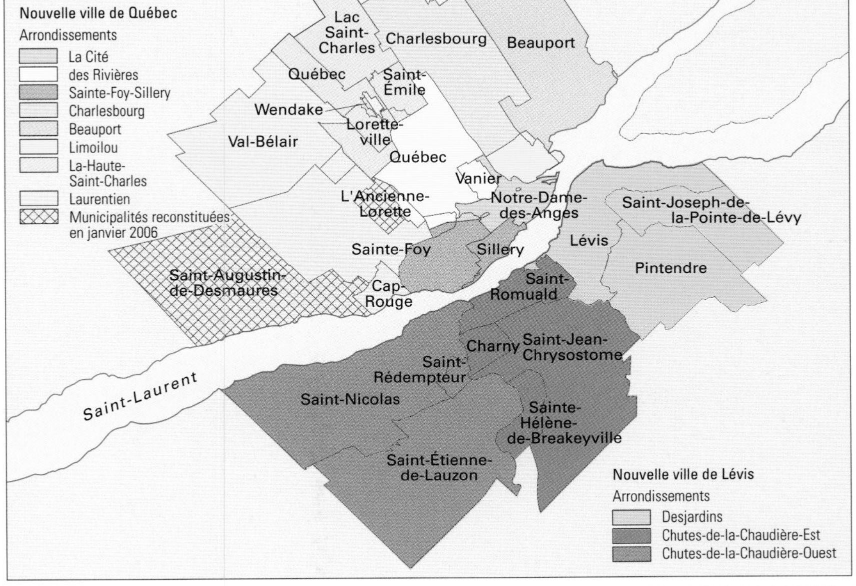

F. LA RÉORGANISATION MUNICIPALE: MONTRÉAL ET LONGUEUIL
1 : 600 000

Municipalités reconstituées en janvier 2006

Montréal
Montréal-Est
Anjou
Montréal-Nord
Saint-Léonard
Boucherville
Outremont
Mont-Royal
Longueuil
LeMoyne
Saint-Bruno-de-Montarville
Roxboro
L'Île-Bizard
Sainte-Geneviève
Dollard-des-Ormeaux
Saint-Laurent
Hampstead
Côte-Saint-Luc
Westmount
Saint-Lambert
Saint-Hubert
Pierrefonds
Pointe-Claire
Greenfield Park
Senneville
Kirkland
Dorval
Lachine
Montréal-Ouest
Verdun
Brossard
Beaconsfield
L'Île-Dorval
LaSalle
Baie-d'Urfé
Sainte-Anne-de-Bellevue

Nouvelle ville de Longueuil
Arrondissements
- Longueuil
- Saint-Lambert
- Greenfield Park, LeMoyne
- Boucherville
- Brossard
- Saint-Hubert
- Saint-Bruno-de-Montarville

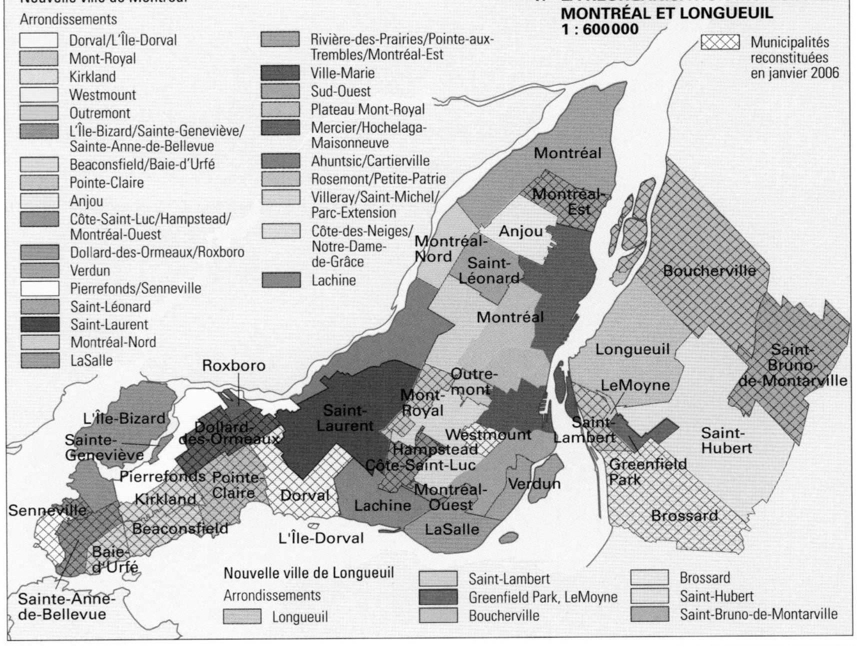

G. LA RÉORGANISATION MUNICIPALE: VILLE DE SAGUENAY
1 : 700 000

Saint-David-de-Falardeau
Saint-Ambroise
Saint-Charles-de-Bourget
Saint-Honoré
Shipshaw
Canton Tremblay
Saint-Fulgence
Larouche
Jonquière
Chicoutimi
Saguenay
Lac-Kénogami
La Baie
Saint-Félix-d'Otis
Laterrière
Lac-Ministuk
Ferland-et-Boilleau

Limite Nouvelle Ville de Saguenay
Limite municipale
Arrondissement de Chicoutimi
Arrondissement de Jonquière
Arrondissement de La Baie

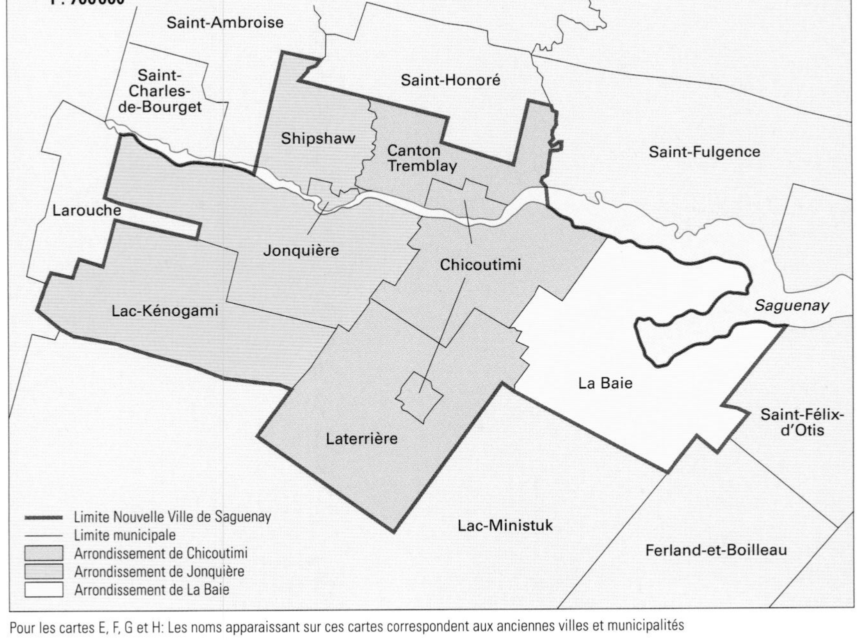

H. LA RÉORGANISATION MUNICIPALE: GATINEAU
1 : 865 000

L'Ange-Gardien
Val-des-Monts
Cantley
Buckingham
Masson-Angers
Chelsea
Gatineau
Ottawa
Pontiac
Outaouais
Hull
Aylmer
Outaouais
Ottawa

Nouvelle ville de Gatineau
Ottawa

I. NOUVELLES VILLES (2007)
km²

Nombre d'habitants
Superficie

x 1000 habitants

Montréal
Québec
Laval
Gatineau
Longueuil
Sherbrooke
Saguenay
Lévis
Trois-Rivières
Terrebonne

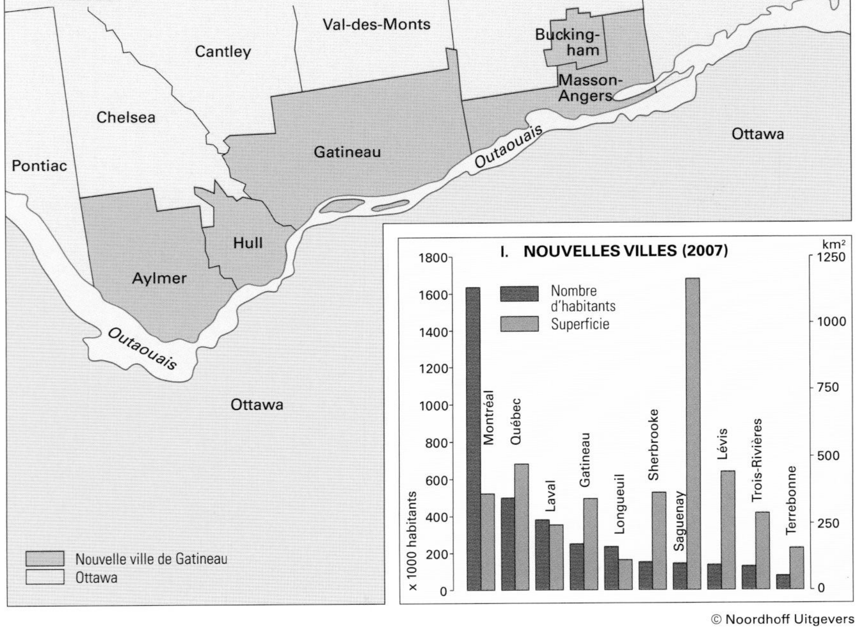

Pour les cartes E, F, G et H: Les noms apparaissent sur ces cartes correspondent aux anciennes villes et municipalités

© Noordhoff Uitgevers

PHOTOGRAPHIES AÉRIENNES

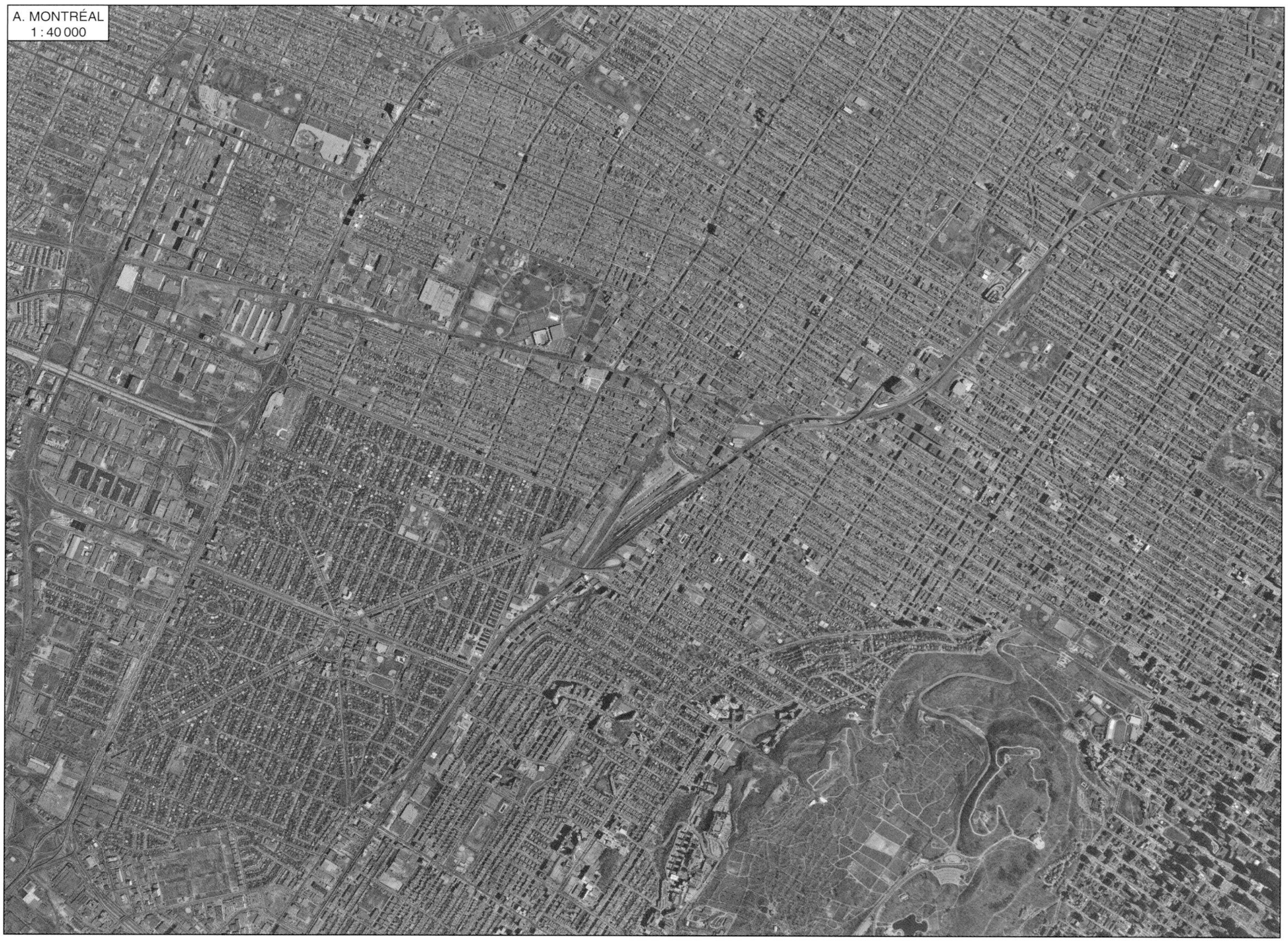

A. MONTRÉAL
1 : 40 000

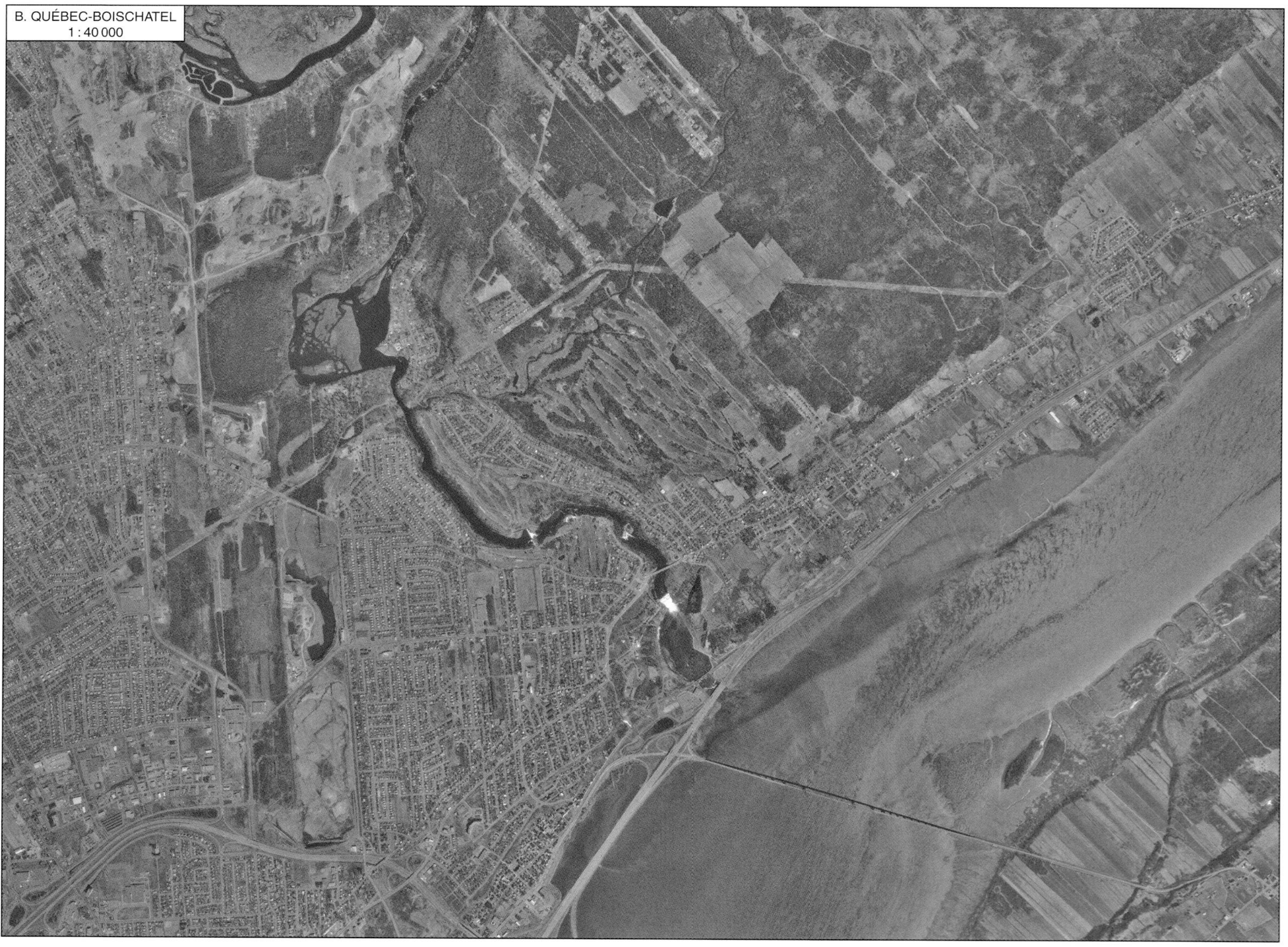

B. QUÉBEC-BOISCHATEL
1 : 40 000

Source : Gouvernement du Québec. Ministère des Ressources naturelles. Photocartothèque québécoise.

CARTES TOPOGRAPHIQUES

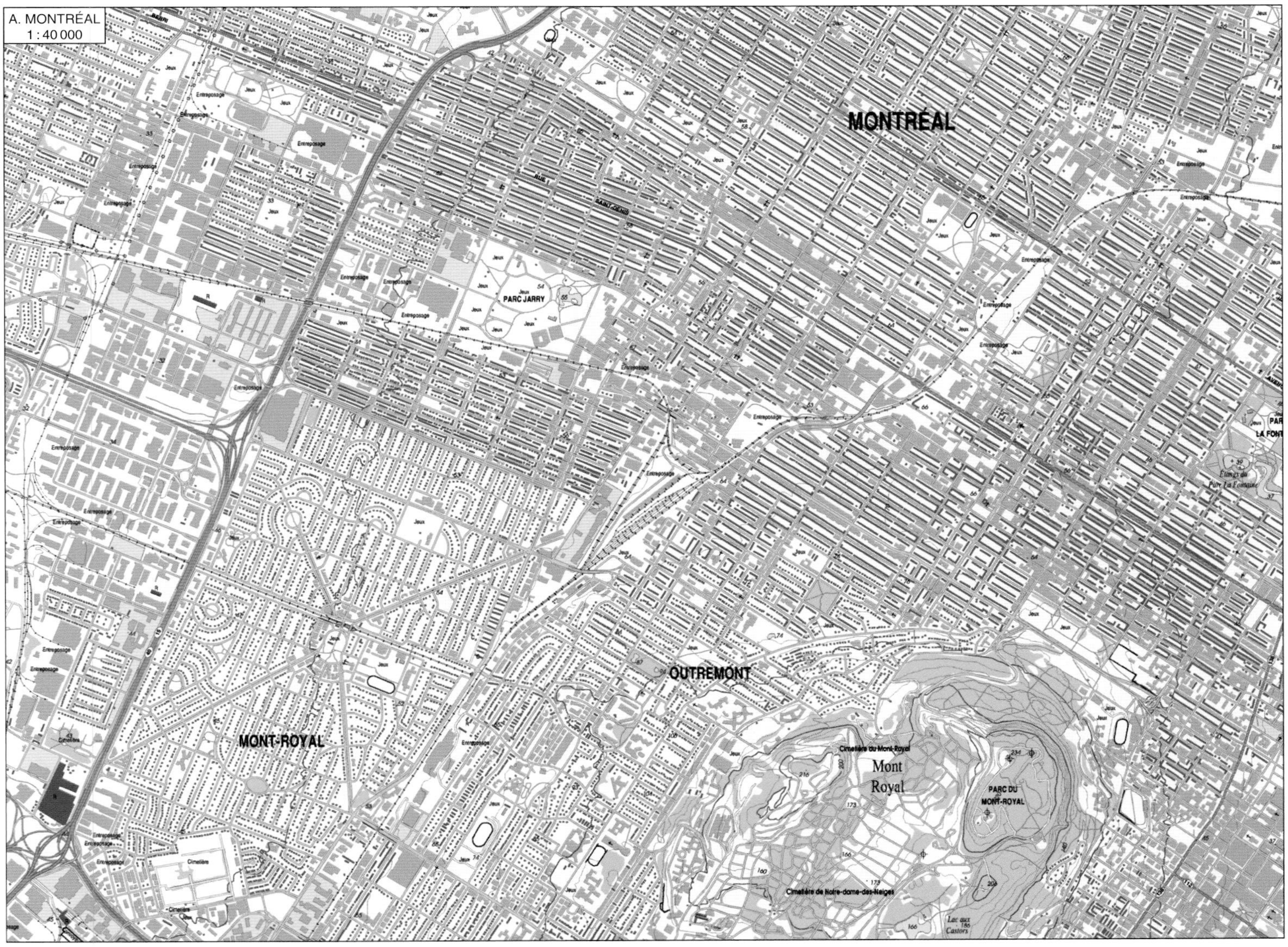

A. MONTRÉAL
1 : 40 000

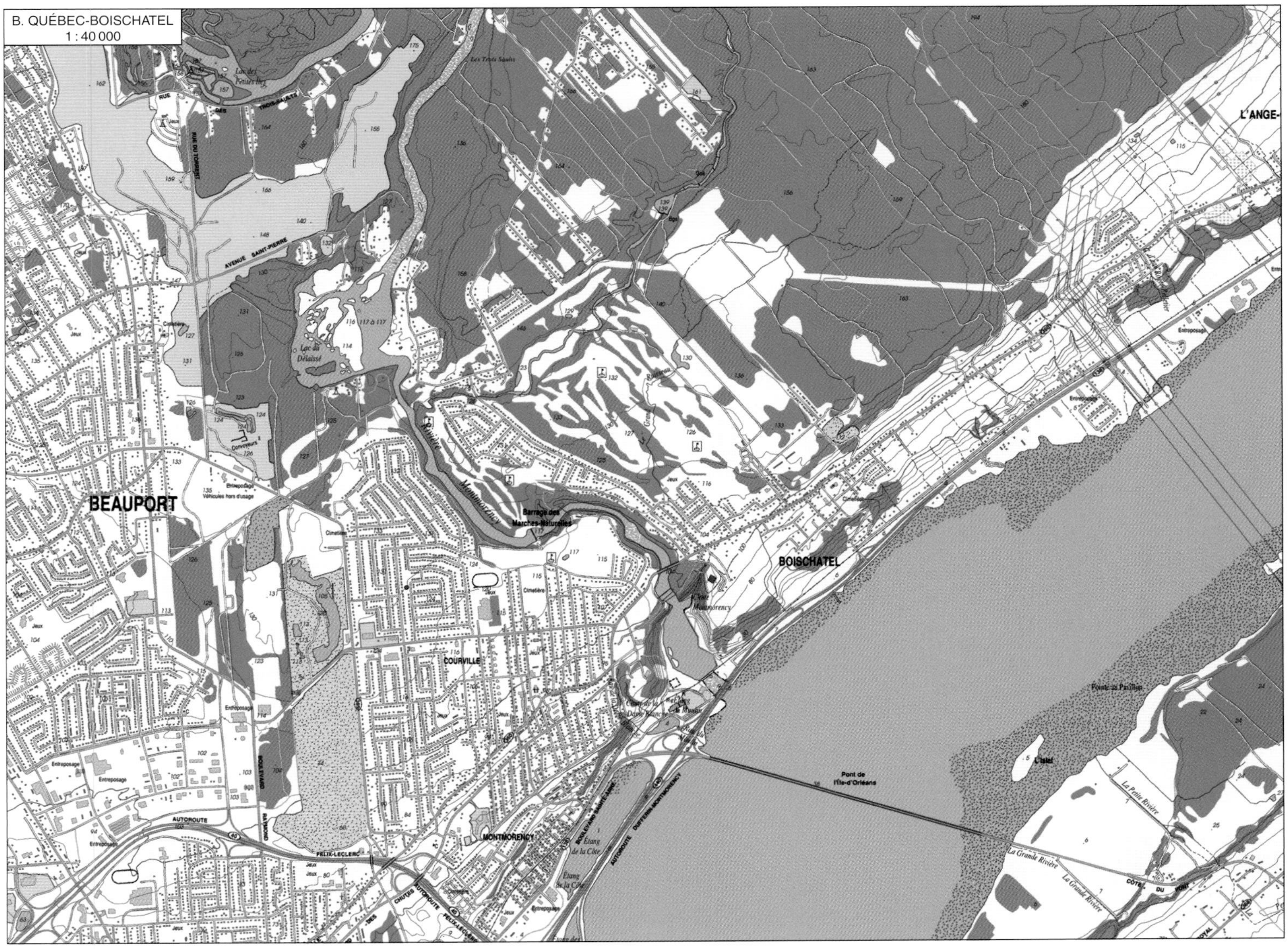

B. QUÉBEC-BOISCHATEL
1 : 40 000

Source : Gouvernement du Québec. Ministère des Ressources naturelles. Photocartothèque québécoise.

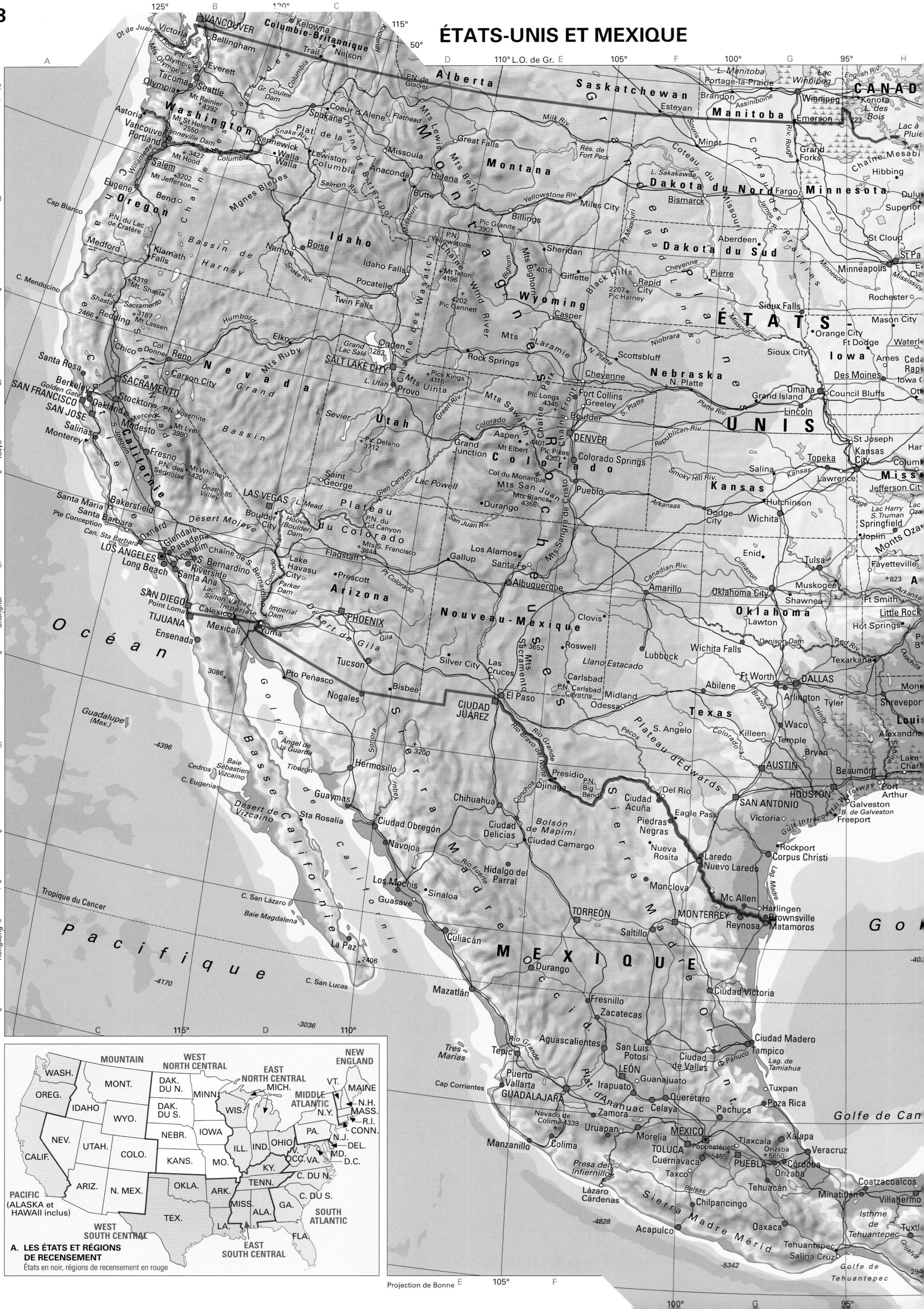

-8000 -6000 -4000 -2000 -200 0 100 200 500 1000 2000 3000 5000 m

au-dessous du niveau de la mer

Échelle 1 : 12500000

0 100 200 300 400 500 km

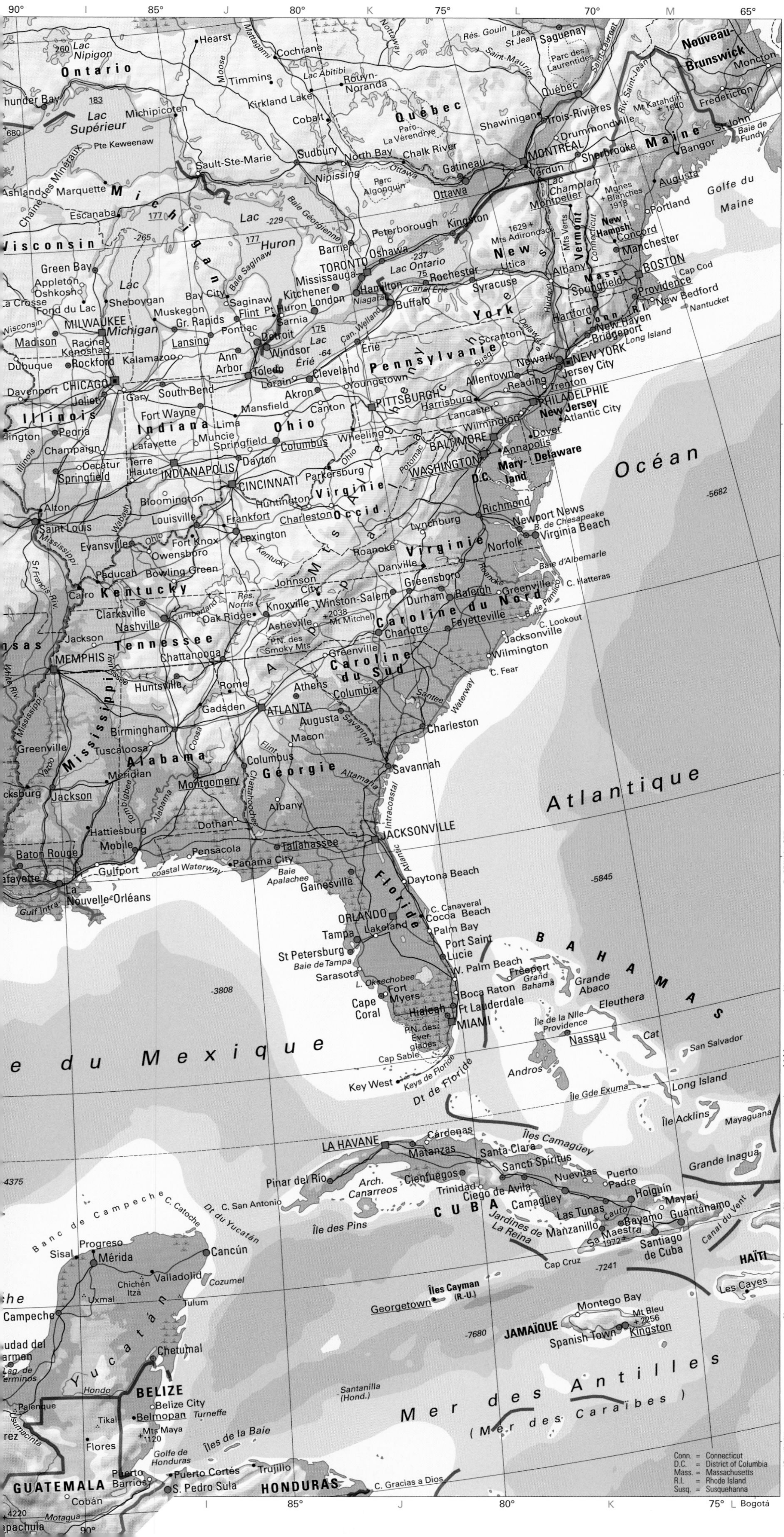

B. RÉGIONS ÉCONOMIQUES
1 : 70000000

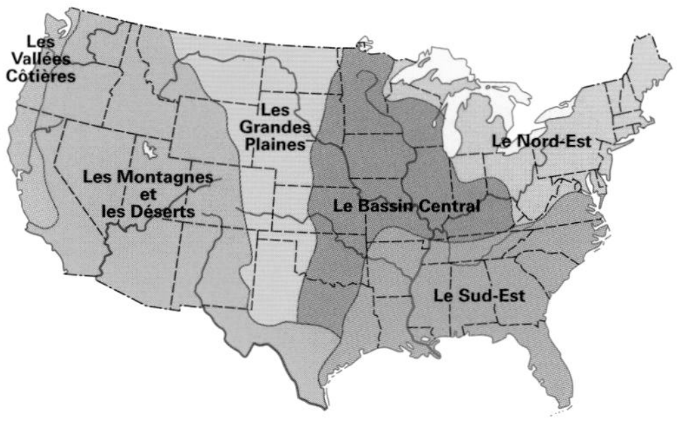

C. EXPANSION DU TERRITOIRE
1 : 70000000

C1. 1783 Traité de Versailles

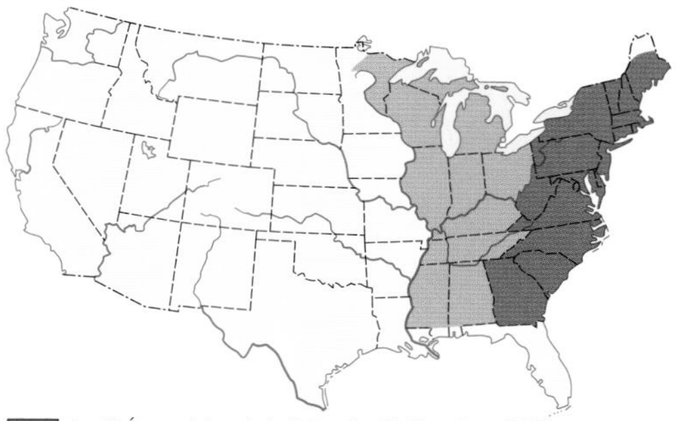

- Les 13 États unis lors de la déclaration d'Indépendance (1776)
- Cédé par la Grande Bretagne lors du traité de Versailles (1783)
- Limites des États aujourd'hui

C2. 1803

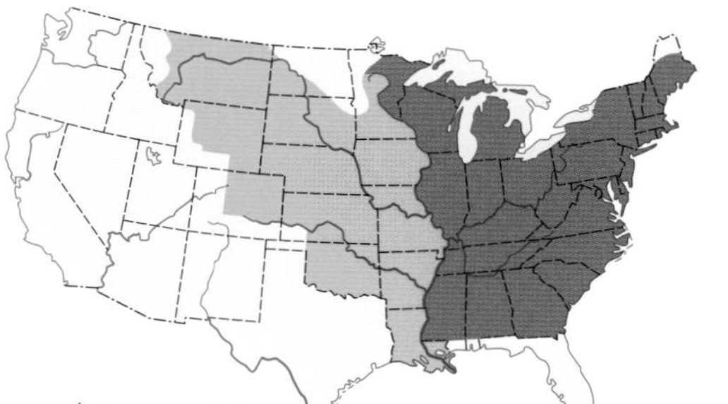

- États-Unis avant 1803
- Achat à la France (1803)
- Limites des États aujourd'hui

C3. 1818-1846

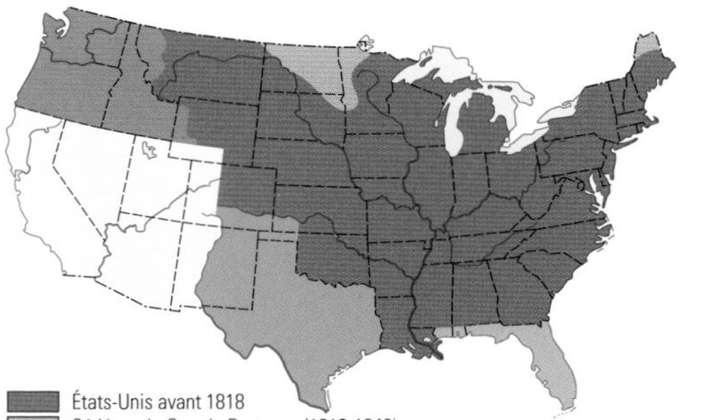

- États-Unis avant 1818
- Cédé par la Grande Bretagne (1818-1842)
- Achat de la Floride à l'Espagne (1819)
- Cession du Texas par le Mexique (1845)
- Cession du Territoire d'Oregon par la Grande Bretagne (1846)
- Limites des États aujourd'hui

C4. 1848-1853

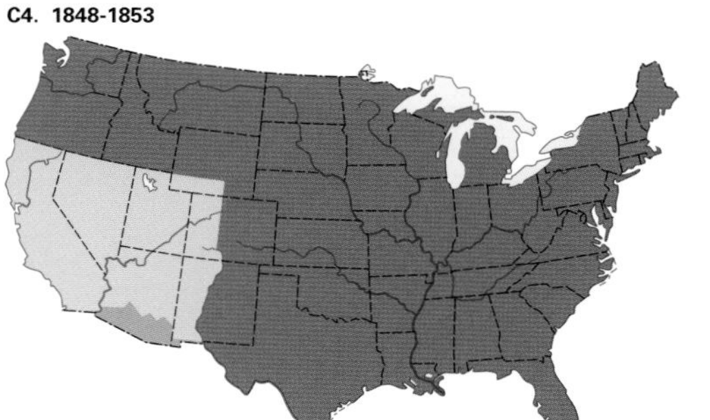

- États-Unis avant 1848
- Cédé par le Mexique (1848)
- Achat au Mexique (1853)
- Limites des États aujourd'hui

Expansion du territoire après 1853:

- 1867 Achat de l'Alaska à la Russie
- 1898 Cession de Porto Rico et Guam par l'Espagne ; annexion d'Hawaii
- 1898-1946 Philippines
- 1900 Samoa Américaine
- 1903-1979 Zone du Canal de Panamá
- 1917 Achat des Îles Vierges au Danemark
- 1947 Mandat des Îles du Pacifique (au nom des Nations-Unies)

ÉTATS-UNIS

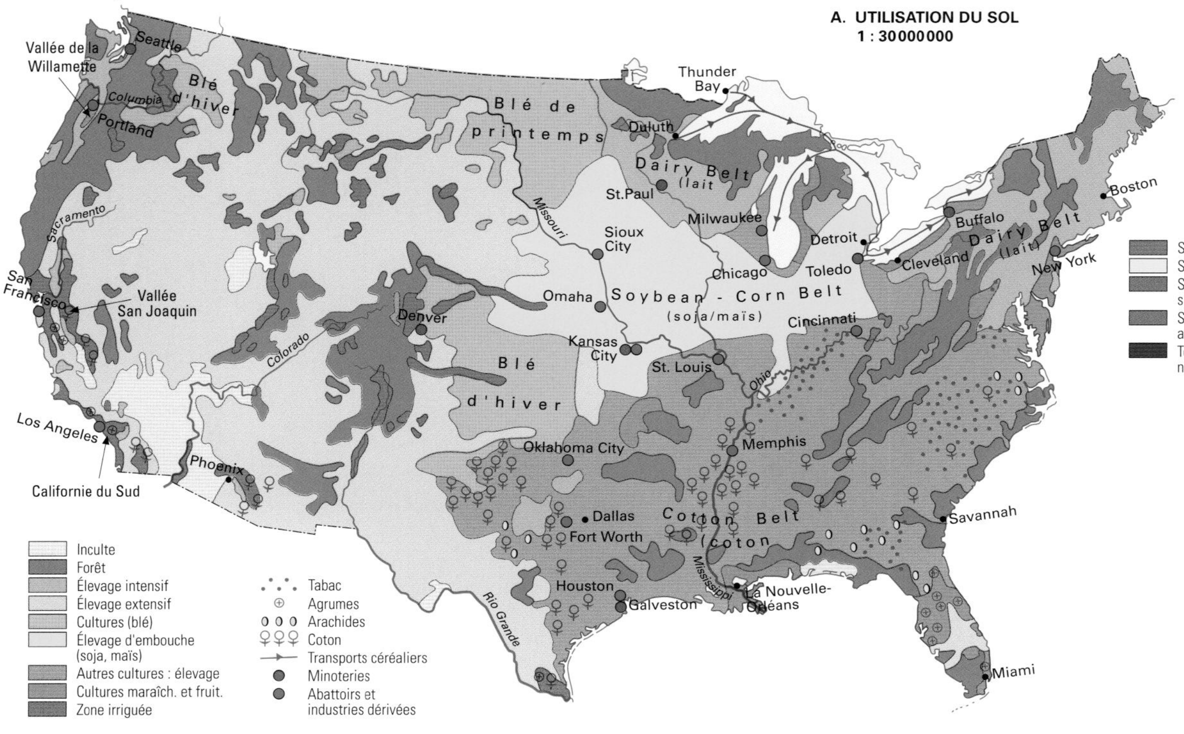

A. UTILISATION DU SOL
1 : 30 000 000

Vallée de la Willamette
Seattle
Bé d'hiver
Columbia
Portland
Blé de printemps
Thunder Bay
Duluth
Dairy Belt (lait)
St. Paul
Milwaukee
Sacramento
Vallée San Joaquin
San Francisco
Missouri
Sioux City
Chicago
Detroit
Toledo
Cleveland
Buffalo
Dairy Belt (lait)
Boston
New York
Omaha
Soybean - Corn Belt (soja/maïs)
Denver
Colorado
Kansas City
St. Louis
Cincinnati
Ohio
Los Angeles
Blé d'hiver
Phoenix
Californie du Sud
Oklahoma City
Memphis
Dallas
Fort Worth
Cotton Belt (coton)
Savannah
Rio Grande
Houston
Galveston
La Nouvelle-Orléans
Miami

Inculte
Forêt
Élevage intensif
Élevage extensif
Cultures (blé)
Élevage d'embouche (soja, maïs)
Autres cultures : élevage
Cultures maraîch. et fruit.
Zone irriguée

Tabac
Agrumes
Arachides
Coton
Transports céréaliers
Minoteries
Abattoirs et industries dérivées

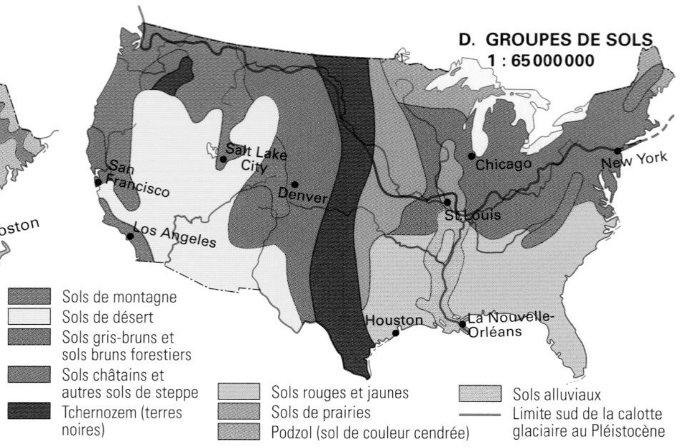

D. GROUPES DE SOLS
1 : 65 000 000

San Francisco
Salt Lake City
Denver
Chicago
New York
Los Angeles
Houston
St-Louis
La Nouvelle-Orléans

Sols de montagne
Sols de désert
Sols gris-bruns et sols bruns forestiers
Sols châtains et autres sols de steppe
Tchernozem (terres noires)
Sols rouges et jaunes
Sols de prairies
Podzol (sol de couleur cendrée)
Sols alluviaux
Limite sud de la calotte glaciaire au Pléistocène

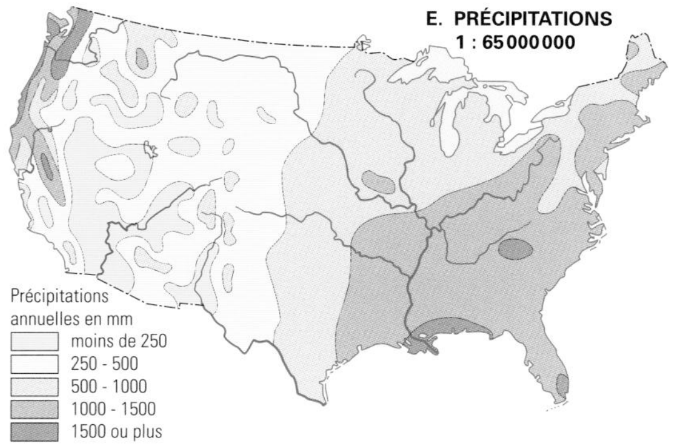

E. PRÉCIPITATIONS
1 : 65 000 000

Précipitations annuelles en mm
moins de 250
250 - 500
500 - 1000
1000 - 1500
1500 ou plus

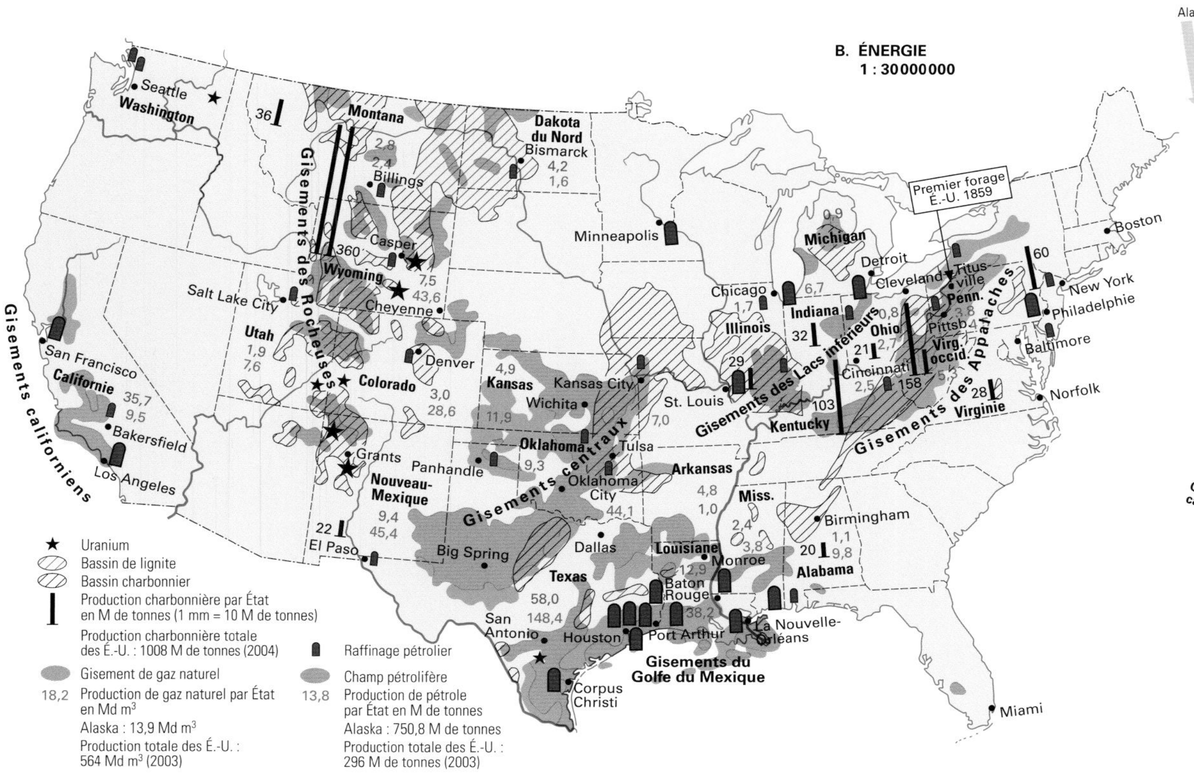

B. ÉNERGIE
1 : 30 000 000

Seattle
Washington
36
Montana
2,8
2,4
Billings
Dakota du Nord
Bismarck
4,2
1,6
Casper
360
Wyoming
7,5
43,6
Minneapolis
0,9
Michigan
Premier forage É.-U. 1859
60
Cheyenne
Salt Lake City
Utah
1,9
7,6
Chicago
6,7
Detroit
Cleveland
Titus-ville
Penn.
New York
Philadelphie
Baltimore
Denver
4,9
Colorado
3,0
28,6
Kansas
11,9
Kansas City
Wichita
17,0
Illinois
1,7
Indiana
32
0,84
Ohio
21
2,2
Cincinnati
2,5
158
Virg. occid.
103
Kentucky
28
Virginie
Norfolk
San Francisco
Californie
35,7
9,5
Bakersfield
Los Angeles
Grants
Nouveau-Mexique
9,4
45,4
El Paso
22
Panhandle
9,3
Oklahoma
Oklahoma City
44,1
Arkansas
1,0
Miss.
2,4
3,8
20
1,1
9,8
Birmingham
Alabama
Big Spring
Dallas
Louisiane
12,9
Monroe
Baton Rouge
Texas
58,0
148,4
San Antonio
Houston
Port Arthur
La Nouvelle-Orléans
Gisements du Golfe du Mexique
Corpus Christi
Miami

Uranium
Bassin de lignite
Bassin charbonnier
Production charbonnière par État en M de tonnes (1 mm = 10 M de tonnes)
Production charbonnière totale des É.-U. : 1008 M de tonnes (2004)
Gisement de gaz naturel
18,2 Production de gaz naturel par État en Md m³
Alaska : 13,9 Md m³
Production totale des É.-U. : 564 Md m³ (2003)
Raffinage pétrolier
Champ pétrolifère
13,8 Production de pétrole par État en M de tonnes
Alaska : 750,8 M de tonnes
Production totale des É.-U. : 296 M de tonnes (2003)

Gisements des Rochueses
Gisements californiens
Gisements des Lacs inférieurs
Gisements centraux
Gisements des Appalaches

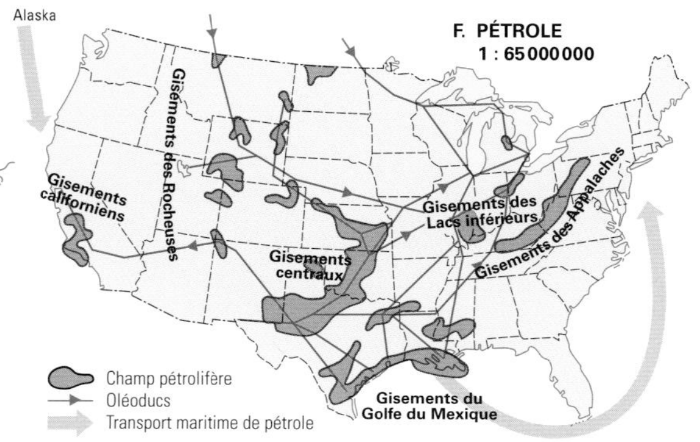

F. PÉTROLE
1 : 65 000 000

Alaska
Gisements des Rochueses
Gisements californiens
Gisements centraux
Gisements des Lacs inférieurs
Gisements des Appalaches
Gisements du Golfe du Mexique

Champ pétrolifère
Oléoducs
Transport maritime de pétrole

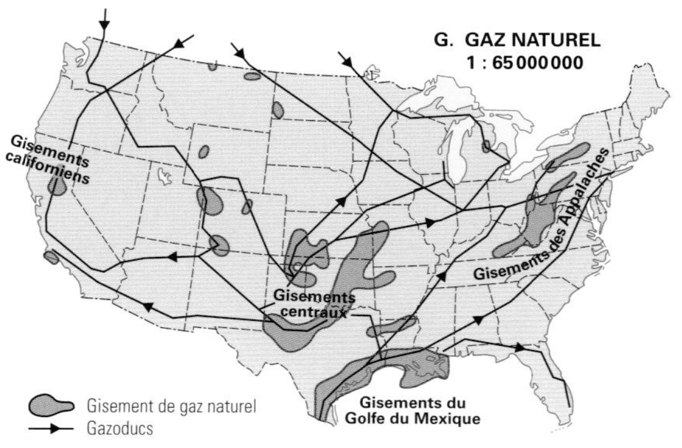

G. GAZ NATUREL
1 : 65 000 000

Gisements californiens
Gisements centraux
Gisements des Appalaches
Gisements du Golfe du Mexique

Gisement de gaz naturel
Gazoducs

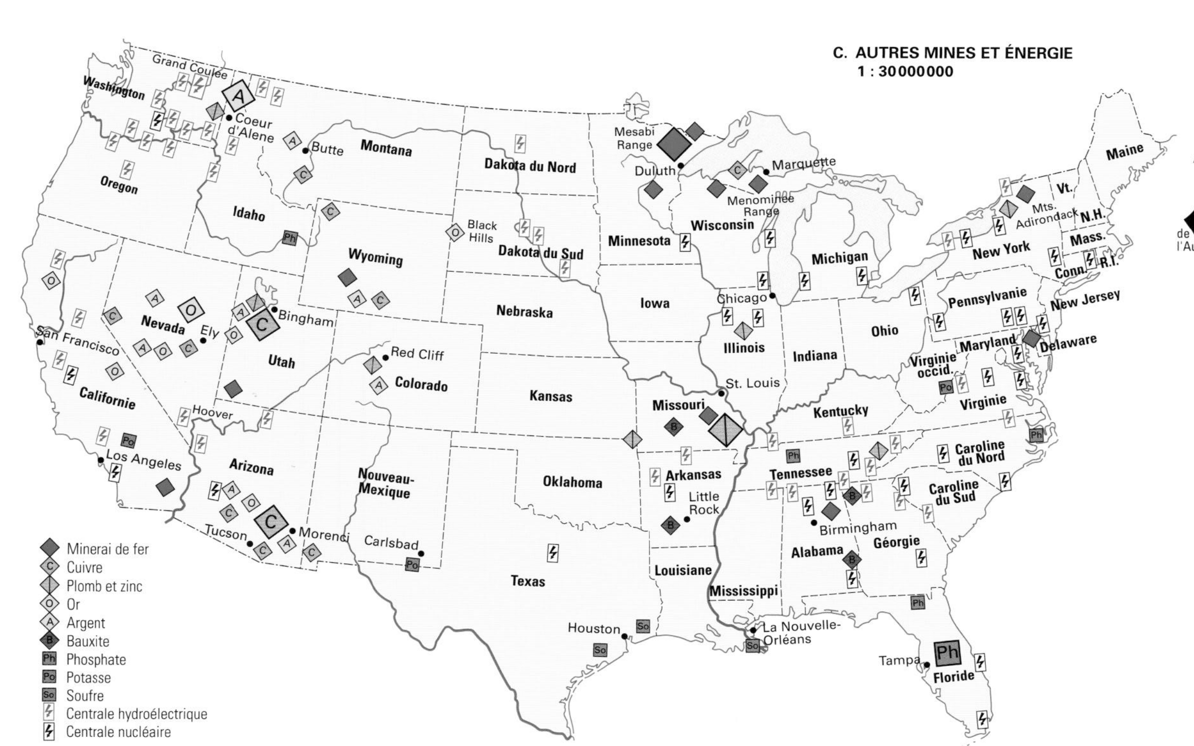

C. AUTRES MINES ET ÉNERGIE
1 : 30 000 000

Washington
Grand Coulee
Coeur d'Alene
Butte
Montana
Dakota du Nord
Mesabi Range
Marquette
Menominee Range
Maine
Mts. Adirondack
N.H.
Vt.
Duluth
Wisconsin
Michigan
New York
Mass.
Conn. R.I.
Oregon
Idaho
Black Hills
Dakota du Sud
Minnesota
Nevada
Ely
Wyoming
Red Cliff
Iowa
Chicago
Illinois
Indiana
Ohio
Pennsylvanie
New Jersey
Delaware
Maryland
San Francisco
Bingham
Utah
Hoover
Colorado
Kansas
St. Louis
Missouri
Kentucky
Virginie occid.
Virginie
Californie
Los Angeles
Arizona
Nouveau-Mexique
Morenci
Tucson
Carlsbad
Oklahoma
Arkansas
Little Rock
Tennessee
Caroline du Nord
Caroline du Sud
Birmingham
Alabama
Géorgie
Texas
Mississippi
Louisiane
Houston
La Nouvelle-Orléans
Tampa
Ph
Floride

Minerai de fer
Cuivre
Plomb et zinc
Or
Argent
Bauxite
Phosphate
Potasse
Soufre
Centrale hydroélectrique
Centrale nucléaire

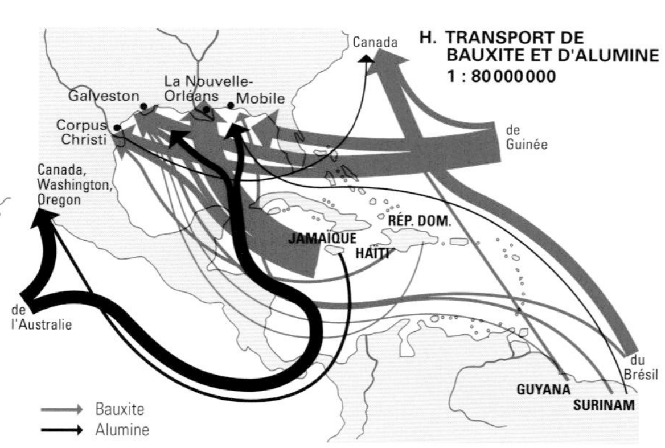

H. TRANSPORT DE BAUXITE ET D'ALUMINE
1 : 80 000 000

Canada
Galveston
La Nouvelle-Orléans
Mobile
Corpus Christi
de Guinée
Canada, Washington, Oregon
RÉP. DOM.
JAMAÏQUE
HAÏTI
de l'Australie
GUYANA
SURINAM
du Brésil

Bauxite
Alumine

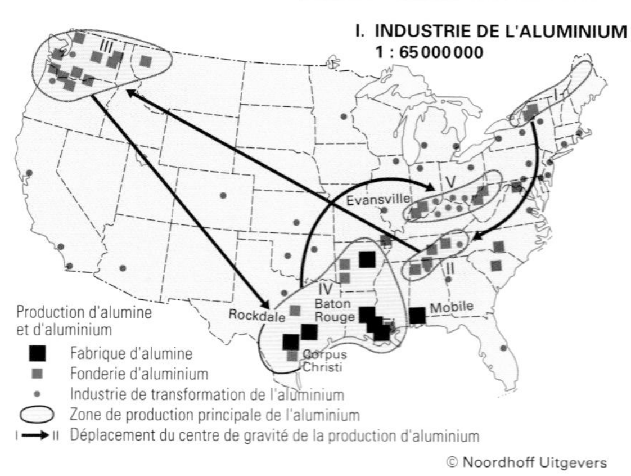

I. INDUSTRIE DE L'ALUMINIUM
1 : 65 000 000

III
Evansville
IV
Rockdale
Baton Rouge
Mobile
Corpus Christi
II
IV

Production d'alumine et d'aluminium
Fabrique d'alumine
Fonderie d'aluminium
Industrie de transformation de l'aluminium
Zone de production principale de l'aluminium
I — II Déplacement du centre de gravité de la production d'aluminium

© Noordhoff Uitgevers

ÉTATS-UNIS

A. INDUSTRIE
1 : 30 000 000

Région industrielle
Production de fer et d'acier
Métallurgie
Construction navale
Construction automobile
Construction aéronautique
Industrie chimique
Industrie textile
Industrie du bois et du papier
Industrie électrique
Haute technologie

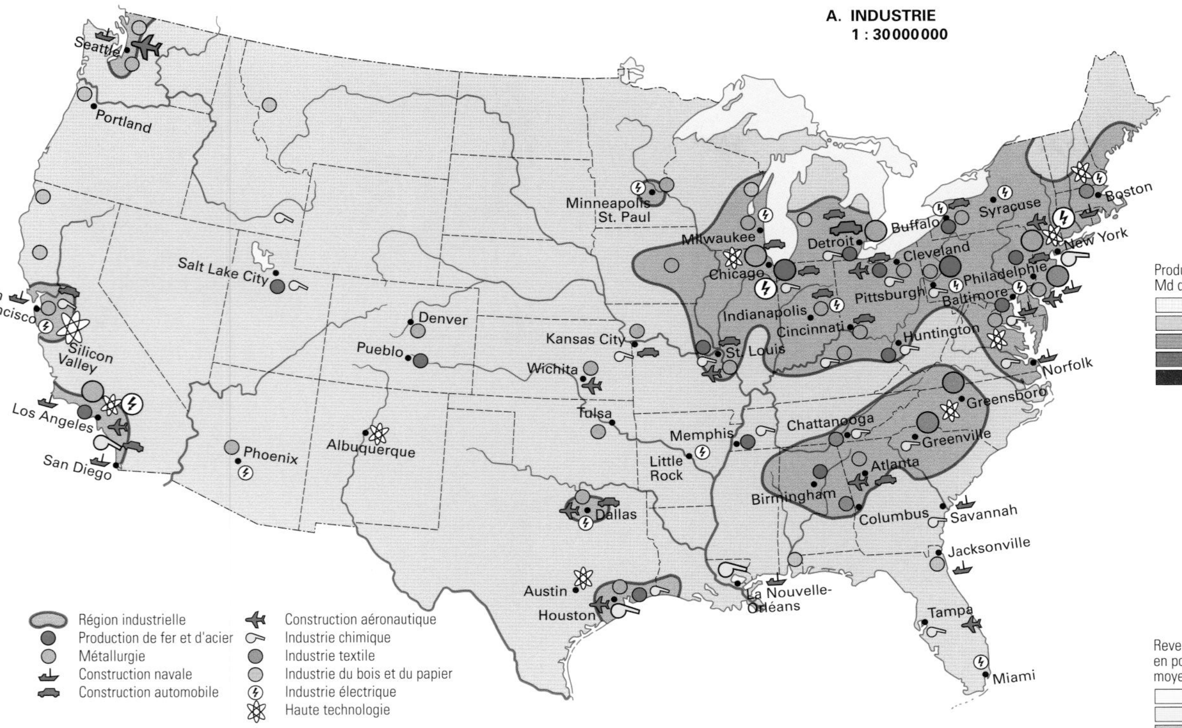

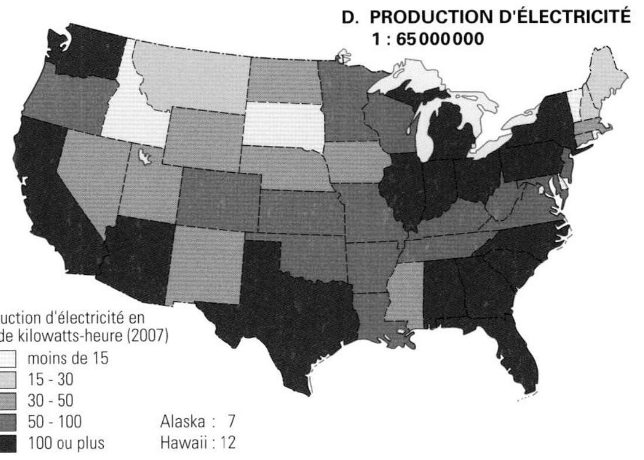

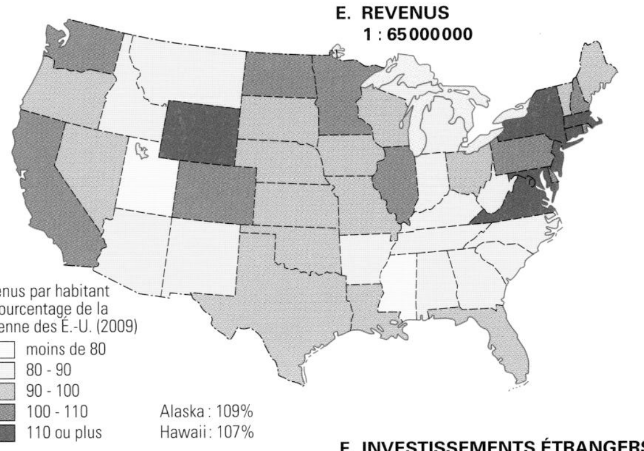

B. LA QUESTION RACIALE
1 : 30 000 000

Population noire en pourcentage de la
population totale par État (2006)
moins de 1
1 - 5
5 - 10
10 - 20
20 ou plus
Alaska : 3,7%
Hawaii : 2,5%

Population d'origine hispano-
américaine en pourcentage
de la population totale par État (2006)
5 - 20
20 ou plus
Alaska : 5,6%
Hawaii : 7,8%

Autres 8%
Noirs 12%
Blancs 80%
Part dans la population totale des É.-U.

Population noire
Autre population

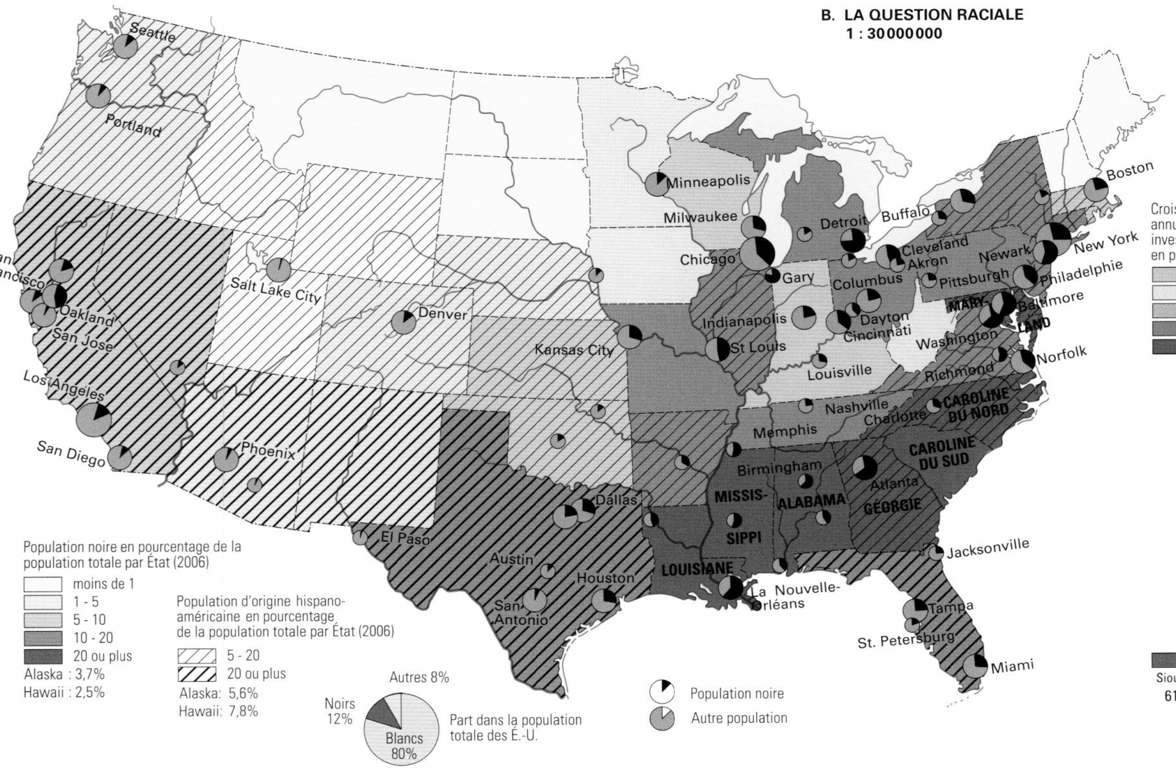

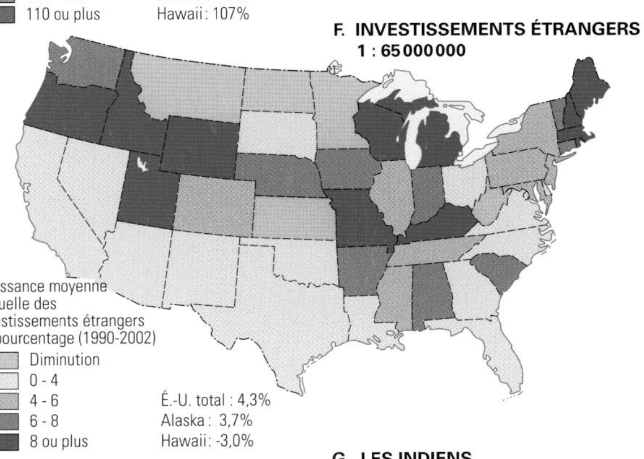

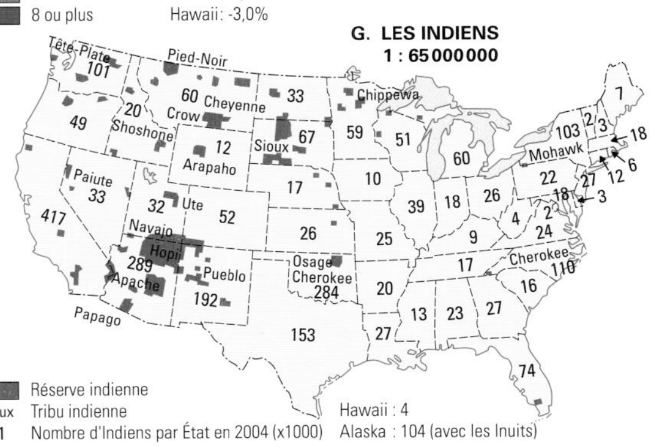

C. DENSITÉ DE LA POPULATION
1 : 30 000 000

Habitants par km²
moins de 1
1 - 10
10 - 25
25 - 50
50 - 100
100 - 200
200 ou plus

Agglomération de
5 M d'habitants ou plus
1 à 5 M d'habitants
500 000 à 1 M d'habitants

Alaska : 0,4 habitant par km²
Hawaii : 70 habitants par km²

D. PRODUCTION D'ÉLECTRICITÉ
1 : 65 000 000

Production d'électricité en
Md de kilowatts-heure (2007)
moins de 15
15 - 30
30 - 50
50 - 100
100 ou plus
Alaska : 7
Hawaii : 12

E. REVENUS
1 : 65 000 000

Revenus par habitant
en pourcentage de la
moyenne des É.-U. (2009)
moins de 80
80 - 90
90 - 100
100 - 110
110 ou plus
Alaska : 109%
Hawaii : 107%

F. INVESTISSEMENTS ÉTRANGERS
1 : 65 000 000

Croissance moyenne
annuelle des
investissements étrangers
en pourcentage (1990-2002)
Diminution
0 - 4
4 - 6
6 - 8
8 ou plus
É.-U. total : 4,3%
Alaska : 3,7%
Hawaii : -3,0%

G. LES INDIENS
1 : 65 000 000

Réserve indienne
Sioux Tribu indienne
61 Nombre d'Indiens par État en 2004 (x1000)
Hawaii : 4
Alaska : 104 (avec les Inuits)

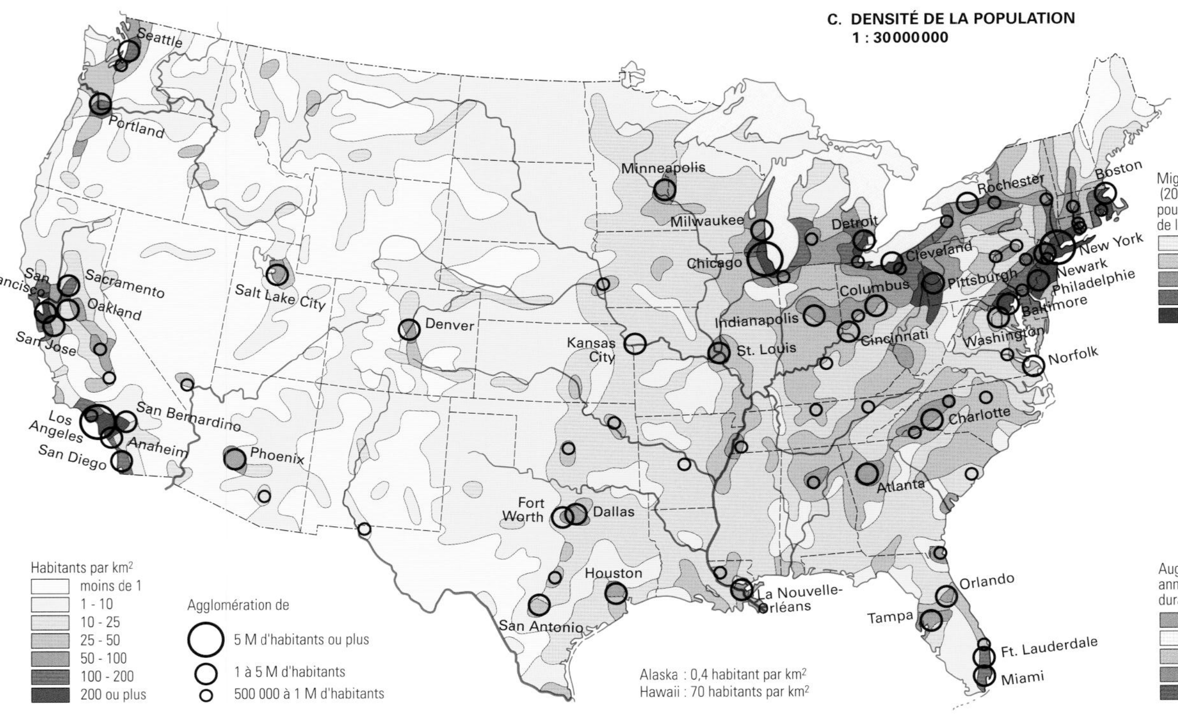

H. MIGRATION NETTE
1 : 65 000 000

Migration nette
(2000-2005) en
pourcentage
de la population de 2000
moins de 0 (= solde des départs)
0 - 2
2 - 4
4 - 8
8 ou plus
Alaska : 0,2%
Hawaii : 1,4%

**I. ACCROISSEMENT DE
LA POPULATION**
1 : 65 000 000

Augmentation moyenne
annuelle de la population
durant la période 2000-2005
Diminution
0,0 - 0,5
0,5 - 1,0
1,0 - 2,0
2,0 ou plus
Alaska : 1,1%
Hawaii : 1,0%
É.-U. total : 1,0%

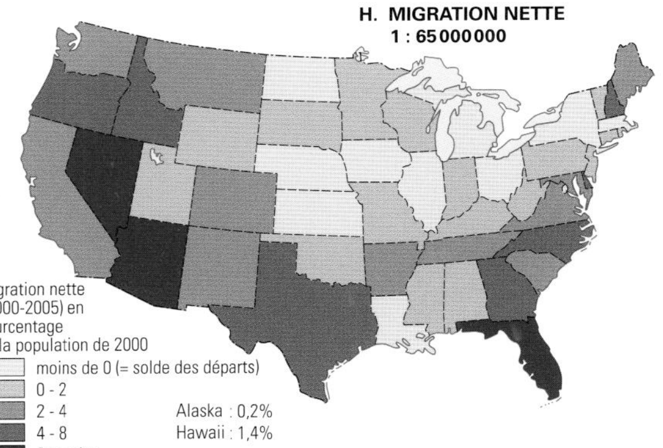

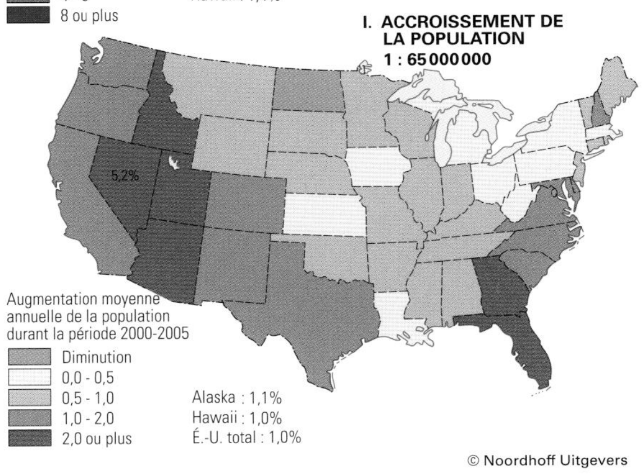

ÉTATS-UNIS

A. VÉGÉTATION NATURELLE
1 : 30 000 000

Forêts
- Forêt de conifères
- Forêt mixte
- Forêt de feuillus
- Végétation méditerranéenne sempervirente

Steppes
- Steppe à herbes longues ('Prairies')
- Steppe à herbes courtes ('Grandes Plaines')
- Steppe désertique
- Végétation de désert
- Végétation de haute altitude
- Mangrove
- Marécages

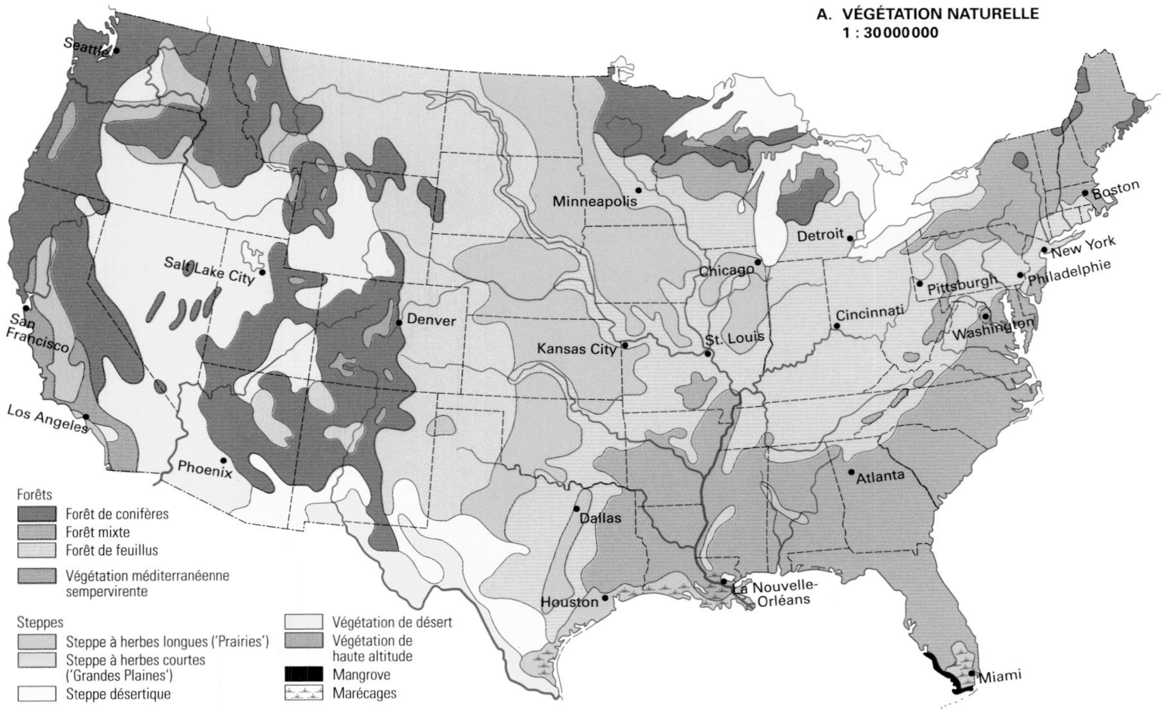

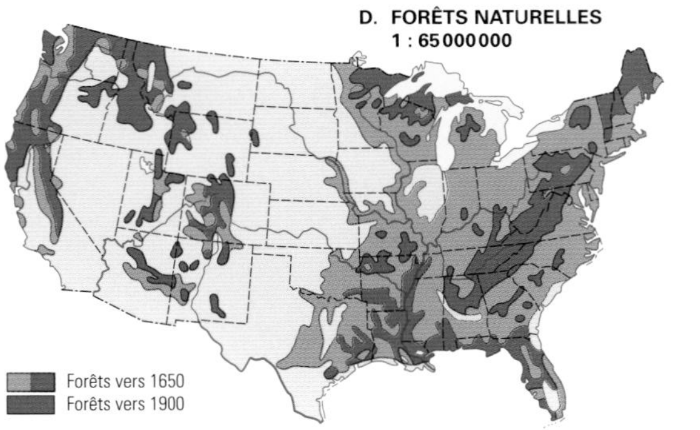

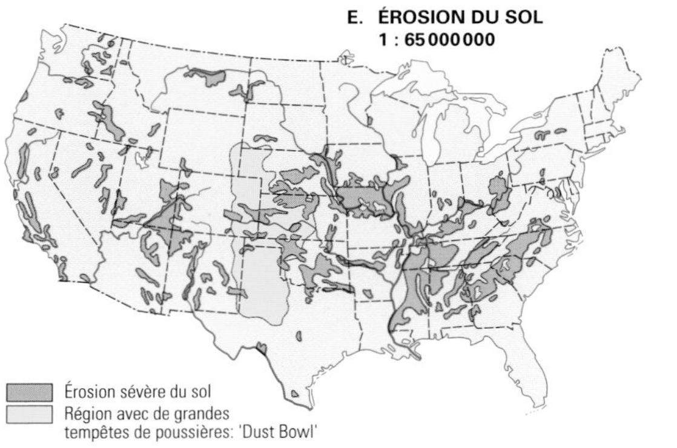

B. OBSTACLES À LA COLONISATION
1 : 30 000 000

- Territoires colonisés par les Anglais en 1750

Obstacles naturels
- 'Fall Line' (chutes)
- Limite de navigabilité des cours d'eau
- Appalaches et reliefs septentrionaux
- Limite orientale de la zone non forestière
- Zone à risque pour la culture céréalière en période de sècheresse (limite occidentale de la zone céréalière)
- Hautes montagnes de l'Ouest
- Désert
- 'Continental Divide' (ligne de partage des eaux entre les océans Atlantique et Pacifique)

Obstacles politico-militaires
- Territoires indiens
- Territoires français vers 1750
- Territoires espagnols vers 1750

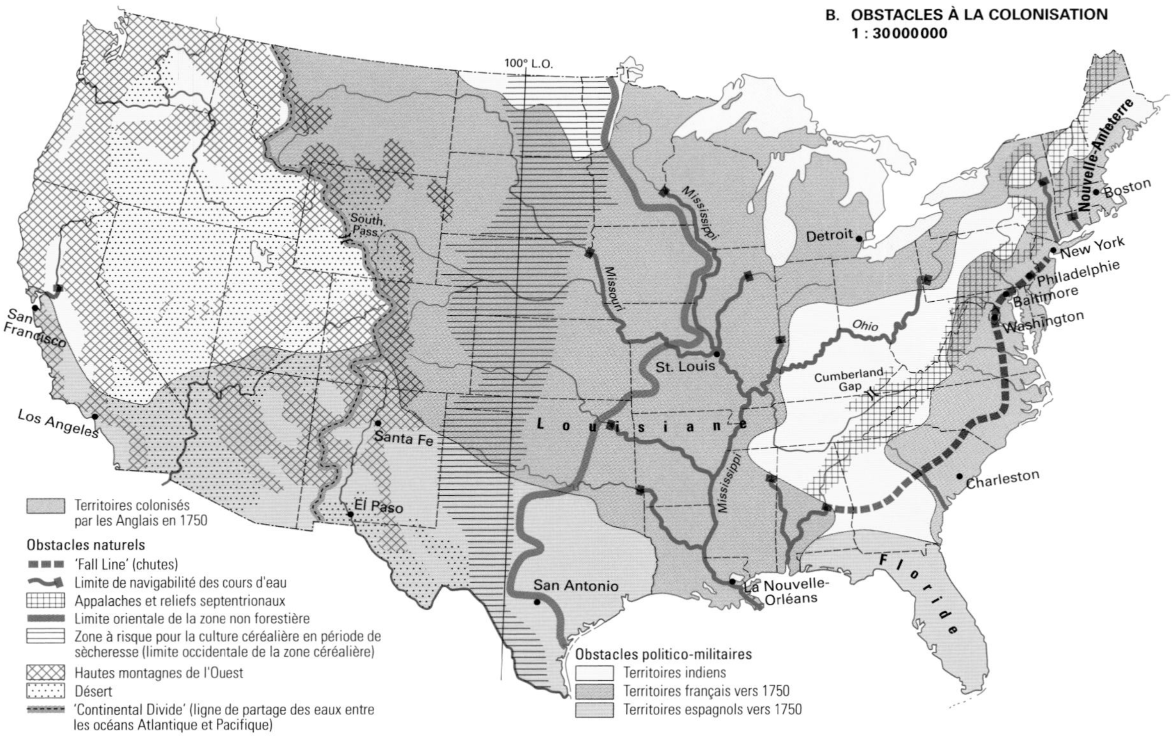

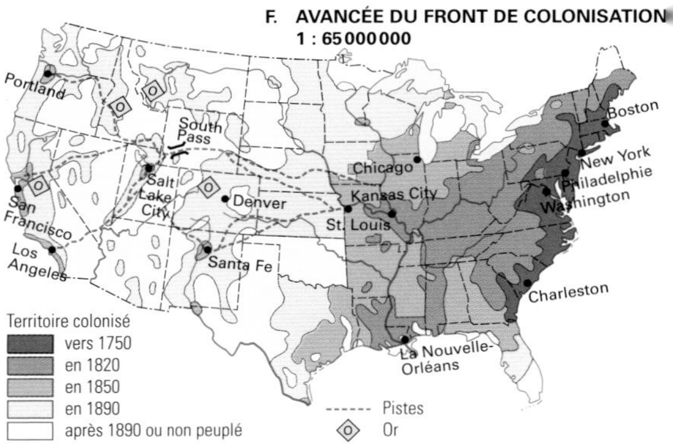

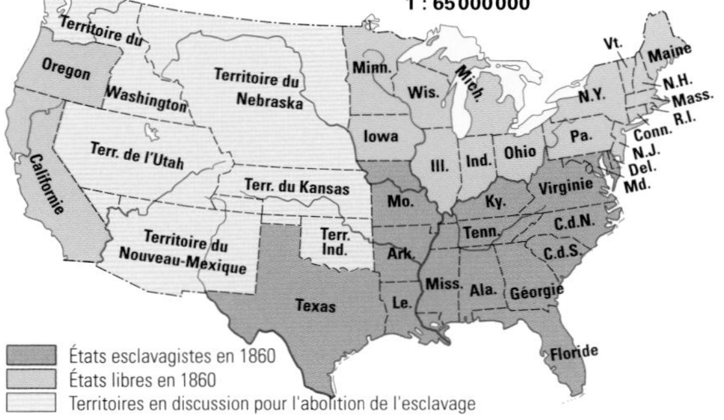

C. DÉVELOPPEMENT DU RÉSEAU FERROVIAIRE ET COLONISATION
1 : 30 000 000

Période de construction des lignes de chemin de fer
- avant 1841
- entre 1841 et 1861
- entre 1861 et 1884
- après 1884
- Territoire colonisé en 1850
- Territoire mis gratuitement à la disposition des compagnies ferroviaires à mesure de l'avancement de la colonisation

D. FORÊTS NATURELLES
1 : 65 000 000

- Forêts vers 1650
- Forêts vers 1900

E. ÉROSION DU SOL
1 : 65 000 000

- Érosion sévère du sol
- Région avec de grandes tempêtes de poussières: 'Dust Bowl'

F. AVANCÉE DU FRONT DE COLONISATION
1 : 65 000 000

Territoire colonisé
- vers 1750
- en 1820
- en 1850
- en 1890
- après 1890 ou non peuplé
- Pistes
- Or

G. ESCLAVAGE VERS 1860
1 : 65 000 000

- États esclavagistes en 1860
- États libres en 1860
- Territoires en discussion pour l'abolition de l'esclavage

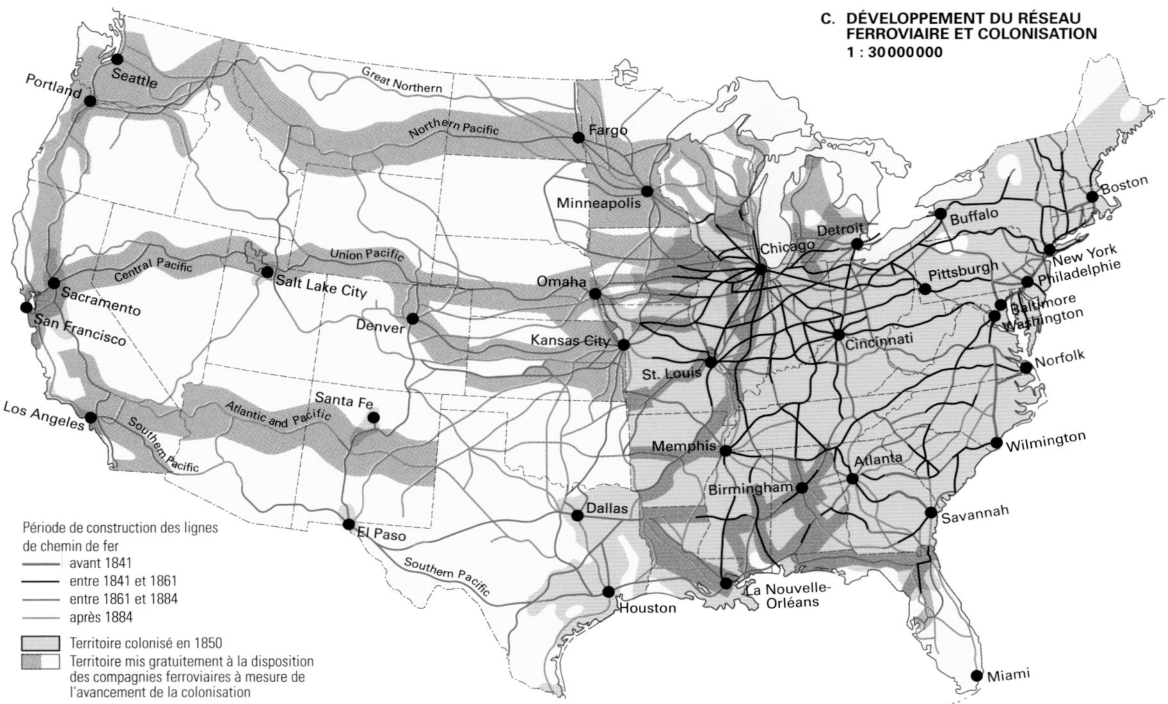

H. ESCLAVAGE ET CULTURE DU COTON
1 : 40 000 000

- Limite de la région cotonnière vers 1860
- Port d'amenée des esclaves

Pourcentage d'esclaves dans la population totale par comté vers 1860
- Pas d'esclavage
- moins de 10
- 10 - 30
- 30 - 50
- 50 ou plus

I. AUTOCHTONES
1 : 65 000 000

Mode de vie des indiens à l'arrivée des blancs
- Chasse, pêche et cueillette
- Idem, avec un peu d'agriculture
- Agriculture extensive
- Agriculture intensive
- Densité relativement forte
- Limite des bisons vers 1800
- Sioux Tribu indienne

© Noordhoff Uitgevers

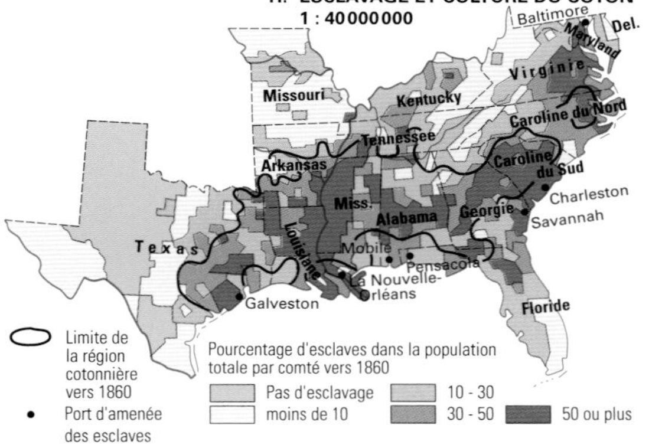

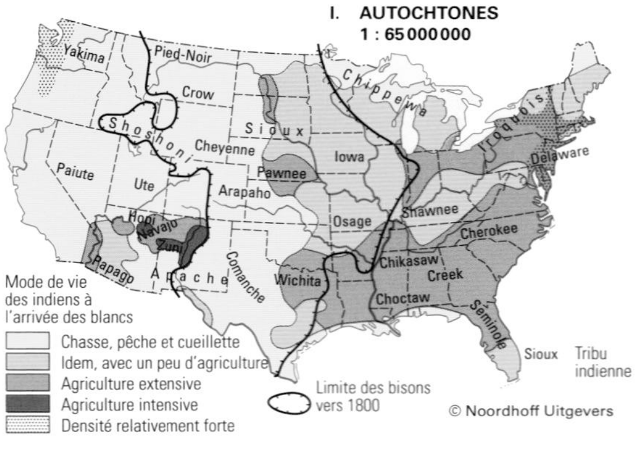

MÉGALOPOLES

© Noordhoff Uitgevers

A. MÉGALOPOLE CALIFORNIENNE
1 : 7500000
B. MEGALOPOLIS
1 : 7500000
C. NEW YORK
1 : 300 000
- Centre des affaires
- Autres zones de bureaux et de commerce
- Zone résidentielle de New York City
- Autres zones résidentielles
- Espaces industriels et réservés au trafic
- Aéroport
- Aérodrome
- Parc
- Forêt
- Zone non urbanisée
- Chemin de fer avec gare
- Autoroute
- Route principale
- Autres routes
- Limite de New York City
1. World Trade Center *(détruit le 11 septembre 2001)*
2. City Hall
3. New York Stock Exchange (Wall Street)
4. Madison Square Garden et Pennsylvania Station
5. Empire State Building
6. Nations-Unies
7. Rockefeller Center
8. Lincoln Center
9. Metropolitan Museum
10. Columbia University
11. Statue de la Liberté

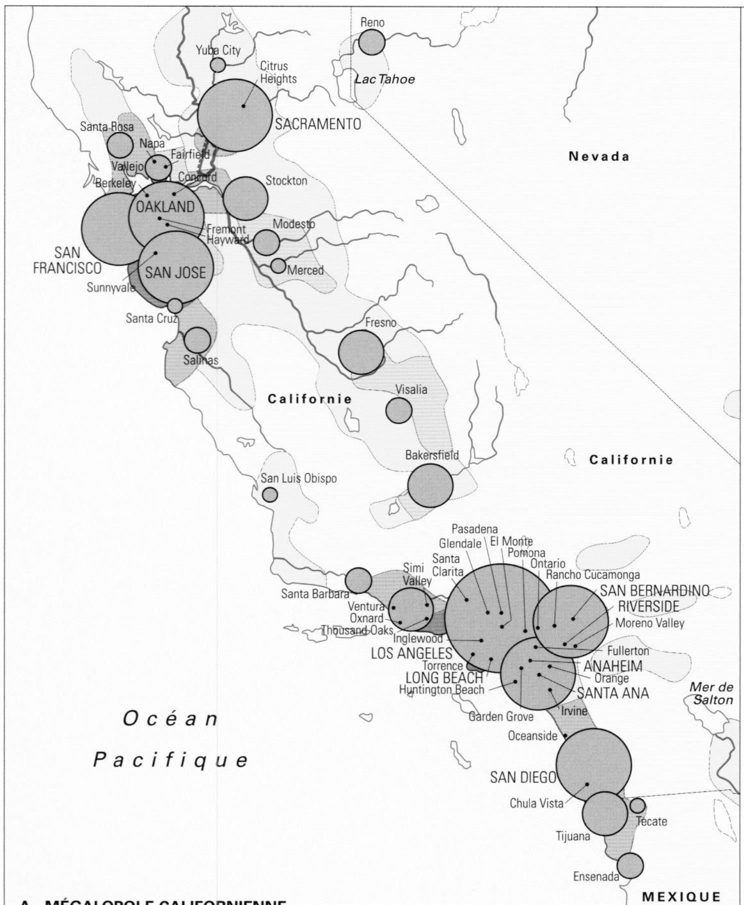

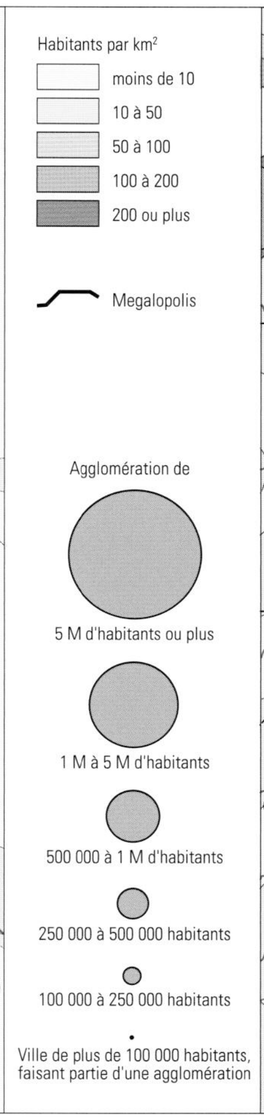

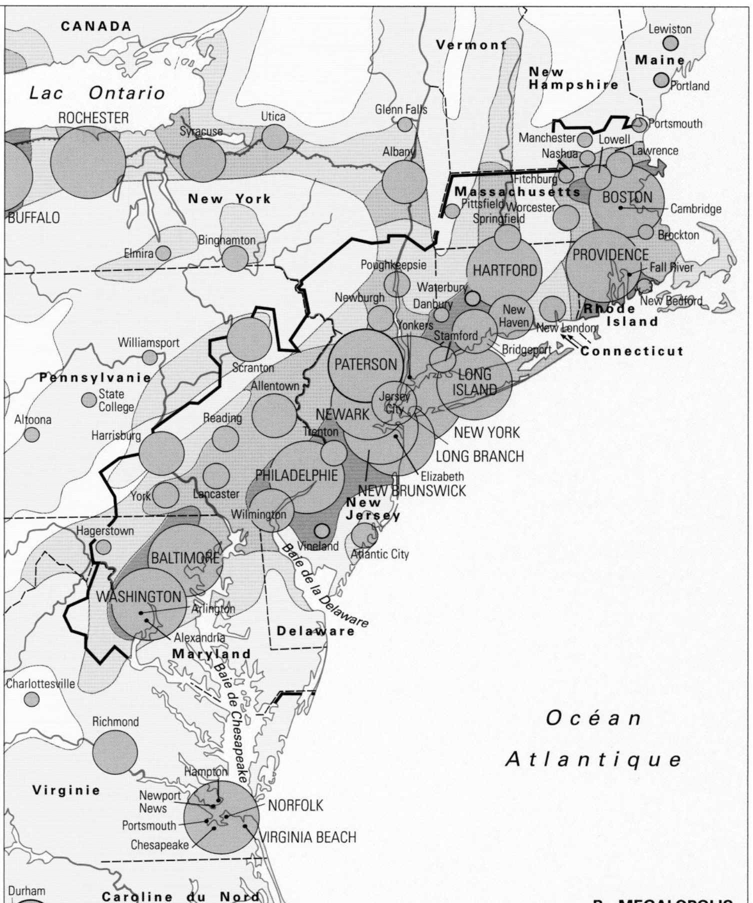

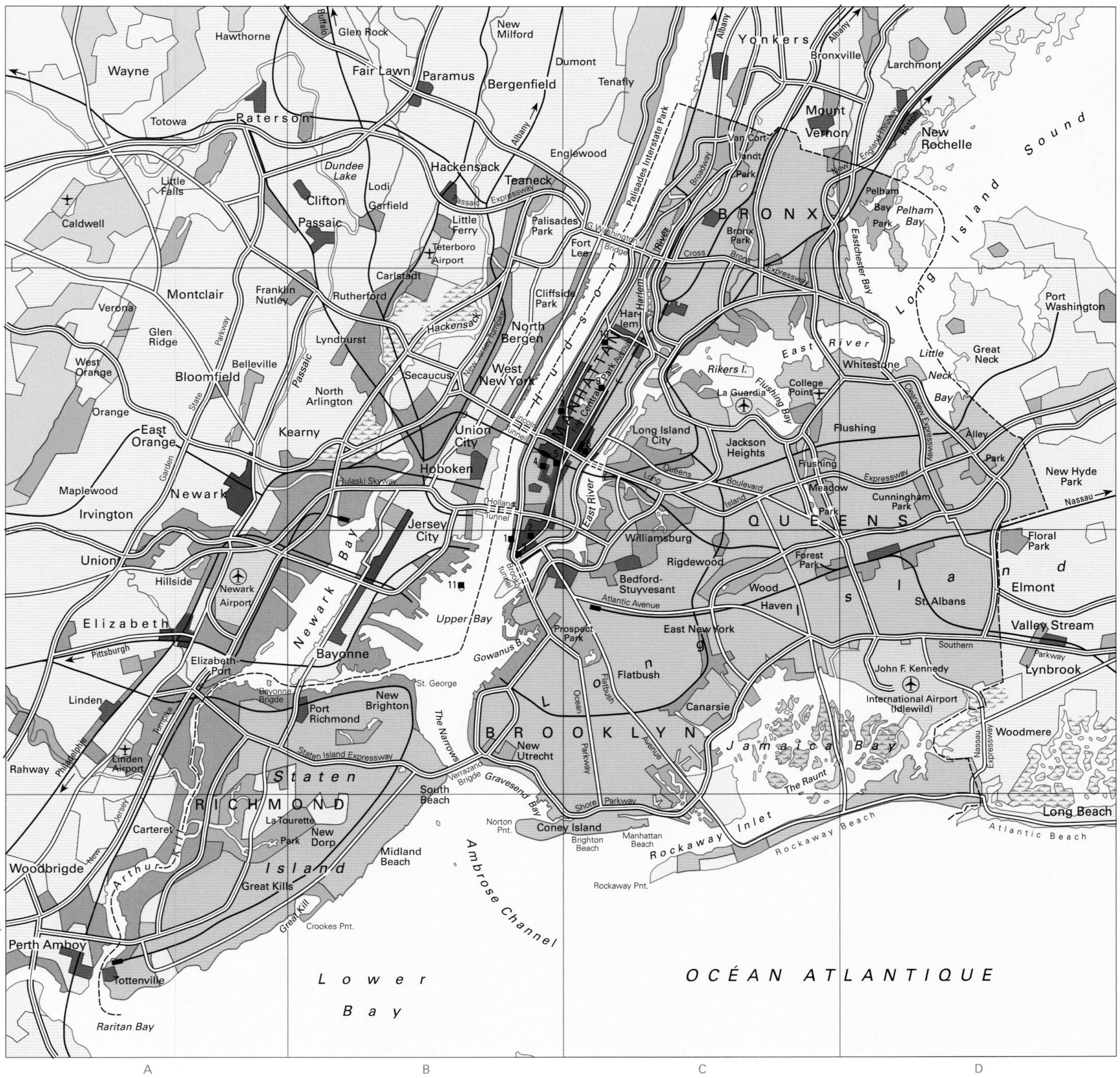

NOUVELLE-ANGLETERRE ET FLORIDE

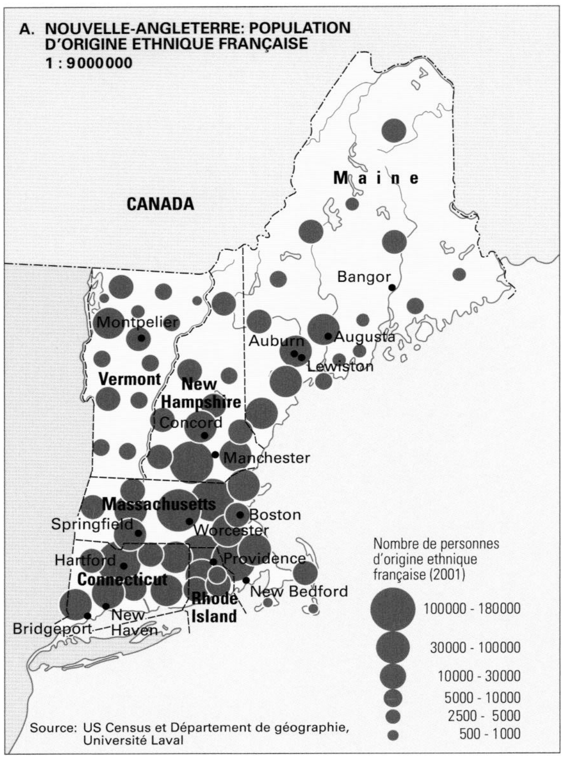

A. NOUVELLE-ANGLETERRE: POPULATION D'ORIGINE ETHNIQUE FRANÇAISE — 1 : 9 000 000

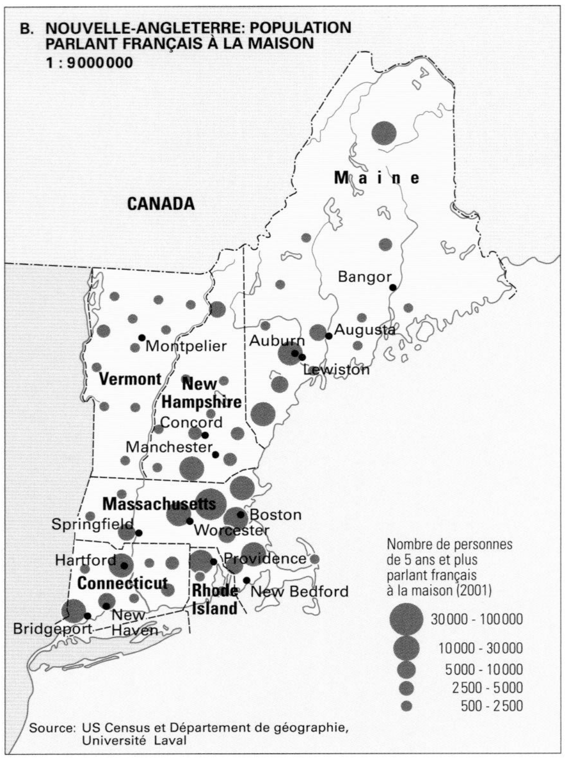

B. NOUVELLE-ANGLETERRE: POPULATION PARLANT FRANÇAIS À LA MAISON — 1 : 9 000 000

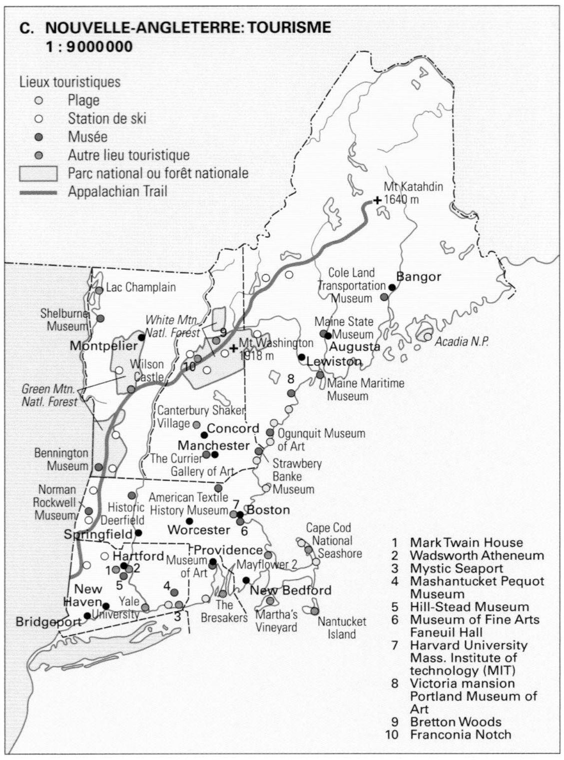

C. NOUVELLE-ANGLETERRE: TOURISME — 1 : 9 000 000

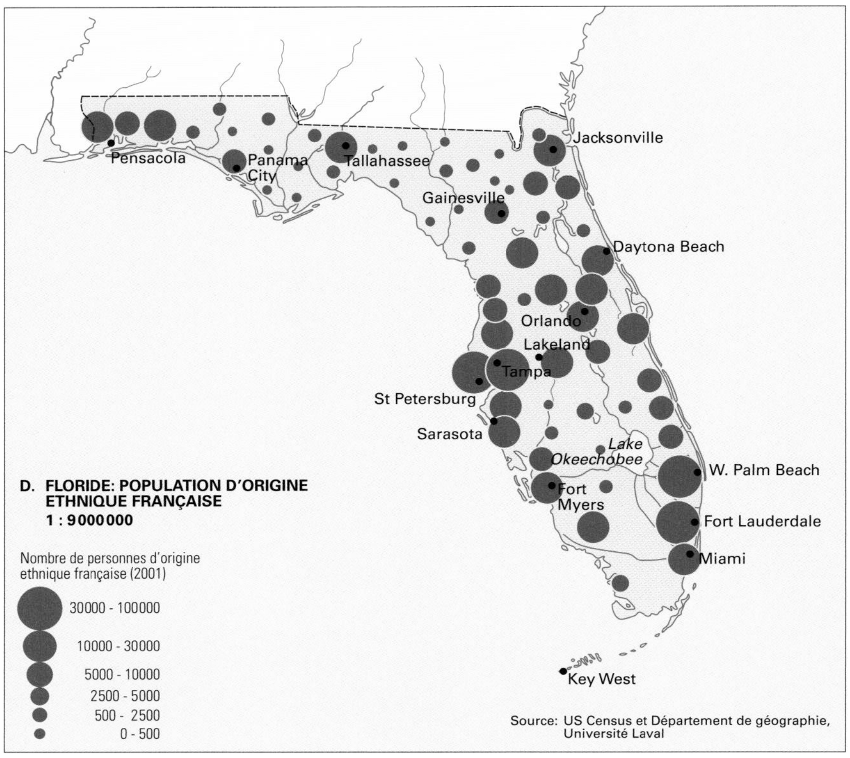

D. FLORIDE: POPULATION D'ORIGINE ETHNIQUE FRANÇAISE — 1 : 9 000 000

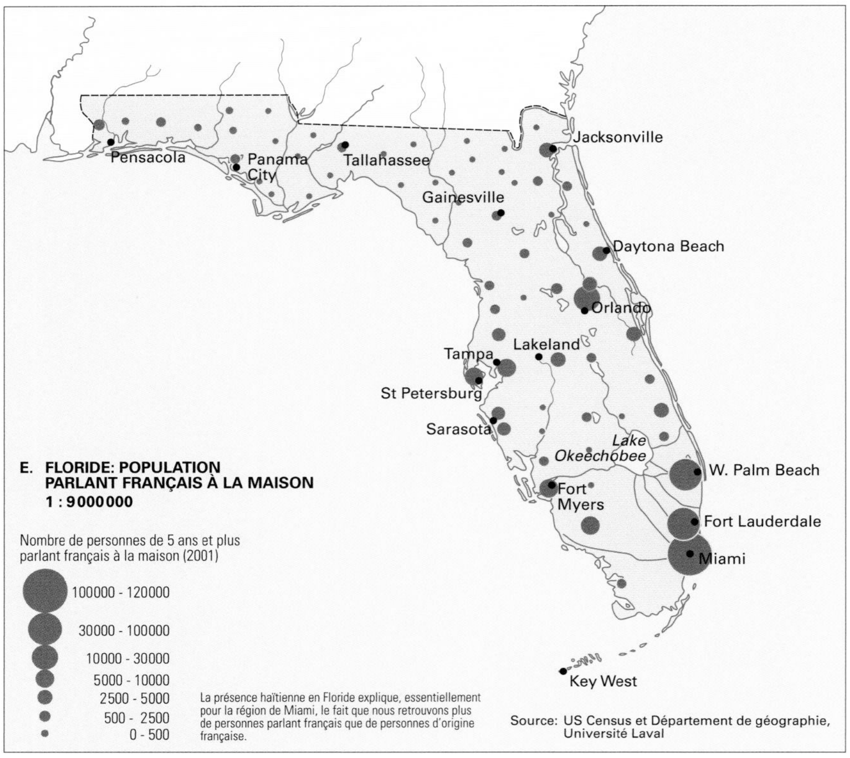

E. FLORIDE: POPULATION PARLANT FRANÇAIS À LA MAISON — 1 : 9 000 000

F. FLORIDE: TOURISME — 1 : 9 000 000

G. MIAMI — 1 : 1 250 000

© Noordhoff Uitgevers

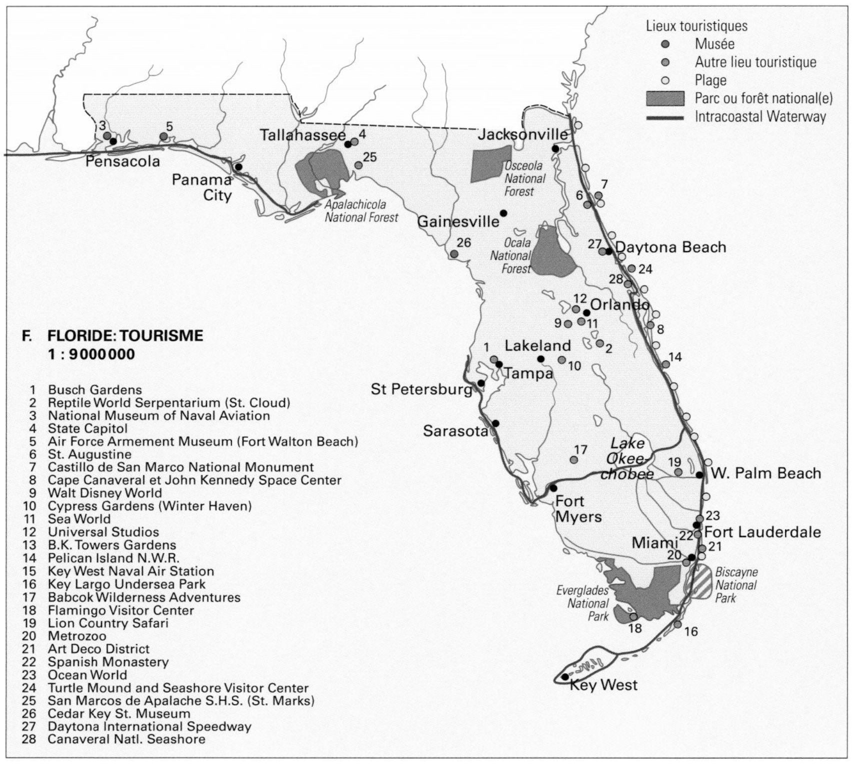

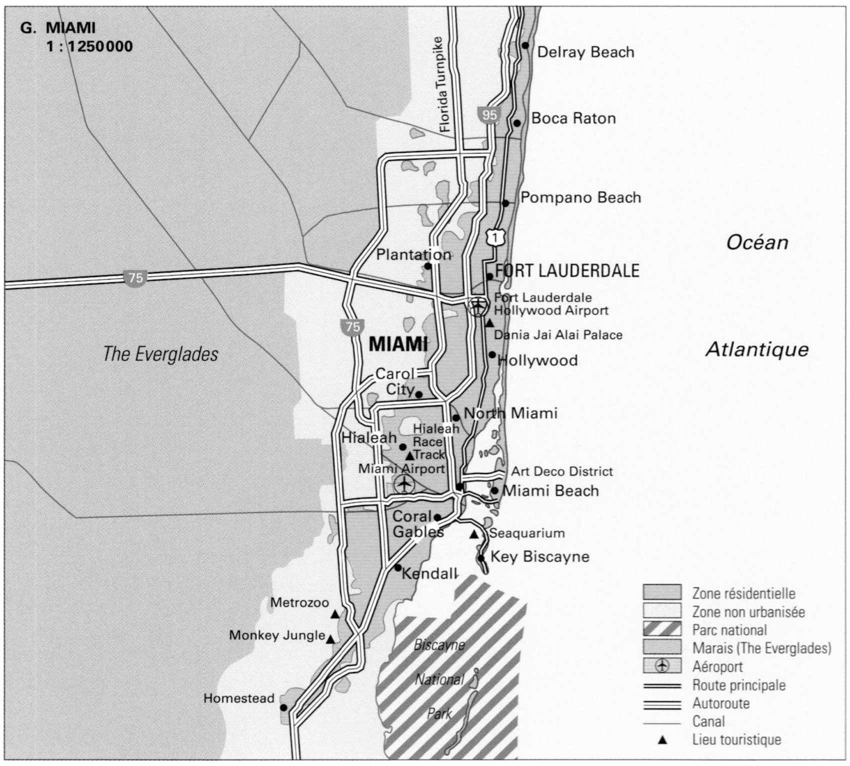

FRONTIÈRE AMERICANO-MEXICAINE

A. TRAFIC TRANSFRONTALIER
1 : 9 000 000

Villes frontalières
○ Ville isolée
⊖ Ville(s) dont les deux centres sont contigus de part et d'autre de la frontière

Mur frontalier (construit par les États-Unis pour lutter contre l'immigration clandestine des Mexicains)
▨ Existant
▨ En construction ou en projet

Nombre quotidien moyen de personnes entrant aux États-Unis (principalement pour des migrations de travail) par point de passage frontalier (2005)
■ 1 carré = 2500 personnes

Valeur des marchandises importées/exportées par point de passage frontalier en millions d'euro (2005)
◐ Du Mexique vers les États-Unis
◑ Des États-Unis vers le Mexique

(Cette valeur est renseignée seulement pour les points de passage frontaliers au travers desquels la valeur totale des échanges est égale ou supérieure à 200 millions d'euro)

20000
10000
2000
1000
200

B. MEXIQUE: LES MAQUILADORAS
1 : 25 000 000

Nombre de travailleurs dans les principales localités accueillant des maquiladoras (2005)
160000
80000
40000
20000

Nombre de maquiladoras par état fédéré (2005)
■ 1 carré = 50 entreprises

Part des états fédérés dans l'emploi total dans les maquiladoras en % (2005)
17,8 | 24,6
5,6 | 20,6
7,1 |
8,8 | 15,6

Part des états fédérés dans le nombre total des maquiladoras en % (2005)
19,4 | 32,1
7,0 |
7,3 | 14,4
7,8 | 12,1

Baja California
Sonora
Chihuahua
Coahuila
Nuevo León
Tamaulipas
Reste du Mexique

C. DENSITÉ DE LA POPULATION
1 : 20 000 000

5,9 Population par état fédéré américain ou mexicain en millions d'habitants (2005)
— · — Frontière terrestre
— — Limite d'état fédéré
☐ Comtés ou districts frontaliers

Habitants par km² par comté ou par district des états fédérés frontaliers (2005)
moins de 10
10 - 25
25 - 50
50 - 100
100 - 500
500 ou plus

D. HISPANOPHONES
1 : 20 000 000

43,3 Pourcentage d'hispanophones dans la population des états fédérés américains ou mexicains frontaliers (2005)
— · — Frontière terrestre
— — Limite d'état fédéré
☐ Comtés ou districts frontaliers

Pourcentage d'habitants hispanophones (dits hispanics aux États-Unis) dans la population totale des comtés ou districts des états fédérés américains ou mexicains frontaliers (2005)
moins de 20
20 - 40
40 - 60
60 - 80
80 ou plus

E. ÉVOLUTION DE LA POPULATION
1 : 20 000 000

+16 Croissance de la population par état fédéré américain ou mexicain frontalier entre 2000 et 2005 en %
— · — Frontière terrestre
— — Limite d'état fédéré
☐ Districts et comtés frontaliers

Évolution 2000-2005 de la population des comtés ou districts des états fédérés frontaliers en %
Croissance : 20 ou plus
Croissance : 10 - 20
Croissance : 0 - 10
Baisse : 0 - 10
Baisse : 10 - 20
Baisse : 20 ou plus

© Noordhoff Uitgevers

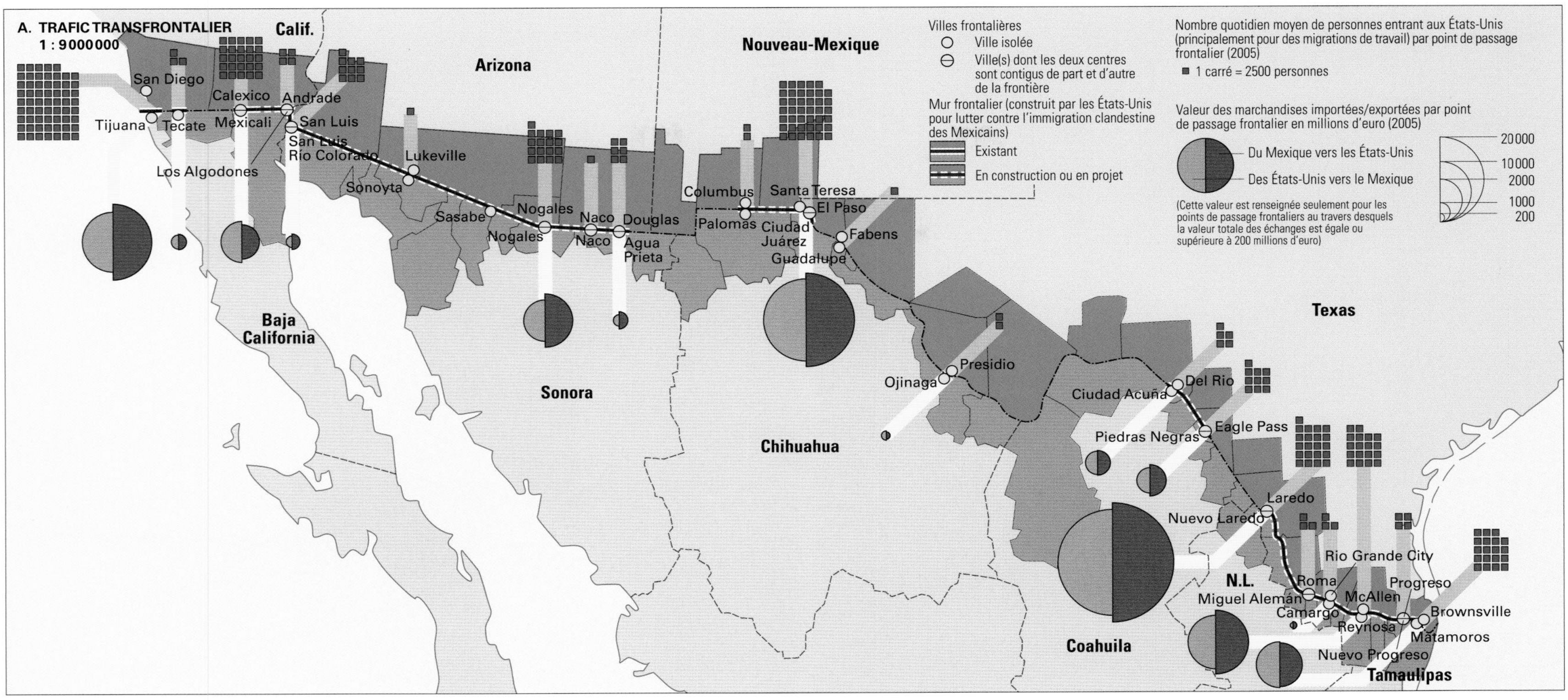

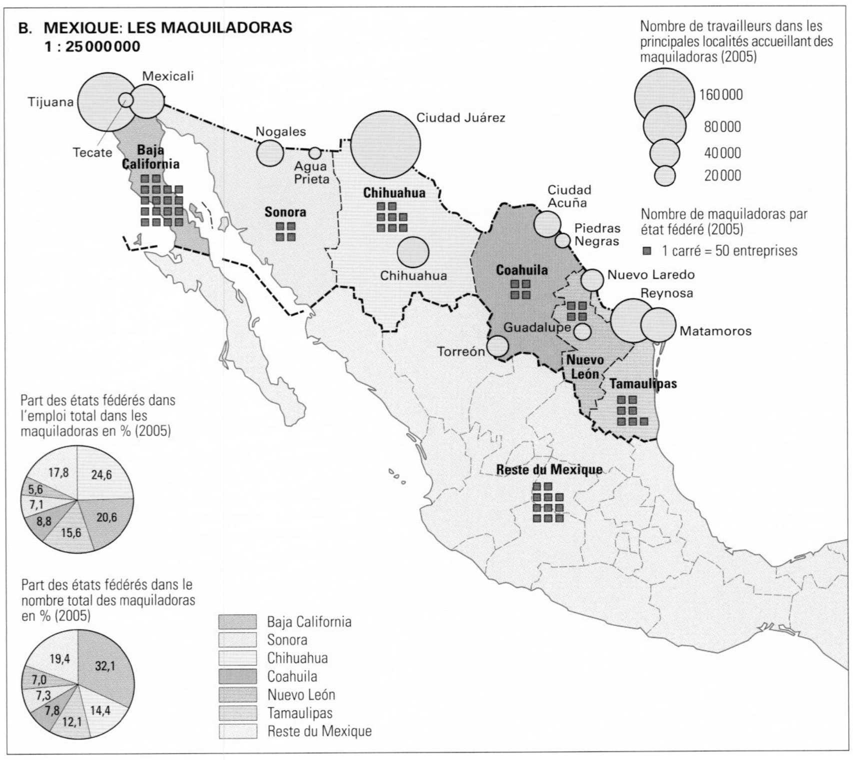

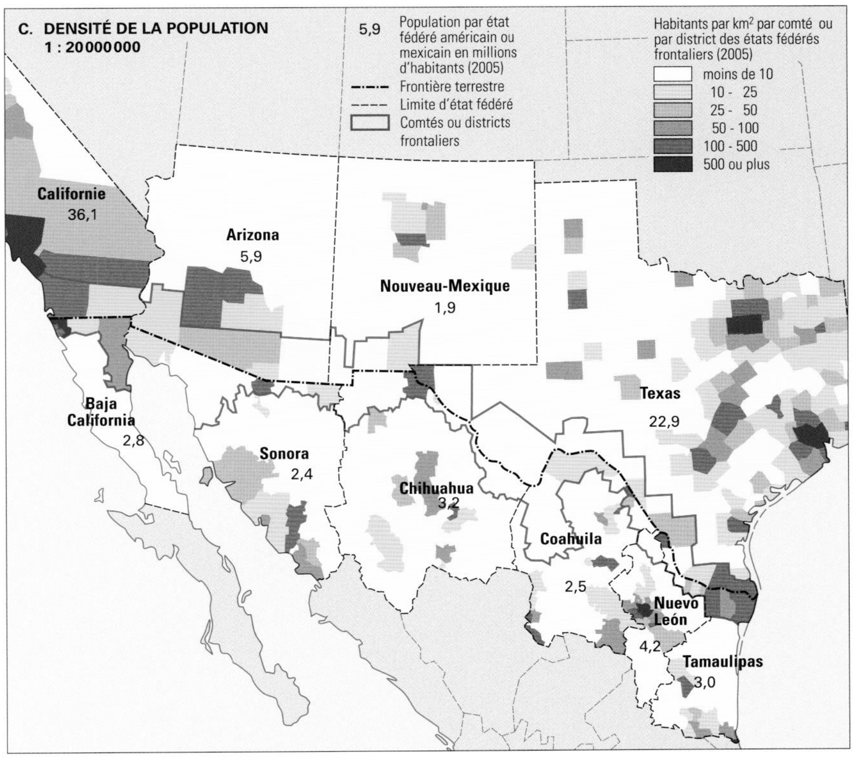

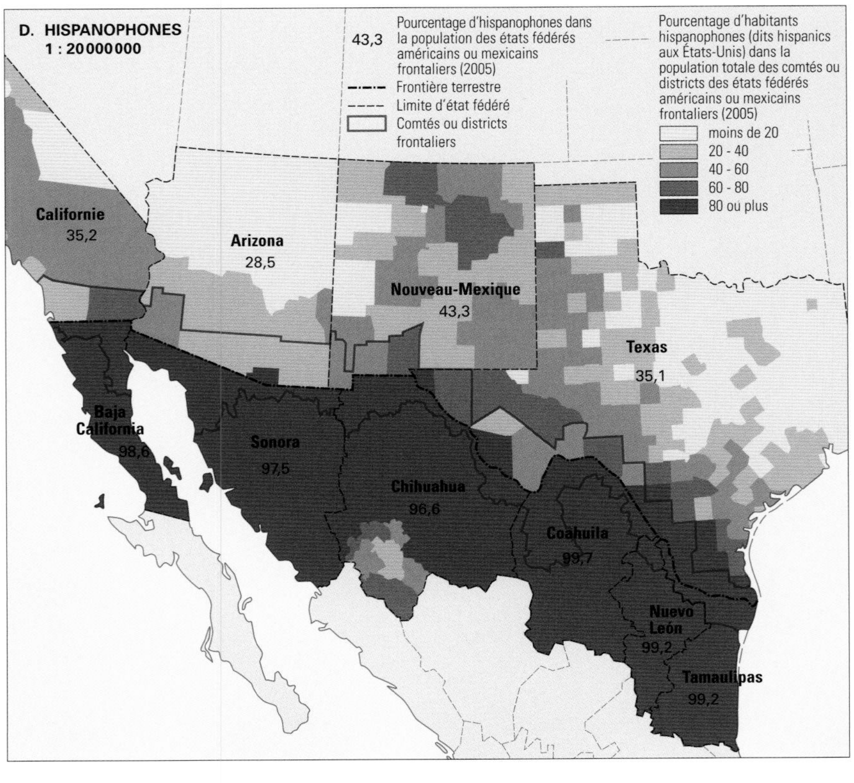

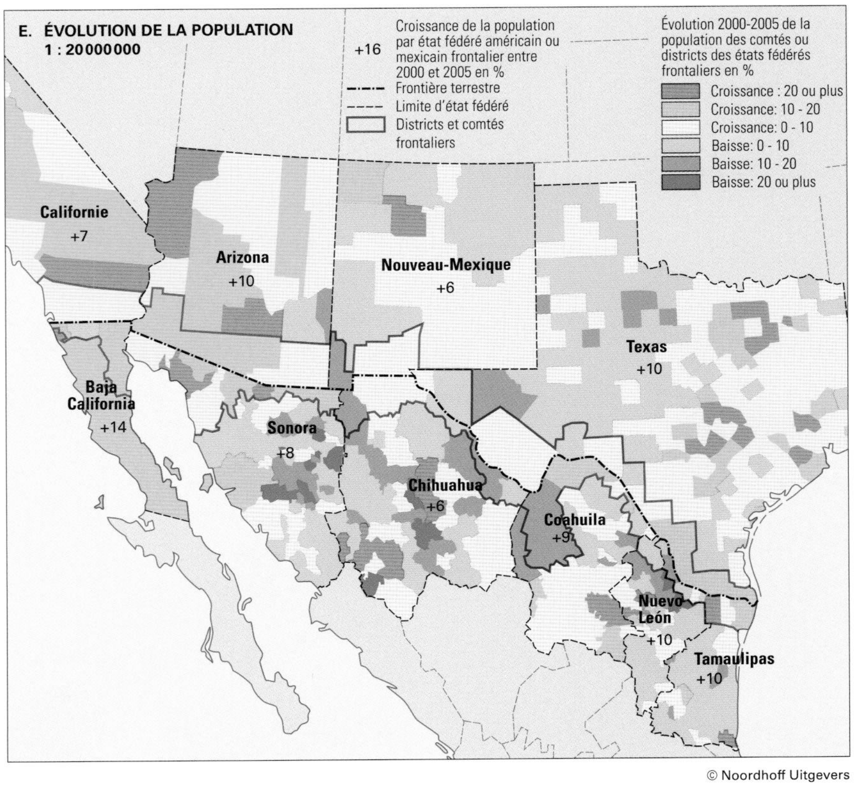

MEXIQUE

A. DIVISIONS ADMINISTRATIVES

Régions

- Région du Pacifique Nord-Ouest
- Région Nord
- Région Centrale
- Région du Golfe de Campeche
- Région du Pacifique Sud

D.F.   District Fédéral

B. SÉISMES ET VOLCANISME

- Zone de séismes rares ou inconnus
- Zone de séismes peu fréquents
- Zone de séismes fréquents
- Fosse de Mésoamérique
- - - Faille présumée
- ▲ Volcan
- ● Zone géothermique

C. DENSITÉ DE LA POPULATION

Habitants par km² par État (2005)

- moins de 10
- 10 - 25
- 25 - 50
- 50 - 100
- 100 - 500
- 500 ou plus

4,7   Millions d'habitants

D. LANGUES INDIGÈNES

Pourcentage de la population de 5 ans et plus parlant une langue indigène (2000)

- moins de 1
- 1 - 2
- 2 - 4
- 4 - 10
- 20 - 30
- 30 ou plus

E. DONNÉES CLIMATIQUES

Précipitations annuelles en mm

- moins de 400
- 400 - 800
- 800 - 1600
- 1600 - 3200
- 3200 ou plus

—— Isotherme annuelle

F. MINES

- ◆ Minerai de fer
- ◈ Manganèse
- ◇ Cuivre
- ◇ Plomb
- ◇ Zinc
- ◇ Or
- ◇ Argent
- ■ Charbon

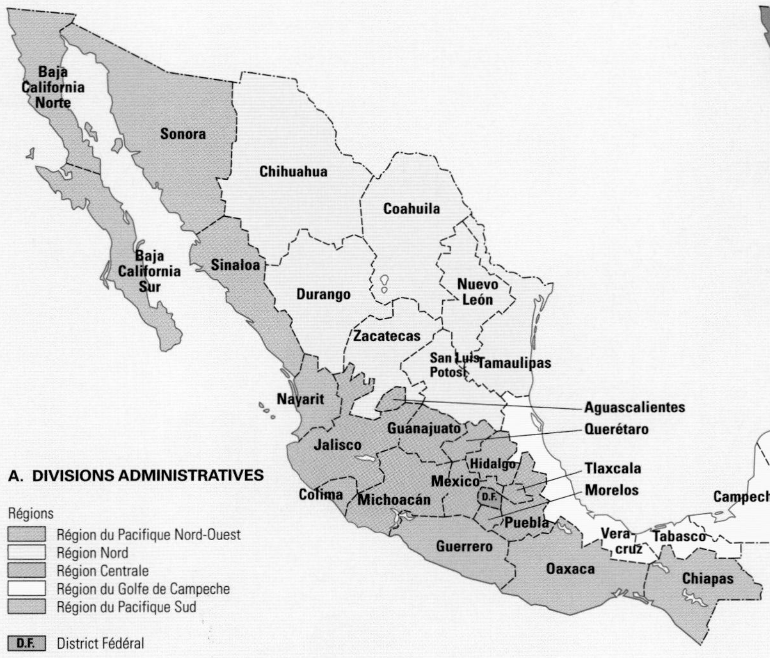

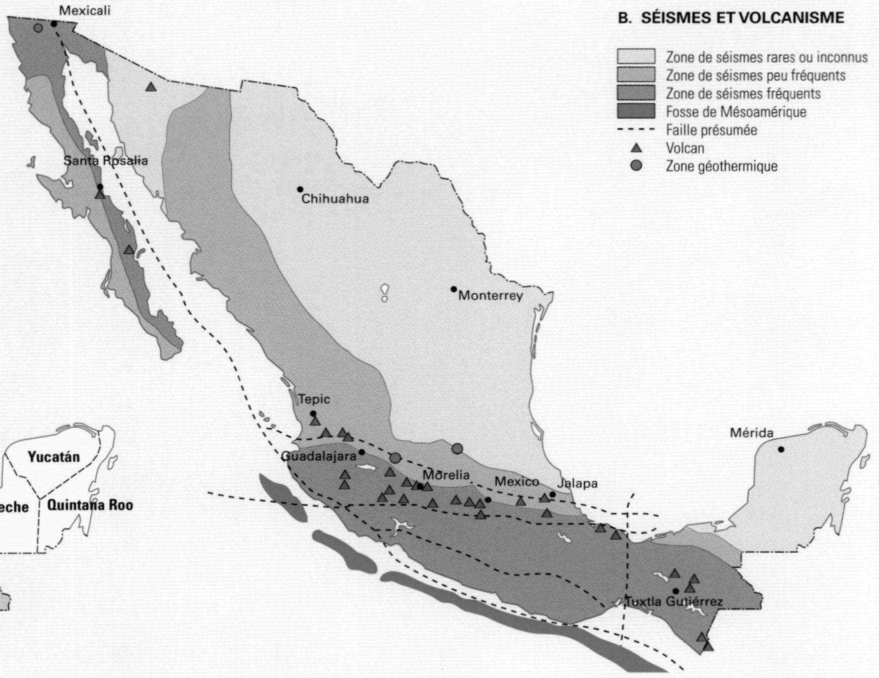

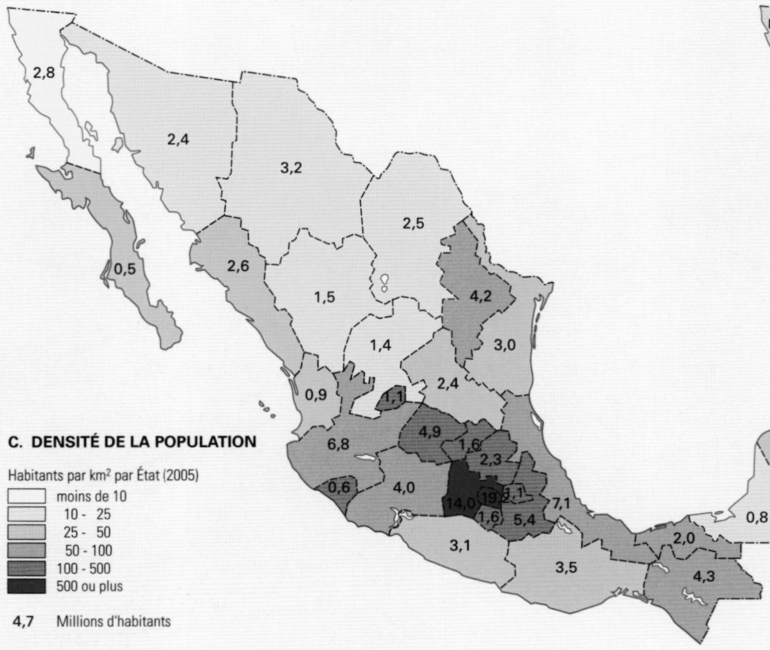

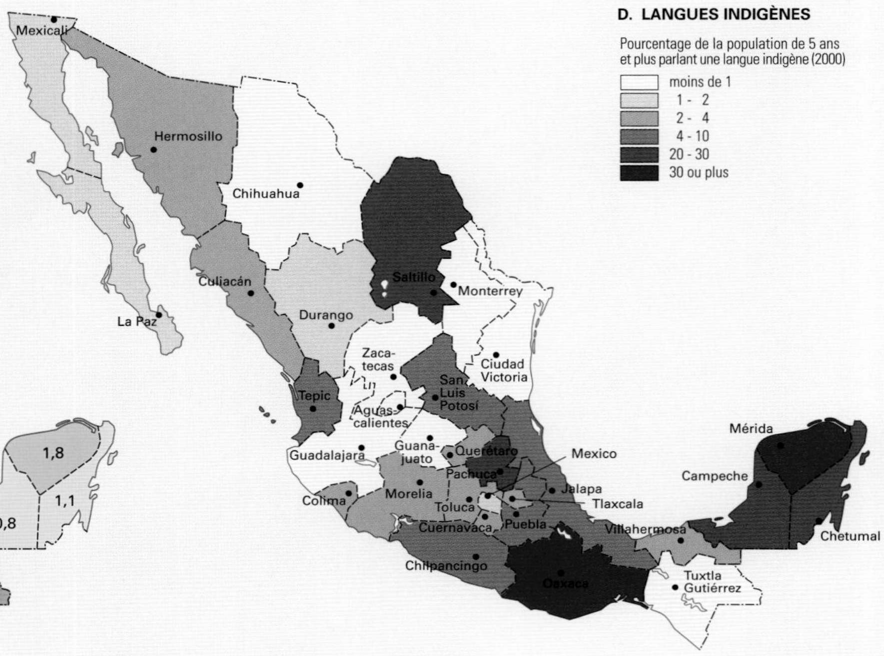

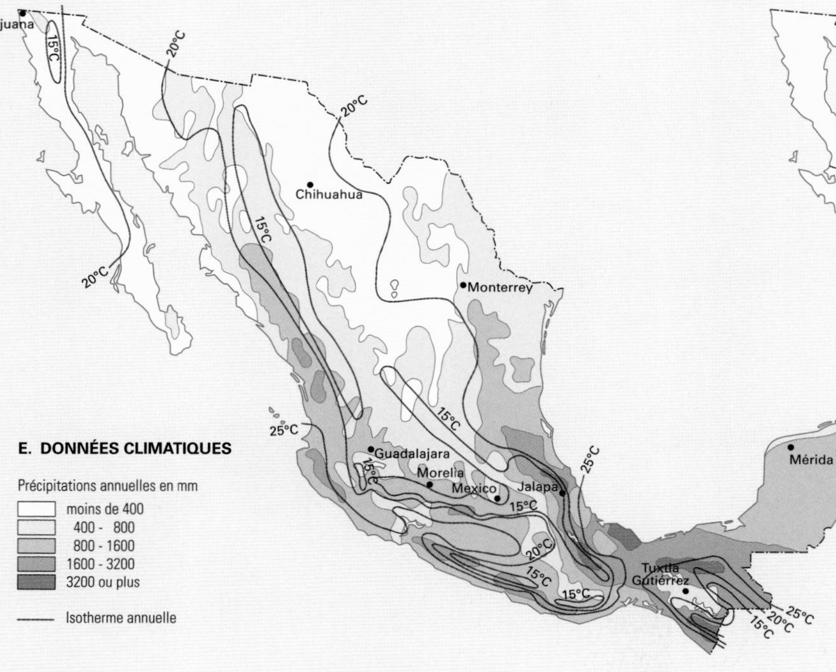

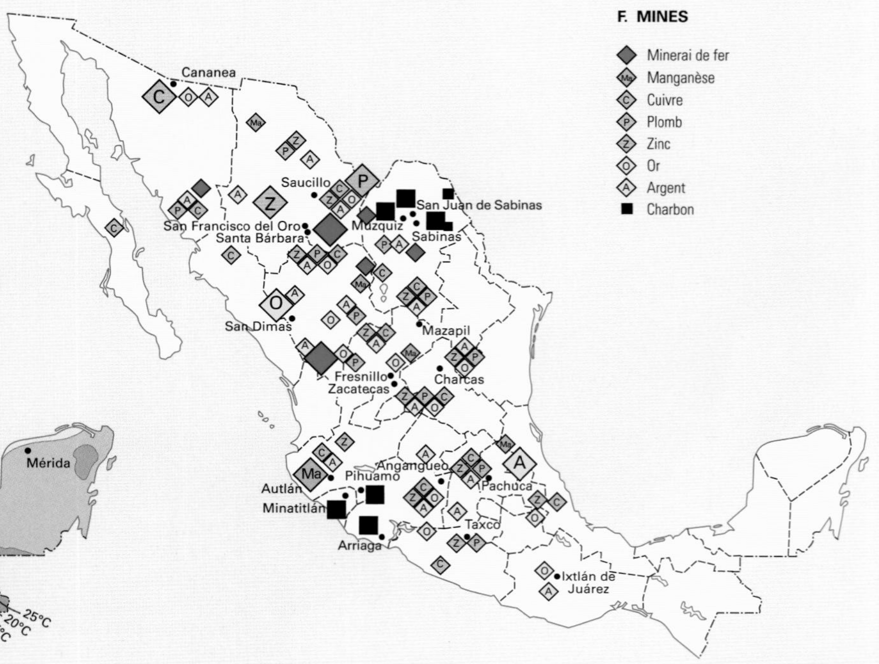

MEXIQUE / AMÉRIQUE CENTRALE

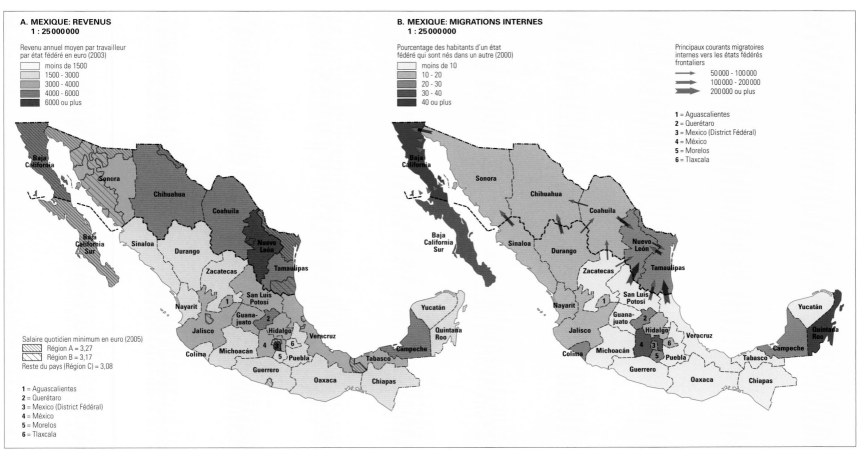

A. MEXIQUE: REVENUS
1 : 25 000 000

Revenu annuel moyen par travailleur
par état fédéré en euro (2003)

- moins de 1500
- 1500 - 3000
- 3000 - 4000
- 4000 - 6000
- 6000 ou plus

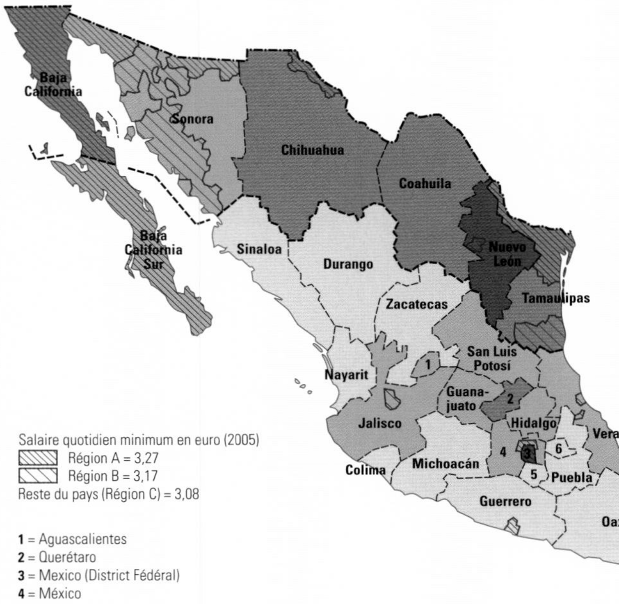

Salaire quotidien minimum en euro (2005)
- Région A = 3,27
- Région B = 3,17
- Reste du pays (Région C) = 3,08

1 = Aguascalientes
2 = Querétaro
3 = Mexico (District Fédéral)
4 = México
5 = Morelos
6 = Tlaxcala

B. MEXIQUE: MIGRATIONS INTERNES
1 : 25 000 000

Pourcentage des habitants d'un état
fédéré qui sont nés dans un autre (2000)

- moins de 10
- 10 - 20
- 20 - 30
- 30 - 40
- 40 ou plus

Principaux courants migratoires
internes vers les états fédérés
frontaliers

- 50 000 - 100 000
- 100 000 - 200 000
- 200 000 ou plus

1 = Aguascalientes
2 = Querétaro
3 = Mexico (District Fédéral)
4 = México
5 = Morelos
6 = Tlaxcala

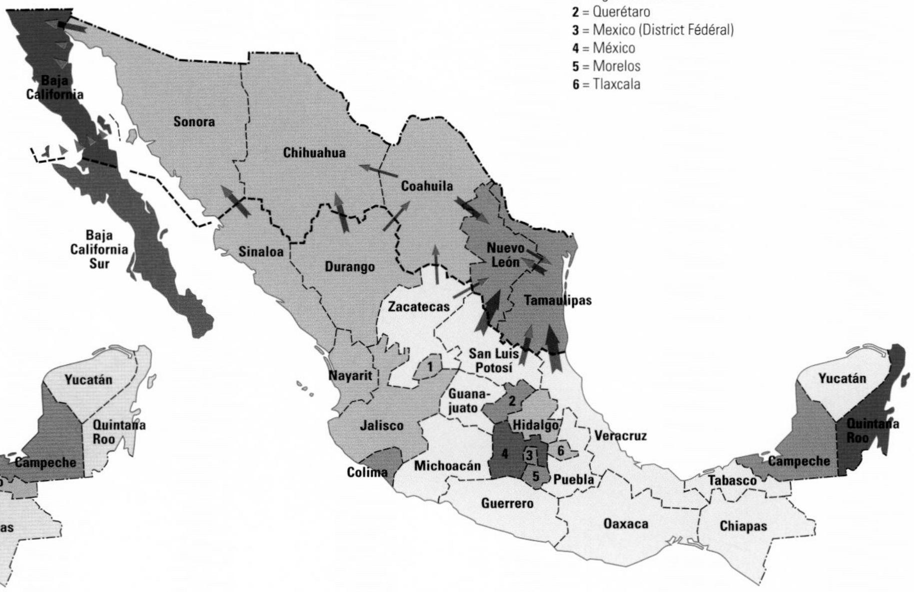

C. ÉTAPES DE CROISSANCE DE MEXICO
1 : 500 000

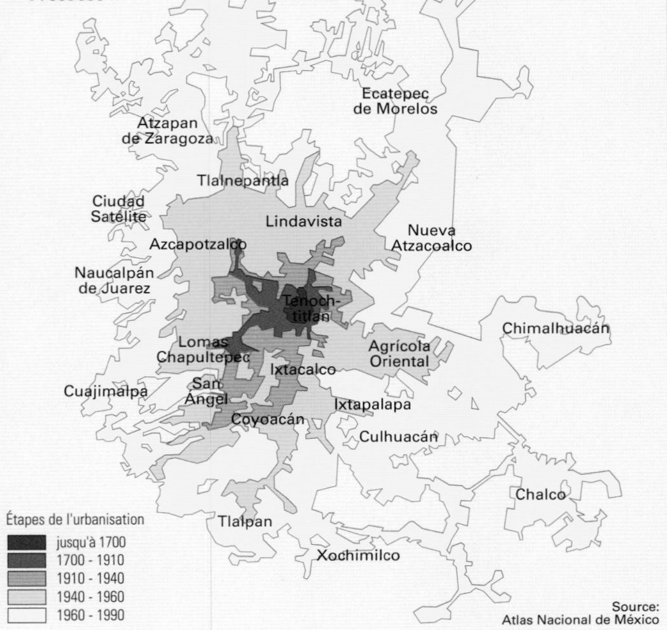

Étapes de l'urbanisation
- jusqu'à 1700
- 1700 - 1910
- 1910 - 1940
- 1940 - 1960
- 1960 - 1990

Source:
Atlas Nacional de México

D. CANAL DE PANAMÁ
1 : 870 000

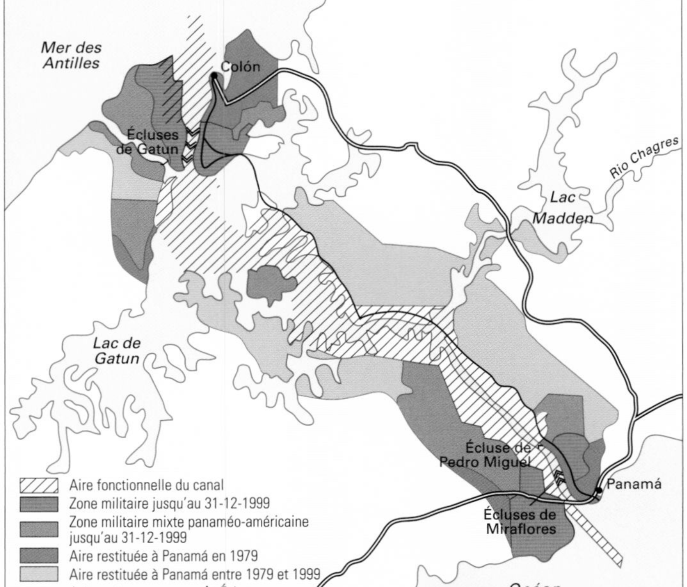

- Aire fonctionnelle du canal
- Zone militaire jusqu'au 31-12-1999
- Zone militaire mixte panaméo-américaine jusqu'au 31-12-1999
- Aire restituée à Panamá en 1979
- Aire restituée à Panamá entre 1979 et 1999
- Autoroute   Écluse
- Chemin de fer   Barrage

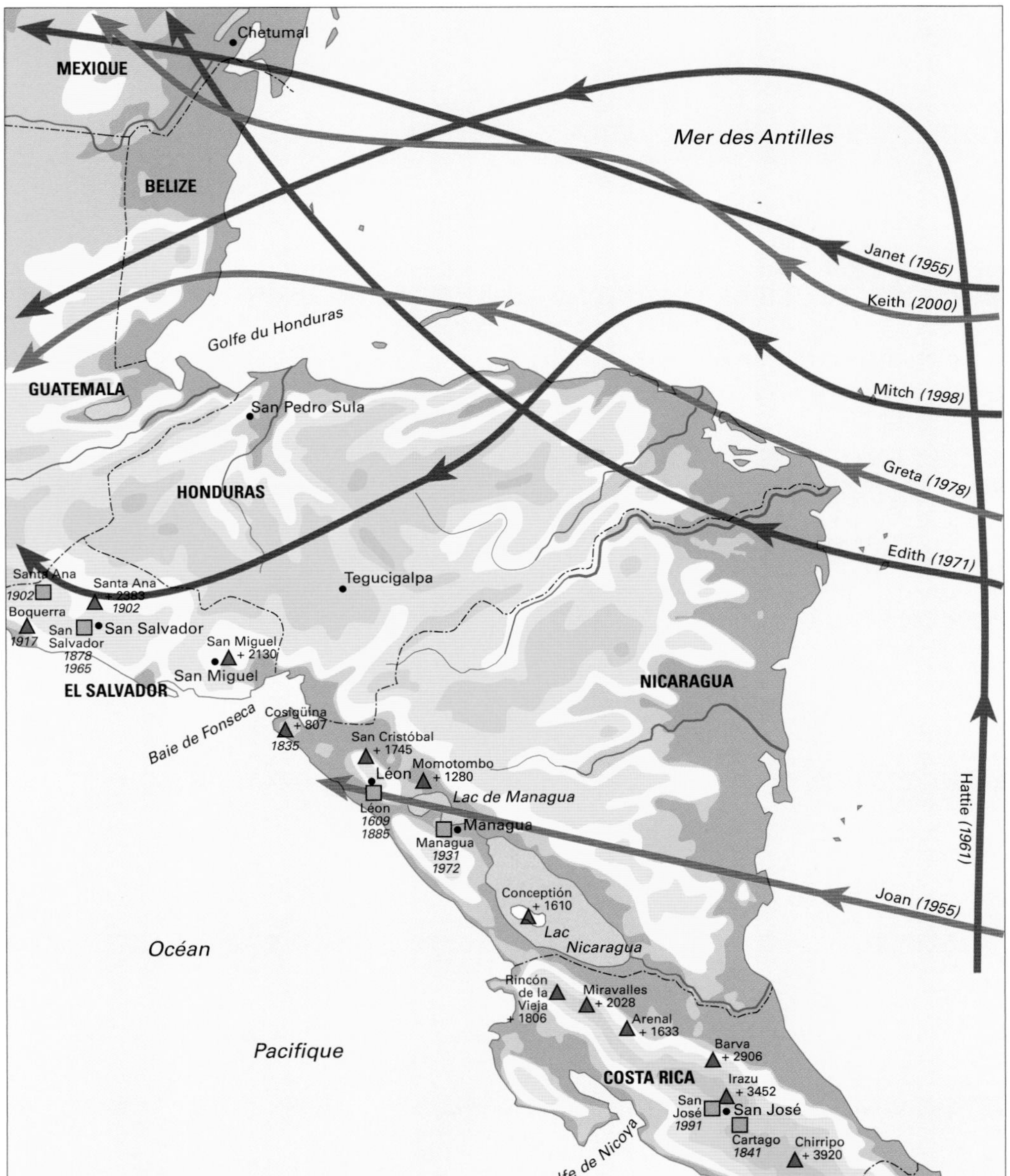

E. VOLCANS ET CATACLYSMES
1 : 6 500 000

- ▲ Volcan principal
- ◻ Tremblement de terre
- + 3477 Hauteur du volcan en mètres
- 1609 Année d'éruption ou de tremblement
- Ouragan force 4
- Ouragan force 5

© Noordhoff Uitgevers

RÉGION DES ANTILLES

Échelle 1 : 12 500 000

0 100 200 300 400 500 km

5000m
3000
2000
1000
500
200
100
0
-200
-2000
-4000
-6000
-8000

Océan Atlantique

Golfe du Mexique

BAHAMAS

W. Palm Beach
Fort Myers
Cape Coral
MIAMI
Fort Lauderdale
Key West
Keys de Floride
Dt. de Floride
ÉTATS-UNIS
Floride
Cap Sable

Grand Bahama
Freeport
Bod Raton
Grande Abaco
Île de la Nouvelle Providence
Nassau
Eleuthera
Île Grande Exuma
Cat
San Salvador
Long Island
Île Acklins
Île Mayaguana
Grande Inagua

Îles Turks et Caicos (R.-U.)
Cockburn Town

Pinar del Rio
Cap S. Antonio
LA HAVANE
Matanzas
Cárdenas
Arch. Cataneos
Île des Pins
Cienfuegos
Trinidad
Santa Clara
Sancti Spiritus
Ciego de Ávila
Camagüey
Île Camagüey
Las Tunas
Jardines de la Reina
Manzanillo
Bayamo
Sierra Maestra
Holguín
Puerto Padre
Nuevitas
CUBA
Santiago de Cuba
Guantánamo
Mayarí

Îles Cayman (R.-U.)
Georgetown

Montego Bay
Spanish Town
Kingston
JAMAÏQUE
Mt Bleu 2256

Cap Cruz

Mexique

Progreso
Mérida
Sisal
Valladolid
Chichén Itzá
Cancún
Cozumel
Tulum
Uxmal
Campeche
Cap Catoche
Banc de Campeche
Golfe de Campeche
Ciudad del Carmen
Coatzacoalcos
Minatitlán
Villahermosa
Isthme de Tehuantepec
Palenque
Tuxtla Gutiérrez
Tapachula
Quetzaltenango

BELIZE
Belize City
Belmopan
Chetumal
Turneffe

GUATEMALA
GUATEMALA
Tikal
Flores
Cobán
Puerto Barrios
Cobán
Acajutla
S. Lorenzo
San Salvador
EL SALVADOR
San Miguel
La Unión

HONDURAS
TEGUCIGALPA
San Pedro Sula
La Ceiba
Trujillo
Copán
Choluteca
Golfe du Honduras
Îles de la Baie

NICARAGUA
MANAGUA
León
Chinandega
Pto Sandino
Masaya
Granada
Lac Nicaragua
Puerto Cabezas
Bluefields
El Bluff
Cap Gracias a Dios
Îles Maíz

COSTA RICA
SAN JOSÉ
Puntarenas
Limón
Liberia
San Juan del Norte
San Juan del Sur

PANAMA
PANAMÁ
Colón
Canal de Panamá
David
Chitré
Golfe de Panamá
Golfe des Mosquitos
Golfe de Chiriquí
Bocas del Toro
Île Coiba
Providencia (Col.)
San Andrés (Col.)

Mer des Antilles (Mer des Caraïbes)

Santiago
La Plata
Cap-Haïtien
Port-de-Paix
Gonaïves
HAÏTI
PORT-AU-PRINCE
Jérémie
Les Cayes
Jacmel
Île Tortue
Île Mayaguana
La Vega
San Cristóbal
Barahona
SAINT-DOMINGUE
RÉPUBLIQUE DOMINICAINE
Pico Duarte 3175

Mayagüez
Arecibo
Ponce
SAN JUAN
Porto Rico (É.-U.)

Îles Vierges (R.-U.)
St Thomas
St Croix
Tortola

Grandes Antilles

Petites Antilles

Anguilla (R.-U.)
Sombrero
St-Barthélemy (Fr.)
ANTIGUA-ET-BARBUDA
Barbuda
St John's
Saba
St-Eustache
St-Kitts
Nevis
ST-KITTS-ET-NEVIS
Montserrat (R.-U.)
Antilles Néerlandaises
Guadeloupe (Fr.)
Basse-Terre
Pointe-à-Pitre
Marie-Galante
DOMINIQUE
Roseau
St-Pierre
Mt Pelée 1397
Fort-de-France
Martinique (Fr.)
STE-LUCIE
Castries
BARBADE
Bridgetown
ST-VINCENT-ET-LES-GRENADINES
Kingstown
GRENADE
Saint Georges

Antilles Néerlandaises
Tobago
TRINITÉ-ET-TOBAGO
Port of Spain
Trinité
Boca de Serpiente

Îles sous le vent
Aruba (P.-B.)
Curaçao
Bonaire
Los Roques (Ven.)
Blanquilla (Ven.)
La Tortuga
Margarita (Ven.)
Willemstad

VENEZUELA
CARACAS
Maracay
Valencia
La Guaira
Puerto Cabello
Coro
Punto Fijo
Pointe Gallinas
Maracaibo
Cabimas
G. de Venezuela
Lac de Maracaibo
BARQUISIMETO
Barinas
San Fernando
San Fernando de Apure
San Carlos
Carúpano
Cumaná
Barcelona
Maturín
Anaco
El Tigre
Ciudad Bolívar
Cerro Bolívar 802
Ciudad Guayana
Tucupita
Río Orinoco
San Fernando de Atabapo
Maroa
Serra Parima

COLOMBIE
BOGOTÁ
MEDELLÍN
CALI
BARRANQUILLA
Cartagena
Santa Marta
Riohacha
Valledupar
Cúcuta
Bucaramanga
Villavicencio
Armenia
Manizales
Pereira
Neiva
Ibagué
Tunja
Sogamoso
Buenaventura
Quibdó
Turbo
Montería
Sincelejo
Magangué
Golfe de Darién
Sa Nevada de Sta Marta 5775
Cordillère Orientale
Cordillère Centrale
Cordillère Occidentale

GUYANA
Georgetown
Linden
Bartica
Corantijn
Essequibo

BRÉSIL
Boa Vista
Massif des Guyanes
La Gran Sabana
Chute Angel

Océan Pacifique

Tropique du Cancer

© Noordhoff Uitgevers

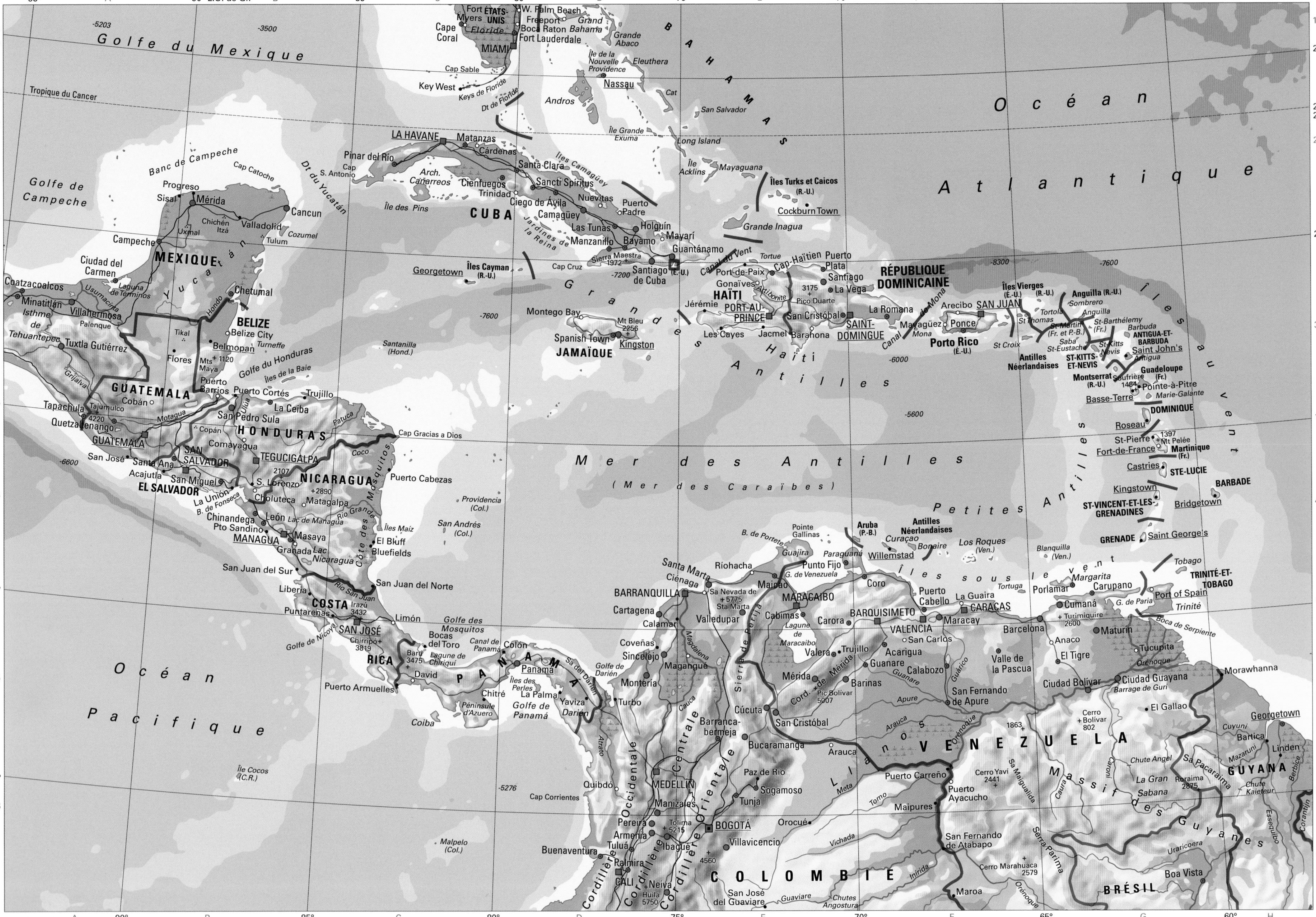

RÉGION DES ANTILLES

A. CUBA: DENSITÉ DE LA POPULATION
1 : 9000000

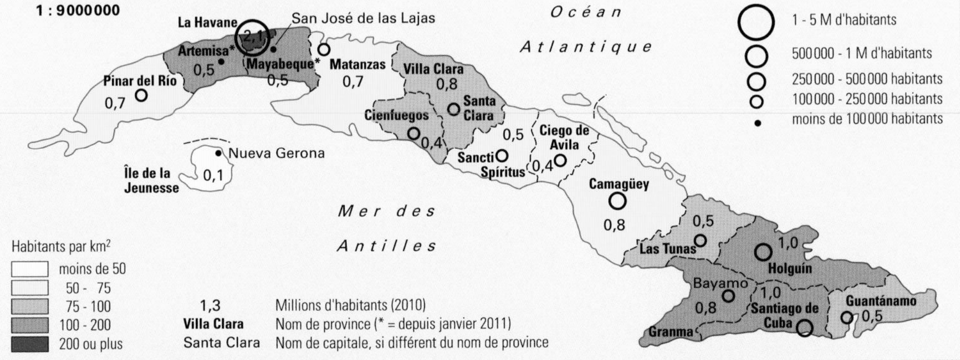

B. CUBA: PRÉCIPITATIONS
1 : 9000000

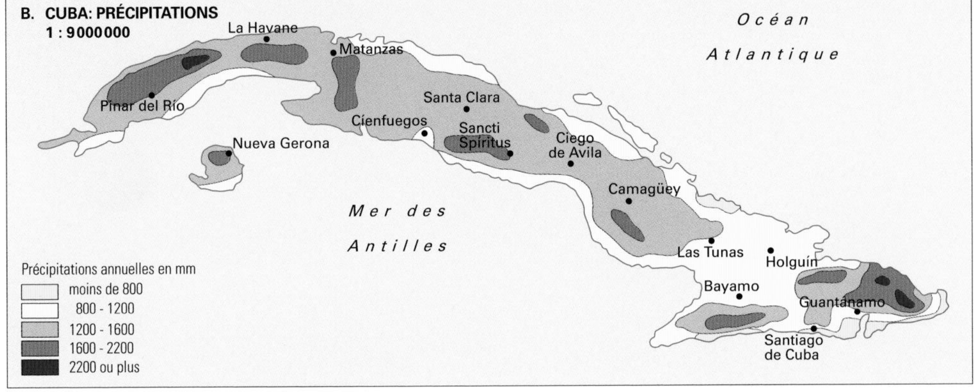

C. CUBA: CULTURES ET ACTIVITÉS DOMINANTES
1 : 9000000

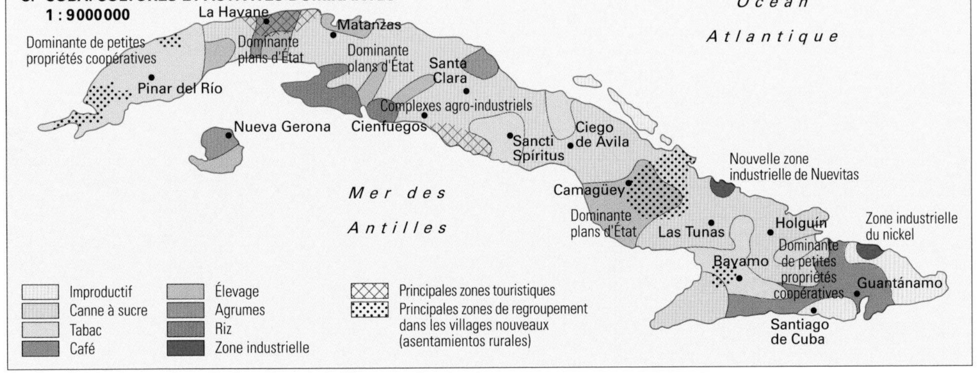

D. CUBA: MINES ET INDUSTRIE
1 : 9000000

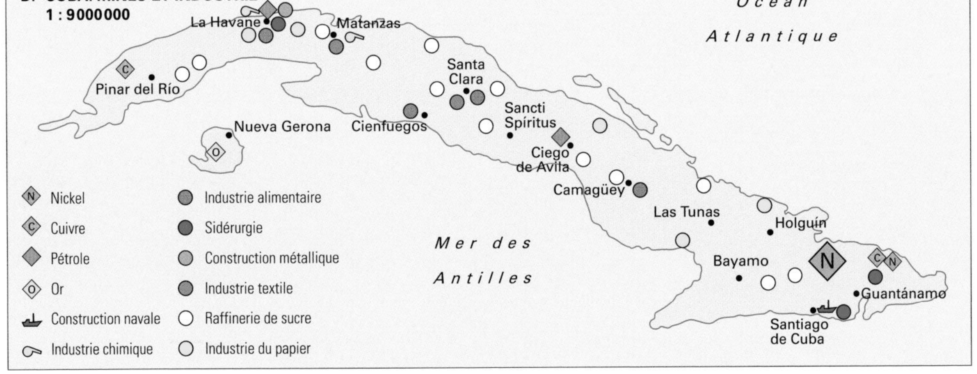

E. IMPORTANCE DU TOURISME
1 : 18000000

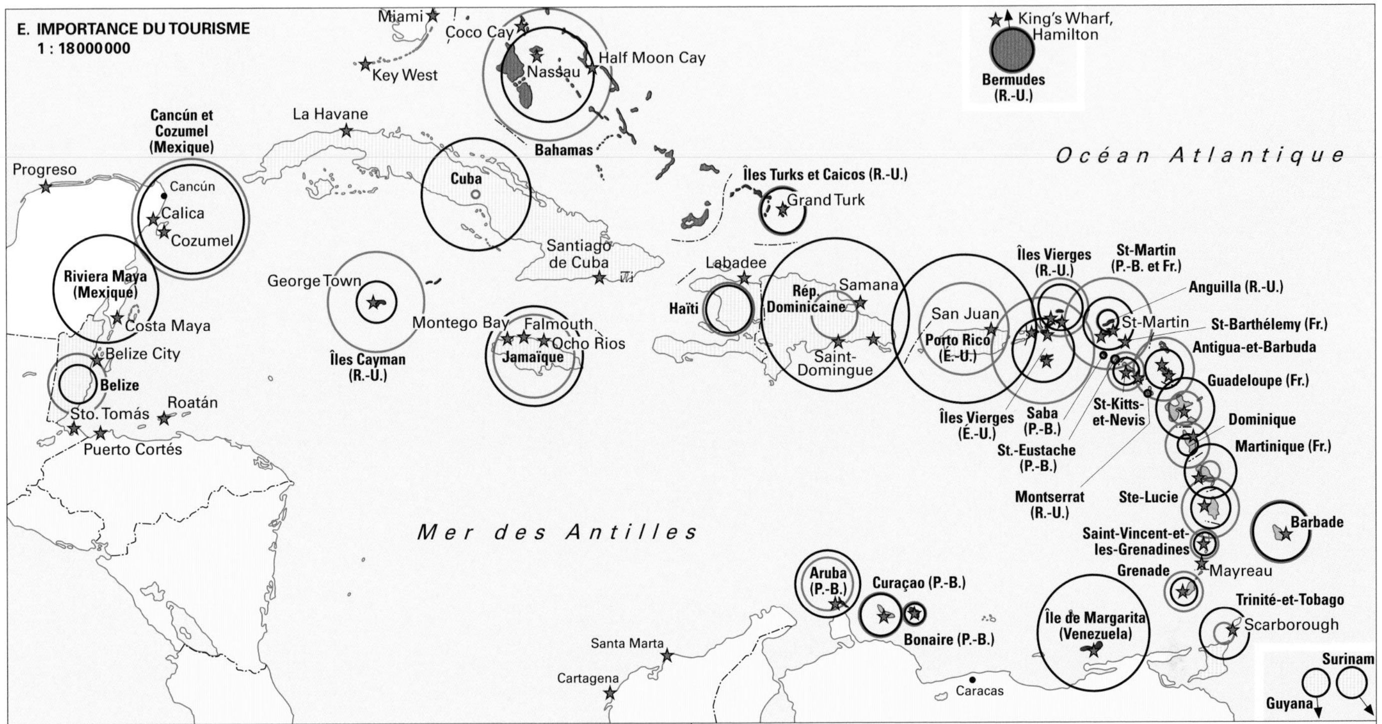

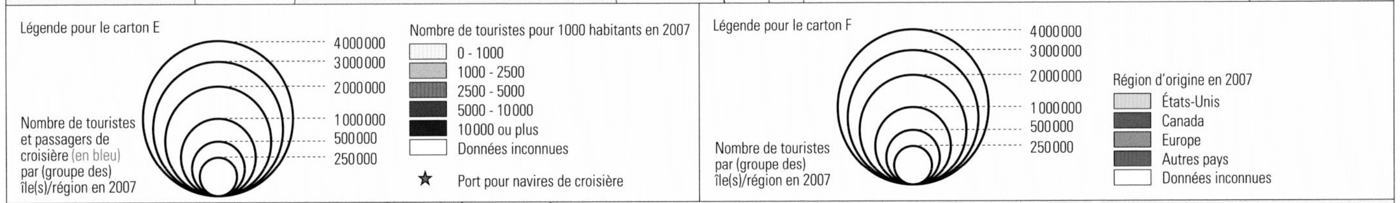

F. NOMBRE DE TOURISTES PAR RÉGION D'ORIGINE
1 : 18000000

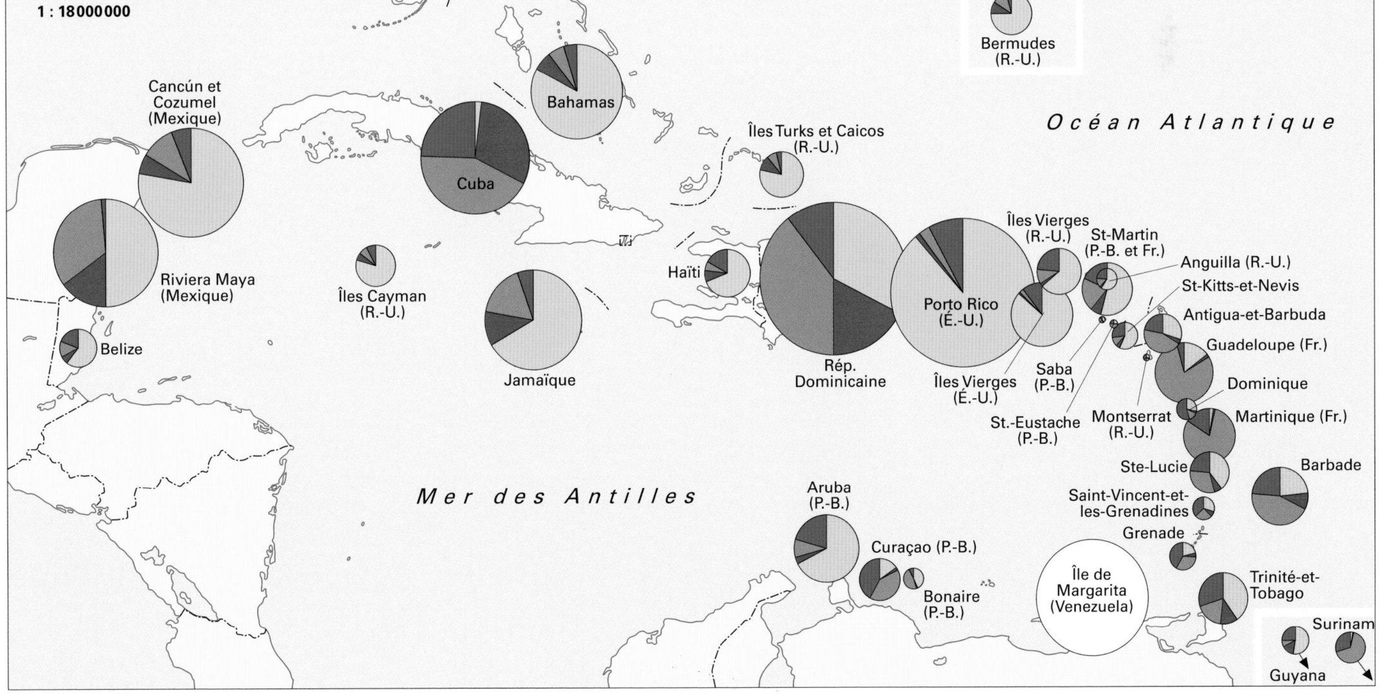

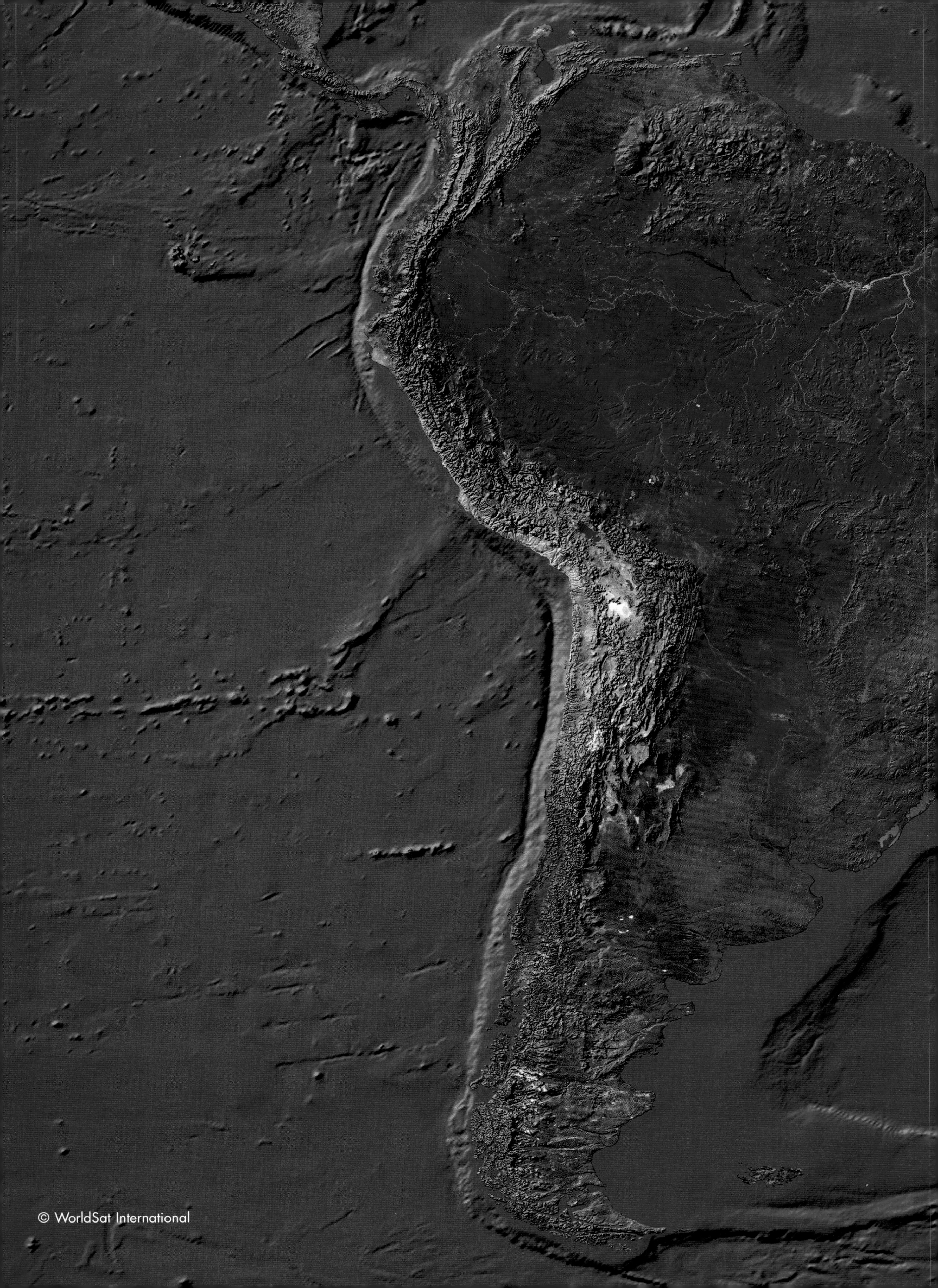

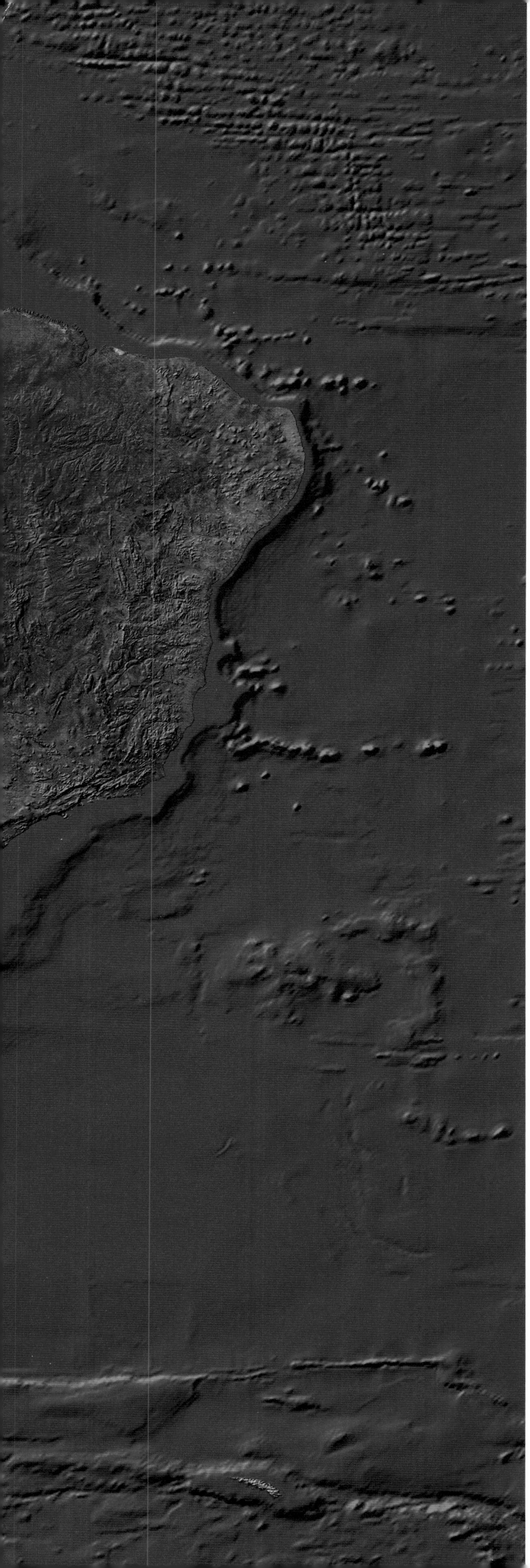

AMÉRIQUE DU SUD

La Cordillère des Andes borde la partie occidentale du continent. Le grand bassin de l'Amazonie représente la plus
grande superficie forestière du monde. Il est traversé d'Ouest
en Est par le fleuve Amazone et ses multiples affluents.
Les plateaux de la moitié Sud du continent sont moins
arrosés que le Bassin de l'Amazonie et apparaissent donc
dans un vert moins vif.

AMÉRIQUE DU SUD

-8000 -6000 -4000 -2000 -200 0 100 200 500 1000 2000 3000 5000m

Échelle 1 : 25 000 000

0 200 400 600 800 1000 km

B 80° L.O. de Gr. C 70° D 60° E 50° F Extrémité Sud du Groenland 40° G

Mer des Antilles
(Mer des Caraïbes)

Pointe Gallinas
Saint Vincent
Barbade
Grenade
Margarita
Tobago
Aruba   Bonaire
Curaçao
Tortuga
Trinité
Para

Bassin des Guyanes
Dorsale Médio-Atlantique

Océan

-4600

Barranquilla
Golfe du Venezuela
Maracaibo
Caracas
Pointe Paria

Sa Nevada de Sta-Marta
Golfe de Darién
Lagune de Maracaibo
Orénoque

Golfe des Mosquitos
Isthme de Panama
Golfe de Panama

Pic Bolivar 5007
Cord. de Mérida
L a n o s
Apure
Meta
Orénoque

Sa Imataca
Chute Angel 2875
Roraima

Paramaribo
C. d'Orange
Olapoque
Surinam
Maroni
Courantyne
Essequibo

Atlantique

Cordillère Occidentale
Centrale
Orientale
(Cord. Oriental)

Ruiz 5400
Bogotá
Huila 5750

Guaviare
Inirida
Guainia

Sa Parima
Orénoque
Casiquiare

Sa Pacaraima
3014

Sa Acaraí
Sa de Tumucumaque

Massif des Guyanes

Trombetas
Pará

Amazone

-5450

Malpelo
B. de Buenaventura

Cayambe 5790
Quito
Cotopaxi 5897
Chimborazo 6310

Napo
Caquetá
Putumayo
Japurá
Içá
Vaupés
La Neblina

Rio Negro

Óbidos
Amazone

Marajó
Belém

Équateur

Golfe de Guayaquil
Iquitos

Tigre
Marañón
Huallaga

Amazone (Solimões)
Yavari
Juruá

S e l v a s

Manaus 26

Tapajós
Xingu
Tocantins
Capim
Gurupi

Baie São Marcos

Fortaleza

Singapour

Pongo de Manseriche 106

Ucayali
Purus
Juruá
Jiparaná
Aripuanã
Madeira

Sa dos Carajás
Araguaia
Tocantins

Parnaíba

C. San Roque

Huascarán 6746

Rio Branco
Acre
Madre de Dios
Beni
Guaporé

Chutes de Guajará
Sa dos Parecis
Juruena
Rio Teles Pires

Xingu
Sa dos Morros
Sa do Roncador

São Francisco

C a a t i n g a s

Recife
Chute Paulo Afonso

Lima

Cordillère
La Montaña

Acre
Marmoré
San Miguel
Guaporé

P l a t e a u

Sertão
Chapada Diamantina

Bassin du Pérou

Coropuna 6613
Ampato 6300
Misti 5842
Lac Titicaca
Illampu 6362
La Paz
Illimani 6882
Sajama 6520
Lac Poopó
Salar de Uyuni 3686
Haut-Plateau de Bolivie

Paraguay
Plateau du Mato Grosso
Pantanal du São Lourenço
Pantanal do Rio Negro

d u

Sa das Divisões
Campos

B r é s i l

Brasília
Belo Horizonte 2044 Sa do Itambé

Jequitinhonha
Doce

Salvador
B. de Tous les Saints

Crête de Nazca

-8065

Yungas
Pampa del Tamarugal

Pilcomayo
Bermejo
Paraguay

Paraná
Tietê
Rio Grande
Paranaíba
Sa do Espinhaço

Pico da Bandeira 2890
Itatiaia 2821
Sa da Mantiqueira

Pacifique

Bassin du Chili

Salar de Atacama
6723
Llullaillaco

Gran Chaco

Paraguay
Bermejo
Salado

Paranapanema
Paraná
Chutes de Sete Quedas (Chutes de Guaíra)
Asunción 98
Chutes de l'Iguaçu
Iguazú

São Paulo
Santos

Mar
C. Frio
Rio de Janeiro

Tropique du Capricorne

Tropique du Capricorne 23° 27'

Îles Desventuradas
San Ambrosio
San Félix

Ojos del Salado 6880

Salinas Grandes

P a m p a s
Paraná
Entre Rios
Uruguay

Serra do Mar

Porto Alegre
Lagoa dos Patos

Océan

Dorsale de Juan-Fernández

Aconcagua 6959
Col de la Cumbre 3863
Tupungato 6830

2880
Sierra de Córdoba
Salado

Rio Negro
Rosario

Cuchilla Grande
Laguna Mirim

Seuil du Rio Grande

-5303

Îles Juan-Fernández
Île Robinson Crusoé

Valparaíso
Santiago

A n d e s

Colorado
Salado
Buenos Aires

Montevideo
Punta del Este
Río de la Plata
C. San Antonio

Concepción

Colorado
Río Negro

Bahía Blanca
Bahía Blanca
C. Corrientes

Bassin

Chiloé
G. de Corcovado

3556
Lac Nahuel Huapi
Tronador

G. de San Matías
Valdés
Chubut

Atlantique

A r g e n t i n

Arch. des Chonos
Taitao

San Valentín 4058
Lac Buenos Aires

Deseado
G. de San Jorge
C. Tres Puntas

Wellington

P a t a g o n i e

Chico

-5900

Hanover

Lago Argentino
Bahía Grande

Dt de Magellan
Tierra del Fuego (Terre de Feu)
Îles Falkland
(Îles Malouines)

Santa Inés

Dt de Magellan
Dt de Drake
Cord. Darwin 2330
Dt de Le Maire
Isla de los Estados (Île des États)
Cap Horn

Géorgie du Sud

Projection azimutale conforme

A B 80° C 70° D 60° Terre de Graham E 50° F 40° G 30° H

Terre de Graham

© Noordhoff Uitgevers

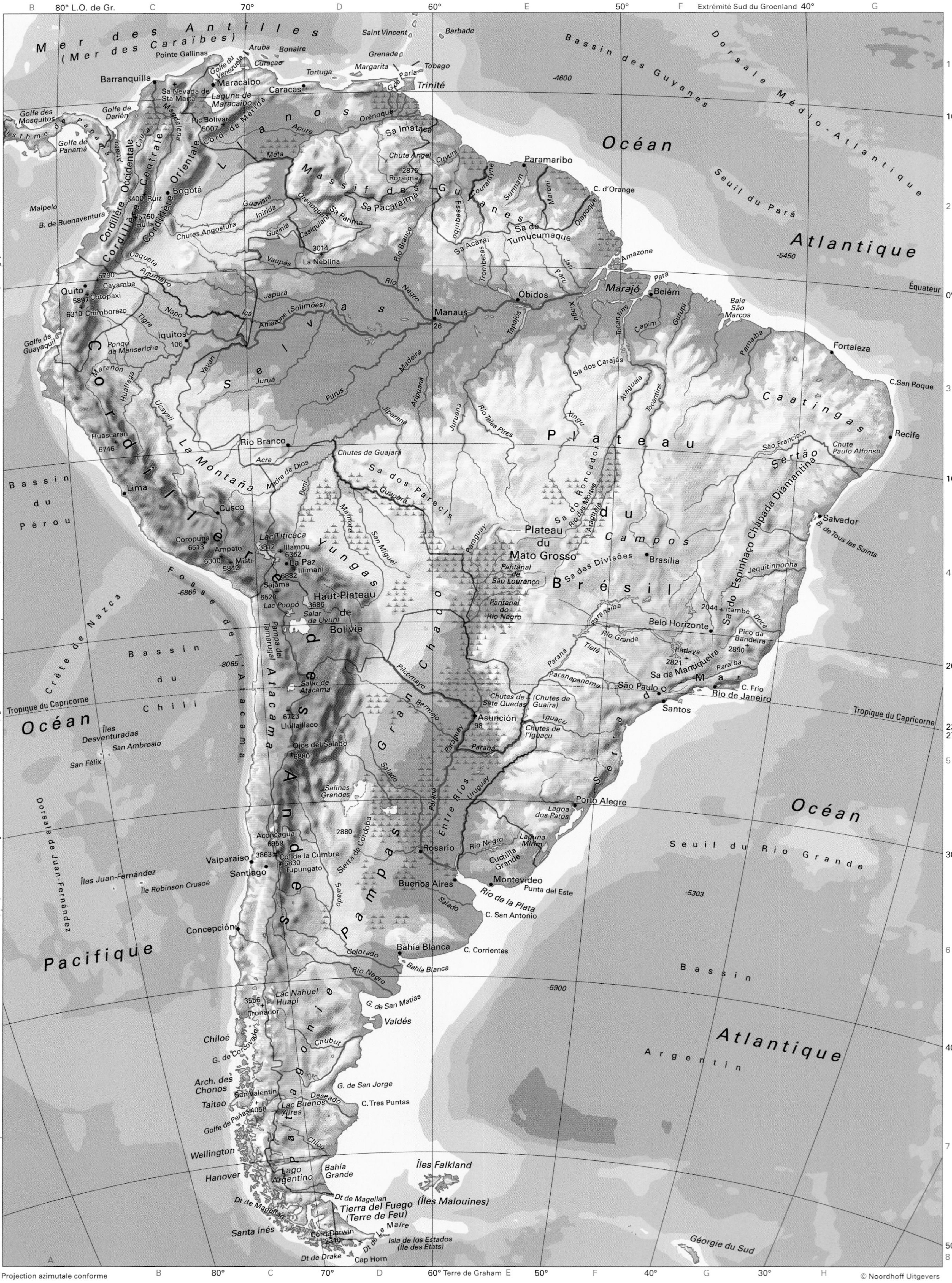

AMÉRIQUE DU SUD POLITIQUE

Échelle 1 : 25 000 000

0   200   400   600   800   1000 km

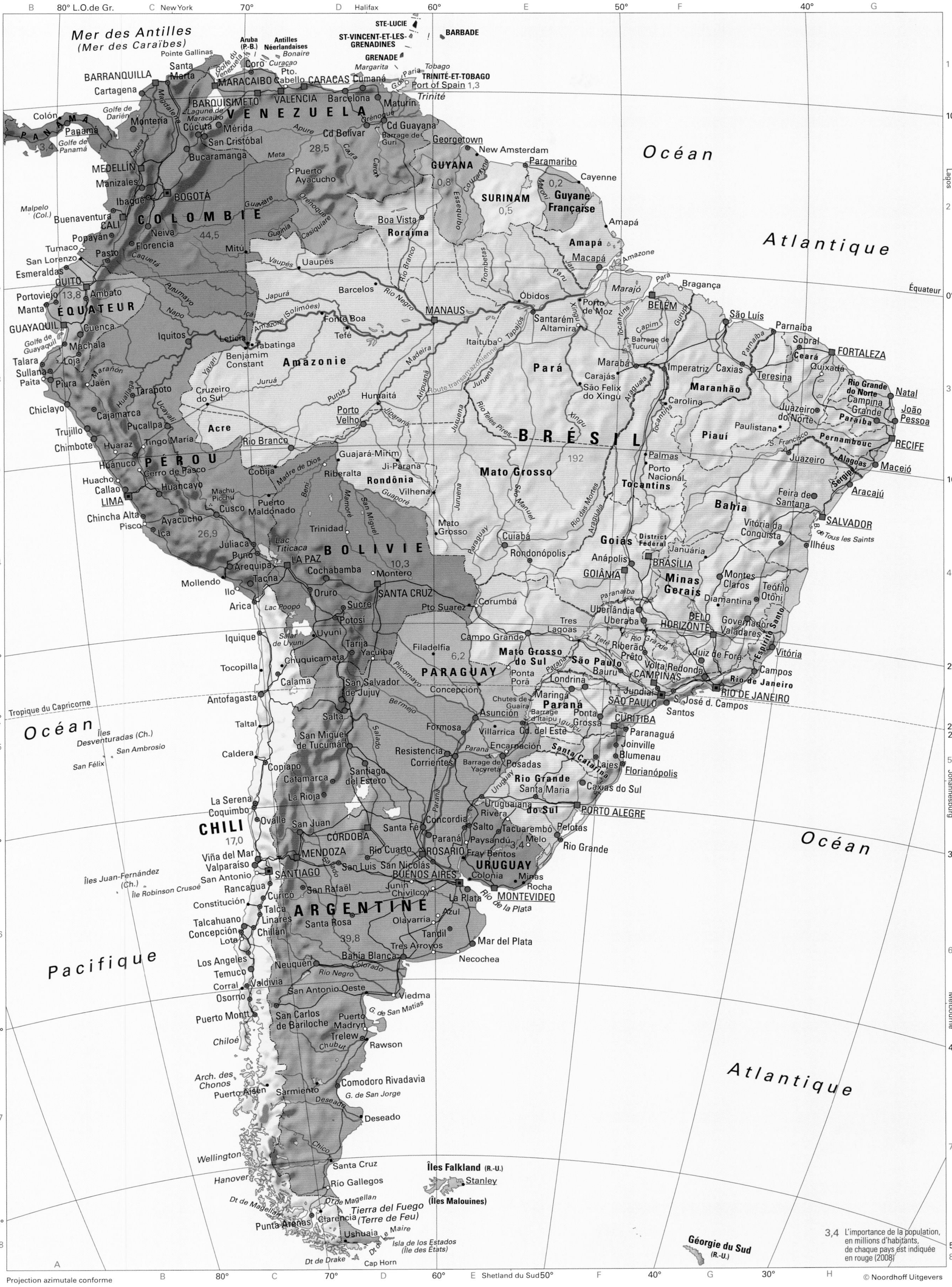

Mer des Antilles
(Mer des Caraïbes)

STE-LUCIE
ST-VINCENT-ET-LES-GRENADINES
GRENADE
BARBADE

Pointe Gallinas
BARRANQUILLA
Santa Marta
Cartagena
Aruba (P.-B.)   Antilles Néerlandaises
Bonaire
Curaçao
Margarita
Tobago
TRINITÉ-ET-TOBAGO
Port of Spain 1,3
Trinité

Colón
PANAMA
3,4
Pané
Golfe de Panamá
Golfe du Venezuela
Coro
Pto. Cabello
CARACAS
Cumaná
G. de Paria

MARACAIBO
BARQUISIMETO
VALENCIA
Barcelona
Maturín

Golfe de Darién
Monteria

VENEZUELA

Océan

MEDELLÍN
Manizales
Cúcuta
Mérida
San Cristóbal
Bucaramanga
Lagune de Maracaibo
Apure
Cd Bolívar
Cd Guayana
Barrage de Guri
Georgetown
New Amsterdam
Paramaribo
Cayenne

Atlantique

Malpelo (Col.)
Buenaventura
Ibagué
BOGOTÁ
Neiva
COLOMBIE
44,5
Meta
Orénoque
Puerto Ayacucho
GUYANA
0,8
SURINAM
0,5
Guyane Française
0,2
Amapá

Popayán
CALI
Florencia
Guaviare
Guainia
Boa Vista
Roraima

Tumaco
Pasto
Caquetá
Vaupés
Uaupés
Macapá
Amazone

San Lorenzo
Esmeraldas
QUITO
Portoviejo
13,8
Ambato
Napo
Japurá
Barcelos
Rio Negro
Río Branco
Óbidos
Pará
Marajó
Bragança
Équateur

Manta
ÉQUATEUR
Cuenca
Iquitos
Içá
Amazone (Solimões)
Fonte Boa
Tefé
MANAUS
Santarém
Altamira
Porto de Moz
BELÉM
São Luís

GUAYAQUIL
Golfe de Guayaquil
Machala
Leticia
Tabatinga
Benjamim Constant
Amazonie
Juruá
Madeira
Itaituba
Tapajós
Xingu
Route transamazonienne
Maraba
Carajás
Imperatriz
Caxias
Teresina
Parnaíba
Sobral
FORTALEZA
Ceará

Talara
Sullana
Piura
Paita
Loja
Marañón
Jaén
Tarapoto
Cruzeiro do Sul
Juruá
Purús
Madeira
Juruena
Juruena
Rio Tapajós
Tocantins
São Félix do Xingu
Carolina
Piauí
Juàzeiro do Norte
Campina Grande
Natal
Rio Grande do Norte

Chiclayo
Trujillo
Chimbote
Huaraz
Pucallpa
Acre
Rio Branco
Humaitá
Porto Velho
BRÉSIL
Palmas
Porto Nacional
Paraíba
João Pessoa
Pernambouc
RECIFE

PÉROU
Huánuco
Cerro de Pasco
Cobija
Madre de Dios
Ji-Paraná
Rondônia
Vilhena
192
Mato Grosso
Rio das Mortes
S. Francisco
Alagoas
Maceió
Sergipe

Huacho
Callao
LIMA
Huancayo
Machu Picchu
Cusco
Riberalta
Guaporé
Guajará-Mirim
Mato Grosso
Araguaia
Tocantins
Feira de Santana
Aracajú

Chincha Alta
Pisco
Ica
26,9
Ayacucho
Juliaca
Puno
Lac Titicaca
LA PAZ
Puerto Maldonado
Beni
Trinidad
San Miguel
Mamoré
Paraguay
Cuiabá
Rondonópolis
Goiás
Anápolis
District Fédéral
BRASÍLIA
Januária
Bahia
Vitória da Conquista
Ilhéus
SALVADOR
Tous les Saints

Mollendo
Arequipa
Tacna
Arica
Cochabamba
Montero
Oruro
BOLIVIE
10,3
Sucre
Potosí
SANTA CRUZ
Corumbá
Pto Suárez
GOIÂNIA
Uberlândia
Uberaba
Minas Gerais
Montes Claros
Diamantina
Teófilo Otôni

Iquique
Salar de Uyuni
Uyuni
Tarija
Yacuíba
Filadelfia
6,2
Campo Grande
Mato Grosso do Sul
Tres Lagoas
Paranaíba
Rio Grande
BELO HORIZONTE
Governador Valadares
Vitória
Espírito Santo

Tocopilla
Chuquicamata
Calama
San Salvador de Jujuy
Pilcomayo
PARAGUAY
Ponta Porã
São Paulo
Tietê
Ribeirão Prêto
Volta Redonda
Juiz de Fora
Campos

Antofagasta
Tropique du Capricorne
Bermejo
Concepción
Asunción
Maringá
Paraná
Ponta Grossa
Bauru
CAMPINAS
SÃO PAULO
Rio de Janeiro
RIO DE JANEIRO

Taltal
San Miguel de Tucumán
Salta
Salado
Formosa
Cd. del Este
Chutes de Guaíra
Barrage d'Itaipu
Londrina
José d. Campos
Santos

Caldera
Copiapó
Catamarca
La Rioja
Resistencia
Corrientes
Villarrica
Encarnación
Barrage de Yacyretá
Posadas
Santa Catarina
CURITIBA
Paranaguá
Joinville
Blumenau
Florianópolis

Íles Desventuradas (Ch.)
San Ambrosio
San Félix

Océan

La Serena
Coquimbo
Ovalle
San Juan
Santiago del Estero
Santa Fé
Paraná
Uruguay
Concordia
Salto
Tacuarembó
Melo
Rio Grande do Sul
Rio Grande
Lajes
Caxias do Sul
PORTO ALEGRE
Pelotas

CHILI
17,0
Viña del Mar
Valparaíso
San Antonio
SANTIAGO
Rancagua
MENDOZA
Río Cuarto
CÓRDOBA
San Luis
San Nicolás
ROSARIO
Paraná
Fray Bentos
Paysandú
3,4
Rivera
Santa Maria
Uruguaiana

Constitución
Curicó
Talca
Linares
Junín
Chivilcoy
BUENOS AIRES
Colonia
URUGUAY
MONTEVIDEO
Minas
Rocha
La Plata
Río de la Plata

Íles Juan-Fernández (Ch.)
Île Robinson Crusoé
Talcahuano
Concepción
Lota
Chillán
San Rafael
Santa Rosa
ARGENTINE
39,8
Olavarría
Azul
Tandil
Mar del Plata

Los Angeles
Temuco
Corral
Valdivia
Neuquén
Río Negro
Bahía Blanca
Colorado
Tres Arroyos
Necochea

Pacifique

Osorno
Puerto Montt
Chiloé
San Antonio Oeste
G. de San Matías
Viedma

San Carlos de Bariloche
Puerto Madryn
Trelew
Rawson
Chubut

Arch. des Chonos
Puerto Aisén
Sarmiento
Deseado
G. de San Jorge
Comodoro Rivadavia

Deseado

Wellington
Chico
Santa Cruz
Río Gallegos
Dt de Magellan
Hanover
Dt de Magellan
Clarence
Tierra del Fuego (Terre de Feu)
Punta Arenas
Ushuaia
Dt de Drake
Maire
Isla de los Estados (Île des États)
Cap Horn

Íles Falkland (R.-U.)
Stanley
(Íles Malouines)

Atlantique

Géorgie du Sud (R.-U.)

3,4 L'importance de la population, en millions d'habitants, de chaque pays est indiquée en rouge (2008)

Projection azimutale conforme

© Noordhoff Uitgevers

AMÉRIQUE LATINE

Échelle 1 : 75 000 000

A. ISOTHERMES ET PRÉCIPITATIONS DE JANVIER

Précipitations en mm
- moins de 25
- 25 - 50
- 50 - 100
- 100 - 200
- 200 - 300
- 300 ou plus
- Isotherme (réduite au niveau de la mer)

B. ISOTHERMES ET PRÉCIPITATIONS DE JUILLET

Précipitations en mm
- moins de 25
- 25 - 50
- 50 - 100
- 100 - 200
- 200 - 300
- 300 ou plus
- Isotherme (réduite au niveau de la mer)

C. UTILISATION DU SOL

- Désert, haute montagne
- Forêt, forêt sempervirente
- Élevage extensif
- Céréaliculture (blé, maïs)
- Autres cultures, élevage
- Culture maraîchère, fruitière, vigne
- Canne à sucre
- Tabac
- Café
- Cacao
- Bananes
- Coton

D. MINES ET INDUSTRIE

- Charbon
- Pétrole
- Gaz naturel
- Minerai de fer
- Manganèse
- Cuivre
- Plomb et zinc
- Étain
- Argent
- Or
- Bauxite
- Salpêtre (nitrate)
- Haute technologie
- Région industrielle

E. PRODUITS D'EXPORTATION

Sont indiqués pour chaque pays les principaux produits exportés

4771 Exportations en M d'euro (1997)

- Pétrole et produits pétroliers
- Charbon
- Minerai de fer
- Cuivre
- Plomb et zinc
- Argent
- Machines et moyens de transport
- Produits chimiques
- Textile
- Céréales
- Nourriture pour animaux
- Légumes, fruits
- Sucre
- Café
- Bananes
- Viandes et produits carnés
- Poissons et produits de la pêche
- Autres produits exportés

Pays	Exportations (M d'euro)
Équateur	4771
Pérou	6237
Colombie	10546
Chili	15445
Venezuela	17793
Argentine	23354
Brésil	48498
Mexique	58445

M d'euro : 0 5000 10000 15000 20000 25000 30000 35000 40000 45000 50000 55000 60000

F. BRÉSIL: EXPORTATION DE CAFÉ
en pourcentage des exportations totales (en tonnages)

1938 '42 '46 '50 '54 '58 '62 '66 '70 '74 '78 '82 '86 '90 '94 '98 '02 '04

© Noordhoff Uitgevers

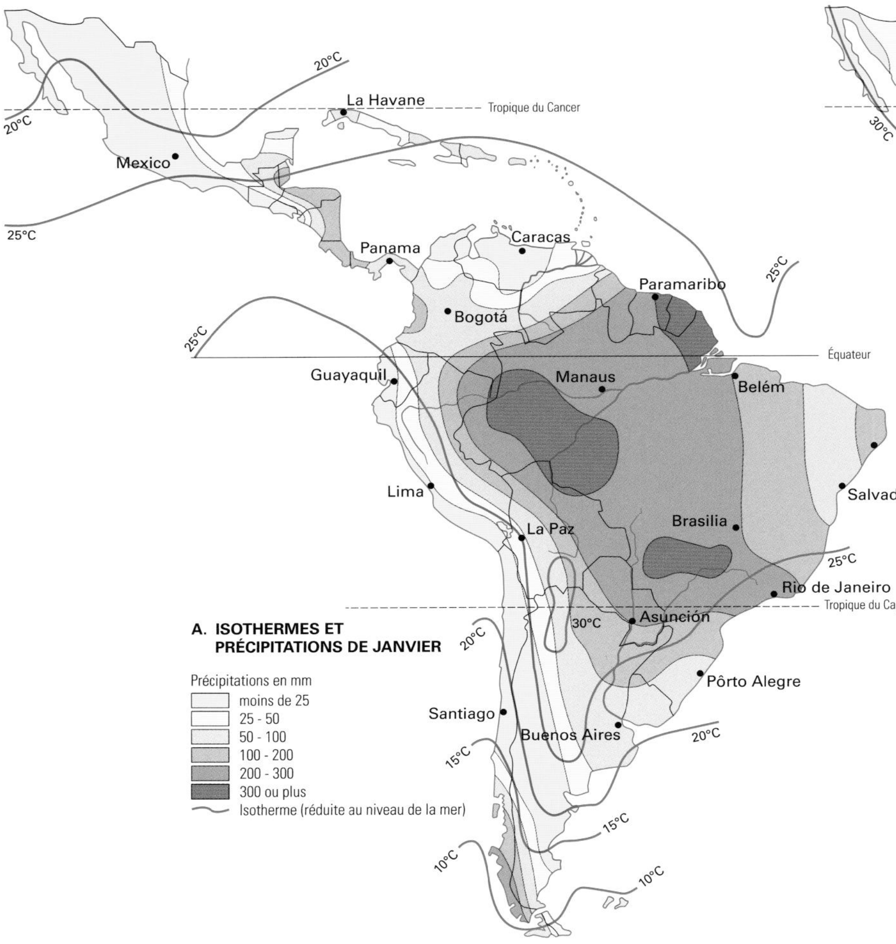

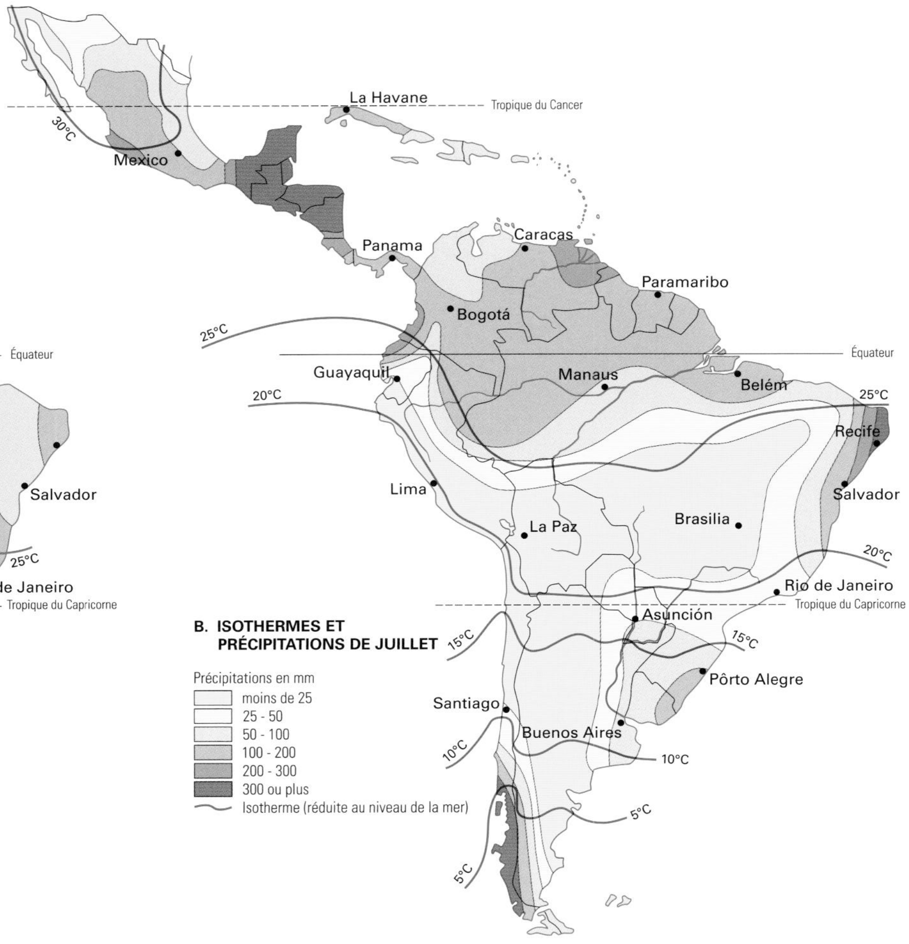

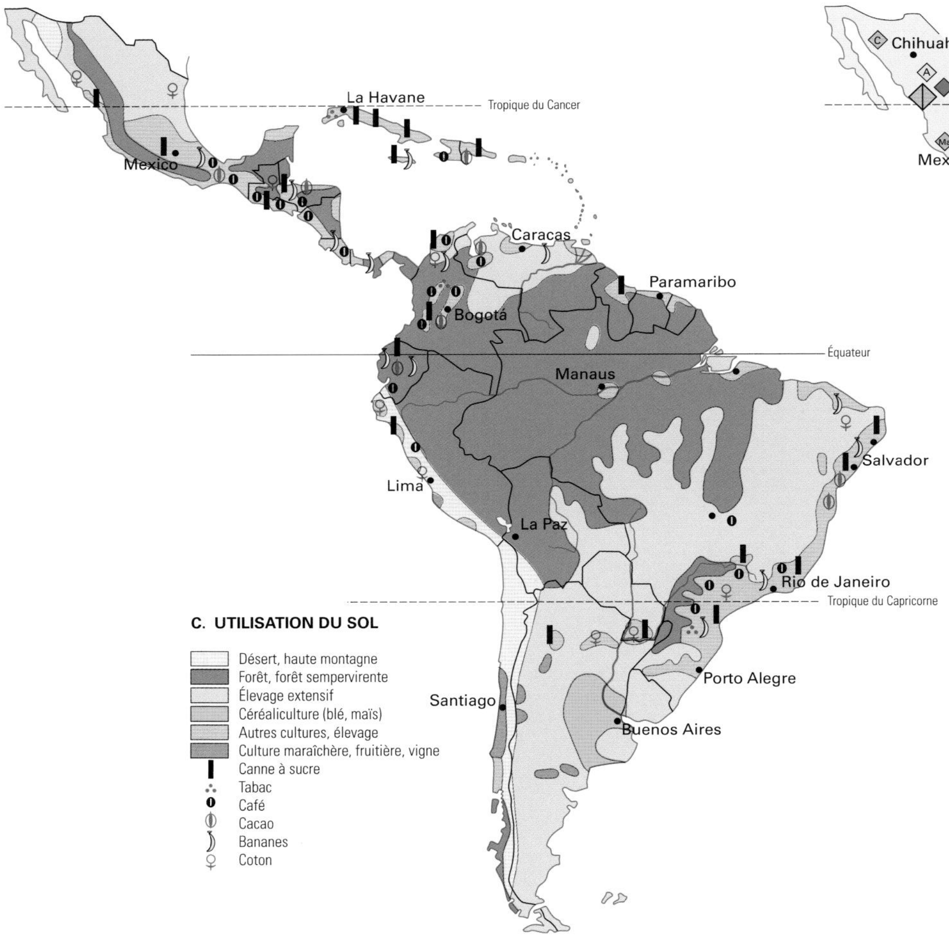

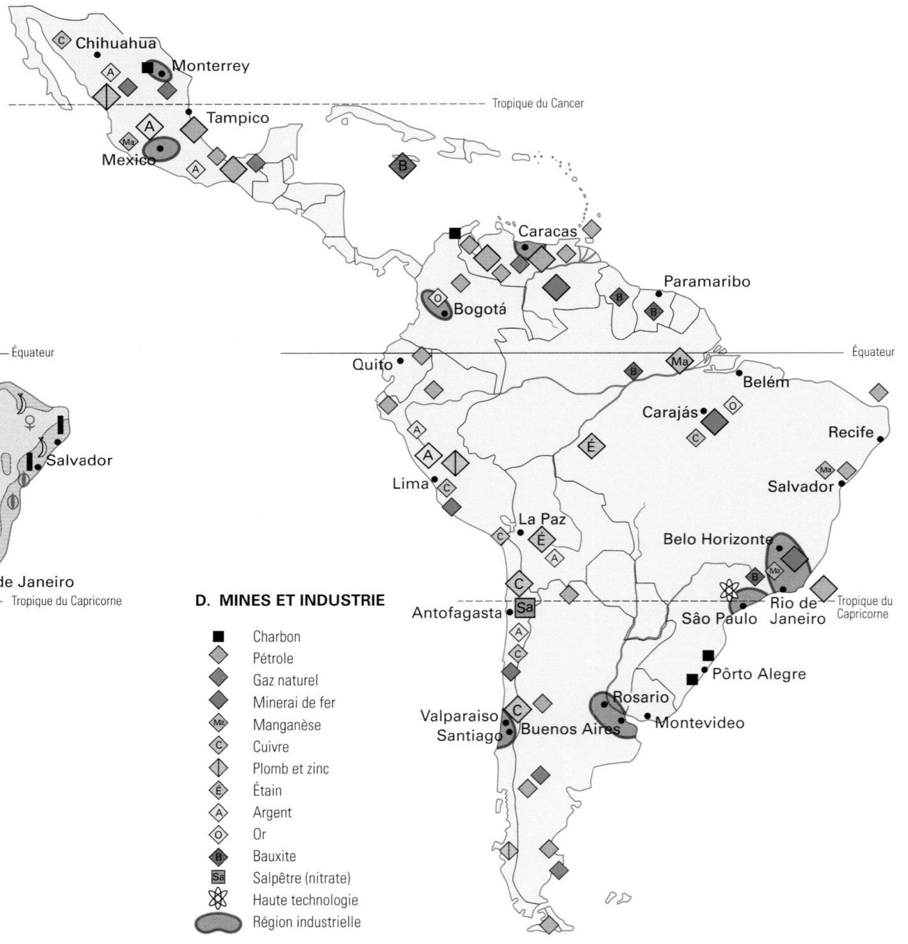

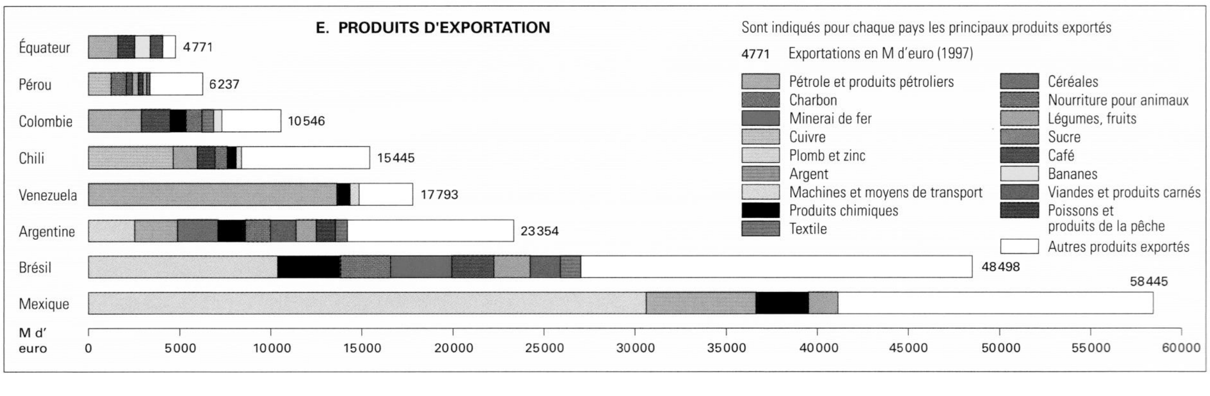

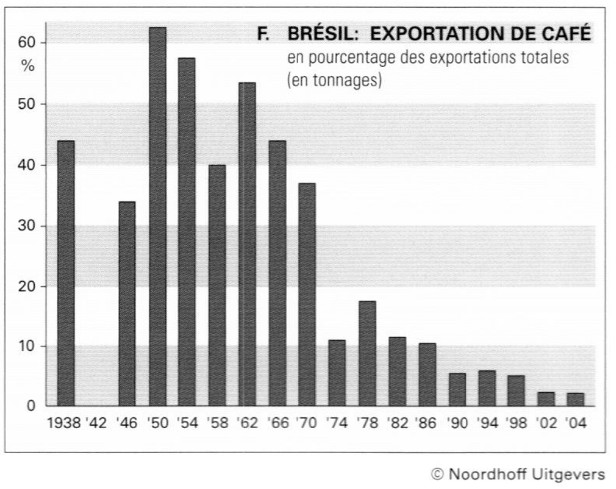

AMÉRIQUE LATINE

Échelle 1 : 75 000 000

A. DENSITÉ DE LA POPULATION

Habitants par km²
- moins de 1
- 1 - 10
- 10 - 50
- 50 - 100
- 100 ou plus

○ Agglomération de 5 M d'hab. ou plus
○ Agglomération de 1 à 5 M d'hab.
○ Ville de 500 000 à 1 M d'hab.

B. GROUPES ETHNIQUES

Nombre d'habitants par pays en millions (2006)
- 150
- 100
- 50
- 10
- 5

Groupes ethniques
- Autres
- Indiens
- Métis
- Européens
- Mulâtres
- Africains
- Asiatiques

Population métissée en pourcentage de la population totale
- moins de 10
- 10 - 25
- 25 - 50
- 50 - 75
- 75 ou plus

C. PRODUIT NATIONAL BRUT

Produit National Brut, corrigé en fonction du pouvoir d'achat, par habitant, en euro (2003)
- moins de 2 500
- 2 500 - 5 000
- 5 000 - 7 500
- 7 500 - 10 000
- 10 000 ou plus
- Pas de données

2,4 Croissance annuelle moyenne du P.N.B. par habitant en pourcentage durant la période 1990-2003
* Pas de données

D. PARTENAIRES COMMERCIAUX

2.748 Importations en M d'euro (2003)
661 Exportations en M d'euro (2003)

Principaux partenaires commerciaux
- Union Européenne
- États-Unis
- Japon
- Argentine
- Brésil
- Autres pays

E. CROISSANCE DU P.N.B. 1990 - 2003

Croissance annuelle moyenne du P.N.B. par habitant en %

- Amérique Latine
- Amérique du Nord
- Europe Occidentale
- Afrique
- Asie

Venezuela, Côte d'Ivoire, Kenya, Colombie, Brésil, Japon, Tanzanie, Mexique, Italie, Belgique, Pays-Bas, Canada, États-Unis, Argentine, Pérou, Indonésie, Inde, Chili

F. INÉGALITÉ DES REVENUS PAR HABITANT (2003)

- Amérique Latine
- Amérique du Nord
- Europe Occidentale
- Afrique
- Asie

Taux d'inégalité: rapport entre la part des revenus des 20% les plus riches et des 20% les plus pauvres

Brésil, Colombie, Mexique, Chili, Pérou, Argentine, Venezuela, Côte d'Ivoire, États-Unis, Kenya, Tanzanie, Italie, Canada, Indonésie, Pays-Bas, Inde, Belgique, Japon

Taux d'inégalité: faible, modéré, élevé

G. ÉVOLUTION DE L'INÉGALITÉ DES REVENUS EN POURCENTAGE (1990 - 2003)

- Amérique Latine
- Amérique du Nord
- Europe Occidentale
- Afrique
- Asie

Tanzanie, Kenya, Japon, Canada, Brésil, États-Unis, Belgique

Diminution de l'inégalité

Inde, Indonésie, Italie, Chili, Pays-Bas, Argentine, Mexique, Colombie, Côte d'Ivoire, Venezuela, Pérou

Augmentation de l'inégalité

© Noordhoff Uitgevers

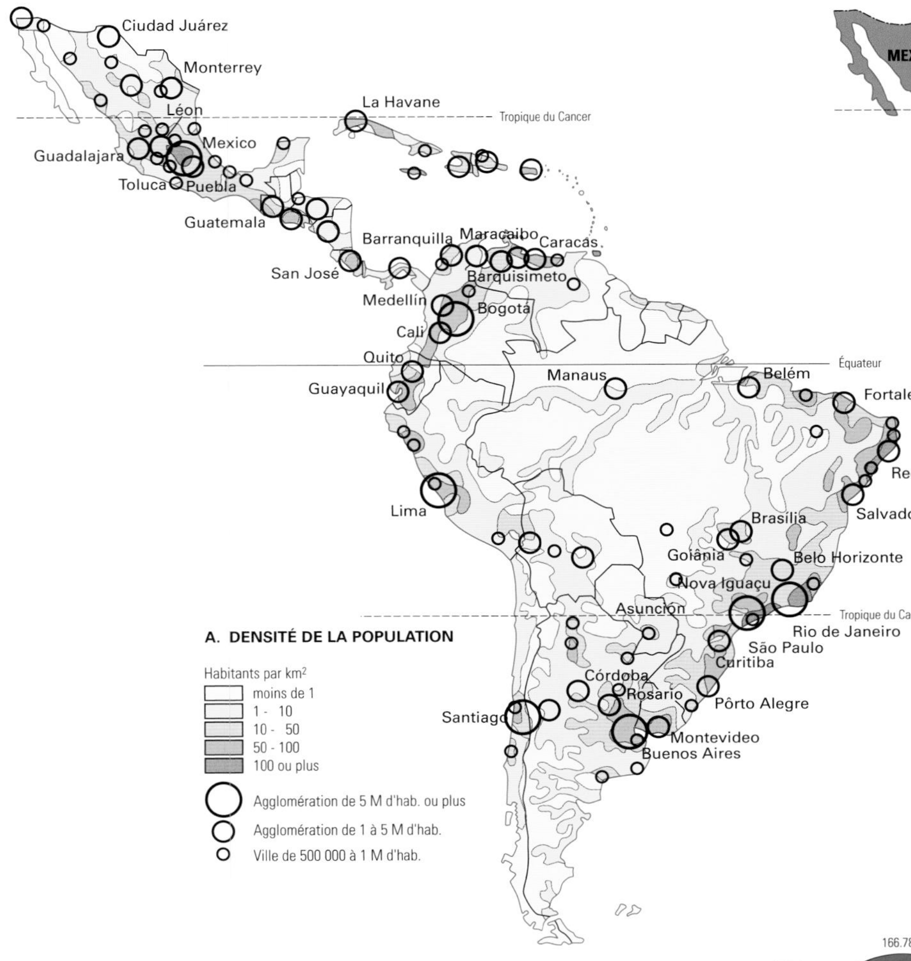

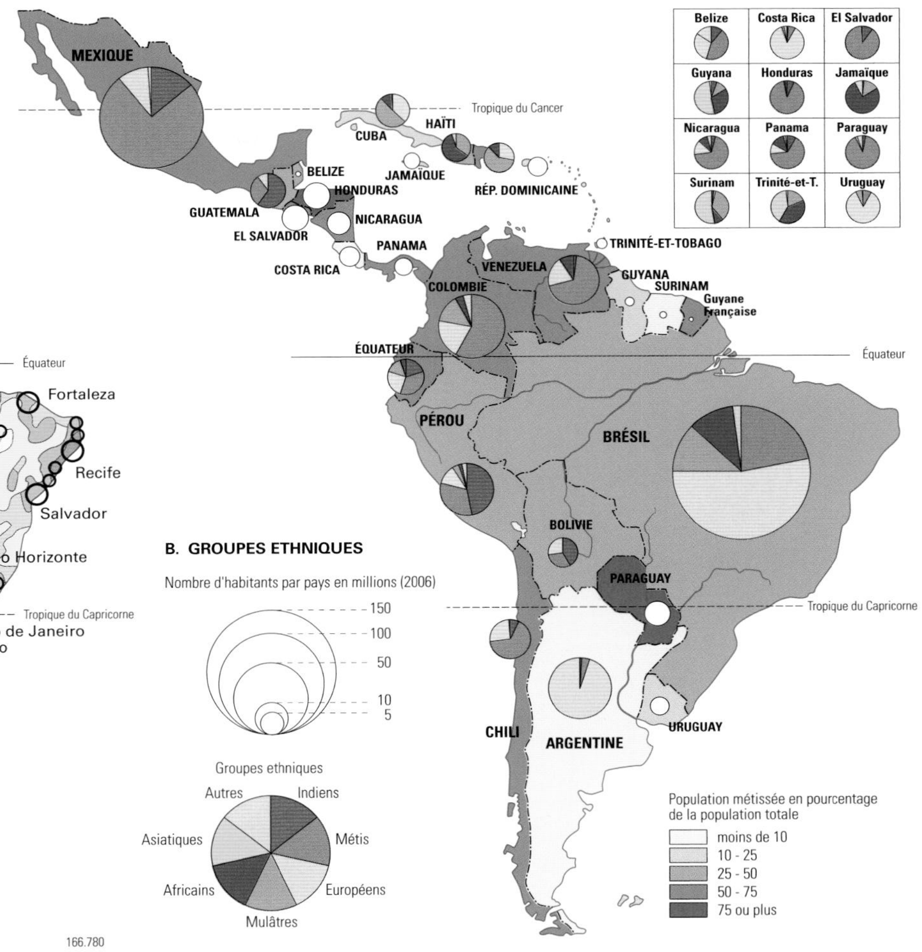

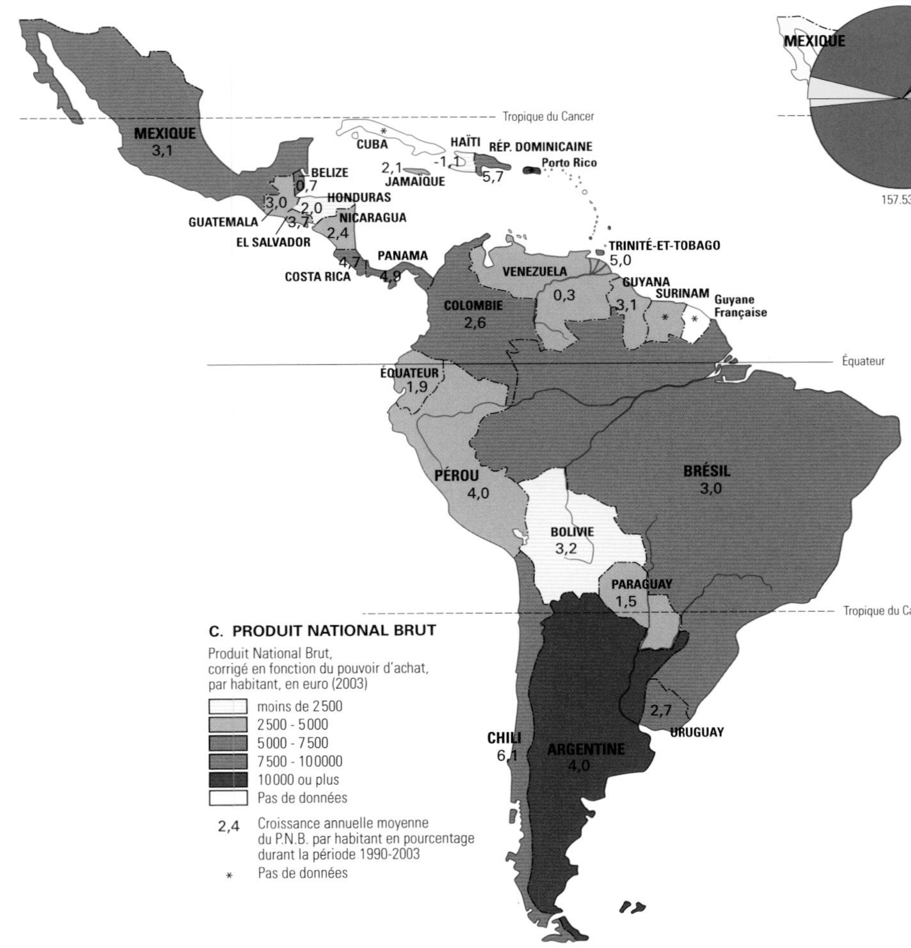

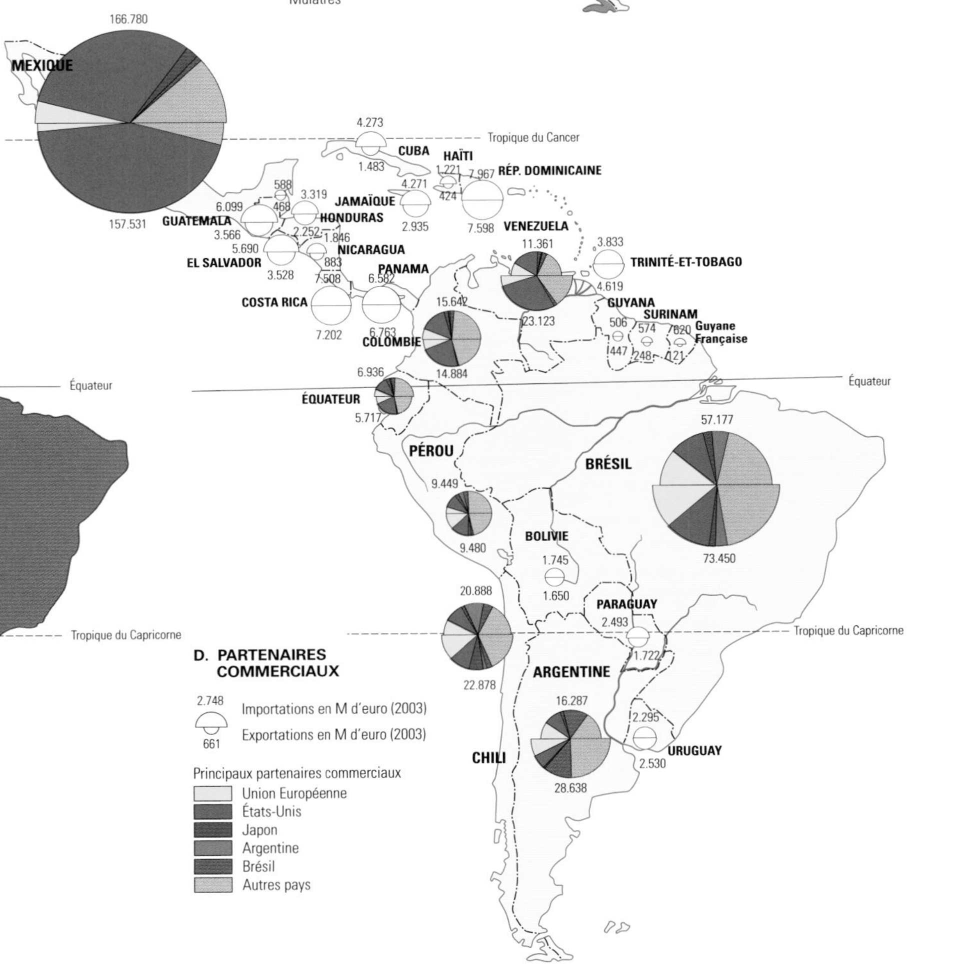

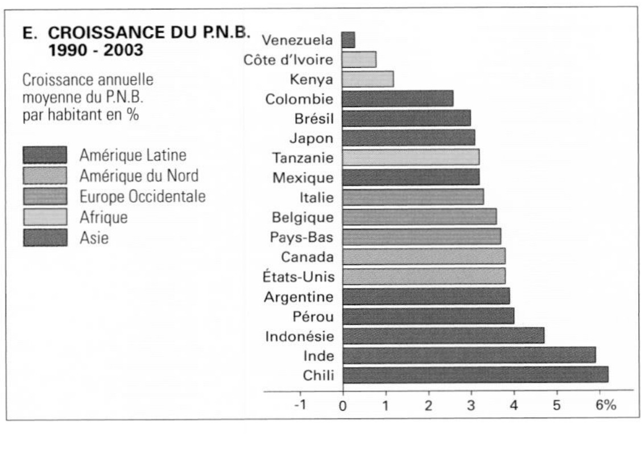

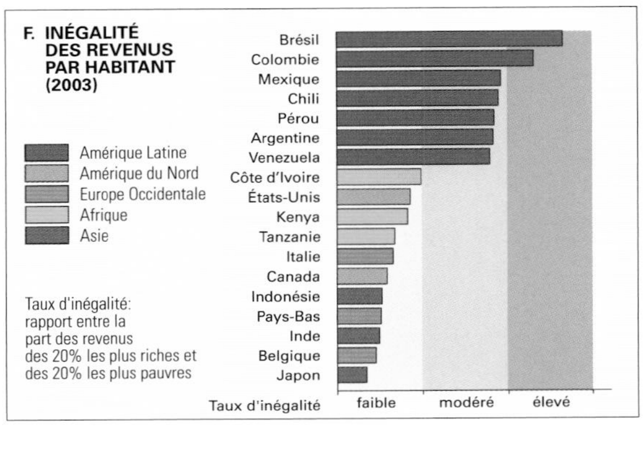

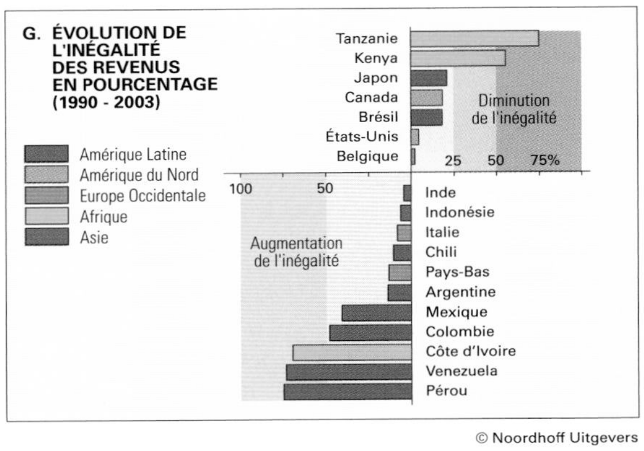

BRÉSIL

A. DENSITÉ DE LA POPULATION
1 : 35 000 000

Habitants par km² par État (2008)

- moins de 2
- 2 - 10
- 10 - 25
- 25 - 50
- 50 - 100
- 100 ou plus

6,3 Millions d'habitants

Roraima 0,4
Boa Vista

Amapá 0,7
Macapá

Amazonas 3,5
Manaus

Acre 0,7
Rio Branco

Rondônia 1,6
Pôrto Velho

Pará 7,4
Belém

Maranhão 6,3
São Luís

Piauí 3,1
Teresina

Ceará 8,5
Fortaleza

Rio Grande do Norte 3,1
Natal

Paraíba 3,7
João Pessoa

Pernambouc 8,7
Recife

Alagoas 3,1
Maceió

Sergipe 2,1
Aracajú

Bahia 14,2
Salvador

Tocantins 1,4
Palmas

Mato Grosso 3,0
Cuiabá

District Fédéral 2,5
Brasília

Goiás 6,0
Goiânia

Minas Gerais 20,0
Belo Horizonte

Espírito Santo 3,6
Vitória

Rio de Janeiro 15,9
Rio de Janeiro

São Paulo 42,3
São Paulo

Mato Grosso do Sul 2,4
Campo Grande

Paraná 10,6
Curitiba

Santa Catarina 6,1
Florianópolis

Rio Grande do Sul 11,2
Pôrto Alegre

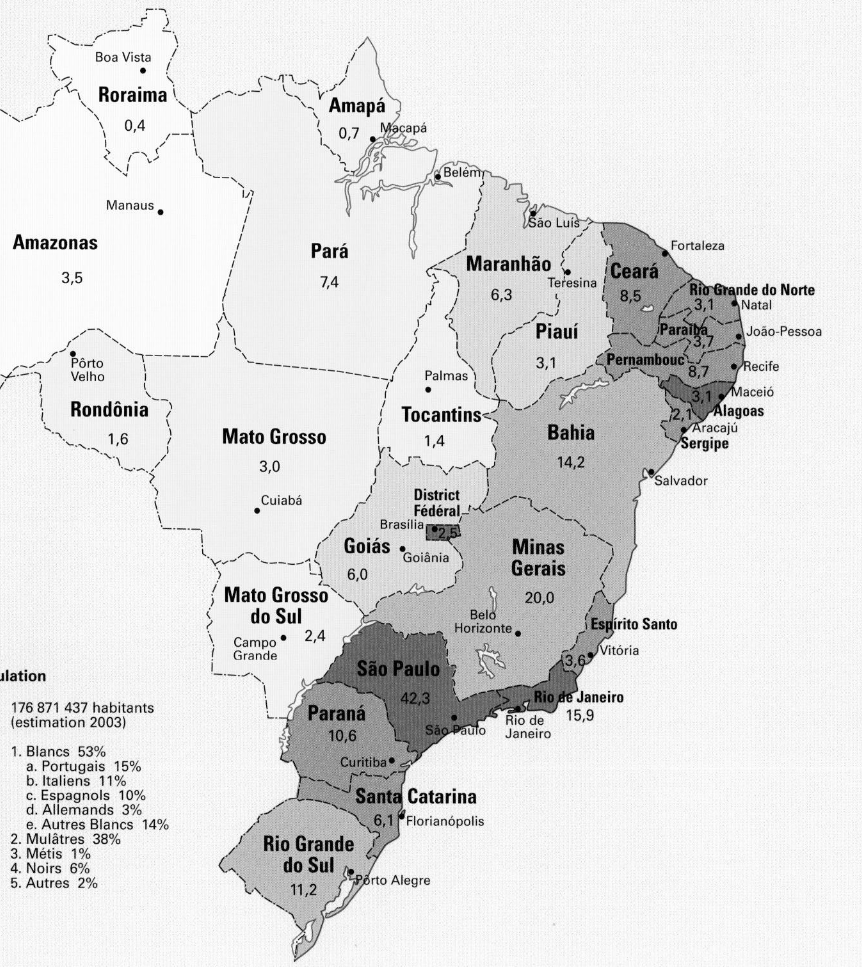

Composition ethnique de la population

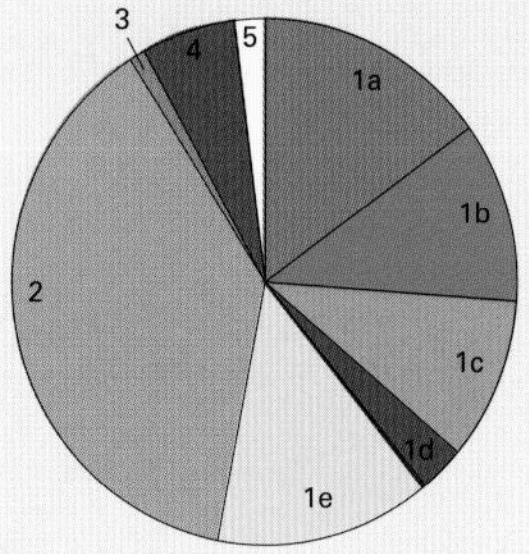

176 871 437 habitants (estimation 2003)

1. Blancs 53%
   - a. Portugais 15%
   - b. Italiens 11%
   - c. Espagnols 10%
   - d. Allemands 3%
   - e. Autres Blancs 14%
2. Mulâtres 38%
3. Métis 1%
4. Noirs 6%
5. Autres 2%

B. LIAISONS AÉRIENNES ET CHEMINS DE FER
1 : 35 000 000

- Chemin de fer
- Liaison aérienne

Passagers
Marchandises

Transports par avion

Passagers (millions)   Marchandises (1000 tonnes)
50 40 30 20 10   1000 800 600 400 200 0
1980 1985 1990

Transports par chemin de fer

Passagers (millions)   Marchandises (millions de tonnes)
1500 1000 500   250 200 150 100 50 0
1980 1985 1990

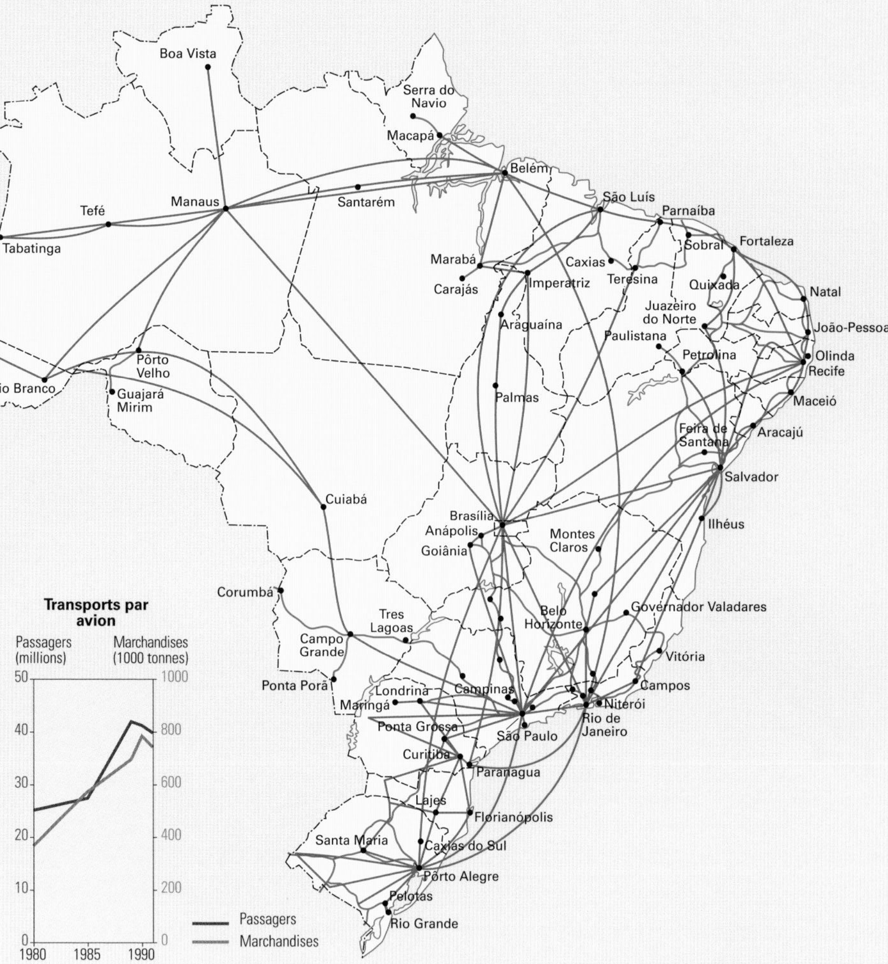

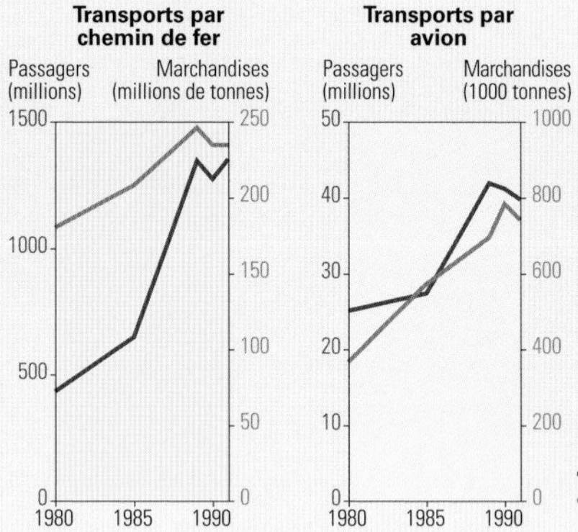

C. RIO DE JANEIRO
1 : 500 000

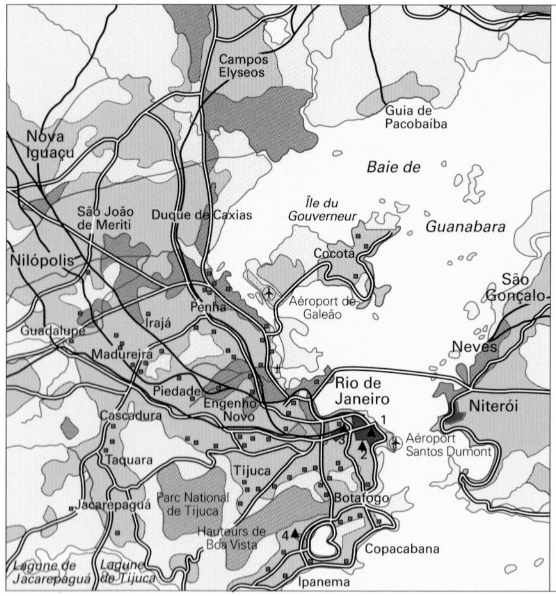

- Centre des affaires
- Zone résidentielle
- Espace industriel
- Aéroport
- Aérodrome
- Parc
- Forêt
- Zone non urbanisée
- Chemin de fer
- Route principale
- Quartier de taudis (favela)
- Bâtiment remarquable
  1. Palais impérial
  2. Cathédrale
  3. Dom Pedro
  4. Jardin botanique

D. SÃO PAULO
1 : 500 000

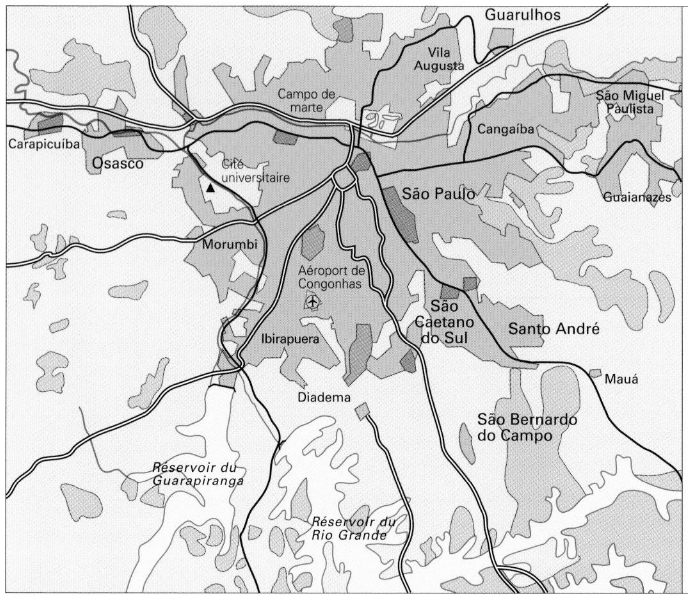

- Zone résidentielle
- Espace industriel
- Aéroport
- Parc
- Forêt
- Zone non urbanisée
- Barrage, lac de barrage
- Chemin de fer
- Route principale
- Bâtiment remarquable

E. BRASÍLIA
1 : 300 000

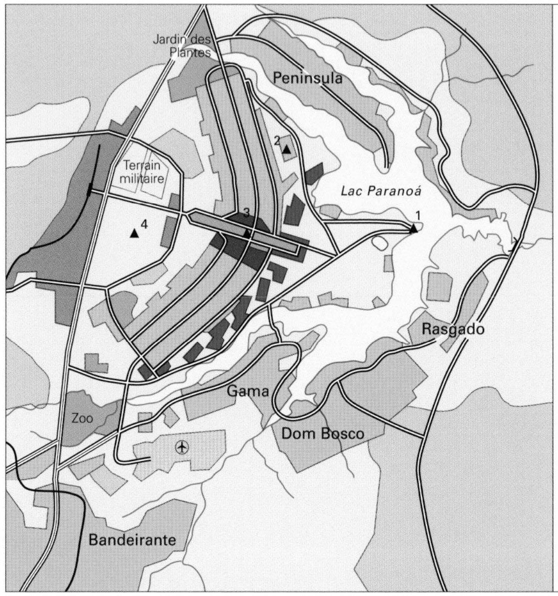

- Centre des affaires
- Bâtiments du gouvernement et ambassades
- Zone résidentielle
- Espaces industriels et réservés au trafic
- Aéroport
- Parc
- Forêt
- Zone non urbanisée
- Chemin de fer avec gare
- Autoroute
- Route principale
- Bâtiment remarquable
  1. Palais présidentiel
  2. Université
  3. Théâtre national
  4. Observatoire

ANDES / CÔNE SUD

Échelle 1 : 25 000 000

B. ÉCONOMIE

Inculte	Charbon	■
Forêts	Pétrole	◆
Élevage intensif	Gaz naturel	◆
Élevage extensif	Minerai de fer	◇
Cultures (blé)	Manganèse	◇
Autres cultures	Cuivre	◇
Légumes, fruits	Plomb et zinc	◇
Région industrielle	Étain	◇
Canne à sucre	Argent	◇
Tabac	Bauxite	◇
Café	Salpêtre	▣
Cacao	Haute technologie	✕
Vignes		
Bananes		
Coton		

A. DENSITÉ DE LA POPULATION

Habitants par km² par État (2008)

moins de 2	
2 - 10	
10 - 25	
25 - 50	
50 - 100	
100 ou plus	

3,1 Millions d'habitants

© Noordhoff Uitgevers

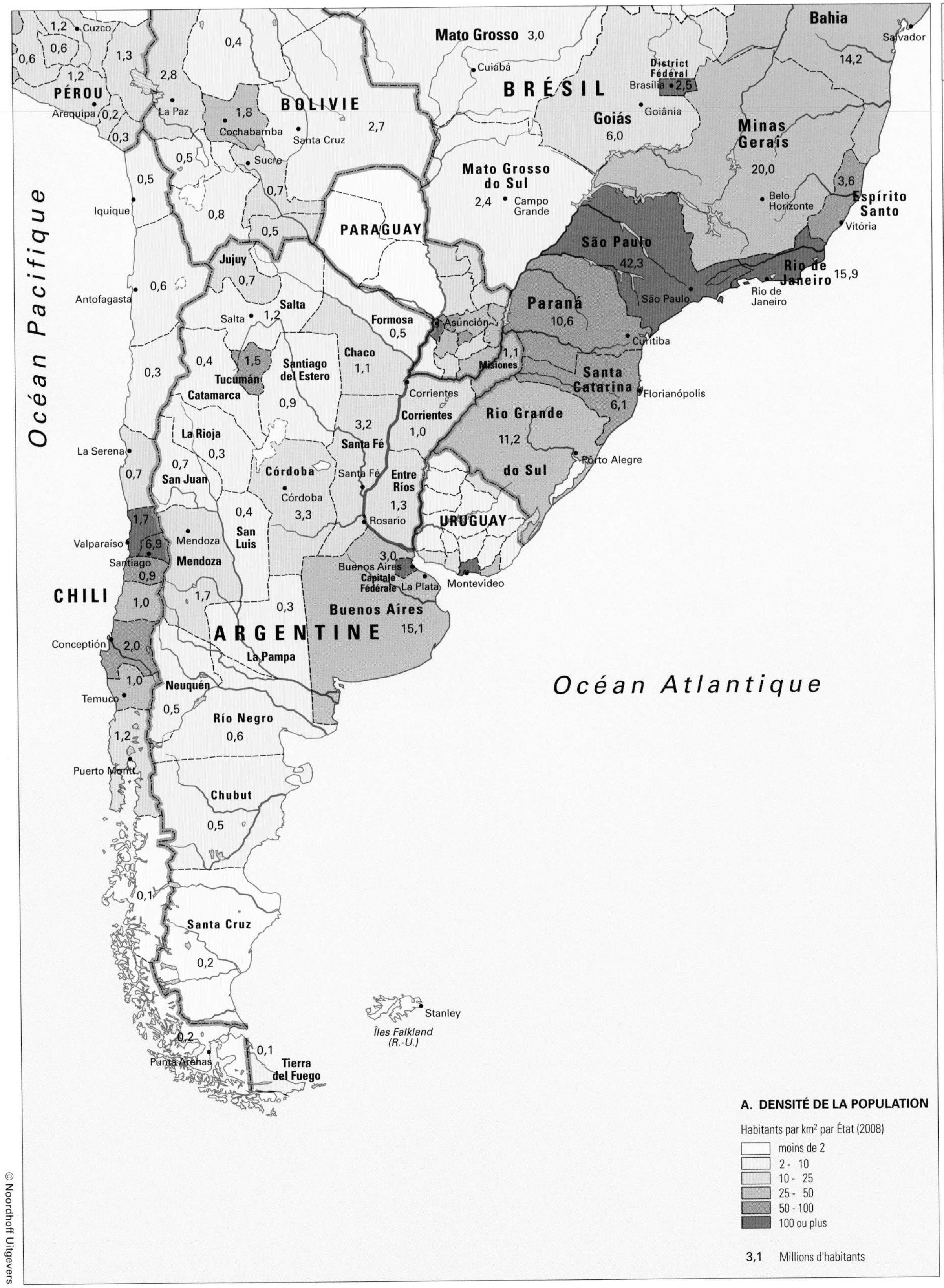

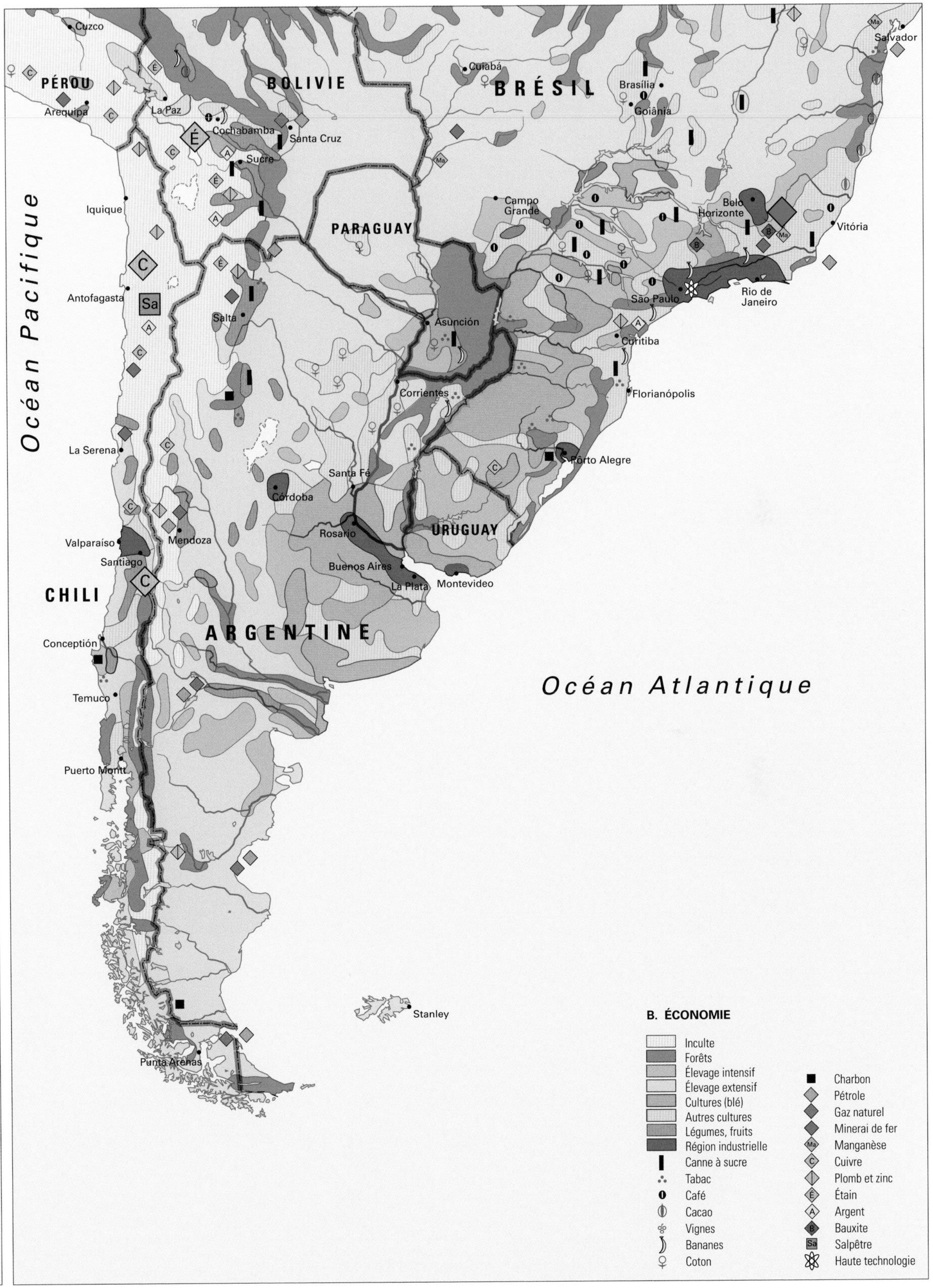

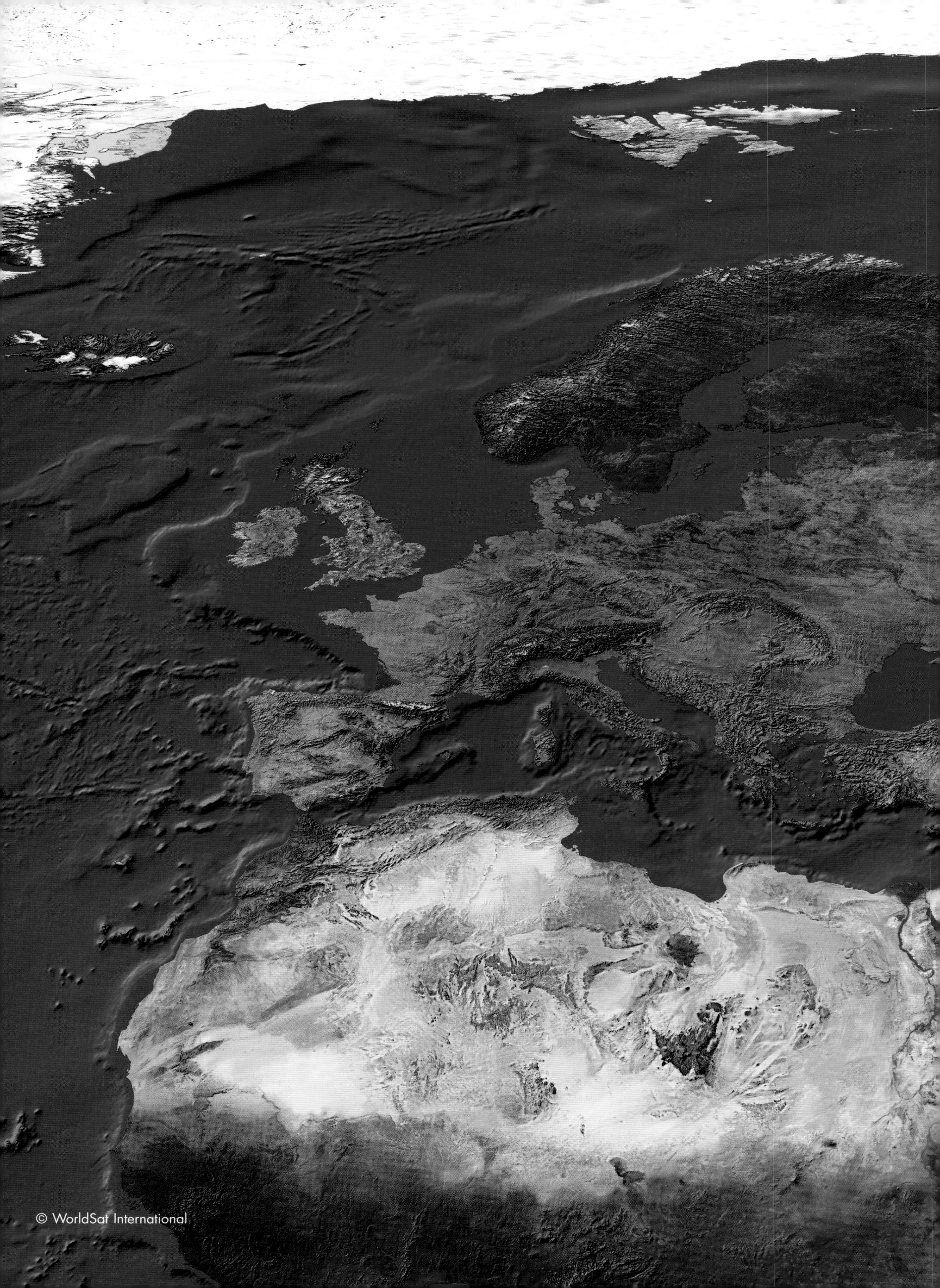

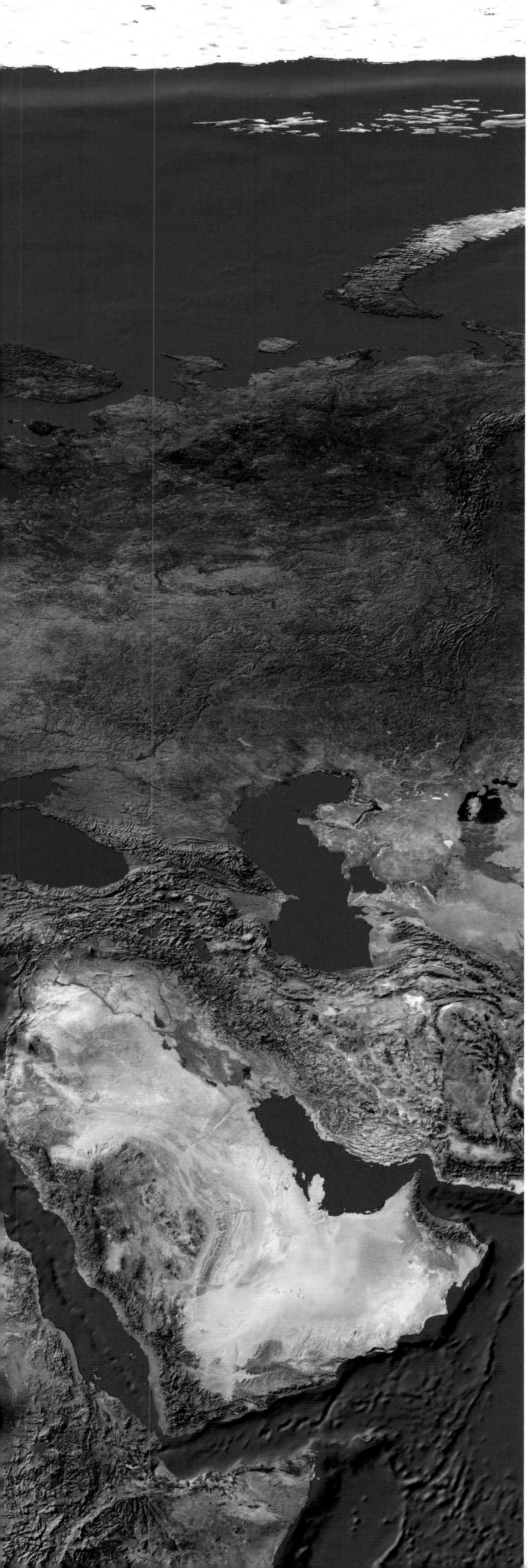

EUROPE

Sur cette image, le contraste entre l'Europe verdoyante et le désert du Sahara sans aucune végétation est frappant. Alors que le Nord de l'Europe est couvert de forêts, le centre et le Sud de ce continent sont largement occupés par l'agriculture. Pendant des siècles, l'activité humaine a modifié le couvert forestier de l'Europe, déboisant et reboisant au gré des besoins en terres cultivées et en bois pour la construction et l'industrie.

EUROPE

-4000 -2000 -200 0 100 200 500 1500 2000 5000 m
au-dessous du niveau de la mer

30° L.O. de Gr.   20°   10°   0°   10°   20°   30° L.E. de Gr.   40°   50°

Détroit du Danemark

Océan Glacial Arctique

Cap Nord
Hammerfest
Varangerfjord
Mer de Barents
Péninsule de Kan

Baie Faxa
Reykjavik
Islande
Cercle Polaire Arctique
+2545 Berenberg Jan Mayen
1491 Hekla
2119 Vatnajökull

Dorsale de Reykjanes
60° L.N.

Lofoten
Vestfjord
2711
Torneälv Luleälv
Laponie
Lac Inari
Mourmansk
Péninsule de Kola
+1191
Mer Blanche
Arkhangelsk
Onega

Îles Féroé

Océan Atlantique

Dorsale d'Islande

Bassin Norvégien
-4020

Trondheim
Galdhøpiggen 2469
Glomma
Klaraly
Dalälv
Plateau lacustre de Finlande
Carélie
Lac Onega
33

Îles Shetland

Rockall
-3244

Hébrides
Îles Orcades

Bergen
Oslo

Åland
Tampere
Helsinki
Lac Ladoga 4
Svir
Lac Bieloïe

Skagerrak

Lac Mälar
Stockholm
Golfe de Finlande
St-Pétersbourg
Mologa
Tver

Hautes Terres d'Écosse 1343
Glasgow
Édimbourg
Cap du Nord
Belfast

Porcupine Bk.

Mer du Nord
Dogger Bank

Göteborg
Småland
Gotland

Lac Väner
Lac Vätter

Hiiumaa
Saaremaa
Tallinn
Lac des Tchoudes (Peïpous) 30
G. de Riga
318
Plateau du Valdaï 343

Irlande
Mer d'Irlande
Man
Liverpool
Dublin
Manchester
Birmingham
Can. St George

Kattegat
Jutland
Copenhague
Mer Baltique
Bornholm
Öland
Riga
Nemunas
Dvina Occ.
Lovat
Hauteurs de Russie Occid.
Lac Ilmen
Smolensk

Land's End
Îles Scilly
C. de Bristol

Héligoland
Îles des Wadden
-13

Kiel
Rügen
Gdańsk +331
Kaliningrad
Vilnius
Minsk

Tamise
Londres
Pas de Calais
Amsterdam
Rotterdam

Brême
Elbe
Hambourg
Szczecin
Oder
Vistule
Bug
Marais du Prypiats
Prypiats
Desna

Manche
Îles Anglo-Normandes
Le Havre
Pl. de Flandre
Anvers
Lille
Bruxelles
Cologne
Francfort

Ems
Weser
Plaine du Rhin Inférieur
Plaine d'Allemagne du Nord
Berlin
Leipzig
Dresde
Wrocław
Varsovie
Cracovie
Vistule
Kyïv (Kiev) 90

Brest
Bretagne
Normandie
Paris
Marne
Seine

Meuse
Moselle
Rhin
Forêt Noire
Strasbourg
Forêt de Thuringe
Harz +1142
Prague
Forêt de Bohême
Metallifères 1602
Sudètes
Lviv +433
Plateau de Volhynie-Podolie
Dniepr (Dniepr)
Bouh

Nantes
Loire

Dijon
Saône
Jura Souabe 1493
Danube
Ratisbonne
Munich
Vienne
Bratislava
2655 Tatra
Carpates
Proul
Dnistr
Bessarabie

Golfe de Gascogne
-5099

C. Finisterre
-5858

Bâle
Berne
Jura
Mt Blanc 4808
3797 Grossglockner
Graz
Budapest
Grande Plaine Hongroise
Transylvanie
2544
Odessa
G. d'Odessa
Galați

Lyon
Mt Dore 1885
Massif Central
Mt 4103 Pelvoux
Milan
Venise
G. de Venise
Ljubljana
Zagreb
Plateau du Karst
Drave
Save
Mures
Alpes de Transylvanie
Belgrade

Bordeaux
Toulouse
Garonne
Anéto 3404
Pyrénées
Cévennes
Montpellier
Marseille
Nice
Gênes
Golfe de Gênes
Turin
Plaine du Pô
Arno
Apennins
Alpes Dinariques
Dalmatie
Sarajevo
Podgorica
2522
2544
Plaine du Danube Inférieur
Danube
Bucarest
Dobroudja

Porto
Minho
Douro
Mts Cantabriques 2648
Bilbao
Saragosse
Ebre
Barcelone
Catalogne
Valence
G. de Valence
Baléares
Minorque
Corse 2706
Bouches de Bonifacio
Sardaigne
1834
Mer Ligurienne
Mer Tyrrhénienne
Rome
Gr. Sasso 2912
Mer Adriatique
Pouilles
Tirana
Mts du Pinde 2917
Péninsule Balkanique
Sofia
2925 Mts Rhodope
Marica
Skopje 2544
Edirne
Mts Rhodope des Balkans

Lisbonne
Tage
Guadiana
Plateau de Castille
Chaînes de Castille
Madrid
Péninsule Ibérique
Castille
Sa Morena
Guadalquivir
Mulhacén 3482
Sa Nevada
Séville
Andalousie
Málaga
Valence
Ibiza
Majorque

Gr. de Tarente
Naples
Vésuve 1281
Dt de Messine
Dt d'Otrante
Îles Ioniennes
Olympe 2917
Thessalonique
İzmir
Mer Égée

St-Vincent
Dt de Gibraltar
Tanger
Casablanca
Sebou
Fès
Oran
Alger
Cheliff
Atlas Tellien +2308
Hauts Plateaux
Aurès 2328
Biskra
Médjerda
Tunis
Palerme
Sicile 3323
Etna
Stromboli
Malte
Pantelleria
Lampedusa
Mer Méditerranée
Mer Ionienne
-5121
C. Matapan
Péloponnèse
Cyclades
Sporades
Santorin
Rhodes
Crète
Akdağ 3070
Golfe d'Antalya
2454

Oum er Rbia
Moyen Atlas 3737
Ayachi
Béchar
Tafilalt
Atlas Saharien 2235
Chott Melrhir -21 -29
Chott Djerid
Djerba
G. de Gabès

Ch. du Rif +2456
Moulouya
Bou Saada

Béni Abbès
Erg er Raoui
Grand Erg Occidental
Ouargla
Grand Erg Oriental
Tripoli
Benghazi
Dj. el Akhdar +865
Mer Marmorique
G. de la Grande Syrte
Alexandrie
Dépr. de Kattara -133

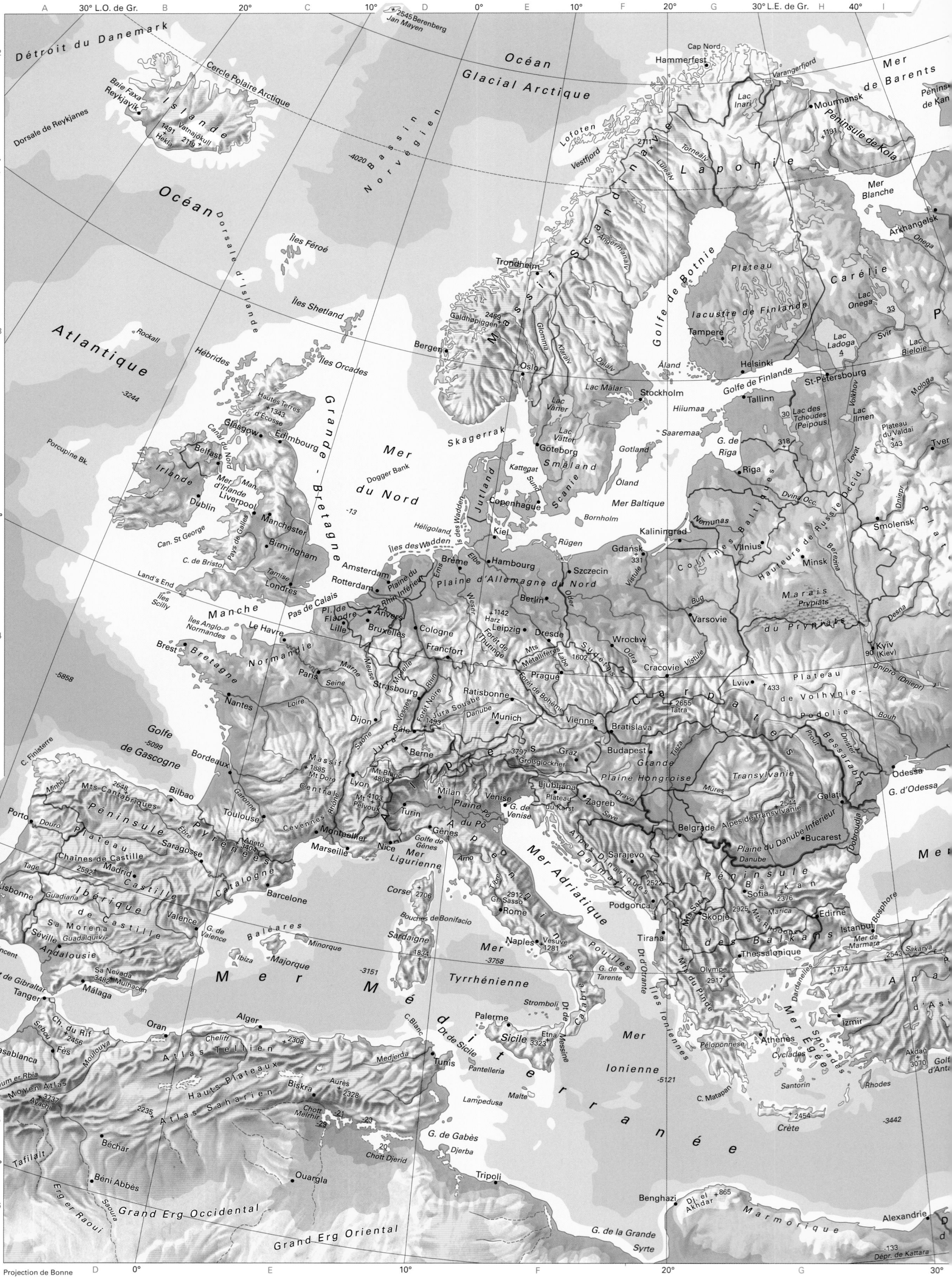

Projection de Bonne

Échelle 1 : 15 000 000

0 100 200 300 400 km

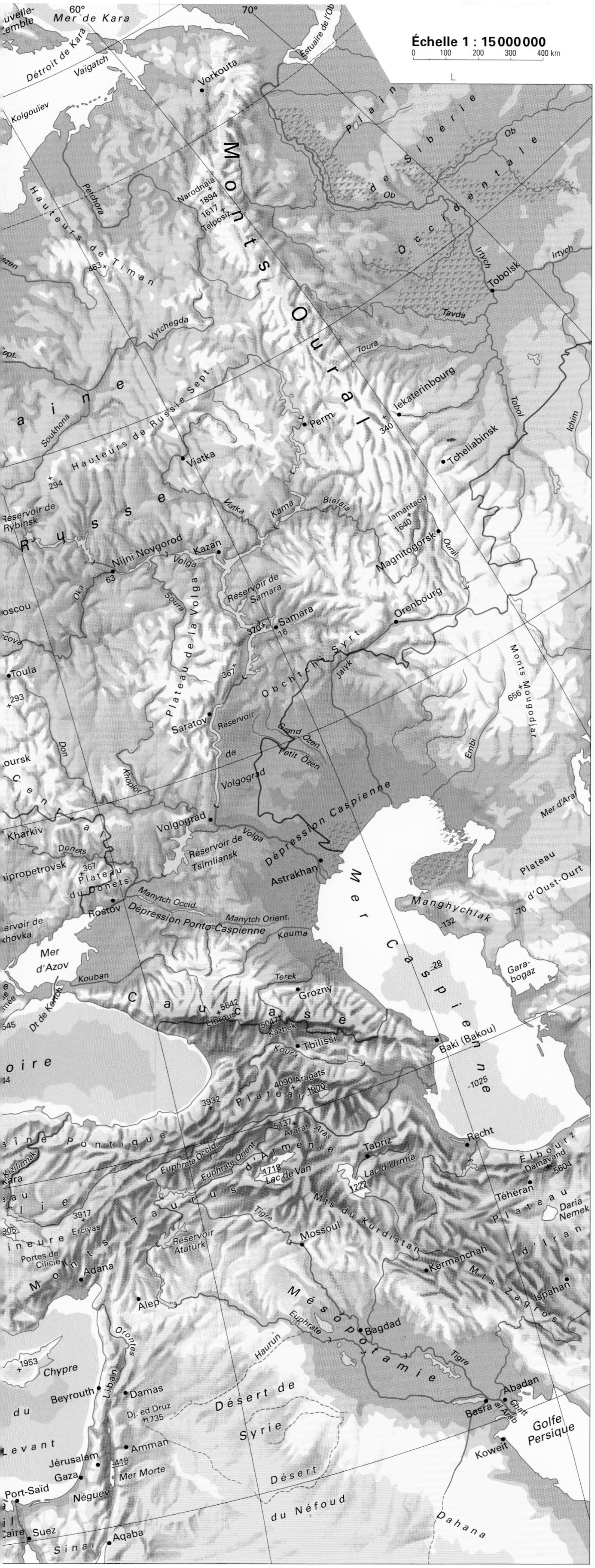

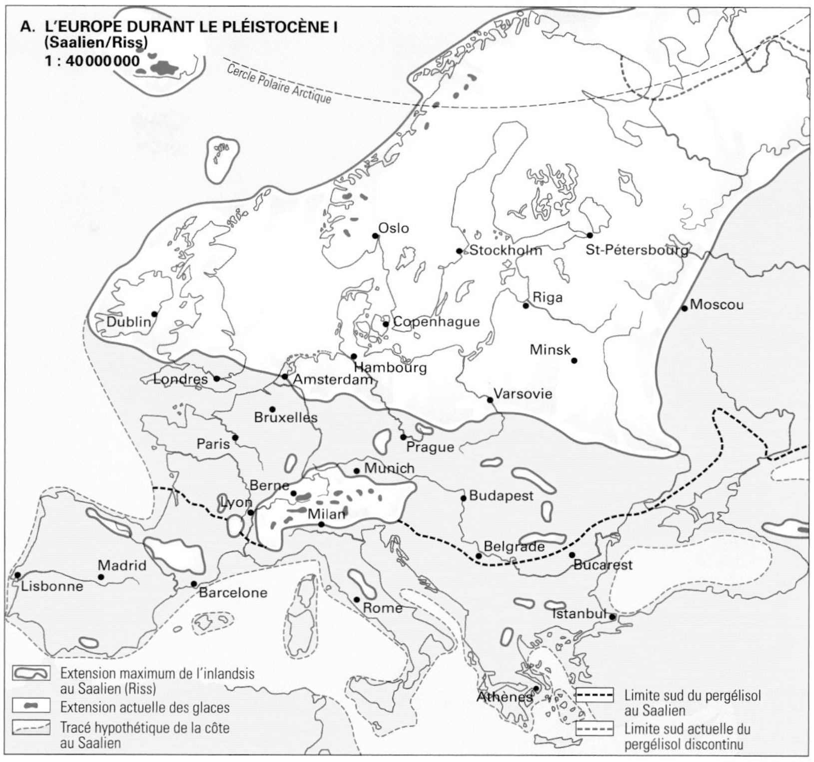

A. L'EUROPE DURANT LE PLÉISTOCÈNE I
(Saalien/Riss)
1 : 40 000 000

Cercle Polaire Arctique

Extension maximum de l'inlandsis
au Saalien (Riss)

Extension actuelle des glaces

Tracé hypothétique de la côte
au Saalien

Limite sud du pergélisol
au Saalien

Limite sud actuelle du
pergélisol discontinu

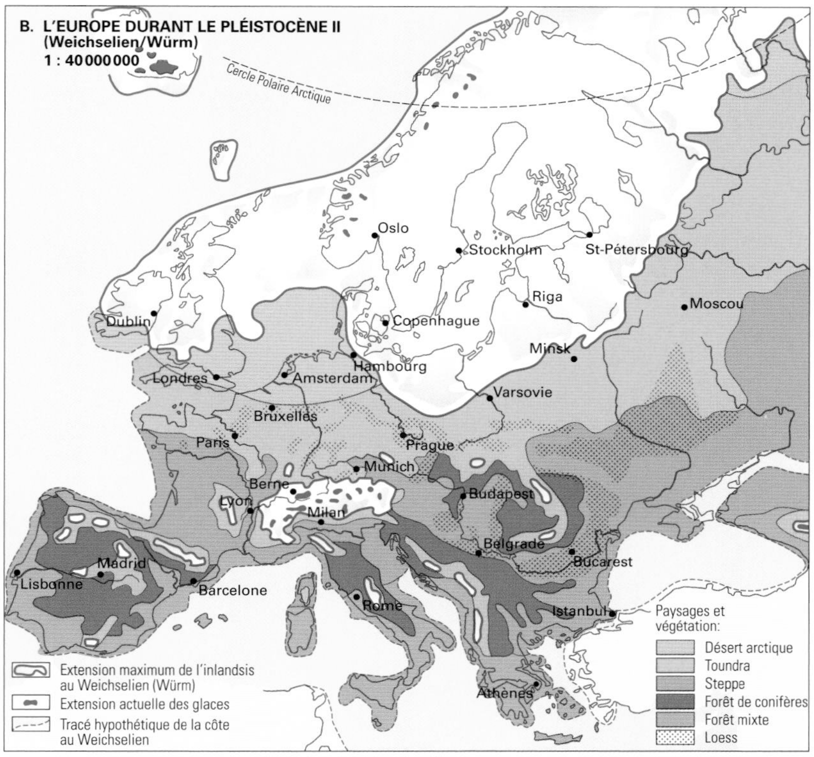

B. L'EUROPE DURANT LE PLÉISTOCÈNE II
(Weichselien/Würm)
1 : 40 000 000

Cercle Polaire Arctique

Extension maximum de l'inlandsis
au Weichselien (Würm)

Extension actuelle des glaces

Tracé hypothétique de la côte
au Weichselien

Paysages et
végétation:
Désert arctique
Toundra
Steppe
Forêt de conifères
Forêt mixte
Loess

C. NOMBRE DE JOURS DE NEIGE PAR AN
1 : 40 000 000

Cercle Polaire Arctique

Nombre de jours de neige par an
moins de 1
1-10
10-30
30-90
90-180
180 ou plus

Eaux côtières soumises au gel
Courant chaud (Gulfstream)

© Noordhoff Uitgevers

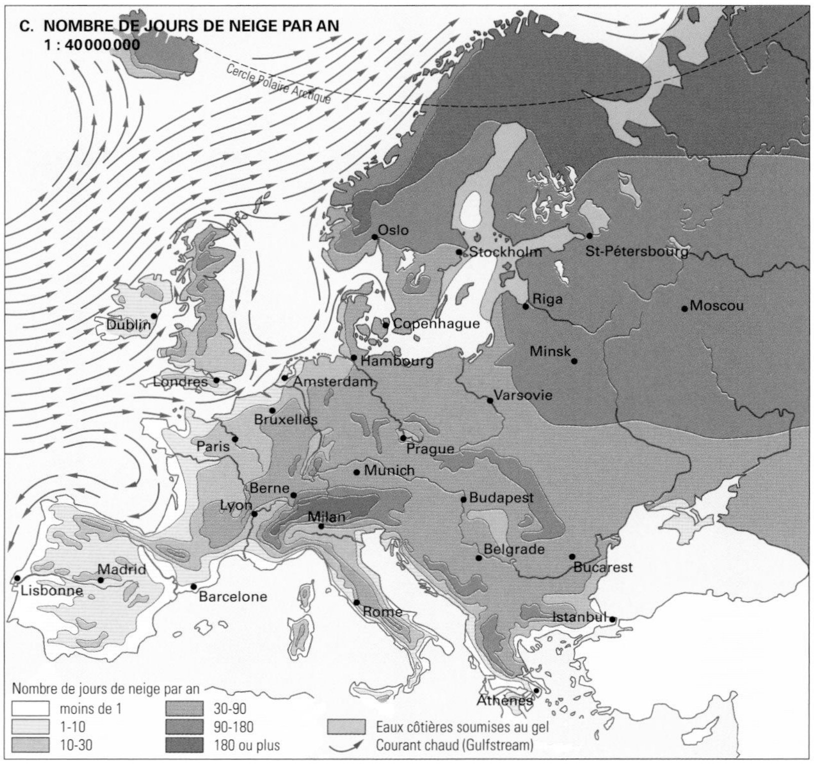

EUROPE POLITIQUE

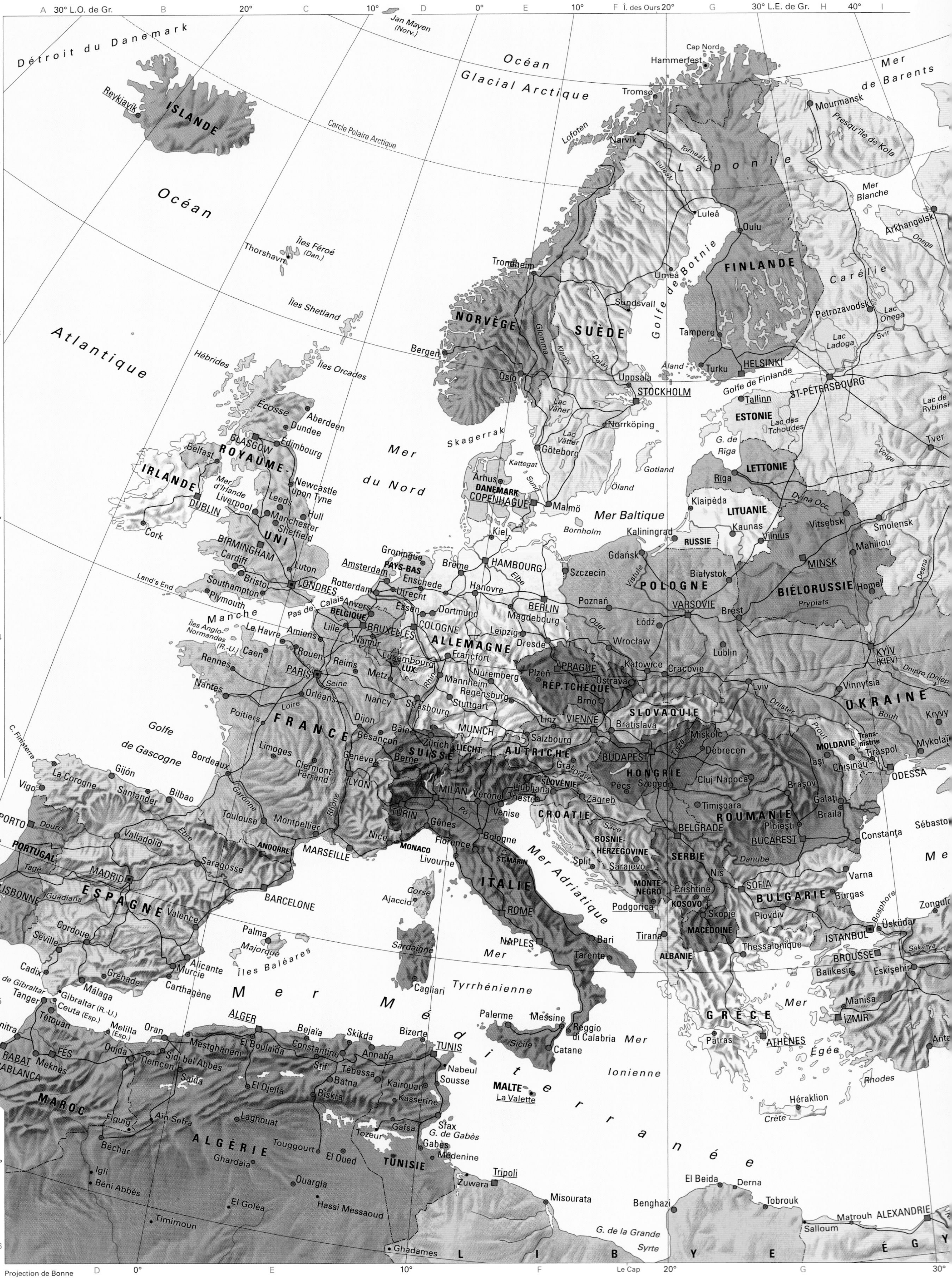
Détroit du Danemark
Jan Mayen (Norv.)
Océan Glacial Arctique
Cap Nord
Hammerfest
Mer de Barents
Mourmansk
Presqu'île de Kola
Tromsø
Reykjavík
ISLANDE
Cercle Polaire Arctique
Lofoten
Narvik
Laponie
Torneälv
Luleälv
Mer Blanche
Arkhangelsk
Onega
Océan Atlantique
Luleå
Oulu
Îles Féroé (Dan.)
Thorshavn
Trondheim
Umeå
Golfe de Botnie
FINLANDE
Carélie
Îles Shetland
Sundsvall
NORVÈGE
SUÈDE
Glomma
Klarälv
Dalälv
Tampere
Petrozavodsk
Lac Onega
Svir
Lac Ladoga
Hébrides
Îles Orcades
Bergen
Åland
Turku
HELSINKI
Oslo
Uppsala
STOCKHOLM
Golfe de Finlande
ST-PÉTERSBOURG
Tallinn
Lac de Rybinsk
Écosse
Aberdeen
Dundee
Lac Väner
Lac Vätter
Norrköping
ESTONIE
Lac des Tchoudes
GLASGOW
Édimbourg
Mer du Nord
Skagerrak
Göteborg
G. de Riga
Tver
Belfast
ROYAUME-UNI
Kattegat
Sund
Gotland
Volga
IRLANDE
Mer d'Irlande
Newcastle upon Tyne
Århus
DANEMARK
Riga
LETTONIE
Öland
DUBLIN
Liverpool
Leeds
COPENHAGUE
Malmö
Klaipėda
LITUANIE
Dvina Occ.
Manchester
Hull
Mer Baltique
Bornholm
Kaunas
Vitsebsk
Smolensk
Cork
Sheffield
Kiel
Kaliningrad
RUSSIE
Vilnius
BIRMINGHAM
Groningue
HAMBOURG
Gdańsk
Mahiliou
Cardiff
Amsterdam
PAYS-BAS
Brême
Szczecin
MINSK
Bristol
Luton
Land's End
Southampton
LONDRES
Rotterdam
Enschede
Elbe
Vistule
Białystok
Desna
Plymouth
Utrecht
Hanovre
POLOGNE
BIÉLORUSSIE
Homel
Manche
Pas de Calais
Anvers
Essen
Dortmund
BERLIN
Poznań
VARSOVIE
Brest
Prypiats
Îles Anglo-Normandes (R.-U.)
Le Havre
Lille
BELGIQUE
BRUXELLES
COLOGNE
Magdebourg
Oder
Łódź
Amiens
Namur
ALLEMAGNE
Leipzig
Dresde
Wrocław
Lublin
KYIV (KIEV)
Caen
Rouen
Luxembourg
LUX.
Francfort
Katowice
Dnipro (Dniepr)
Rennes
Reims
Metz
Rhin
Plzeň
PRAGUE
Ostrava
Cracovie
PARIS
Nuremberg
RÉP. TCHÈQUE
Lviv
Vinnytsia
Nantes
Seine
Mannheim
Regensburg
Orléans
Loire
Nancy
Stuttgart
Strasbourg
Brno
Dniester
UKRAINE
SLOVAQUIE
Poitiers
FRANCE
Dijon
Linz
VIENNE
Bratislava
Bouh
Kryvy
Golfe de Gascogne
Bâle
MUNICH
Besançon
Salzbourg
Miskolc
Prout
Transnistrie
Zurich
LIECHT.
Limoges
Genève
SUISSE
Berne
AUTRICHE
BUDAPEST
Tisza
Debrecen
MOLDAVIE
Tiraspol
Mykolaïv
Bordeaux
Clermont-Ferrand
Graz
Drave
HONGRIE
Cluj-Napoca
Iași
Chișinău
ODESSA
C. Finisterre
La Corogne
Gijón
Santander
Bilbao
LYON
SLOVÉNIE
Ljubljana
Pécs
Szeged
Brașov
Vigo
Garonne
Rhône
MILAN
Vérone
Trieste
Zagreb
Galați
TURIN
Venise
CROATIE
Timișoara
ROUMANIE
Braila
PORTO
Douro
Toulouse
Montpellier
Gênes
Pô
Save
BELGRADE
Ploiești
Sébastopol
Valladolid
Ebre
Nice
Bologne
BOSNIE-HERZÉGOVINE
BUCAREST
Constanța
PORTUGAL
ANDORRE
MARSEILLE
MONACO
Florence
ST-MARIN
Mer Adriatique
Split
SERBIE
Danube
Tage
MADRID
Saragosse
Livourne
Sarajevo
Niš
Varna
LISBONNE
Guadiana
ESPAGNE
ITALIE
MONTÉNÉGRO
Prishtinë
KOSOVO
SOFIA
BULGARIE
Burgas
BARCELONE
Corse
Ajaccio
Podgorica
Skopje
Plovdiv
Bosphore
Zonguldak
Valence
ROME
MACÉDOINE
Üsküdar
Cordoue
Tirana
İSTANBUL
Séville
Palma
Majorque
Sardaigne
NAPLES
Bari
Thessalonique
Sakarya
Cadix
Alicante
Murcie
Îles Baléares
Tarente
ALBANIE
BROUSSE
Grenade
Mer Tyrrhénienne
Balıkesir
Eskişehir
Dt. de Gibraltar
Málaga
Carthagène
Cagliari
Tanger
Gibraltar (R.-U.)
Ceuta (Esp.)
Mer Méditerranée
GRÈCE
Mer Égée
Manisa
Tétouan
Melilla (Esp.)
Oran
ALGER
Bejaïa
Skikda
Bizerte
Palerme
Messine
Reggio di Calabria
İZMIR
Kenitra
Mestghanem
El Boulaïda
Constantine
TUNIS
Sicile
Patras
ATHÈNES
Antalya
RABAT
FÈS
Meknès
Oujda
Tlemcen
Sidi bel Abbès
Annaba
Catane
Mer Ionienne
CASABLANCA
Saïda
Sétif
Tébessa
Nabeul
Sousse
Batna
Kairouan
Rhodes
MAROC
El Djelfa
Biskra
Kasserine
MALTE
La Valette
Héraklion
Figuig
Aïn Sefra
Laghouat
Gafsa
Sfax
Tozeur
G. de Gabès
Crète
Béchar
ALGÉRIE
Touggourt
Gabès
Ghardaïa
El Oued
Medenine
TUNISIE
Igli
Ouargla
Tripoli
Béni Abbès
Zuwara
El Beida
Derna
Misourata
Tobrouk
Benghazi
El Goléa
Hassi Messaoud
Timimoun
Matrouh
ALEXANDRIE
Salloum
G. de la Grande Syrte
Ghadames
LIBYE
ÉGY
30° L.O. de Gr.
30° L.E. de Gr.
Î. des Ours
Le Cap
60° L.N.
50°
40°
30°

Projection de Bonne

Échelle 1 : 15 000 000

0 100 200 300 400 km

A. EUROPE EN 1914
1 : 40 000 000

1 Luxembourg   3 Liechtenstein
2 Andorre   4 Monténégro

B. EUROPE EN 1937
1 : 40 000 000

1 Luxembourg   3 Liechtenstein
2 Andorre

C. EXPANSION DE L'UNION EUROPÉENNE
1957-AUJOURD'HUI
1 : 40 000 000

€ Pays ayant adopté l'Euro
€ Pays candidats adoptant l'Euro en 2008 ou plus tard

Quelques pays non membres de l'UE, ont adopté à l'Euro (Monténégro, Saint-Marin, Monaco, Andorre et Cité du Vatican)

● Pays avec des monnaies associés à l'Euro

Année d'adhésion à l'Union Européenne
1957
1973
1981
1986
1995
2004
2007

--- Réunification allemande en 1990

Pays candidats à l'adhésion à l'Union Européenne

Turquie, position spéciale

Autres pays

79 pays en voie de développement sont associés avec l'Union
Européenne: les pays ACP (A=Afrique, C=Caraïbes, P=Pacifique)

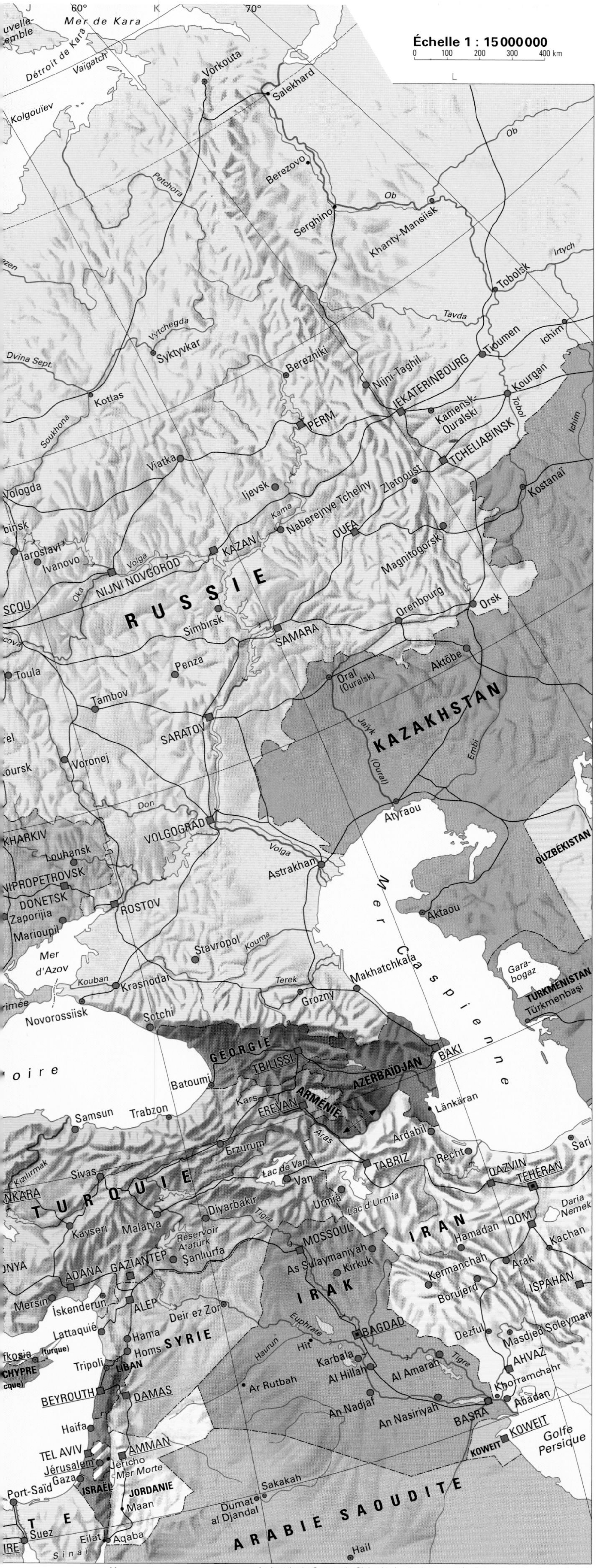

La bande de Gaza et la Cisjordanie, dont une partie demeure occupée par Israël,
constituent laPalestine (situation avril 2009)

© Noordhoff Uitgevers

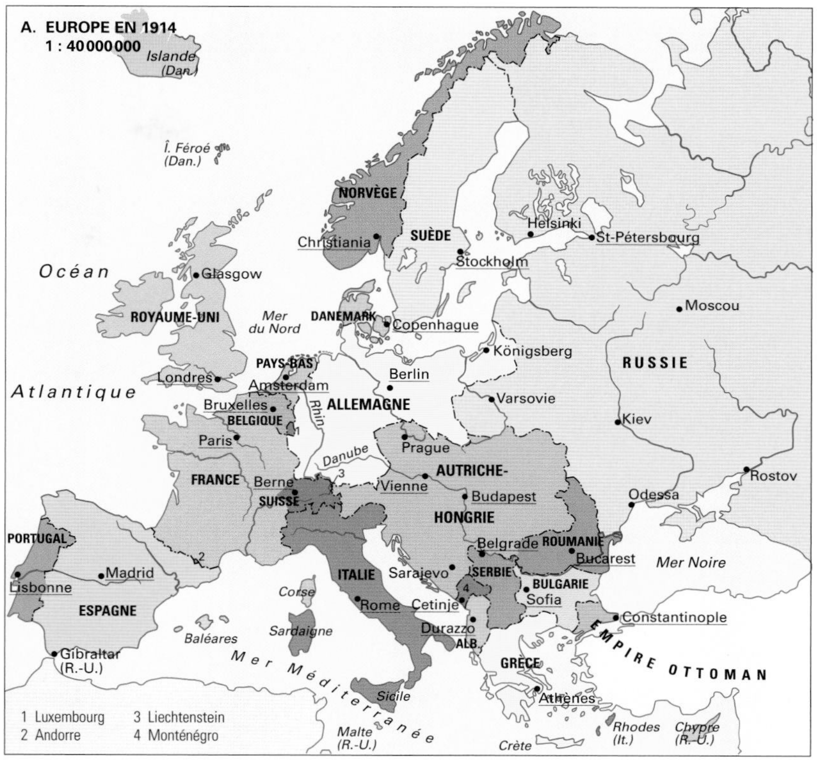

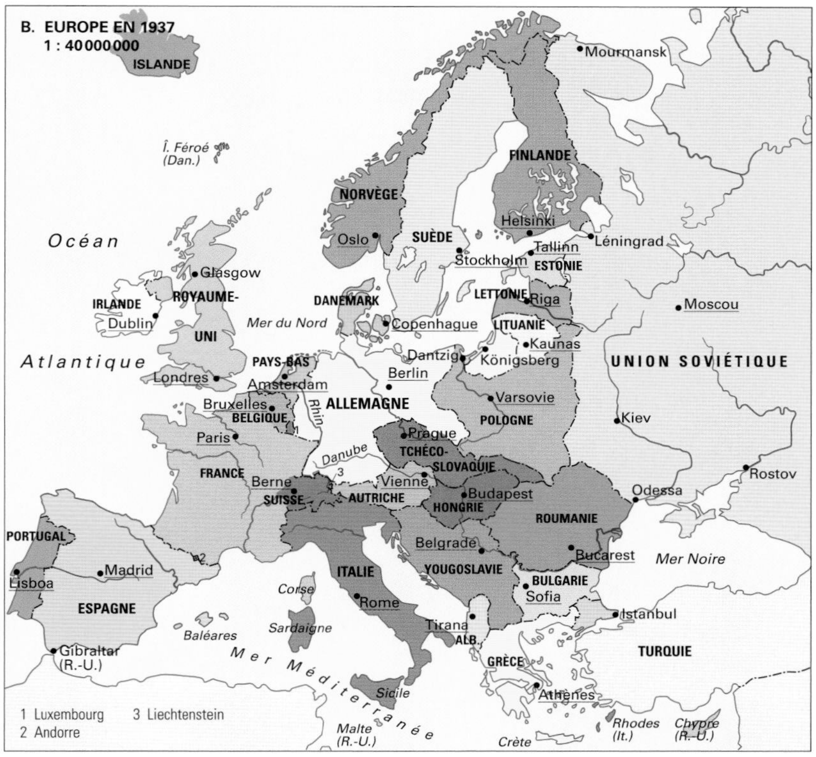

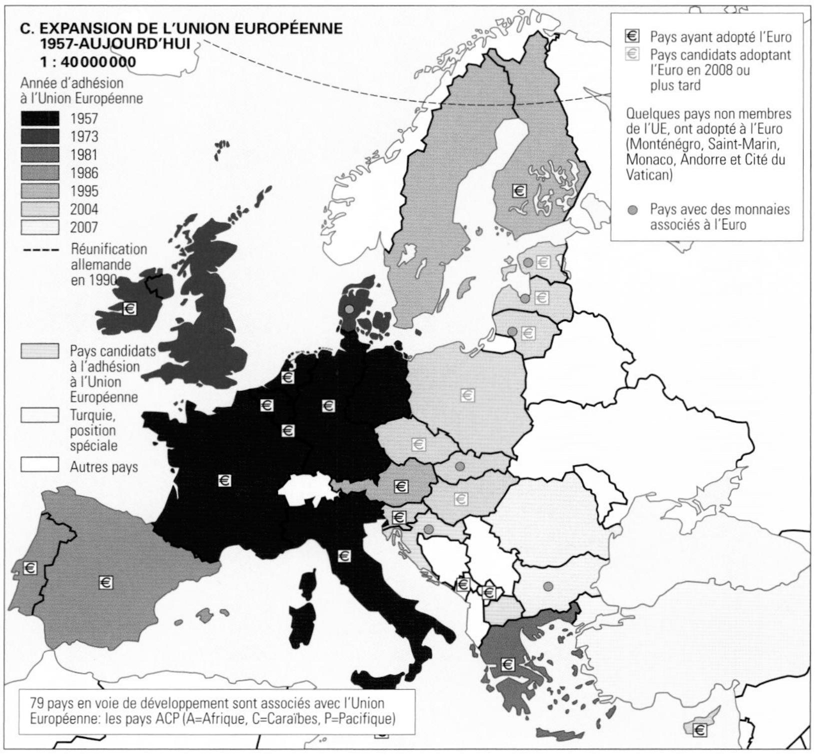

EUROPE CLIMAT

A. TEMPÉRATURES ET PRÉCIPITATIONS ANNUELLES
1 : 20 000 000

Précipitations annuelles en mm

moins de 200
200 - 400
400 - 600
600 - 800
800 - 1200
1200 - 2000
2000 ou plus

Isothermes de janvier
Isothermes de juillet
(non réduites au niveau de la mer)
Courant chaud (Gulfstream)

B. ZONES CLIMATIQUES
(d'après Köppen)
1 : 40 000 000

Cercle Polaire Arctique

Climats secs
Bsh   Climat steppique chaud
Bsk   Climat steppique froid
→   Dérive Nord-Atlantique

Climats maritimes tempérés
Csa   Été chaud et sec (climat méditerranéen)
Csb   Été plus frais et sec
Cfa   Chaud, précipitations en toutes saisons
Cfb   Plus frais, précipitations en toutes saisons
Cfc   Été court et frais

Climats continentaux
Dfb   Été chaud, précipitations en toutes saisons
Dfc   Été plus frais, précipitations en toutes saisons
ET   Climat de toundra, mois le plus chaud < 10°C
EH   Climat de haute montagne

C. VÉGÉTATION NATURELLE
1 : 40 000 000

Cercle Polaire Arctique

Végétation de haute montagne
Toundra
Forêts de conifères
Forêts mixte
Forêts de feuillus

Végétation méditerranéenne sempervirente
Steppe herbeuse
Steppe désertique
Limite des céréales
Limite du vignoble
Limite des palmiers

© Noordhoff Uitgevers

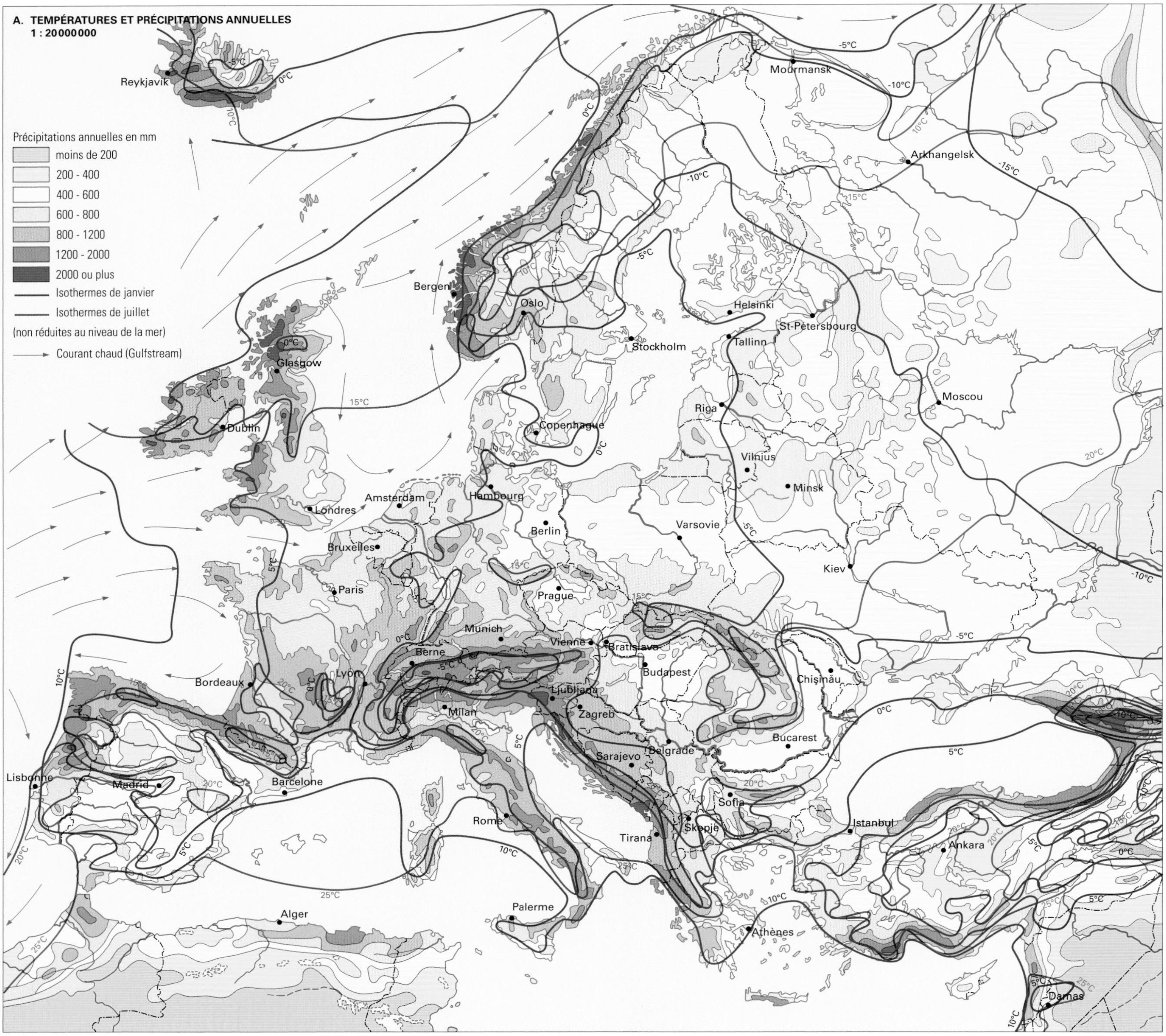

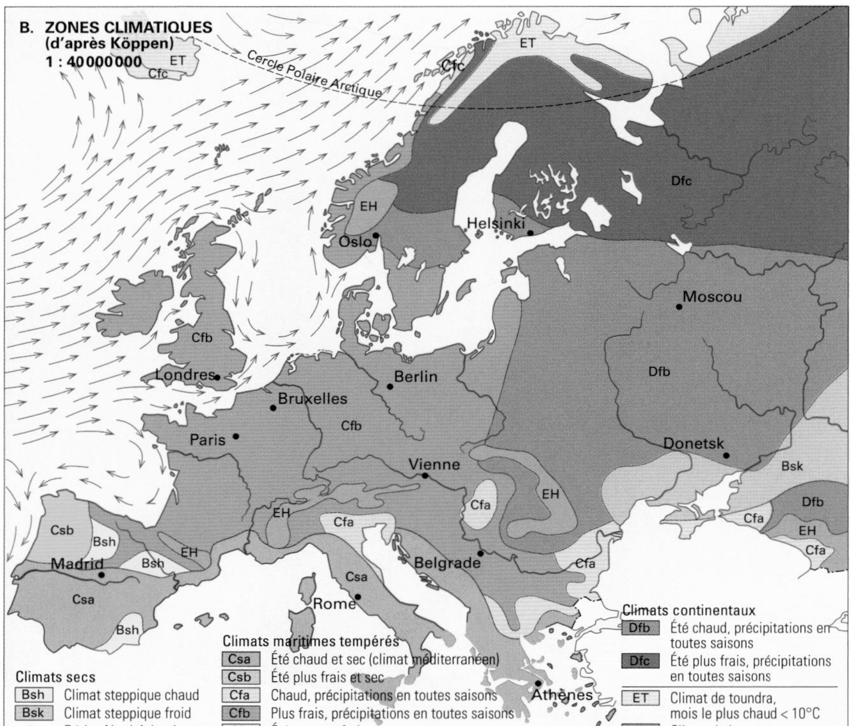

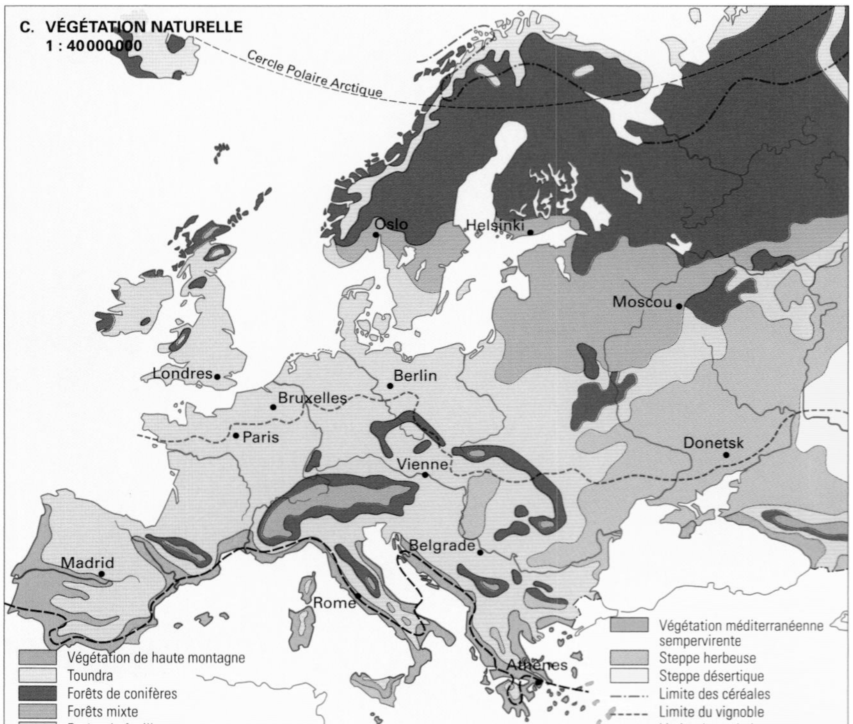

EUROPE AGRICULTURE

A. UTILISATION DU SOL
1 : 20 000 000

Improductif
Forêts
Élevage
Cultures (céréales)
Cultures et élevage
Agriculture méditerranéenne

Betteraves sucrières
Tabac
Vignes
Agrumes

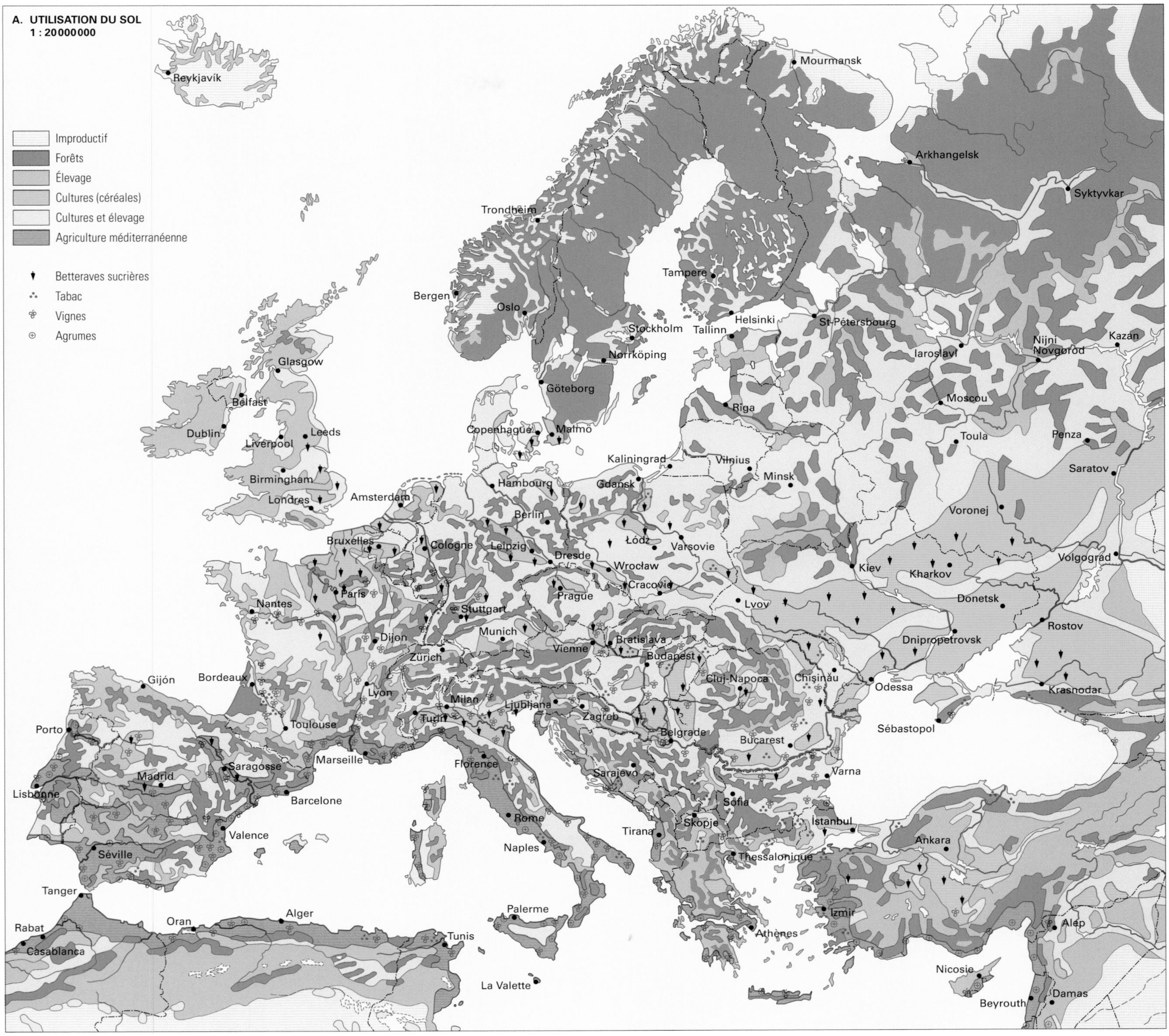

B. IMPORTANCE ÉCONOMIQUE DE L'AGRICULTURE
1 : 40 000 000

Part de l'agriculture dans la valeur ajoutée brute, par région ou pays (2004)

moins de 2,5 %
2,5 - 5,0
5,0 - 7,5
7,5 - 12,5
12,5 % ou plus

C. PART DE LA SURFACE AGRICOLE
1 : 40 000 000

Pourcentage de la superficie totale utilisée par l'agriculture (excl. sylviculture), par région ou pays (2004)

moins de 40
40 - 50
50 - 60
60 - 70
70 ou plus
pas de données

© Noordhoff Uitgevers

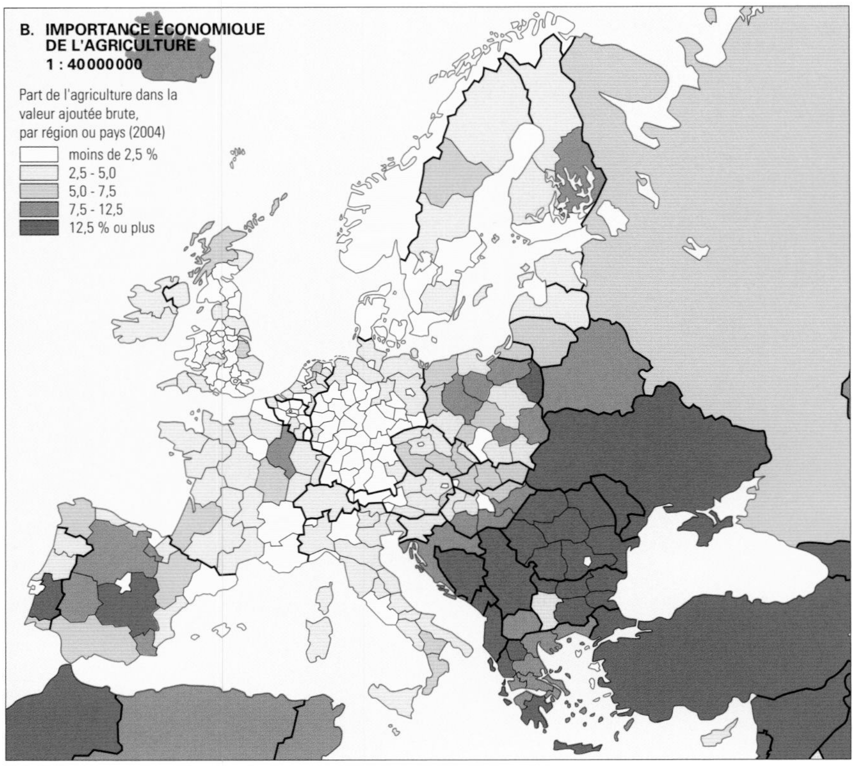

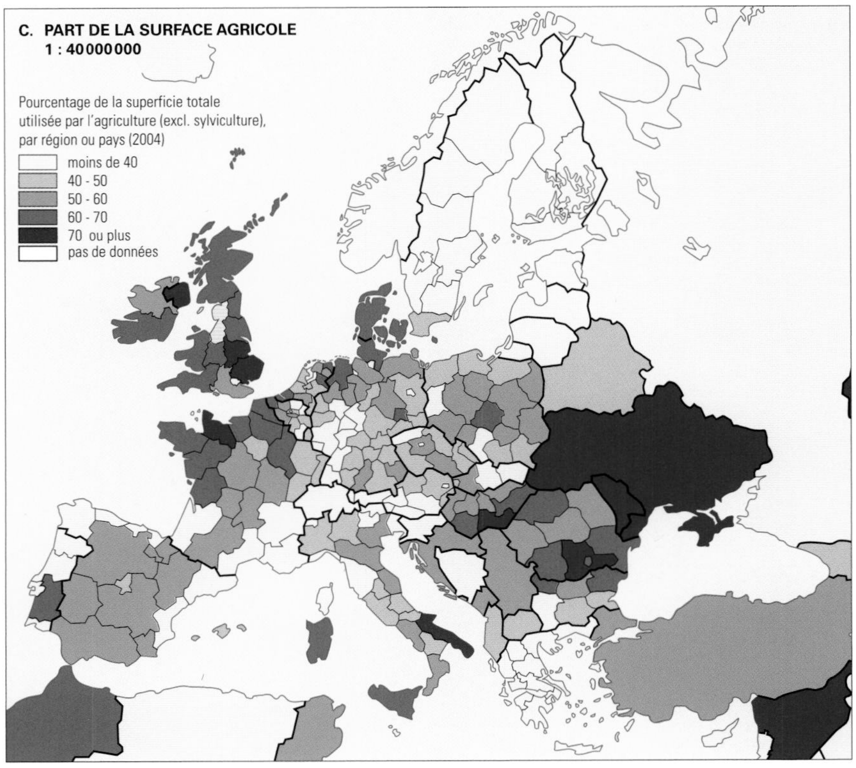

EUROPE POPULATION

A. DENSITÉ DE LA POPULATION
1 : 20 000 000

Habitants par km²
- moins de 1
- 1 - 10
- 10 - 50
- 50 - 100
- 100 - 200
- 200 ou plus

Agglomération de
- ◯ 5 M d'habitants ou plus
- ◯ 1 à 5 M d'habitants
- ○ 500 000 à 1 M d'habitants

Dublin
Birmingham
Londres
Anvers
Lille
Bruxelles
Paris
Lyon
Porto
Madrid
Lisbonne
Barcelone
Valence
Marseille
Rabat
Casablanca
Alger
Tunis
Amsterdam
Rotterdam
Hambourg
Berlin
Francfort
Nuremberg
Stuttgart
Munich
Vienne
Prague
Turin
Milan
Rome
Naples
Zagreb
Belgrade
Budapest
Bucarest
Sofia
Athènes
Copenhague
Stockholm
Helsinki
Tallinn
Riga
Vilnius
Varsovie
Katowice
St-Pétersbourg
Moscou
Minsk
Kiev
Kharkiv
Dniepropetrovsk
Donetsk
Odessa
Rostov
Volgograd
Nijni Novgorod
Kazan
İstanbul
Brousse
Izmir
Ankara
Konya
Adana
Gaziantep
Alep
Damas

B. ÉTRANGERS
1 : 40 000 000

Pourcentage d'étrangers par rapport
à la population totale par pays (2002)
- 0 - 1
- 1 - 2,5
- 2,5 - 5
- 5 - 10
- 10 ou plus
- pas de données

C. VARIATION DE LA POPULATION
1 : 40 000 000

Variation annuelle moyenne de la population (en %)
par région ou pays sur la période 1994-2004
Augmentation
- moins de 0,5
- 0,5 - 1,0
- 1,0 - 1,5
- 1,5 ou plus
Diminution
- 0,0 - 0,5
- 0,5 ou plus

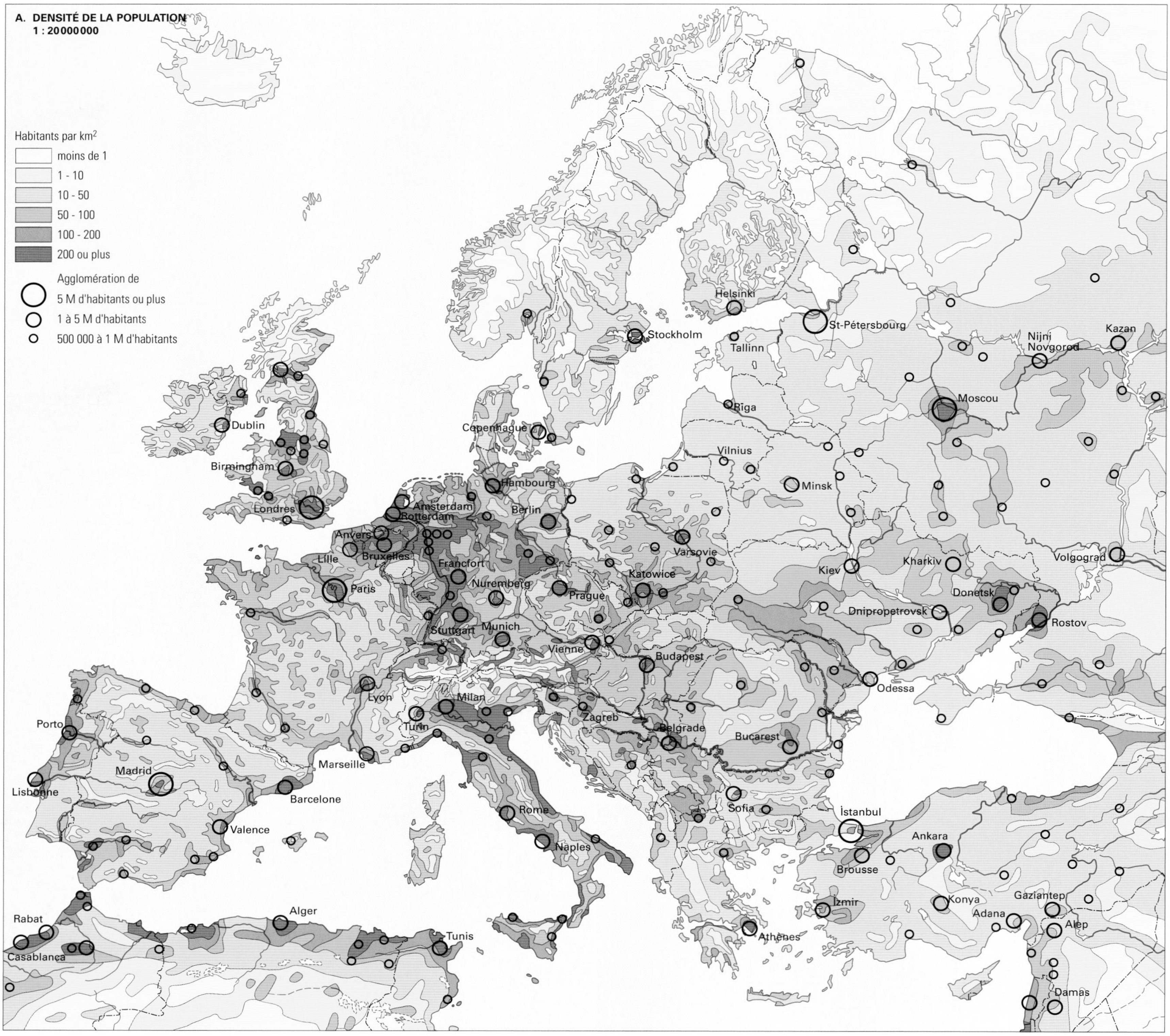

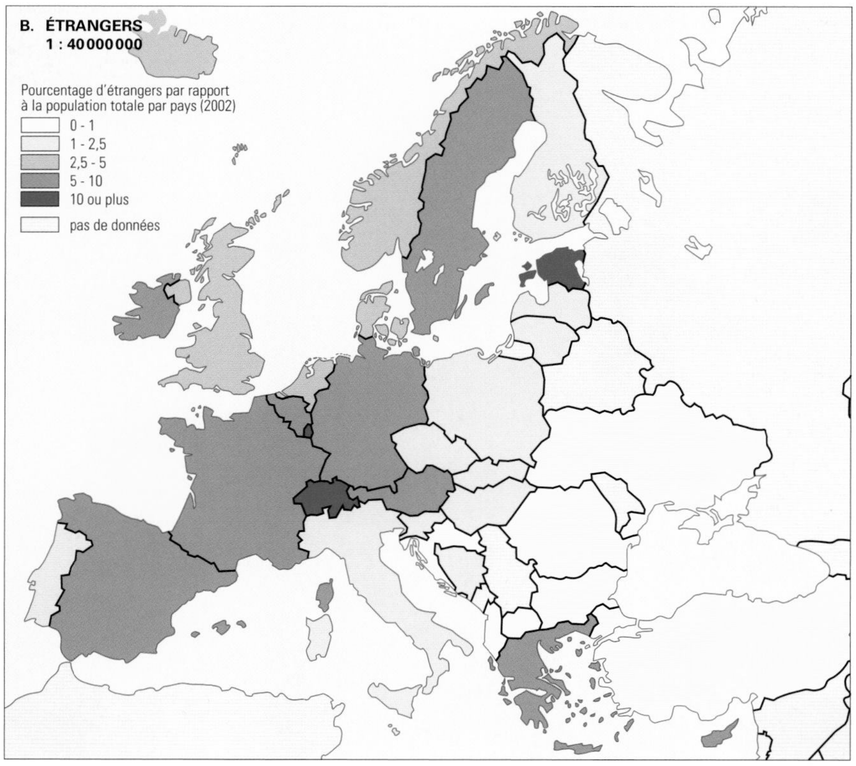

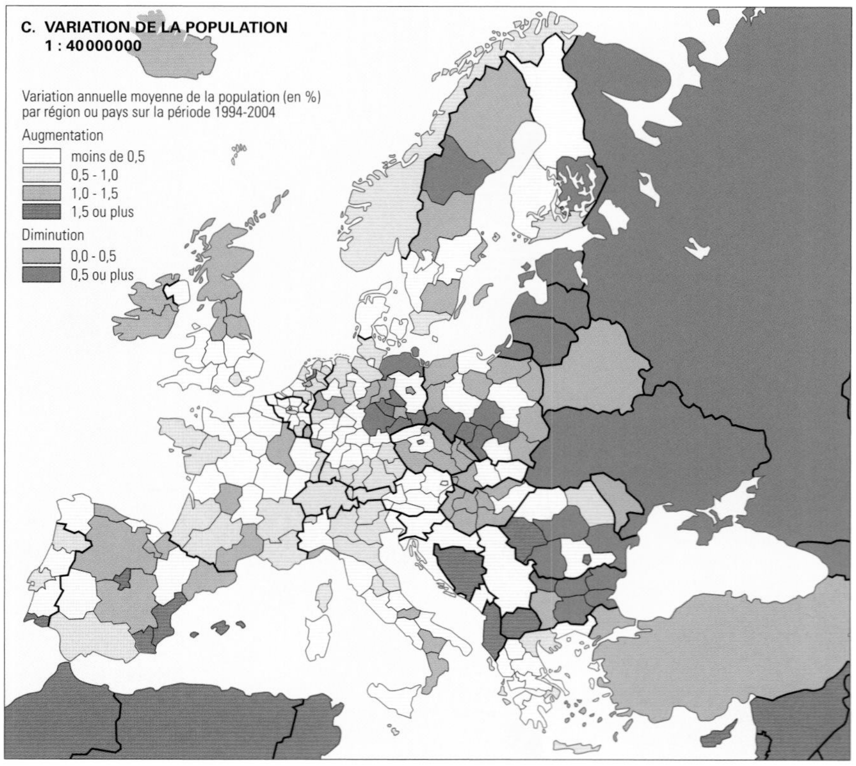

EUROPE TOURISME

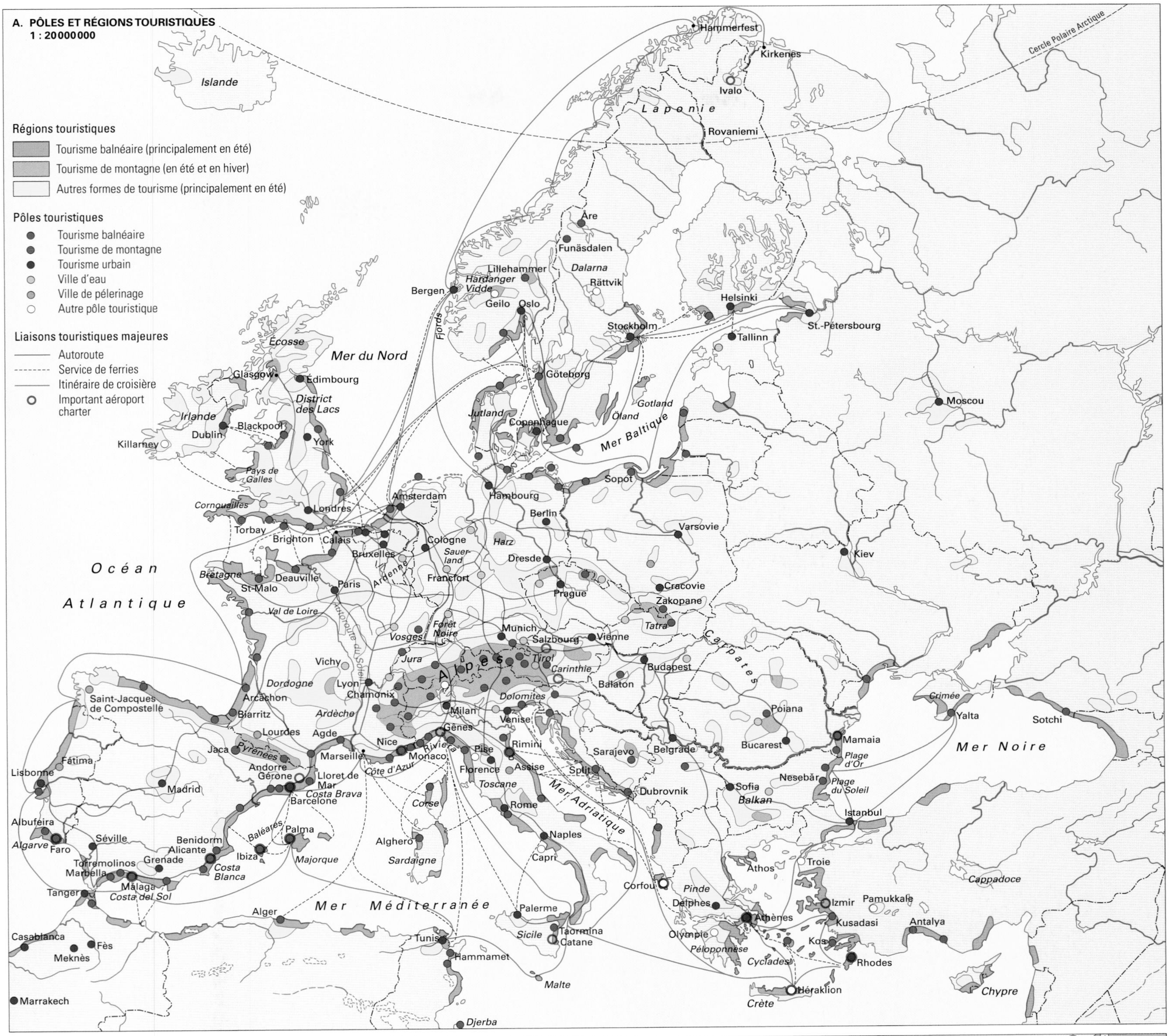

A. PÔLES ET RÉGIONS TOURISTIQUES
1 : 20 000 000

Régions touristiques
- Tourisme balnéaire (principalement en été)
- Tourisme de montagne (en été et en hiver)
- Autres formes de tourisme (principalement en été)

Pôles touristiques
- Tourisme balnéaire
- Tourisme de montagne
- Tourisme urbain
- Ville d'eau
- Ville de pèlerinage
- Autre pôle touristique

Liaisons touristiques majeures
- Autoroute
- Service de ferries
- Itinéraire de croisière
- Important aéroport charter

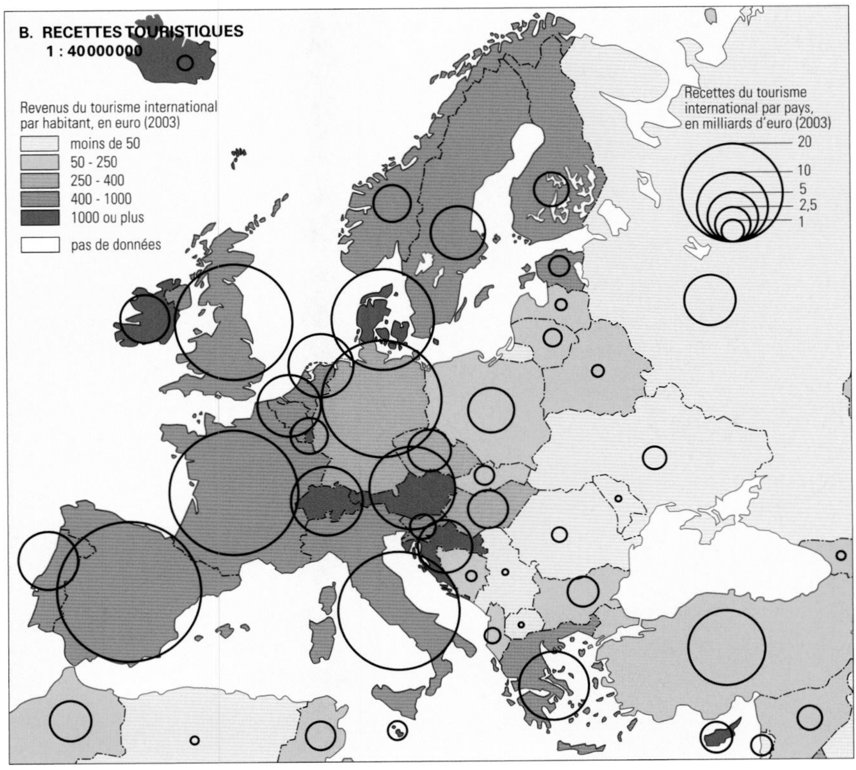

B. RECETTES TOURISTIQUES
1 : 40 000 000

Revenus du tourisme international par habitant, en euro (2003)
- moins de 50
- 50 - 250
- 250 - 400
- 400 - 1000
- 1000 ou plus
- pas de données

Recettes du tourisme international par pays, en milliards d'euro (2003)
20 / 10 / 5 / 2,5 / 1

C. DÉPENSES TOURISTIQUES
1 : 40 000 000

Dépenses en matière de tourisme international par habitant, en euro (2003)
- moins de 50
- 50 - 250
- 250 - 400
- 400 - 1000
- 1000 ou plus
- pas de données

Dépenses en matière de tourisme international, en milliards d'euro (2003)
20 / 10 / 5 / 2,5 / 1

Royaume-Uni: 50,9 milliards d'euro

Allemagne: 62,5 milliards d'euro

© Noordhoff Uitgevers

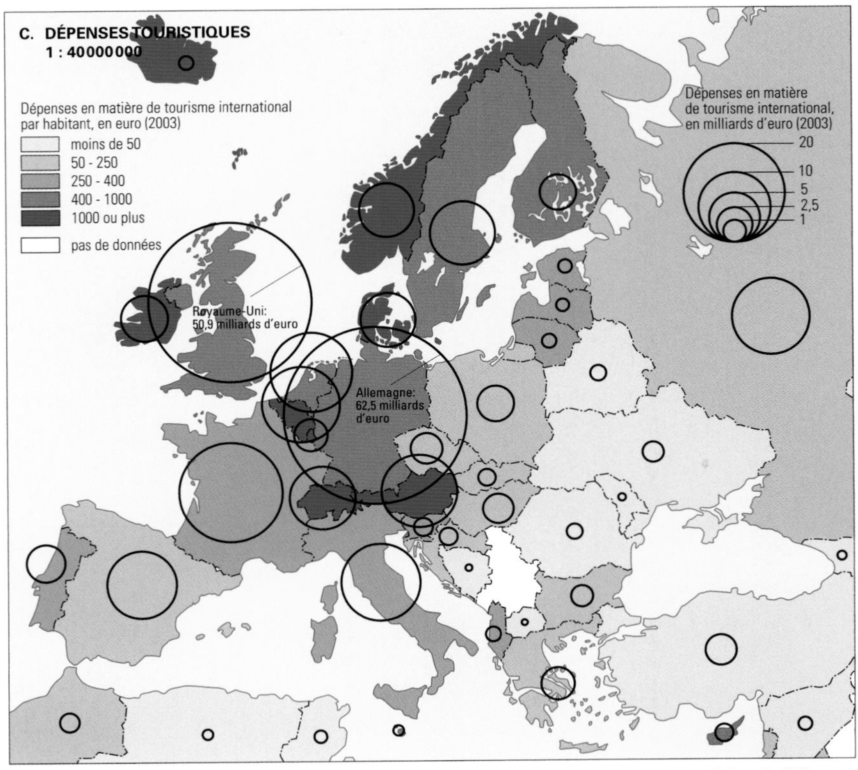

EUROPE ÉCONOMIE

A. INDUSTRIE
1 : 20 000 000

- Région industrielle
- Sidérurgie
- Construction métallique
- Construction navale
- Construction automobile
- Construction aéronautique
- Industrie chimique
- Industrie textile
- Industrie électronique
- Haute technologie

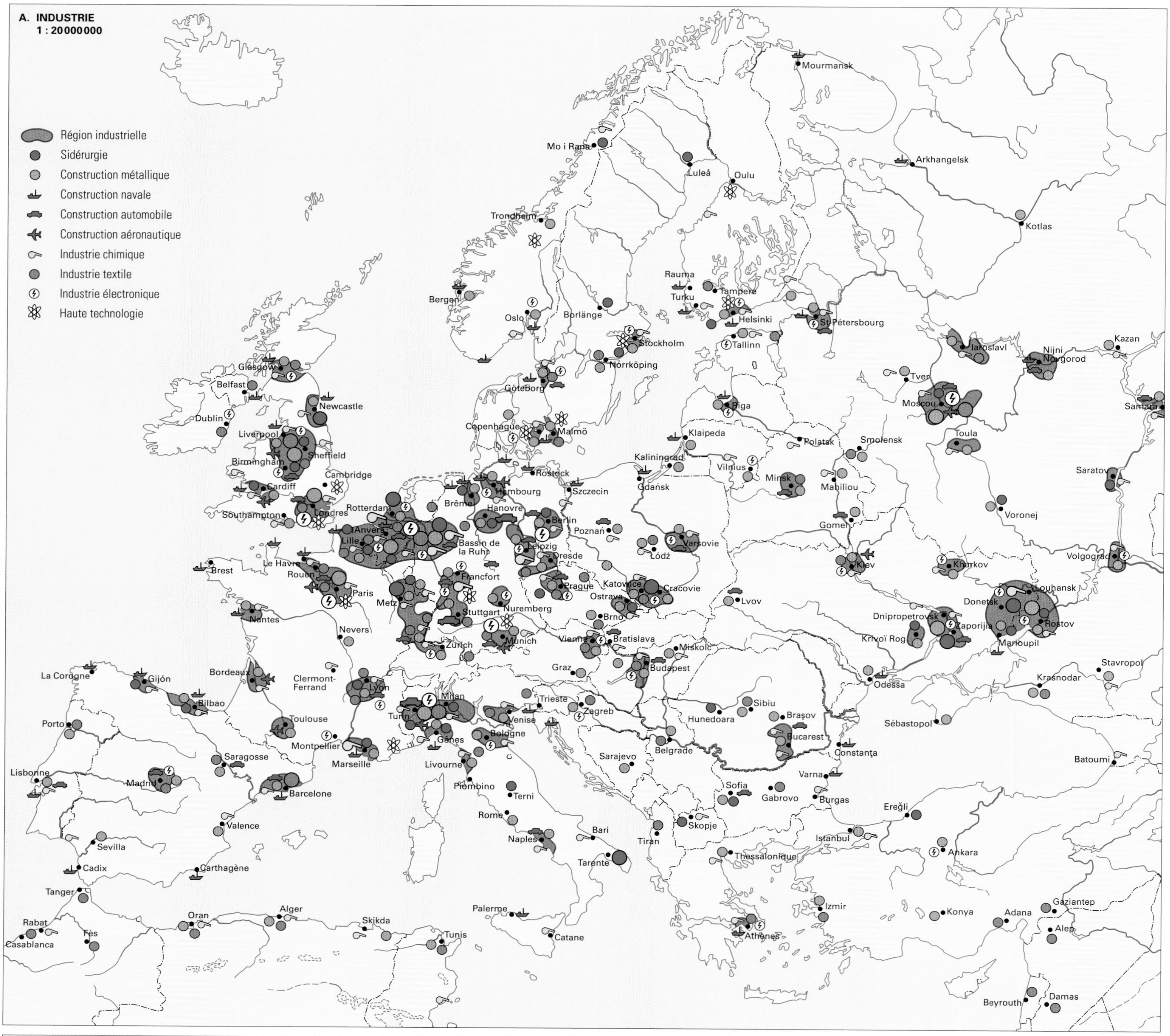

B. CHÔMAGE
1 : 40 000 000

Pourcentage de chômeurs par rapport
à la population active totale,
par région ou pays (2005)

- moins de 6
- 6 - 9
- 9 - 12
- 12 - 18
- 18 ou plus
- pas de données

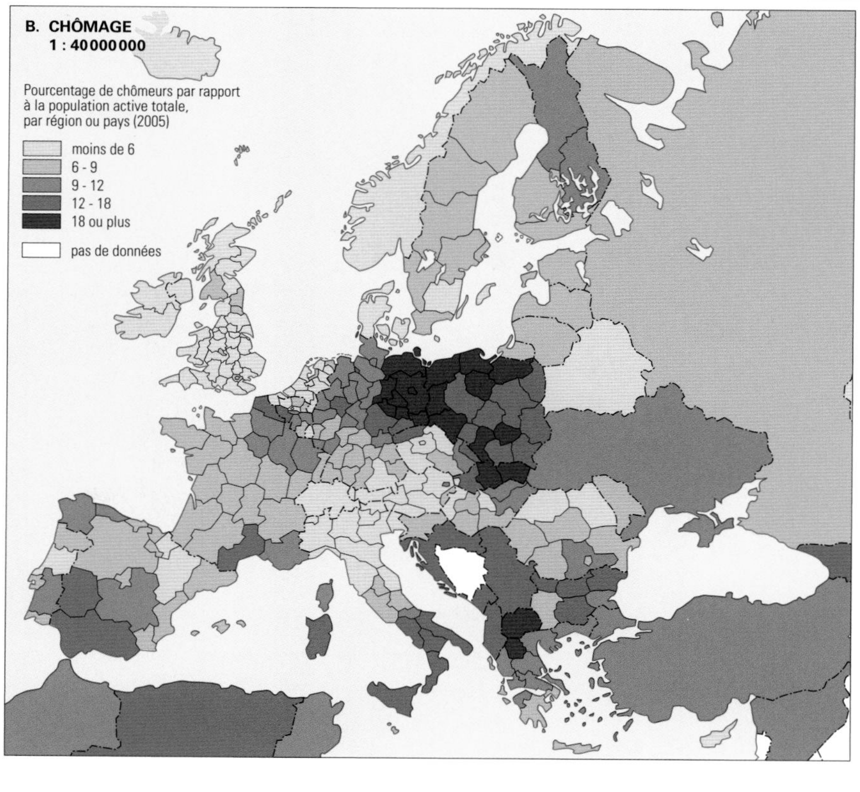

**C. IMPORTANCE ÉCONOMIQUE
DE L'INDUSTRIE**
1 : 40 000 000

Part de l'industrie dans la
valeur ajoutée brute,
par région ou pays (2003)

- moins de 20
- 20 - 25
- 25 - 30
- 30 - 35
- 35 ou plus
- pas de données

© Noordhoff Uitgevers

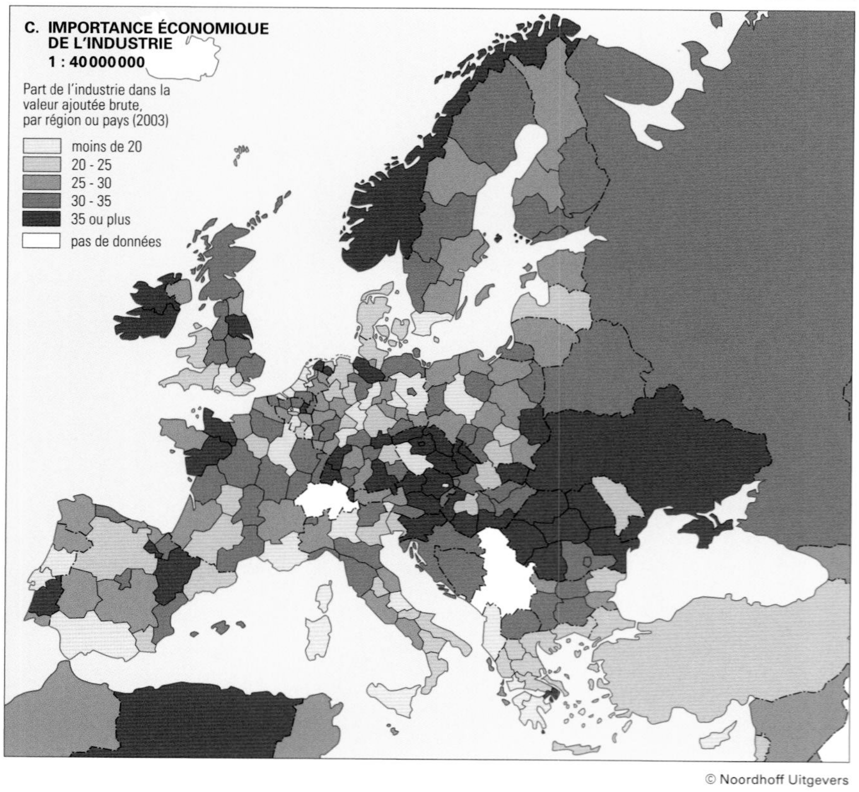

EUROPE ENVIRONNEMENT

Échelle 1 : 40 000 000

A. POLLUTION ATMOSPHÉRIQUE

Production de particules de soufre
en kilogrammes par km² (2002)
- moins de 0,25
- 0,25 - 1,00
- 1,00 - 3,00
- 3,00 - 6,00
- 6,00 ou plus

Origine de la pollution
atmosphérique (2002)
- nationale
- étrangère

B. CONCENTRATION DU SOUFRE

Concentration du soufre
en microgrammes par m³ (2003)
- moins de 1
- 1 - 2
- 2 - 5
- 5 - 10
- 10 - 20
- 20 ou plus

C. PLUIES ACIDES EN 1989

Acidité (=pH) des précipitations
5,0 4,8 4,6 4,4 4,2 4,0

Dioxyde de soufre, oxydes d'azote et
ammoniac, trois importants facteurs
de pollution atmosphérique

D. PLUIES ACIDES EN 2000-2004 (moyenne)

Acidité (=pH) des précipitations
5,0 4,8 4,6 4,4 4,2 4,0

Dioxyde de soufre, oxydes d'azote et
ammoniac, trois importants facteurs
de pollution atmosphérique

E. RETOMBÉES D'AZOTE

Retombées d'azote
en milligrammes par m² (2003)
0   0,5   1   2   5   10

F. POUSSIÈRES FINES

Concentration moyenne de poussières fines dans l'air,
en microgrammes par m³ (1998-2003)
0   1   2   4   6   8   10

Les poussières fines, composées de particules dont le diamètre est
inférieur à 10 millièmes de millimètre, font partie de la pollution
atmosphérique et ont ainsi un effet défavorable sur la santé des gens.

Source B-F: EMEP CCC/NILU

© Noordhoff Uitgevers

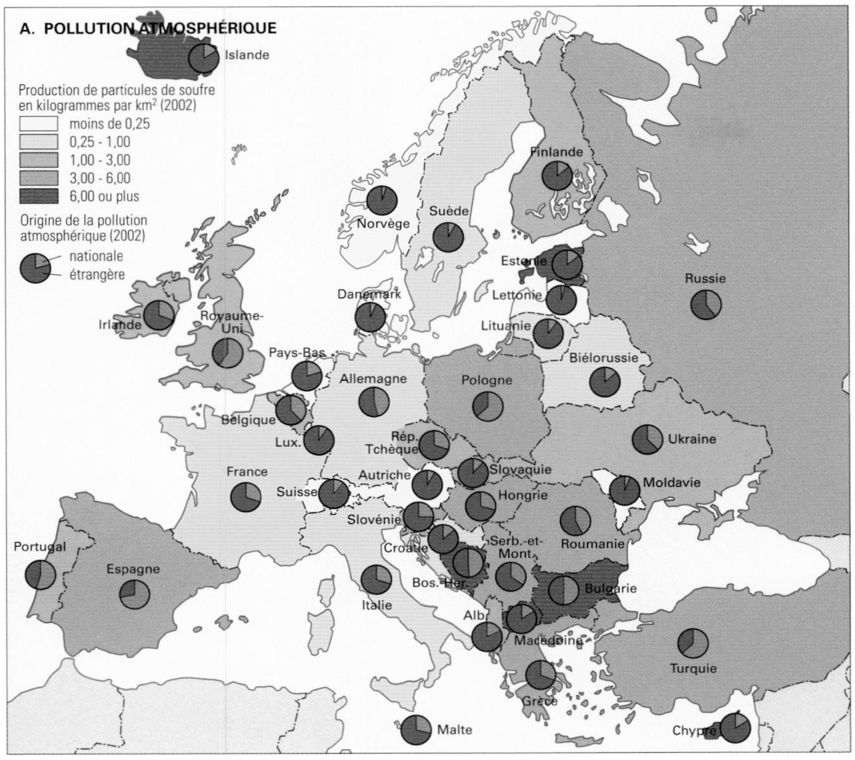

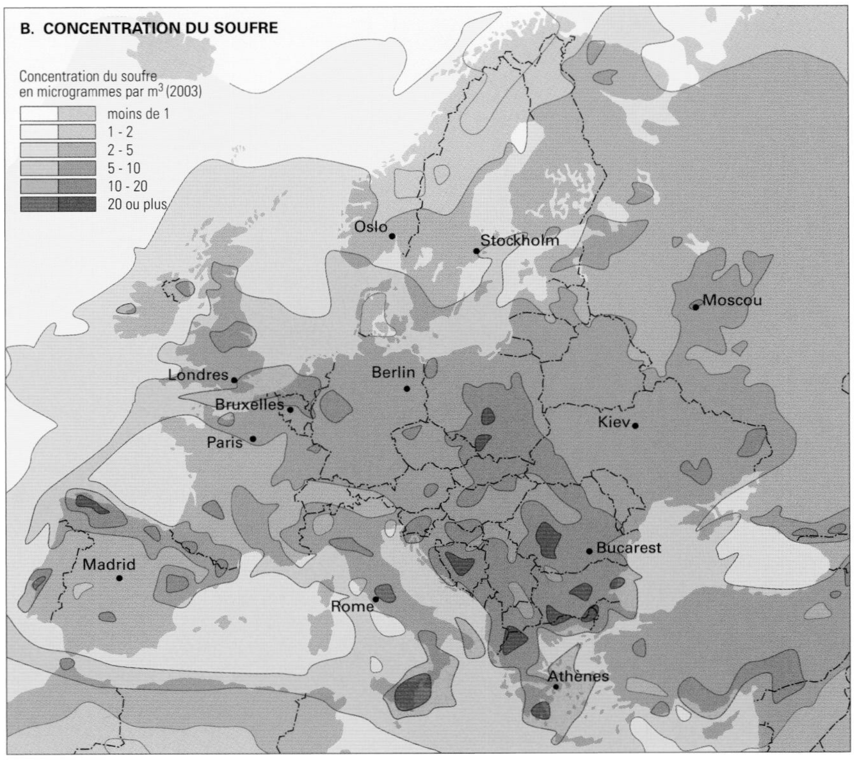

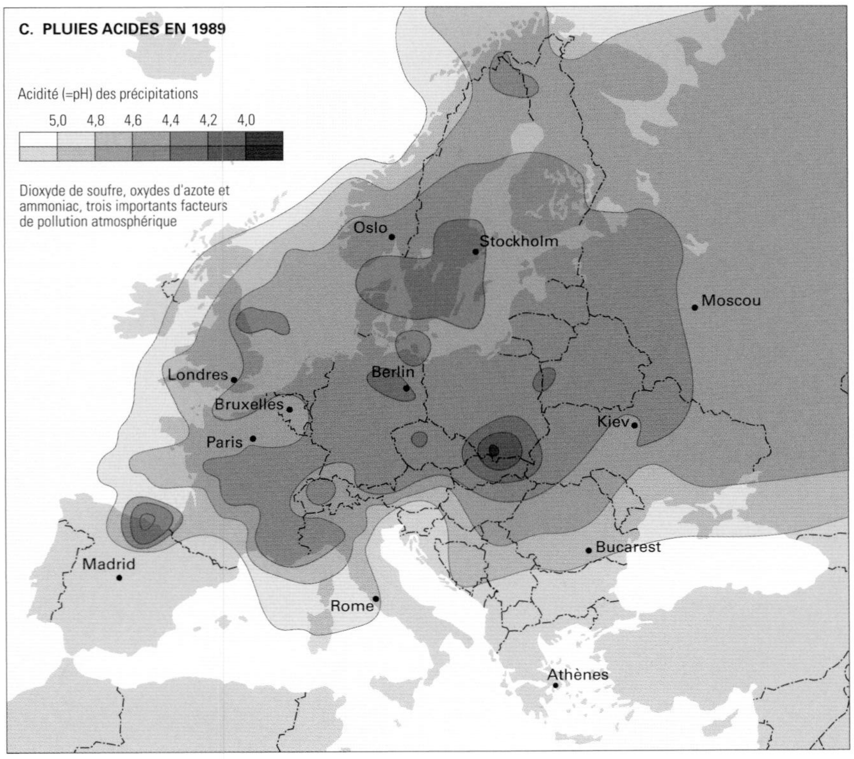

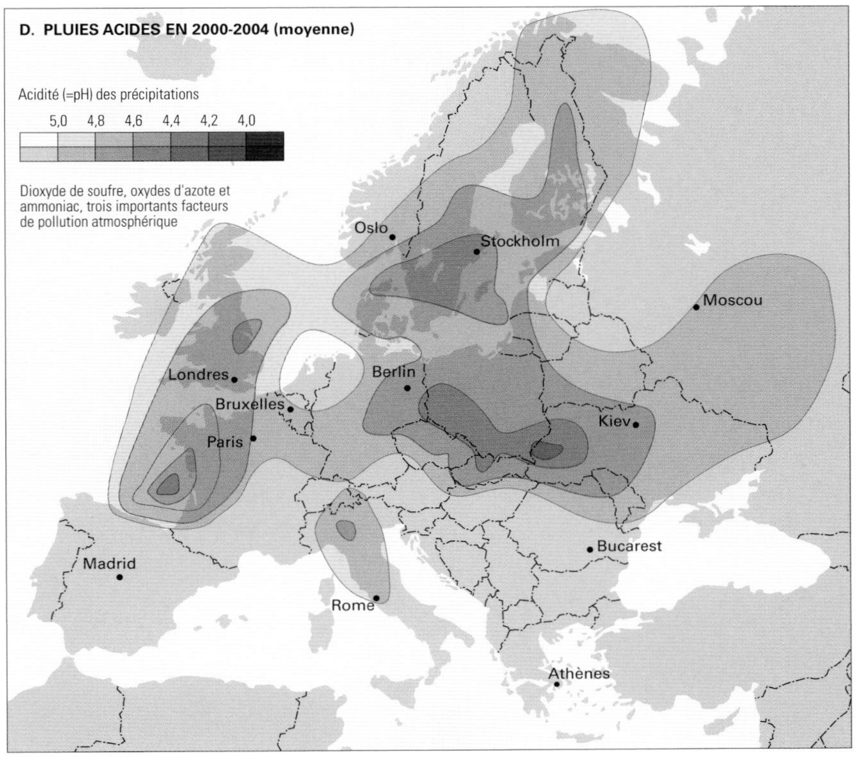

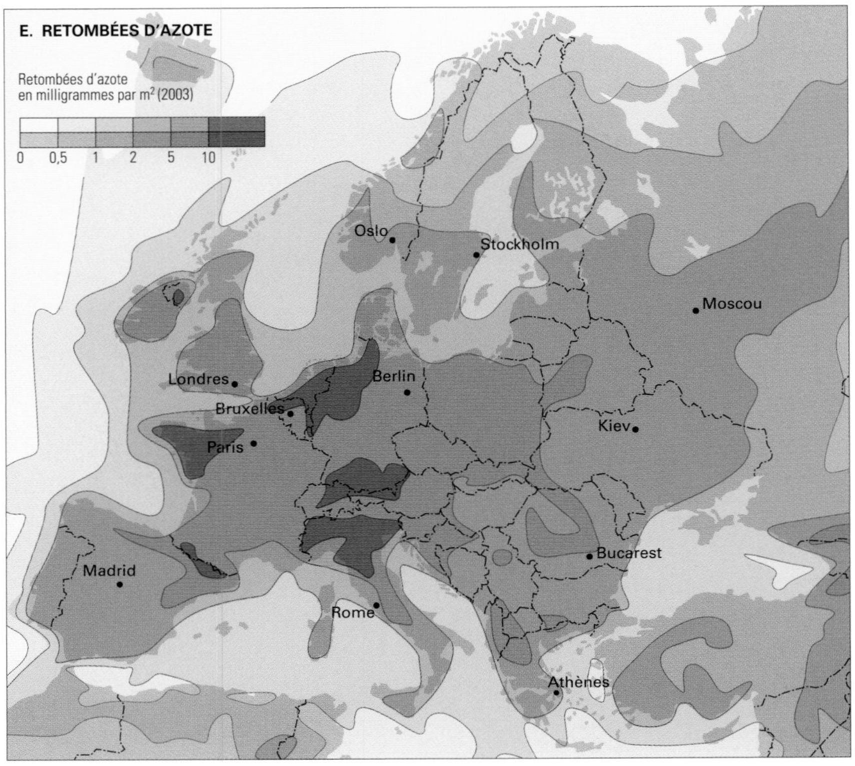

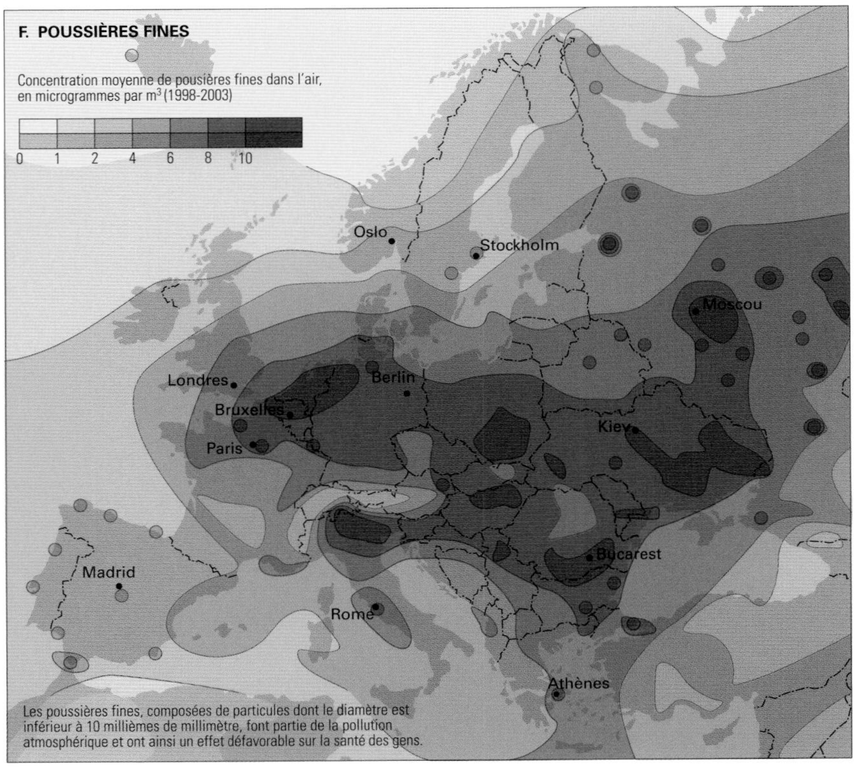

EUROPE ÉNERGIE

A. PÉTROLE ET GAZ NATUREL
1 : 20 000 000

Champ pétrolifère
Production annuelle
◇ moins de 5 M de tonnes
◇ 5 - 25 M de tonnes
◇ 25 M de tonnes ou plus

Gisement de gaz naturel
Production annuelle
◆ moins de 5 milliards de m³
◆ 5 - 25 milliards de m³
◆ 25 milliards de m³ ou plus

— Oléoduc
— Gazoduc
--- Gazoduc en projet
■ Port pétrolier
■ Port méthanier

Raffinage pétrolier
50
25
10
5

Capacité de production
en M de tonnes par an
(2006)
1 Immingham
2 Rotterdam
3 Flessingue
4 Anvers
5 Zeebrugge
6 Dunkerque
7 Thamesside

Voir page 101 pour la Mer du Nord

B. CHARBON, LIGNITE ET URANIUM
1 : 40 000 000

Production en 2004
▮ Charbon (1 mm = 2 M de tonnes)
▮ Lignite (1 mm = 5 M de tonnes)
▯ Uranium (1 mm = 100 tonnes)
⬭ Bassin charbonnier
⬭ Bassin de lignite
★ Uranium

C. PRODUCTION D'ÉLECTRICITÉ
1 : 40 000 000

Centrale thermique
• 250 - 2000 MW
● 2000 MW ou plus
Centrale hydroélectrique
• 150 - 1000 MW
● 1000 MW ou plus
Centrale nucléaire
• 250 - 2000 MW
● 2000 MW ou plus

(Situation 2003)

© Noordhoff Uitgevers

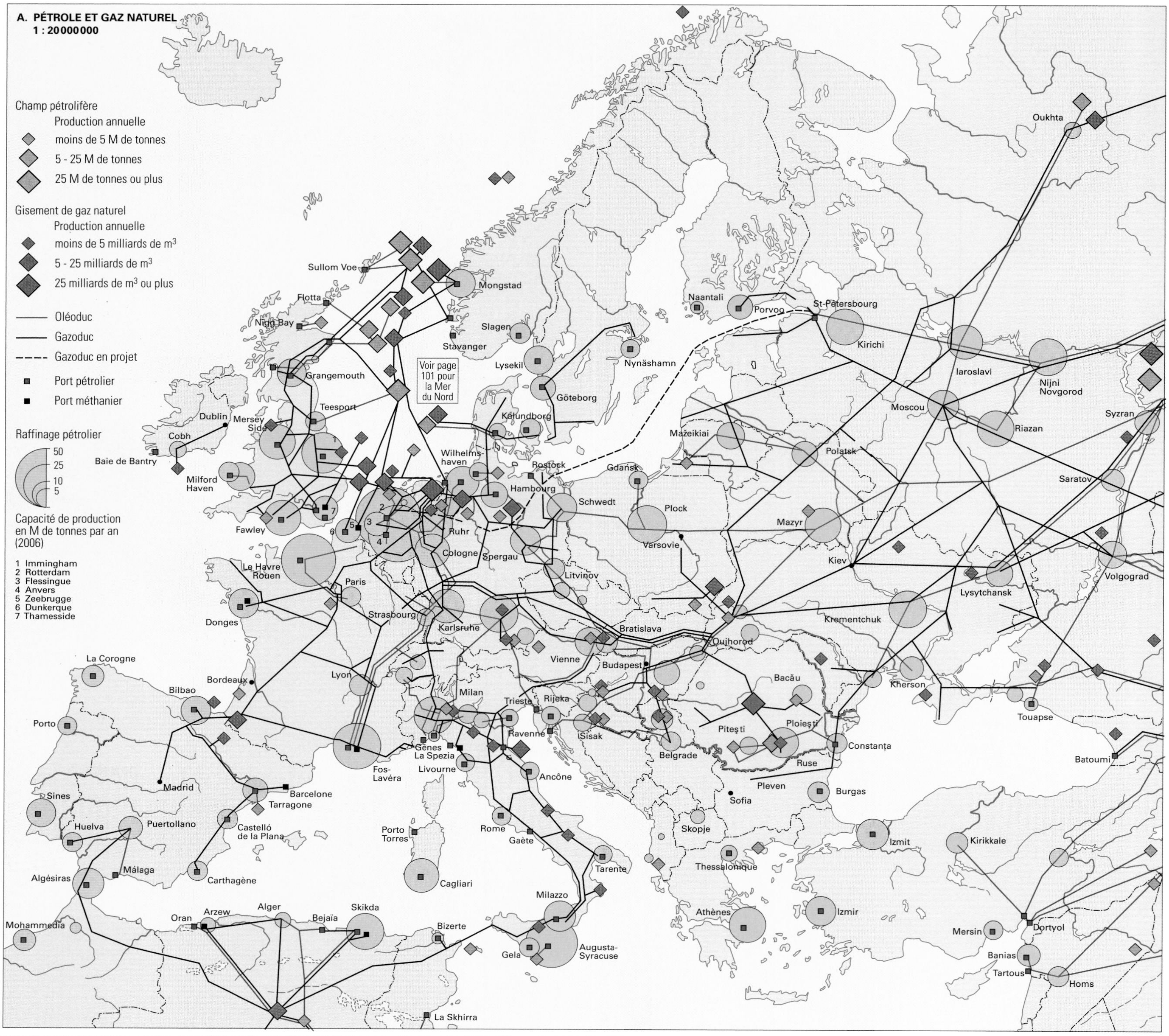

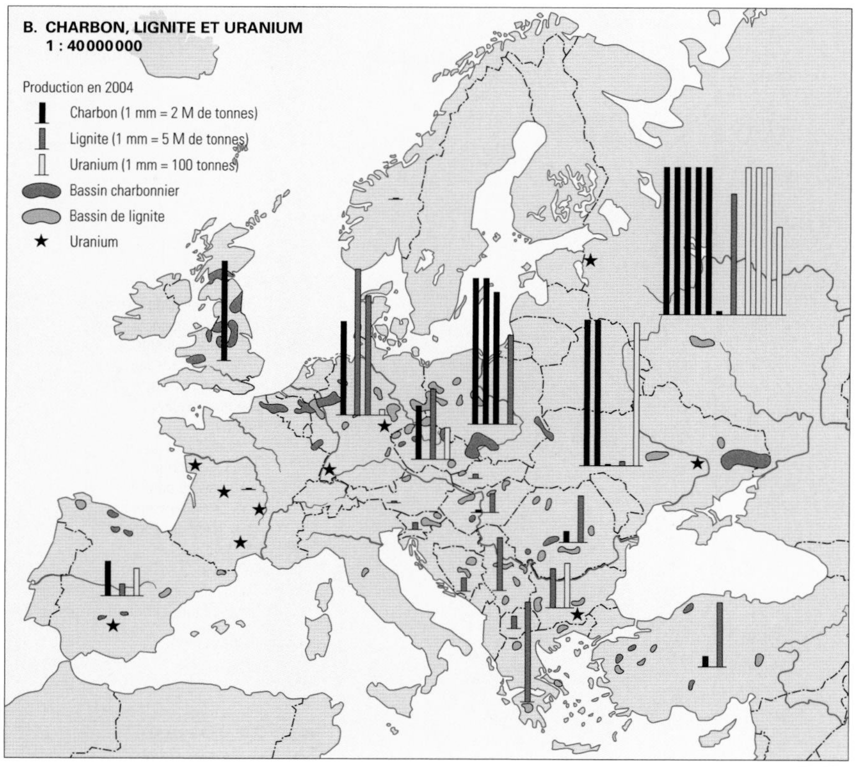

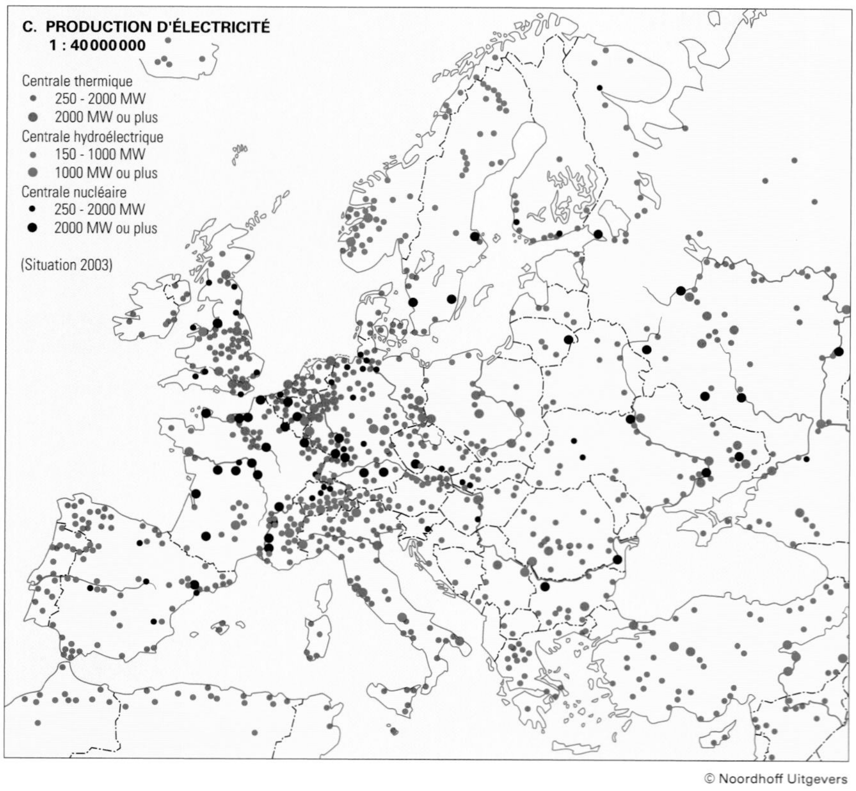

MER DU NORD ÉNERGIE

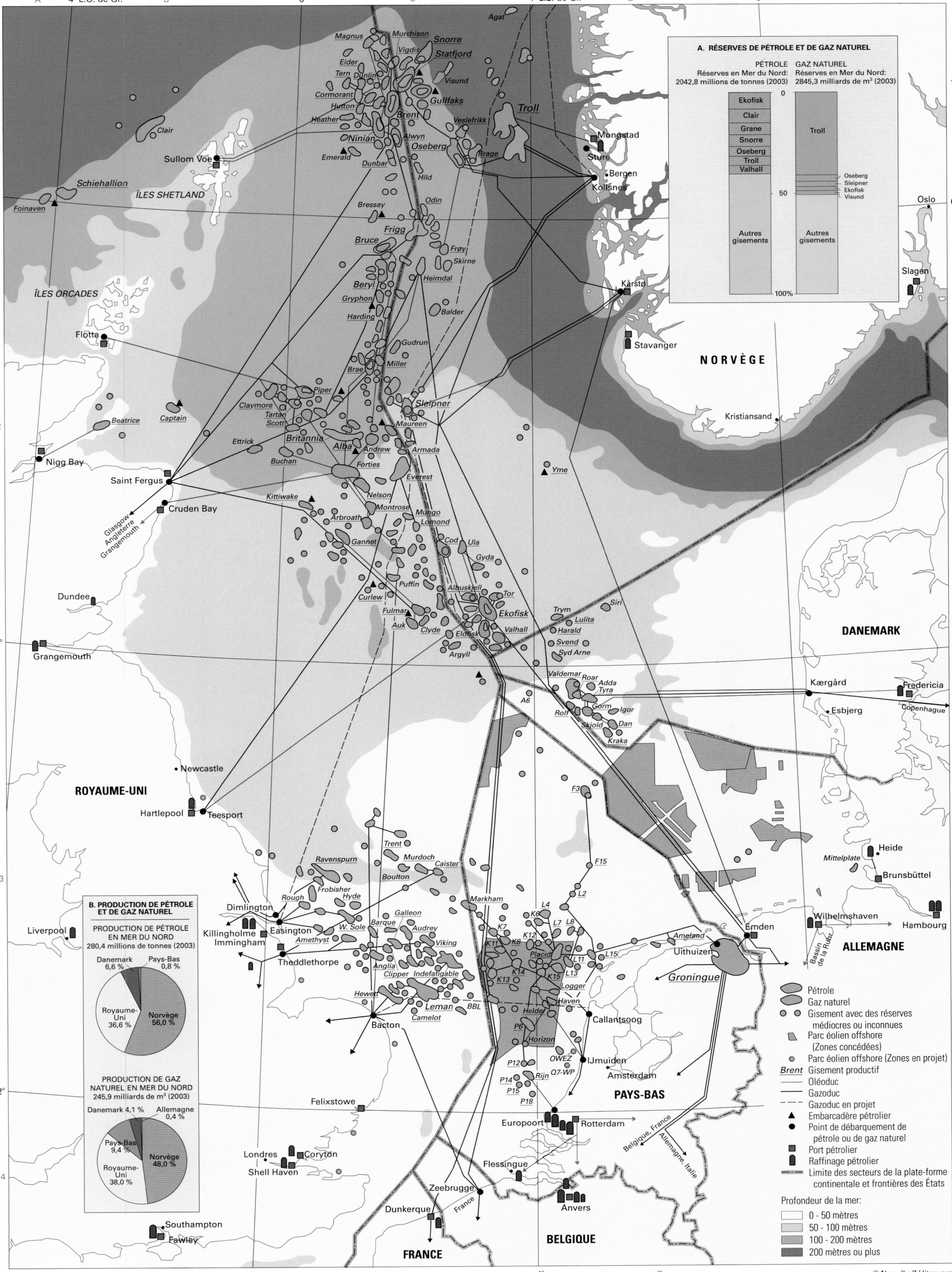

A. RÉSERVES DE PÉTROLE ET DE GAZ NATUREL

PÉTROLE
Réserves en Mer du Nord:
2042,8 millions de tonnes (2003)

GAZ NATUREL
Réserves en Mer du Nord:
2845,3 milliards de m³ (2003)

Ekofisk
Clair
Grane
Snorre
Oseberg
Troll
Valhall
Autres gisements

Troll
Oseberg
Sleipner
Ekofisk
Visund
Autres gisements

B. PRODUCTION DE PÉTROLE ET DE GAZ NATUREL

PRODUCTION DE PÉTROLE EN MER DU NORD
280,4 millions de tonnes (2003)

Danemark 6,6 %
Pays-Bas 0,8 %
Royaume-Uni 36,6 %
Norvège 56,0 %

PRODUCTION DE GAZ NATUREL EN MER DU NORD
245,9 milliards de m³ (2003)

Danemark 4,1 %
Allemagne 0,4 %
Pays-Bas 9,4 %
Royaume-Uni 38,0 %
Norvège 48,0 %

Légende:
- Pétrole
- Gaz naturel
- Gisement avec des réserves médiocres ou inconnues
- Parc éolien offshore (Zones concédées)
- Parc éolien offshore (Zones en projet)
- *Brent* Gisement productif
- Oléoduc
- Gazoduc
- Gazoduc en projet
- ▲ Embarcadère pétrolier
- ● Point de débarquement de pétrole ou de gaz naturel
- Port pétrolier
- Raffinage pétrolier
- Limite des secteurs de la plate-forme continentale et frontières des États

Profondeur de la mer:
- 0 - 50 mètres
- 50 - 100 mètres
- 100 - 200 mètres
- 200 mètres ou plus

NORVÈGE

DANEMARK

ROYAUME-UNI

PAYS-BAS

ALLEMAGNE

BELGIQUE

FRANCE

ÎLES SHETLAND

ÎLES ORCADES

© Noordhoff Uitgevers

EUROPE DU NORD

-4000 -2000 -200 0 100 200 500 1000 1500 2000 3000 m
au-dessous du niveau de la mer

24° L.O. de Gr.   20°   16°   D 12° L.E. de Gr. E   16° Spitzberg F 20°

Carte Islande

Océan Glacial Arctique
Cercle Polaire Arctique
Horn (Cap Nord)
Rifstangi
Grímsey
Ísafjardhardjúp
Dranga Jökull
Raufarhöfn
Langanes
Patreksfj.
Ísafjördhur
Húna
Baie
Siglufjördhur
Ólafs-fjördhur
Húsavík
Vopnafjord
Vatneyri
Höfdha-kaupstadhur
Skagafjord
Akureyri
Sardhár-krókur
Myvatn
Grímsstadhir
Skjalfandafljót
Herdhubreidh +1682
Neskaupstadhur
Breidhafjord
Stykkishólmur
Hofsjökull
Askja +1510
+1833 Snæfell
Baie Faxa
Borgarnes
Langjökull
Blafell 1204
Hvítá
Herdhubreidharhraun
Vatnajökull
Akranes
Geysir
Hvítá
Tjorsa
Reykjavík
Hafnar-fjördhur
Hekla 1491
Hvannadalshnúkur 2110
Höfn
Keflavík
Reykjanes
Myrdals-jökull
Kálfafell
Vestmannaeyjar
Heimaey
Océan Atlantique

Carte principale

Échelle 1 : 6 000 000
0 50 100 150 200 250 km
Projection conique

Océan Atlantique

Magerøya Cap Nord Nordkinn
Søroya Hammerfest Porsangerfj. Lakselv Tanafjord Vadsø Varanger
Seiland Vardø
Kvaløya Tromsø Alta Alta Tana Utsjoki Kirkenes Petche
Vesterålen Andøya Senja Karasjok Lac Inari Pasvik
Lofoten Hinnøya Ofotfjord Narvik Abisko Kautokeino Inari Ivalo
Svolvær Kebnekaise +2111 Kiruna Enontekiö Ivalojoki M
Vestfjord Bodø Fauske Svappavaara Pallastunturi 807 a
Fold Sulitjelma +1914 Malmberget Sodankylä
Sulitjelma Gällivare Kelloselkä Alakourtti
Svartisen 1594 Porjus Kemijärvi
Cercle Polaire Arctique Jokkmokk Rovaniemi Lac Yli-Kitka
Mo i Rana Boden Karungi Kemijoki
Ranafj. Hornavan Haparanda Tornio
Vega Mosjøen 1915 Arjeplog Storavan Luleå Kemi Taivalkoski
Lac Ross Sorsele Boden Piteå Iijoki Lac Kianta
Borgefjell Storuman Storuman Boliden Hailuoto Oulu Numm
Foldafjord Namsos Vilhelmina Lycksele Skellefteå Lac Oulu Oulujoki Lac Kiantz
Vikna Trøndelag Norr Kajaani
Steinkjer Umeå Kokkola/Gamlakarleby Otanmäki
Frøya Grong Pietarsaari/Jakobstad Iisalmi
Smøla Levanger Östersund Sollefteå Örnsköldsvik FINLANDE
Kristiansund Hitra Åreskutan 1420 Vaasa/Vasa Lac Kaila
Ålesund Molde Trondheim Vallgrund Kuopio
Andalsnes Støren Storlien Jämtland Kramfors Kaskinen/Kaskö Varkaus
Storfjord Røros Helagsfjället +1796 Bräcke Härnösand Kristiinankaupunki/Kristinestad Joen
Florø 2286 Snøhetta Lac Stor Ånge Sundsvall Seinäjoki Lac Hauki
Høyanger Dombås Dovrefjell Jyväskylä Lac Keitele
Sognefjord 1957 Jostedalsbre NORVÈGE Østerdal Hudiksvall Pori Lac Näsi Savonlinna
Bergen Leikanger Galdhøpiggen 2469 Jotunheimen SUÈDE Lac Paijänne Mikkeli
Voss Årdalstangen Gudbrandsdal Ljusdal Söderhamn Rauma Tampere Lac Saim
Myrdal Valdres Mora Lac Siljan Uusikaupunki Lahti Lappeenranta
Hardanger-vidda Lillehammer Dalarna Bollnäs Forssa Riihimäki Kouvola Vyl
Leirvik Geilo Gjøvik Klarälv Leksand Falun Sandviken Gävle Åland Hyvinkää Porvoo/Borgå
Odda Hønefoss Elverum Hamar Borlänge Forsmark Turku/Åbo Espoo Loviisa/Lovisa
Haugesund Tyrifjord Mjøsa Avesta Sala Dannemora Salo Lohja Vantaa (Wanda) Kotka
Gaustatop 1891 Drammen Kongsvinger Grängesberg Ludvika Dälälv Mariehamn Kimito Helsinki/Helsingfors
Karmøy Telemark Kongsberg Oslo Lillestrøm Svealand Västerås Tammisaari/Ekenäs Hanko/Hangö Porkkala
Stavanger Notodden Skien Arvika Filipstad Uppsala Norrtälje Golfe de Finlande
Sandnes Sandefjord Moss Lac Vänern Karlskoga Örebro Sigtuna Tallinn Kohtla-Järve
Egersund Lårvik Sarpsborg Karlstad STOCKHOLM Paldiski Maardu Rakvere Sillamäe Narva
Flekkefjord Lyngdal Fredrikstad Halden Eskilstuna Södertälje Maardu Slantsy
Farsund Mandal Arendal Lidköping Lac Mälar Nyköping Hiiumaa Haapsalu ESTONIE
Lindesnes Risør Uddevalla Mariestad Skövde Nynäshamn Lac des Tchoudes (Peïpous)
Skagerrak Kristiansand Lysekil Vänersborg Trollhättan Oxelösund Saaremaa Pärnu Viljandi Tartu
Hirtshals Vänern Lidköping Norrköping Söderköping Kuressaare Lac Võrts Lac de Pskov
Hanstholm Baie Jammer Frederikshavn Borås Jönköping Linköping Mer Fårön Kolkasrags Ventspils Valmiera Võru +318
Mer du Nord Læsø Göteborg Mölndal Huskvarna Visby Collines Valga
Anholt Kungsbacka Nässjö Västervik Gotland Golfe de Riga Jūrmala Rīga Ogre +311
Ålborg Kattegat Varberg Tomtabacken 377 Vetlanda Oskarshamn Ventspils Jelgava LETTONIE
DANEMARK Randers Halmstad Småland Borgholm Liepāja Mažeikiai Daugava
Herning Århus Helsingborg Ljungby Växjö Kalmar Öland Baltiques
Horsens Helsingør Angel-holm Blekinge Klaipėda Telšiai Šiauliai 235 Daugavpils
Esbjerg Veile Fredericia COPENHAGUE Scanie Kristianstad Baie de Hanö Karlshamn Rønneby Tauragė Kėdainiai Panevėžys LITUANIE Utena
Odense Sjælland Lund (Skåne) Malmö Karlskrona Kaunas Marijampolė Alytus Maladzetchna
Fyn Korsør Trelleborg Ystad Kaliningrad Sovietsk Tcherniakhovsk RUSSIE Vilnius Suwałki BIÉLO
Heligoland Grand Belt Lolland Møn Rønne Bornholm (Dan.) Koursi Zalev Nemunas Ukmergé MINSK
Flensburg Falster Slupsk Kaliningrad Pregolia Gdynia Gdańsk
Kiel Fehmarn Gedser Baltique Koszalin Braniewo Malbork Marijampolé
Lübeck Rostock Sassnitz Rügen Baie de Poméranie Swinoujscie Kolobrzeg POLOGNE Elblag
HAMBOURG Stralsund Baie de Lübeck Tczew Malbork
Brême Wilhelmshaven ALLEMAGNE

Mer Baltique
Golfe de Botnie
Laponie
Norrland
Dalälven
Klarälv

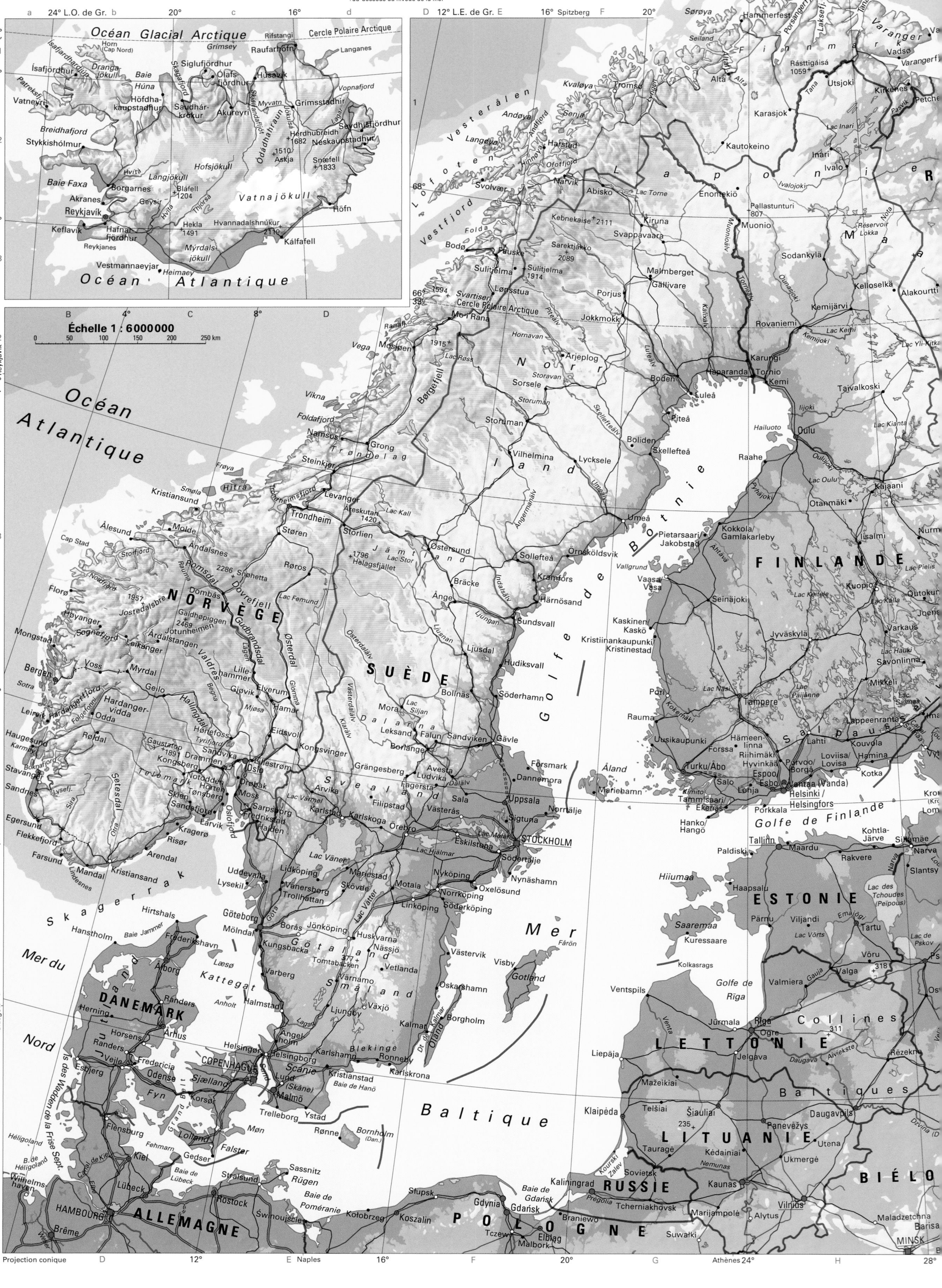

Échelle 1 : 15 000 000

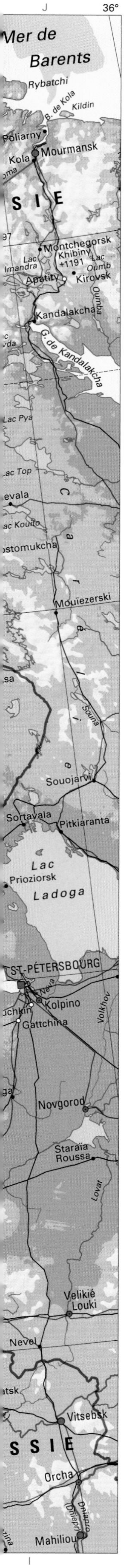

B. DONNÉES CLIMATIQUES

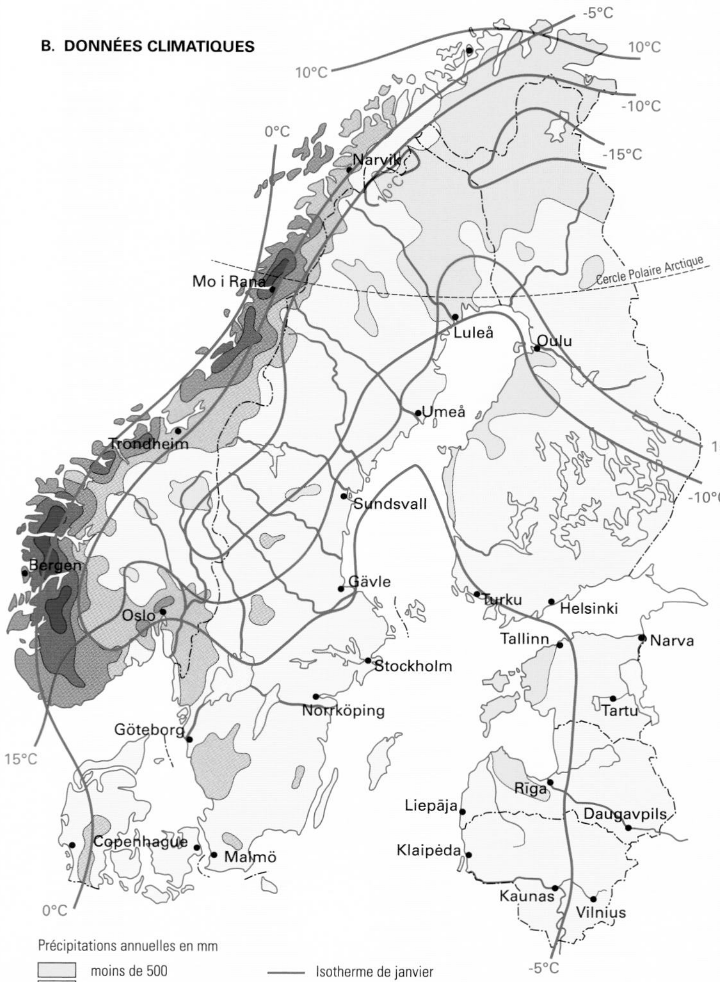

Précipitations annuelles en mm
- moins de 500
- 500 - 750
- 750 - 1000
- 1000 - 1500
- 1500 - 2000
- 2000 ou plus

—— Isotherme de janvier
—— Isotherme de juillet
Les températures sont réduites
au niveau de la mer

C. ÉCONOMIE

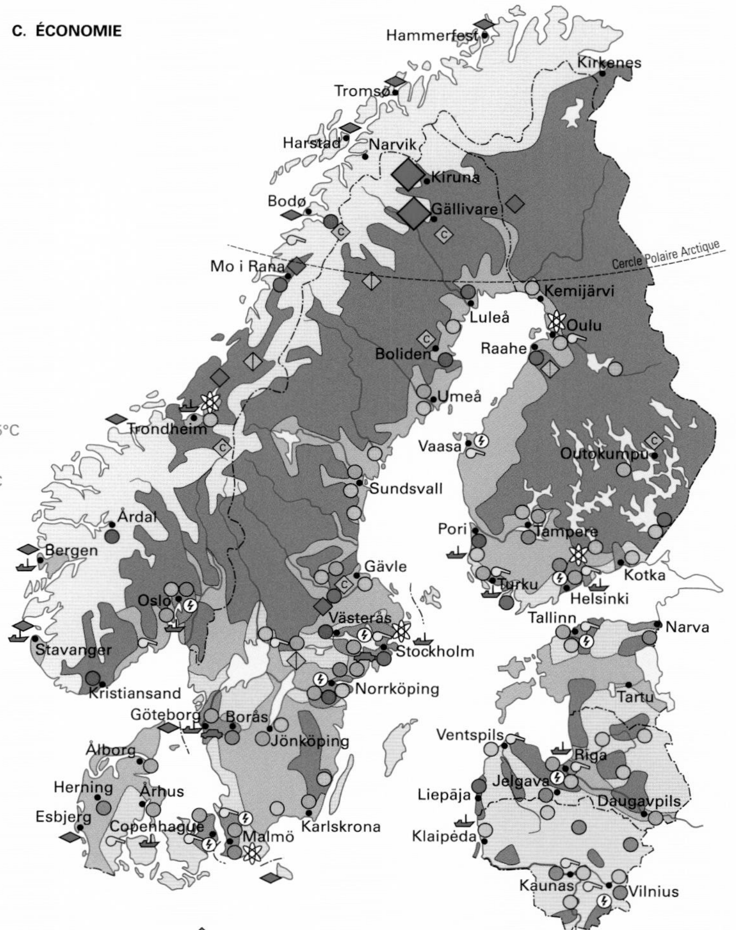

- Prairies d'altitude, toundra
- Forêts
- Élevage bovin
- Cultures
- Région industrielle

- ◆ Minerai de fer
- ◇ Cuivre
- ◆ Plomb et zinc
- ● Production de fer et d'acier
- ● Autre métallurgie*
- ● Construction métallique
- ⚓ Construction navale
- 🚗 Construction automobile

- ↻ Industrie chimique
- ● Industrie textile
- ● Industrie de transf. du bois
- ● Industrie électrotechnique
- ✕ Haute technologie
- ● Industrie des produits de la pêche

* Production d'aluminium: voir carte E

D. DENSITÉ DE LA POPULATION

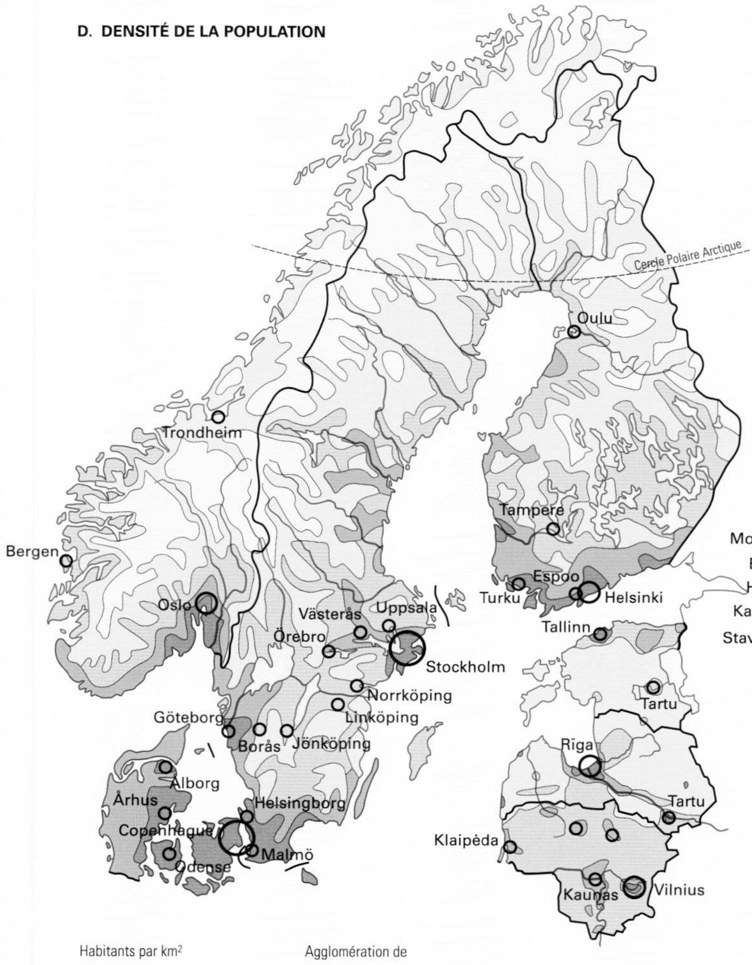

Habitants par km²
- moins de 1
- 1 - 10
- 10 - 25
- 25 - 50
- 50 ou plus

Agglomération de
- ◯ 1 - 5 M d'habitants
- ◯ 500 000 - 1 M d'habitants
- ◦ 100 000 - 500 000 habitants

E. ÉNERGIE

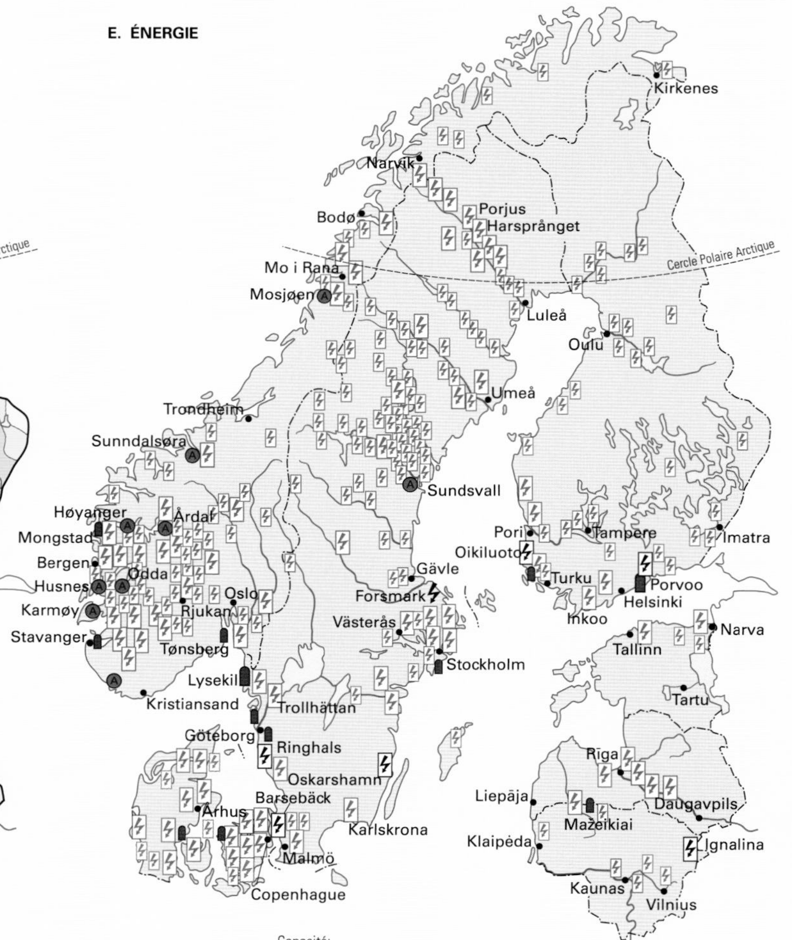

- ⚡ Centrale thermique
- ⚡ Centrale hydroélectrique
- ⚡ Centrale nucléaire
- Raffinage pétrolier
- Ⓐ Production d'aluminium

Capacité:
- plus de 200 mégawatts (MW)
- 50 - 200 mégawatts
- 1 - 10 M tonnes par an
- plus de 10 M tonnes par an

Pétrole et gaz naturel: voir page 101 Mer du Nord

© Noordhoff Uitgevers

BENELUX

Échelle 1 : 1500000

0   10   20   30   40   50 km

-200   0   50   100   200   500 m
au-dessous du niveau de la mer

5° L.E. de Gr.

A. POLDERS: LES ÉTAPES DE LA CONQUÊTE
1 : 3000000

- Du 13e au 16e siècle
- 17e siècle
- 18e siècle
- 19e siècle
- 20e siècle
- Poldérisation possible

Digue de fermeture 1932
1930
Wieringer-meer
Lac d'IJssel
Polder du Nord-Est 1942
Marker-waard ?
Flévoland-Est 1957
Flévoland-Sud 1968
1852 Lac de Haarlem
A
L.H.
Maasvlakte
R
Lek
Rhin Infér.
Waal
IJssel
Plan Delta
Meuse
Escaut Oriental
Escaut Occid.

Mer des Wadden

Borkum
Schiermonnikoog
Ameland
Terschelling
West-Terschelling
Îles Frisonnes
Vlieland
Texel
Mer des Wadden
Emden
Delfzijl
Appingedam
Ems
Dollard
Canal de l'Ems
Groningue
Groningue
Slochteren
Hoogezand
Winschoten
Veendam
Stadskanaal
Dokkum
Buitenpost
Leeuwarden
Harlingen
Bolsward
Sneek
Drachten
Roden
Frise
Heerenveen
Joure
Lemmer
Assen
Drenthe
Ter Apel
Beilen
Den Burg
Le Helder
Den Oever
Staveren
Urk
Middenmeer
Schagen
Lac d'IJssel
Emmeloord
Meppel
Klazienaveen
Schoonebeek
Coevorden
Hoogeveen
Emmen
Frise Occidentale
Enkhuizen
Polder du Nord-Est
Ommen
Nordhorn
Hardenberg
Vechte
Heerhugowaard
Alkmaar
Hoorn
Dronten
Kampen
Zwolle
Overijssel
Almelo
Hollande Septentrionale
Purmerend
Volendam
Lelystad
Hattem
Nijverdal
Rijssen
Twente
Oldenzaal
Krommenie
Beverwijk
Zaandam
Flévoland
Flévoland
Nunspeet
Epe
Deventer
Hengelo
Enschede
IJmuiden
Amsterdam
Ermelo
Apeldoorn
107
Lochem
Canal de la Twente
Haarlem
Weesp
Almere
Harderwijk
Nijkerk
PAYS-BAS
Zutphen
Berkel
Zandvoort
Schiphol
Amstel-veen
Bussum
Hilversum
Soest
Amersfoort
Gueldre
Hillegom
Lisse
Uithoorn
Nieuwegein
De Bilt
Zeist
Ede
Wageningen
Arnhem
Dieren
Doesburg
Zevenaar
Doetinchem
Winterswijk
Aalten
Bocholt
Noordwijk
Katwijk
Leyde
TGV (2009)
Woerden
Gouda
Utrecht
Utrecht
Veenendaal
Amsterdam au Rhin
Elst
La Haye
(Den Haag)
Zoetermeer
Delft
Betuwe
Emmerich
Kleve
ALLEMAGNE
Hoek van Holland
Hollande
Schiedam
Rotterdam
Brielle
Vlaardingen
Nieuwegein
Lek
Culemborg
Tiel
Geldermalsen
Nimègue
Rhin
Wesel
Lippe
Helvoetsluis
Spijkenisse
Zwijndrecht
Sliedrecht
Gorinchem
Waal
Zaltbommel
Oss
Grave
Cuijk
Méridionale
Dordrecht
Biesbos
Meuse
Waalwijk
Rosmalen
Bois-le-Duc
('s-Hertogenbosch)
Uden
Venray
Recklinghausen
Bottrop
Gelsen-kirchen
Essen
Middelharnis
Overflakkee
Moerdijk
Oosterhout
Vught
Veghel
Niers
Oberhausen
Haamstede
Schouwen
Duiveland
Zierikzee
Etten-Leur
Breda
Boxtel
Helmond
Duisburg
Mülheim
Ruhr
Walcheren
Middelburg
Goes
Tholen
Roosendaal
Bergen op Zoom
Brabant Septentrional
Tilburg
Eindhoven
Geldrop
Moers
Krefeld
Düsseldorf
Flessingue
Borssele
Zélande
Canal Escaut-Rhin
Essen
TGV (2009)
Veldhoven
Valkenswaard
Venlo
Mönchen-gladbach
Wuppertal
Breskens
Flandre Zélandaise
Hulst
Brasschaat
Turnhout
Mol
Lommel
Limbourg
Weert
Roermond
Maasbracht
Neuss
Solingen
Zeebrugge
Knokke
Sluis
Terneuzen
Beveren
Anvers
(Antwerpen)
Anvers
Herentals
Campine
Leverkusen
Blankenberge
Ostende
Le Coq
Bruges
Eeklo
Zelzate
St-Nicolas
Lierre
Boom
Flandre
Diest
Limbourg
Eisden
Maaseik
Cologne
Hürth
La Panne
Nieuport
Furnes
Torhout
Dixmude
Deinze
Lokeren
Willebroek
Malines
Canal de Willebroek
Démer
Aarschot
Genk
Lanaken
Heerlen
Kerkrade
Dunkerque
Yser
Roulers
Gand
Escaut
Termonde
Hasselt
Bonn
Sittard
Geleen
Leuven
Maastricht
Flandre Occidentale
Flandre Orientale
Alost
Brabant Flamand
Schaerbeek
Zaventem
Louvain
Tirlemont
St-Trond
Tongres
Rur
Aix-la-Chapelle
(Aachen)
Düren
Ypres
+156
Courtrai
Waregem
Audenarde
Ninove
Anderlecht
Bruxelles
BRUXELLES
Hal
Uccle
Wavre
321
Eupen
Hautes Fagnes
Botrange
+694
Verviers
Monschau
Bad Neuenahr-Ahrweiler
Menin
Mouscron
157
Renaix
Lessines
Waterloo
Brabant Wallon
TGV
Louvain-la-Neuve
Hesbaye
Liège
Seraing
TGV (2009)
Euskirchen
Tourcoing
Roubaix
Lille
Leuze
Ath
Ronquières
Soignies
Gembloux
Nivelles
Clabecq
BELGIQUE
Huy
Meuse
Esneux
Liège
Spa
Coo
Malmedy
Dahlem
Prüm
Eifel
Armentières
Hazebrouck
Hainaut
Blaton
Canal du Centre
Wallonie
Andenne
Amblève
St-Vith
Bruay-en-Artois
Béthune
Lens
Scarpe
La Louvière
Mons
Binche
Sambre
Namur
Vielsalm
Béthune
Douai
Valenciennes
Denain
Borinage
Charleroi
Thuin
Dinant
Condroz
Ourthe
Marche-en-Famenne
Houffalize
559
Clervaux
Aubigny-en-Artois
Arras
Cambrai
Escaut
Maubeuge
Walcourt
Namur
Beaumont
Philippeville
Rochefort
Han-sur-Lesse
Famenne
Bastogne
Vianden
Bitburg
Wittlich
Somme
Corbie
Hirson
Chimay
Couvin
+389
Meuse
Gedinne
Lesse
497
Saint-Hubert
Fagne
Ardenne
Luxembourg
Libramont
Wiltz
Oesling
Schengen
Saint-Quentin
Oise
Vervins
Charleville-Mézières
Sedan
Bouillon
Neufchâteau
Gutland
Echternach
Schweich
Konz
Trèves
Mer du Nord
FRANCE
Canal du Nord
Tergnier
Laon
Rethel
Canal des Ardennes
Montmédy
Florenville
Virton
Athus
Arlon
Lorraine Belge
Martelange
Ettelbruck
Diekirch
Findel
Luxembourg
Differdange
Esch-sur-Alzette
Longwy
LUXEMBOURG
Sûre
Remich
Nonnweiler
Moselle
Sarre
LUXEMBOURG
Semois
Meuse

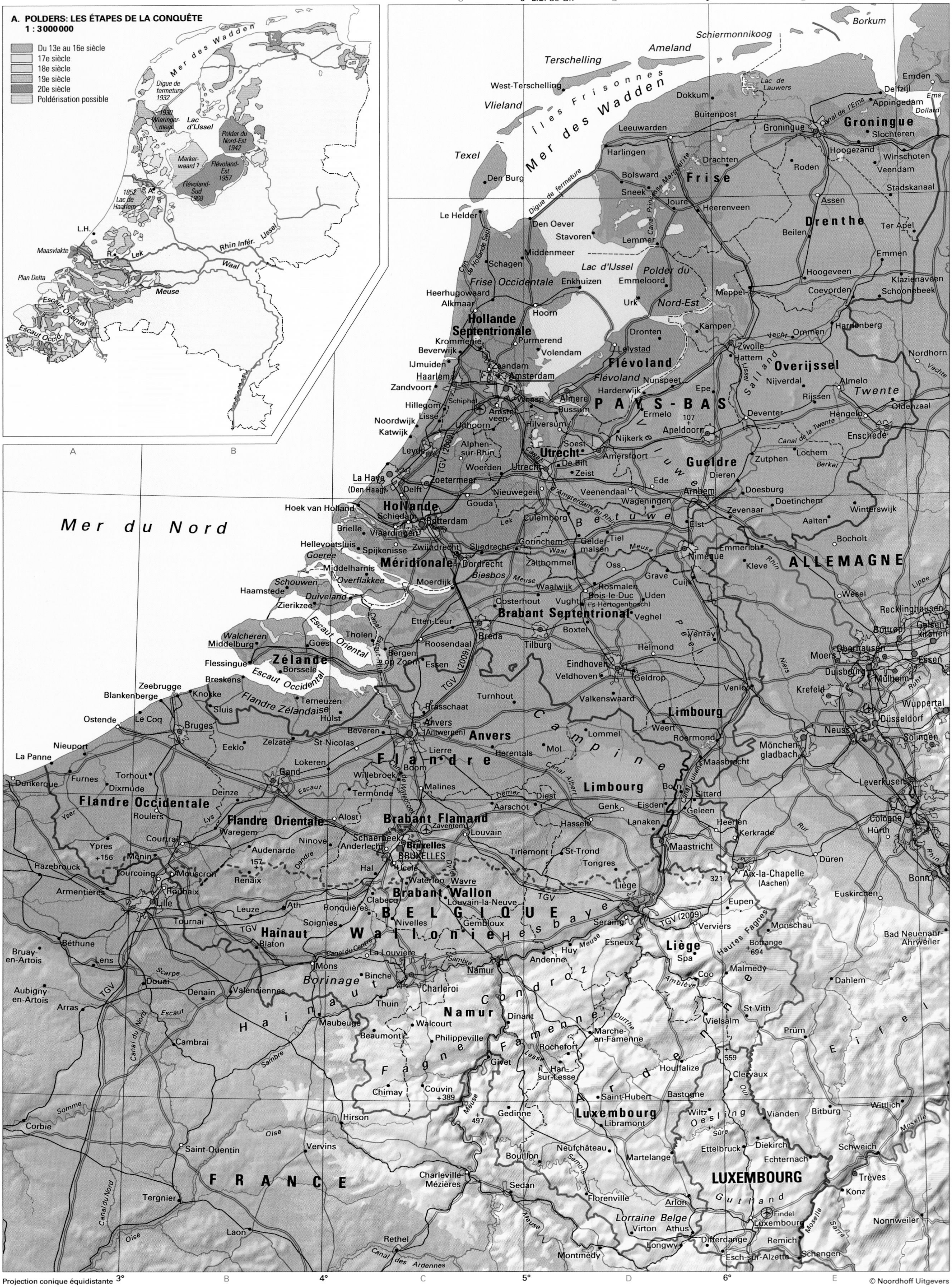

Projection conique équidistante
Limite de région (Belgique)

© Noordhoff Uitgevers

BENELUX

Échelle 1 : 3000000

A. AGRICULTURE

- Forêt
- Élevage dominant
- Cultures (céréales, betteraves à sucre)
- Cultures et élevage
- Légumes, fruits
- Dunes
- ✱ Fleurs

B. MINES ET INDUSTRIE

- Région industrielle
- Industrie sidérurgique
- Industrie mécanique
- Chantiers navals
- Construction automobile
- Industrie aéronautique
- Autre métallurgie
- Raffinage pétrolier
- Industrie chimique
- Industrie textile
- Industrie électromécanique

- Pétrole
- Gaz naturel
- Centrale nucléaire
- Sel
- Gazoduc

C. VOIES NAVIGABLES

Capacité de transport en tonnes
- Bateaux de 300 tonnes et moins
- Bateaux de 600 tonnes et moins
- Bateaux de 1000 tonnes et moins
- Bateaux de 1350 tonnes et moins
- Bateaux de 2000 tonnes et moins
- Navigation maritime
- Canal ou fleuve canalisé avec écluse

D. POPULATION

Habitants au km²
- moins de 100
- 100 à 200
- 200 à 500
- 500 à 1000
- plus de 1000

Agglomération de
- 1 à 5 M d'habitants
- 500 000 - 1 000 000 d'habitants
- 100 000 - 500 000 habitants

© WN Atlas Productions

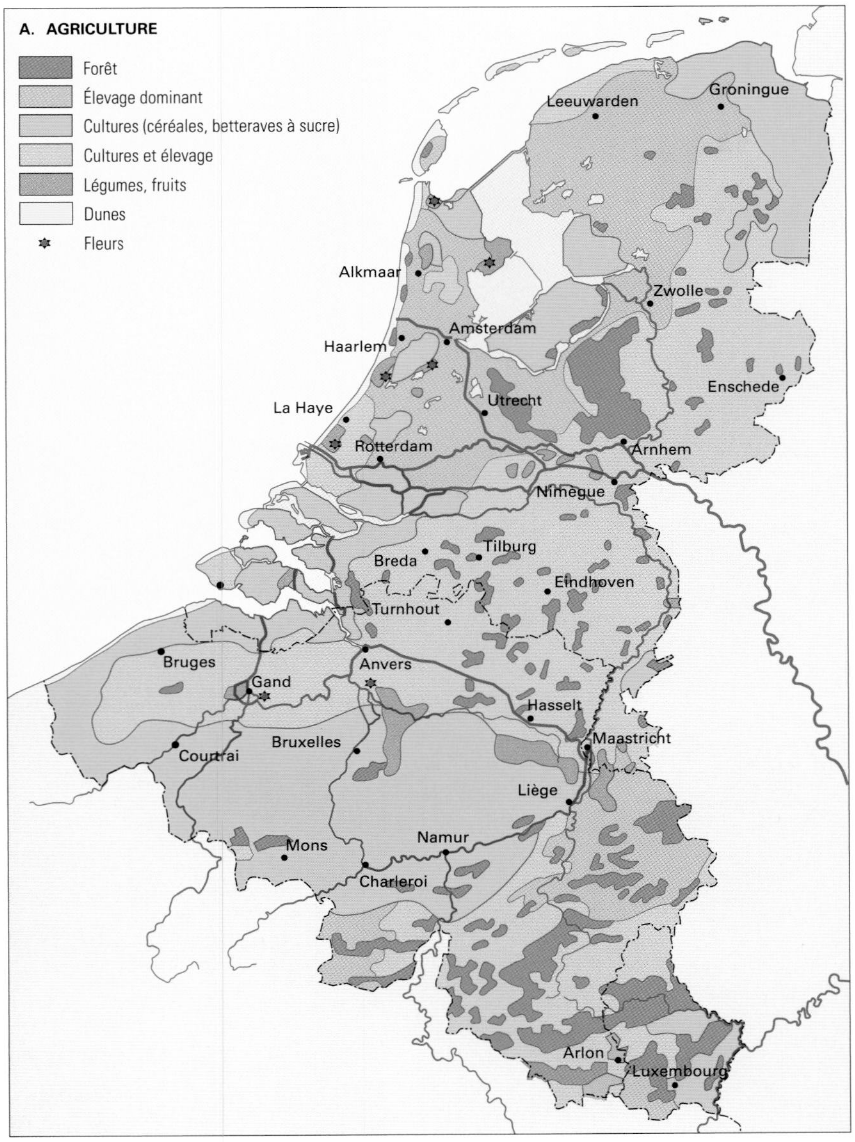

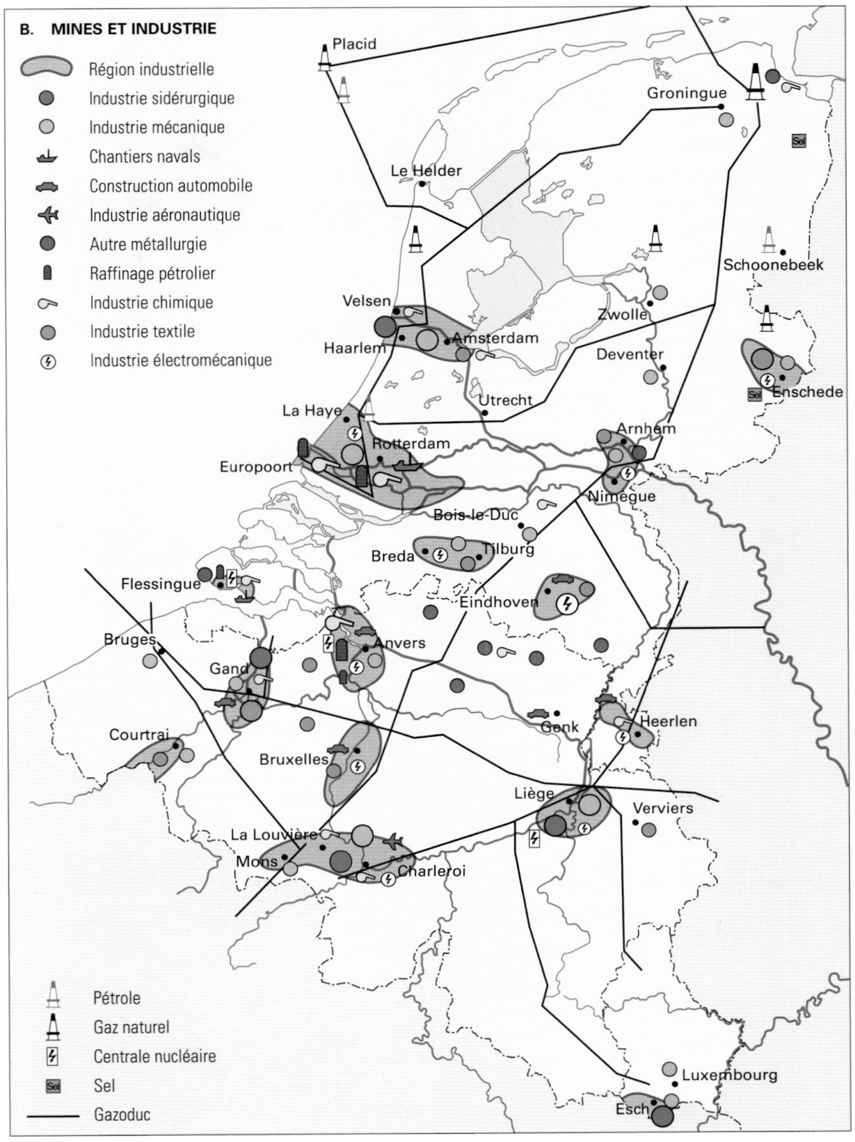

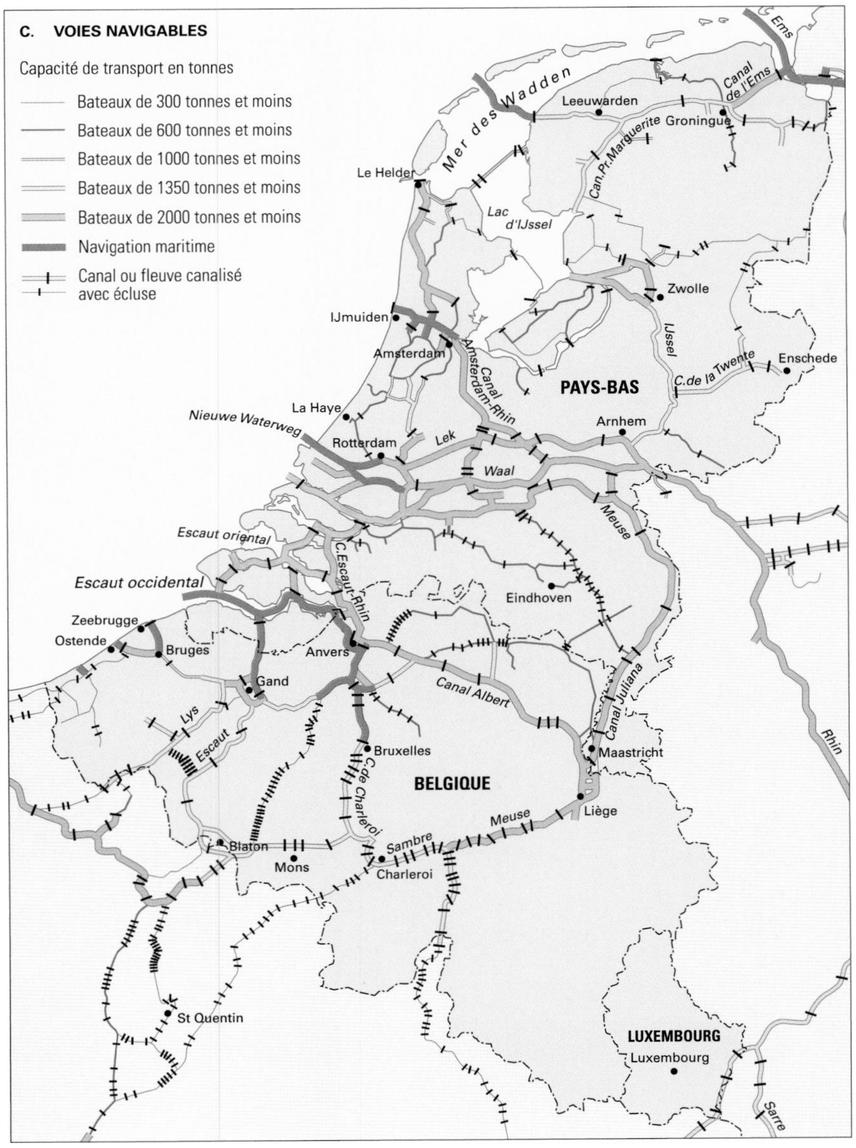

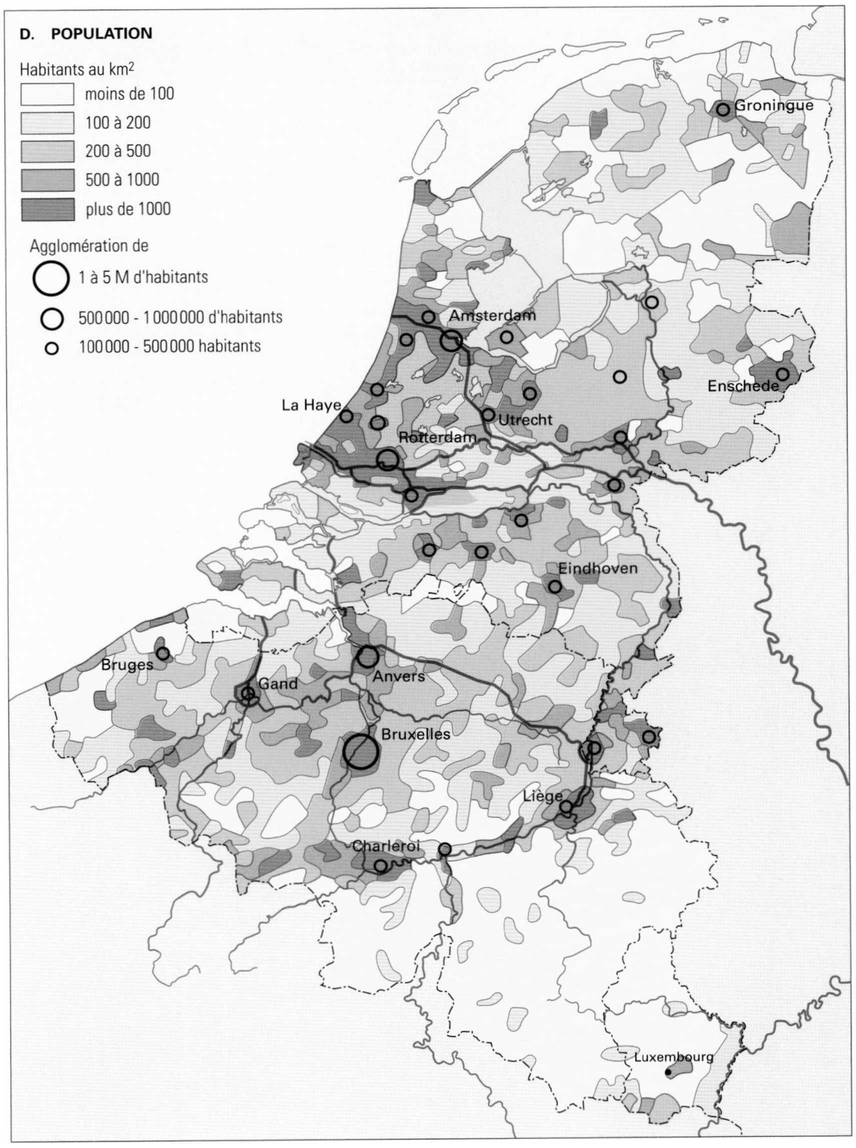

ROYAUME-UNI ET IRLANDE

Échelle 1:3000000

0 25 50 75 100 125 150 km

Agglomération ou ville
- de plus de 5000000 d'hab.
- 1000000 - 5000000 d'hab.
- 500000 - 1000000 d'hab.
- 100000 - 500000 habitants

A. POPULATION
1 : 12000000

Habitants au km²
- moins de 10
- 10 - 50
- 50 - 100
- 100 - 200
- 200 ou plus

1500 m
1000
500
200
100
0
au-dessous du niveau de la mer
-200
-2000
-4000

Îles Shetland
Unst
Yell
Fetlar
Hillswick
Sullom Voe
Lerwick
Mainland
Île Fair
Aberdeen

Îles Orcades
(Orkney Isl)
Kirkwall
Stromness
Scapa Flow
Hoy
Mainland
Dt de Pentland
Cap Duncansby
Thurso
Wick

Même échelle que la carte principale

Cities and places

Copenhague

Mer du Nord

Océan Atlantique

Mer d'Irlande

Écosse

Hautes Terres d'Écosse

Basses Terres d'Écosse

Chaîne Pennine

IRLANDE

Ulster ou Irlande du Nord

Connacht

Leinster

Munster

DUBLIN

Londres
Édimbourg
Glasgow
Belfast
Aberdeen
Dundee
Newcastle
Middlesbrough
Hull
Sheffield
Manchester
Liverpool
Leeds
Birmingham
Norwich
Ipswich
Bristol
Cardiff
Swansea
Plymouth
Cork

Lewis
Harris
Île Uist Nord
Île Uist Sud
Barra
Skye
Rhum
Eigg
Coll
Tiree
Mull
Islay
Jura
Arran
Bute
Île de Man
Anglesey

Ben Nevis +1343
Ben Macdui +1309
Snowdon +1085

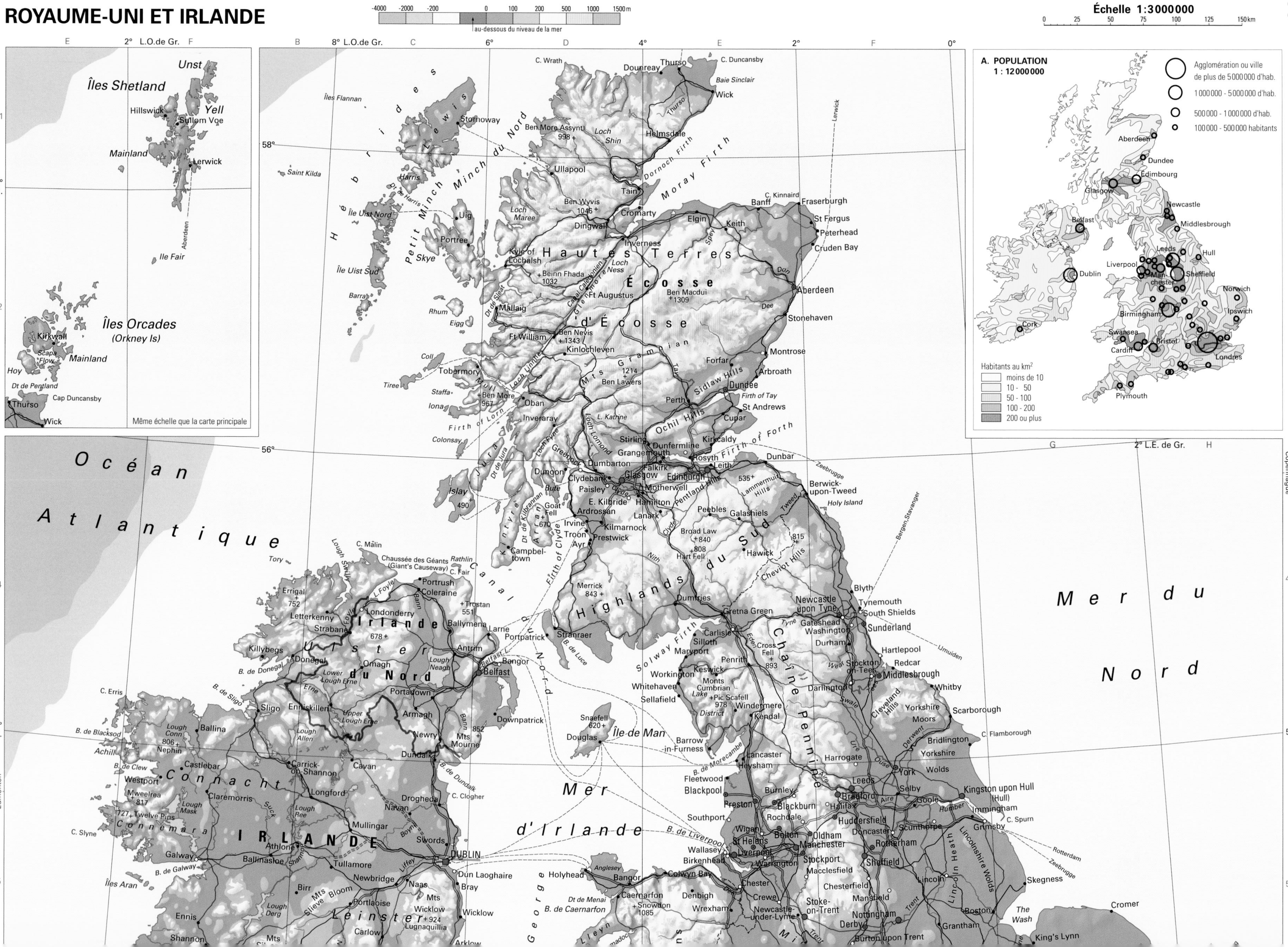

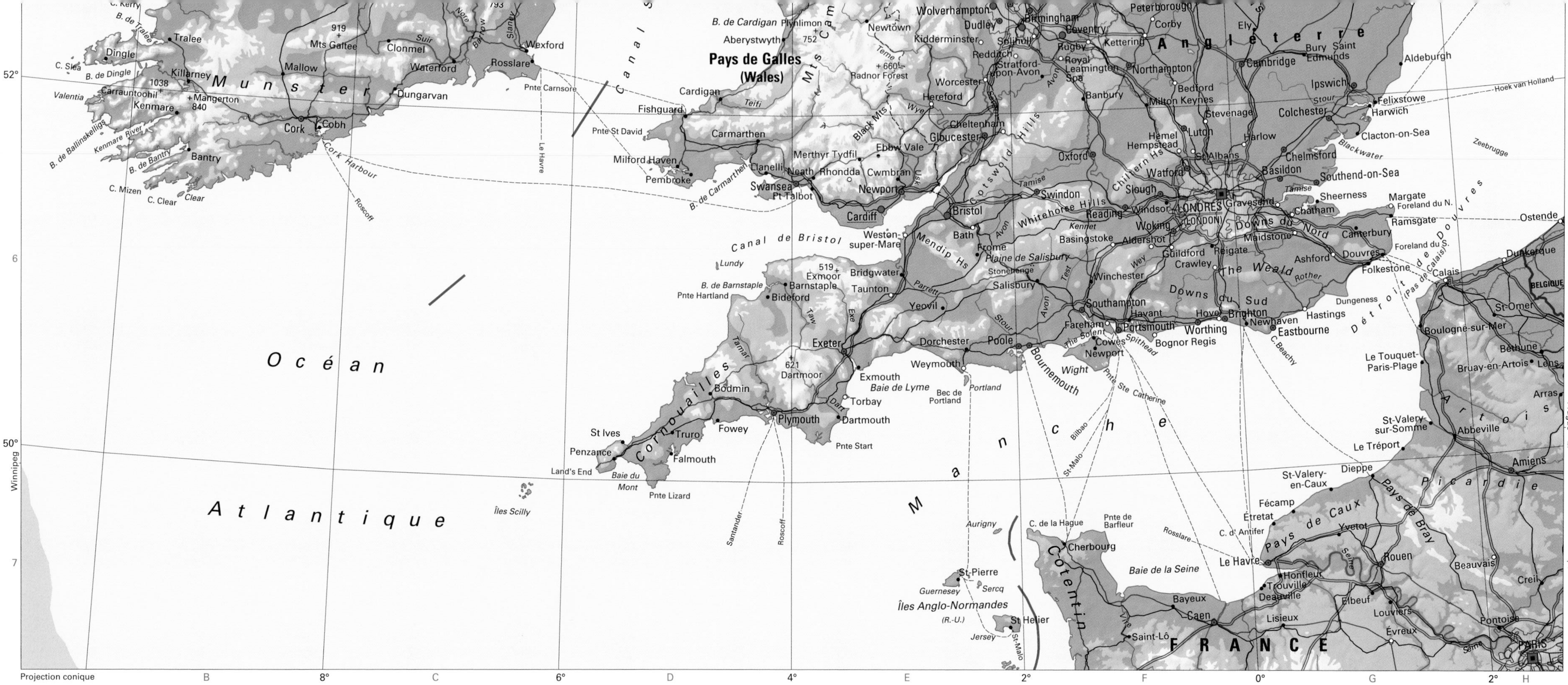

Pays de Galles
(Wales)
Angleterre
Munster
FRANCE
Océan
Atlantique
Manche
Canal de Bristol
Canal St-Georges
Détroit de Douvres
(Pas de Calais)
Îles Anglo-Normandes
(R.-U.)
Îles Scilly
Cornouailles
Cotentin
Pays de Caux
Pays de Bray
Picardie
Artois
Baie de la Seine
Baie de Lyme
Plaine de Salisbury
Downs du Nord
Downs du Sud
The Weald
Cotswold Hills
Chiltern Hs
Mendip Hs
Whitehorse Hills
Black Mts
Dartmoor
Exmoor
Cork
Cobh
Tralee
Killarney
Kenmare
Bantry
Dingle
Mallow
Clonmel
Waterford
Dungarvan
Wexford
Rosslare
Cardigan
Aberystwyth
Fishguard
Carmarthen
Milford Haven
Pembroke
Swansea
Cardiff
Newport
Bristol
Plymouth
Exeter
Penzance
St Ives
Truro
Falmouth
Fowey
Bodmin
Torbay
Dartmouth
Exmouth
Weymouth
Dorchester
Poole
Bournemouth
Southampton
Portsmouth
Brighton
Eastbourne
Hastings
Dover
Folkestone
Canterbury
Ramsgate
Margate
LONDRES
(LONDON)
Oxford
Cambridge
Birmingham
Coventry
Ipswich
Colchester
Harwich
Felixstowe
Southend-on-Sea
Chelmsford
Salisbury
Winchester
Reading
Swindon
Gloucester
Cheltenham
Worcester
Hereford
Wolverhampton
Northampton
Peterborough
Calais
Boulogne-sur-Mer
Dunkerque
Ostende
Abbeville
Amiens
Dieppe
Le Havre
Rouen
Fécamp
Caen
Bayeux
Cherbourg
St-Malo
Saint-Lô
Lisieux
Beauvais
PARIS
St Helier
St-Pierre
Guernesey
Jersey
Aurigny
Sercq
Land's End
Pnte Lizard
Le Havre
Roscoff
Santander
Hoek van Holland
Zeebrugge
Projection conique
B. PRÉCIPITATIONS
1 : 12 000 000
Précipitations annuelles en mm
moins de 500
500-750
750-1000
1000-1500
1500-2000
2000 ou plus
C. AGRICULTURE ET PÊCHE
1 : 12 000 000
Cultures
Betterave sucrière
Houblonnière
Légumes, fruits
Cultures et élevage
Élevage intensif
Élevage extensif
Principaux ports de pêche
Hareng
Morue
Maquereau
Sole
D. MINES ET INDUSTRIE
1 : 12 000 000
Charbon
Plomb et zinc
Étain
Région industrielle
Sidérurgie
Construction navale
Construction automobile
Construction aéronautique
Industrie chimique
Industrie textile
Industrie électrotechnique
Haute technologie
Lowlands
Clydeside
Tyneside
Teesside
Yorkshire
Lancashire
Merseyside
Humberside
Midlands
Thameside
Pays de Galles
Severnside
E. ÉNERGIE
1 : 12 000 000
Centrale nucléaire
Centrale thermique
Centrale hydroélectrique
Pétrole
Gaz naturel
Oléoduc
Gazoduc
Port pétrolier
Raffinage pétrolier
Conduite depuis la Mer du Nord
pétrole
gaz naturel
Pétrole et gaz naturel:
voir carte 101 Mer du Nord
Flotta
Dounreay
Nigg Bay
Peterhead
Grangemouth
Finnart
Glasgow
Hunterston
Torness point
Hartlepool
Teesside
Heysham
Immingham
Wylfa
Stanlow
Trawsfynydd
Sizewell
Shellhaven
Milford Haven
Hinkley Point
Oldbury
Fawley
Dungeness
Bantry

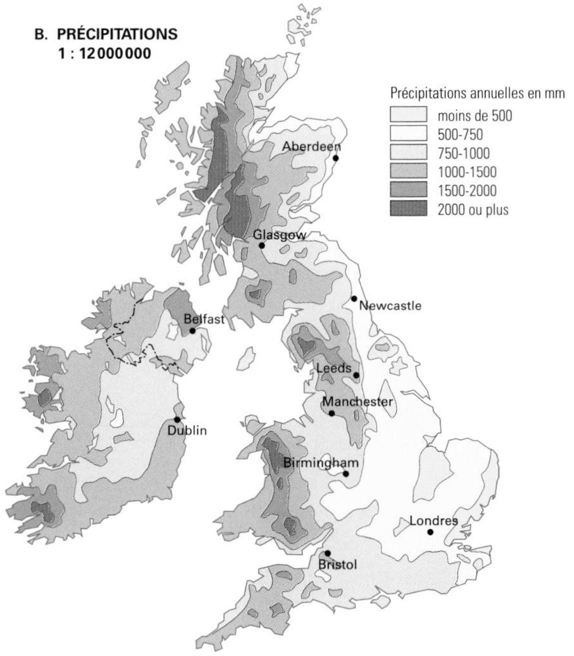

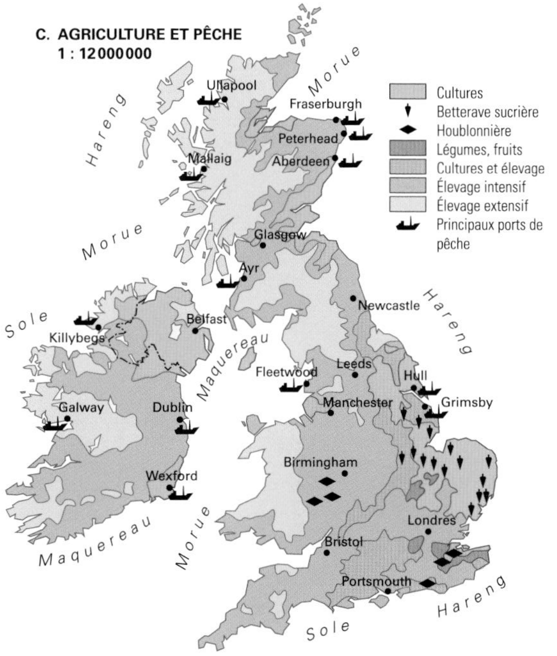

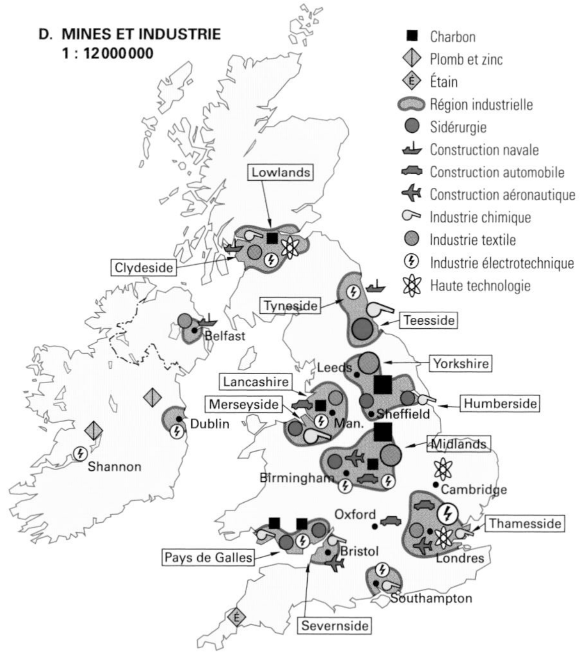

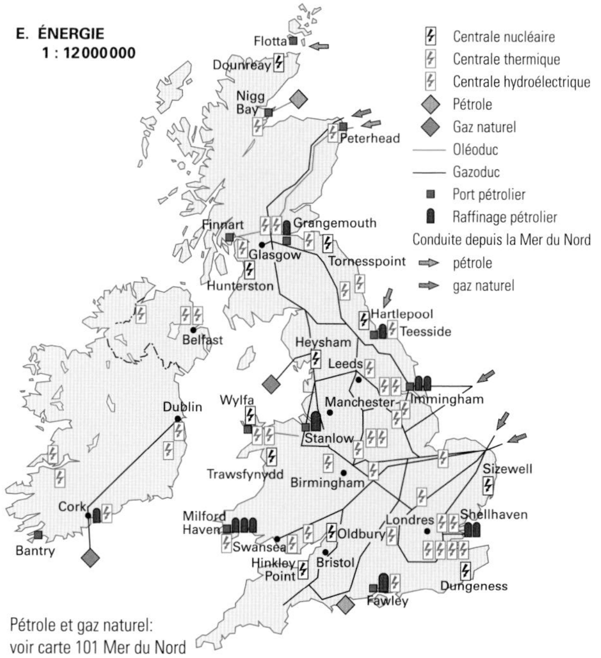

LONDRES

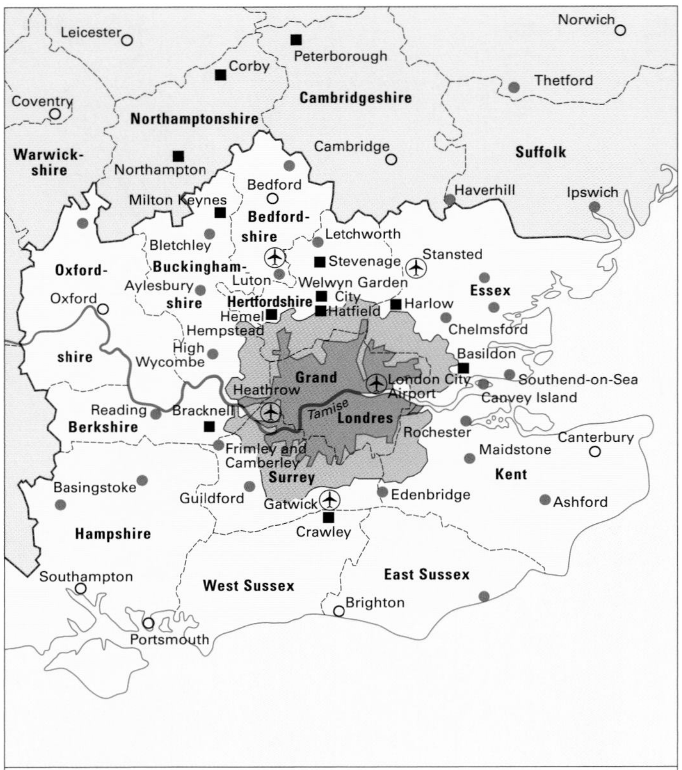

A. ANGLETERRE LE SUD-EST
1 : 2500000
L'espace bâti de Londres
Ceinture verte
"New Town" (ville nouvelle)
Ville d'expansion
Centre régional
Limite de la "South East Economic Planning Region"
Limite de comté
Aéroport
Leicester
Norwich
Peterborough
Corby
Thetford
Coventry
Cambridgeshire
Northamptonshire
Warwick-shire
Northampton
Cambridge
Suffolk
Bedford
Milton Keynes
Haverhill
Ipswich
Bedford-shire
Letchworth
Bletchley
Stansted
Stevenage
Oxford-
Buckingham-
Luton
Welwyn Garden City
Aylesbury
Essex
Oxford
shire
Hertfordshire
Hatfield
Harlow
Hemel Hempstead
Chelmsford
shire
High Wycombe
Basildon
Grand
London City Airport
Southend-on-Sea
Heathrow
Canvey Island
Reading
Bracknell
Tamise
Londres
Berkshire
Rochester
Canterbury
Frimley and Camberley
Maidstone
Surrey
Kent
Basingstoke
Guildford
Gatwick
Edenbridge
Ashford
Hampshire
Crawley
Southampton
East Sussex
West Sussex
Brighton
Portsmouth
B. CENTRE-VILLE
1 : 50000
Centre des affaires
Autres zones de bureaux et de commerce
Édifice public ou monument important
Autre espace bâti
Espace industriel et réservé au traffic
Parc
Chemin de fer
ISLINGTON
REGENT'S PARK
King's Cross Station
Pentonville Road
St. Pancras Station
Euston Station
City Road
Hackney Road
Kingsland Road
CLERKENWELL
SHOREDITCH
Old Street
Bethnal Green Road
Marylebone Road
Clerkenwell Road
Barbican Centre
University of London
BLOOMSBURY
British Museum
Broad Street Station
Liverpool Street Station
High Holborn
London Guildhall
Wall
Bank of England
CITY
Oxford Street
Fleet Street
St. Paul's Cathedral
Cheapside
Cannon Street
SOHO
Piccadilly Circus
Blackfriars Bridge
Blackfriars Station
Cannon Street Station
Royal Mint
Tower
MAYFAIR
Strand
Embankment
Waterloo Bridge
London Bridge
LONDON DOCKS
HYDE PARK
Charing Cross Station
Trafalgar Square
Victoria
Tamise
London Bridge Station
Tower Bridge
Rotten Row
GREEN PARK
ST. JAMES'S PARK
The Mall
Waterloo Station
SOUTHWARK
Buckingham Palace
Birdcage Walk
Westminster Bridge
Houses of Parliament
Westminster Abbey
BELGRAVIA
St. George's Circus
King's Road
Victoria Station
WESTMINSTER
Lambeth Road
Elephant and Castle Station
Lambeth Bridge
LAMBETH
Old Kent Road
C. LONDRES
1 : 300000
Centre des affaires
Autres zones de bureaux et de commerce
Zone résidentielle
Espace industriel
Zone aéroportuaire
Aérodrome
Parc
Forêt
Zone non-urbanisée
TGV
TGV tunnel
Chemin de fer et gare
Autoroute
Autre route
Greater London
Limite de l'ex LDDC London Docklands Development Corporation
1 Tower
2 St. Paul's Cathedral
3 Houses of Parliament
4 Westminster Abbey
5 Buckingham Palace
6 Albert Hall
7 British Museum
8 Wembley
9 Barrière de la Tamise
10 Millenium Dome
Hemel Hempstead
St. Albans
London Colney
Brookmans park
Wormley
North Weald Basset
Thornwood Common
Potters Bar
Cuffley
Epping
Chipping Ongar
Chipperfield
Cheshunt
Waltham Abbey
Radlett
Watford
Borehamwood
Theydon Bois
Enfield
Trent Park
King George's Res.
Epping Forest
Rickmansworth
Elstree
Barnet
East Barnet
Loughton
Abridge
Bushey
Oxhey
Moor Park
Southgate
Chingford
Chigwell
Brentwood
Stanmore
Edmonton
Finchley
Northwood
Edgware
Wood Green
Woodford
Harrow
North Circular Road
Tottenham
Ruislip Res.
Pinner
Barkingside
Romford
Hornsey
Walthamstow
Brent Res.
Ruislip
Golders Green
Stoke Newington
Hampstead Heath
Leyton
Hornchurch
Denham
Hampstead
Wembley
Hackney
Stratford
Ilford
Northolt
Islington
Barking
Uxbridge
Willesden
Grand Union Canal
Victoria Park
Dagenham
Hillingdon
Regent's Park
Finsbury
East Ham
Rainham
Westham
Southall
City
East end
Poplar
London City Airport
South Ockendon
Yiewsley
Hayes
Acton
Paddington
Ealing
West End
Hyde Park
Hammersmith
Southwark
Kensington
Osterley Park
Northwood
Lambeth
L O N D R E S
Woolwich
Charlton
Grays
Thurrock
Fulham
Deptford
Aéroport de Londres (Heathrow)
Hounslow
Kew Gardens
Barnes
Battersea
Erith
Tilbury
Greenwich
Camberwell
Welling
Richmond
Putney
Clapham
Danson Park
Bexley
Wandsworth
Lewisham
Eltham
Twickenham
Richmond Park
Wimbledon Park
Dulwich
Dartford
Ashford
South Circular Road
Northfleet
Staines
Teddington
Streatham
Mottingham
Sidcup
Queen Mary Res.
Sydenham
Wimbledon
Bushy Park
Kingston-upon-Thames
Merton
Mitcham
Penge
Sunbury
Hampton Court Park
Chislehurst
Swanley
Molesey
Norbury
Bromley
Chertsey
Beckenham
Douvres
Surbiton
Hartley
Morden
Addlestone
Walton
Hayes
Orpington
Weybridge
Malden
Esher
Ewell
Croydon
Coombe Park
Addington Park
Wallington
Farnborough
Sutton
West Kingsdown
Byfleet
Purley
Epsom
Cobham
Ashtead
Banstead
Chipstead
Coulsdon
Biggin Hill
Otford
Wrotham
Tadworth
Warlingham
Tatsfield
Leatherhead
Borough Green
Sevenoaks
Woldingham
Westerham
Walton on the Hill
Caterham
Horsley
Oxted
Limpsfield
Dorking
Reigate
Redhill

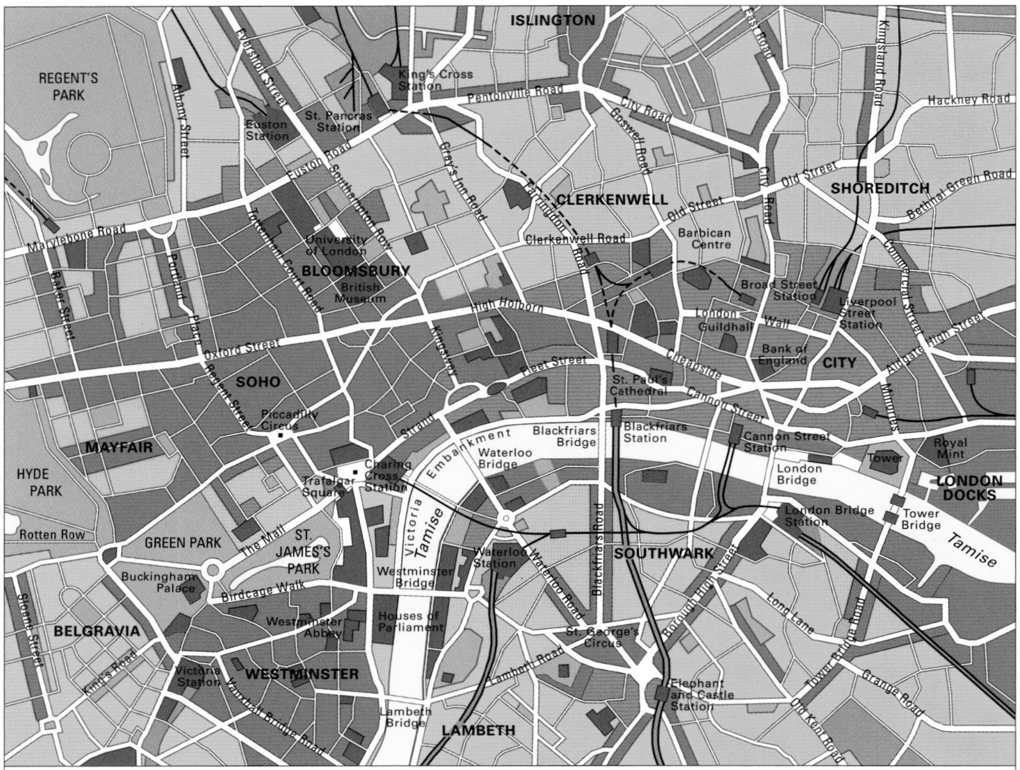

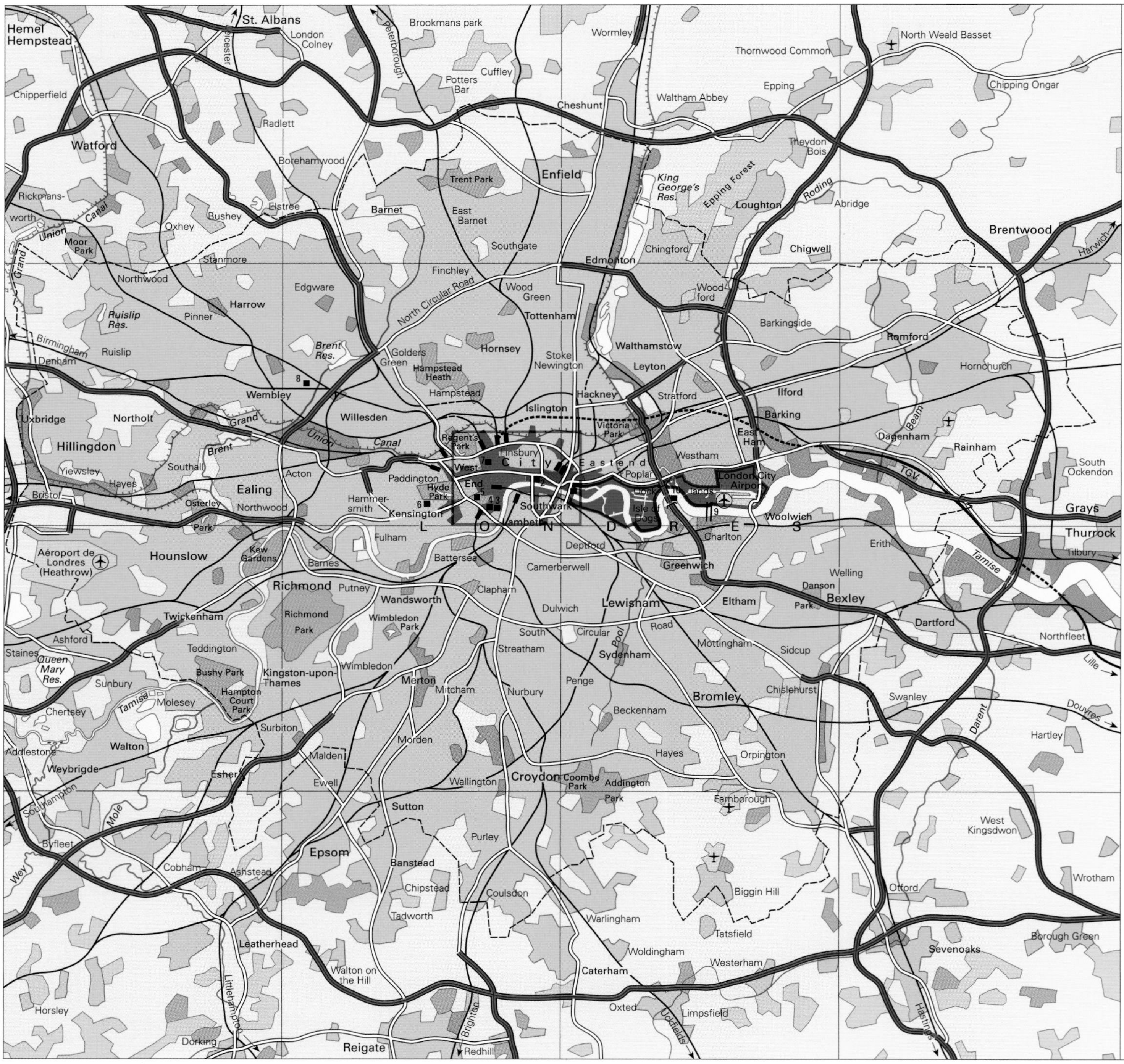

PARIS

A. FRANCE LE NORD-OUEST
1 : 3000000
L'espace bâti de l'agglomération parisienne
Ville nouvelle et son centre
Pôle d'expansion au sein de l'agglomération urbaine
1 Saint-Denis
2 Bobigny
3 Créteil
4 Rungis
5 La Défense
Ville périphérique en expansion
Centre régional
Axe d'expansion de la région
Limite de la région Île-de-France
Limite départementale
Pas-de-Calais
Nord
Somme
Seine-Maritime
Aisne
Oise
Calvados
Eure
Val-d'Oise
Île-de-France
Seine-et-Marne
Orne
Yvelines
Essonne
Eure-et-Loir
Loiret
Sarthe
Loir-et-Cher
Yonne
B. CENTRE-VILLE
1 : 50000
Centre des affaires
Autres zones de bureaux et de commerce
Édifice public ou monument important
Autre espace bâti
Espace industriel et réservé au traffic
Parc
Chemin de fer
MONTMARTRE
TEMPLE
LE MARAIS
ST-GERMAIN DES-PRÉS
QUARTIER LATIN
ÎLE DE LA CITÉ
CHAMP DE MARS
VAUGIRARD
MONTPARNASSE
TUILERIES
C. PARIS
1 : 300000
Centre des affaires
Autres zones de bureaux et de commerce
Zone résidentielle
Espace industriel
Zone aéroportuaire
Aérodrome
Parc
Forêt
Zone non-urbanisée
Chemin de fer et gare
Réseau Express Régional (RER)
Autoroute
Autre route
Limite départementale
1 Basilique du Sacré-Cœur
2 Arc de Triomphe
3 Opéra
4 Louvre
5 Cathédrale Notre-Dame
6 Tour Eiffel
7 Hôtel des Invalides
8 Université de la Sorbonne
9 Musée d'Orsay
10 Parc de la Villette
11 Château de Versailles
Val-d'Oise
Seine-Saint-Denis
Hauts-de-Seine
Yvelines
Val-de-Marne
Seine-et-Marne
Essonne
PARIS

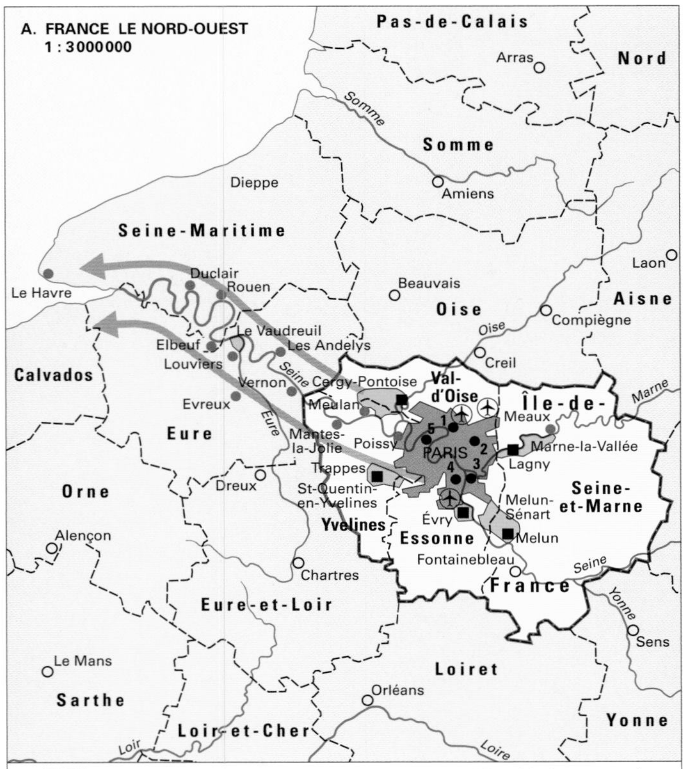

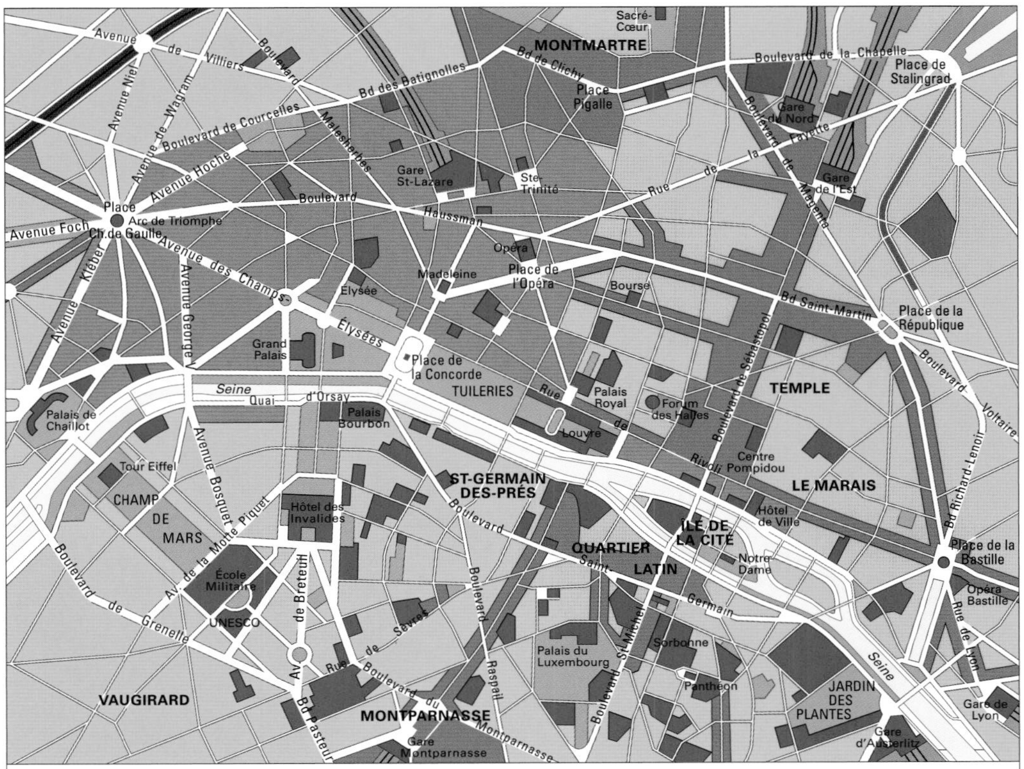

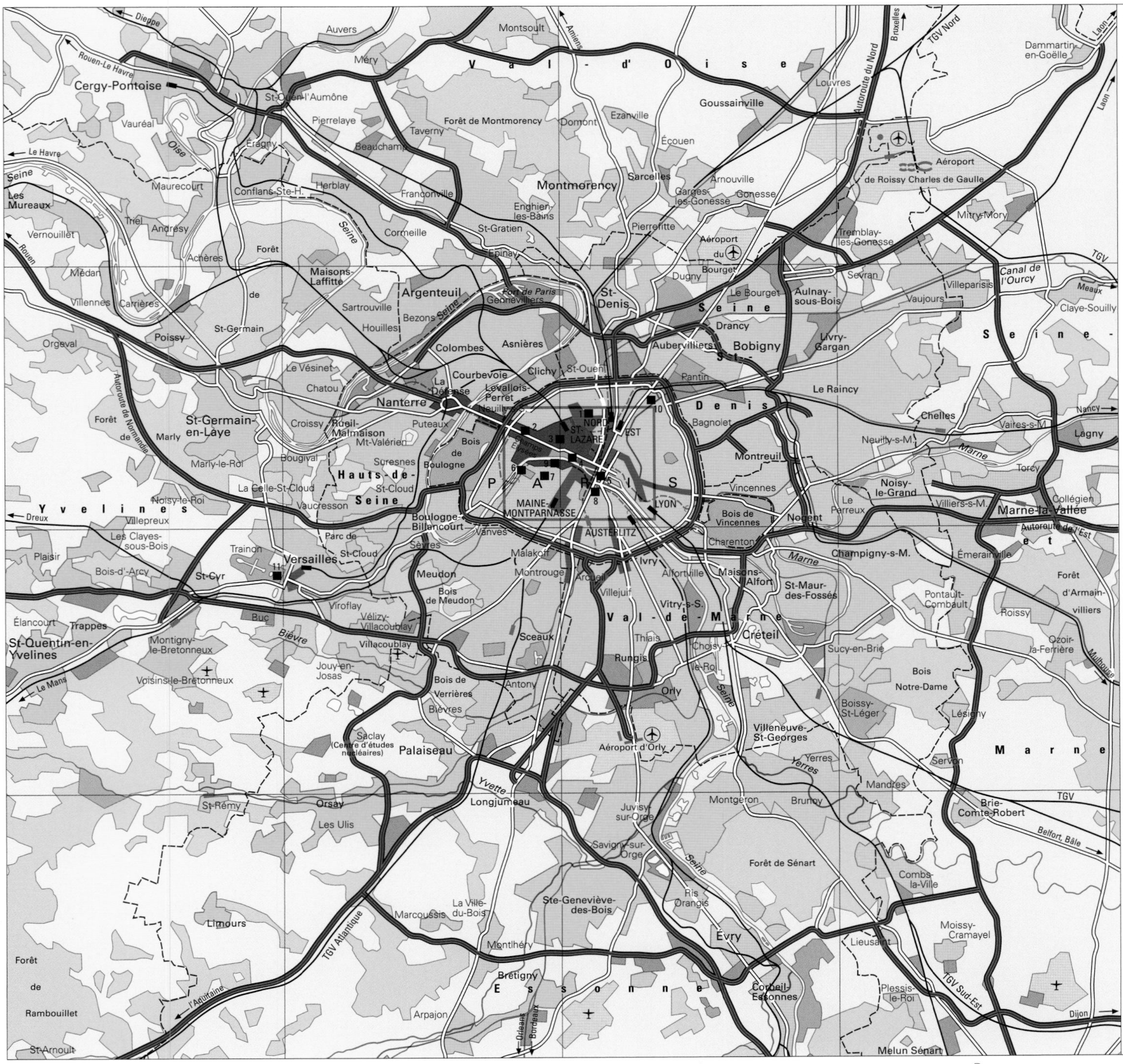

FRANCE

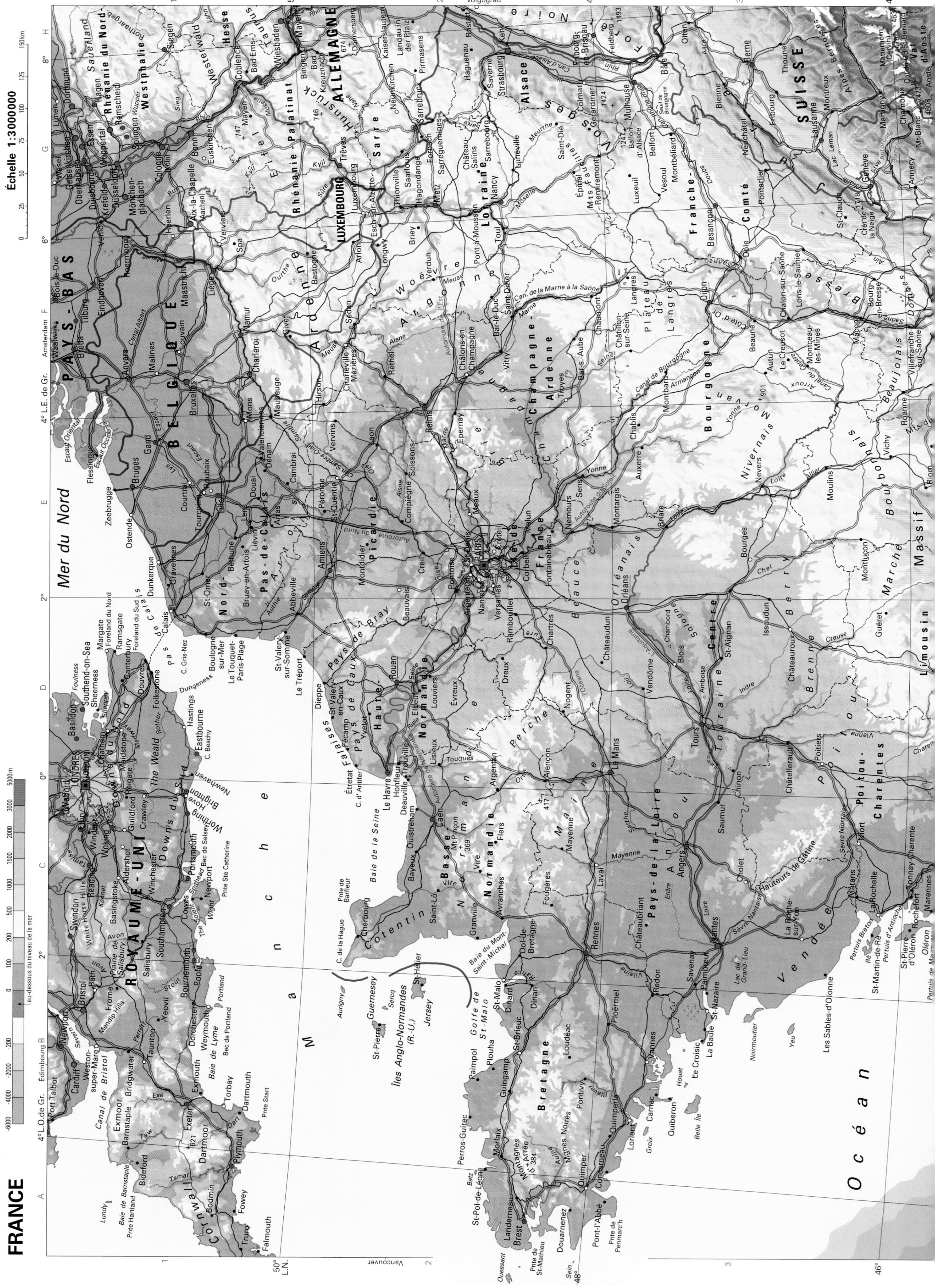

-6000 -4000 -2000 -200 0 100 200 500 1000 1500 2000 3000 5000m
au-dessous du niveau de la mer
Échelle 1:3000000
0 25 50 75 100 125 150km
4° L.O.de Gr.
Édimbourg
4° L.E. de Gr.
Amsterdam
Vancouver
Volgograd
50° L.N.
48°
46°
Mer du Nord
Manche
Océan
ROYAUME-UNI
PAYS-BAS
BELGIQUE
LUXEMBOURG
ALLEMAGNE
SUISSE
Îles Anglo-Normandes (R.-U.)
Guernesey
Jersey
Aurigny
Sercq
Golfe de St-Malo
Baie de la Seine
Pas de Calais
Nord-Pas-de-Calais
Picardie
Haute-Normandie
Basse-Normandie
Bretagne
Pays-de-la-Loire
Centre
Île-de-France
Champagne-Ardenne
Lorraine
Alsace
Bourgogne
Franche-Comté
Poitou-Charentes
Limousin
Artois
Ardenne
Argonne
Woëvre
Vosges
Forêt Noire
Brie
Champagne
Beauce
Perche
Maine
Anjou
Touraine
Orléanais
Sologne
Berry
Brenne
Nivernais
Morvan
Plateau de Langres
Bresse
Dombes
Beaujolais
Bourbonnais
Marche
Massif
Jura
Vendée
Cotentin
Pays de Caux
Pays de Bray
Falaises
Hauteurs de Gâtine
Rhénanie-Palatinat
Rhénanie du Nord-Westphalie
Sarre
Hesse
Hunsrück
Eifel
Westerwald
Sauerland
Cornwall
Downs du Nord
Downs du Sud
The Weald
Canal de Bristol
PARIS
LONDRES
Bruxelles
Luxembourg
Lille
Rouen
Amiens
Reims
Metz
Nancy
Strasbourg
Dijon
Besançon
Orléans
Tours
Le Mans
Rennes
Nantes
Angers
Caen
Brest
Poitiers
Limoges
Le Havre
Cherbourg
Genève
Lausanne
Berne
Bâle

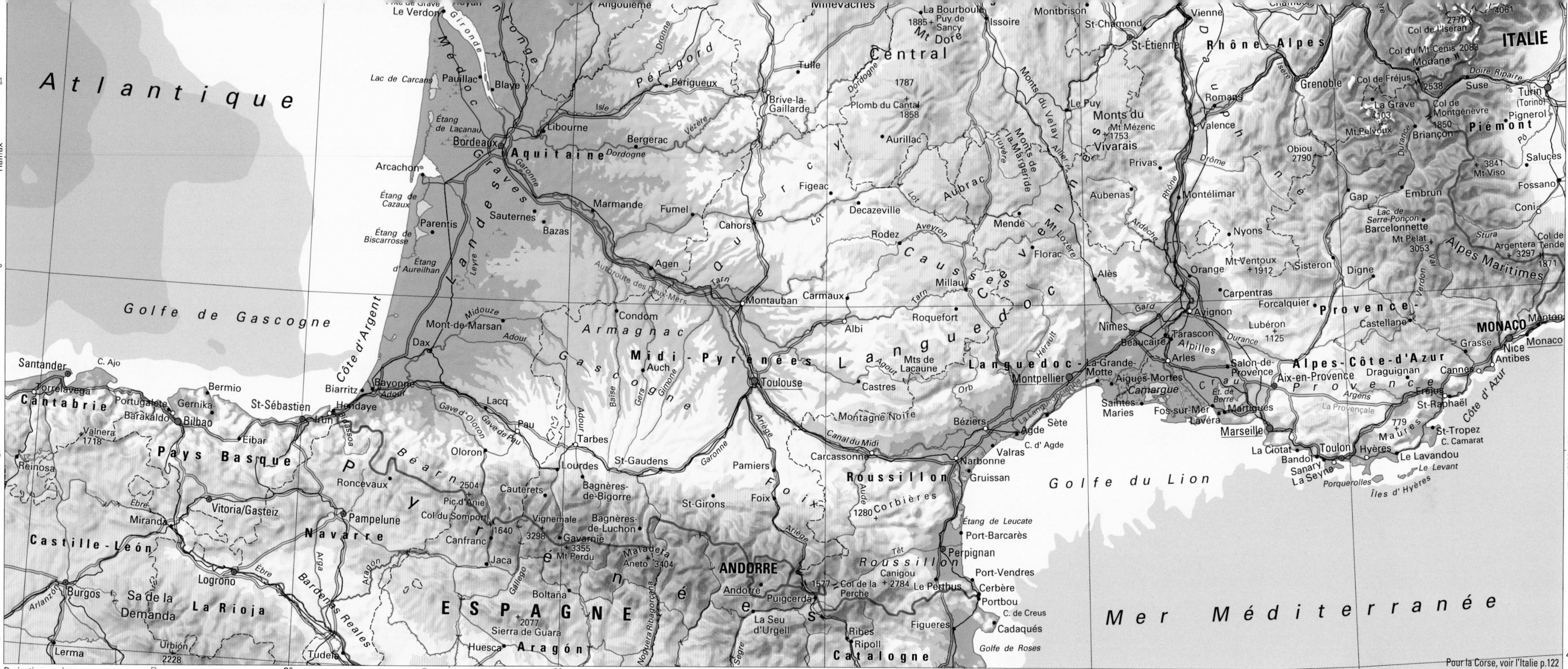

A. DONNÉES CLIMATIQUES 1:12 000 000

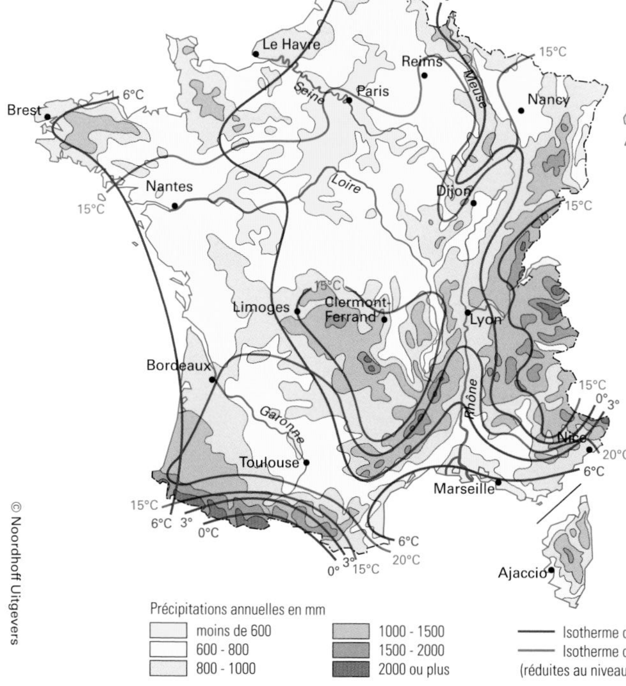

B. AGRICULTURE ET PÊCHE 1:12 000 000

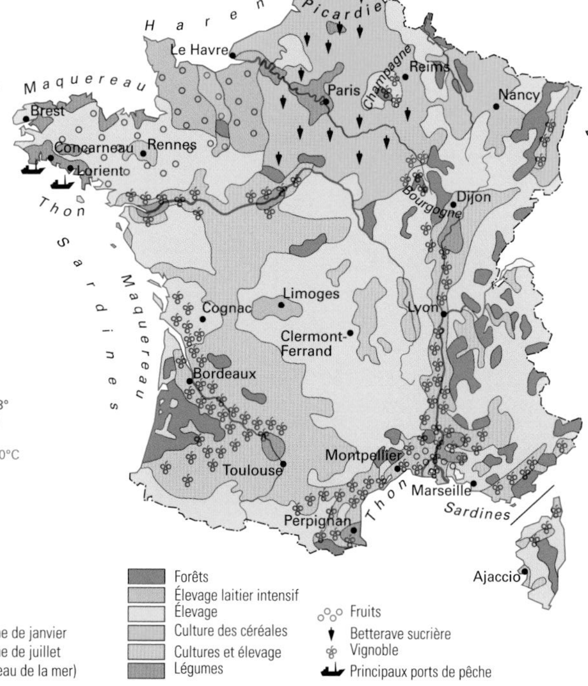

C. MINES ET INDUSTRIE 1:12 000 000

D. ÉNERGIE 1:12 000 000

Projection conique

© Noordhoff Uitgevers

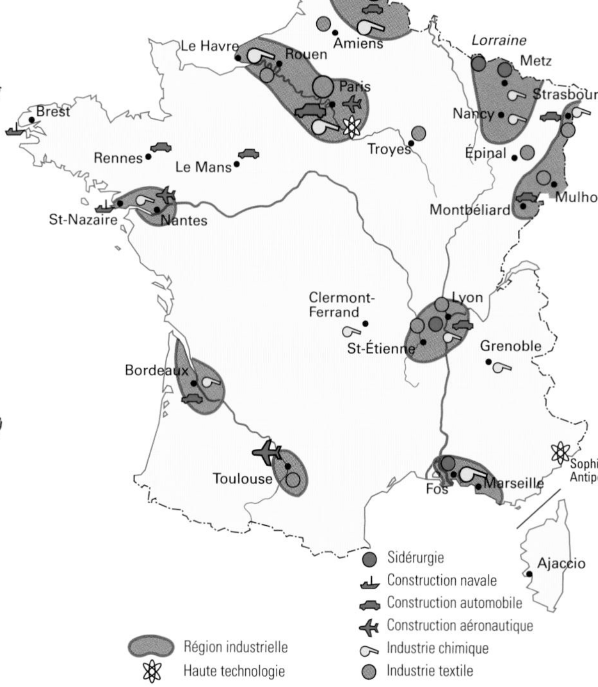

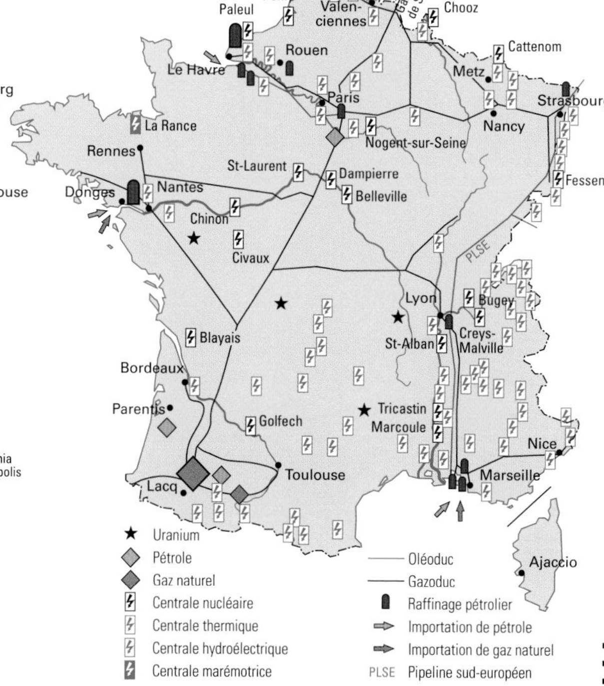

ALLEMAGNE

Échelle 1:3000000

0 25 50 75 100 125 150 km

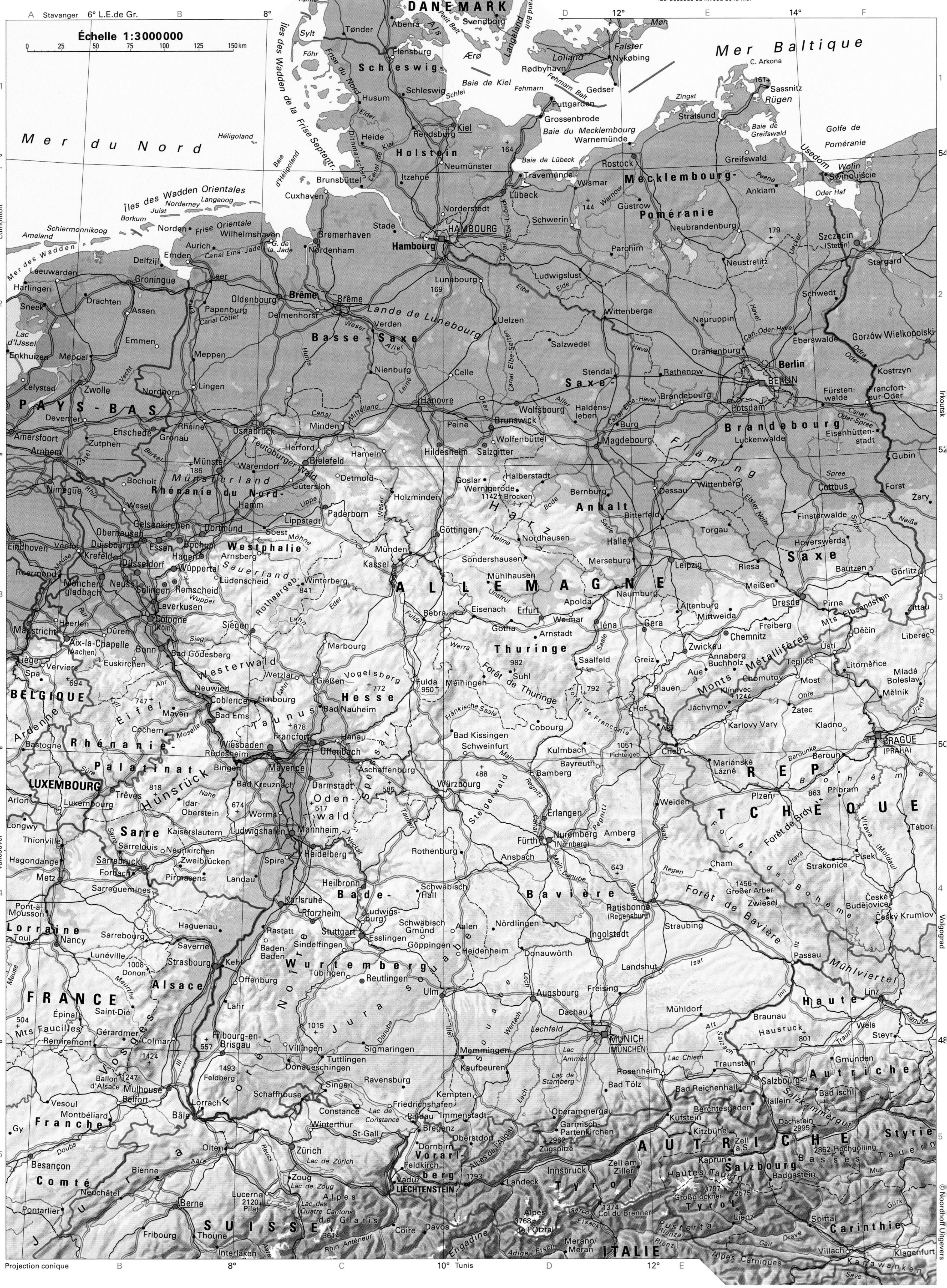

-200 0 100 200 500 1000 1500 2000 3000 5000 m
(au-dessous du niveau de la mer)

A Stavanger 6° L.E.de Gr. B 8° C D 12° E 14° F

Mer du Nord

Mer Baltique

DANEMARK

Vojens · Haderslev
Rømø · Tønder · Abenra · Svendborg · Langeland · Møn
Sylt · Flensburg · Ærø · Rødbyhavn · Nykøbing · Falster
Föhr · Schleswig · Baie de Kiel · Fehmarn · Gedser
Husum · Schlei · Puttgarden · Grossenbrode · Zingst · C. Arkona · Sassnitz
Heide · Kiel · Rendsburg · Neumünster · Baie de Lübeck · Warnemünde · Rügen
Schleswig-Holstein · Wismar · Rostock · Stralsund · Greifswald · Golfe de Poméranie
Brunsbüttel · Itzehoe · Travemünde · Schwerin · **Mecklembourg-Poméranie** · Usedom
Cuxhaven · Stade · Lübeck · Güstrow · Neubrandenburg · Anklam · Swinoujscie · Wolin

Héligoland · Baie d'Héligoland · Bremerhaven · **HAMBOURG** · Neustrelitz · Szczecin (Stettin) · Stargard
Îles des Wadden Orientales · Norderney · Langeoog · Nordenham · Hambourg · Lunebourg · Parchim · Schwedt
Borkum · Juist · Wilhelmshaven · Brême · Ludwigslust · Neuruppin · Eberswalde · Gorzów Wielkopolski
Schiermonnikoog · Norden · Frise Orientale · Oldenbourg · Verden · Uelzen · Oranienbourg · **Berlin**
Ameland · Emden · Delfzijl · Leer · Delmenhorst · Nienburg · Salzwedel · Rathenow · Potsdam · Fürstenwalde · Francfort-sur-Oder
Leeuwarden · Groningue · Papenburg · Meppen · **Basse-Saxe** · Stendal · Brandebourg · Kostrzyn
Harlingen · Sneek · Assen · Lingen · Nienburg · Celle · Wolfsburg · Burg · Magdebourg · Luckenwalde · Eisenhüttenstadt
PAYS-BAS · Emmen · Nordhorn · Hanovre · Peine · Brunswick · Haldensleben · **Brandebourg** · Gubin
Lelystad · Zwolle · Deventer · Enschede · Osnabrück · Minden · Wolfenbüttel · Bernburg · **Fläming** · Forst · Zary
Amersfoort · Arnhem · Gronau · Herford · Hameln · Hildesheim · Salzgitter · Dessau · Wittenberg · Cottbus · Neisse
Münster · Bielefeld · Detmold · Holzminden · Goslar · Halberstadt · **Anhalt** · Bitterfeld · Torgau · Hoyerswerda
Bocholt · **Münsterland** · Warendorf · Gütersloh · Paderborn · Wernigerode · Brocken · **Harz** · Halle · Merseburg · Riesa · **Saxe** · Bautzen · Görlitz
Wesel · **Rhénanie du Nord-Westphalie** · Lippstadt · Göttingen · Nordhausen · Leipzig · Meissen · Dresde
Oberhausen · Gelsenkirchen · Dortmund · Hamm · Soest · Mühlhausen · Sondershausen · Naumburg · Altenburg · Mittweida · Freiberg · Pirna · Elbsandstein · Zittau
Duisbourg · Essen · Bochum · Arnsberg · Münden · Kassel · **Allemagne** · Apolda · Gera · Chemnitz · Zwickau · Annaberg-Buchholz · Most · Usti · Liberec
Krefeld · Wuppertal · Hagen · **Sauerland** · Winterberg · Eisenach · **Erfurt** · Weimar · Iéna · Zwickau · Aue · **Monts Métallifères** · Teplice · Chomutov · Mladá Boleslav
Mönchengladbach · Neuss · Solingen · Remscheid · Lüdenscheid · Bébra · Gotha · Arnstadt · **Thuringe** · Saalfeld · Greiz · Plauen · Karlovy Vary · Zatec · Kladno · Mělník
Düsseldorf · Leverkusen · **Rothaargeb.** · Marbourg · Fulda · Suhl · Forêt de Thuringe · Hof · Jáchymov · Ohre · **Prague (Praha)**
Heerlen · Cologne (Köln) · Siegen · **Westerwald** · Wetzlar · Vogelsberg · Meiningen · Cobourg · Fichtelgeb. · Cheb · Mariánské Lázně · Beroun
Maastricht · Düren · Bonn · Bad Godesberg · Giessen · **Hesse** · Bad Nauheim · Bad Kissingen · Schweinfurt · Kulmbach · Bayreuth · Weiden · **Rép. Tchèque** · Příbram
Belgique · Verviers · Spa · Eifel · Mayen · Neuwied · Coblence · Limbourg · Hanau · Aschaffenbourg · Bamberg · Amberg · Pilsen (Plzeň) · Tábor
Ardenne · Bastogne · **Rhénanie-Palatinat** · Cochem · Moselle · Bad Ems · Wiesbaden · Francfort · Offenbach · Würzbourg · Erlangen · Cham · Strakonice · Pisek
Liège · **Hunsrück** · Rüdesheim · Mayence · Darmstadt · **Oden-wald** · **Bavière** · Nuremberg (Nürnberg) · Ansbach · **Forêt de Bohême** · České Budějovice
Luxembourg · Trèves · Idar-Oberstein · Bingen · Bad Kreuznach · Worms · Mannheim · Heidelberg · Rothenburg · Fürth · Regen · Forêt de Bavière · Zwiesel · Grosser Arber · Český Krumlov
Arlon · **Sarre** · Kaiserslautern · Neunkirchen · Ludwigshafen · Spire · Heilbronn · Schwäbisch Hall · Nördlingen · Ratisbonne (Regensburg) · Straubing · Passau · **Mühlviertel** · Linz
Longwy · Sarrebruck · Zweibrücken · Pirmasens · Landau · Heidelberg · Schwäbisch Gmünd · Aalen · Ingolstadt · Donauwörth · Landshut · Braunau · **Haute-Autriche** · Wels · Steyr
Thionville · Forbach · **Lorraine** · Sarreguemines · Haguenau · Karlsruhe · Pforzheim · Sindelfingen · Göppingen · Heidenheim · Augsbourg · Dachau · Freising · Mühldorf · Hausruck
Metz · Saarlouis · Nancy · Sarrebourg · Saverne · Rastatt · **Wurtemberg** · Stuttgart · Esslingen · Ulm · Memmingen · **Munich (München)** · Rosenheim · Salzbourg · **Autriche**
Pont-à-Mousson · Toul · Lunéville · Strasbourg · Kehl · Baden-Baden · Tübingen · Reutlingen · Sigmaringen · Kaufbeuren · Lac Ammer · Bad Tölz · Bad Reichenhall · Bad Ischl
France · Saint-Dié · Colmar · Offenbourg · Lahr · Villingen · Donaueschingen · Ravensbourg · Kempten · Lac de Starnberg · Traunstein · **Salzkammergut** · Gmunden
Épinal · Gérardmer · **Mts Faucilles** · Remiremont · Mulhouse · Freiburg (Fribourg-en-Brisgau) · Feldberg · Tuttlingen · Friedrichshafen · Lindau · Immenstadt · Oberammergau · Garmisch-Partenkirchen · Berchtesgaden · Hochgolling · **Styrie**
Vesoul · Belfort · Montbéliard · Ballon d'Alsace · **Vosges** · Singen · Constance · Lac de Constance · Bregenz · Zugspitze · Innsbruck · Hochkönig · Kaprun · **Hautes Tauern** · Badgastein · Basses Tauern
Gy · **Franche-Comté** · Besançon · Bâle · Lörrach · Schaffhouse · Winterthur · St-Gall · Dornbirn · **Vorarlberg** · Feldkirch · Vaduz · **Tyrol** · Landeck · Grossglockner · Spittal · **Carinthie**
Pontarlier · Neuchâtel · Berne · Zürich · Lac de Zürich · Zoug · **Liechtenstein** · Zell am Ziller · Krimml · Lienz · Villach · Klagenfurt
Suisse · Fribourg · Thoune · Lucerne · Pilat · Lac des Quatre Cantons · Lac de Glaris · Coire · Davos · Engadine · Col du Brenner · Sterzing · Merano · **Italie** · Alpes Carniques

Projection conique

ALLEMAGNE

A. STRUCTURE ADMINISTRATIVE
1 : 10 000 000

Brême — Nom de l'État fédéré
⊙ Berlin — Capitale nationale
• Kiel — Capitale de l'État fédéré
Frontière entre l'Allemagne de l'Est et l'Allemagne de l'Ouest avant l'unification du 3 octobre 1990

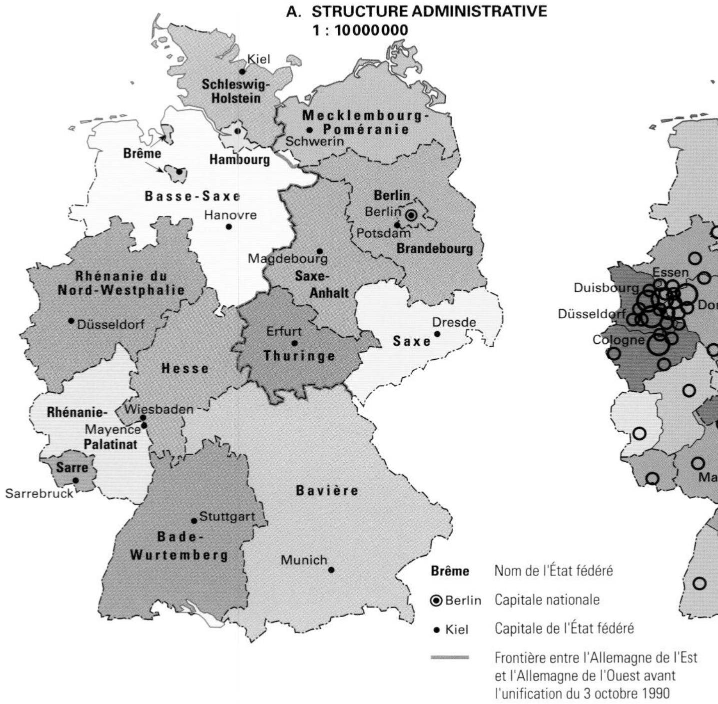

B. DENSITÉ DE LA POPULATION
1 : 10 000 000

Habitants par km² (2005)
moins de 100
100 - 150
150 - 250
250 - 500
500 ou plus

Agglomération de
1 - 5 M d'hab.
500 000 - 1 M d'hab.
100 000 - 500 000 hab.

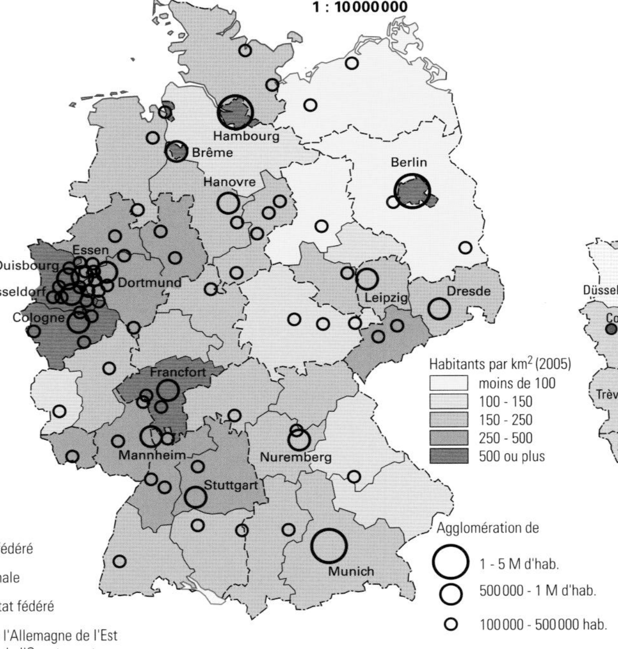

C. VARIATION DE LA POPULATION
1 : 10 000 000

Croissance ou décroissance annuelle moyenne du nombre d'habitants des grandes villes (1990-2005)
Croissance: 0,9% ou plus
Croissance: 0,6 - 0,9%
Décroissance: 0,6 - 1,2%
Décroissance: 1,2% ou plus

Croissance ou décroissance annuelle moyenne du nombre d'habitants par district (1990-2005)
Croissance: 0,9% ou plus
Croissance: 0,6 - 0,9%
Croissance: 0,3 - 0,6%
Croissance: 0,0 - 0,3%
Décroissance: 0,0 - 0,6%
Décroissance: 0,6% ou plus

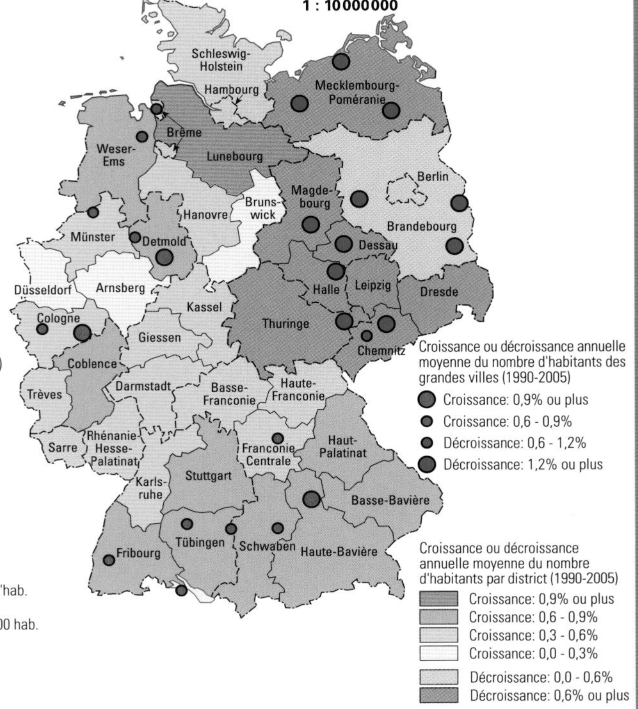

D. AGRICULTURE
1 : 10 000 000

Landes, tourbières
Forêts
Élevage
Cultures
Blé
Cultures et élevage
▼▼▼ Betterave sucrière
◆ Houblon
⚘⚘⚘ Vignoble

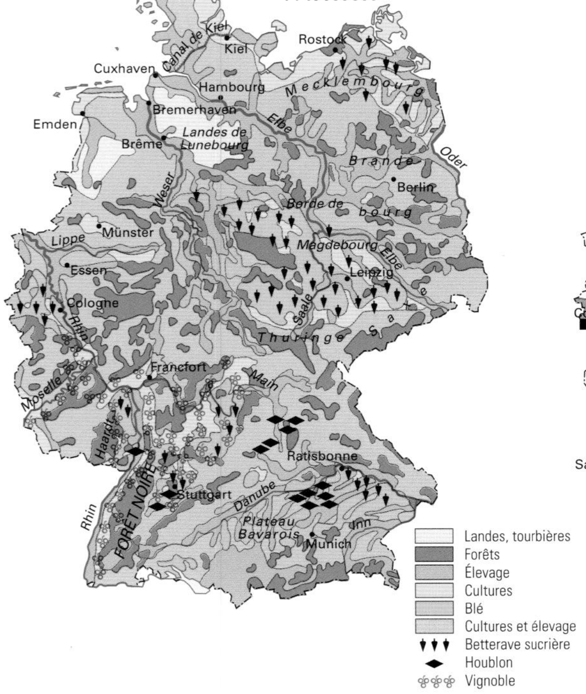

E. MINES ET INDUSTRIE
1 : 10 000 000

■ Charbon
◆ Lignite
◇ Pétrole
◆ Gaz naturel
Po Potasse

Région industrielle
Sidérurgie
Construction métallique
Construction navale
Construction automobile
Construction aéronautique
Raffinage pétrolier
Industrie chimique
Industrie textile
Industrie électrotechnique
Haute technologie

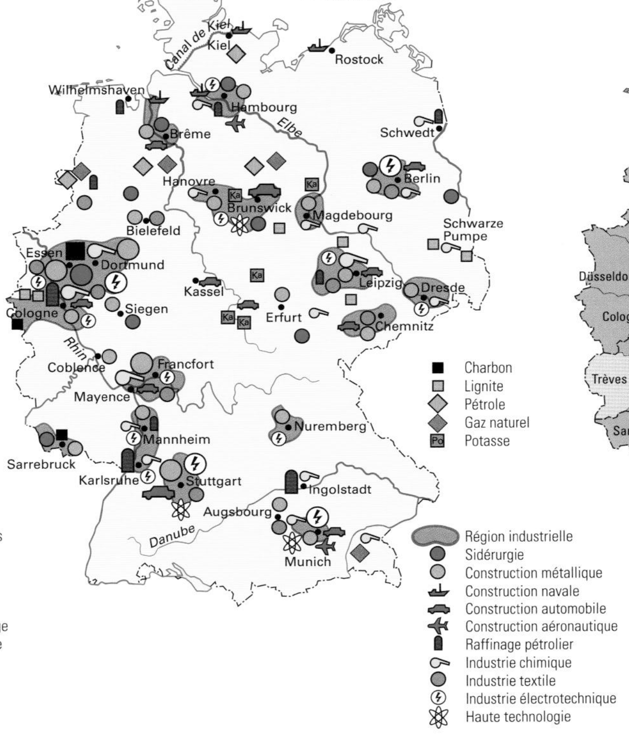

F. CHÔMAGE
1 : 10 000 000

Chômage en pourcentage de la population professionnelle totale, par district (2006)
moins de 7
7 - 10
10 - 13
13 - 16
16 ou plus

G. BERLIN 1945 - 1989
1 : 500 000

Limite de la ville
Limite de secteur
Passage frontalier
Mur de Berlin avec postes de contrôle (13.08.1961 - 09.11.1989)

Voies de communication avec la R.F.A.
Couloir aérien
Autoroute
Route principale
Autres routes
Chemin de fer
Autres chemins de fer
Voie navigable
Autres voies navigables
✈ Aéroport

H. BERLIN
1 : 500 000

Centre des affaires
Autres zones de bureaux et de commerce
Zone résidentielle
Zone industrielle
✈ Aérodrome
Parc
Bois
Zone non urbanisée
Limite de la ville
Mur de Berlin (1961-1989)

Voies de communication:
Chemin de fer et gare
Autoroute
Route principale
Canal

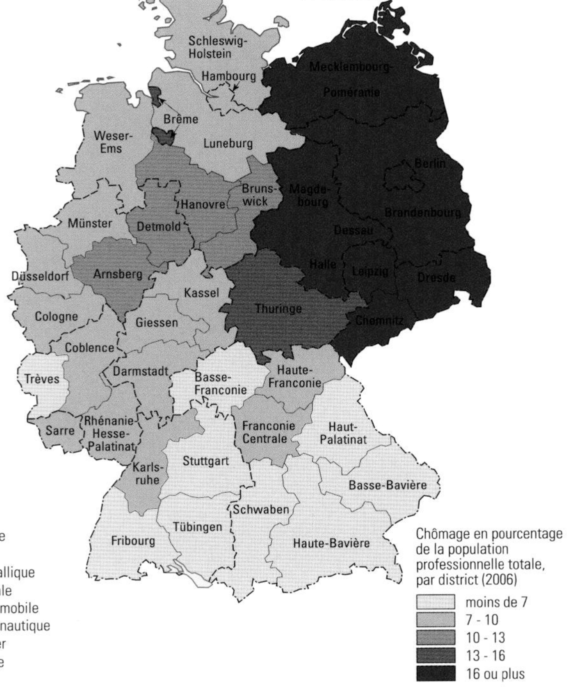

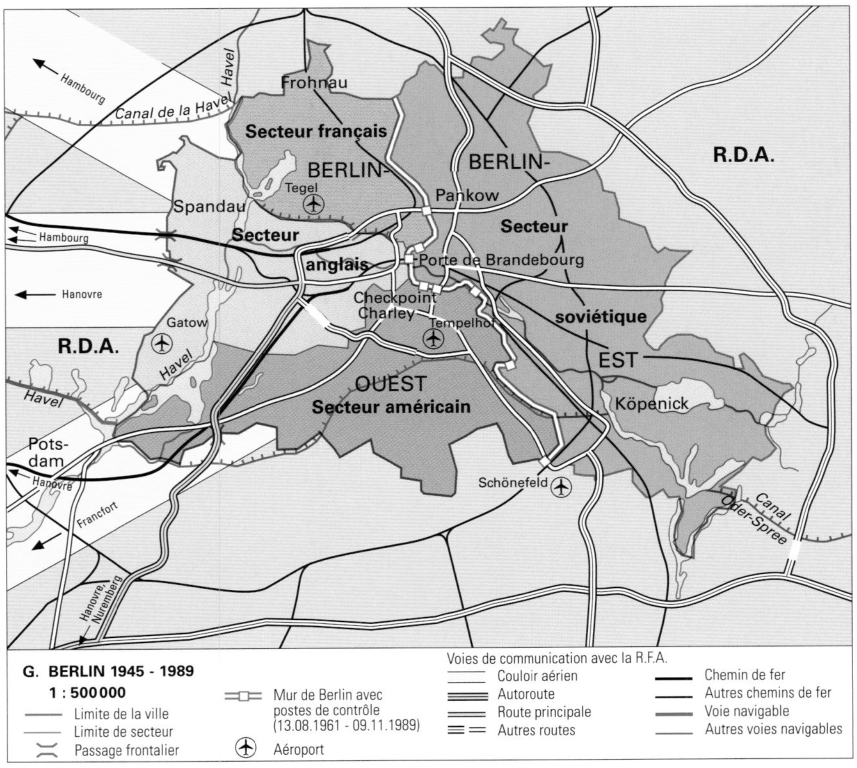

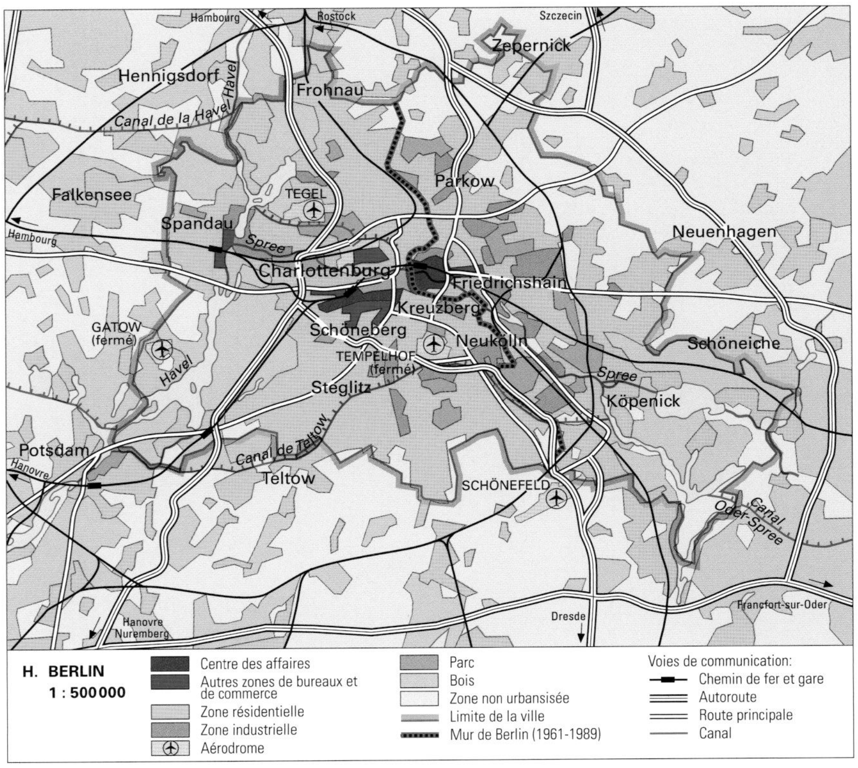

SUISSE / ALPES

100 200 500 1000 1500 2000 3000 5000 m

A. DENSITÉ DE LA POPULATION
1 : 6 000 000

Habitants par km²

0 - 25
25 - 50
50 - 100
100 - 200
200 - 1000
1000 ou plus

Agglomération ou ville de 1 M d'habitants ou plus
500 000 à 1 M d'habitants
100 000 à 500 000 hab.

B. COMMUNICATIONS
1 : 6 000 000

Autoroute
Route principale
Chemin de fer international imp...
Autres chemins de fer importa...

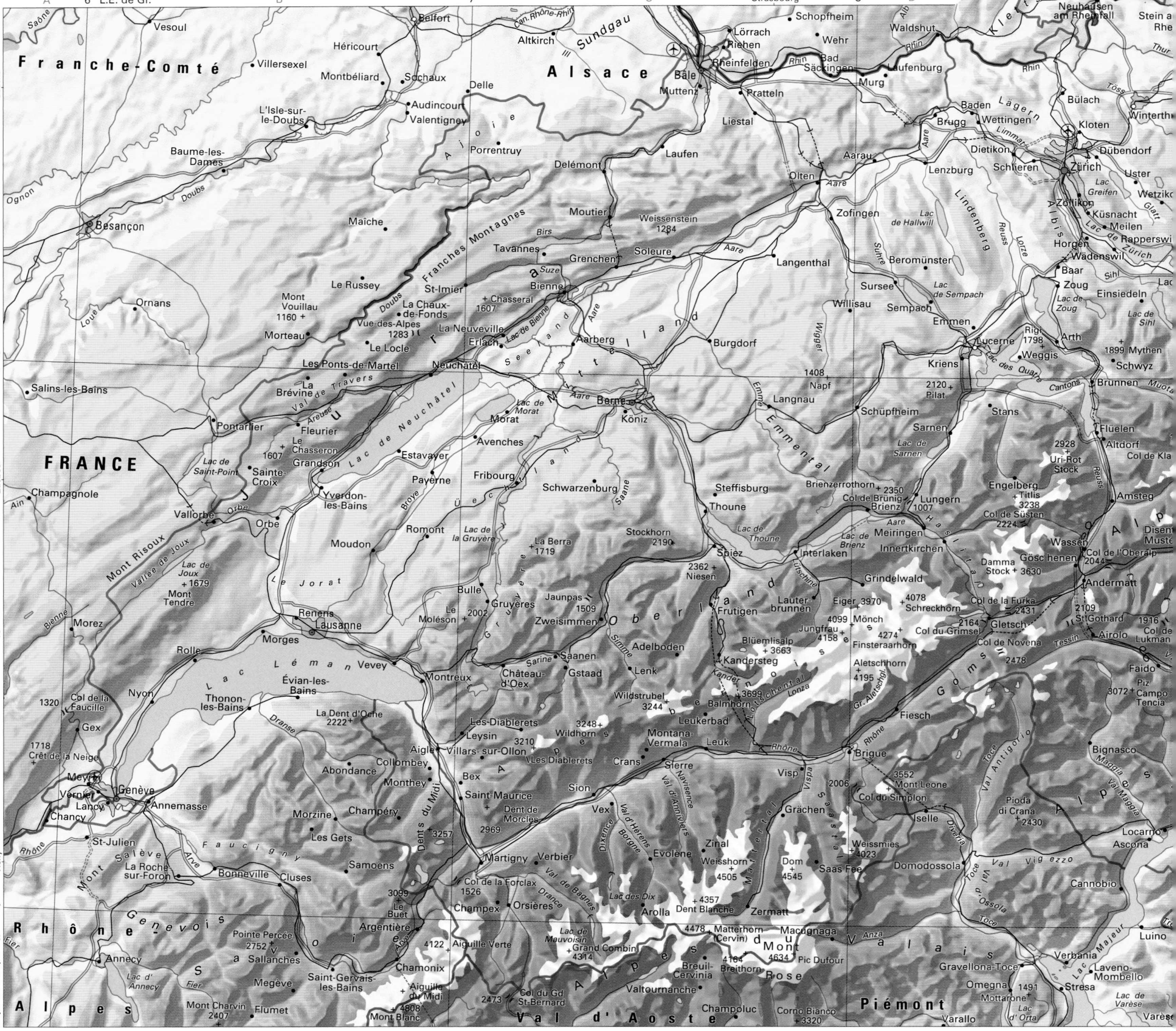

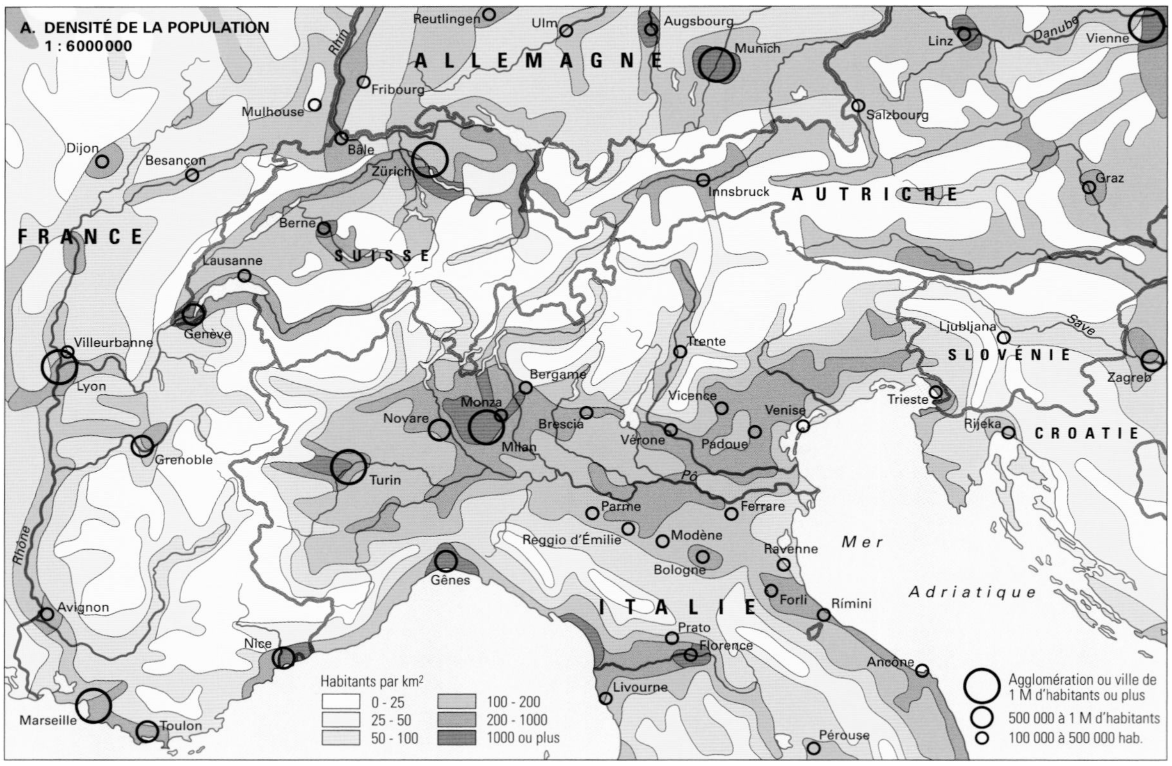

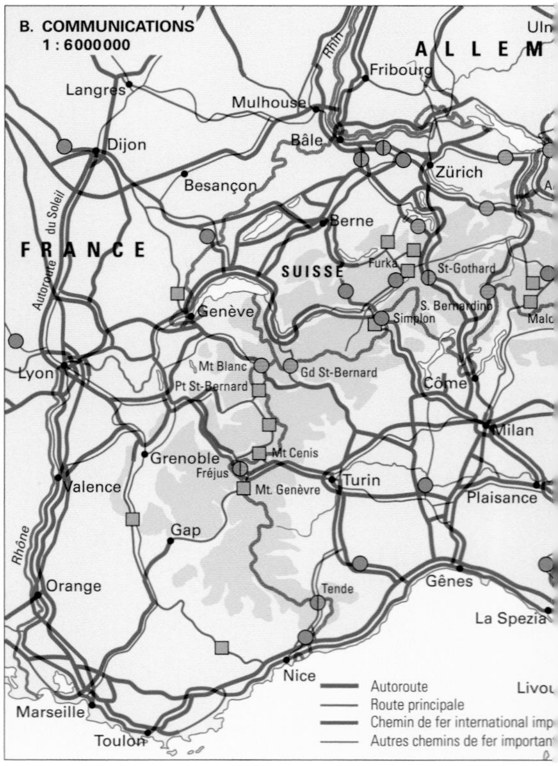

Échelle 1:1000000

0   10   20   30   40   50km

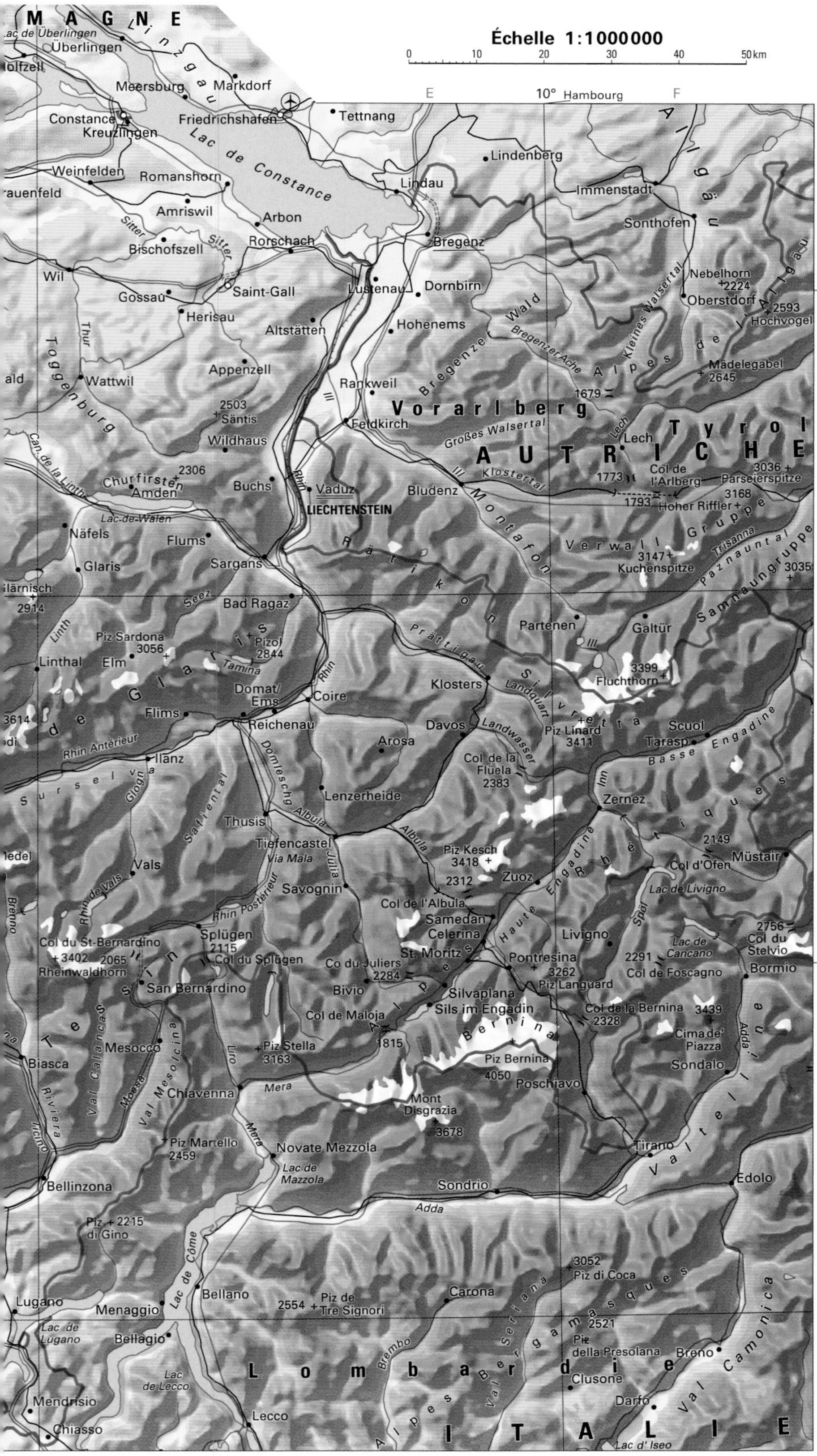

D. LANGUES
1 : 3250000

Allemand 4 890 600

Rhéto-roman 60 100

Français 1 384 400

Italien 737 300

6% autres langues
0,8% Rhéto-roman
9,8% Italien
Structure linguistique de la population suisse (7 524 000 habitants): 65% Allemand   18,4% Français

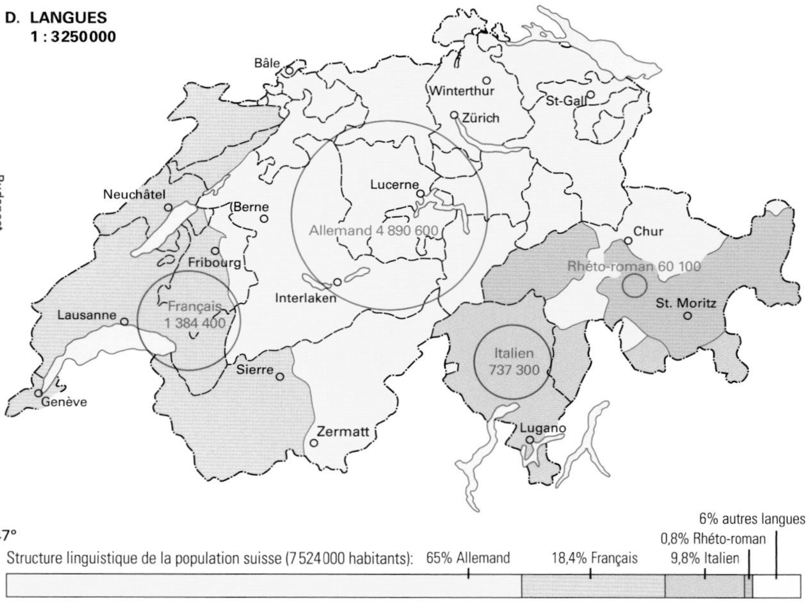

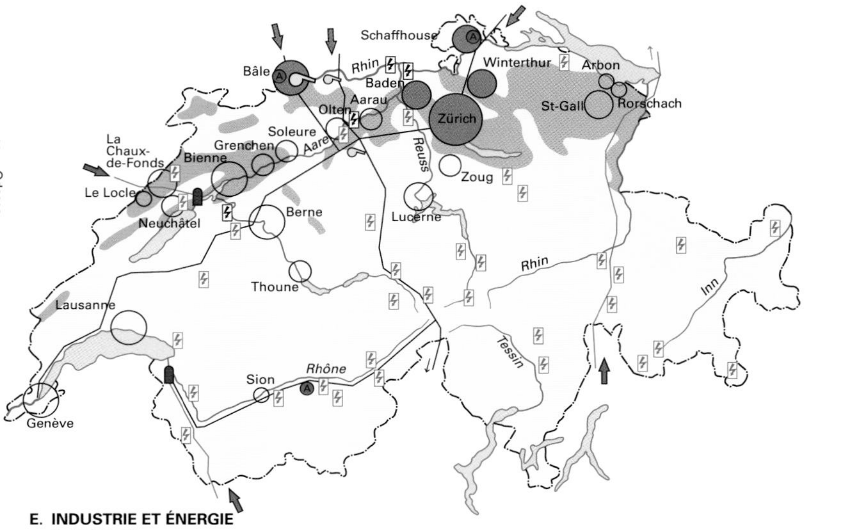

E. INDUSTRIE ET ÉNERGIE
1 : 3250000

▭ Industrie horlogère	⚲ Industrie chimique	⎯ Oléoduc	⚡ Centrale thermique
▭ Industrie textile	Ⓐ Production d'aluminium	⎯ Gazoduc	⚡ Centrale hydroélectrique
▭ Construction métallique	⬛ Raffinage pétrolier	➡ Importation de pétrole	⚡ Centrale nucléaire
○ Ville industrielle diversifiée		➡ Importation de gaz naturel	

C. TOURISME
1 : 6000000

0   1500m

Centre touristique avec indication
de la fonction la plus importante

▲ Station balnéaire
△ Station d'altitude ou de ski
▲ Station thermale
▲ Ville d'art

0   1500m

● Tunnel routier
● Tunnel ferroviaire
■ Col

© Noordhoff Uitgevers

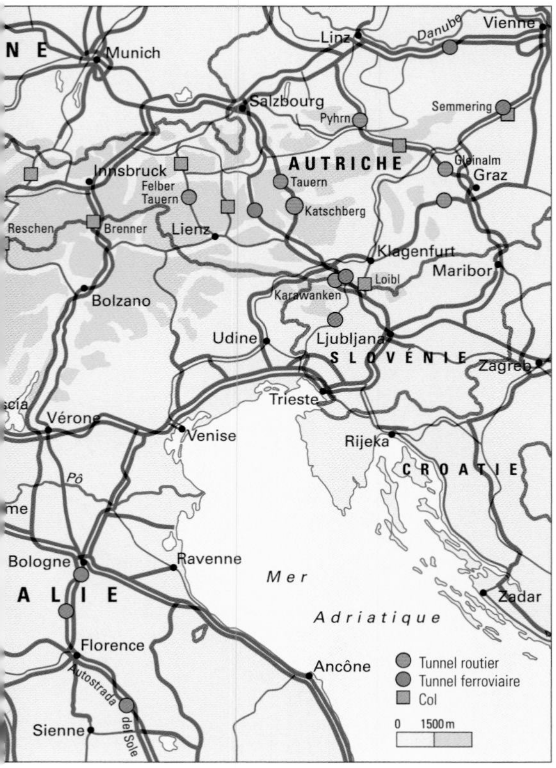

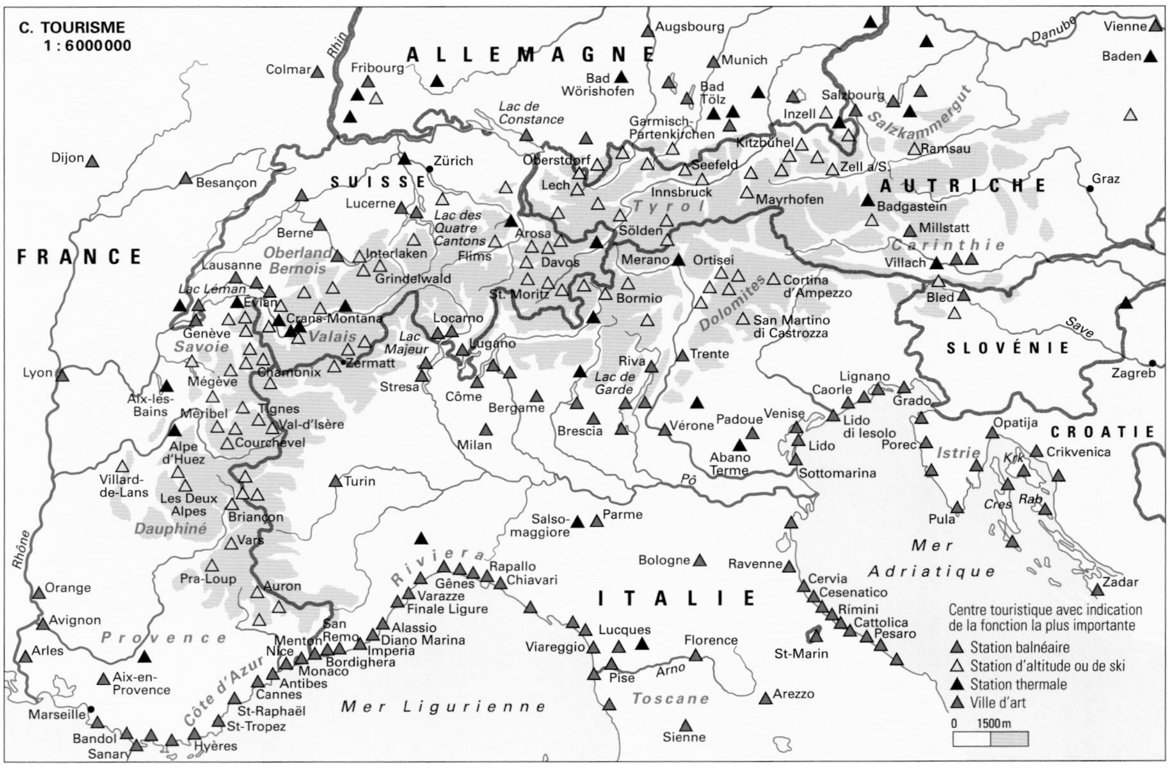

BASSIN MÉDITERRANÉEN

Océan Atlantique

ALLEMAGNE · PRAGUE · Bohême · Plzeň · Monts Métallifères · Francfort · Eifel · Würzbourg · Nuremberg · Mannheim · Ratisbonne · Karlsruhe · Stuttgart · Strasbourg · Augsbourg · Ulm · Forêt Noire · MUNICH · Inn · Lac de Constance · AUTRICHE · Innsbruck · Großglockner 3797 · 2995

BELGIQUE · LUXEMBOURG · Moselle · Metz · Nancy · Mulhouse · Bâle · Lucerne · Zürich · Berne · SUISSE · LIECHTENSTEIN · Bolzano · Trente · 2864 · Ljubljana · Istrie · Trieste

Cherbourg · Le Havre · Amiens · Rouen · Reims · Caen · Guernesey · Jersey · Îles Anglo-Normandes (R.U.) · Brest · Bretagne · Quimper · Rennes · Angers · St-Nazaire · Nantes · Le Mans · Orléans · Versailles · PARIS · Seine · Marne · Loire · Tours · Bourges · Poitiers · La Rochelle

FRANCE · Limoges · Clermont-Ferrand · Massif Central · Dijon · Chalon-sur-Saône · Besançon · LYON · Genève · Lausanne · Lac Léman 4478 · Mt Blanc 4809 · Grenoble · St-Étienne · Valence · 4103 · TURIN · 3841 · Novare · Bergame · MILAN · Vicence · Vérone · Padoue · Venise

Bordeaux · Dordogne · Garonne · Bayonne · Toulouse · Montauban · Lot · Nîmes · Montpellier · Béziers · Avignon · Aix-en-Provence · MONACO · Monaco · Nice · C. Corse · Mer Ligurienne · Savone · Gênes · La Spezia · Livourne · Parme · Modène · Bologne · Ferrare · Ravenne · Forlì · Rimini · ST-MARIN · St-Marin · Prato · Florence · Sienne · Pérouse · Terni · ROME · Latina

Golfe de Gascogne · −5098 · −150

La Corogne · Cap Finistère · St-Jacques de Compostelle · Gijón · Santander · Oviedo · Mts Cantabriques · Vigo · Ourense · León · Saint-Sébastien · Bilbao · Vitoria · Pampelune · Adour · Ourense · Braga · Bragance · Zamora · Valladolid · Burgos · 2430 · Ebre · Saragosse · Pyrénées 3404 · ANDORRE · Andorre · Narbonne · Perpignan · Golfe du Lion · MARSEILLE · Toulon

PORTUGAL · PORTO · Coïmbre · Douro · Guarda 1993 · Salamanque · Chaînes de Castille · 2592 · MADRID · Aranjuez · Lérida · Catalogne · Gérone · Costa Brava · BARCELONE · Tarragone · −3068

Fátima · Tage · Santarém · Mérida · Badajoz · Tolède · Albacete · Júcar · Castelló de la Plana · Valence · Îles Baléares (Esp.) · Minorque · Majorque · Palma · Ibiza · Formentera · −2700

LISBONNE · Setúbal · Beja · Guadiana · Sierra Morena · ESPAGNE · 2592

Cap Saint-Vincent · Lagos · Algarve · Faro · Golfe de Cadix · Huelva · Séville · Guadalquivir · Andalousie · Cordoue · Jaén · Grenade · 3482 · Sa. Nevada · Murcie · Alicante · Elche · Segura · Carthagène · C. de Palos · Almería · C. de Gata · Málaga · Costa del Sol · Cadix · Jerez de la Frontera · Algésiras · Gibraltar (R.-U.) · Détroit de Gibraltar · Tanger · Ceuta (Esp.) · Tétouan · Al Hoceima · −1720 · Alborán (Esp.) · Melilla (Esp.) · Nador · Chaîne du Rif 2456

Mer · Mer Tyrrhénienne · −2866 · −3550

Corse (Fr.) · Mte Cinto 2706 · Ajaccio · Bastia · Bouches de Bonifacio · Sassari · Olbia · Sardaigne (It.) · 1834 · Oristano · Cagliari · Îles Pontines · NAPLES · Ischia · Capri · ITALIE

Trapani · Palerme · Îles Égates · Marsala · Sicile · Agrigente · C. Blanc · Bizerte · Détroit de Sicile · Cap Bon · TUNIS · Carthage · Golfe de Tunis · Nabeul · Pantelleria (It.) · Gozo · La Valette · Îles Pélagie (It.) · Îles Éoliennes ou Lip.

−4100

MAROC · CASABLANCA · RABAT · Kénitra · Salé · Mohammedia · Meknès · FÈS · Taza · El Jadida · Settat · Khouribga · Safi · Marrakech · Beni Mellal · Azilal · 3737 M'Goun · Moyen Atlas · Haut Atlas · 4071 · Toubkal 4165 · Taroudannt · Ouarzazate · Anti-Atlas · Tata · Drâa · Zagora · Abadla · Igli · Béni Abbès · Boudenib · Figuig · Aïn Sefra · Er Rachidia · Bouârfa · Hammada du Drâa · Hammada Tounassine

Mestghanem · Oran · Dahra · Cheliff · Belizane · Ech Cheliff · Sidi bel Abbès · Tlemcen · Saïda · Mascara · Tihert · Oujda · Moulouya · ALGER · Tizi Ouzou · Béjaïa · Jijel · Skikda · Annaba · Bejaïa · El Boulaïda · Médéa · Constantine · Stif · M'Sila · Atlas Tellien · Souk Ahras · Béja · Le Kef · Kairouan · Sousse · Monastir · Îles Kerkenna · Batna · Aurès · Tébessa · Kasserine · TUNISIE · Gafsa · Sfax · −180 · Golfe de Gabès · Gabès · Djerba · Medenine · Zuwara · TRIPOLI · Zawia · Al Khums · Leptis Magna · Gharyan · Nalut · Yafran · Mizdah · Tripolitaine

Chott el Hodna · Chott ech Chergui · El Djelfa · Laghouat · Berriyyane · Ghardaïa · Touggourt · El Oued · −29 · Chott Melrhir · Biskra · Tozeur · Chott el Djerid · Ouargla · Hassi Messaoud · El Goléa · Ghadames · Bordj Omar Driss · In Amenas · Zarzaïtine · Edjelé · Hammada el Homra

Plateau du Tinrhert · Plateau du Tademaït · Timimoun · Gourara · Sebkha de Timimoun · Adrar · Mia

Tindouf · Sebkha de Tindouf · Erg Iguidi · El Eglab · **ALGÉRIE** · Reggâne · Djaret · Tidikelt · Asouf · In Salah · Ohanet · Edeyen Awbari · Ilizi · Awbari · Sebha · Bir... · Tassili des Ajjer · Amguid · Edjeleh

MAURITANIE

Tropique du Cancer · 23° 27' · Erg Chech · Tanezrouft · Tadjemout · Ijâfene · Taoudenni · **MALI** · Tahat 2918 · 2420 · Massif du Hoggar · Djanet · Ghat · Al Qatrun · Edeyen Mourzouk · Mourzou... · Plateau du Djado · Tamanrasset

Projection azimutale équivalente

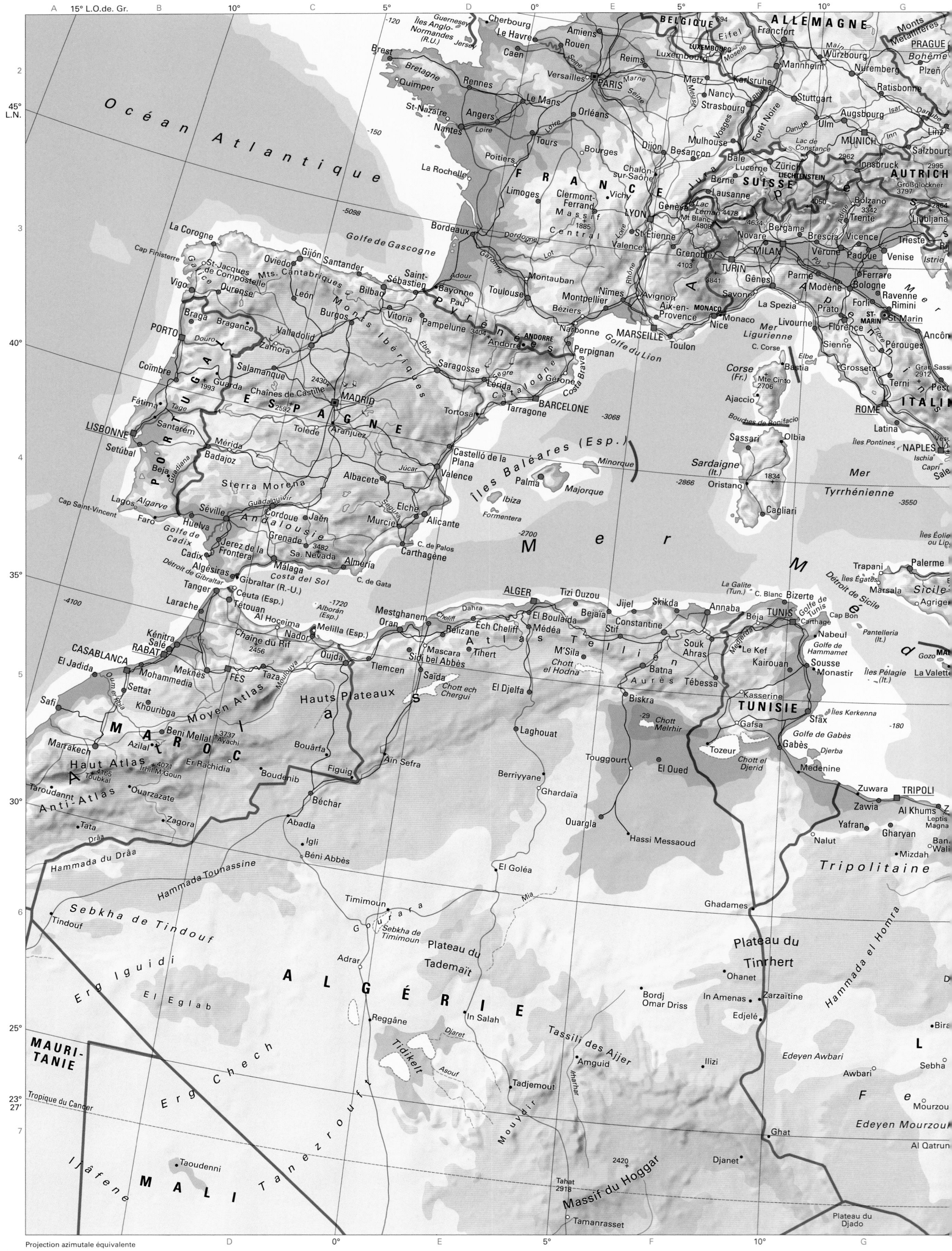

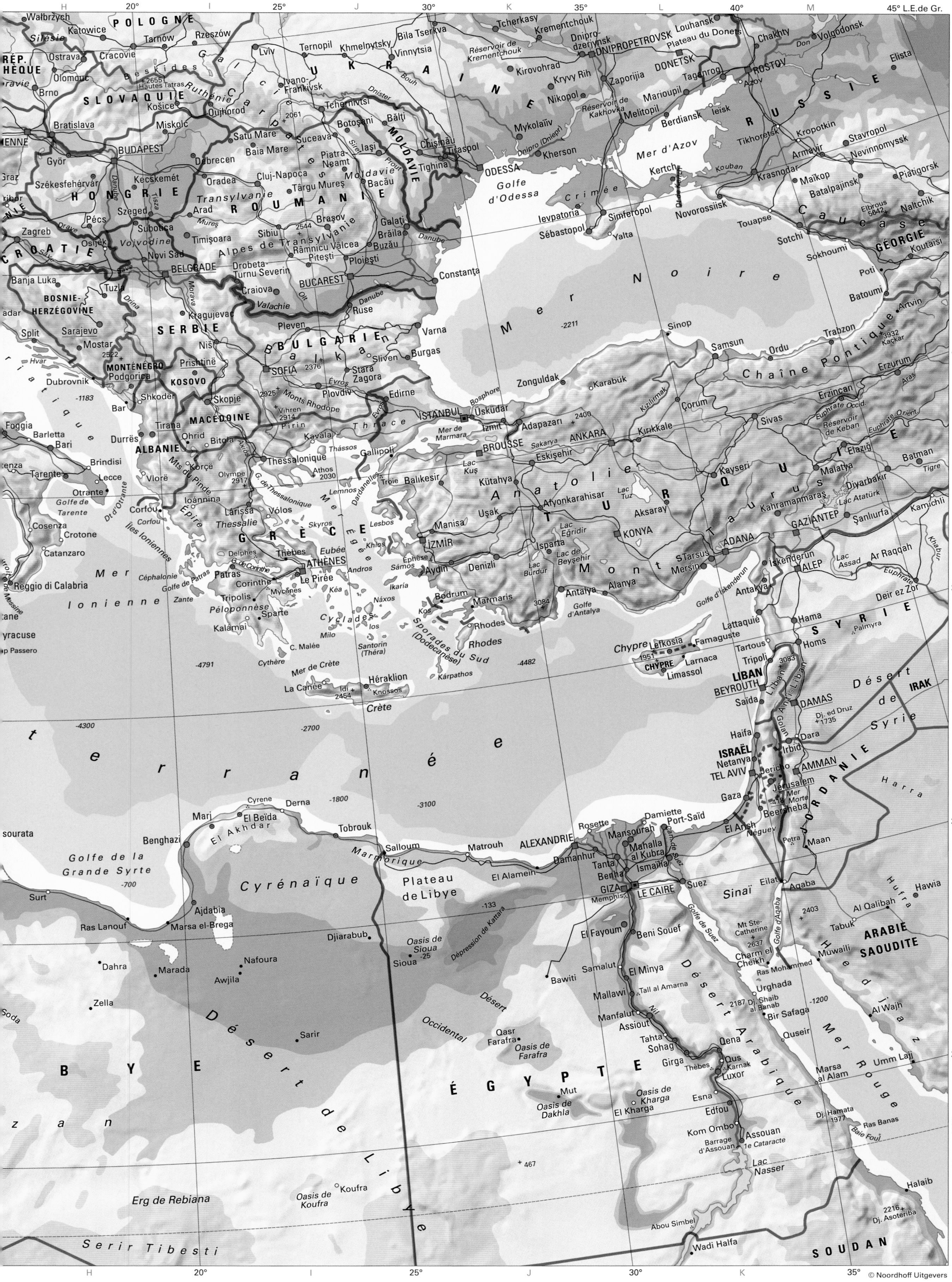

Échelle 1 : 10000000
0 100 200 300 400 500 km

45° L.E. de Gr.

© Noordhoff Uitgevers

LE BASSIN MÉDITERRANÉEN

A. AGRICULTURE ET MINES
1 : 12 000 000

B. DENSITÉ DE LA POPULATION
1 : 24 000 000

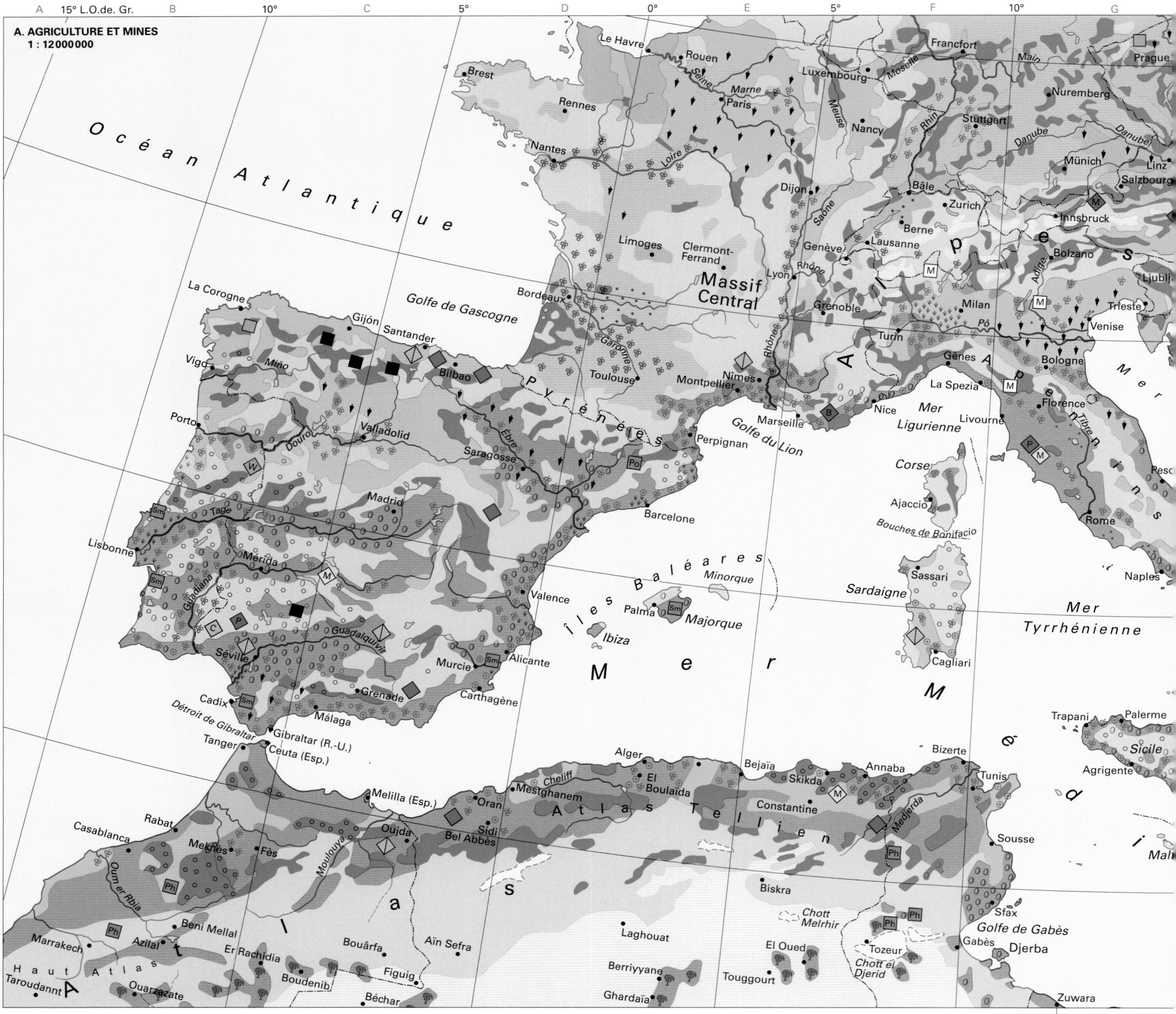

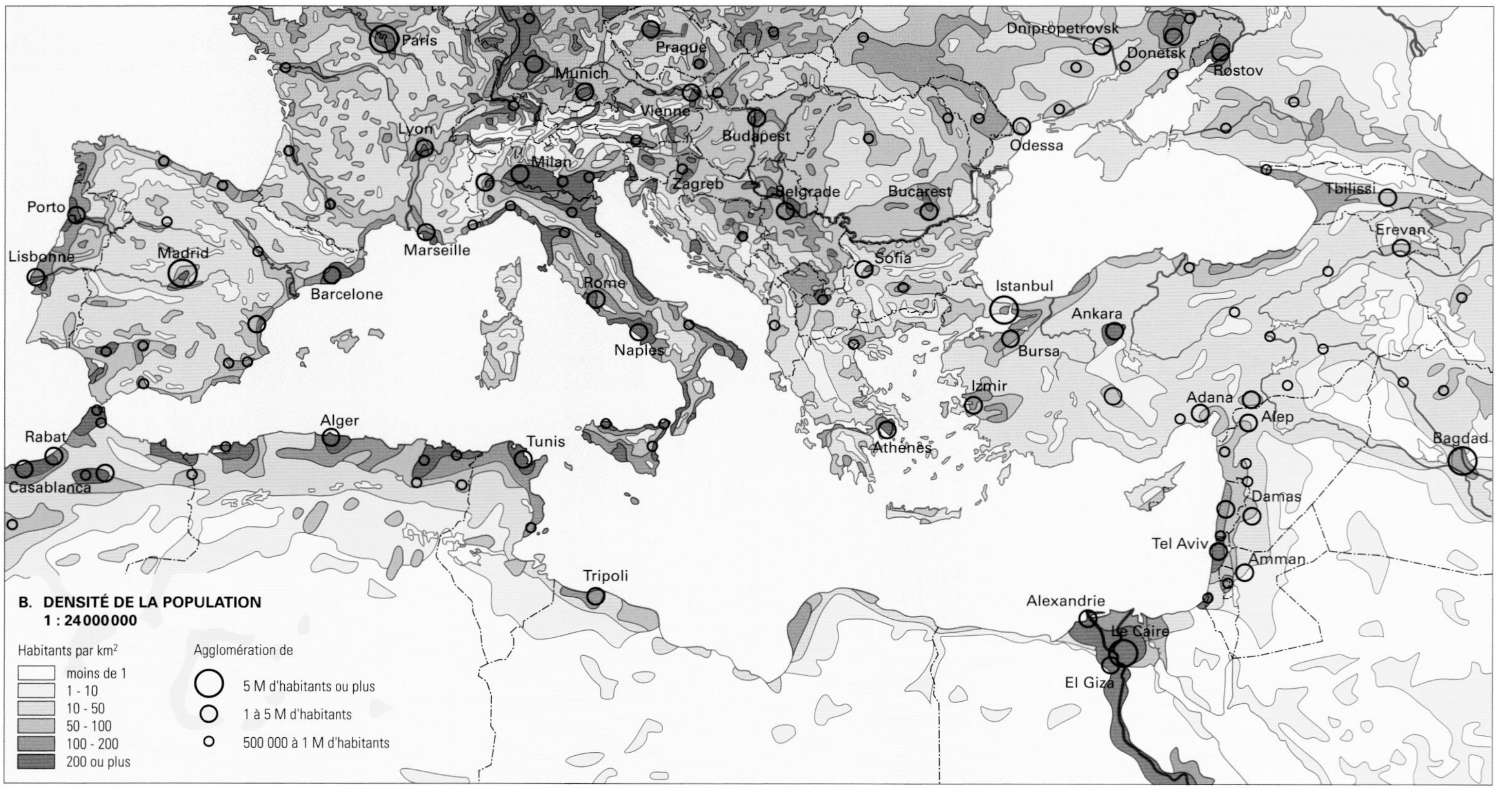

Habitants par km²

moins de 1
1 - 10
10 - 50
50 - 100
100 - 200
200 ou plus

Agglomération de

○ 5 M d'habitants ou plus
◎ 1 à 5 M d'habitants
○ 500 000 à 1 M d'habitants

Légende pour A

Inculte
Forêts et maquis
Élevage intensif
Élevage extensif
Cultures et éleva
Culture des céréa
Agriculture méditerranéenn

Betterave sucrière
Tabac
Riz
Thé
Vignes
Agrumes
Olives
Dattes (oasis)
Tournesols
Cultures de roses
Coton
Chêne-liège

© Noordhoff Uitgevers

20°
25°
J
30°
K
35°
L
40°
M
45° L.E.de Gr.
45° L.N.
40°
35°
30°
2
3
4
5
Katowice
Cracovie
Lviv
Vinnytsia
Dnipropetrovsk
Donetsk
Donets
Don
Elista
Zaporijia
Kryvy Rih
Rostov
Marioupil
Brno
Košice
Carpates
Dniestr
Bouh
Tchernivtsi
Bratislava
Vienne
Miskolc
Mykolaïiv
Dniepr
Mer d'Azov
Stavropol
Iaşi
Chişinău
Budapest
Tisza
Cluj-Napoca
Prout
Siret
Odessa
Kertch
Kouban
Krasnodar
Novorossiisk
Danube
Szeged
Mureş
Galaţi
Pécs
Drave
Zagreb
Sébastopol
Caucase
Sotchi
Koutaïsi
Save
Belgrade
Bucarest
Constanţa
Olt
Mer Noire
Batoumi
Morava
Sarajevo
Split
Niš
Varna
Sinop
Trabzon
Samsun
Balkan
Burgas
Sofia
Adriatique
Dubrovnik
Podgorica
Prishtinë
Plovdiv
Zonguldak
Chaîne Pontique
Erzurum
Skopje
Bosphore
Kizilirmak
Euphrate Occid.
Euphrate Orient.
Evros
İstanbul
Mer de Marmara
Sivas
Bari
Tirana
Axios
Brousse
Sakarya
Ankara
Diyarbakır
Tigre
Thessalonique
Eskişehir
Tarente
Mts du Pinde
Kayseri
Malatya
Golfe de Tarente
Dt d'Otrante
Mer Égée
Anatolie
Lac Tuz
Lac Atatürk
Vólos
Crotone
Thessalie
Konya
Monts Taurus
İzmir
Gaziantep
Adana
Lac Assad
Alep
Messine
Mer Ionienne
Patras
Corinthe
Athènes
Euphrate
Deir ez Zor
Bodrum
Antalya
Hama
Péloponnèse
Sparte
Lattaquié
Homs
Rhodes
Chypre
Leikosia
Tripoli
Héraklion
Crète
Beyrouth
Damas
Désert de Syrie
Haifa
Tel Aviv
Amman
Jérusalem
Gaza
Mer Morte
El Beïda
Derna
Méditerranée
Charbon
Lignite
Minerai de fer
Pyrite
Chrome
Manganèse
Nickel
Wolfram
Cuivre
Plomb et zinc
Mercure
Bauxite
Magnésite
Phosphate
Potasse
Sel marin
Marbre
C. PÉTROLE ET GAZ NATUREL
1 : 24 000 000
Pétrole
Gaz naturel
Oléoduc
Gazoduc
Transport de gaz naturel liquéfié (GNL)
Raffinage pétrolier
Port pétrolier
Port méthanier
Risque de pollution de la mer
Royaume Uni, Belgique France
Donges
Paris
Strasbourg
Karlsruhe
Bratislava
Krementchuk
Oujhorod
La Corogne
Bordeaux
Vienne
Budapest
Kherson
Grozny
Lyon
Milan
Trieste
Sisak
Bacău
Ploieşti
Touapse
Bilbao
Gênes
Rijeka
Piteşti
Constanţa
Porto
La Spezia
Ravenne
Belgrade
Batoumi
Erevan
Fos-Lavéra
Livourne
Ancône
Burgas
Madrid
Barcelone
Sofia
Tarragone
Rome
Izmit
Tabriz
Sines
Puertollano
Castellón
Gaète
Naples
Kirikkale
Batman
Huelva
Tarente
Thessalonique
Mossoul
Algésiras
Málaga
Carthagène
Cagliari
Izmir
Athènes
Milazzo
Dortyol
Kirkuk
Mersin
Baiji
Alger
Bejaïa
Arzew
Oran
Bizerte
Augusta-Syracuse
Baniyas
Mohammedia
Skikda
Gela
Tartus
Homs
Bagdad
Hassi R'Mel
La Skhirra
Haifa
Zuwāra
Tripoli
Zerka
Hassi Messaoud
Tobrouk
Alexandrie
Ashdod
Al-Zueidina
Ras Lanouf
Es Sider
Marsa el-Brega
Le Caire
Suez
Eilat
Dahra
Amal
Edjelé
Zelten
Golfe de Suez
Sarir

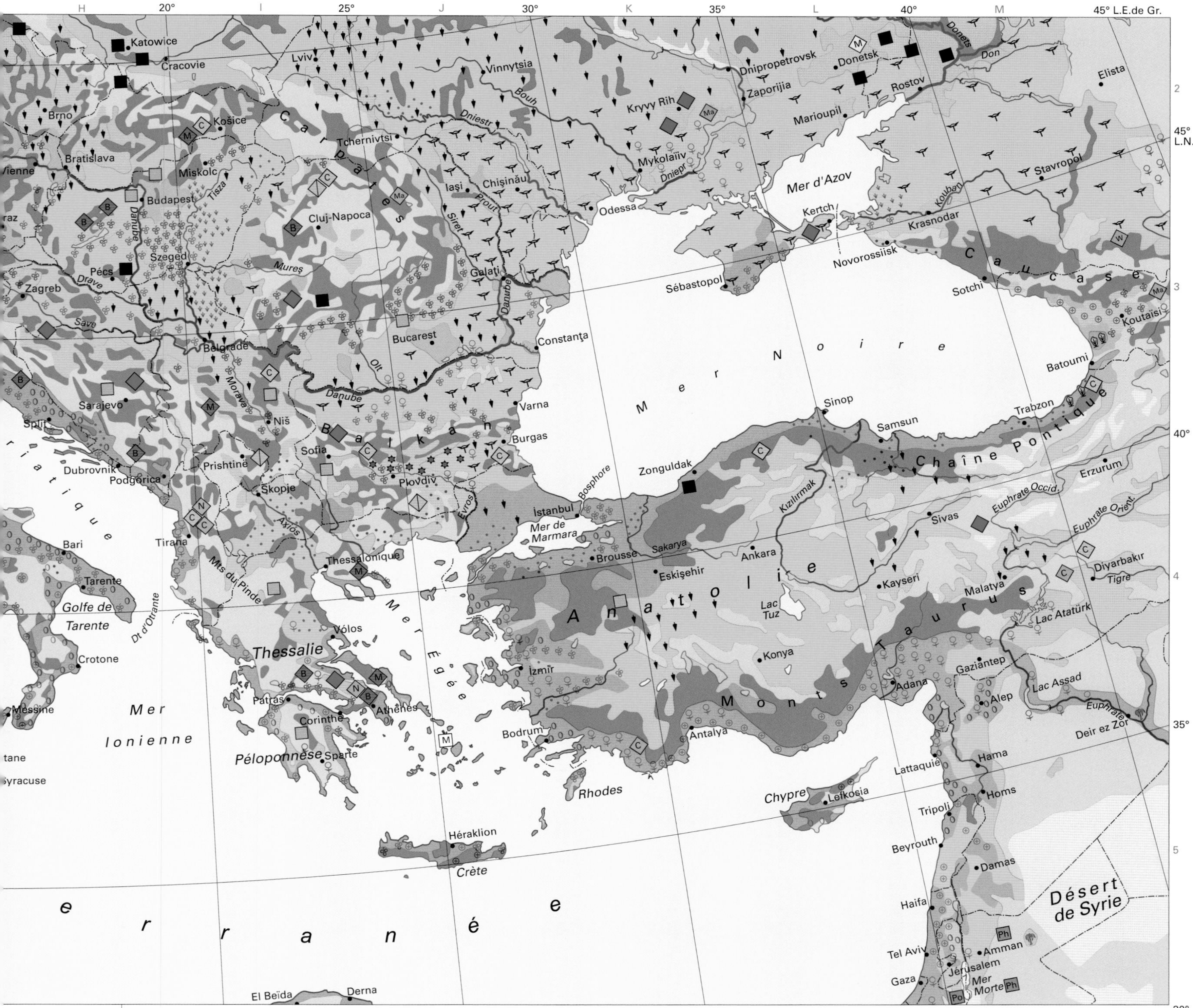

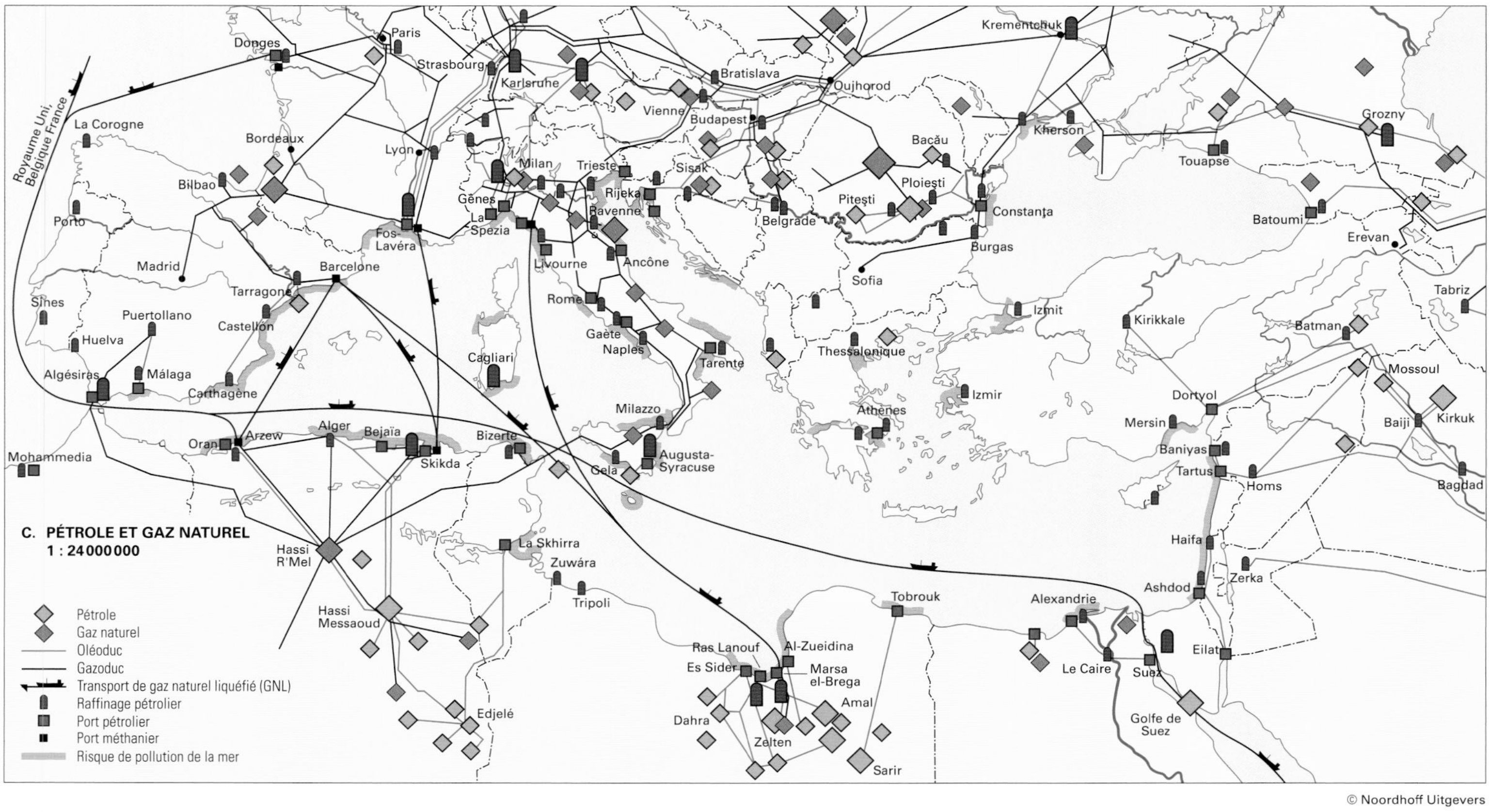

ESPAGNE ET PORTUGAL

-6000

2° L.O. de Gr.

Golfe de Gascogne

Galice · **Asturies** · Picos de Europa · **Cantabrie** · **Pays Basque**

C. Ortegal · Pnte Estaca de Bares · Ortigueira · Viveiro · Ribadeo · Navia · Luarca · Pravia · Avilés · Gijón · Villaviciosa · Llanes · Santander · C. Ajo · Bermio · Bayonne · Biarritz

Ferrol · Cadramón 1056 · Mondoñedo · Tineo · Oviedo · Altamira · Torrelavega · Portugalete · Gernika · Irum · St-Sébastien

La Corogne · Betanzos · Vilalba · Mieres · Langreo · Peña Ubiña 2417 · Col de Pajares 1379 · Torre Cerredo 2648 · Reinosa · Barakaldo · Bilbao · Eibar

Cap Vilán · Carballo · St-Jacques de Compostelle · Lugo · Miravalles 1969 · Peña Prieta 2536 · Vitoria · Miranda de Ebro

C. Finisterre · A Estrada · Monforte de Lemos · León · **Tierra de Campos** · Sahagún · Burgos · Arlanzón · 2131 Sa de la Demanda · **La Rioja** · Logroño · **Nava**

Ria de Muros e Noia · Vilagarcía de Arousa · Pontevedra · Ponferrada · Astorga · Palencia · Lerma · Urbión 2228 · Soria · Tudela

Ria de Arousa · Ribadavia · Ourense · Teleno 2188 · Cea · Benavente · Pisuerga · Aranda de Duero · Almazán · Medinaceli · Calatayud

Ria de Pontevedra · Ria de Vigo · Vigo · Tui · Cabeza de Manzaneda 1778 · **Sierra de la Cabrera** · Zamora · Tordesillas · Valladolid · Duero · **Castille** · Atienza · Sigüenza

Galice · 42° L.N. · Chicago

Viana do Castelo · **Minho** · Braga · Guimarães · Chaves · Bragance · **Trás-os-Montes** · Vila Real · Medina del Campo · **León** · **ESPAGNE** · Segovia · Pico de Peñalara 2430 · Guadalajara · **La Alcarria** · **Serrania**

Matosinhos · Porto · Vila Nova de Gaia · Maia · Lamego · Montemuro 1381 · Douro · Salamanque · Eresma · 1444 Somosierra · Brihuega · 1839

Ovar · São João de Madeira · Viseu · Pinhel · Ávila · **Sierra de Guadarrama** · El Escorial · Alcobendas · Alcalá de Henares · Torrejón de Ardoz

Ria de Aveiro · Aveiro · Guarda · Ciudad Rodrigo 1723 · Béjar · **Chaînes de** · **Madrid** · Alcorcón · Móstoles · Fuenlabrada · Getafe · Parla · Cuenca

C. Mondego · Coimbra · Figueira da Foz · **Serra da Estrela** · Estrela 1993 · Covilhã · **Sa de Gredos** · Almanzor 2592 · **Castille** · Aranjuez · Ocaña · Cuenca

Marinha Grande · Leiria · **PORTUGAL** · Castelo Branco · Plasencia · **La Vera** · Talavera de la Reina · Tage (Tajo) · Tolède · Mora · Orgaz · **La Manche**

Fátima · Tomar · Abrantes · Alcántara · Cáceres · Trujillo · **Monts de Tolède** 1419 · Alcázar de San Juan · Cíguela

C. Carvoeiro · Peniche · Santarém · Portalegre · **Estrémadure** · Alburquerque · **Sierra de Guadalupe** 1603 · Ciudad Real · Campo de Montiel · Albacete

Torres Vedras · Mafra · **Ribatejo** · Estremoz · Elvas · Mérida · Herrera del Duque · Valdepeñas · 1798 · Sierra de Alcaraz

Sintra · Amadora · Lisbonne · Baixeiro · Badajoz · Olivenza · Don Benito · Almadén · Almodóvar del Campo · Calatrava · Puertollano · Hellín

Cascais · Almada · Setúbal · **Tierra de Barros** · Zafra · Jerez de los Caballeros · **La Serena** · Cabeza del Buey · **Sierra Morena** · 1300 Col de Despeñaperros · Sierra de Segura

Sesimbra · C. Espichel · B. de Setúbal · **Alentejo** · Moura · Llerena · Bélmez · **Sierra de Alcudia** · La Carolina · Segura

38° · Sines · Beja · Serpa · Mértola · **Andalousie** · El Pedroso · Montoro · Linares · Úbeda · Baeza · **Mu**

Tharsis · Nerva · **La Campiña** · Séville · Carmona · Écija · Baena · Jaén · Mágina 2167 · Sierra de Segura · Caravaca de la Cruz

Fóia 902 · Portimão · **Algarve** · **Sa do Caldeirão** · Huelva · Dos Hermanas · Utrera · Osuna · Puente Genil · Lucena · Baza · Sta Bárbara 2269 · Guadix · Tetica 2083 · Almanzora · Huércal · Cuevas

C. St-Vincent · Lagos · Albufeira · Faro · Olhão · Ayamonte · Palos de la Frontera · Golfe de Cadix · Morón de la Frontera · Loja · Grenade · **Sierra Nevada** · Sorbas · Vera

Sagres · Tavira · Marismas del Guadalquivir · Lebrija · Arcos de la Frontera · Ronda · Torrecilla 1919 · Mulhacén 3482 · Veleta 3392 · Sa de Gádor · Las Alpujarras 2236 · Almería · C. de Gata

Sanlúcar de Barrameda · Jerez de la Frontera · El Puerto de Santa María · Antequera · Coín · Vélez Málaga · Motril · El Ejido · Roquetas de Mar

Cadix · San Fernando · Algésiras · Ronda · Málaga · Torremolinos · Fuengirola · Marbella · Estepona

36° · C. Trafalgar · Tarifa · Gibraltar (R.-U.) · Pte d'Europe · Alborán (Esp.)

Océan Atlantique · Pte Marroqui · Détroit de Gibraltar · Tanger · Djebel Moussa 841 · Ceuta (Esp.) · C. Spartel · **Mer**

Asilah · **Chaîne du Rif** · Tétouan · C. des Trois Fourches · Melilla (Esp.)

Larache · **MAROC** · Al Hoceima · Nador

Chechaouen · Abidjan

Projection conique · 8° · 6° · 4° · 2°

Las Vegas

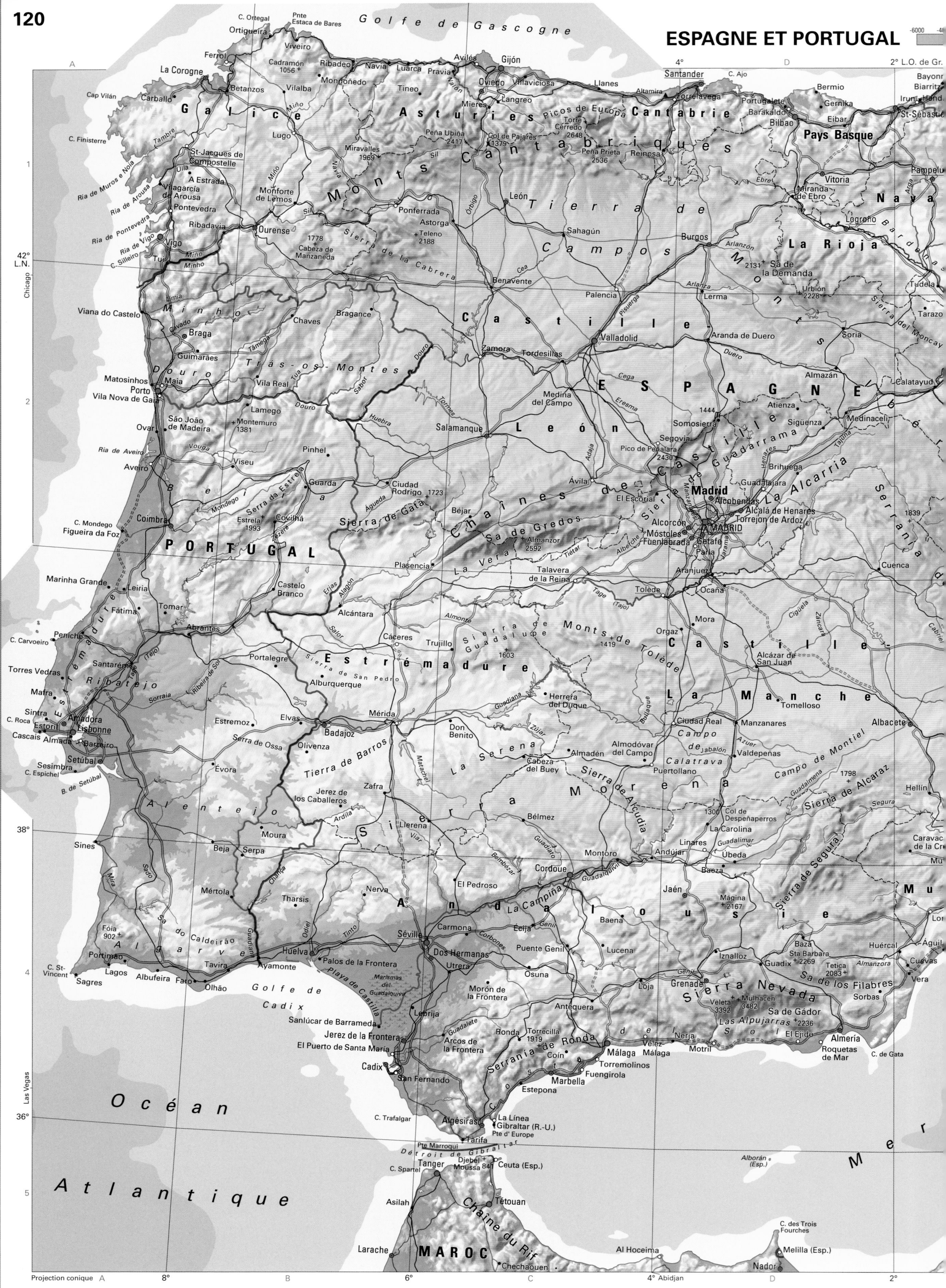

Échelle 1 : 3000000
Échelle 1 : 12000000
A. PRÉCIPITATIONS
Précipitations annuelles en mm
moins de 300
300 - 500
500 - 1000
1000 - 1600
1600 ou plus
B. DENSITÉ DE LA POPULATION
Habitants par km2
moins de 25
25 - 50
50 - 100
100 - 200
200 ou plus
Agglomération ou ville de 1 M d'habitants ou plus
500000 - 1 M d'habitants
100000 - 500000 habitants
Galice Nom et limite d'une région autonome (Espagne)
C. MINES ET INDUSTRIE
Région industrielle
Minerai de fer
Pyrite
Wolfram (tungstène)
Cuivre
Plomb et zinc
Mercure
Potasse
Sel marin
Charbon
Lignite
Pétrole
Uranium
Centrale thermique
Centrale hydroélectrique
Centrale nucléaire
D. TOURISME
Algarve Région touristique importante
Nombre de nuitées par région dans les hôtels et les campings, en millions (2005)
Pays d'origine des touristes
Espagne
Portugal
Allemagne
Benelux
France
Royaume-Uni
Italie
É.-U., Canada
Autres pays
Îles Canaries
FRANCE
ANDORRE
Catalogne
Aragón
Roussillon
Languedoc
Gascogne
BARCELONE
Saragosse
Valence
Golfe de Valence
Baléares
Majorque
Ibiza
Pityuses
Formentera
Méditerranée
ALGÉRIE
ALGER
Massif de Dahra
Massif de l'Ouarsenis
Oran
ESPAGNE
PORTUGAL
Madrid
Lisbonne
Porto
Bilbao
Séville
Cordoue
Grenade
Valladolid
La Corogne
Palma
Costa Brava
Costa Dorada
Costa del Azahar
Costa Blanca
Costa del Sol
Costa de la Luz
Costa Verde
Côte Cantabrique
Côte Basque
Rías Bajas
Costa de Prata
Algarve

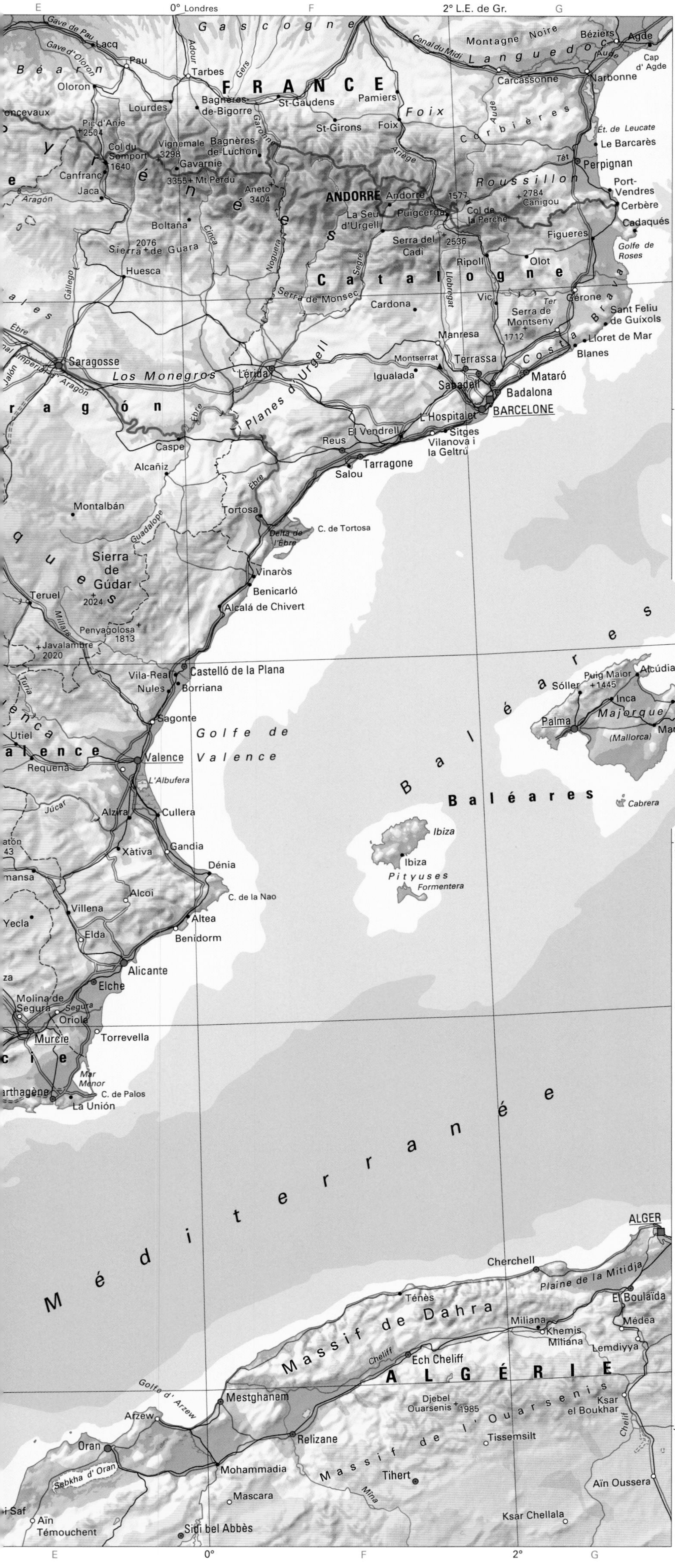

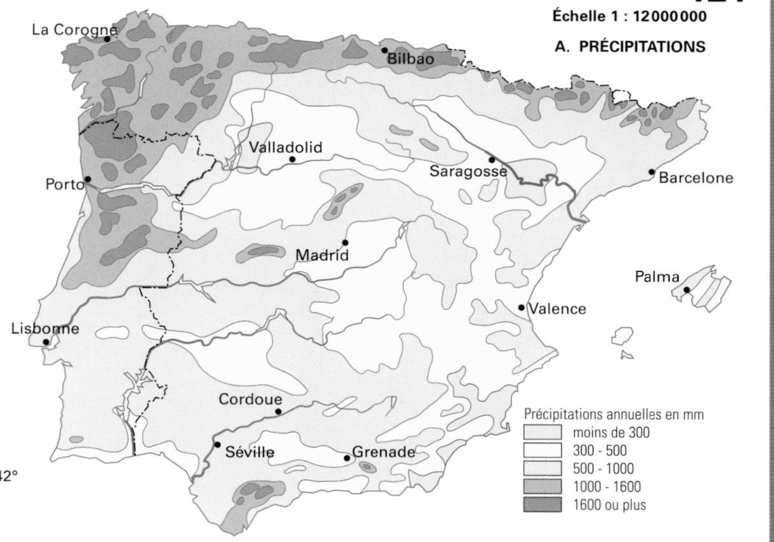

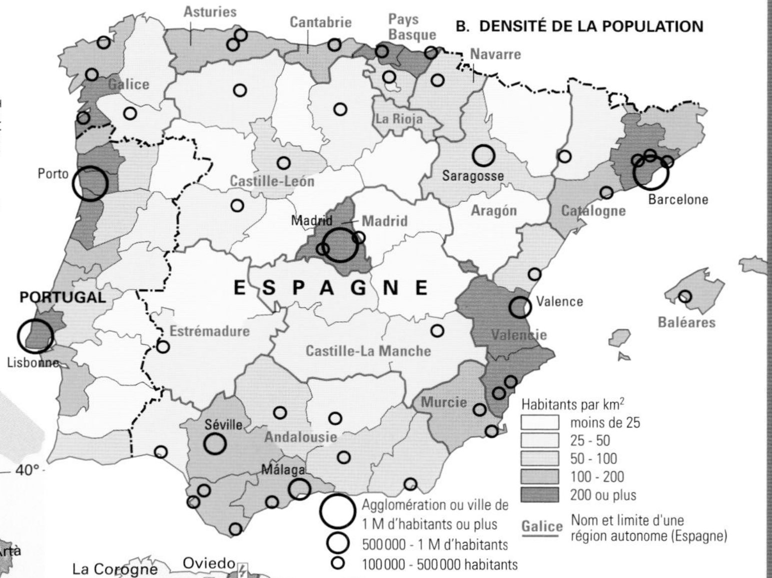

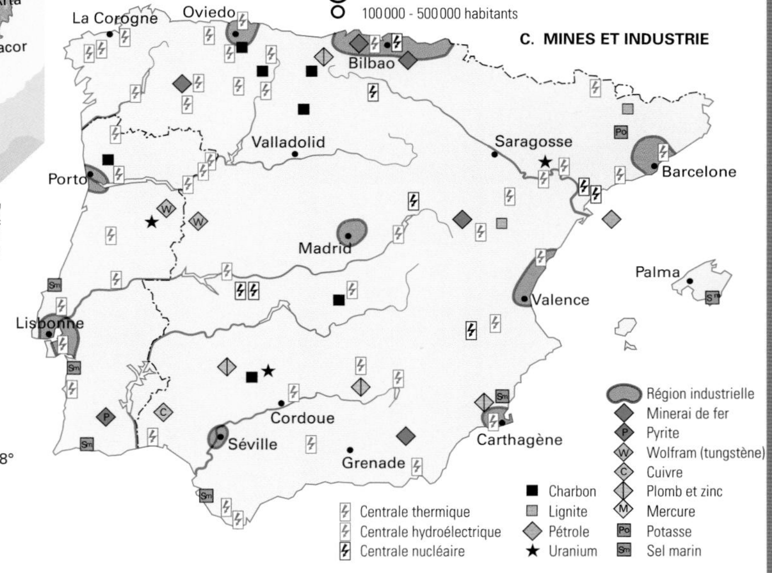

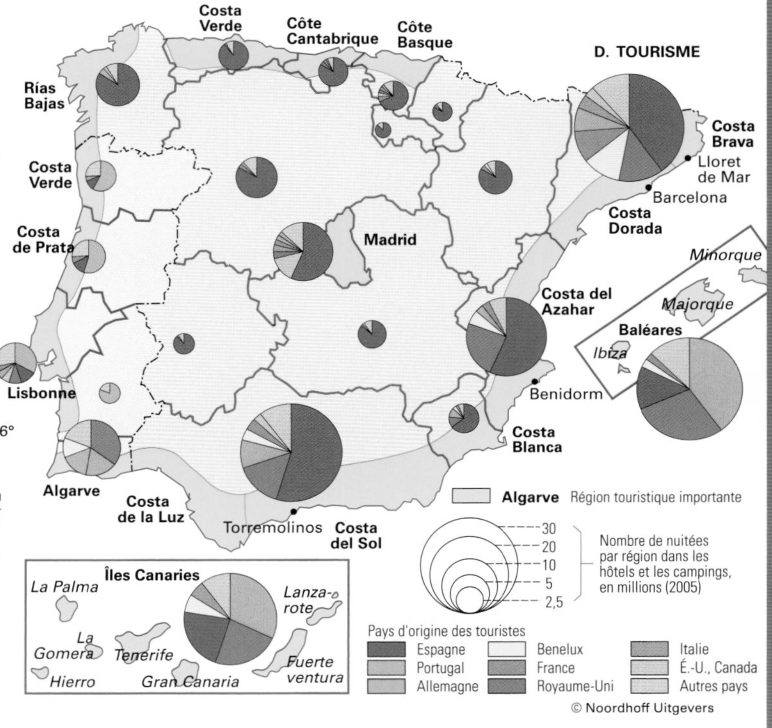

ITALIE

A. ROME 1 : 50 000

Échelle 1 : 3 000 000

1 Forum Romain
2 Forum Impérieux
3 Panthéon
4 Théâtre de Marcellus
5 Colisée
6 Circus Maximus
7 Thermes de Caracalla
8 Thermes de Dioclétien et Musée National
9 Saint-Pierre
10 Chapelle Sixtine
11 Mausolée d'Auguste
12 Monument à Victor-Emmanuel II (Vittoriano)
13 Piazza Venezia
14 Piazza della Repubblica
15 Piazza del Popolo

Centre des affaires

Autres zones de bureaux et de commerce

Bâtiment public ou monument important

Bâtiment du culte

Fouilles importantes

Mur d'enceinte

Chemin de fer

Salario Quartiers

Autres constructions urbaines

Parc, cimetière

Espace industriel

Non construit

Villa Borghese Salario Latino

Château Saint-Ange Cité du Vatican

Palazzo Barberini MONTE PINCIO

Université Stazione Termini Sta Maria Maggiore

San Giovanni in Laterano

MONTE QUIRINALE Quirinal MONTE VIMINALE MONTE ESQUILINO

Palais de Justice Piazza Navona Parlement

Palazzo Venezia Santa Maria in Trastevere

MONTE CAPITOLINO MONTE PALATINO MONTE CELIO

MONTE AVENTINO MONTE GIANICOLO

Tibre Mur Marco Polo Viale delle Terme di Caracalla

Map labels

SUISSE AUTRICHE SLOVÉNIE CROATIE BOSNIE-HERZÉGOVINE FRANCE MONACO

Lausanne Lac Léman Montreux St-Gothard Davos St-Moritz Bellinzona Lugano Locarno Brigue Bernoises Alpes Matterhorn Mt Rose 4634 Mt Blanc Chamonix Aoste Grand-St-Bernard Ivrée Turin (Torino) Pinerol Suse Col de Tende Coni Fossano Saluces Alba Asti Alexandrie Novare Verceil Biella Stresa Domodossola Verbania Sondrio Chiavenna Côme Lecco Bergame Brescia Lodi Pavie Voghera Alexandrie MILAN (MILANO) Monza Busto Arsizio Varèse

Piémont Val d'Aoste Lombardie Trentin Haut-Adige Vénétie Frioul-Vénétie-Julienne Ligurie Émilie-Romagne Toscane Ombrie Marches Abruzzes Latium Molise Campanie Pouilles

Vintimille Nice Imperia San Remo Côte d'Azur Savone Gênes (Genova) Rapallo La Spezia Riviera du Levant Riviera du Ponant Viareggio Livourne Pise Lucques Pistoie Prato Florence Empoli Sienne Arezzo Cortona Pérouse Assise Foligno Spolète Terni Orvieto Viterbe Civitavecchia Tarquinia Grosseto Piombino Portoferraio Île d'Elbe Archipel Toscan Montecristo Pianosa Giglio Giannutri Mt Argentario Orbetello

ROME (ROMA) Ostie Fregene Anzio Tivoli Frascati Velletri Frosinone Cassino Gaète Golfe de Gaète Caserte Bénévent Avellino Naples Campobasso Isernia Foggia Manfredonia Golfe de Manfredonia San Severo Mt Gargano Monte Sant'Angelo Vieste L. de Varano L. de Lesina Barletta Andria Bisceglie Molfetta Bari Bitonto Monopoli Trani Altamura

Venise (Venezia) Mestre Padoue (Padova) Trévise Vicence Vérone Belluno Cortina d'Ampezzo Bolzano Trente Riva Rovereto Mantoue (Mantova) Crémone Parme Reggio d'Émilie Modène Carpi Ferrare Rovigo Adria Chioggia Comacchio Ravenne Cesenatico Rimini Cattolica Pesaro Fano Sénigallia Ancône Loreto Macerata Ascoli Piceno Teramo Pescara Chieti L'Aquila Sulmona Avezzano Rieti

Trieste Gorizia Udine Pordenone Monfalcone Grado Caorle Lido di Jesolo Golfe de Venise Golfe de Trieste Piran Poreč Rovinj Pula Istrie (Istra) Koper Opatija

San Marino St-Marin

Split Makarska Dubrovnik Mostar Trebinje Neum Metković Ploče Korčula Hvar Brač Vis Îles Tremiti Îles Palagruža

CORSE (France) Bastia Calvi Mt Cinto 2706 Corte Porto-Vecchio Bonifacio Sartène Propriano Ajaccio Bouches de Bonifacio Aléria Olbia Porto Torres Asinara Maddalena Caprera Golfo Aranci

Mer Adriatique Mer Ligurienne Golfe de Gênes Mer Tyrrhénienne Golfe de Venise

Plaine Pontine Mts Lepini Mts Sabins Mts du Chianti Apennins Gran Sasso 2912 Alpes Carniques Alpes Juliennes Dolomites Marmolada 3342 Alpes Maritimes Alpes Cottiennes Mont Viso Grand Paradis 4061 Monte Rosa 4634

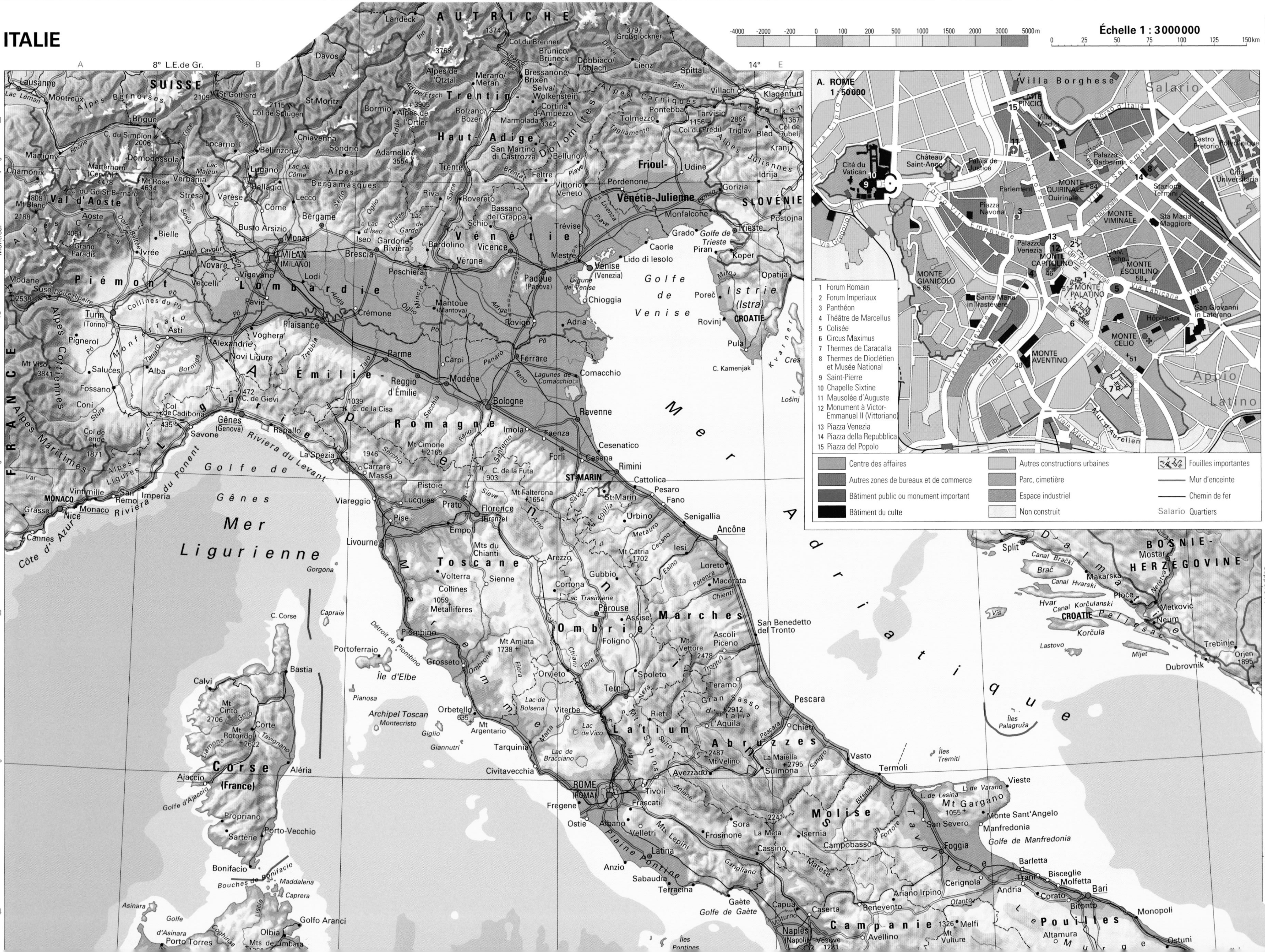

© Noordhoff Uitgevers

Mer Tyrrhénienne
Mer Ionienne
Sardaigne
Sicile
Calabre
Basilicate
TUNISIE
ALGÉRIE
Alghero
Nuoro
Mts du Gennargentu 1834
Golfe d'Orosei
Mal di Ventre
Oristano
Golfe d'Oristano
Tortoli
Campidano
Tirso
Mannu
Flumendosa
Mt Linas 1236
Iglesias
San Pietro
Carbonia
Monte is Caravius 1116
Quartu Sant'Elena
Cagliari
Golfe de Cagliari
C. Carbonara
Sant'Antioco
C. Teulada
Golfe de Tarente
Tarente (Taranto)
Manduria
Lecce
Otrante
Gallipoli
C. Sta. Maria di Leuca
Capri
Golfe de Salerne
Paestum
Agropoli
Mt Stella 1130
Tanagro
Agri
Mt du Pape 2005
Basento
Golfe de Policastro
Mt Pollino 2248
Castrovillari
Corigliano
Rossano
Crati
La Sila 1928
Neto
Point'Alice
Cosenza
Crotone
C. Colonne
Lamezia Terme
Catanzaro
Golfe de Sainte-Euphémie
Golfe de Squillace
Vibo Valentia
Stromboli
Îles Éoliennes ou Lipari
Panarea
Filicudi
Alicudi
Salina
Lipari
Vulcano
Ustica
C. Peloro
Palmi
Aspromonte 1955
Reggio di Calabria
C. Spartivento
Messine
Détroit de Messine
Peloritani
Palerme
Termini Imerese
Cefalù
Bagheria
Trapani
Levanzo
Alcamo
Marettimo
Favignana
Îles Égates
Marsala
Mts Nebrodi
Madonie 1979
1847
Etna 3323
Simeto
Taormina
Belice
Mazara del Vallo
Enna
Paternò
Acireale
Platani
Caltanissetta
Catane
Golfe de Catane
Sciacca
Salso
Agrigente
Porto Empedocle
Gela
Caltagirone
Augusta
Syracuse
Licata
Golfe de Gela
Vittoria
Ragusa
Modica
Avola
Noto
C. Passero
Détroit de Sicile
La Galite
C. Blanc
Bizerte
C. Serrat
Menzel-Bourguiba
Utique
Zembra
C. Bon
C. de Garde
Annaba
C. Rosa
El Kala
Tabarka
Mateur
Golfe de Tunis
Carthage
La Goulette
Hammam Lif
Tunis
Kelibia
Béja
Pantelleria (It.)
Lisbonne
Izmir
Tripoli
Projection conique
40°
38°
8°
10°
12°
14°
16°
18°
A B C D E F
5
6
B. PRÉCIPITATIONS 1 : 15 000 000
Turin
Milan
Venise
Trieste
Gênes
Bologne
Livourne
Florence
Ancône
Rome
Bari
Naples
Tarente
Cagliari
Palerme
Syracuse
Précipitations annuelles en mm
moins de 300
300 - 500
500 - 1000
1000 - 1500
1500 ou plus
C. DENSITÉ DE LA POPULATION 1 : 15 000 000
Agglomération de
1 M d'habitants ou plus
500 000 à 1 M d'habitants
100 000 à 500 000 habitants
Habitants par km²
moins de 50
50 - 100
100 - 200
200 - 500
500 - 1500
1500 ou plus
Catane
D. ÉNERGIE 1 : 15 000 000
Pays-Bas
Russie
Savone
La Spezia
Ravenne
Porto Torres
Gaète
Salerne
Milazzo
Augusta
Gela
Algérie
Centrale thermique
Centrale géothermique
Centrale hydroélectrique
Pétrole
Gaz naturel
Oléoduc
Gazoduc
Port pétrolier
Port méthanier
Raffinage pétrolier
E. MINES ET INDUSTRIE 1 : 15 000 000
Brescia
Modène
Elbe
Terni
Plomb et zinc
Marbre
Région industrielle
Sidérurgie
Construction navale
Construction automobile
Construction aéronautique
Industrie chimique
Industrie textile
F. RÉGIONS 1 : 15 000 000
Val d'Aoste
Trentin-Haut-Adige
Frioul-Vénétie Julienne
Lombardie
Vénétie
Piémont
Ligurie
Émilie-Romagne
Toscane
Marches
Ombrie
Latium
Abruzzes
Molise
Pouilles
Campanie
Basilicate
Calabre
Sardaigne
Sicile
Régions
Régions autonomes

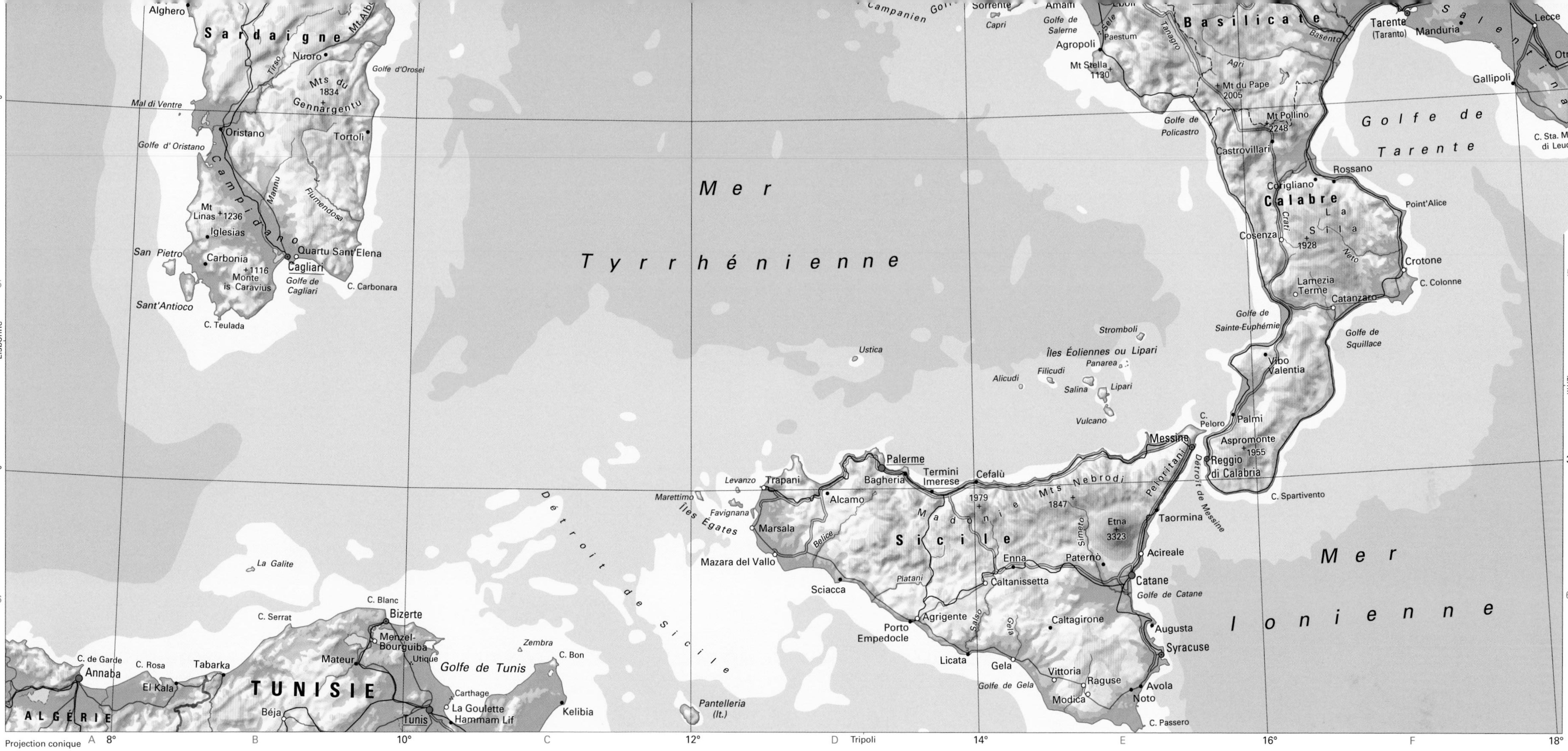

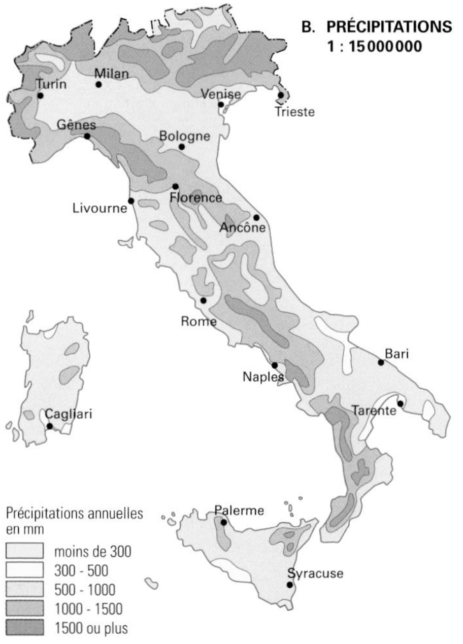

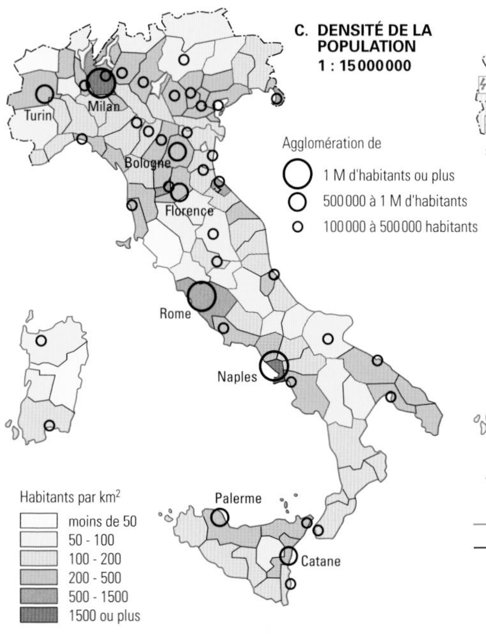

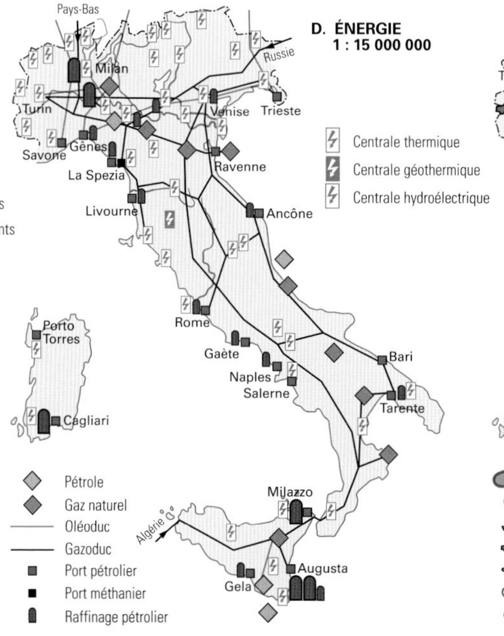

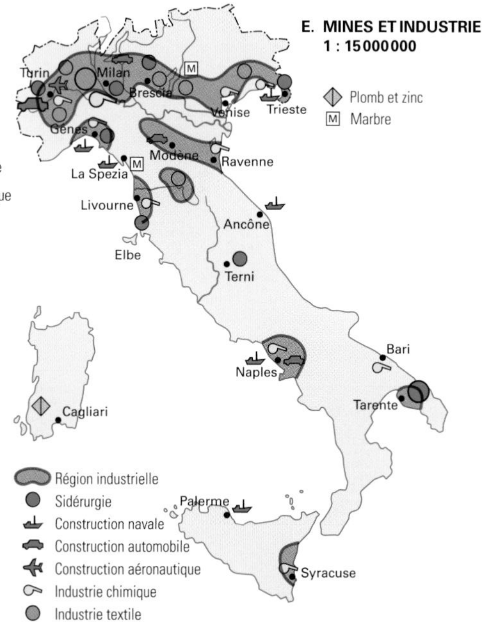

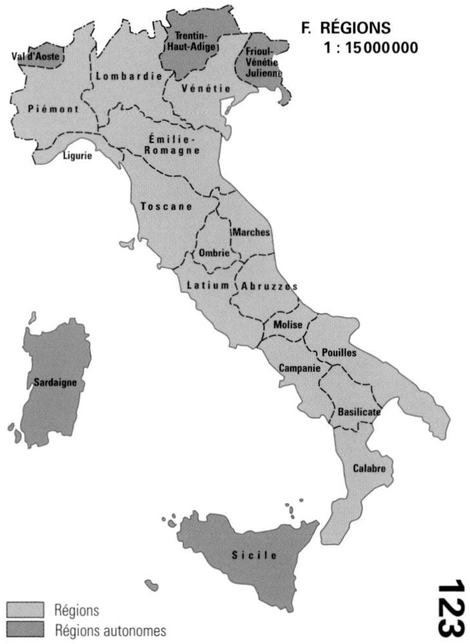

EUROPE DU SUD-EST

A. YOUGOSLAVIE 1945-1991 : CLASSIFICATION ADMINISTRATIVE ET RELIGIONS
1 : 7 500 000

Régions avec prépondérance de :
- Catholiques romains
- Orthodoxes orientaux
- Musulmans

— Limite des républiques membres de la Fédération
---- Limite de région autonome faisant partie de la république serbe

B. YOUGOSLAVIE 1990 : COMPOSITION ETHNIQUE DE LA POPULATION
1 : 7 500 000

Composition ethnique de la population dans l'ex-Yougoslavie (données 1990)

5-35%   35-60%   60% et plus
- Slovènes
- Croates
- Musulmans bosniaques
- Serbes
- Monténégrins
- Macédoniens
- Albanais
- Autres

— Limite des républiques membres de la Fédération
---- Limite de région autonome faisant partie de la république serbe

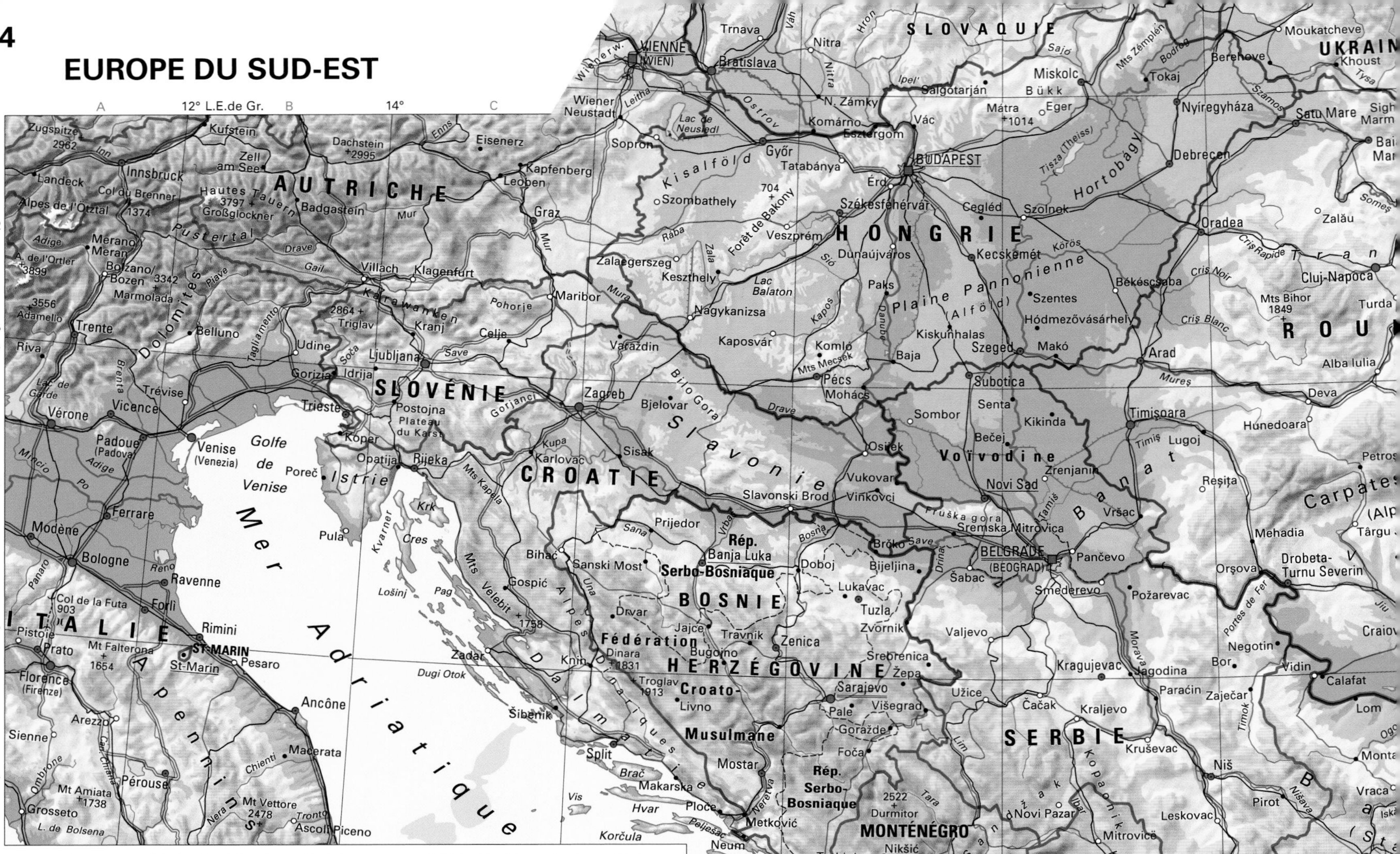

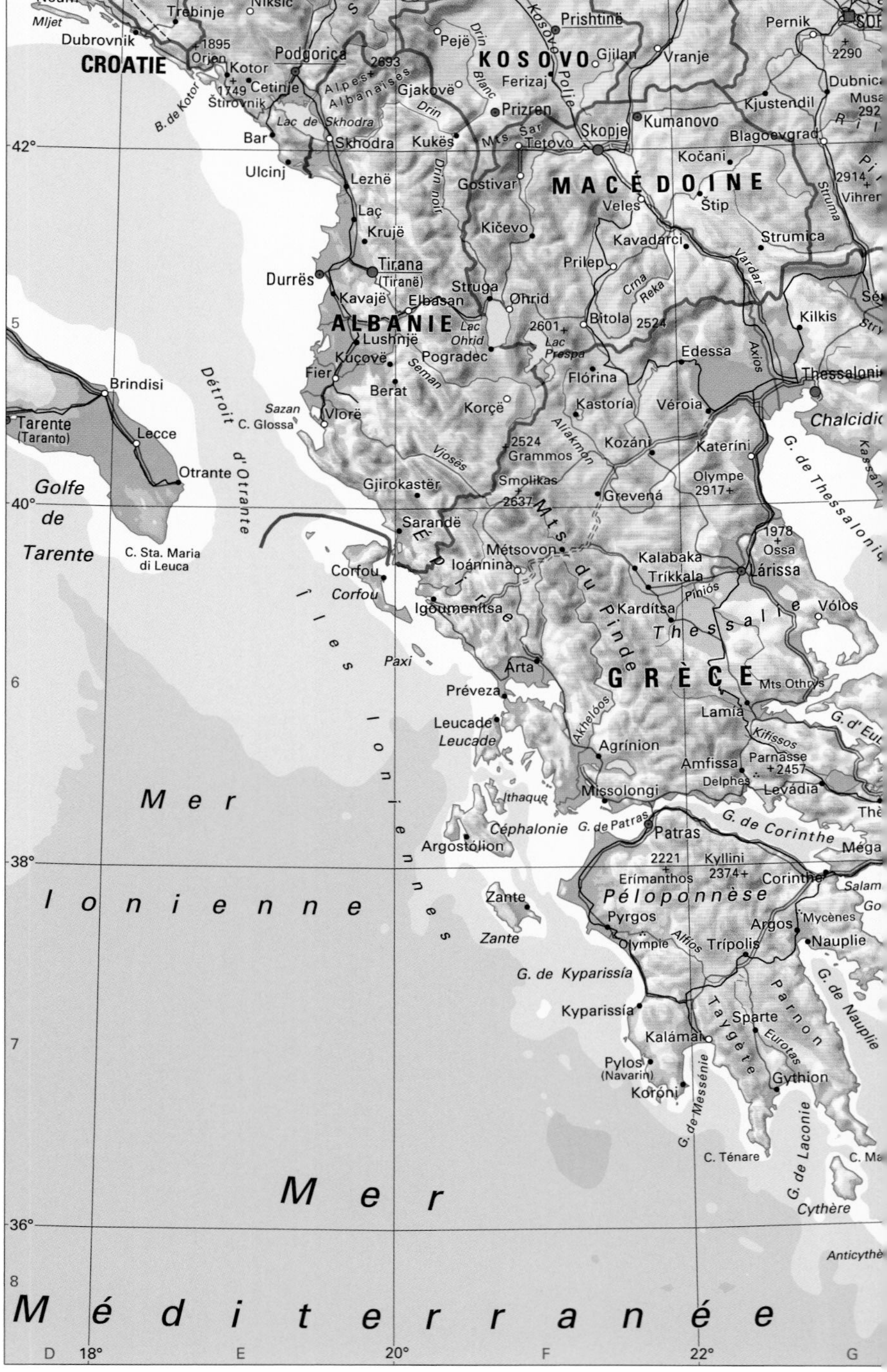

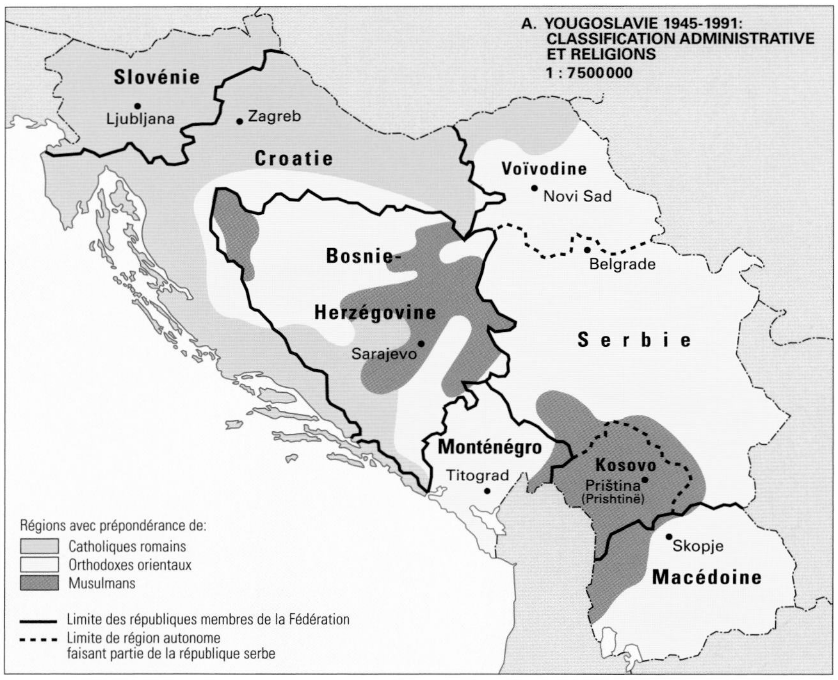

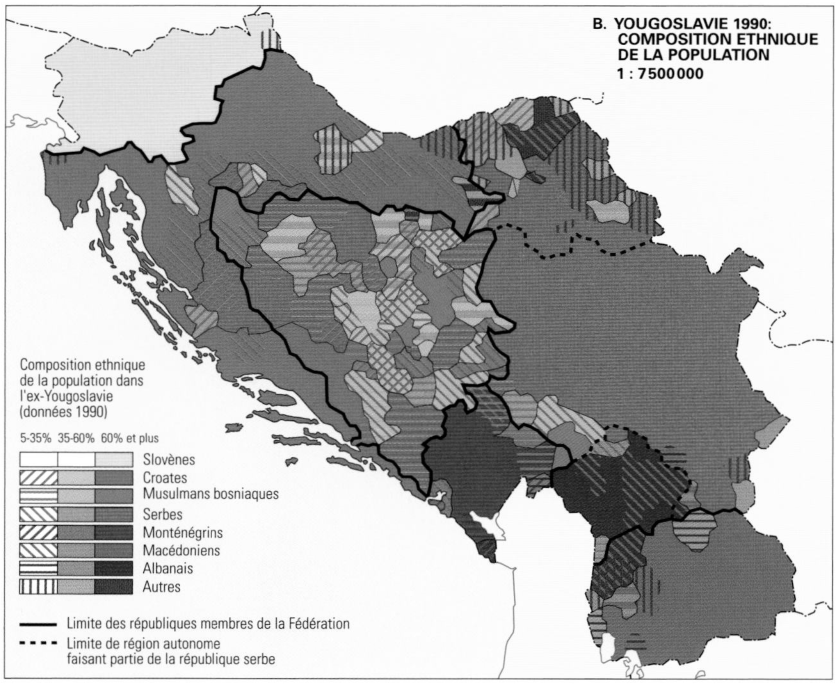

Projection conique

Échelle 1 : 4500000

0   50   100   150   200 km

-6000 -4000 -2000 -200 0 100 200 500 1000 1500 2000 3000 5000 m

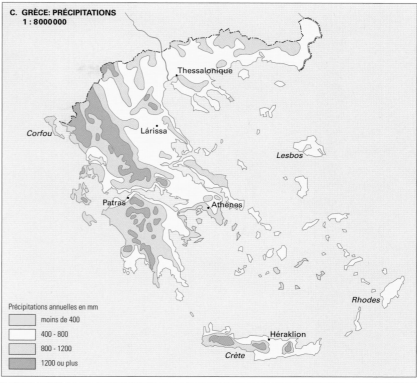

C. GRÈCE: PRÉCIPITATIONS
1 : 8000000

Précipitations annuelles en mm
- moins de 400
- 400 - 800
- 800 - 1200
- 1200 ou plus

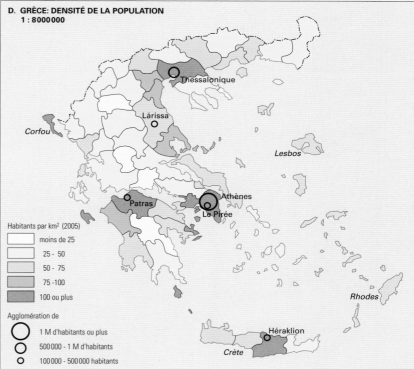

D. GRÈCE: DENSITÉ DE LA POPULATION
1 : 8000000

Habitants par km² (2005)
- moins de 25
- 25 - 50
- 50 - 75
- 75 -100
- 100 ou plus

Agglomération de
- 1 M d'habitants ou plus
- 500 000 - 1 M d'habitants
- 100 000 - 500 000 habitants

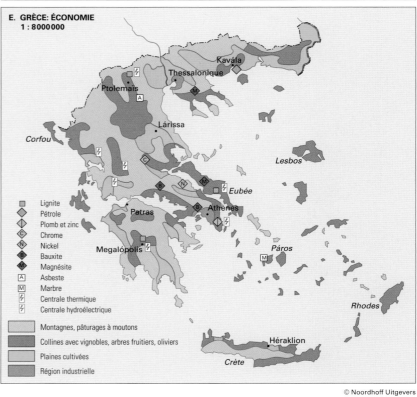

E. GRÈCE: ÉCONOMIE
1 : 8000000

- Lignite
- Pétrole
- Plomb et zinc
- C Chrome
- N Nickel
- Bauxite
- Magnésite
- A Asbeste
- M Marbre
- Centrale thermique
- Centrale hydroélectrique

- Montagnes, pâturages à moutons
- Collines avec vignobles, arbres fruitiers, oliviers
- Plaines cultivées
- Région industrielle

EUROPE ORIENTALE

Échelle 1 : 9 000 000

-4000 -2000 -200 0 100 200 500 1000 1500 2000 3000 5000 m

0 100 200 300 400 km

10° L.E.de Gr. 15° Spitzberg 20° 25° 30° 35° 40°

NORVÈGE SUÈDE DANEMARK

FINLANDE Helsinki/ Helsingfors Turku/Åbo Tammisaari/Ekenäs Hanko/Hangö Kotka

Lac Ladoga ST-PÉTERSBOURG Kronstadt (Kronstadt) Lomonosov Kolpino Gatchina Volkhov Tikhvin Tcherepovets Vologda Réservoir de Rybinsk

Uppsala Åland Golfe de Finlande Tallinn Paldiski ESTONIE Narva Novgorod Staraïa Roussa Valdaï RUSSIE Tver Rybinsk Iaroslavl Kostroma Kinechma Ivanovo Tomsk

STOCKHOLM Norrköping Visby Gotland Hiiumaa Saaremaa Kuressaare Golfe de Riga Pärnu Tartu Lac des Tchoudes (Peipous) Pskov Lac Ilmen Lovat Lac Seliger Plateau du Valdaï Klin Serghiëv Posad Orekhovo-Zouïevo Vladimir Mourom Kovrov

Örebro Lac Mälar Norrköping Jönköping Småland Öland Ventspils Rīga LETTONIE 311 Rēzekne Daugava Velikié Louki Rjev Viazma Zelenograd MOSCOU (MOSKVA) Moscova Elektrostal Podolsk Kolomna Riazan Novomoskovsk Riajsk

Göteborg Visby Liepāja Jelgava Šiauliai Panevėžys Daugavpils LITUANIE Polatsk Dvina (Dvina Occid.) Vitsebsk Smolensk Orcha Mahiliou Briansk Kalouga Serpoukhov Toula Oka Aleksin Don

Kattegat Kalmar Bornholm Klaipėda Kaunas RUSSIE Kaliningrad G. de Gdańsk Vilnius Nemunas BIÉLORUSSIE Barisau MINSK Bziarezina (Berezina) Babrouisk Homel (Gomel) Klintsy Orel Ielets Lipetsk Mitchourinsk

Malmö Lübeck Sassnitz Rügen Gdynia Gdańsk G. de Pomeranie Koszalin Olsztyn Suwałki Hrodna Białystok Baranavitchy Pinsk Mazyr Tchernihiv Koursk Stary Oskol Bielgorod Voronej

COPENHAGUE Århus Szczecin ALLEMAGNE BERLIN Francfort-sur-Oder Odra (Oder) Poznań Bydgoszcz Grudziądz Toruń POLOGNE Łomża Brest Polésie Prypiat Volhynie Korosten Nijyn Soumy

Magdebourg Leipzig Dresde Wrocław Łódź VARSOVIE (WARSZAWA) Radom Lublin Kovel Loutsk Rivne Jytomyr KYÏV (KIEV) Desna Konotip Bila Tserkva Poltava KHARKIV (KHARKOV)

Calgary Leipzig Elbe RÉP. TCHÈQUE PRAGUE (PRAHA) Plzeň Ostrava Katowice Częstochowa Kielce 612 Cracovie (Kraków) Przemyśl Lviv (Lvov) Dniestr Ternopil Khmelnytsky Vinnytsia Tcherkasy Krementchuk Lysytchansk Millerovo

Ratisbonne Brno Sudètes Carpates Hautes Tatras Ivano-Frankivsk Oujhorod Podolie Bila Kirovohrad Kryvy Rih (Krivoï Rog) Dniprodzerjynsk DNIPROPÉTROVSK Kramatorsk Stakhanov Gorlivka Goukevo Chakht

Inn Linz SLOVAQUIE Košice Tchernivtsi Bukovine 2303 Bălți MOLDAVIE Balta Mohyliv-Podilsky Iași Chișinău Tiraspol Mykolaïv Zaporijia Nikopol Novotcherkassk ROSTOV

Salzbourg VIENNE Bratislava Miskolc Győr BUDAPEST Danube Satu Mare HONGRIE Grande Plaine Hongroise Debrecen Oradea Cluj-Napoca Târgu Mureș Bacău Prout Bălți Dniestr Kherson Réservoir de Kakhovka Melitopol Berdiansk Mariupol Taganrog Ieisk

Alpes 3797 Graz Drave Lac Balaton Szeged Arad Timișoara Subotica Sibiu 2544 Brașov Galați Izmaïl Sulina ODESSA Illitchivsk Armiansk Mer d'Azov Kertch Dt. de Kertch Taman Krasnodar Kouban

Großglockner SLOVÉNIE Ljubljana Maribor Zagreb Pécs Osijek Novi Sad ROUMANIE Alpes de Transylvanie Buzău Brăila Golfe d'Odessa Crimée Ievpatoria Simferopol Feodosia Anapa Novorossiisk

Trieste Istrie Rijeka CROATIE Slavonie Danube BELGRADE (BEOGRAD) Ploiești Olt BUCAREST (BUCUREȘTI) Plaine du Danube Inférieur Constanța Mts de Crimée Sébastopol Yalta

Cres Pag Banja Luka SERBIE Craiova Ruse Dobroudja Mer Noire

Mer Adriatique BOSNIE-HERZÉGOVINE Sarajevo Niš Plaine du Danube Danube Pleven Varna Inebolu Sinop

Split Brač Hvar Korčula MONTÉNÉGRO Dubrovnik KOSOVO Podgorica Prishtinë SOFIA Balkan Burgas Zonguldak Karabük Samsun

Apennins ITALIE Bari Shkodra Skopje 2925 Plovdiv Manca BULGARIE Edirne Bosphore Karadeniz

Naples (Napoli) 1281 Vésuve Brindisi Tarente Durrës Tirana (Tiranë) MACÉDOINE Bitola Mts Rhodope ISTANBUL Üsküdar Izmit Adapazarı Chaîne Pontique Amasya Çorum Tokat Sivas Beijing

Mer Tyrrhénienne Golfe de Tarente ALBANIE Axios Thássos Mer de Marmara BROUSSE (BURSA) Bandırma Uludağ 2543 Eskişehir Kırıkkale ANKARA Kırşehir Nevşehir Kayseri Cappadoce

Mer Ionienne Leucade Pinde Thessalie Lárissa Samothrace Lemnos Lesbos Balıkesir Kütahya Afyonkarahisar Lac Tuz Konya Ereğli Kahramanmaraş

Messine Reggio di Calabria Céphalonie GRÈCE Eubée Khios İZMİR Manisa Ödemiş Uşak Pamukkale Isparta Monts Taurus Tarsus Mersin ADANA Osmaniye İskenderun

Etna 3323 Catane Sicile Détroit de Messine Zante Patras Corinthe ATHÈNES Naxos Kuşadası Aydın Menderes Muğla Denizli Antalya Alanya Silifke Golfe d'İskenderun ALEP

Mer Méditerranée C. Ténare Cythère Milo Séfaros Bodrum Marmaris Rhodes Golfe d'Antalya Lattaquié Idlib

Crète Kárpathos Rhodes CHYPRE Lefkosia SYRIE

Projection conique © Noordhoff Uitgevers

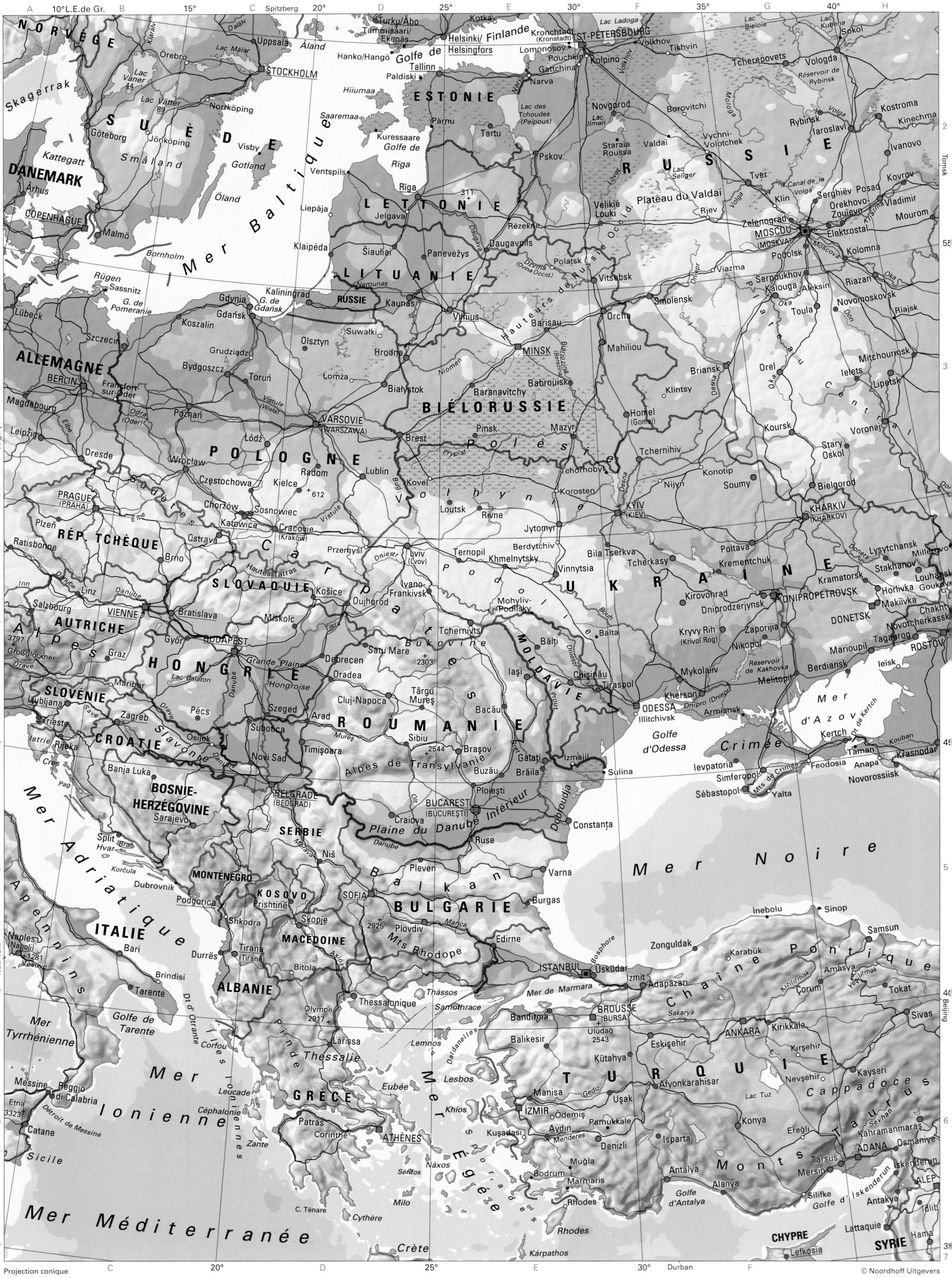

EUROPE ORIENTALE

Échelle 1 : 10 000 000

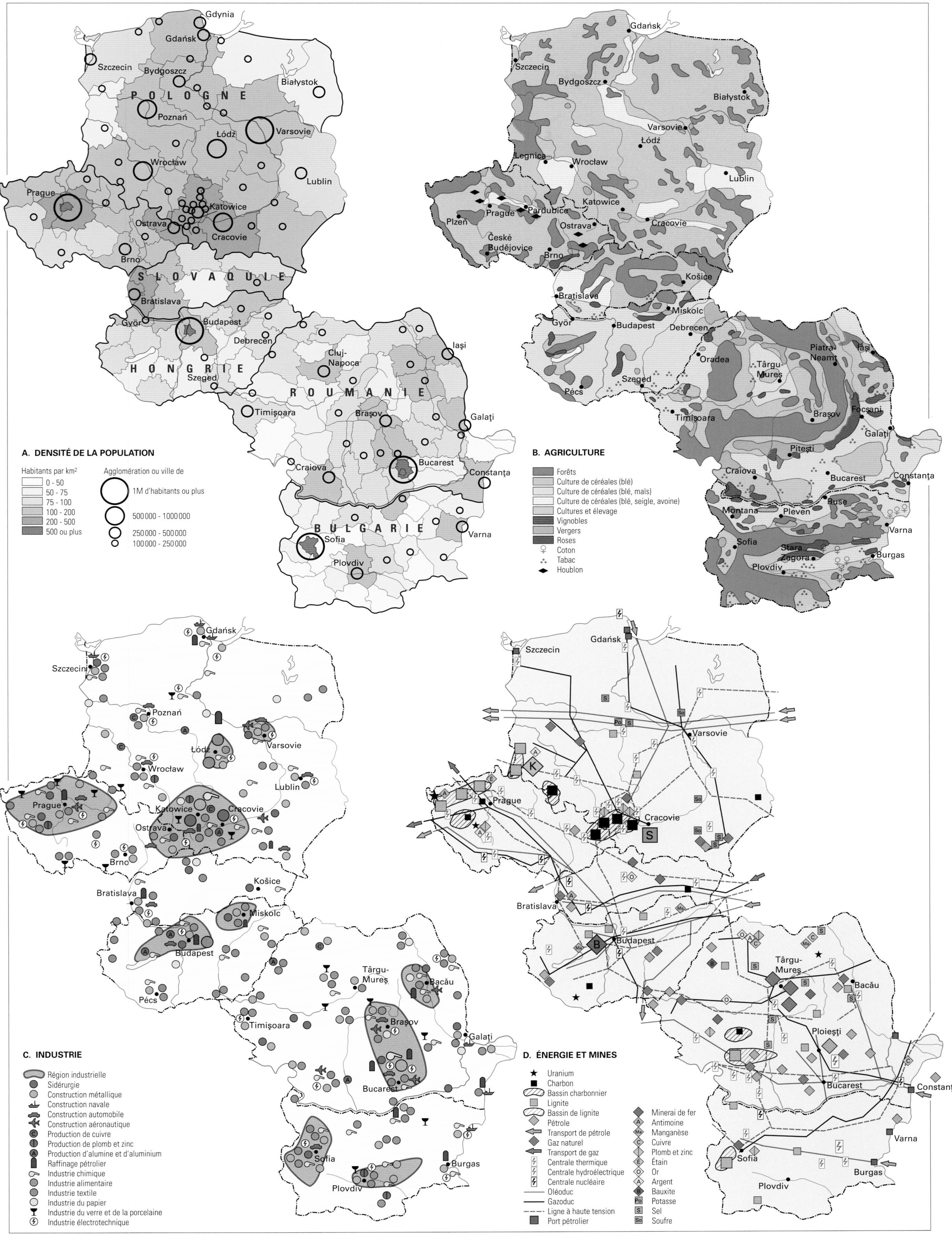

A. DENSITÉ DE LA POPULATION

Habitants par km²
- 0 - 50
- 50 - 75
- 75 - 100
- 100 - 200
- 200 - 500
- 500 ou plus

Agglomération ou ville de
- 1M d'habitants ou plus
- 500 000 - 1 000 000
- 250 000 - 500 000
- 100 000 - 250 000

B. AGRICULTURE

- Forêts
- Culture de céréales (blé)
- Culture de céréales (blé, maïs)
- Culture de céréales (blé, seigle, avoine)
- Cultures et élevage
- Vignobles
- Vergers
- Roses
- Coton
- Tabac
- Houblon

C. INDUSTRIE

- Région industrielle
- Sidérurgie
- Construction métallique
- Construction navale
- Construction automobile
- Construction aéronautique
- Production de cuivre
- Production de plomb et zinc
- Production d'alumine et d'aluminium
- Raffinage pétrolier
- Industrie chimique
- Industrie alimentaire
- Industrie textile
- Industrie du papier
- Industrie du verre et de la porcelaine
- Industrie électrotechnique

D. ÉNERGIE ET MINES

- Uranium
- Charbon
- Bassin charbonnier
- Lignite
- Bassin de lignite
- Pétrole
- Transport de pétrole
- Gaz naturel
- Transport de gaz
- Centrale thermique
- Centrale hydroélectrique
- Centrale nucléaire
- Oléoduc
- Gazoduc
- Ligne à haute tension
- Port pétrolier

- Minerai de fer
- Antimoine
- Manganèse
- Cuivre
- Plomb et zinc
- Étain
- Or
- Argent
- Bauxite
- Potasse
- Sel
- Soufre

RUSSIE ET PAYS VOISINS

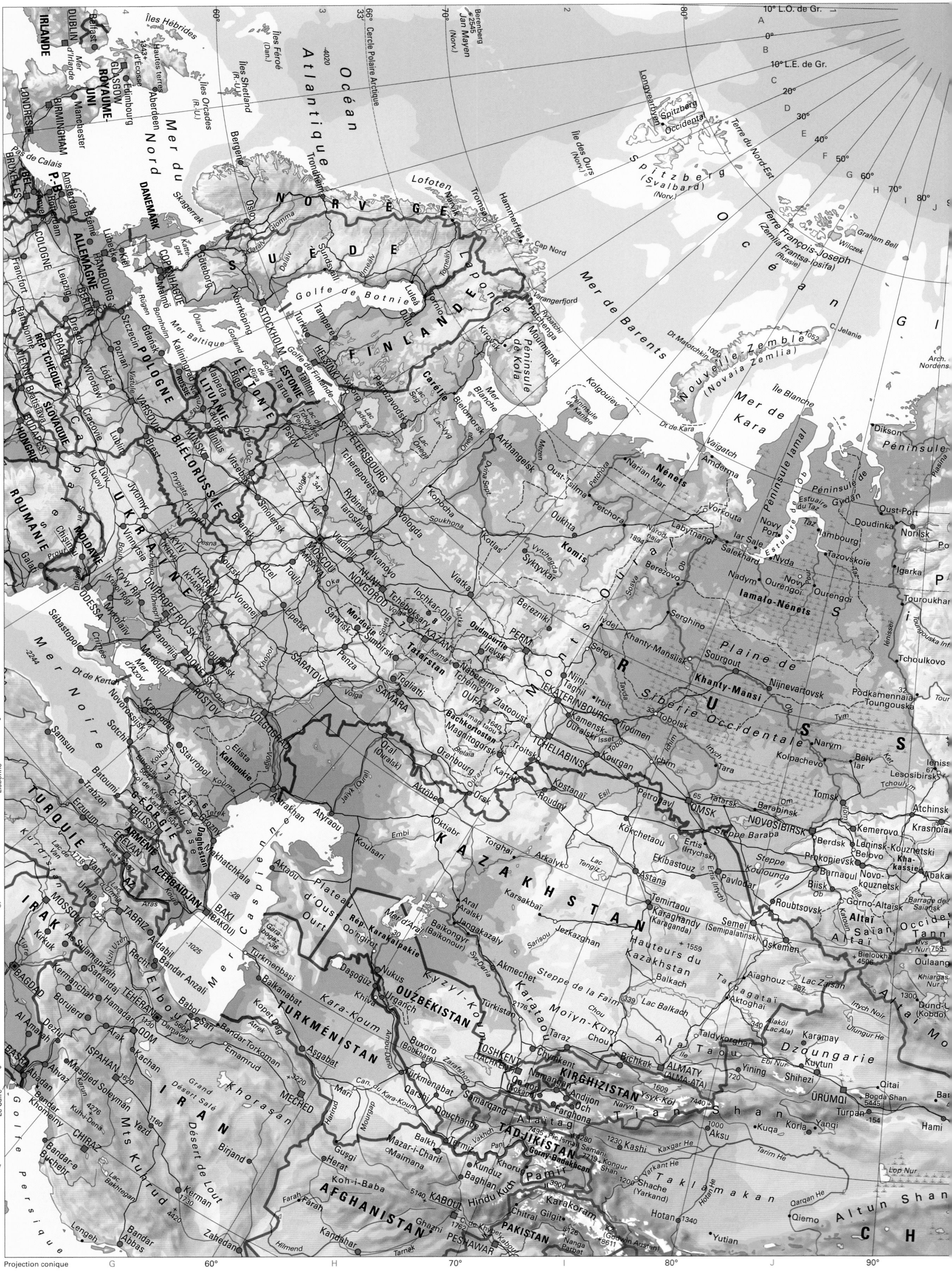

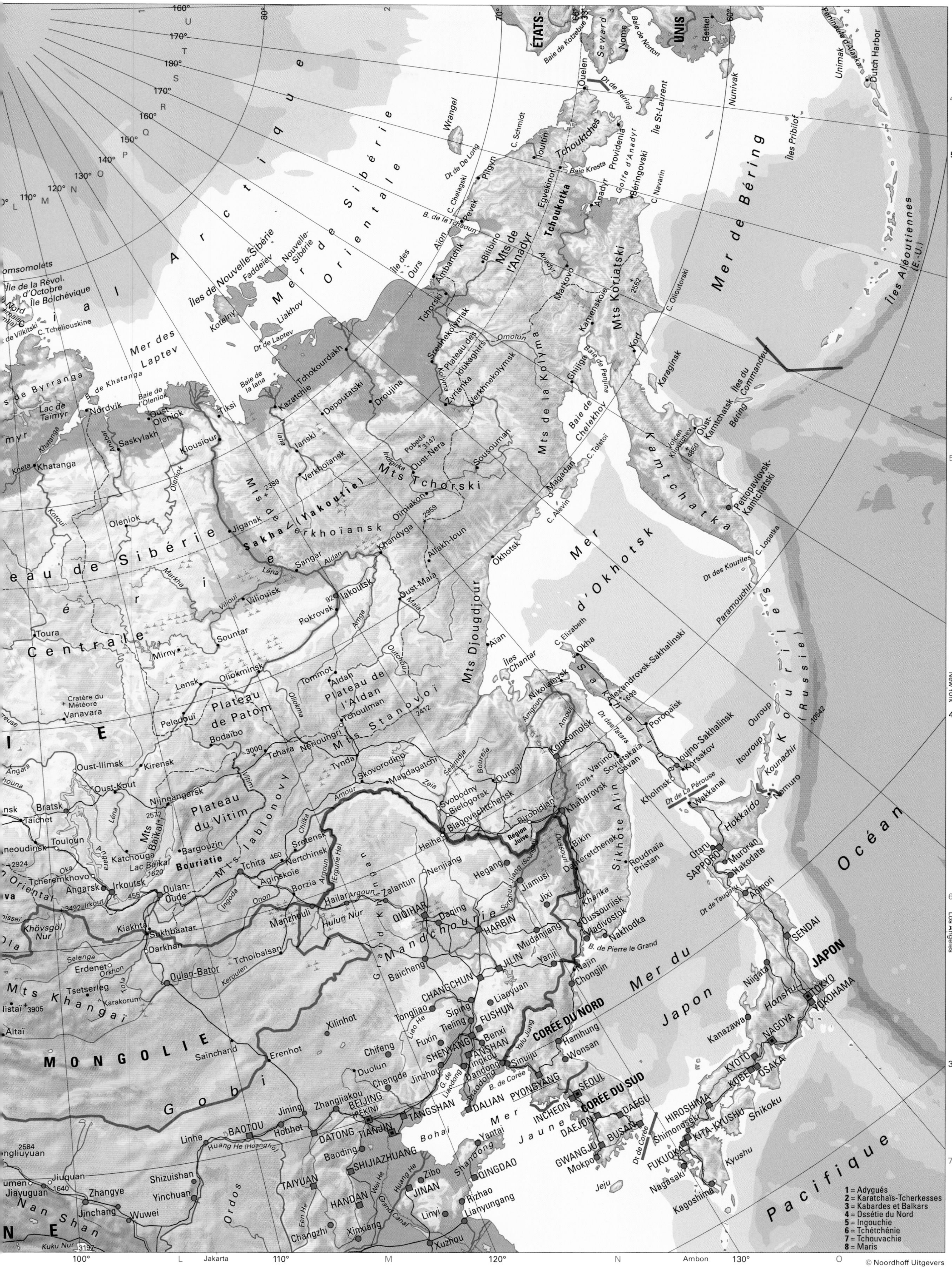

Échelle 1 : 20 000 000

0   200   400   600   800   1000 km

ÉTATS-UNIS

O c é a n

A r c t i q u e

Mer de Sibérie Orientale

Mer des Laptev

Mer de Béring

Îles Aléoutiennes

Mer d'Okhotsk

Mt s   d e   l a   K o l y m a

K a m t c h a t k a

Î l e s   K o u r i l e s   (R u s s i e)

Mer du Japon

JAPON

MONGOLIE

Gobi

Ordos

Nan Shan

MANDCHOURIE

CORÉE DU NORD

CORÉE DU SUD

Mer Jaune

Mer de Chine

Océan Pacifique

New York

Los Angeles

BEIJING (PÉKIN)

TOKYO

SÉOUL

PYONGYANG

Oulan-Bator

SHENYANG

HARBIN

CHANGCHUN

1 = Adygués
2 = Karatchaïs-Tcherkesses
3 = Kabardes et Balkars
4 = Ossétie du Nord
5 = Ingouchie
6 = Tchétchénie
7 = Tchouvachie
8 = Maris

© Noordhoff Uitgevers

RUSSIE ET PAYS VOISINS

Échelle 1 : 60 000 000

A. GEL ET TRAFIC PAR VOIE D'EAU

Voies d'eau inutilisables par suite du gel (jours/an)
- 0 - 60
- 60 - 120
- 120 - 180
- 180 - 240
- 240 ou plus

- Banquise, situation en été
- Voie maritime du Nord en été
- Rivière navigable
- Canal

Canaux de navigation :
1. Canal Lénine (Volga-Don)
2. Canal Moscou-Volga
3. Canal Volga-Mer Baltique
4. Canal Baltique (Mer Baltique-Mer Blanche)

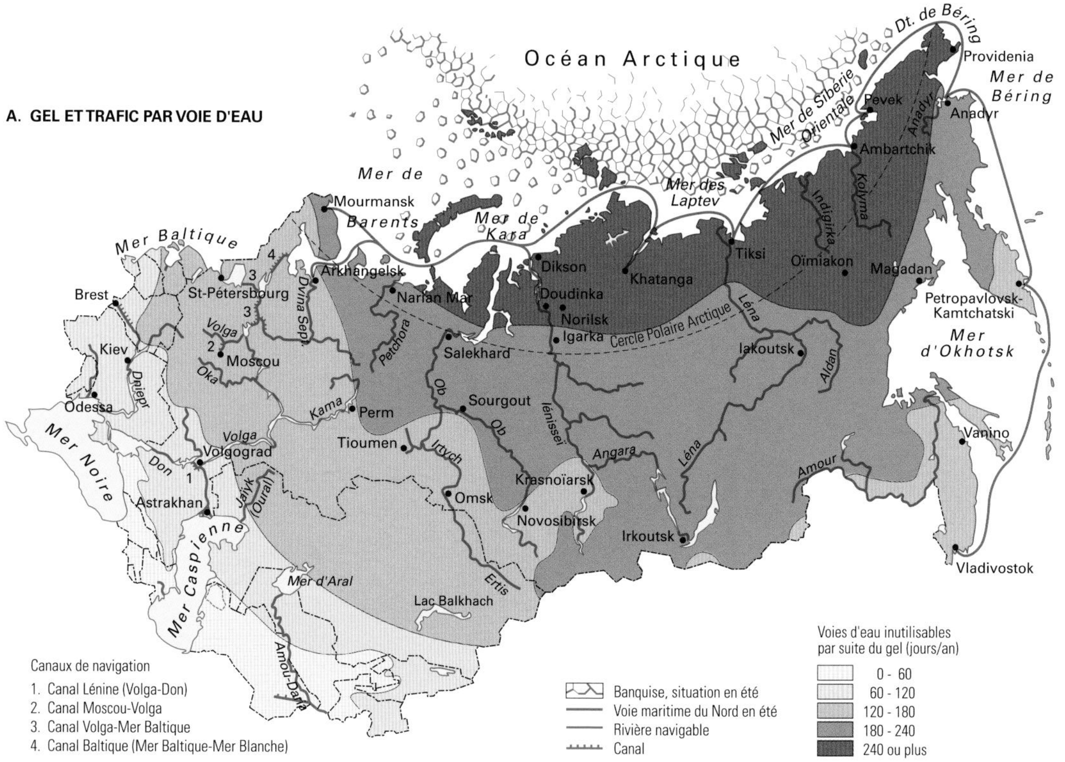

B. EXTENSION DE LA RUSSIE

- Grande Principauté de Moscou en 1462
- Expansion entre 1462 et 1590
- Expansion entre 1590 et 1689
- Expansion entre 1689 et 1855
- Expansion entre 1855 et 1914
- Expansion de l'URSS entre 1914 et 1945

Pamir Espace annexé
1860 Année d'annexion
Année de fondation
Région autrefois annexée, mais perdue définitivement avant 1991

Alaska 1792-1867

C. GROUPES DE SOLS

- Sols de toundra
- Podzols (sols de couleur cendrée)
- Sols bruns
- Tchernozem (terres noires)
- Sols châtains
- Sols de steppe et de désert gris et bruns (sols salins inclus)
- Sols méditerranéens rouges et jaunes
- Sols de montagne
- Limite Sud de la merlzota (pergélisol)
- Limite Sud de la merlzota discontinue

D. UTILISATION DU SOL

- Improductif
- Forêts
- Élevage extensif (moutons, rennes)
- Cultures (pomme de terre, seigle, avoine, lin) et élevage intensif
- Cultures (blé, maïs, betterave sucrière, tournesol) et élevage intensif
- Plantes subtropicales (thé, agrumes)
- Cotonnier
- Arbuste à thé
- Vignoble
- Riz

© Noordhoff Uitgevers

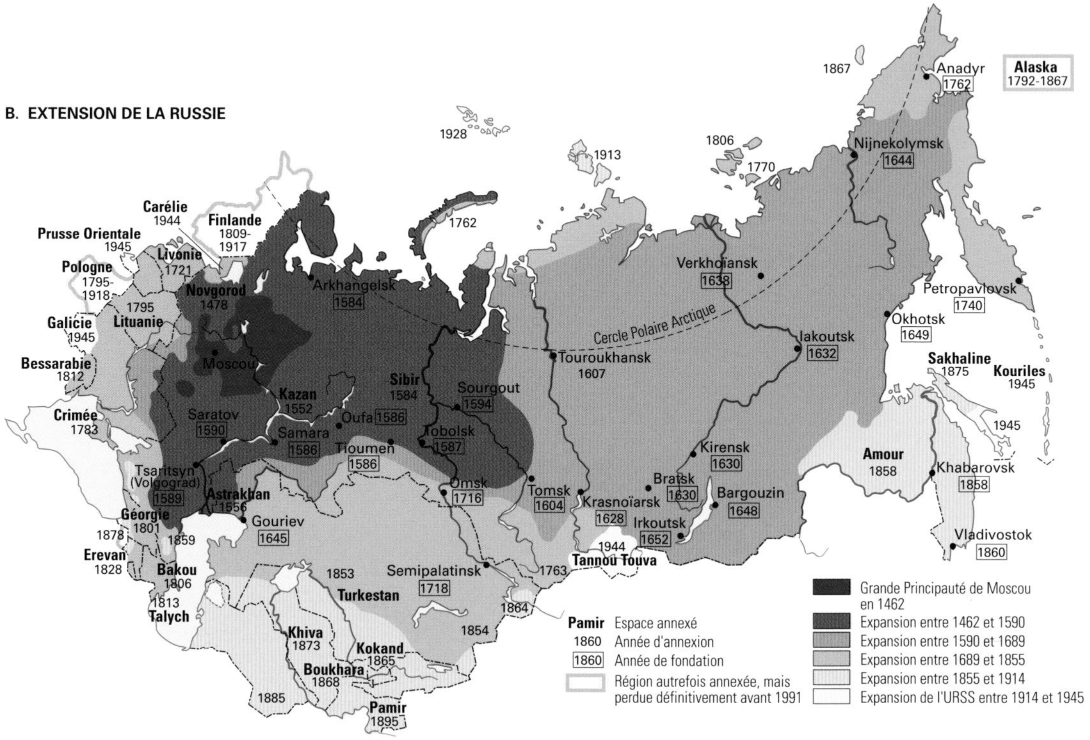

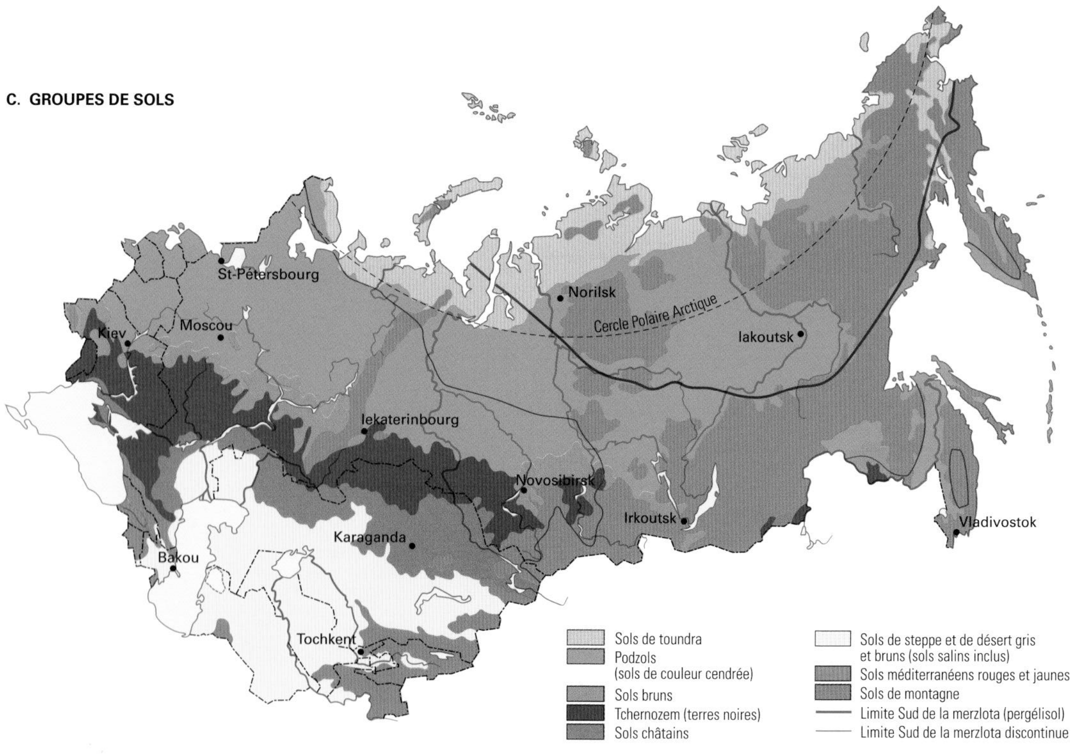

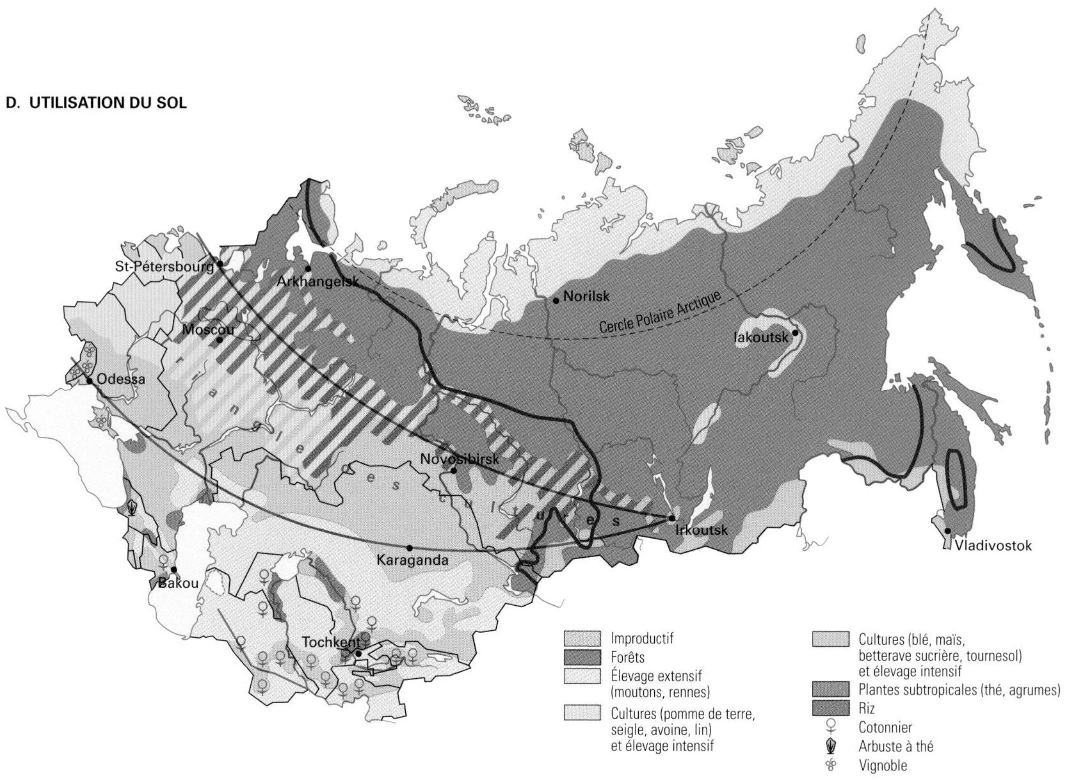

RUSSIE ET PAYS VOISINS

Échelle 1 : 60 000 000

A. DENSITÉ DE LA POPULATION

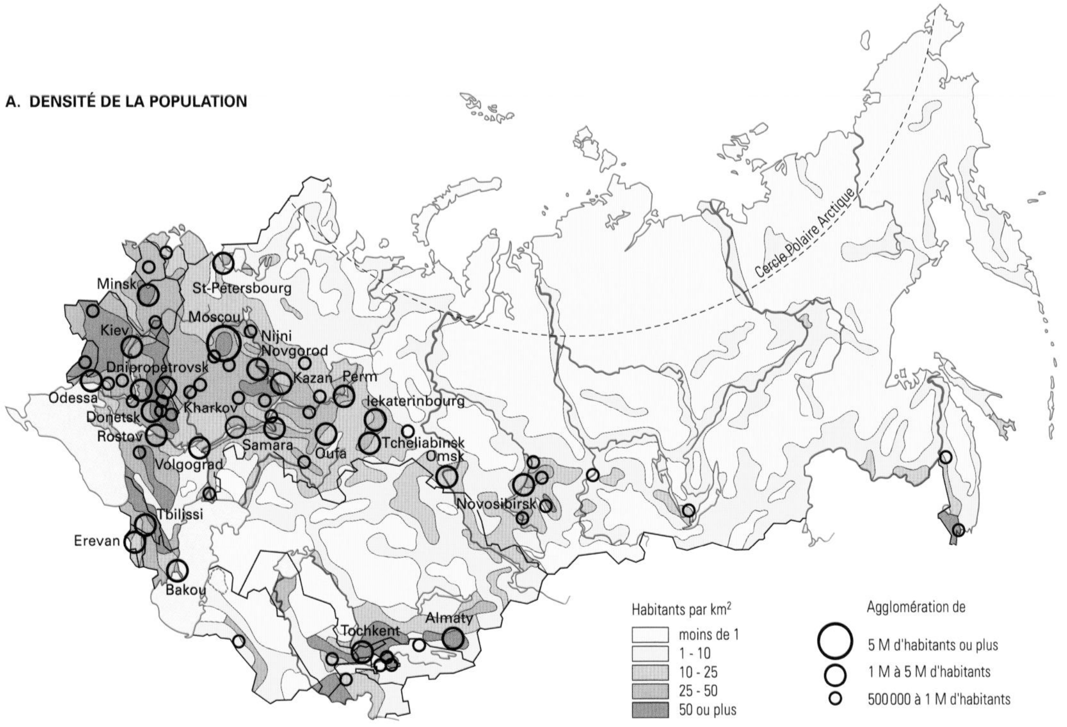

B. ÉNERGIE

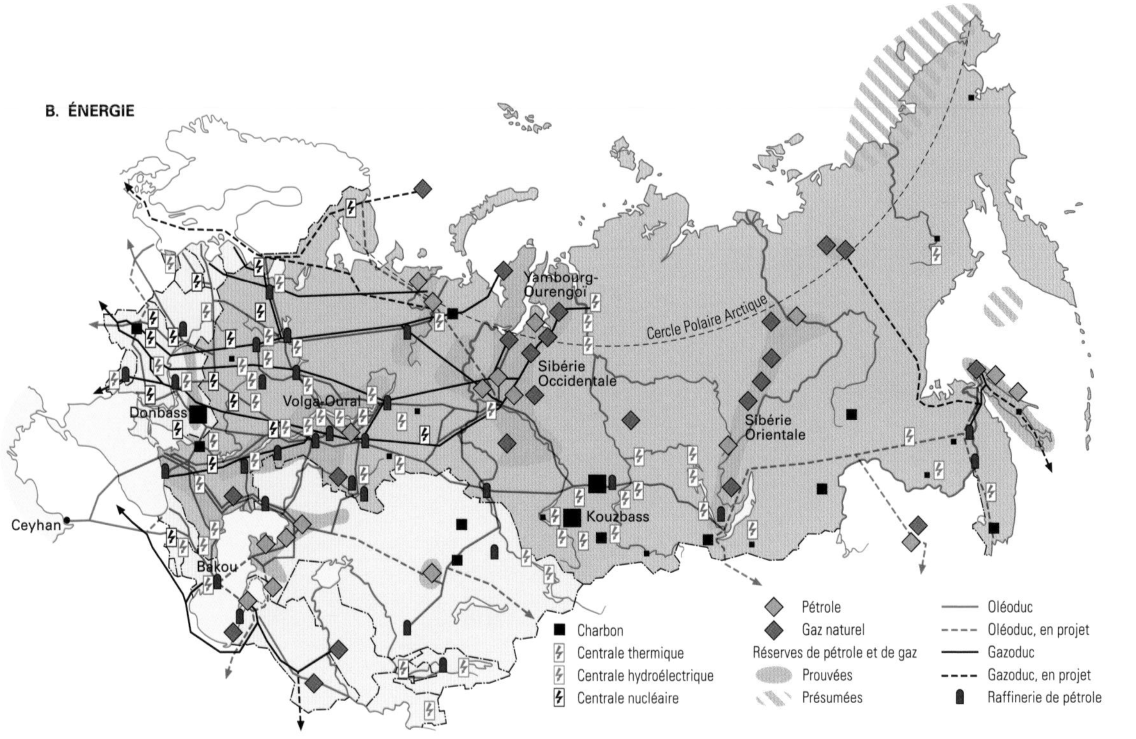

C. INDUSTRIE

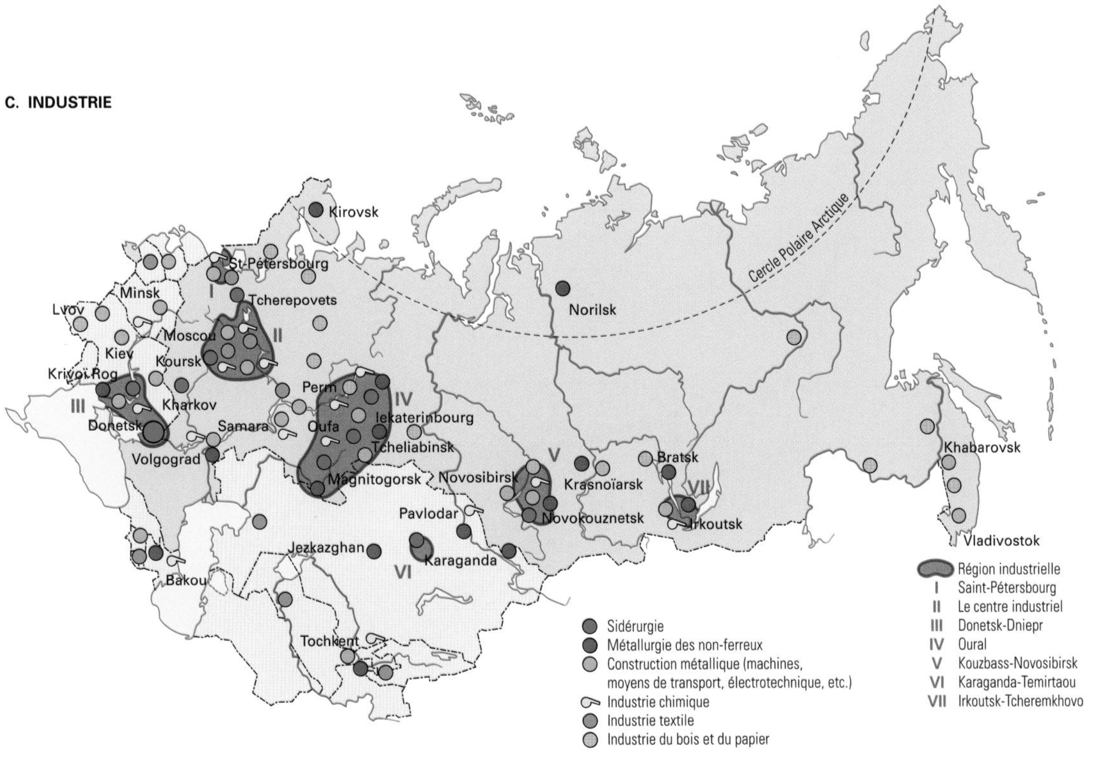

D. TRANSPORTS

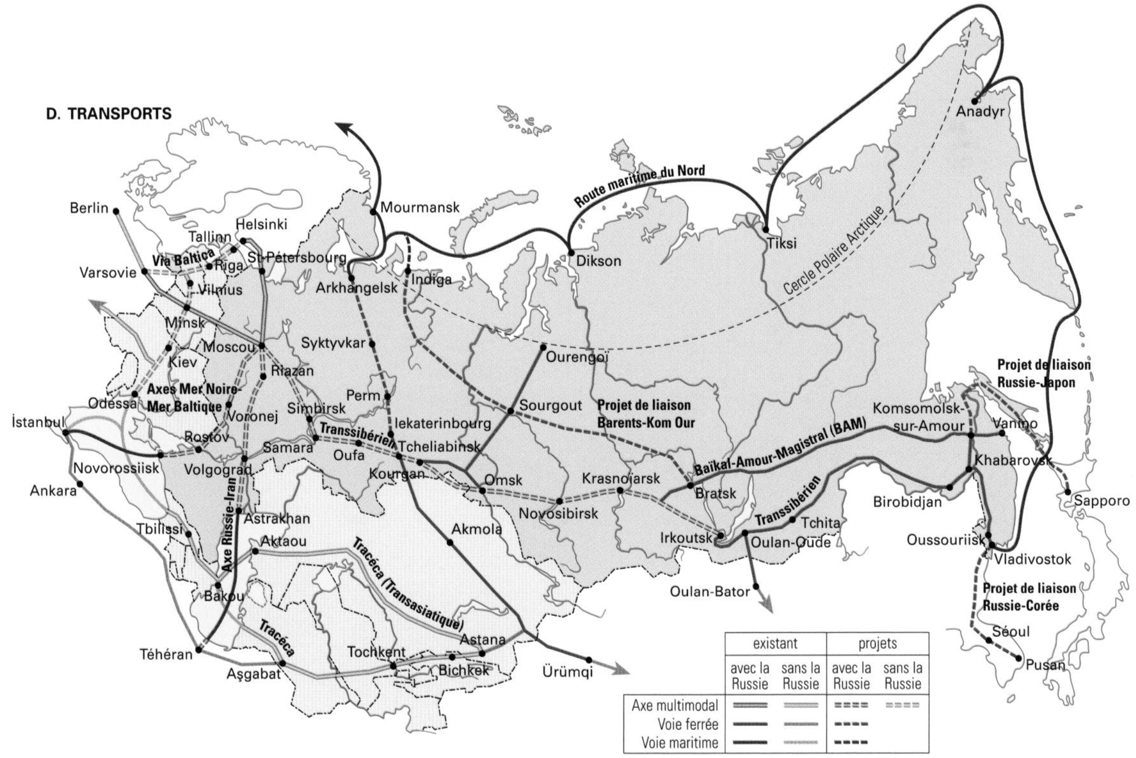

RUSSIE ET PAYS VOISINS

A. STRUCTURE ETHNIQUE DE LA POPULATION
1 : 60 000 000

LANGUES
INDO-EUROPÉENNES
Slave et balte
Russes
Autres slaves
Baltes
Iranienne
Tadjiks, Ossètes
Autres
Roumains, Moldaves
Arméniens

NB Sur la totalité du territoire de l'ex-URSS,
les Russes se sont installés au fil des siècles et
côtoient en grand nombre les peuples autochtones.

LANGUES OURALIENNES
Finno-ougriens
Samoyèdes

(classification sur la base
des parentés linguistiques)

LANGUES ALTAÏQUES
Turcs
Toungous-Mantchous
Mongols

AUTRES LANGUES
Sud-Caucasiennes
Nord-Caucasiennes
Paléo-Sibériennes
Chinois
Coréens

B. PROBLÈME DES NATIONALITÉS
1 : 60 000 000

I = Adygués
II = Karatchaïs-Tcherkesses
III = Kabardes et Balkars
IV = Ossétie du Nord
V = Ingouchie
VI = Tchétchénie

Évolution de la structure
des nationalités
100% — Russes
50% — Autres
0% — Autochtones
1926 1959 1989

Pourcentage de la population
dont le russe n'est pas
la langue maternelle
0 - 20
20 - 40
40 - 60
60 - 80
80 - 100

Frontière internationale
Frontière interne en Russie

C. POUVOIR D'ACHAT
1 : 120 000 000

Pouvoir d'achat par habitant comparé
avec la Russie (2003)
12 25 50 100 125 142

D. MORTALITÉ INFANTILE
1 : 120 000 000

Mortalité infantile pour 1000 naissances
vivantes (2003)
8 10 30 50 70 79

E. NATIONALITÉS PAR RÉPUBLIQUE DE L'URSS EN 1989

Estonie
Lettonie
Arménie
Turkménistan
Lituanie
Kirghizie
Moldavie
Tadjikistan
Géorgie
Azerbaïdjan
Biélorussie
Kazakhstan
Ouzbékistan
Ukraine
Russie

% du total de l'ex-URSS

Population dont la nationalité
correspond à la république
Autres habitants de nationalité russe
Autres habitants
Population au sein
des républiques

F. MOSCOU
1 : 300 000

Kremlin
Centre du Gouvernement et
des affaires
Moscou en 1650
Extensions jusqu'en 1917
Extensions après 1917 et autres
constructions
Espace industriel
Aéroport
Parc
Forêts
Zone principalement agricole
Chemin de fer avec gare
Autoroute
Route principale
Autres routes
Limite de la ville

1 Stade Dynamo
2 Stade Lénine
3 Université Lomonosov
4 Stade Lokomotiv
5 Tour Ostankino

© Noordhoff Uitgevers

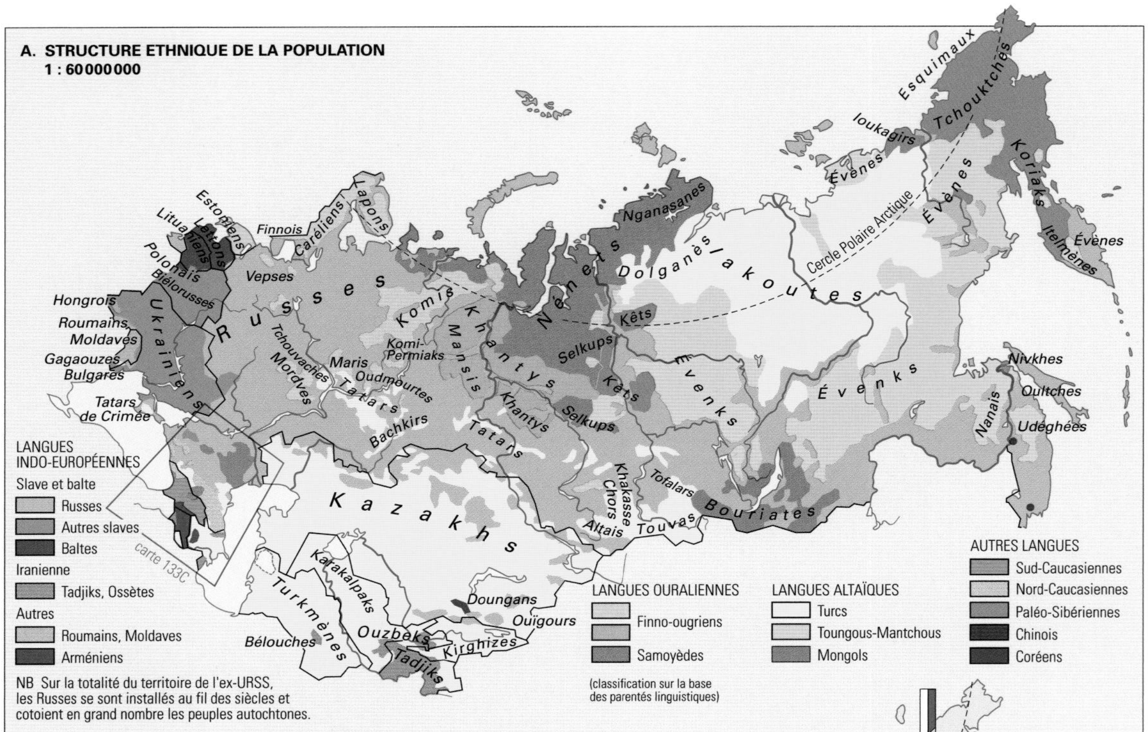

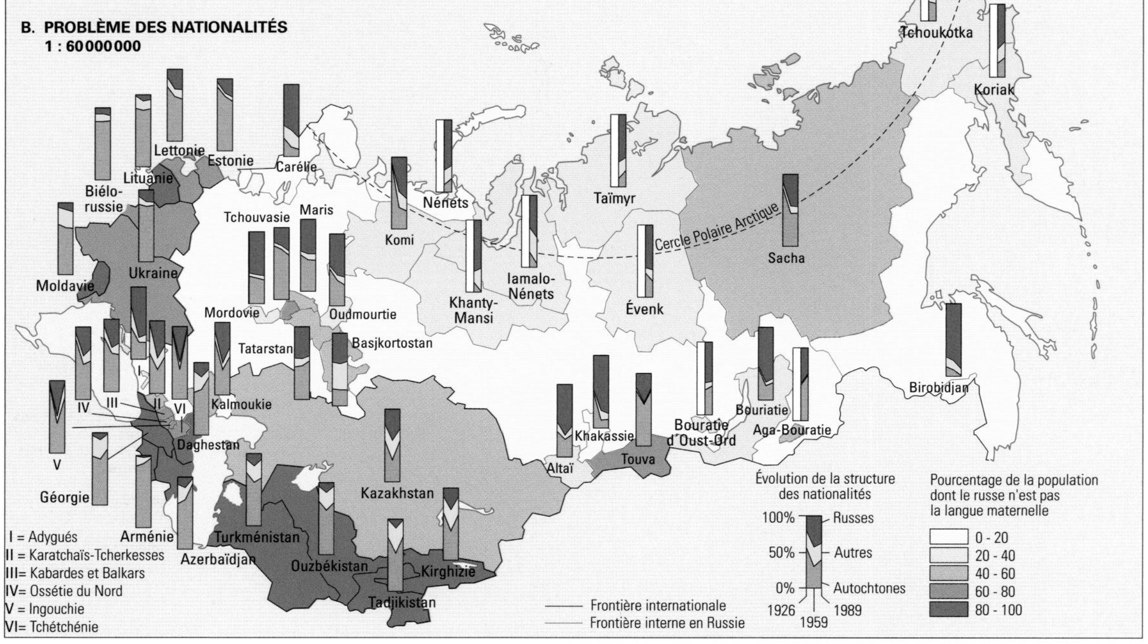

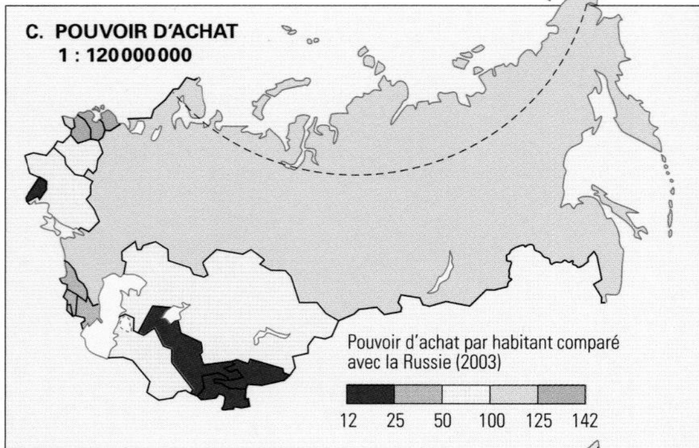

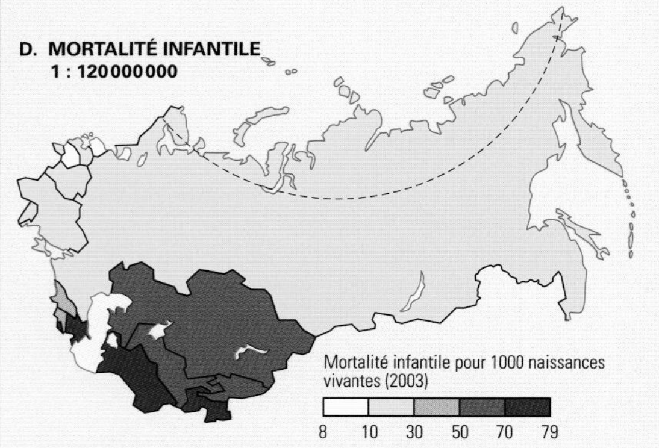

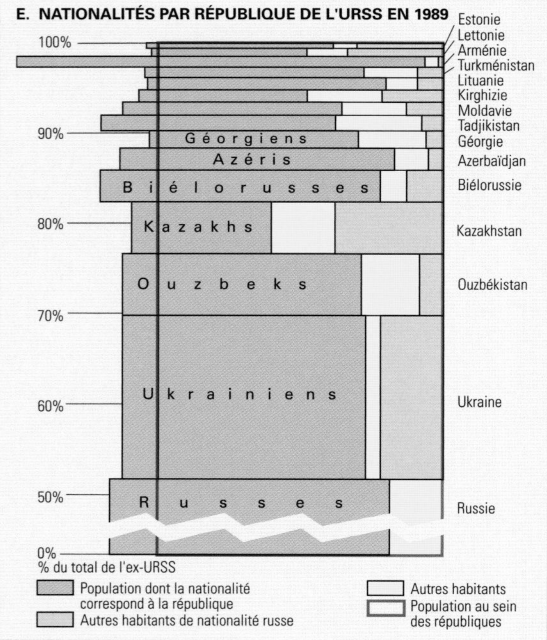

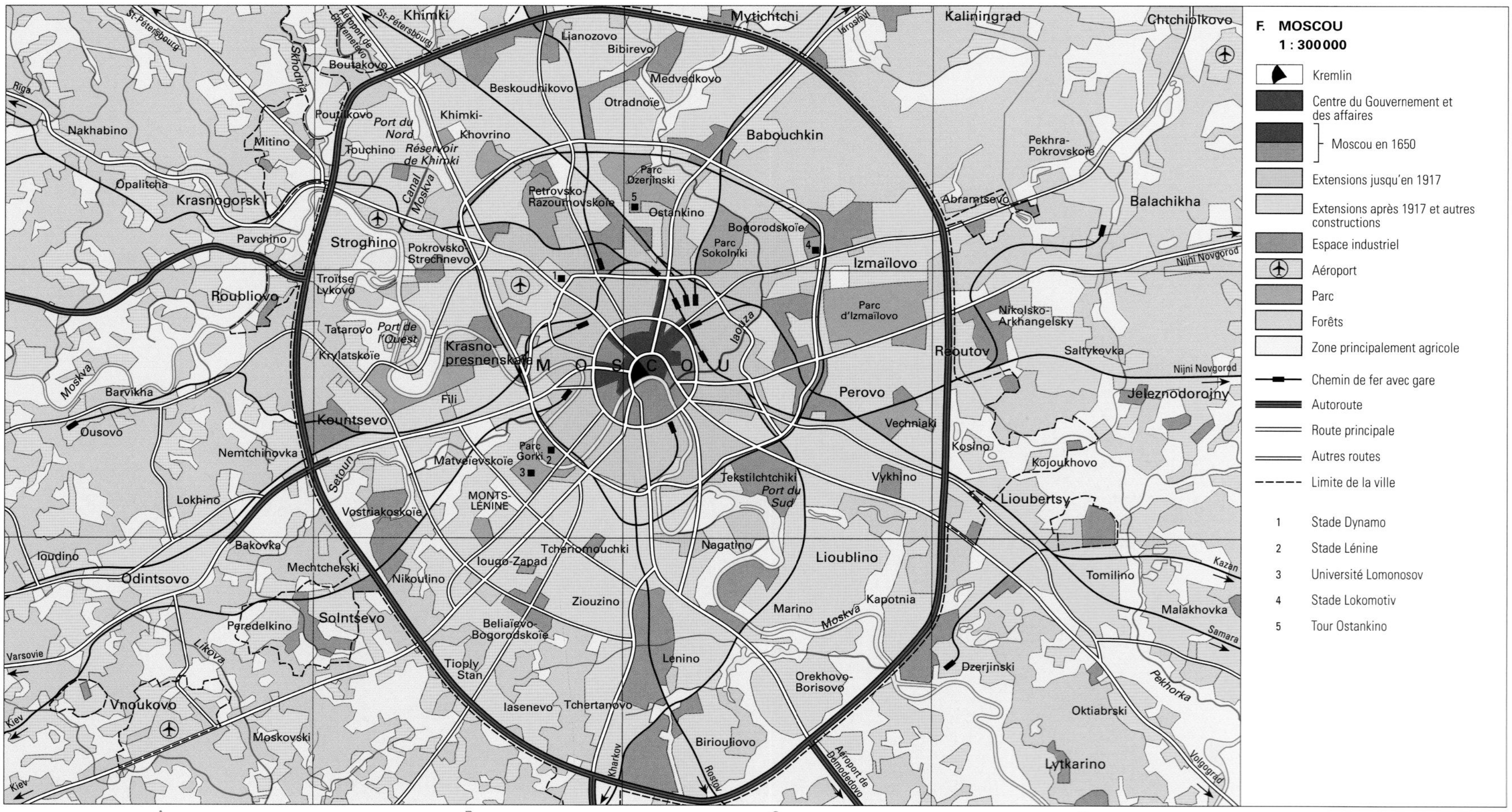

RUSSIE ET PAYS VOISINS

A. COMMUNAUTÉ DES ÉTATS INDÉPENDANTS
1 : 34 000 000

La Communauté des États Indépendants (CEI) est une association de coopération entre douze des quinze États qui sont nés de la dissolution de l'ex-URSS.
Entre 1992 et 1994, toutes les ex-républiques soviétiques y ont adhéré, sauf l'Estonie, la Lettonie et la Lituanie.

STRUCTURE ADMINISTRATIVE DE LA RUSSIE
La Russie est une fédération de 21 républiques, 48 régions (oblast), 7 territoires (kraï) et 2 villes avec statut fédéral.

Républiques
Régions (oblast) et territoires (kraï)
Arrondissements et régions autonomes
----- Okrougs fédéraux

STRUCTURE ADMINISTRATIVE DES AUTRES PAYS DE LA CEI
Seules sont indiquées les républiques et les régions autonomes

ARMÉNIE État membre de la CEI (Communauté des États Indépendants)

Russie		
Républiques:	XIX Touva	17 Tambov
I Adygués	XX Bouriatie	18 Koursk
II Karatchaïs-Tcherkesses	XXI Sakha (Iakoutie)	19 Belgorod
III Kabardes et Balkars	Régions (oblast) et territoires (kraï)	20 Voronej
IV Ossétie du Nord	1 Leningrad	21 Mourmansk
V Ingouchie	2 Pskov	22 Arkhangelsk
VI Tchétchénie	3 Novgorod	23 Vologda
VII Daghestan	4 Tver	24 Nijni Novgorod
VIII Kalmoukie	5 Iaroslavl	25 Kirov
IX Mordovie	6 Kostroma	26 Penza
X Tchouvachie	7 Ivanovo	27 Oulianovsk
XI Maris	8 Smolensk	28 Samara
XII Tatarstan	9 Moscou	29 Saratov
XIII Oudmourtie	10 Vladimir	30 Volgograd
XIV Bachkortostan	11 Kalouga	31 Astrakhan
XV Carélie	12 Toula	32 Rostov
XVI Komis	13 Riazan	33 Krasnodar
XVII Altaï	14 Briansk	34 Stavropol
XVIII Khakassie	15 Orel	35 Perm
	16 Lipetsk	36 Sverdlovsk
		37 Orenbourg
		38 Tcheliabinsk

39 Tioumen	58 Khanty-Mansi	**Ukraine**
40 Kourgan	59 Taïmyr	XXII Rép. de Crimée
41 Omsk	60 Évenk	
42 Tomsk	61 Bouratie d'Oust-Ord	**Géorgie**
43 Novosibirsk	62 Aga-Bouratie	XXIII Rép. d'Abkhazie
44 Altaï	63 Tchoukotka	XXIV Rép. d'Adjarie
45 Kemerovo	64 Koriak	a Rég. d'Ossétie du Sud (autonomie levée)
46 Krasnoïarsk	65 Juive (région)	
47 Irkoutsk		**Azerbaïdjan**
48 Tchita	Villes avec statut fédéral:	XXV Rép. du Nakhitchevan
49 Amour	66 Moscou	a Rég. du Nagorno-Karabakh (autonomie levée)
50 Khabarovsk	67 St-Pétersbourg	
51 Primorie		**Ouzbékistan**
52 Sakhaline	Okrougs fédéraux:	XXVI Rép. Karakalpakie
53 Magadan	I Central	
54 Kamtchatka	II Nord-Ouest	**Tadjikistan**
55 Kaliningrad	III Sud	a Région de Gorny-Badakhchan
	IV Volga	
Arrondissements et régions autonomes:	V Oural	
56 Nénets	VI Sibérie	
57 Iamalo-Nénets	VII Extrême-Orient	

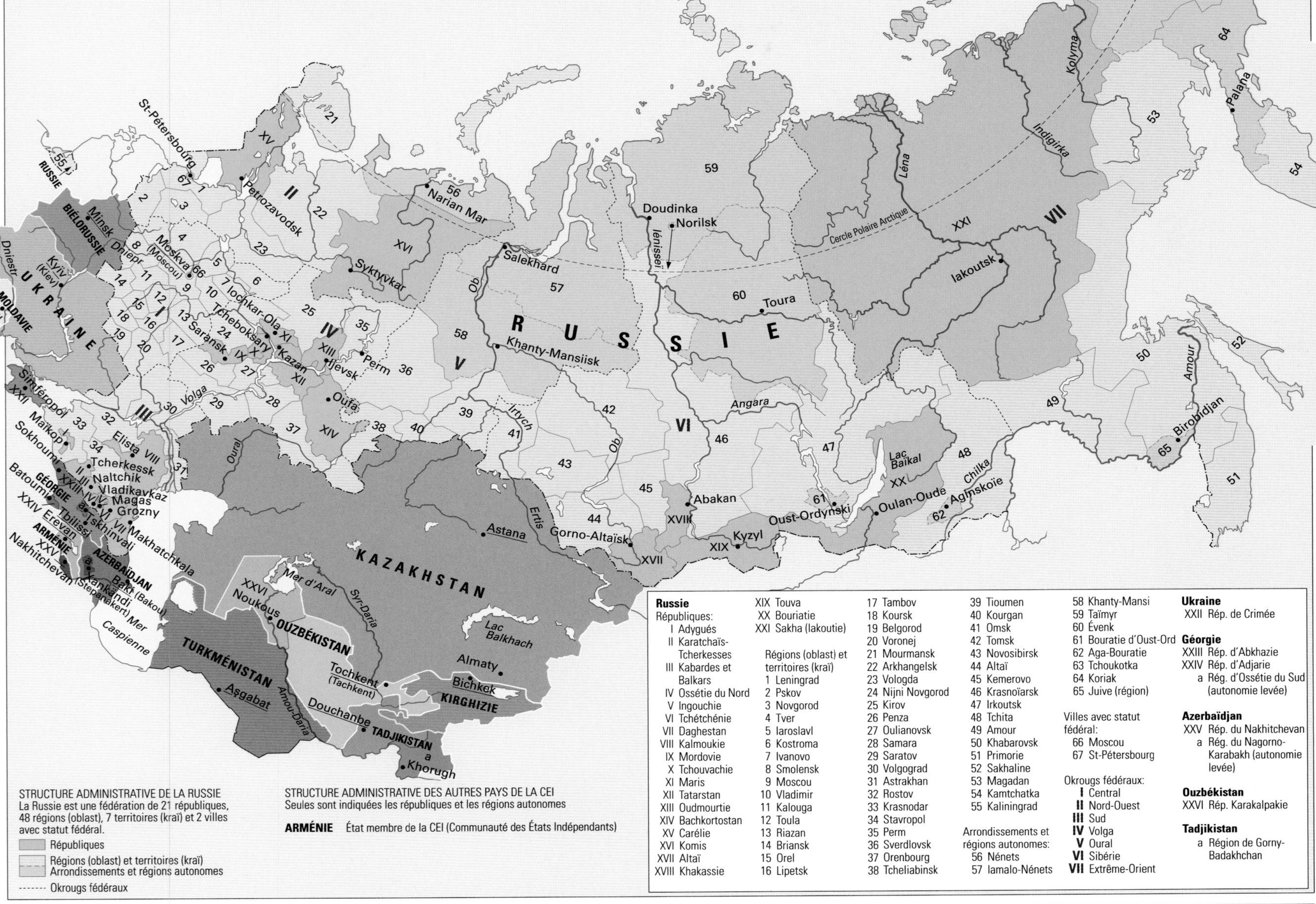

B. CAUCASE: ÉTATS ET CONFLITS ARMÉS
1 : 9 000 000

Rép. (Russie) ou république autonome (Azerbaïdjan et Géorgie)
Daghestan République
Degré d'autonomie controversé
Occupé par l'Arménie
* Autonomie levée
Frontière internationale
Frontière de république (Russie)
Frontière de région
Conflit armé postérieur à 1990 et actif

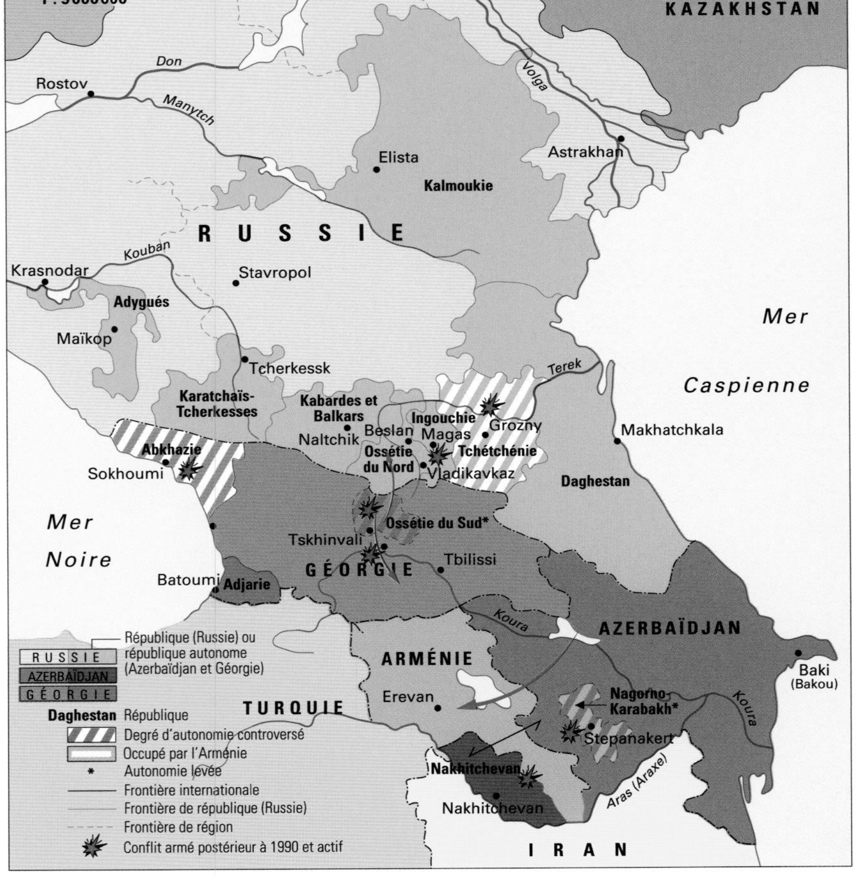

C. CAUCASE: GROUPES ETHNIQUES ET RELIGIONS
1 : 9 000 000

LANGUES INDO-EUROPÉENNES
Slave: Russes, Ukrainiens
Iranienne: Ossètes, Kurdes
Autres: Grecs, Arméniens
LANGUES ALTAÏQUES: Turcophones, Kalmouks
LANGUES CAUCASIENNES: Sud-Caucasiens, Nord-Caucasiens
RELIGIONS: Christianisme, Islam, Bouddhisme

© Noordhoff Uitgevers

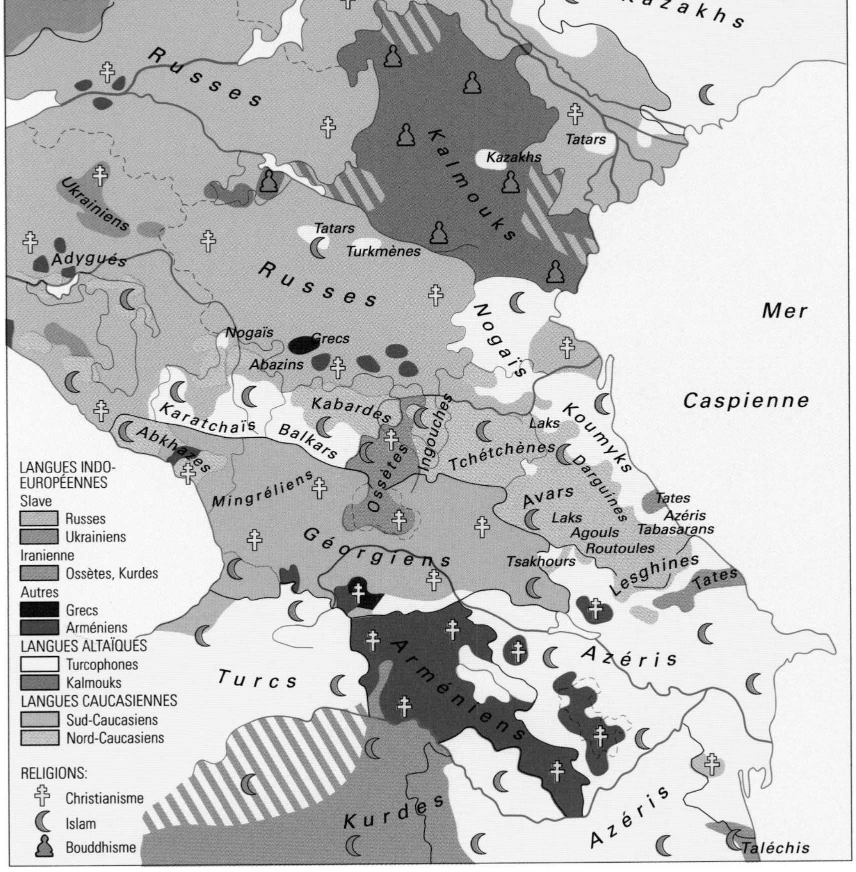

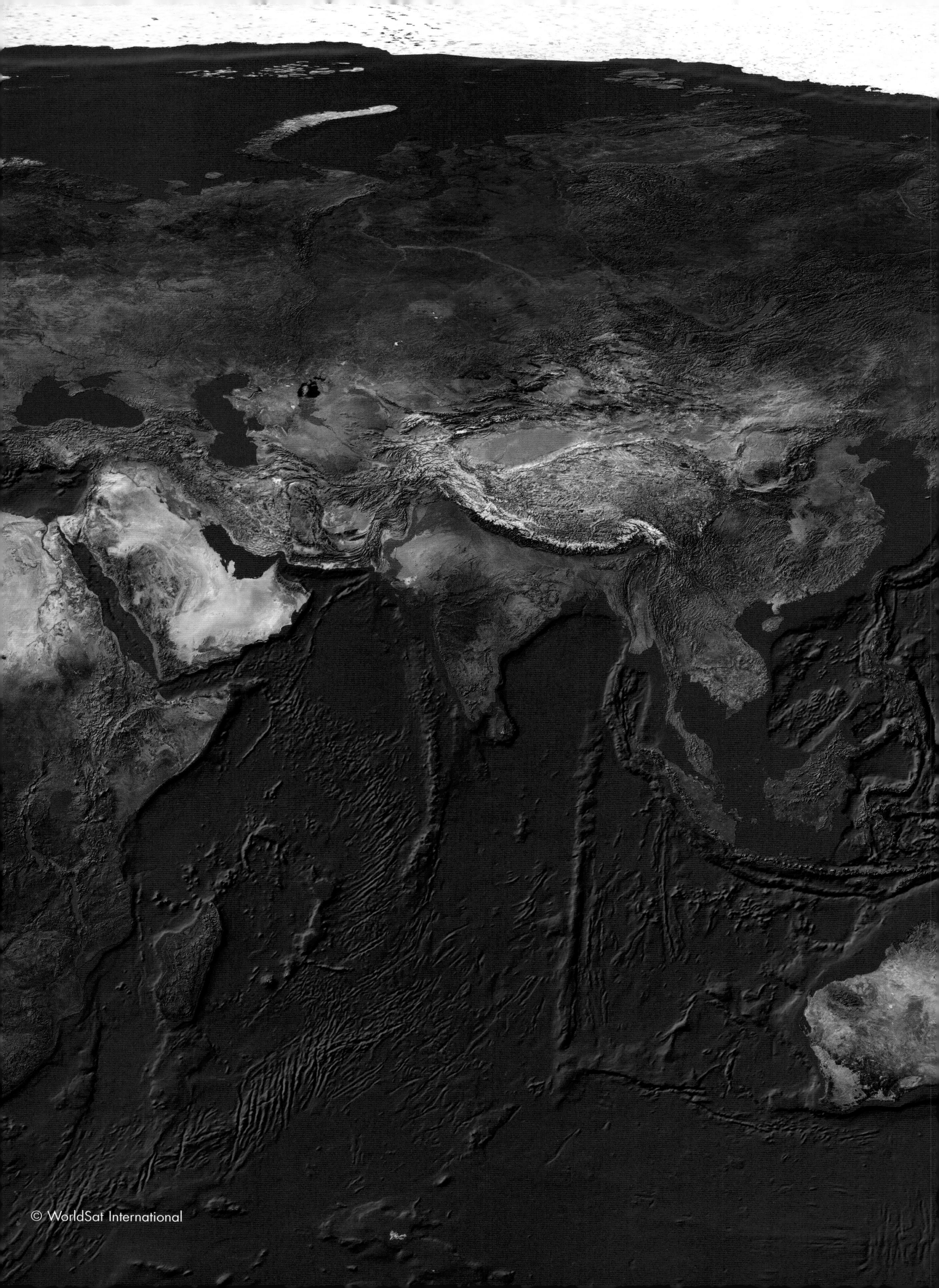

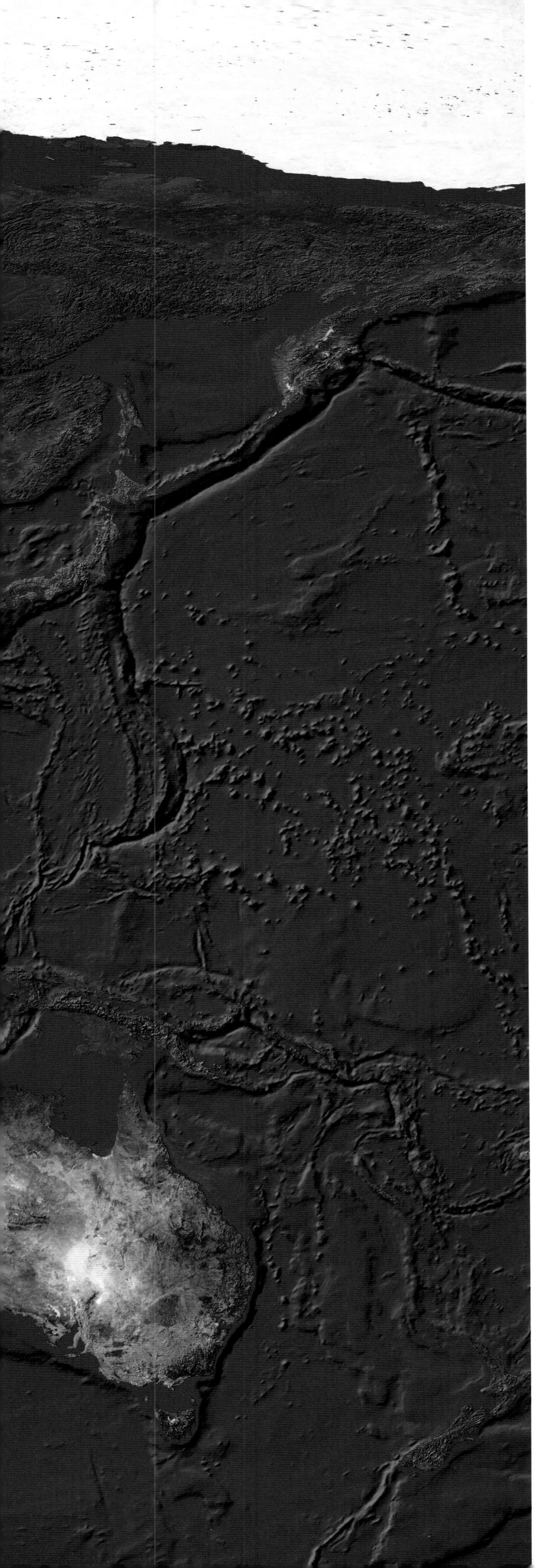

ASIE

L'Asie apparaît comme une série de couches superposées : les forêts de Sibérie au Nord, le désert du Gobi et les steppes d'Asie Centrale au-dessous, la chaîne montagneuse de l'Himalaya ensuite avec ses sommets enneigés qui sont parmi les plus hauts du monde, et les forêts tropicales d'Asie du Sud-Est en-dessous. Cette dernière sous-région est fortement morcelée avec les nombreuses îles de l'Indonésie et des Philippines.

ASIE

au-dessous du niveau de la mer

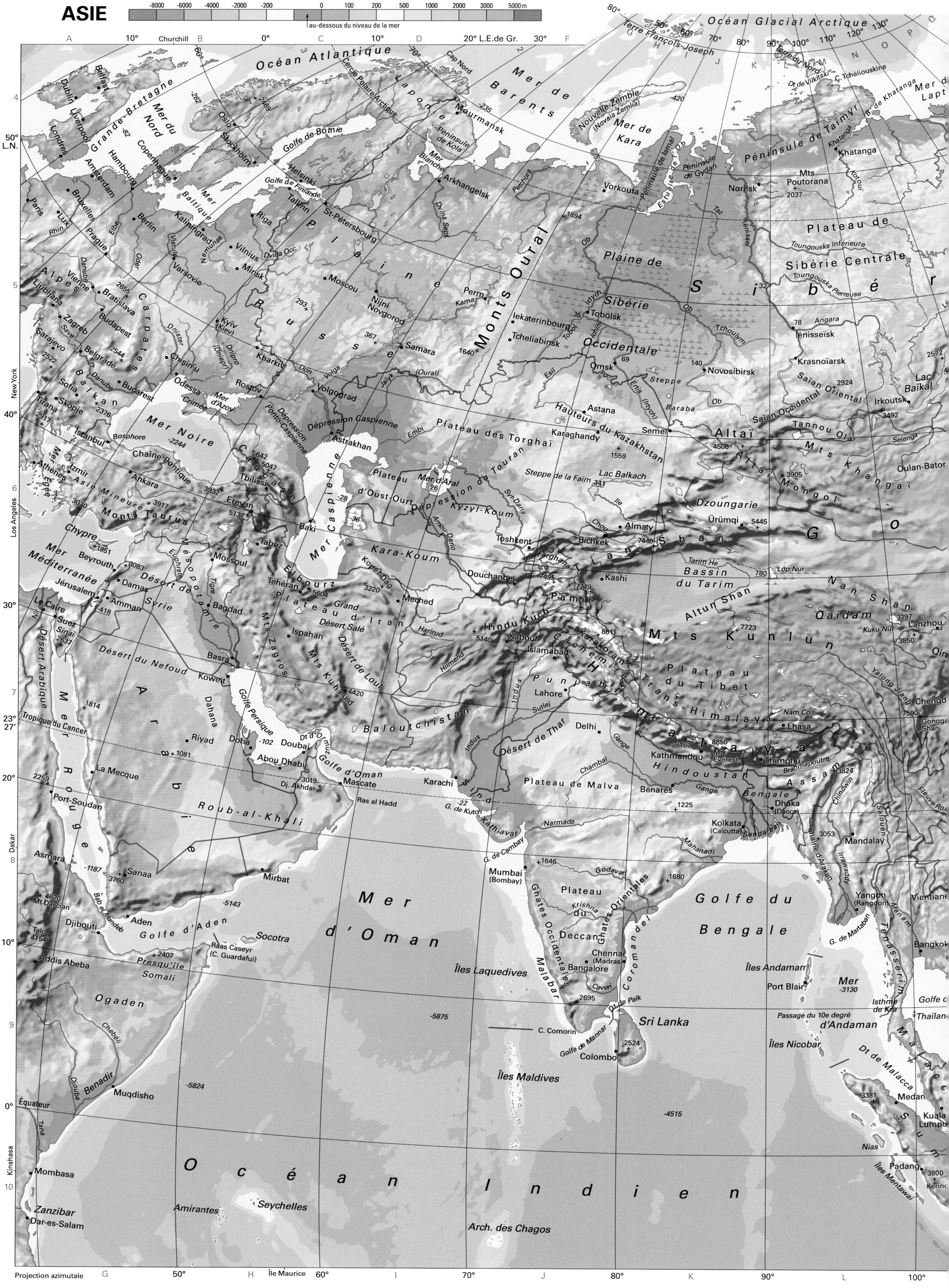

-8000 -6000 -4000 -2000 -200 0 100 200 500 1000 2000 3000 5000 m

Océan Glacial Arctique

Océan Atlantique

Mer de Barents

Mer de Kara

Mer de Laptev

Terre François-Joseph

Nouvelle-Zemble (Novaïa Zemlia)

Péninsule de Taïmyr

Plateau de Sibérie Centrale

Cap Nord

Mourmansk

Péninsule de Kola

Mer Blanche

Arkhangelsk

Vorkouta

Norilsk

Khatanga

Dt de Vilkitski

C. Tchéliouskine

Mts Poutorana +2037

Grande-Bretagne

Mer du Nord

Dublin

Belfast

Liverpool

Londres

Oslo

Stockholm

Copenhague

Hambourg

Amsterdam

Bruxelles

Paris

Berlin

Prague

Vienne

Kaliningrad

Riga

Tallinn

Helsinki

Golfe de Botnie

Golfe de Finlande

St-Pétersbourg

Laponie

Cercle Polaire Arctique

Plaine de Sibérie Occidentale

Toungouska Inférieure

Toungouska Pierreuse

Angara

Iénisséisk

Krasnoïarsk

Lac Baïkal

Irkoutsk

Alpes

Ljubljana

Zagreb

Sarajevo

Belgrade

Sofia

Skopje

Tirana

Istanbul

Athènes

Izmir

Ankara

Mer Égée

Chypre

Mer Méditerranée

Jérusalem

Le Caire

Suez

Sinaï

Damas

Amman

Bagdad

Beyrouth

Désert de Syrie

Mésopotamie

Tigre

Euphrate

Basra

Koweit

Golfe Persique

Désert du Nefoud

Riyad

Doha

Abou Dhabi

Doubaï

Mascate

Dahana

Roub-al-Khali

La Mecque

Mer Rouge

Port-Soudan

Asmara

Sanaa

Aden

Djibouti

Addis Abeba

Socotra

Golfe d'Aden

Ogaden

Presqu'île Somali

Benadir

Muqdisho

Mombasa

Zanzibar

Dar-es-Salam

Moscou

Nijni Novgorod

Perm

Kama

Iekaterinbourg

Tcheliabinsk

Omsk

Samara

Kharkiv

Rostov

Volgograd

Don

Volga

(Oural)

Monts Oural

Plaine de Russie

Carpates

Budapest

Bratislava

Chisinau

Odessa

Crimée

Mer d'Azov

Mer Noire

Bosphore

Chaîne pontique

Monts Taurus

Caucase

Tbilissi

Erevan

Baki

Tabriz

Mossoul

Téhéran

Elbourz

Plateau d'Iran

Ispahan

Mts Zagros

Mts Kuh-rud

Désert Salé

Désert de Louth

Grand Désert Salé

Koper-Dag

Kara-Koum

Mer Caspienne

Dépression Ponto-Caspienne

Astrakhan

Dépression Caspienne

Plateau des Torghaï

Plateau d'Oust-Ourt

Mer d'Aral

Dépression du Touran

Kyzyl-Koum

Syr-Daria

Amou-Daria

Douchanbe

Toshkent

Ferghana

Kashi

Pamir

Hindou Kouch

Kaboul

Islamabad

Cachemire

Karakoram

Kuh

Altun Shan

Bassin du Tarim

Tarim Hé

Lop Nur

Nan Shan

Qaidam

Kuku Nur

Lanzhou

Mts Kunlun

Plateau du Tibet

Trans-Himalaya

Lhasa

Nam Co

Mt Everest 8850

Kathmandou

Thimphu

Brahmapoutre

Assam

Chaîne d'Arakan

Hauteurs du Kazakhstan

Karaghandy

Astana

Steppe

Baraba

Novosibirsk

Saïan Occidental

Saïan Oriental

Altaï

Tannou Ola

Mts Khangaï

Oulan-Bator

Mongolie

Gobi

Dzoungarie

Ürümqi

Tian Shan

Almaty

Bichkek

Lac Balkach

Steppe de la Faim

Ile

Chou

Steppe

Mer Méditerranée

Monts Taurus

Asie Mineure

Baloutchistan

Indus

Lahore

Punjab

Delhi

Désert de Thar

Gange

Chambal

Plateau de Malva

Bénarès

Kolkata (Calcutta)

Sundarbans

Dhaka (Dacca)

Mandalay

Irrawaddy

Chindwin

Salouen

Karachi

Sind

Kathiawar

G. de Kutch

G. de Cambay

Mumbai (Bombay)

Narmada

Godavari

Plateau du Deccan

Ghâtes Occidentales

Ghâtes Orientales

Krishna

Malabar

Cauveri

Chennai (Madras)

Bangalore

Coromandel

Dt de Palk

Golfe de Mannar

Sri Lanka

Colombo

C. Comorin

Îles Laquedives

Îles Maldives

Mer d'Oman

Golfe du Bengale

Îles Andaman

Port Blair

Mer d'Andaman

Îles Nicobar

Passage du 10e degré d'Andaman

Yangon (Rangoon)

Vientiane

Bangkok

Tenasserim

Isthme de Kra

G. de Martaban

Golfe de Thaïlande

Dt de Malacca

Medan

Kuala Lumpur

Nias

Padang

Îles Mentawaï

Océan Indien

Amirantes

Seychelles

Arch. des Chagos

Île Maurice

Projection azimutale

Équateur

Tropique du Cancer

Échelle 1 : 30 000 000

0 250 500 750 1000 1250 1500 km

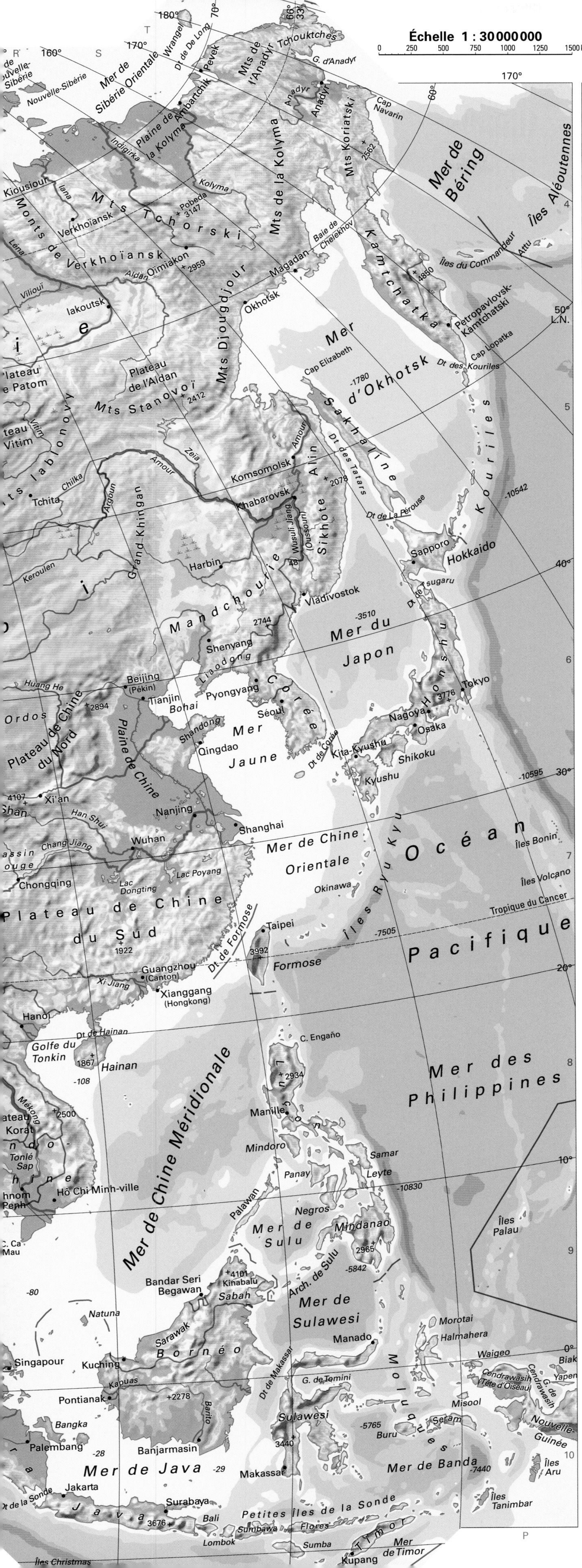

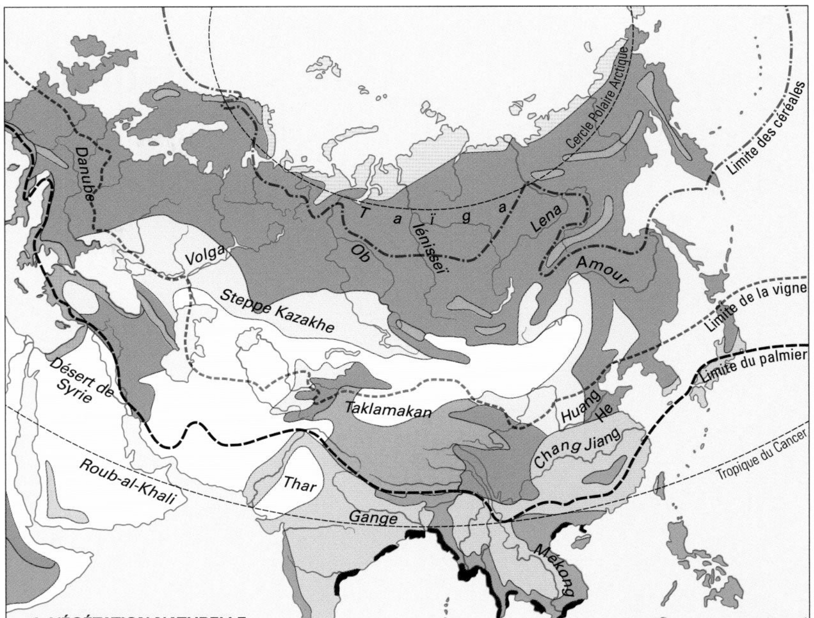

A. VÉGÉTATION NATURELLE
1 : 100 000 000

- Forêt tropicale humide
- Mangrove
- Forêt tropicale claire et savane
- Végétation méditerranéenne
- Forêt de conifères et forêt mixte
- Steppe herbeuse
- Toundra
- Végétation de haute montagne
- Désert et steppe désertique

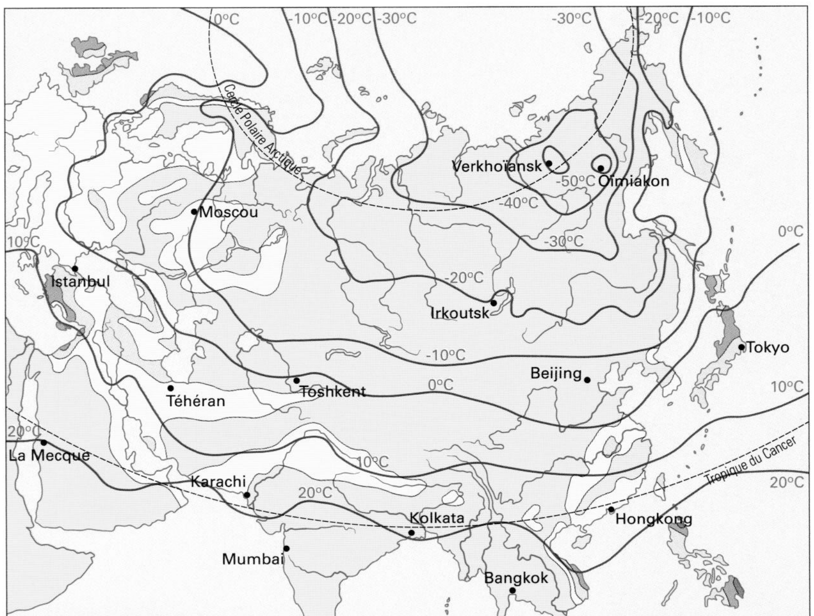

B. ISOTHERMES ET PRÉCIPITATIONS DE JANVIER
1 : 100 000 000

- moins de 25 mm
- 25 - 50 mm
- 50 - 100 mm
- 100 - 200 mm
- 200 - 300 mm
- 300 - 400 mm
- 400 mm ou plus
- Isotherme (réduite au niveau de la mer)

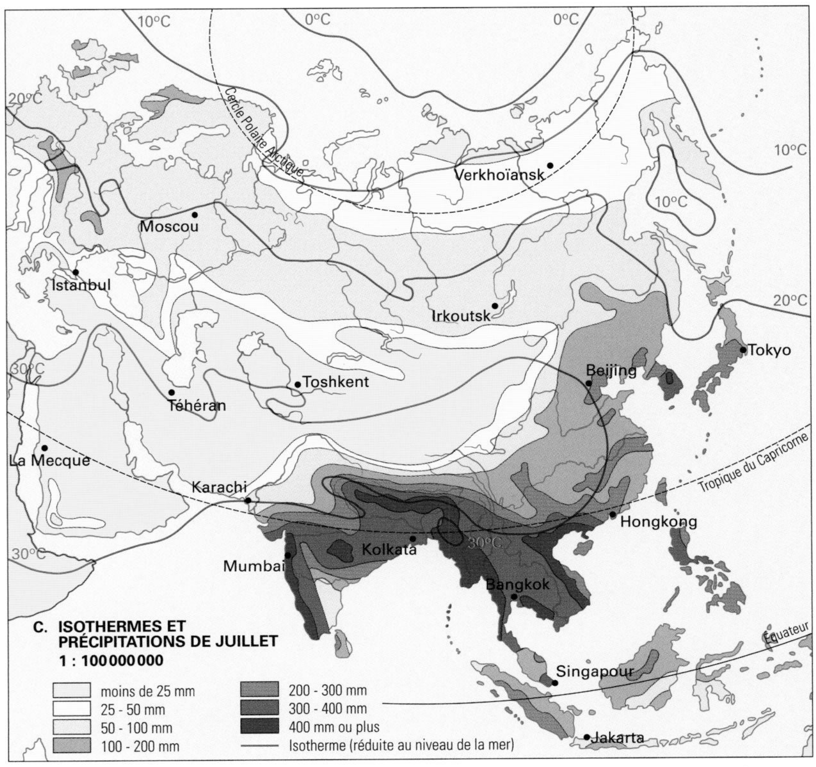

C. ISOTHERMES ET PRÉCIPITATIONS DE JUILLET
1 : 100 000 000

- moins de 25 mm
- 25 - 50 mm
- 50 - 100 mm
- 100 - 200 mm
- 200 - 300 mm
- 300 - 400 mm
- 400 mm ou plus
- Isotherme (réduite au niveau de la mer)

ASIE POLITIQUE

Échelle 1 : 30 000 000

0   250   500   750   1000   1250   1500 km

Océan Atlantique

10° L.E. de Gr.   0°   10°   20° L.E. de Gr.   30°

50° L.N.

Océan Glacial Arctique

Terre François-Joseph

Terre du Nord

IRLANDE
DUBLIN
ROYAUME-UNI
LONDRES
BRUXELLES
BELGIQUE
PAYS-BAS
Amsterdam
PARIS
LUX.
ALLEMAGNE
COLOGNE
BERLIN
DANEMARK
COPENHAGUE
NORVÈGE
Oslo
SUÈDE
STOCKHOLM
Mer du Nord
Mer Baltique
Kaliningrad
Rhin
Danube
Elbe

NORVÈGE

Cap Nord
Cercle polaire Arctique

Mourmansk
Mer de Barents

Nouvelle Zemble
(Novaia Zemlia)
Mer de Kara

Dikson
Dt. de Khatanga
Mer des Lapte

AUTRICHE
VIENNE
TCHÈQUE
RÉP.
PRAGUE
POLOGNE
VARSOVIE
Vistule
SLOVAQUIE
BRATISLAVA
HONGRIE
BUDAPEST
SLOVÉNIE
Ljubljana
CROATIE
Zagreb
BOSNIE
HERZ.
Sarajevo
SERBIE
BELGRADE
ROUMANIE
BUCAREST
MOL.
DAVIE
Chişinău
BIÉLORUSSIE
MINSK
Brest
UKRAINE
KYIV
(KIEV)
Lviv
DNIPROPETROVSK
Kryvy Rih
ODESSA
Dniepr

HELSINKI
FINLANDE
Golfe de Botnie
Golfe de Finlande
ESTONIE
Tallinn
Mer Blanche
LETTONIE
Riga
LITUANIE
Vilnius
RUSSIE
ST-PÉTERSBOURG
MOSCOU
Arkhangelsk
Petrozavodsk
Iaroslavl
Viatka
MIJNI
NOVGOROD
Toula
Penza
Volga

Syktyvkar
Pechora
Vorkouta

R U S S I E

S i b é

Dvina Sept.

Norilsk

Kotouï

Toungouska Inférieure

SOFIA
BULGARIE
GRÈCE
ATHÈNES
ALB.
Tirana
MACÉDOINE
Skopje
Sébastopol
Krasnodar
Mer Noire
Mer d'Azov
DONETSK
ROSTOV
KHARKIV
VOLGOGRAD
SARATOV
SAMARA
Togliatti
Voronej
Don
Volga
Astrakhan

IZMIR
ISTANBUL
Bosphore
TURQUIE
ANKARA
ADANA
GÉORGIE
Batoumi
Grozny
ARMÉNIE
EREVAN
TBILISI
AZER.
BAIDJAN
BAKI

PERM
IJEVSK
KAZAN
OUFA
Kama
IEKATERINBOURG
Irtych
TCHELIABINSK
Magnitogorsk
Orenbourg
Oural
Orsk
Oral
(Ouralsk)
Atyraou
Embi
Esil
Tobol
Kostanaï
Astana
Pavlodar
OMSK
NOVOSIBIRSK
Barnaoul
Novokouznetsk
Krasnoïarsk
Bratsk
Lac Baïkal
Irkoutsk
Iénisseï
Iénisseïsk
Sourgout
Ob
Irtych
Angara
Selenga

KAZAKHSTAN

Aral
(Aralsk)
Mer d'Aral
Syr-Daria
Akmechet
Nukus
Lac Balkach
Karaghandy
Ile
Semei
(Semipalatinsk)

Mer Caspienne

Oust-Kout

Lac
Ou

MONGO

Dund-Us
Oulan-Bator
MONGOL

MÉDITERRANÉE
CHYPRE
Lefkosia
SYRIE
BEYROUTH
LIBAN
DAMAS
ISRAËL
Jérusalem
Mer Méditerranée

MOSSOUL
Kirkuk
Karbala
BAGDAD
Hamadan
Euphrate
Tigre
IRAK
BASRA

TÉHÉRAN
QOM
ISPAHAN
Yezd
IRAN
AHVAZ
Kerman
CHIRAZ
Zahedan

MECHED
Asgabat
TURKMÉNISTAN
Turkmenbaşi
OUZBÉKISTAN
Buxoro
Amou-Daria
TOSHKENT
(TACHKENT)
Samarqand
Douchanbe
TADJIKISTAN
KIRGHIZISTAN
Bichkek
Farghona
ALMATY
(ALMA-ATA)
Yining
ÜRÜMQI
Kashi
(Kashgar)
Shache
(Yarkand)
Tarim He
Lop Nur

Qiemo

Kuku Nur

G

C H I N

Xining
LANZHO
Xining

AMMAN
JORDANIE
Can.
Suez
Can. de Suez
ÉGYPTE
Al Djawf
ÉGYPTE

KOWEIT
KOWEIT
DAMMAAM
BAHREIN
Manamah
Doha
DOUBAÏ
Abou Dhabi
ÉMIRATS ARABES
UNIS
Golfe Persique
Golfe d'Oman
Mascate

AFGHANISTAN
KABOUL
Herat
Kandahar
Quetta
Islamabad
RAWALPINDI
LAHORE
FAISALABAD
MULTAN
PAKISTAN
KARACHI

SRINAGAR
LUDHIANA
Chandigarh
DELHI
New Delhi
AGRA
JAIPUR
Jodhpur
Sutlej
Chambal

Cachemire

Chang Jiang
Nam Co
Yalong Jiang
CHENGD
Qamdo
Batang

Brahmapoutre
NÉPAL
KATHMANDOU
BHOUTAN
Thimphu
LUCKNOW
KANPUR
PATNA
VARANASI
(BÉNARÈS)
ALLAHABAD
Gange
Ganga
Shillong
Imphal
BANGLADESH
DHAKA
(DACCA)
CHITTAGONG

MÉDINE
ARABIE
RIYAD
LA MECQUE
DJEDDA
SAOUDITE
Mer Rouge
Tropique du Cancer

Port-Soudan
SOUDAN
OMAN

YÉMEN
SANAA
Terim
Mukalla
Aden
Golfe d'Aden
Socotra
(Yémen)
Cap Guardafui

Golfe de Kutch
Golfe de Cambay
AHMADABAD
SURAT
INDORE
BHOPAL
JABALPUR
NAGPUR
Narmada
Jamshedpur
Raipur
KOLKATA
(CALCUTTA)
Kataka
MANDALAY
MYANMAR
(BIRMANIE)

Golfe
du
Bengale

Irrawaddy
Saluen
Mékong
Fleuve Rouge
KUNMIN
Chindwin

LANZHO

Luang
Praban
Chiang
Mai
Pegu
YANGON
(RANGOON)
Vientiane
Moulmein
G. de Martaban
THAILA
BANGK

MUMBAI
(BOMBAY)
PUNA
HYDERABAD
SOLAPUR
Hubli
Godavari
Krishna
VISHAKHAPATNAM
INDE

BANGALORE
Salem
COIMBATORE
KOCHI
MADURAI
THIRUVANANTHAPURAM
CHENNAI
(MADRAS)
Cavery
Dt de Palk
Golfe de Mannar
SRI LANKA
COLOMBO
Sri Jayewardenapura Kotte

Îles Laquedives
(Inde)

Mer d'Oman

Îles Andaman
(Inde)
Mer
Pt. Blair

Passage du 10e degré
d'Andaman
Îles Nicobar
(Inde)

George
Town
Dt de Malacca
MEDAN
MALA
KUALA
LUMPU
Nias
Sumatra

ÉRYTHRÉE
Asmara
DJIBOUTI
Djibouti
Bab el Mandeb
Gondar
Dire
Dawa
ADDIS ABEBA
ÉTHIOPIE
Berbera
Hargeysa
SOMALIE
MUQDISHO
KENYA
Chébéli
Djouba
Tana
Mombasa
Pemba
Zanzibar
DAR-ES-SALAM
Kinshasa

Mer
d'Oman

Mer
d'Oman

Océan Indien

MALDIVES
Malé

SEYCHELLES
Amirantes
(Seych.)
Victoria

Arch. des Chagos
(R.-U.)
Diego Garcia

Îles Mentawai
Padang

New York
Los Angeles
Dakar

Projection azimutale

50°   H   Île Maurice   60°   I   70°   J   80°   K   90°   L   100°

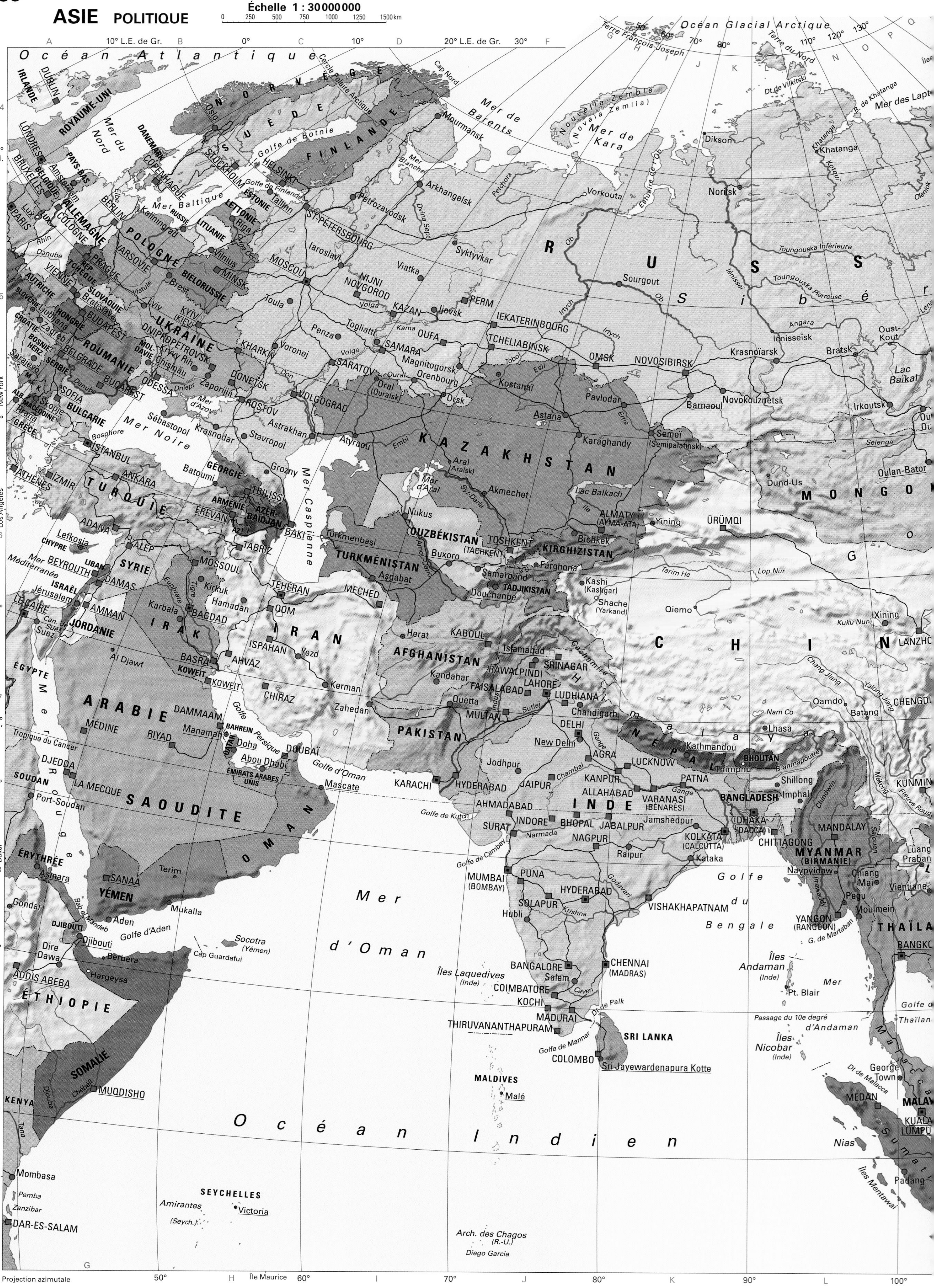

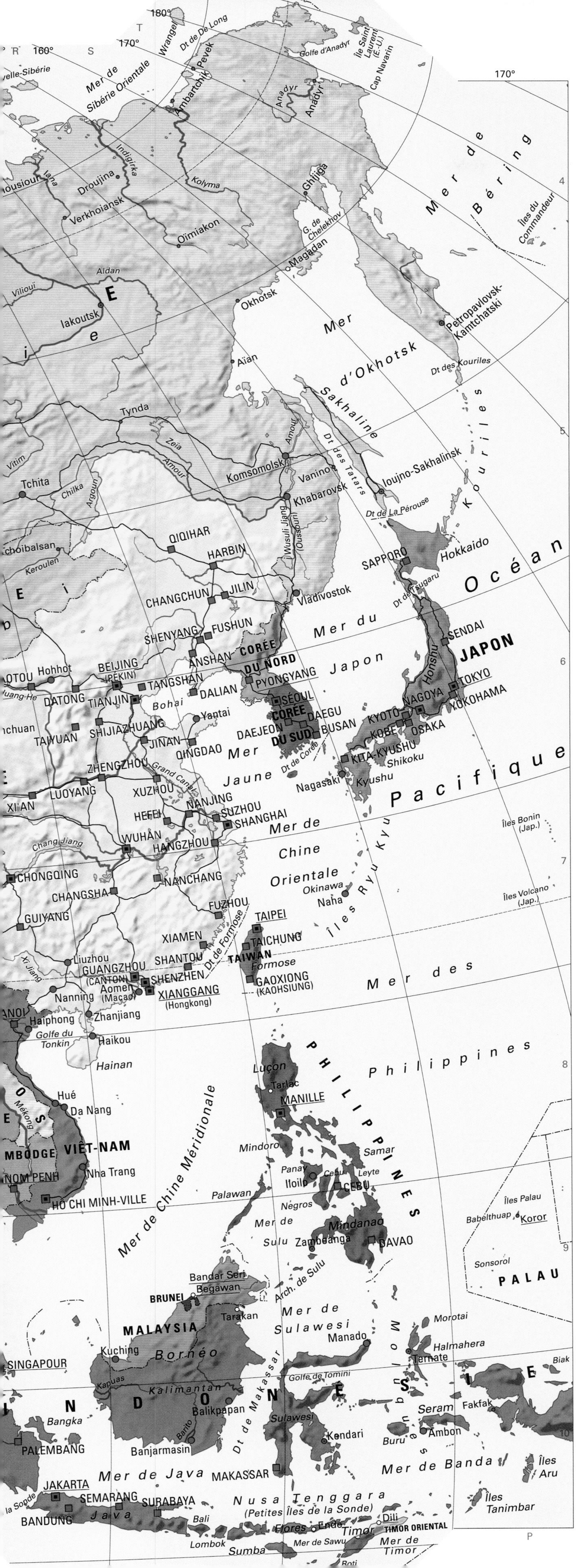

A. ASIE EN 1937
1 : 100 000 000

UNION SOVIÉTIQUE

Moscou

TURQUIE
Ankara
Jérusalem
Syrie
Bagdad
IRAK
ARABIE
SAOUDITE
La Mecque
Sanaa
YÉMEN

TANNOU
TOUVA
Kyzyl
MONGOLIE
EXTÉRIEURE
Oulan-Bator
IRAN
Téhéran
Kaboul
AFGHANISTAN
New Delhi
Lhasa
TIBET
NÉPAL

Mandchoukouo
Mukden
Pékin
Corée
Nanking
Formose
Tokyo
JAPON

CHINE

Tropique du Cancer

Goa
Inde Britannique
Hanoi
Indochine
Française
SIAM
Bangkok

Hong Kong
(G.-B.)
Manille
Philippines

Ceylan
États Malais
Singapour
Indes Néerlandaises
Batavia

Équateur
Timor
AUS

Territoire
britannique
néerlandais
français
des États-Unis
portugais
sous influence japonaise

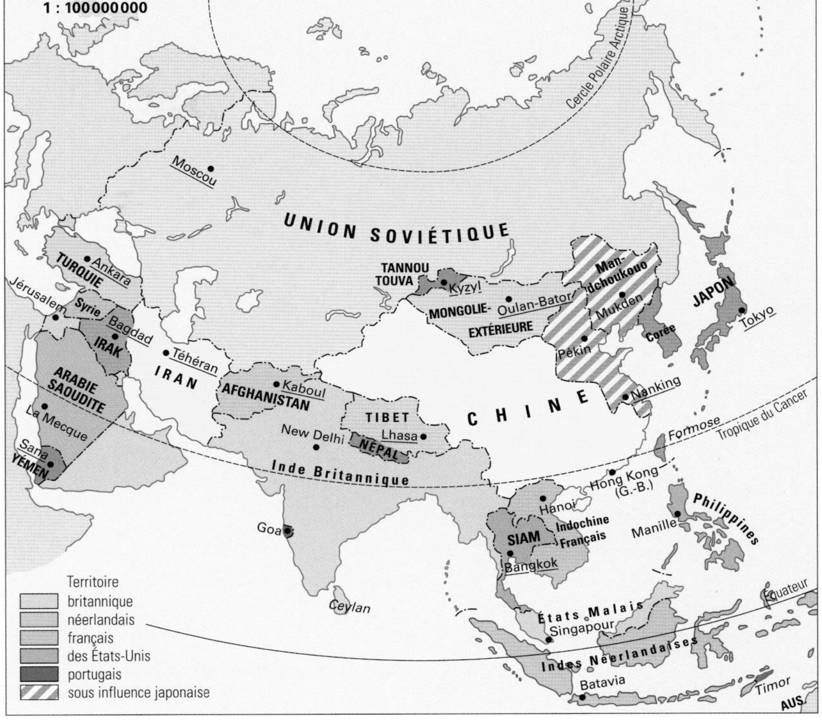

B. ASIE EN 1989
1 : 100 000 000

UNION SOVIÉTIQUE

Moscou

TURQUIE
Ankara
Jérusalem
SYRIE
Bagdad
ISRAËL
JORD.
IRAK
ARABIE
SAOUDITE
Riyad
YÉMEN
DU N.
Sanaa
Aden
YÉMEN DU S.
OMAN
Mascate

IRAN
Téhéran
Kaboul
AFG.
Islamabad
PAKISTAN
New Delhi
NÉPAL
BH.
BANGLA-
DESH
Dhaka
INDE

Oulan-Bator
MONGOLIE
Beijing

CORÉE
DU NORD
CORÉE
DU SUD
JAPON
Tokyo

CHINE

Tropique du Cancer

TAIWAN

Hong Kong
(R.-U.)
BIRMANIE
Rangoon
LAOS
Hanoi
THAÏLANDE
VIÊT-NAM
Bangkok
CAMBODGE
Manille
PHILIPPINES

SRI
LANKA
Colombo

MALAYSIA
Bn.
Kuala
Lumpur
Singapour
INDONÉSIE
Équateur
Jakarta

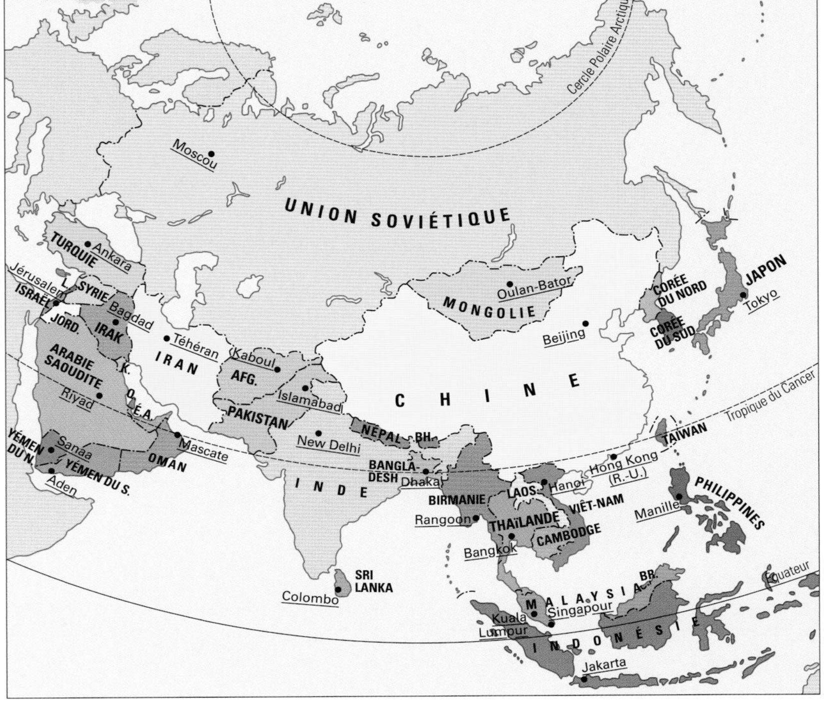

C. INDOCHINE 1945-1954
1 : 20 000 000

CHINE
Tonkin
Diên Biên
Phu
1953-1954
Hanoi
Haiphong
Golfe du
Tonkin
Luang
Prabang
LAOS
1953
VIÊT-NAM
DU NORD
1954
Vientiane
Hainan
17° L.N.
Hué
THAÏLANDE
Da Nang
Bangkok
Annam
Angkor
CAMBODGE
1953
Phnom
Penh
VIÊT-NAM
DU SUD
1954
Saigon
Golfe de
Thaïlande
Cochinchine
Delta du
Mékong

L'Indochine française originelle
1953 Date de l'indépendance
Le Viêt-minh, juillet 1954
Ligne de démarcation, 20 juillet 1954 (= 17° L.N.)

D. VIÊT-NAM 1954-1975
1 : 20 000 000

CHINE
Fleuve Rouge
Diên Biên
Phu
Hanoi
Haiphong
Golfe du
Tonkin
Luang
Prabang
LAOS
VIÊT-NAM
DU NORD
Plaine
des
Jarres
Vientiane
Septième
flotte
Hainan
17° L.N.
Hué
THAÏLANDE
Da Nang
Qui Nhon
Bangkok
Angkor
CAMBODGE
Sattahip
Nha Trang
Cam Ranh
Phnom
Penh
Biên Hoa
Phan
Rang
Saigon
(Hô Chi Minh-ville)
Golfe de
Thaïlande
VIÊT-NAM
DU SUD
Delta du
Mékong

Da Nang Base navale américaine
★ Base aérienne américaine
→ Piste Hô Chi Minh
Viêt-cong, Pathet Lao (Laos) et
Khmers rouges (Cambodge) en 1973
Viêt-nam du Nord et Viêt-nam du Sud réunis en 1976

© Noordhoff Uitgevers

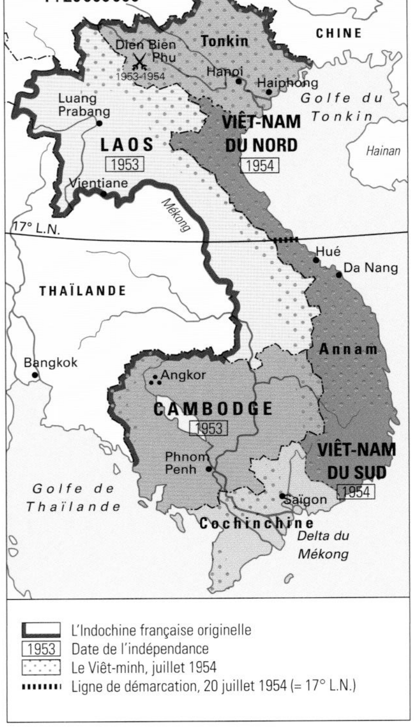

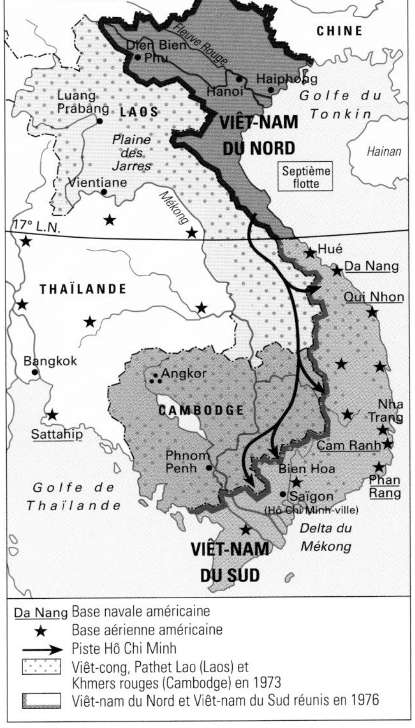

TURQUIE

-2000 | -200 | 0 | 100 | 200 | 500 | 1000 | 1500 | 2000 | 3000 m

Échelle 1 : 9000000

0 | 100 | 200 | 300 | 400 km

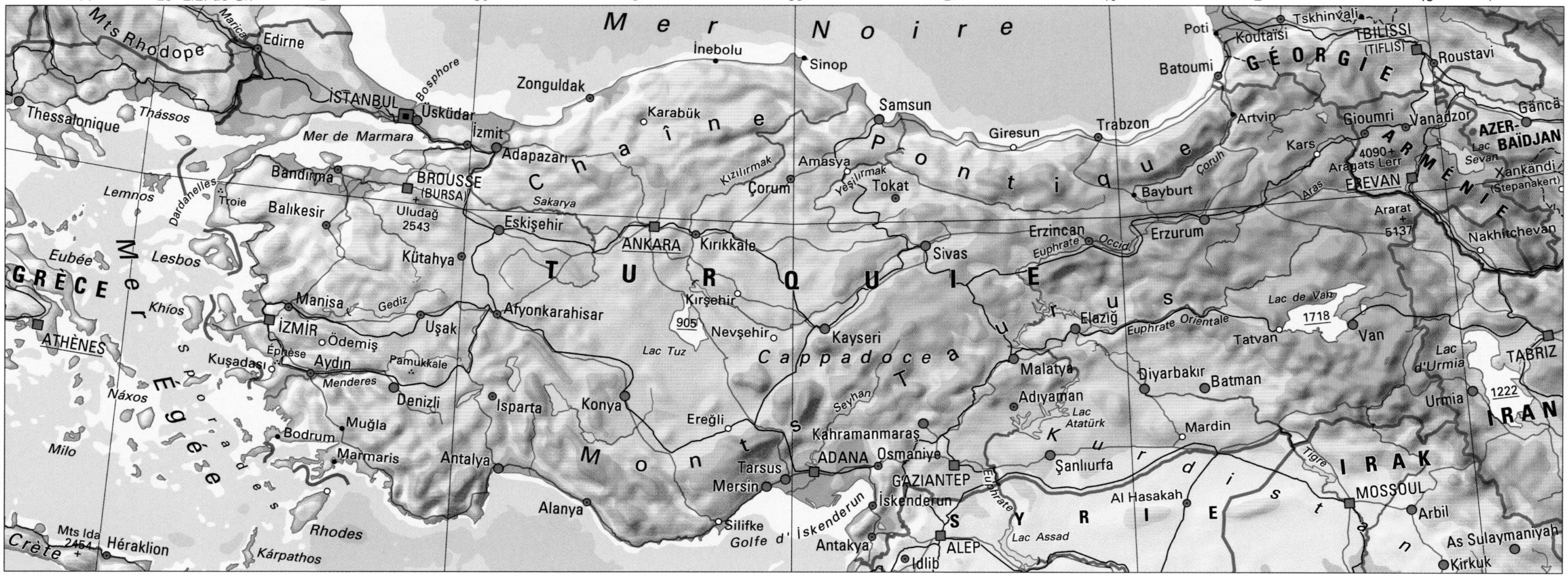

A. SÉISMES ET PLAQUES
1 : 16000000

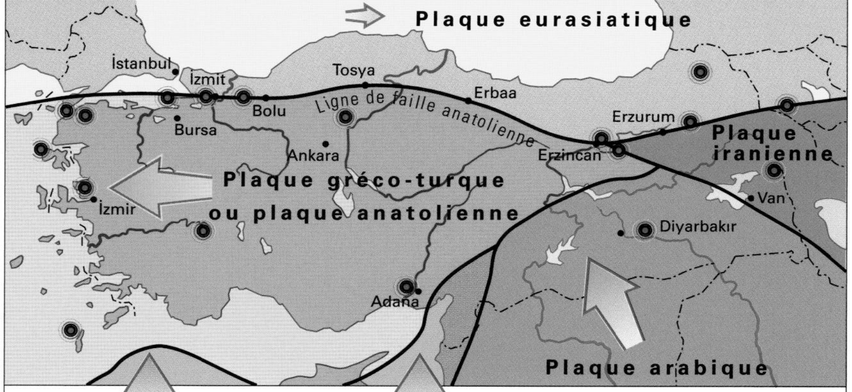

Direction du déplacement des plaques — Ligne de faille — Grave tremblement de terre postérieur à 1975

B. CLIMAT
1 : 16000000

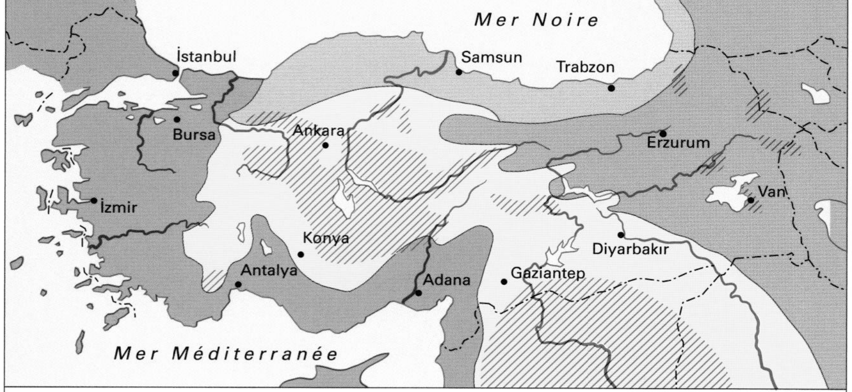

- Climat maritime méditerranéen
- Climat steppique
- Climat maritime de la Mer Noire
- Climat est-anatolien ou de montagne
- Précipitations annuelles inférieures à 400 mm

C. AGRICULTURE ET INDUSTRIE
1 : 16000000

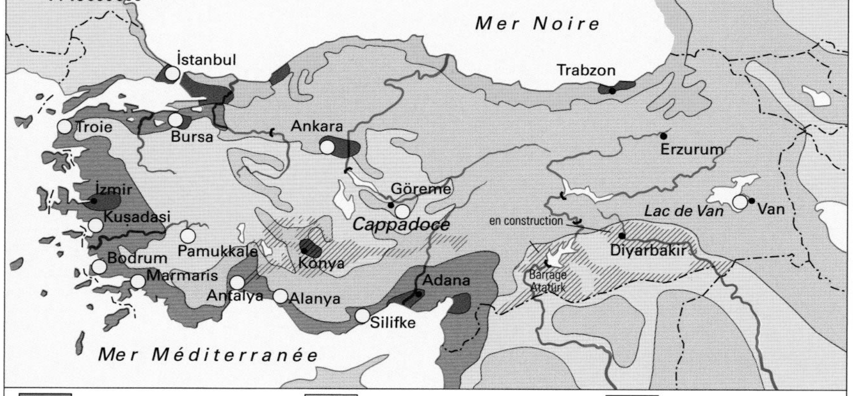

- Agriculture méditerranéenne (vin, olive, citron, froment)
- Agriculture de la Mer Noire (noisette, thé, maïs, tabac)
- Agriculture continentale (céréales, fruits, légumes, élevage)
- Autres formes d'agriculture (ovins et caprins, champs épars)
- Projet d'irrigation
- Région industrielle
- Centre touristique
- Barrage

D. DENSITÉ DE LA POPULATION
1 : 16000000

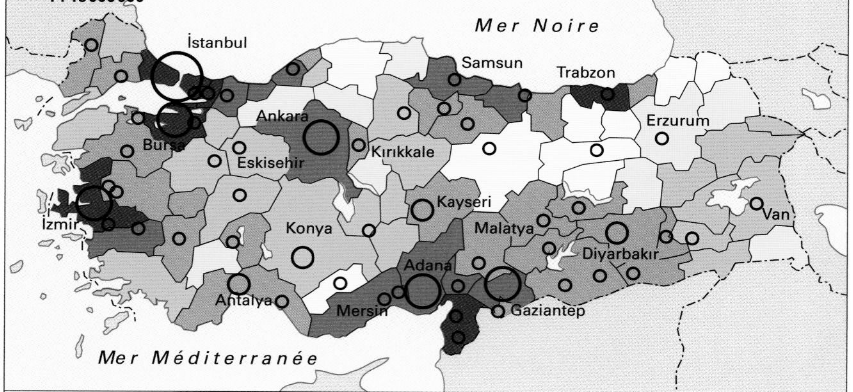

Habitants par km² (2000)

- moins de 30
- 30 - 45
- 45 - 60
- 60 - 100
- 100 - 200
- 200 ou plus

Agglomération de

- plus de 5 M d'habitants
- 1 M - 5 M d'hab.
- 500000 - 1 M d'hab.
- 100000 - 500000 hab.

E. INÉGAL DÉVELOPPEMENT
1 : 16000000

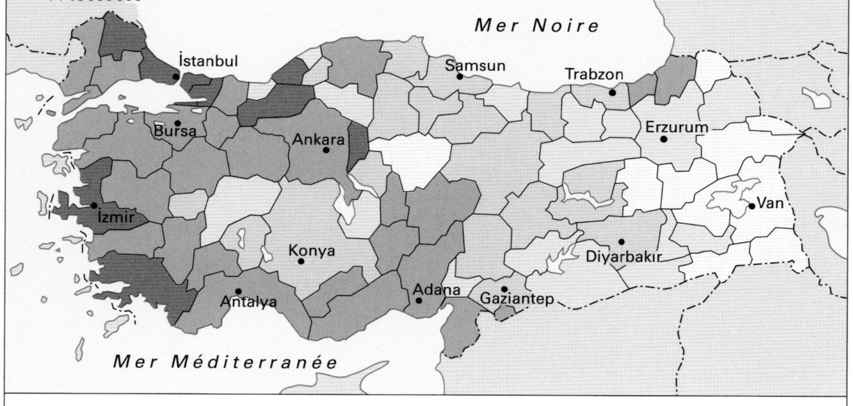

Produit provincial brut par habitant en euro (2001)

- moins de 1000
- 1000 - 1500
- 1500 - 2000
- 2000 - 3000
- 3000 ou plus

Moyenne nationale: 2489 euro

F. POPULATION ACTIVE ET SANS EMPLOI
1 : 16000000

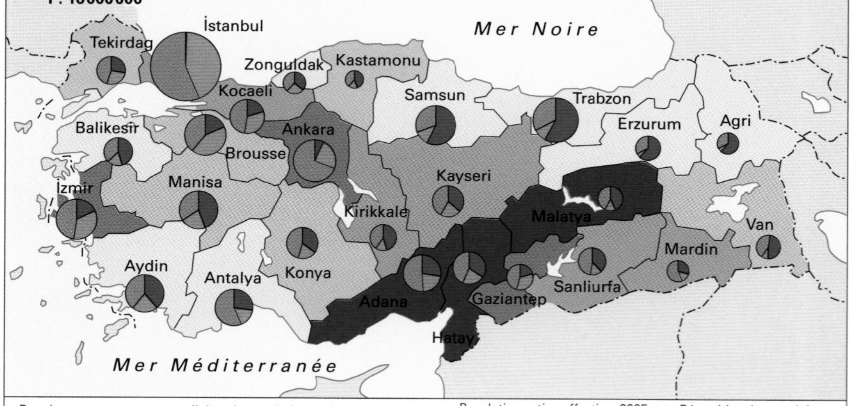

Part des personnes sans travail dans la population active totale potentielle en % (2005)

- moins de 7,5
- 7,5 - 10,0
- 10,0 - 12,5
- 12,5 - 15,0
- 15,0 ou plus

Moyenne nationale: 10,3

Population active effective, 2005: 3000000 — 2000000 — 1000000 — 500000

Répartition des emplois par secteur économique: Agriculture — Industrie — Services

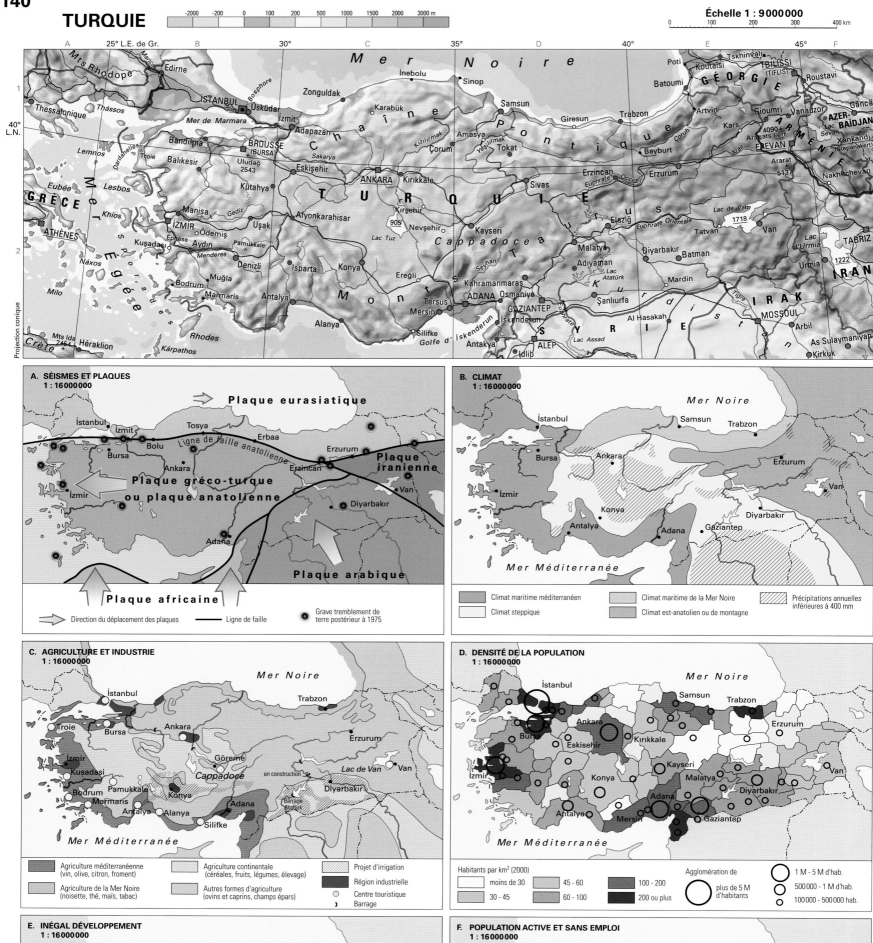

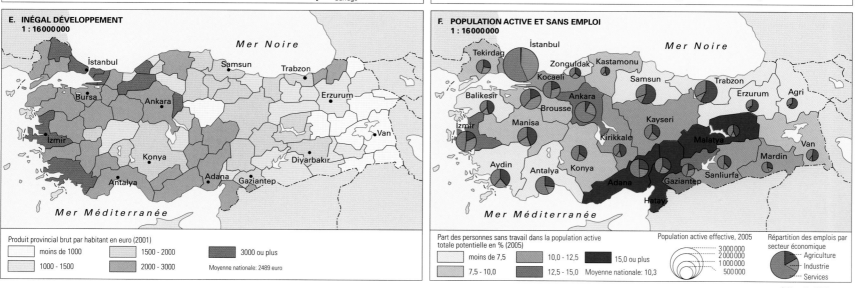

ISRAËL / PALESTINE

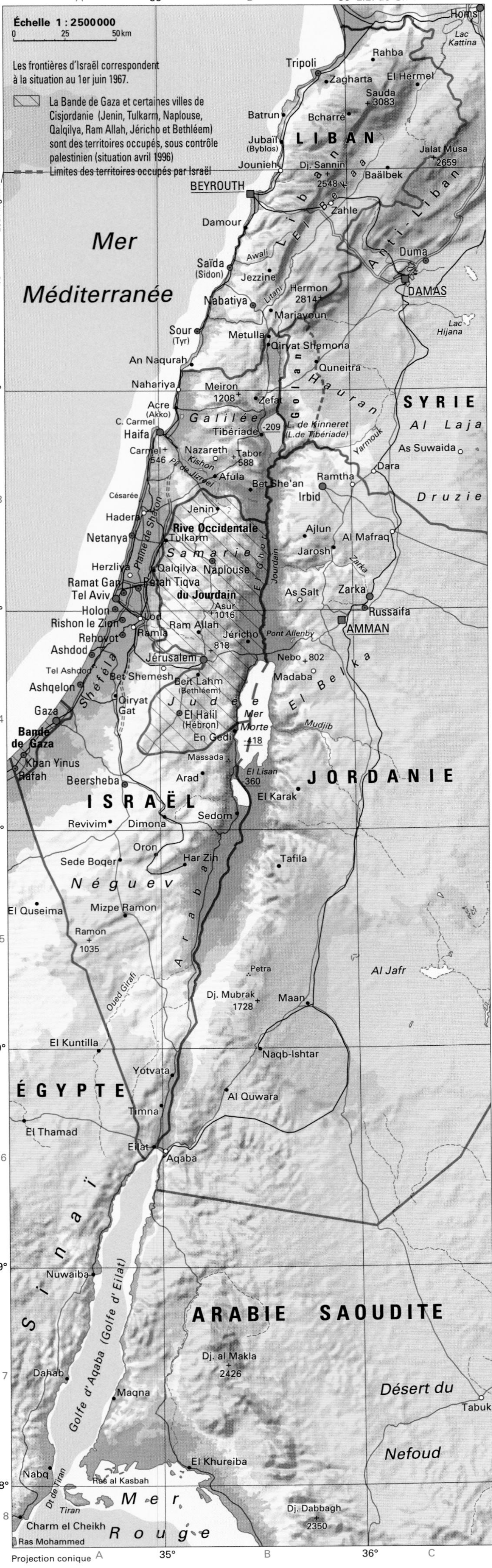

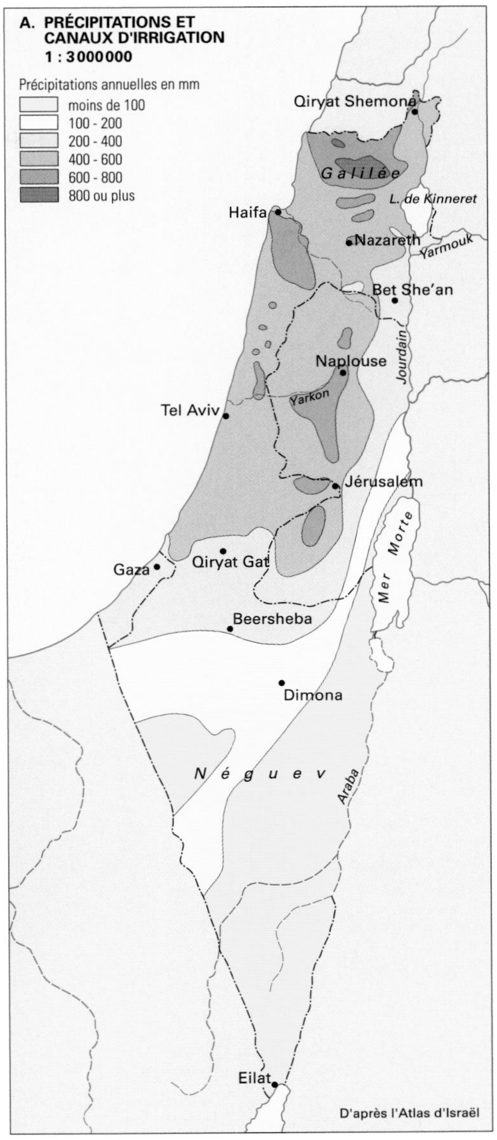

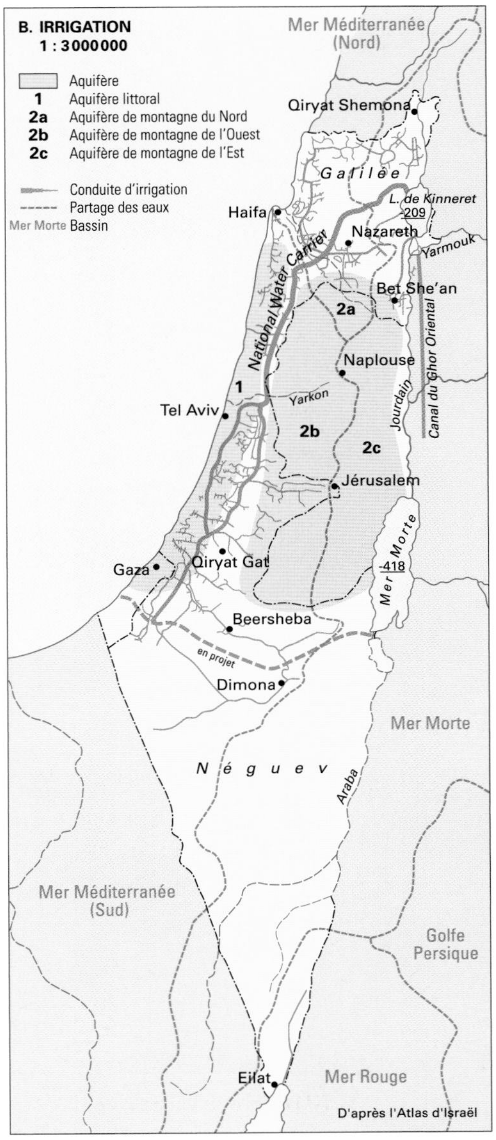

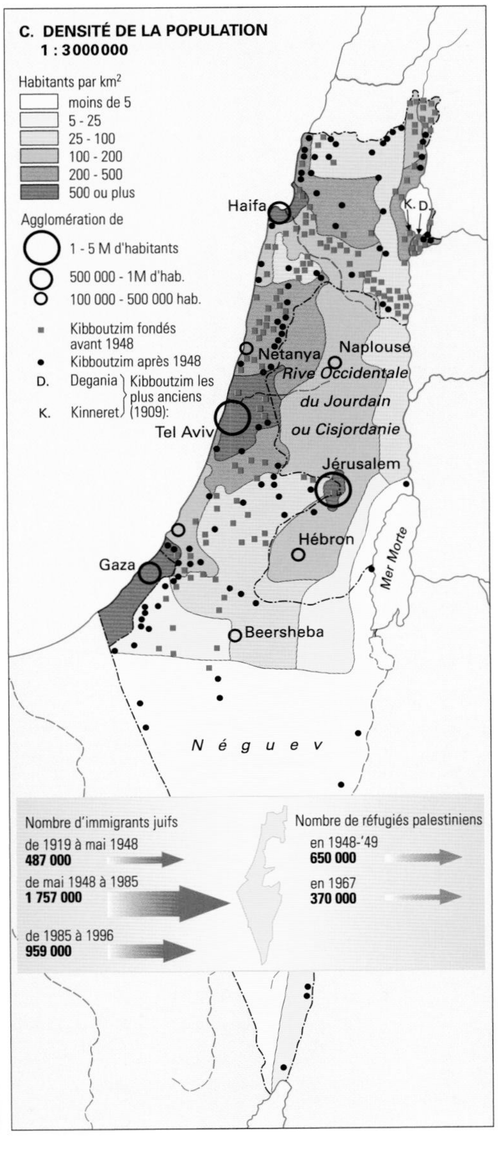

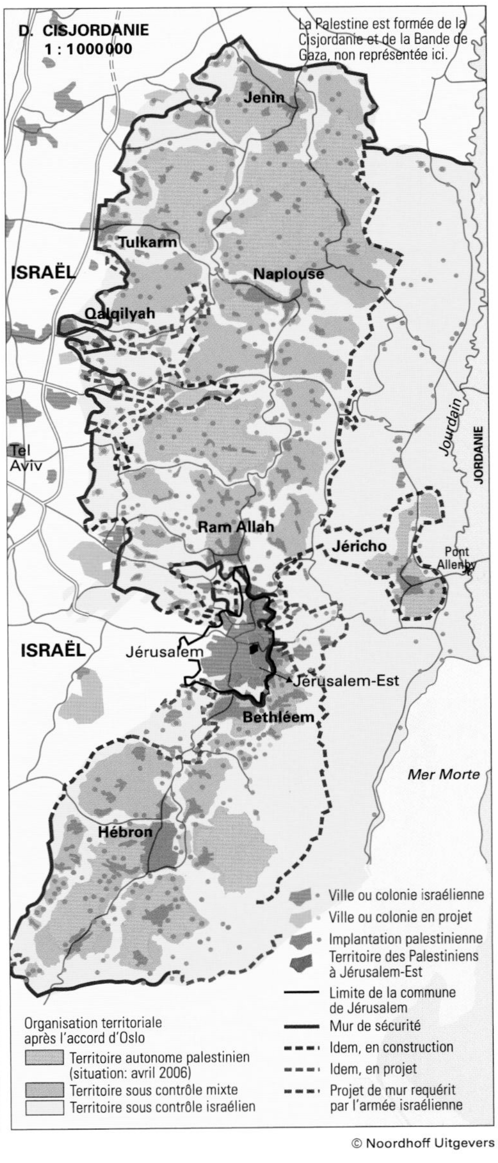

MOYEN-ORIENT

-6000 -4000 -2000 -200 0 100 200 500 1000 2000 3000 5000m
au-dessous du niveau de la mer

Échelle 1 : 12500000
0 100 200 300 400 500 km

A 30° B 35° L.E. de Gr. C 40° D 45° E 50° F 55° G 60° H

Mer Noire
-2211

Bosphore
ISTANBUL
Zonguldak
BROUSSE
Izmit
Adapazar
Sakarya
ANKARA
Eskişehir
Kütahya
Afyonkarahisar
Isparta
Antalya
Golfe d'Antalya
Alanya
KONYA
Aksaray
Kayseri
Kızılırmak
Kırıkkale
Çorum
Kırşehir
Sivas
Mts Taurus
ADANA
Mersin
Tarsus
İskenderun
Antakya
Kahramanmaraş
GAZIANTEP
ŞanlIurfa
Malatya
Elazığ
Diyarbakır
Euphrate
Orient
Erzincan
Erzurum
Kars
Ararat 5137
Nakhitchevan (Az.)
Lac de Van 1718
Tatvan
Van
Khvoy
TURQUIE

Sotchi
Sokhoumi
Poti
Batoumi
GÉORGIE
TBILISSI
Gori
Tskhinvali
Koutaïsi
Artvin
Gioumri
EREVAN
Vanadzor
ARMÉNIE
Ardabil
Piatigorsk
Elbrous 5642
Naltchik
Kazbek 5047
Vladikavkaz
Grozny
Terek
RUSSIE
Bouïnaksk
Makhatchkala
Derbent
Sumqayit
BAKI (BAKOU)
AZERBAÏDJAN
Gäncä
Salyan
Koura
Länkäran
Aras
Marand
TABRIZ
Mianeh
Urmia
Lac d'Urmia 1222
Maragheh
Mahabad

Mer Caspienne
-28

Aktaou
Plateau d'Oust-Ourt
Jangäozen
KAZAKHSTAN
Qo'ngirot
Nukus
OUZBÉKISTAN
Takhiatosh
Daşoguz
Urganch
Kara-Koum
Garabogaz -36
Derweze
Türkmenbaşi
Balkanabat
TURKMÉNISTAN
Çeleken
Gazanjyk
Serdar
Bäherden
AŞGABAT
Gumdag
Gyzyletrek
Kopet Dag
Gonbad-e Kavus
Atrek
Bojnurd
Torkoman
Teçen
Bandar Anzali
Recht
QAZVIN
KARAJ
Eslamchahr
TÉHÉRAN
Babol Sari
Gorgan
Sabzevar
Neychabur
MECHED
3220 930
Torbat-e Heydariyeh
Amol
Kaemchahr
Emamrud
Semnan
Varamin
QOM
Saveh
Khorasan
Désert de Lout
Deyhuk
Birjand
Gonabad

CHYPRE
Lefkosia
1953
Famagusta
Limassol
Larnaca
Banias
Lattaquié
Tartous
Tripoli
Mer Méditerranée
LIBAN
BEYROUTH
Haifa
DAMAS
Dj. ed Druz +1735
TEL AVIV
Jérusalem
Mer Morte
AMMAN
ISRAËL
Gaza
JORDANIE
Maan

ALEP
Hama
Homs
Palmyra
SYRIE
Al Hasakah
Kamichli
Al Raqqah
Deir ez Zor
Lac Assad
Euphrate
Nineveh
MOSSOUL
Assur
Arbil
As Sulaymaniyah
Kirkuk
Tikrit
Samarra
Mésopotamie
Al Hadithah
Ar Rutbah
Ramadi
Fallujah
BAGDAD
Ctesiphon
Baqubah
Ilam
Khorramabad
Borujerd
IRAK
Karbala
Babylon
Al Hillah
Al Kut
Nippur
Ad Diwaniyah
An Najaf
An Nasiriyah
Ur
Lac d'Hammar
As Samawah
Az Zubayr
BASRA
Abadan
Chatt al Arab
Faq
Bandar Khomeiny
KOWEIT
Kharg
Khafji
Hafar al Batin
Abou Ali
Dahana

Saqqez
Sanandaj
Hamadan
Malayer
Arak 1620
Kachan
Golpayegan 1620
Khomeinychahr
Najafabad
ISPAHAN
Chahr-e Kord
Kuh-i Dena 4420
Abadeh
Persépolis
Yezd 1160
Kerman 1730
Rafsanjan
Bam
Kuh-e Hazaran 4420
Kerman
Désert de Kerman
IRAN
Zanjan
Kermanchah
Dezful
Masjed Soleyman
Ahvaz
Khuzestan
Behbahan
CHIRAZ
Lac Bakhtegan
Neyriz
Sirjan
Jahrom
Larestan
Lar
Kazerun
Mary Dacht
Kangan
Bandar-e Bucheher
Montagnes Zagros
Mand
Golfe Persique
Bandar Abbas
Dt d'Ormuz
Oeshm
Minab
Lac de Jaz Murrian
Jask
Kumzar (Oman)
Ras al Khaima
Ajman
Chardja
Umm al Qaiwain
Fujaïrah
DOUBAÏ
Abou Dhabi
Bouraimi
Ain
Al Khaburah
Matrah
Masca
Golfe d'Oman
Mts Hadjar
3019 Dj. Akhdar
Ibri
Nazwa
Adam
OMAN

ÉGYPTE
ALEXANDRIE
Rosette
Damiette
Tanta
Zagazig
Port-Saïd
Ismaïlia
LE CAIRE
GIZA
Memphis
Suez
Golfe de Suez
Beni Souef
Fayoum
El Minya
Mallawi
Tall al Amarna
Manfalut
Assiout
Sohag
Tahta
Qena
Girga
Thèbes
Luxor
Karnak
Esna
Edfou
Kom Ombo
Assouan
Philae
Barrage d'Assouan
Tropique du Cancer
Abou Simbel
Lac Nasser
Wadi Halfa
Désert de Nubie
Abou Hamed
SOUDAN
Berber
Atbara
Ed Damer
5e Cataracte
6e Cataracte
Shendi
KHARTOUM
Wad Medani
Gezira
Sennar
Singa
Nil Bleu
Kurmuk
Ed Damazin
Asosa
Nil Bleu

El Arish
Sinaï
Eilat
Aqaba
Abou Rudeis
Mt Ste-Catherine 2637
Charm el Sheikh
Ras Mohammed
Urghada
Bur Safaga
Quseir
Marsa al Alam
Ras Banas
Ras Abou Madd
Ras Hamata 1977
Baie d'Umm el Ketef
Halaib
Dungunab
Ras Abou Shagara
2259 Dj. Oda
Port-Soudan
Souakin
Tokar
Haiya
Ras Kasar
Dj. Asoteriba 2216
Désert Arabique
Mer Rouge

Dumat al Djandal (Al Djawf)
Sakakah
Rafha
Ar'ar
Désert de Syrie
Widyan
As Salman
Az Zubayr
Désert du Nefoud
Al Qalibah
Tabuk
Mt Lawz 2403
Al Muwaylih
Taima
Hail 970
ARABIE
Chammar
Buraidah
Unaizah
Az Zilfi
Rass
Shaqra
Hisma
Medjaz
Hedjaz
Al Wajh
Umm Lajj
Yanbu al Bahr
MÉDINE
Rabigh
DJEDDA -2604
LA MECQUE
At Taif
Khurmah
Turabah
Al Lith
Mastabah
Al Qunfudha
Sabya
Qizan
Abha
Dj. Sawda 3207
Khamis Muchaït
Negraan
Asir
Al Lidam
Qalat Bisha
Ad Dawadimi
RIYAD
Al Kharj
Nadj
Al Hulwah
Dj. Tuwaiq 1081
Djebel Tuwaiq
Dawasir
Al Mubarraz
SAOUDITE
Yabrin
Al Ubaylah
Roub-al-Khali
Al Khaluf
Duqm
Golfe de Masira
Dawka
Dhofar
Ubar
Thamarit
Ras Karwaw
Îles Khuriya Muriya
Salalah
Marbat
Thamud
Zamakh
Chibam
Terim
Ghaida
Baie Kamar
Kishn
Ras Fartak
Saihut
Mahra
Hadramaout
Ash Shir
Mukalla
Hawra
Ahwar
YÉMEN

Al Hasa
Djubail
Al Qatif
Dammaam
BAHREIN
Manamah
Ras Tanura
Az Zahran (Dhahraan)
QATAR
Dukhan
Doha
Raian
Al Hufuf
ÉMIRATS ARABES UNIS
Djebel Dhanna
Ruwais
At Tarif
Musayid

Sawqirah
Ras Madraka
Baie de Sawqirah

Al Mubarraz
Haradh

Médine
SANAA
Sabya
Sadah
Hajja
Umran 3760
Hodeïda
Dhamar
Ibb 3008
Taizz
Zabid
Bajil
Luhaia
Maidi
Îles Farassan
Kamaran
Îles Hanish
Nisab
Atak
Baida
Shuqra
Marib
Ja'ar
Aden
Bab el Mandeb
Golfe d'Aden -2312
Perim
B. de Tadjoura
Tadjoura -174
DJIBOUTI
Obock
Saylac
Maydh
Boosaso
Bereeda
Raas Caseyr (C. Guardafui)
Socotra
Hadibo
Qandala
Xaafuun
Raas Xaafuun
Presqu'île Somali
Shimbiris 2407
Ceerigabo
Berbera
Bender-Bayla
Qardho
Boorama
Burco
Hargeysa
SOMALIE
-5203

ÉRYTHRÉE
Keren
Massaoua
Akordat
Asmara
Îles Dahlak
Dr de Massaoua
Kassala
Teseney
Khasm el Girba
Gedaref
Massif Éthiopien
Gondar
Lac Tana 1788
Bahir Dar
Debre Tabor
Chutes Tisisat
Dessié
Mt Dascian 4620
Mekele
Adwa
Adigrat
Aksoum
Awash
Dépression de Danakil
Edd
Ramlu 2130
Assab
Moka
Taizz
ÉTHIOPIE
Debre Markos
ADDIS ABEBA
Nekemte
Debre Birhan
Diré Daoua
Harer
Jijiga
Awash
Kembolcha
Al Sabieh
Zeila

Projection conique 35° 40° 45° 50° 55°

© Noordhoff Uitgevers

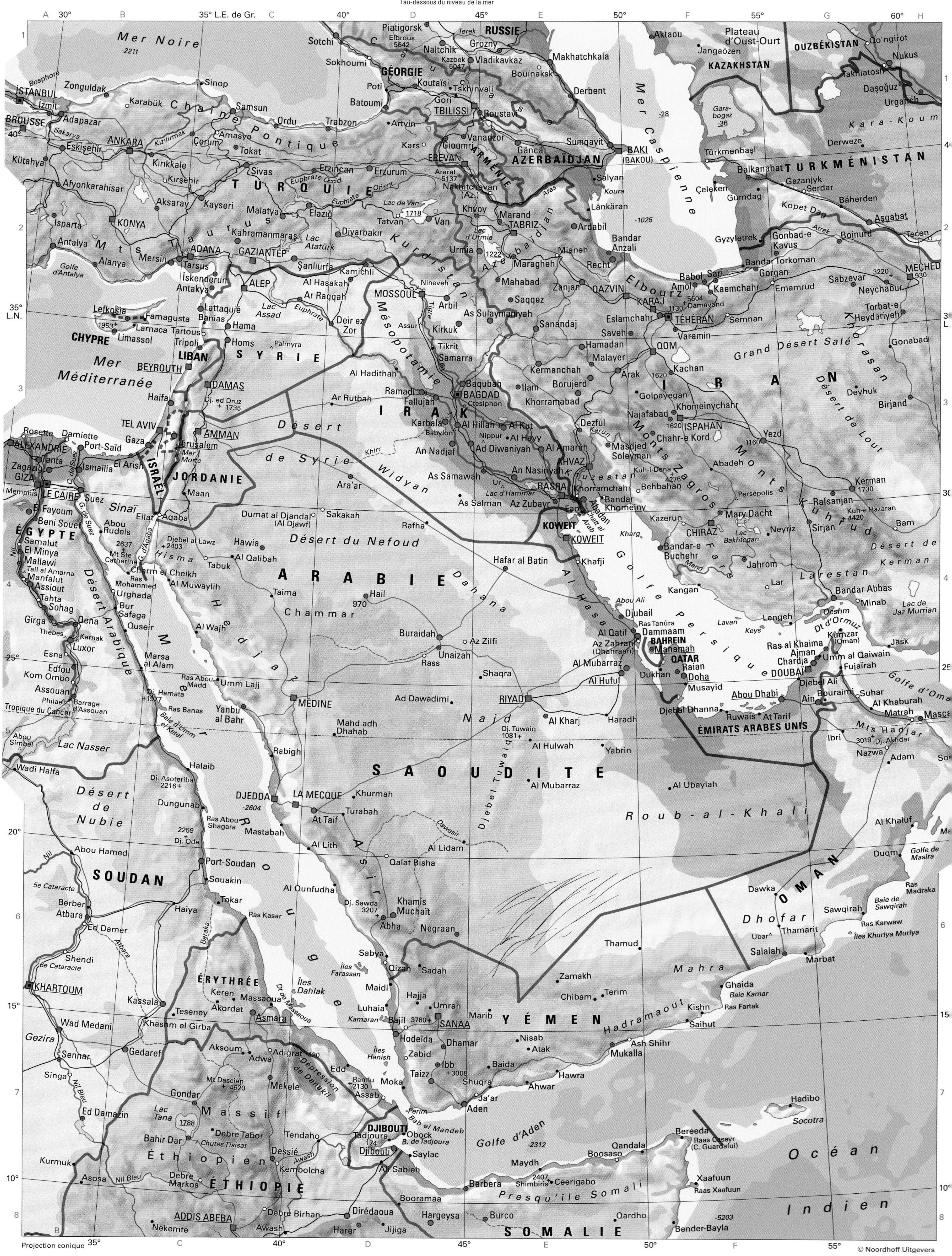

MOYEN-ORIENT UTILISATION DU SOL

Échelle 1 : 12500000

0   100   200   300   400   500 km

Mer Noire

RUSSIE

Sotchi
Terek
Grozny
Makhatchkala
Aktaou

KAZAKHSTAN
OUZBÉKISTAN

Bosphore
Zonguldak
Istanbul
Izmit
Samsun
GÉORGIE
Koutaïsi
Batoumi
Tbilissi
Mer
Noukous
Ourghentch

Chaîne Pontique
Trabzon
ARMÉNIE
Erevan
AZERBAÏDJAN
Bakou
Türkmenbachy
Nebitdag
TURKMÉNISTAN
Kara-Koum

Eskişehir
Ankara
Sivas
Erzurum
Kızılırmak

Caspienne

Achgabat

Lac Tuz
Kayseri
TURQUIE
Lac de Van
Tabriz
Urmia
Lac d'Urmia
Recht
Neka
San
Gorgan
Atrek
Meched

Konya
Diyarbakır
Batman
Kizil Uzan
Téhéran
Elbourz

Antalya
Taurus
Mersin
Ceyhan
Alep
Euphrate
Mossoul
Kirkuk
Hamadan
Kermanchah
Qom
Grand Désert Salé
IRAN

Lefkosia
CHYPRE
Lattaquié
Banias
Tartous
Tripoli
Homs
SYRIE
Désert de
Al Haditha
Deir ez Zor
Tigre
Bagdad
Ispahan
Masdjed Soleyman
Yezd
Désert de Lout

Beyrouth
Saïda
LIBAN
Damas
Syrie
IRAK
Karbala
An Nadjaf
Ahvâz
Kerman

Haïfa
Jordanie
Amman
Euphrate
Basra
B. Khomeiny
Lac Bakhtegan

Damiette
Port-Saïd
Ashdod
Gaza
Jérusalem
ISRAËL
Mer Morte
JORDANIE
Sakakah
Abadan
Fao
Chiraz

Alexandrie
Le Caire
Suez
Eilat
Aqaba
Sinaï
Tapline
KOWEIT
Ahmadi
Kharg
Bandar-e Buchehr
Bandar Abbas

ÉGYPTE
El Fayoum
Abou Rudeis
Charm el Cheikh
Désert de Nefoud
Djubail
Lavan
Dt. d'Ormuz
OMAN
Jask

Assiout
Nil
Urghada
Tabuk
Hail
Buraidah
Dammaam
Ras Tanûra
BAHREIN
Halul
Sirri
Chardja
Ajman
Fujaïrah

El Kharga
ÉGYPTE
Désert Arabique
Hedjaz
Nedjed
Riyad
Al Hufuf
QATAR
Doha
Das
Djebel Ali
Abou Dhabi
Golfe d'Oman

Assouan
Tropique du Cancer
Médine
Petroline
Ghavar
ÉMIRATS
ARABES
UNIS
Mascate

Lac Nasser
Yanbu al Bahr
ARABIE SAOUDITE
Golfe Persique

Wadi Halfa
Rabigh
Mer Rouge
Rabigh
Roub-al-Khali
OMAN

Désert de Nubie
Djedda
La Mecque
At Taif

Port-Soudan
Asir
OMAN

SOUDAN
Abha
Negraan
Qizan
Dhofar
Salalah

Khartoum
Atbara
Kassala
Asmara
Massaoua
Salif
Sanaa
Saiun
YÉMEN
Océan

ÉRITHRÉE
Hodeïda
Hadramaout
Mukalla
Bir Ali
Indien

Taizz
Socotra
(Yémen)

Gondar
Assab
Aden
Golfe d'Aden

ÉTHIOPIE
Lac Tana
DJIBOUTI
Djibouti
Perim
Bab el Mandeb
Berbera
SOMALIE

Massif Éthiopien

Nil Blanc
Nil Bleu

Légende

| Désert | Semi-désert avec élevage nomade | Terres cultivées non irriguées | ◆ Pétrole | Oléoduc | ■ Raffinage pétrolier | B. = Bandar | Limite internationale |
| Forêts | Steppes et pâturages avec élevage extensif et cultures dispersées | Terres cultivées irriguées | ◆ Gaz | Gazoduc | ■ Pétrole synthétique | ■ Port pétrolier | Barrage |

© Noordhoff Uitgevers

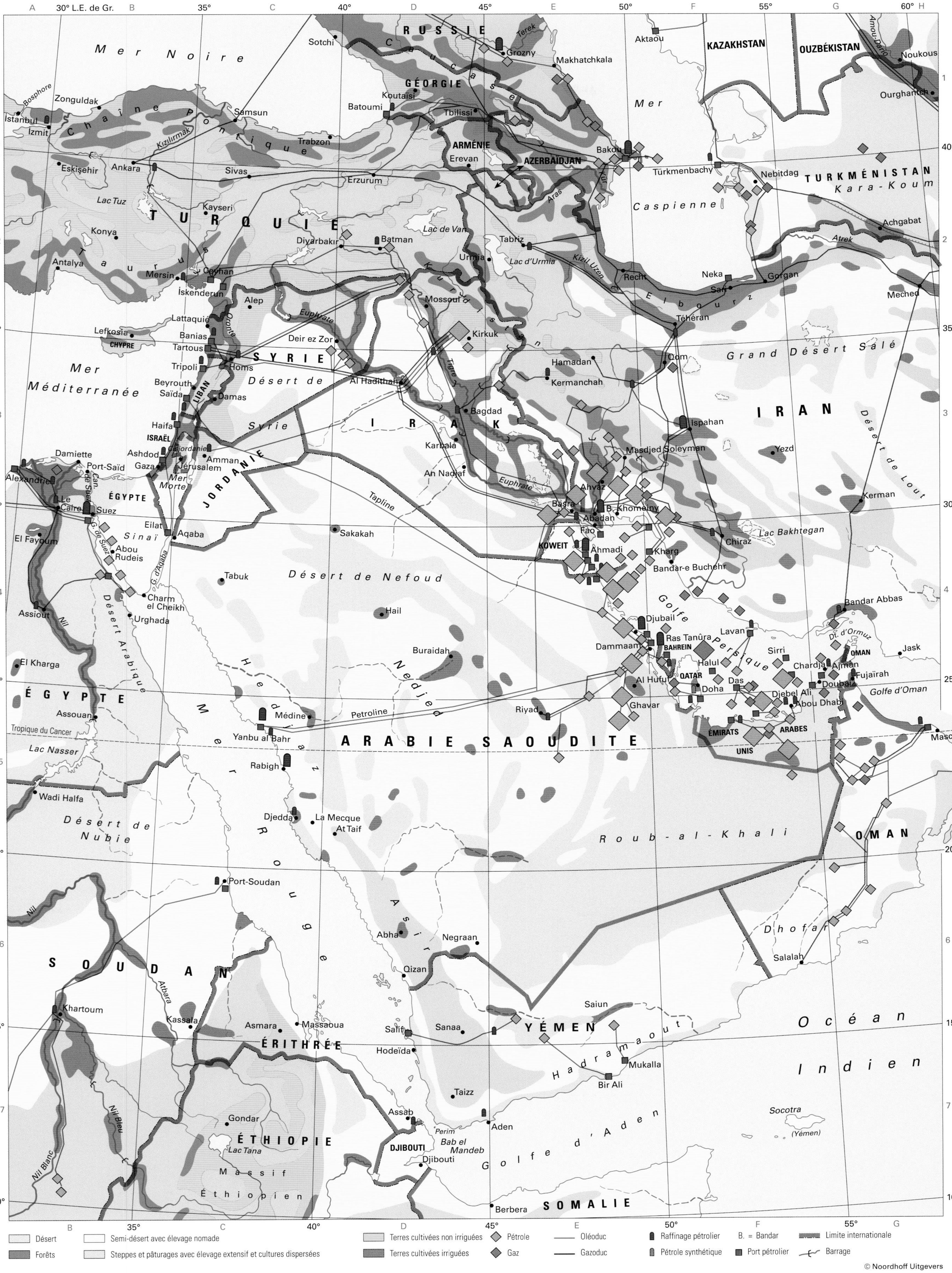

MONDE INDIEN

Échelle 1 : 12500000

-6000 -4000 -2000 -200 0 200 500 1000 2000 3000 5000m

0 100 200 300 400 500 km

65° L.E. de Gr.   70°   75°   80°   85°   90°   95°

OUZBÉKISTAN
Samarqand
Qarchy
Chahrisabz
Douchanbe
Kourghonteppa
Termiz
Mazar-i-Charif
Samangan
Kholm
Kunduz
Khanabad
Baghlan
TADJIKISTAN
Vakhch
Pic Ibn Sina 7134
Pic Ismaïl Samani 7495
Mourghob
Bartang
Khorugh
Pamir
Wakhan
Kofarnihon
Panj
Kourghontepa
Denov

AFGHANISTAN
Bamian 1762
5140
Ghazni
Gardez
Kaboul
Charikar
Kabul
Jalalabad
col de Khaiber
Kalat
Quetta
PAKISTAN
Mts Soleiman
Kalat
Jacobabad
Larkana
Mohendjo-Daro
Dadu
Sukkur
Shikarpur
Khanpur
Rahimyar Khan
Nawabshah
Tando Adam
Mirpur Khas
KARACHI
HYDERABAD
Thatta
Mts Kirthar

Xinjiang Uygur (Sinkiang Uygurie)
Taklamakan
Kashi (Kashgar)
Bachu
Yarkant He
Shache (Yarkand)
Pishan
Hotan
Yutian
Minfeng
Qiemo
Ruoqiang
Kaxgar He
Hoan He
1230
1200
1340
Qargan He
Mangnaï
Da Qaidam
Golmud

CHINE
Xizang (Tibet)
Monts Kunlun
Altun Shan
Qinghaï
Basatongwula-Shan 6096
Yanshiping
Mts Tanggula
Dengqen
Jiali
Nagqu
Nam Co
Siling Co
Gêrzê
Xainza
Zhongba
Saga
Dinggyê
Zhaxigang
Sänggê
Garyarsa
Xigazê
Gyangzê
Lhasa
Burang
Zhongba

Tuokusidawan Ling 6303
Karakoram
K2 (Godwin Austen) 8611
Muztag 7282
Karakoram 5575
Leli Shan 6407
Duomula
Changmar
Leh
Kashmir (Ladakh)

TADJIKISTAN
Kholm
Faizabad
Mingaora
Chitral
Gilgit
Nanga Parbat 8126
Rakaposhi 7788
Kongur Shan 7719
3900
Wakhan

Alaï Tag
Hindu Kuch
Mardan
Abbottabad
Islamabad 1600
RAWALPINDI
Jhelum
Sialkot
Jammu
SRINAGAR
Jammu-et-Cachemire
Himalaya
Trans-Himalaya

PESHAWAR
Kohat
Wah
Dera Ismail Khan
Zhob
GUJRANWALA
FAISALABAD
LAHORE
Jhang
Amritsar
Pathankot
Hoshiarpur
Jalandhar
LUDHIANA
Chand.
Shimla
Himachal Pradesh
Chandigarh
Ambala
Patiala
Dehra Dun 7817
Nanda Devi
Haridwar
Uttaranchal

MULTAN
Sahiwal
Okara
Kasur
Khanewal
Bathinda
Punjab
Ganganagar
Sirsa
Hisar
Bhiwani
Haryana
Rohtak
Muzaffarnagar
Saharanpur

Dera Ghazi Khan
Bahawalpur
Harappa
Bikaner
Churu
Sikar
Alwar
DELHI
New Delhi
FARIDABAD
MIRAT
Moradabad
Bareilly
Pilibhit
Rampur
Shahjahanpur

Désert de Thar
Rajasthan
Nagaur
JAIPUR
Jodhpur
Ajmer
Beawar
Mathura
Bharatpur
AGRA
Firozabad
Etawah
Uttar Pradesh
Bahraich
LUCKNOW
Faizabad
Gorakhpur

NÉPAL
Pokhara
Gorkha
KATHMANDOU
Lalitpur
Dhaulagiri 8167
Annapurna 8078
Mt Everest 8850
Kangchenjunga 8575
Kula Kangri 7554
Kangto 7090

SIKKIM
Gangtok
Thimphu
Phuntsholing
Punakha
BHOUTAN
Darjiling
Shiliguri
Biratnagar
Itanagar
Arunachal Pradesh
Dibrugarh

Barmer
Pali
Bilwara
Kota
Tonk
Gangapur
Gwalior
Jhansi
Bhind
Chambal
Bareilly
KANPUR
Jaunpur
Ara
Chhapra
Muzaffarpur
Darbhanga
Bihar
Rangpur
Saidpur
Guwahati
Assam
Tezpur
Nagaon
Jorhat
Dispur
Shillong
Meghalaya
Nagaland
Kohima

HYDERABAD
Thatta
KARACHI
Gujarat
Bhuj
G. de Kutch
Jamnagar
Porbandar
Junagadh
Veraval
Diu
Daman
Daman et Diu
Rajkot
Bhavnagar
Kandla
Gandhidham
AHMADABAD
Gandhinagar
Nadiad
VADODARA (BARODA)
Bharuch
SURAT
Navsari
Silvassa
Dadra et Nagar Haveli

Tropique du Cancer

Ratlam
Ujjain
Dewas
INDORE
BHOPAL
Guna
Lalitpur
Sagar
Vidhya
Narmada
Khandwa
Burhanpur
Jalgaon
Dhule
Malegaon
Akola
Amravati
NAGPUR
Wardha
Bhilai
Gondia
Raipur
Bhadrakh
Balangir
Dhamtari
-25

VARANASI (BÉNARÈS)
Mirzapur
ALLAHABAD
Chhatarpur
Satna
Rewa
Murwara
JABALPUR 410
Chhattisgarh
Bilaspur
Korba
Raigarh
Sambalpur
Jharkhand
Bokaro
Dhanbad
Asansol
Ranchi
Jamshedpur
Rourkela
+1225
Gaya
PATNA
Bhagalpur
Munger
Baharampur
Kharagpur
Baleshwar

BANGLADESH
Rajshahi
Sirajganj
Pabna
DHAKA (DACCA)
Narayanganj
Jessore
KHULNA
Chandpur
Barisal
Sylhet
Silchar
Imphal
Manipur
Agartala
Tripura
Aizawl
Mizoram
Falam
CHITTAGONG
MYANMAR
Cox's Bazar
Chaîne d'Arakan
Sittwe
Kyaukpyu
Ramri
3053

Bengale Occidental
KOLKATA (CALCUTTA)
Hooghly
Sandarban
Bhatpara

Madhya Pradesh
Mts Satpura
INDE
Nanded
Parbhani
Jalna
Aurangabad
NASHIK +1646
THANE
KALYAN
MUMBAI (BOMBAY)
PUNA
Maharashtra
Godavari
Bid
Plateau
SOLAPUR
Bijapur
Gulbarga
Bidar
Nizamabad
Karimnagar
Warangal
Andhra Pradesh
Ghates Orientales
Orissa
Cuttack (Kataka)
Bhubaneshwar
Puri
Berhampur
Srikakulam
Vizianagaram
VISHAKHAPATNAM

Golfe du Bengale
-2359

Mer d'Oman

Ratnagiri
Kolhapur
Satara
Sangli
Ichalkaranji
Belgaum
Ghates Occidentales
Deccan
Hubli
Gadag
Bellary
Guntakal
Adoni
Raichur
Kurnool
Nandyal
Anantapur
Karnataka
Krishna
Bhima
Mahbubnagar
HYDERABAD
Eluru
Rajahmundry
Kakinada
Vijayawada
Guntur
Machilipatnam
Ongole
Nellore
Khammam

Panaji
Marmagoa
Goa
Shimoga
Davangere
Tumkur
BANGALORE
Kolar
Chittoor
Tirupati
Kadapa
Proddatur
CHENNAI (MADRAS)
Vellore
Kanchipuram
Tiruvannamalai

Mangalore
Mysore
Mts Nilgiri 2670
Kerala
Salem
Erode
Namakkal
COIMBATORE
Tamil Nadu
Tiruchirappalli
Thanjavur
Kumbakonam
Nagapattinam
Pondichéry
Cuddalore
Tirupati

Lakshadweep
Laquedives
Amindivi
Kavaratti

Kozhikode
Palakkad
Thrissur
KOCHI
Alappuzha
Anaimudi 2695
Cardamomes
Dindigul
MADURAI
Rajapalaiyam
Tuticorin
Tirunelveli
Nagercoil
C. Comorin
Kollam
THIRUVANANTHAPURAM

Passage du 9ème degré
Minicoy
Passage du 8ème degré
MALDIVES
-1900

Dt de Palk
C. Calimere
G. de Mannar
Jaffna
Mannar
Vavuniya
Trincomalee
Anuradhapura
SRI LANKA
Batticaloa
Negombo
COLOMBO
Kandy
Pidurutalagala 2524
Sri Jayewardenapura Kotte
Galle
C. Dondra

A. CLIMAT
1 : 40000000

Précipitations annuelles en mm
moins de 200
200 - 500
500 - 1000
1000 - 2000
2000 - 3000
3000 ou plus
Isotherme de janvier
Isotherme de juillet
(réduites au niveau de la mer)
Mousson d'hiver
Mousson d'été

Quetta
Lahore
Karachi
Delhi
Kanpur
Ahmadabad
Kathmandou
Cherrapunji
Kolkata
Dhaka
Nagpur
Mumbai
Hyderabad
Bangalore
Chennai
Kochi
Colombo

10°C 32°C 15°C 30°C 20°C 25°C 30°C

Tropique du Cancer

Projection conique

© Noordhoff Uitgevers

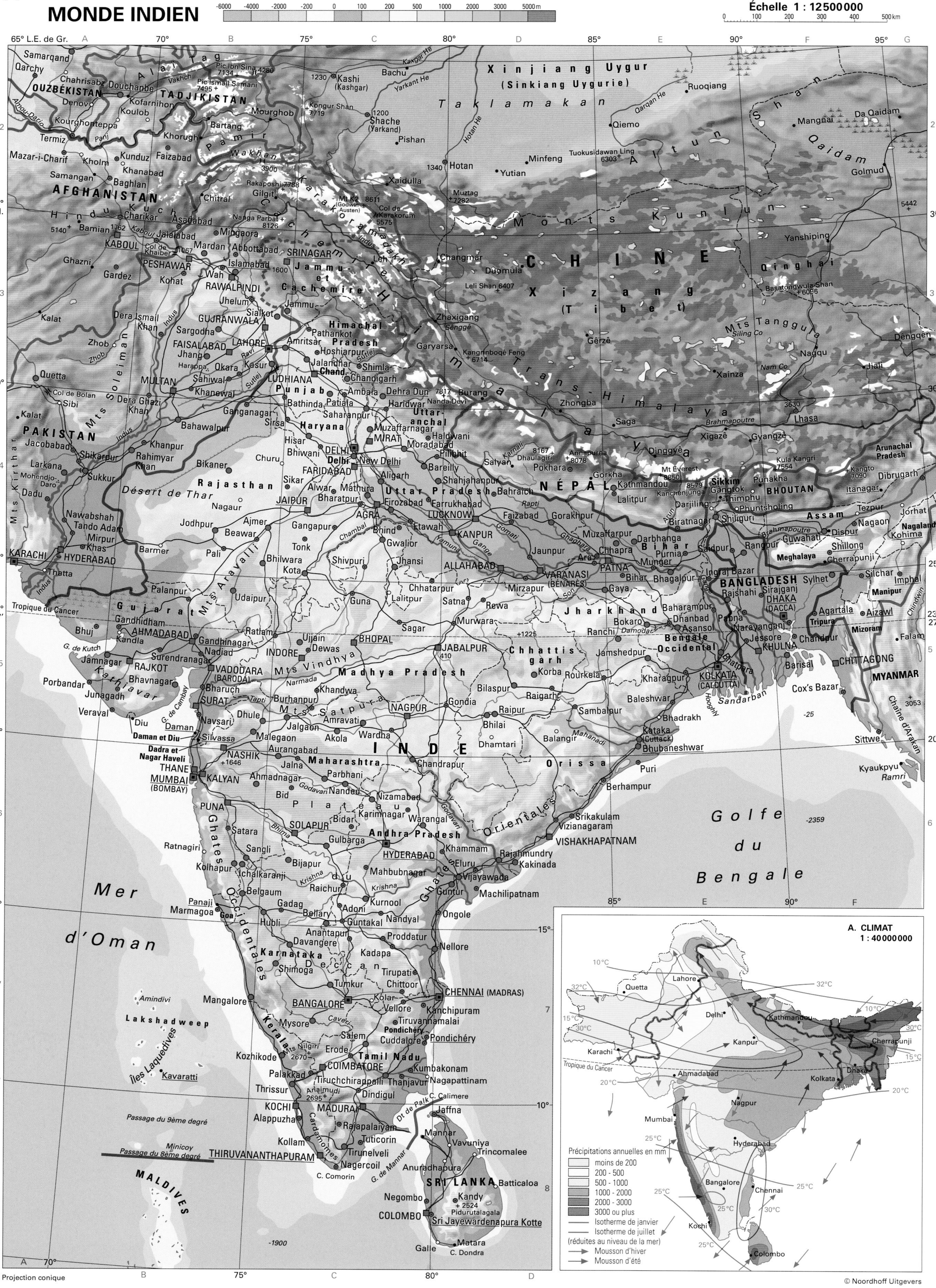

MONDE INDIEN

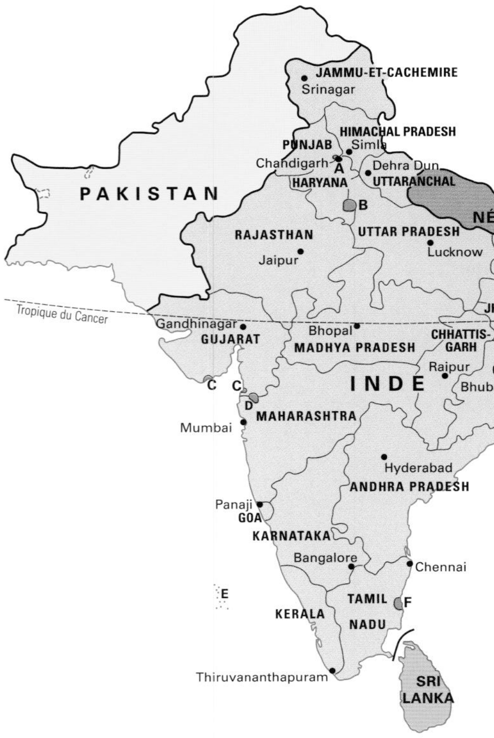

A. ADMINISTRATION
1 : 35 000 000

INDE, TERRITOIRES:
A Chandigarh
B Delhi
C Daman et Diu (anc. portugais)
D Dadra et Nagar Haveli (anc. portugais)
E Lakshadweep (Îles Laquedives)
F Pondichéry (anc. français)
G Îles Andaman et Nicobar (pas sur la carte)

INDE, ÉTATS
GOA État (avec capitale)
1 Sikkim (Gangtok)
2 Meghalaya (Shillong)
3 Tripura (Agartala)

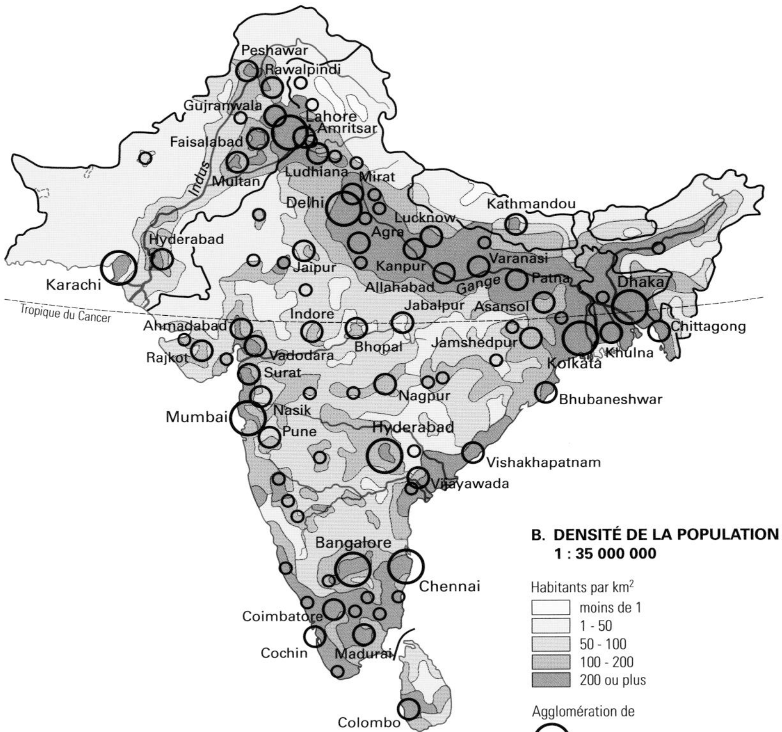

B. DENSITÉ DE LA POPULATION
1 : 35 000 000

Habitants par km²
moins de 1
1 - 50
50 - 100
100 - 200
200 ou plus

Agglomération de
5 M d'habitants ou plus
1 à 5 M d'habitants
500 000 à 1 M d'habitants

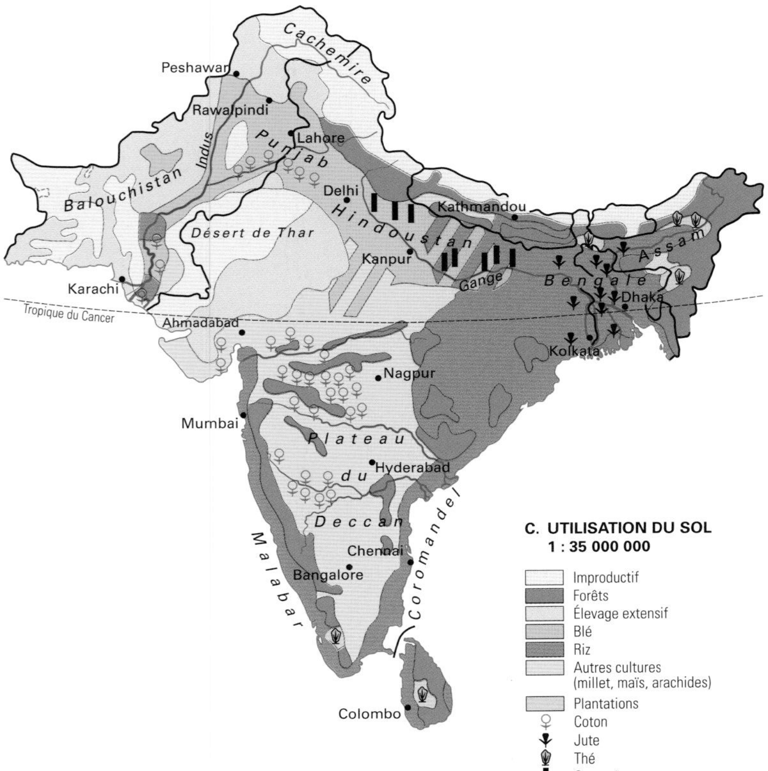

C. UTILISATION DU SOL
1 : 35 000 000

Improductif
Forêts
Élevage extensif
Blé
Riz
Autres cultures
(millet, maïs, arachides)
Plantations
Coton
Jute
Thé
Canne à sucre

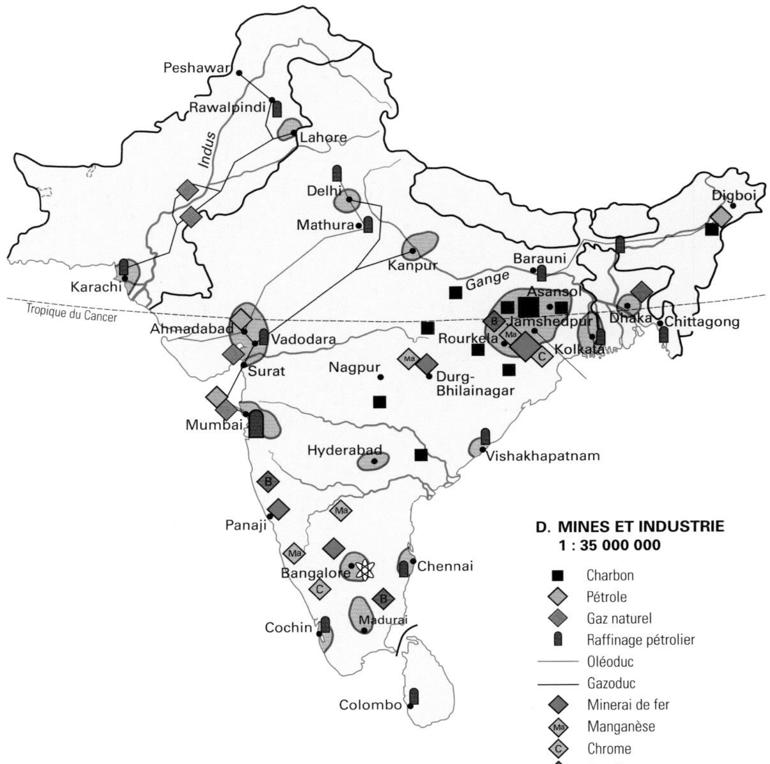

D. MINES ET INDUSTRIE
1 : 35 000 000

Charbon
Pétrole
Gaz naturel
Raffinage pétrolier
Oléoduc
Gazoduc
Minerai de fer
Manganèse
Chrome
Bauxite
Haute technologie
Région industrielle

E. BIDONVILLES
1 : 45 000 000

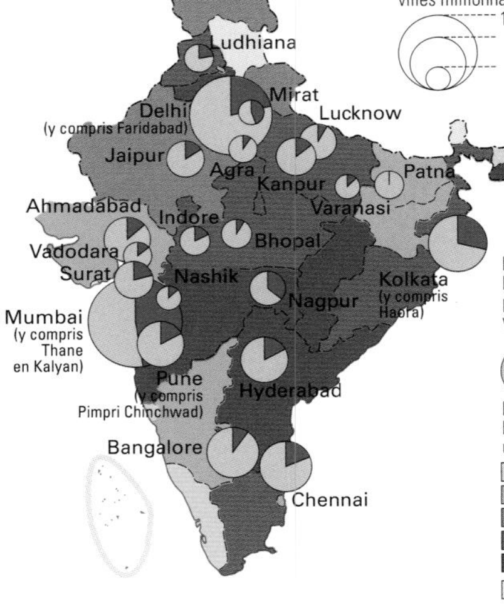

Population totale des
villes millionnaires (2001)
10 millions
5 millions
1 million

Part de la population des
bidonvilles dans la
population totale des
villes millionnaires (2001)

Pourcentage de la population des
bidonvilles dans la population
urbaine des états (2001)
moins de 10
10 - 15
15 - 20
20 - 30
30 ou plus
pas de bidonvilles
officiellement recensés

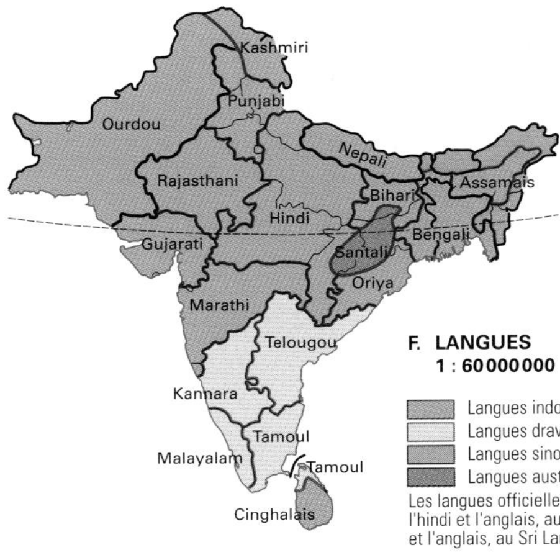

F. LANGUES
1 : 60 000 000

Langues indo-européennes
Langues dravidiennnes
Langues sino-tibétaines
Langues austro-asiatiques
Les langues officielles sont : en Inde
l'hindi et l'anglais, au Pakistan l'ourdou
et l'anglais, au Sri Lanka le cinghalais

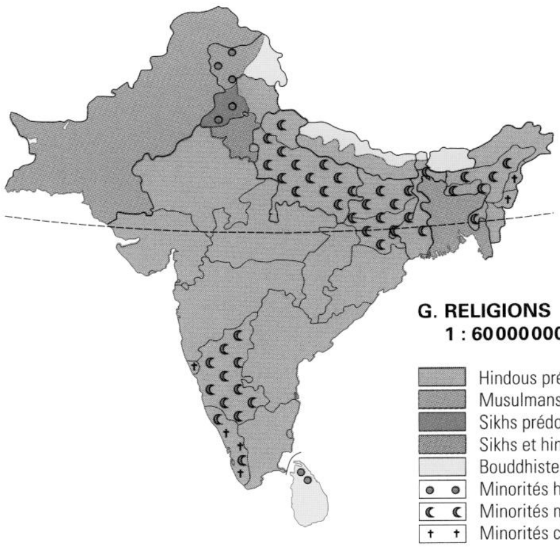

G. RELIGIONS
1 : 60 000 000

Hindous prédominants
Musulmans prédominants
Sikhs prédominants
Sikhs et hindous prédominants
Bouddhistes prédominants
Minorités hindoues
Minorités musulmanes
Minorités chrétiennes

© Noordhoff Uitgevers

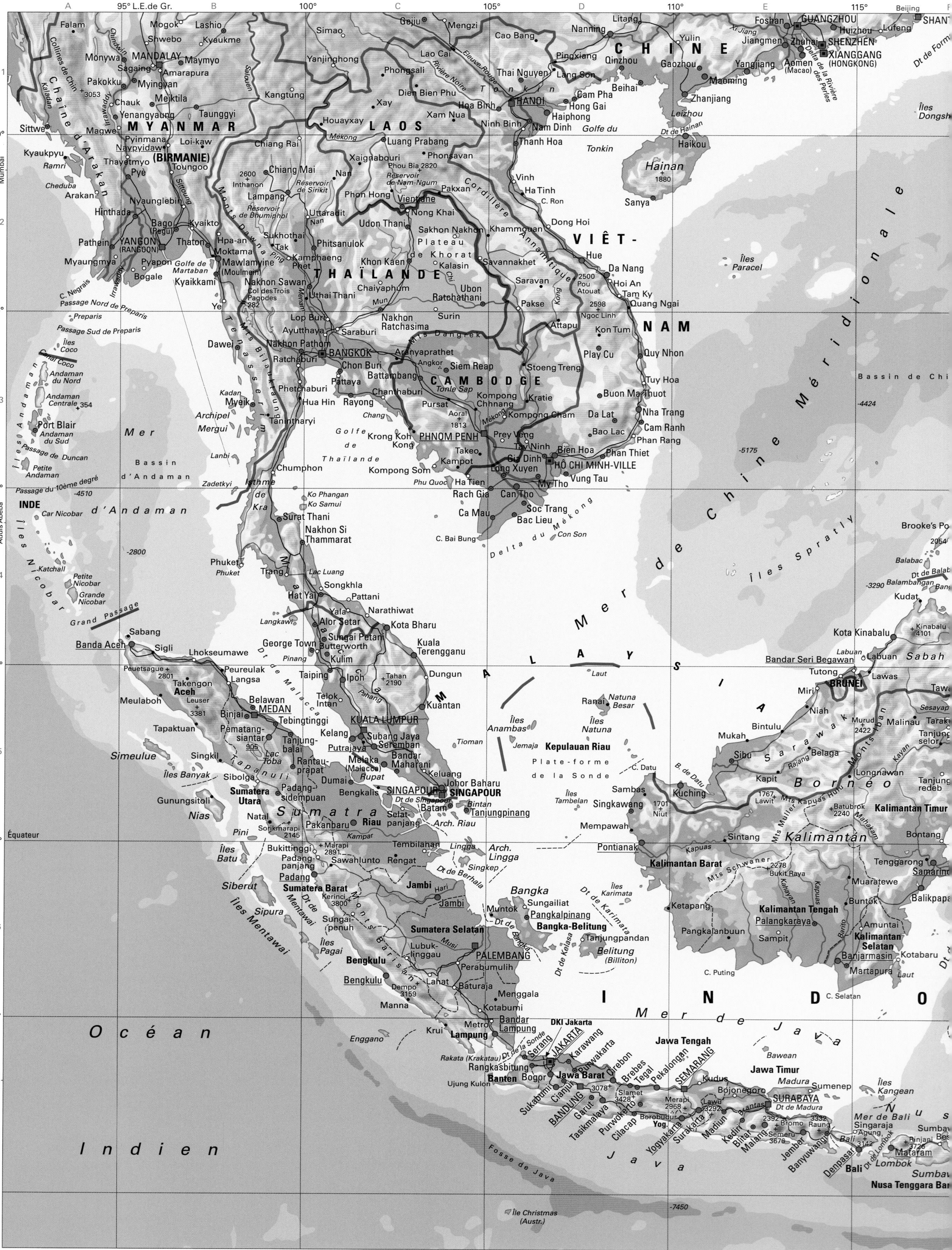

Échelle 1 : 12 500 000

-8000 -6000 -4000 -2000 -200 0 100 200 500 1000 2000 3000 5000 m
au-dessous du niveau de la mer

0 100 200 300 400 500 km

Mexico

120° G 125° H 130° I 135° J Tokyo 140° K

TAIWAN Formose
Tainan Taitung
GAOXIONG Pingtung
(KAOHSIUNG)

Canal de Bachi

Dt de Luçon

Îles Batan Basco
Batan

Bassin des Philippines

Océan

Îles Babuyan Calayan
Camiguin

C. Bojeador Canal Babuyan C. Engaño
Laoag Aparri
Vigan Tuguegarao
Luçon Ilagan
Pulog Santiago
+2934
S. Fernando
Baguio
Dagupan
S. Carlos
Tarlac Canabatuan
Pinatubo Angeles
1760+ S. Fernando
Olongapo
MANILLE Tanay
Dt de Manille Baie de Lamon
Îles Lubang Lipa S. Pablo Daet
Batangas Lucena Naga
Calapan Marinduque Catanduanes
Mindoro Mayon Legaspi
Mer de 2462 Buhi
Sibuyan Sorsogon
Îles Tablas Sibuyan
Busuanga Calamian Visayan
es Calamian Masbate Calbayog
Culion Mer de Samar
El Nido Îles Cuyo Roxas Samar
Panay Mer de Tacloban
Dumaran Iloilo Visayan Ormoc -10540
Cadiz Leyte
Bacolod S. Carlos
Bago CEBU Dinagat
Guimaras Cebu
Pto. Princesa Negros Bohol Surigao Siargao
Îles Cagayan Bais Tagbilaran
Palawan Dumaguete Mer de Mindanao
Dipolog Siquijor Camiguin
Cagayan Butuan
Ozamis de Oro
Pagadian Iligan Bislig
Marawi Malaybalay
ndakan Sultan Kudarat Mindanao
Zamboanga Cotabato Apo Tagum
Golfe de 2965 DAVAO
Isabela Moro Digos
de Sahad Datu Basilan Koronadal Golfe de Davao
ahad Datu Îles Jolo General Santos C. San Agustin
Semporna Pangutaran Jolo
Tawitawi Archipel de Sulu Pte Tinaca
Dt de Sarangani

Mer des Philippines

PHILIPPINES

Pacifique

Philippines

-7535

Fosse du Challenger
-10911

Fosse des Mariannes

Îles Yap Ulithi

Ngulu -8527

Îles Palau -8069 Sorol
Babelthuap
Koror

MICRONÉSIE

Fosse de Yap

PALAU

Îles Sonsorol
Fosse des Palau

Bassin des Carolines

Mer de Sulu

Mer de Sulawesi

Karakelong Îles Talaud

Awu 1320
Tahuna
Sangihe Îles
1784 Sangihe
-5315 Karangetang Siau

Sulawesi Utara
Morotai
Galela
C. Torawitan Tobelo
Manado Bitung Gamkonora
Soputan +1784 +1635
Tolitoli Kotamobagu Jailolo Halmahera
C. Mangka- Buol Ternate Gamalama
lihat Malino Gorontalo Tidore +1715
Tomini +2443 1357 Weda
Gorontalo Minahasa

Maluku Utara

Mer de Sulawesi

Mer des Moluques

Gebe Waigeo
Golfe de Îles Kasiruta Bacan Mer de Dt de Dampier +3000 Kwoka
Dongala Tomini Togian Halmahera Batanta Manokwari Supiori Biak
Luwuk D t d'Obi Salawati Sorong Biak
Sulawesi Tengah Peleng Laiwui Misool Cendrawasih Numfoor
Poso Mangole Obi (Tête d'Oiseau) Ransiki Dt de Yapen
Palu Lac Poso Taliabu Inanwatan Bintuni Yapen Serui
Sulawesi Îles Sula Sanana Golfe de Waren
Barat (Célèbes) Golfe de Îles Banggai Berau Papua Barat Cendrawasih
amuju Tanah Tolo Babo Wasior Nabire
Toraja Mer de Seram Fakfak Bomberai Kaimana
Palopo Lac Namlea Piru Seram Wahai Bula
Makale Towuti Buru Amahai Geser
ajene -5765 Ambon Gorong
Poliwali Sulawesi Tenggara Ambelau Îles Watubela
Parepare Kolaka Kendari Wowoni 640
Singkang Îles Banda
N Watampone Muna -7440
MAKASSAR Butung Îles
Bulukumba Baubau Tukangbesi Mer de Banda Tual
Bantaeng Selayar Maluku Dobo Îles Kai
Mer de S E Îles Aru
Flores Tanahjampea 781
Kalaotoa -5400 Damar Yamdena Îles
Tanimbar

Monts Van Rees Tariku
Mamberano Sarmi
C. Perkam Demta
Nouvelle- Guinée
Jayapura Vanimo
Monts Maoke Aitape
Puncak Jaya Wewak
Enarotali 4886 Wamena Monts Jayawijaya
Mts Sudirman 4750 Vallée du
Tembaga- Trikora Baliem Sepik
pura 4760 Mandala PAPOUASIE-
Kokenau
Papua NOUVELLE-GUINÉE
Agats
Pulau-Pulau Chaîne Centrale
Tanahmerah
Lac Murray
Digul
Yos C. Vals Okaba
Sudarso Merauke Fly
Daru

Sumba Waingapu Kupang Roti
Waikabubak Mer de
Sawu
(Petites Îles de la Sonde)

Nusa Tenggara Timur

TIMOR ORIENTAL

bora +1949
50 Komodo 1639
Ende
Bima Ruteng
Kelimutu
Maumere
Flores
Nusa Tenggara Timur
Waingapu Alor Pantar Liquiça Dili Baucau
Lomblen Adonara Oecussi Îles Leti
Kalaotoa Wetar Dt de Wetar Kisar Moa
Romang Dt d'Ombai Alambua Timor
Dt de Sumba Sermata

Plate-forme Sahul

AUSTRALIE
Îles Wessel C. Wessel
Melville

Dt de Torres
C. York

Mer d'Arafura

Mer de Timor

Willemstad

Paramaribo

© Noordhoff Uitgevers

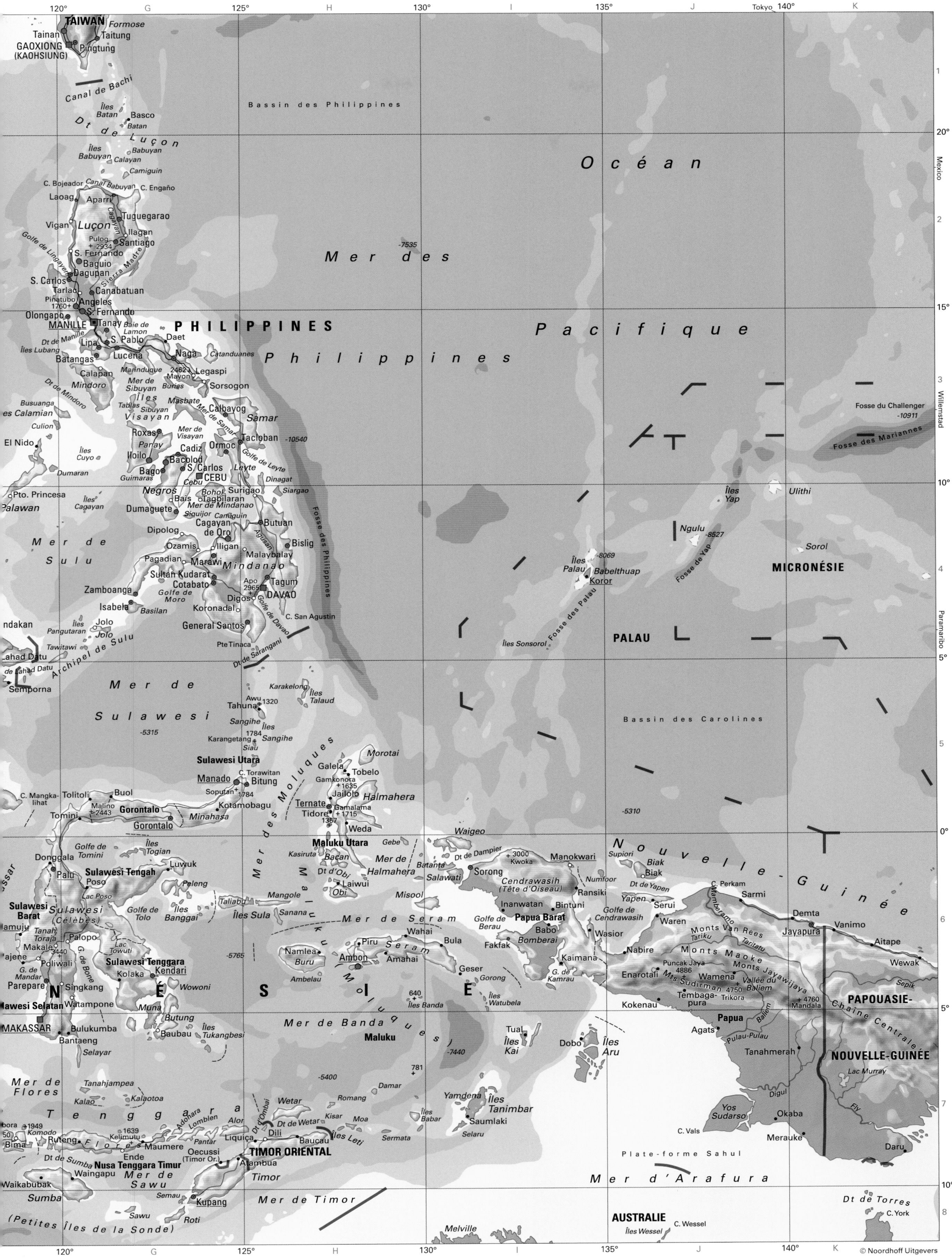

INDONÉSIE

A. INDONÉSIE: CLIMAT
1 : 25 000 000

VIÊT-NAM

PHILIPPINES

MALAYSIA

Medan

Sandakan

BRUNEI

MALAYSIA

Tarakan

SINGAPOUR

I N D O N É S I E

Manado

Équateur

Pontianak

Balikpapan

Padang

Manokwari

Palembang

Jayapura

Makassar

Amboine

Jakarta

Surabaya

Yogyakarta

Uccle (Belgique)

TIMOR ORIENTAL

Kupang

Précipitations annuelles en mm
- 1000 - 2000
- 2000 - 3000
- 3000 - 4000
- 4000 - 5000

→ Mousson de janvier
→ Mousson de juillet

Diagrammes climatiques:

Précipitations en mm
Température en degrés Celsius

B. INDONÉSIE: DENSITÉ DE LA POPULATION

Hô Chi Minh-ville

VIÊT-NAM

Cebu

PHILIPPINES

Davao

M A L A Y S I A

BRUNEI

Ipoh

Medan

Kuala Lumpur

Kelang

Johor Baharu

SINGAPOUR

Pakanbaru

Pontianak

Équateur

Padang

Palembang

Banjarmasin

I N D O N É S I E

Makassar

Bandar Lampung

Jakarta

Semarang

Surabaya

Bogor

Bandung

Surakarta

Malang

Mataram

Yogyakarta

Denpasar

TIMOR ORIENTAL

Agglomération de
- ○ plus de 5 M d'habitants
- ○ 1 à 5 M d'habitants
- ○ 500 000 à 1 M d'habitants

Habitants par km²
- moins de 1
- 1 - 10
- 10 - 50
- 50 - 100
- 100 - 200
- 200 ou plus

C. ASIE DU SUD-EST: PROBLÈMES ENVIRONNEMENTAUX

Manille

Ho Chi Minh-ville

Davao

Medan

Kuala Lumpur

Singapour

Kuching

Manado

Padang

Palembang

Banjarmasin

Makassar

Bandar Lampung

Jakarta

Surabaya

Jayapura

Sécheresse

Précipitations en septembre 1997, par comparaison au même mois dans une année moyenne, en millimètres

- +300
- +200
- +100
- +50
- +25
- -25
- -50
- -100
- -200
- -300
- -400

Feux de forêt

⋮⋮ Foyers en septembre-novembre 1997

✚ Aéroport fermé durablement en raison des fumées dégagées par les feux de forêt

Crues

〜 Crues ayant entraîné des décès dans les douze mois ultérieurs (1997)

Faim

■ Famine causée par la perte du bétail et des récoltes suite à la sécheresse et aux gelées nocturnes

Pollution de l'air à Kuching (Sarawak, Malaysia), 21-29 sept. 1997

Indice de pollution de l'air (API)

- 800
- 600
- 400
- 200

21 23 25 27 29
septembre

- très dangereuse
- dangereuse
- très menaçante pour la santé
- menaçante pour la santé
- modérée
- faible

© Noordhoff Uitgevers

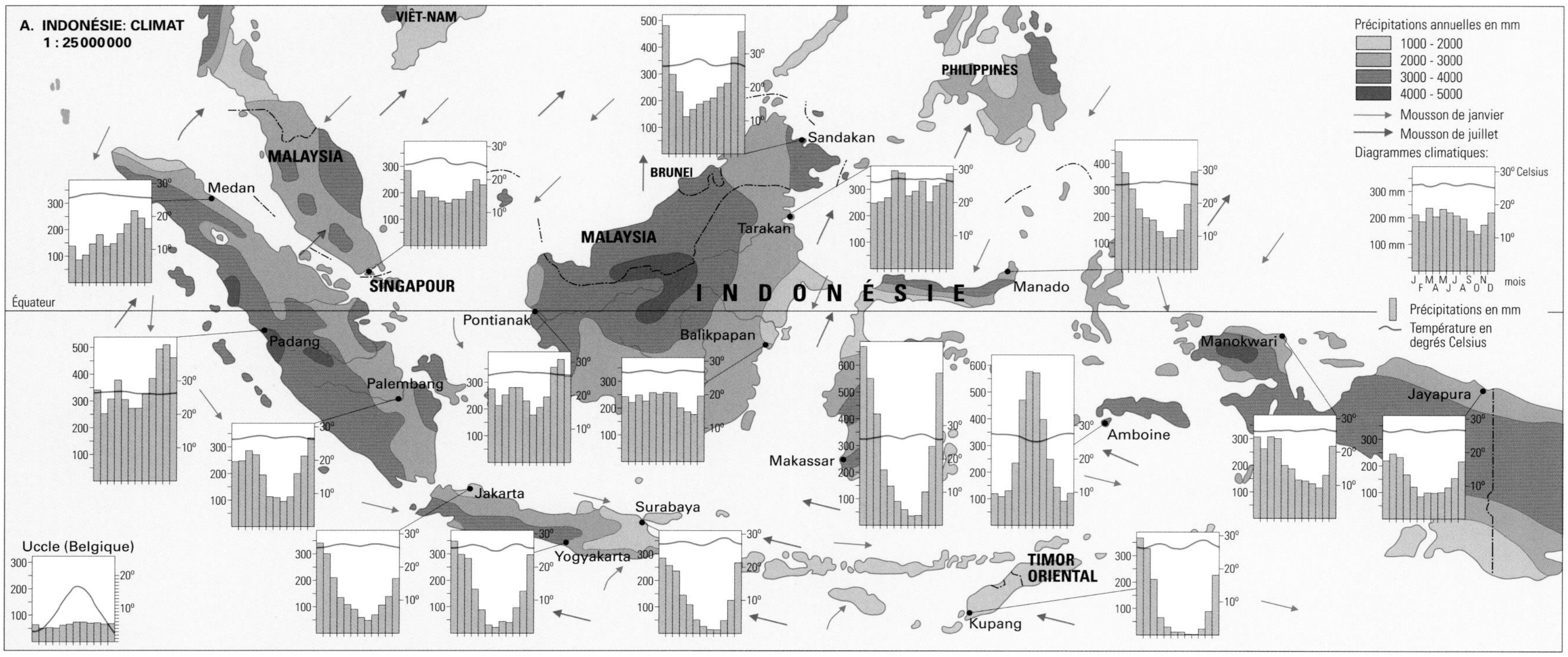

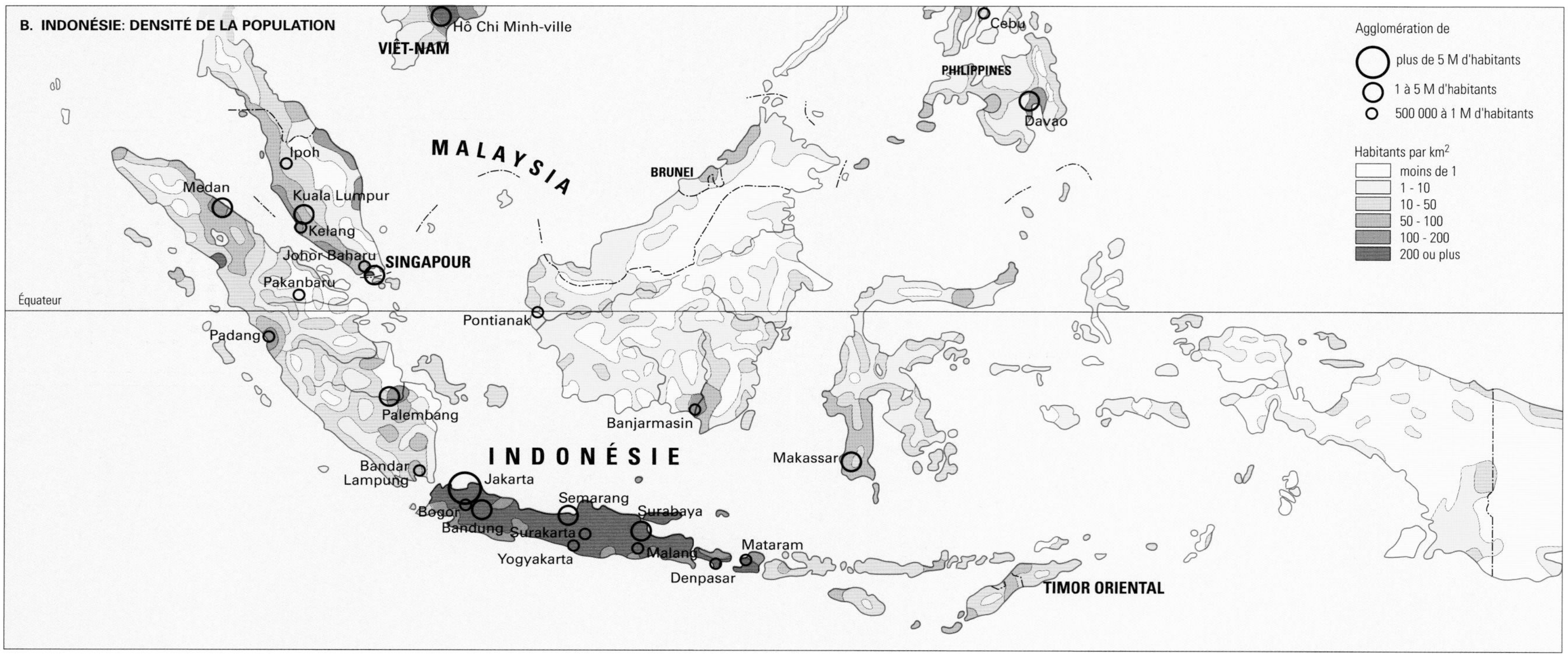

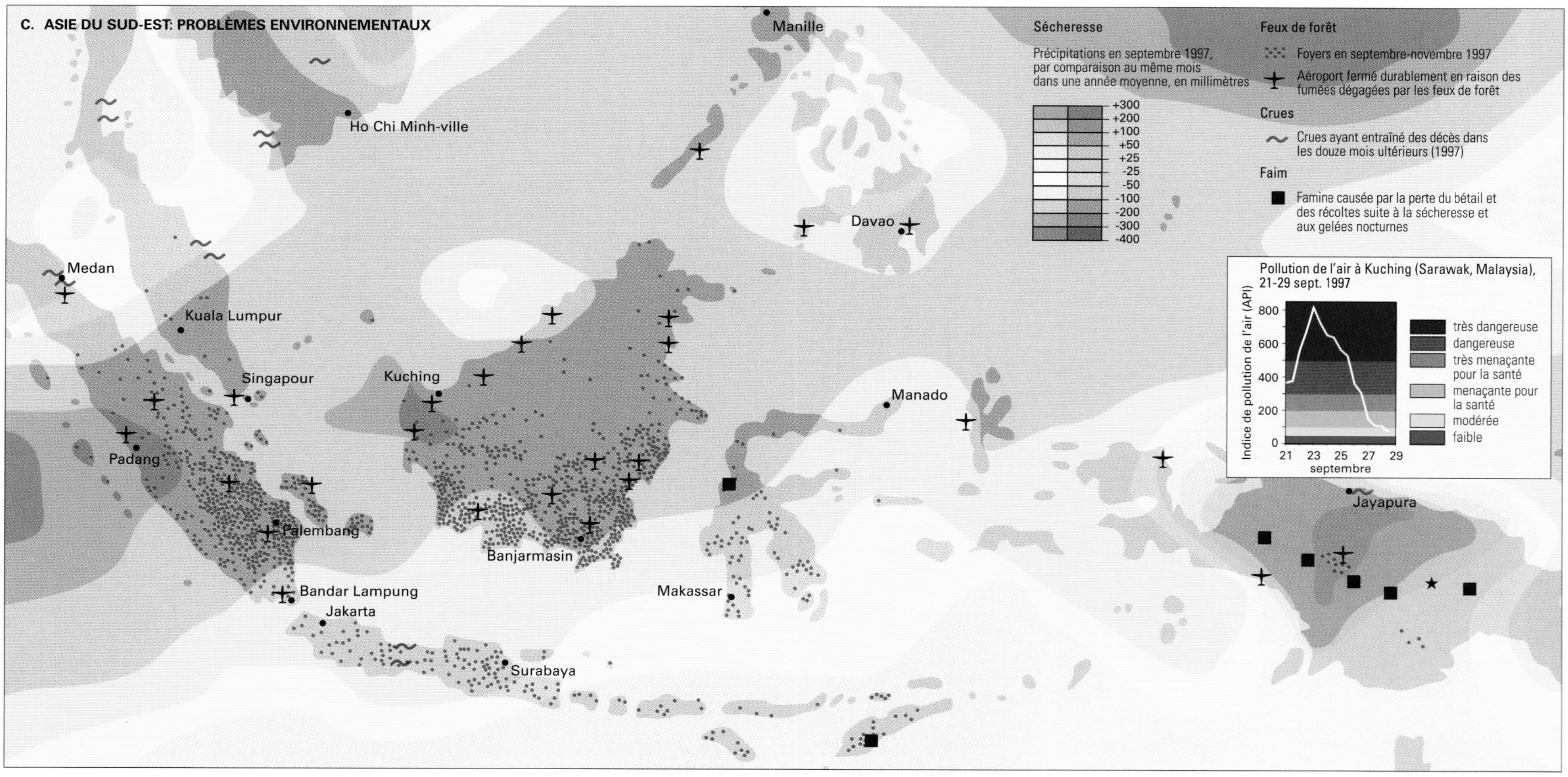

HONGKONG / SINGAPOUR / KUALA LUMPUR

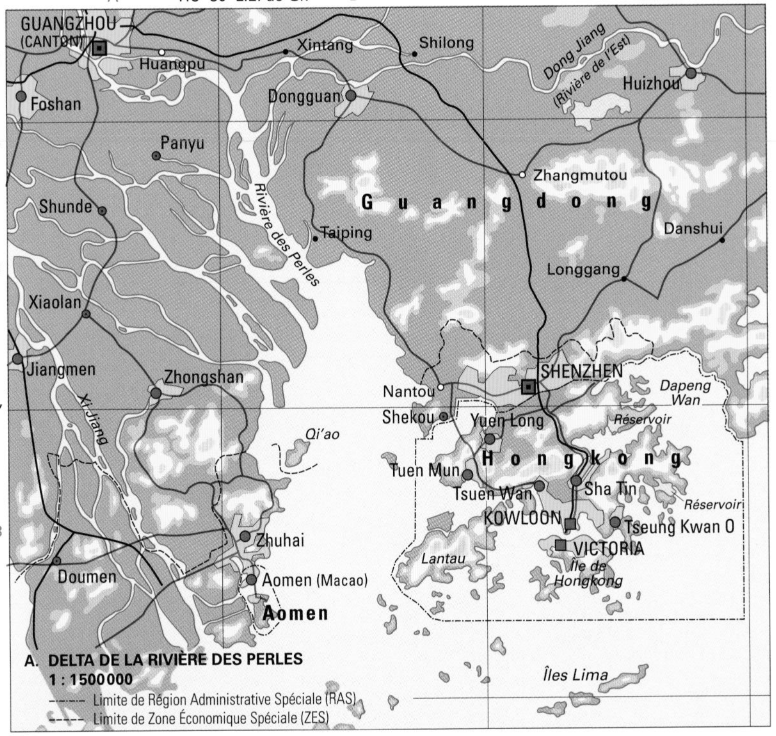

A. DELTA DE LA RIVIÈRE DES PERLES 1 : 1 500 000

------ Limite de Région Administrative Spéciale (RAS)
----- Limite de Zone Économique Spéciale (ZES)

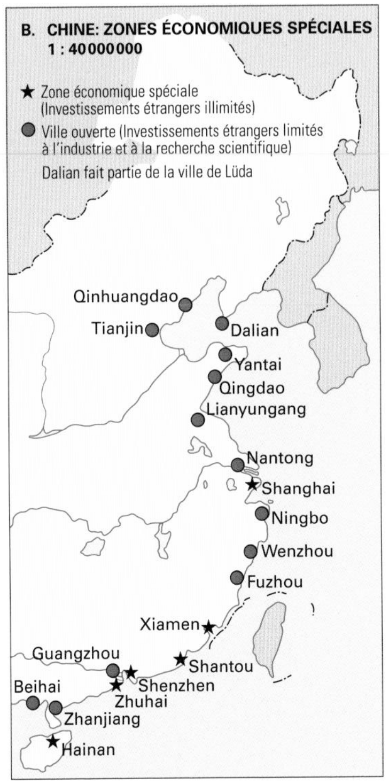

B. CHINE: ZONES ÉCONOMIQUES SPÉCIALES 1 : 40 000 000

★ Zone économique spéciale
(Investissements étrangers illimités)
● Ville ouverte (Investissements étrangers limités à l'industrie et à la recherche scientifique)
Dalian fait partie de la ville de Lüda

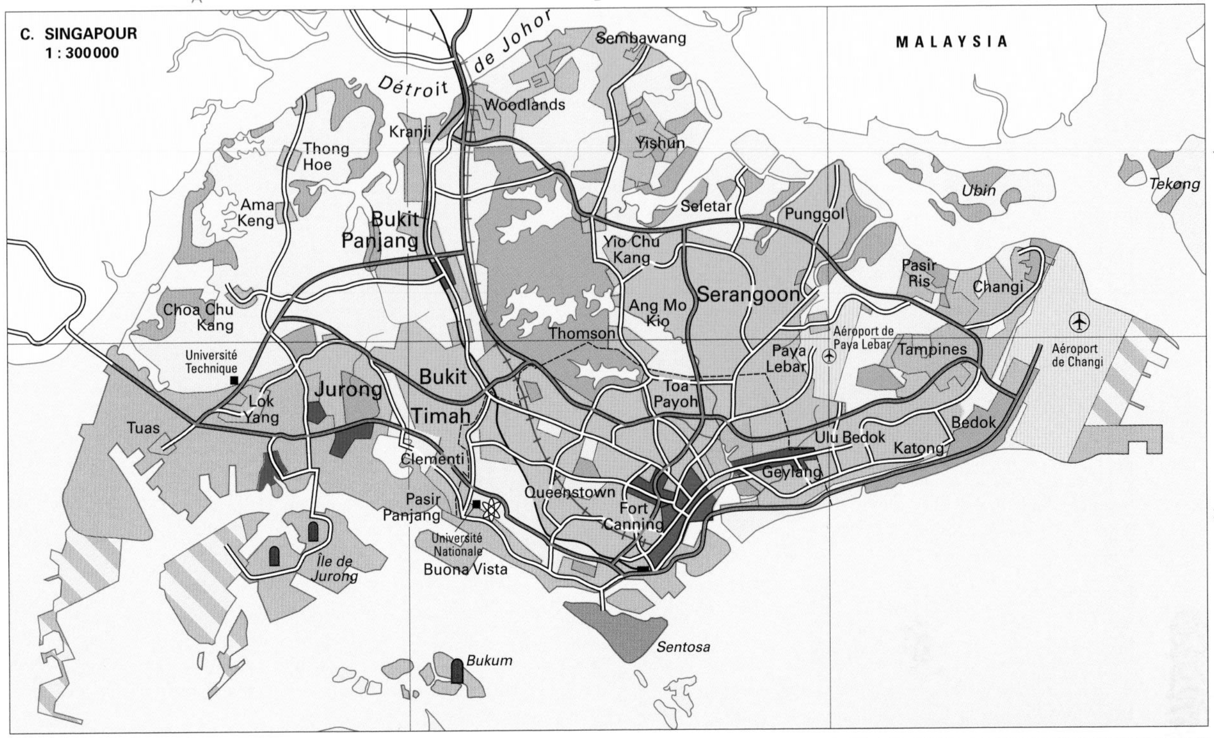

C. SINGAPOUR 1 : 300 000

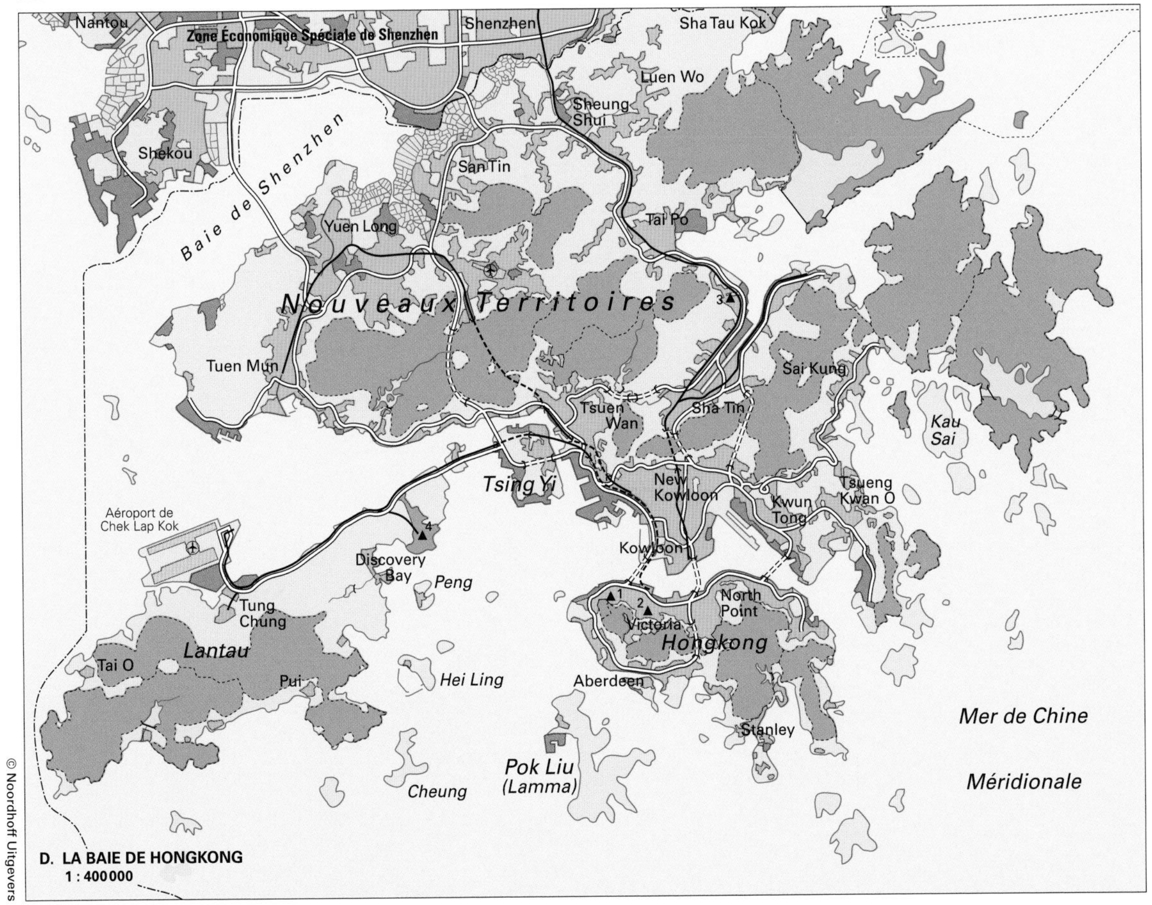

D. LA BAIE DE HONGKONG 1 : 400 000

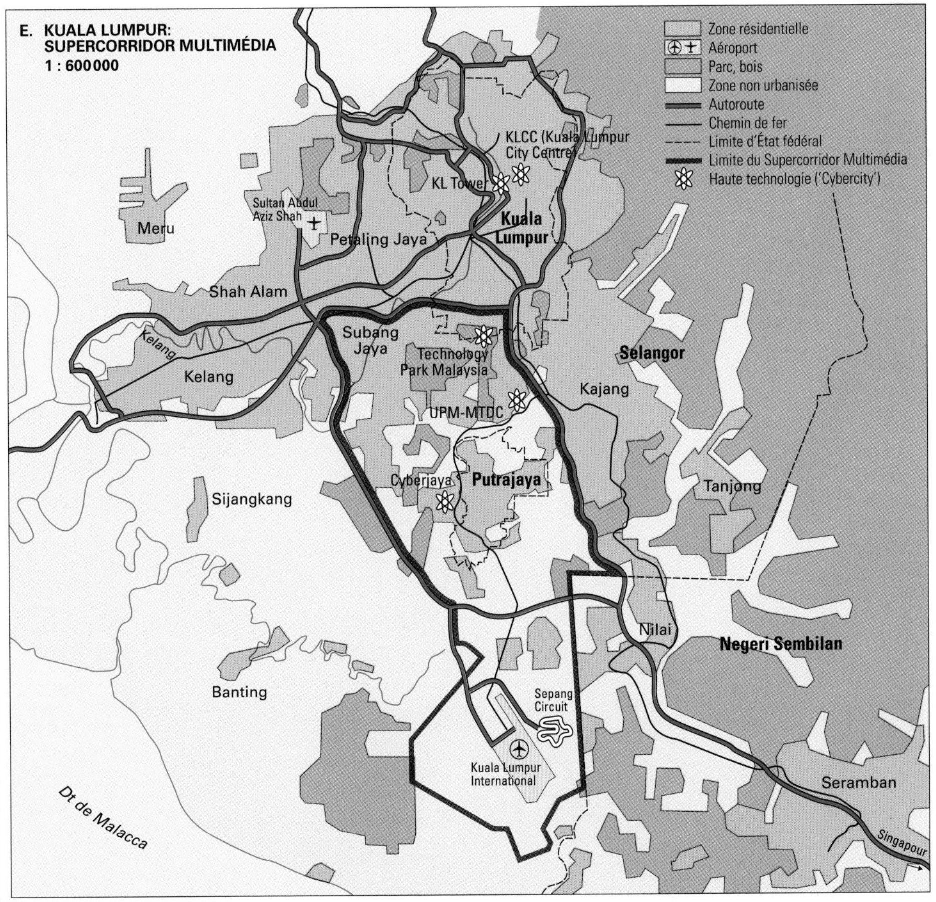

E. KUALA LUMPUR: SUPERCORRIDOR MULTIMÉDIA 1 : 600 000

Zone résidentielle
Aéroport
Parc, bois
Zone non urbanisée
Autoroute
Chemin de fer
Limite d'État fédéral
Limite du Supercorridor Multimédia
Haute technologie ('Cybercity')

Légende pour C:
Centre des affaires
Idem, secondaire
Zone résidentielle
Parc d'attraction
Zone industrielle/portuaire
Aéroport
Parc, bois
Mangrove
Zone à agriculture dominante (légumes, caoutchouc, copra)
Limite de la ville de Singapour
Conduite d'eau potable
Chemin de fer
Autoroute
Route principale
Raffinerie de pétrole
Haute technologie (dispersée)

Légende pour D:
Zone résidentielle
Espace industriel
Aéroport
Country Park
Zone non urbanisée
Barrage, lac de barrage
Chemin de fer
Route principale
Tunnel ferroviaire
Tunnel routier
Bâtiment remarquable
1 Université de Hongkong
2 Jardin botanique
3 Université chinoise de Hongkong
4 Hongkong Disneyland
Limite de la Région Administrative Spéciale de Hongkong

ASIE DE L'EST

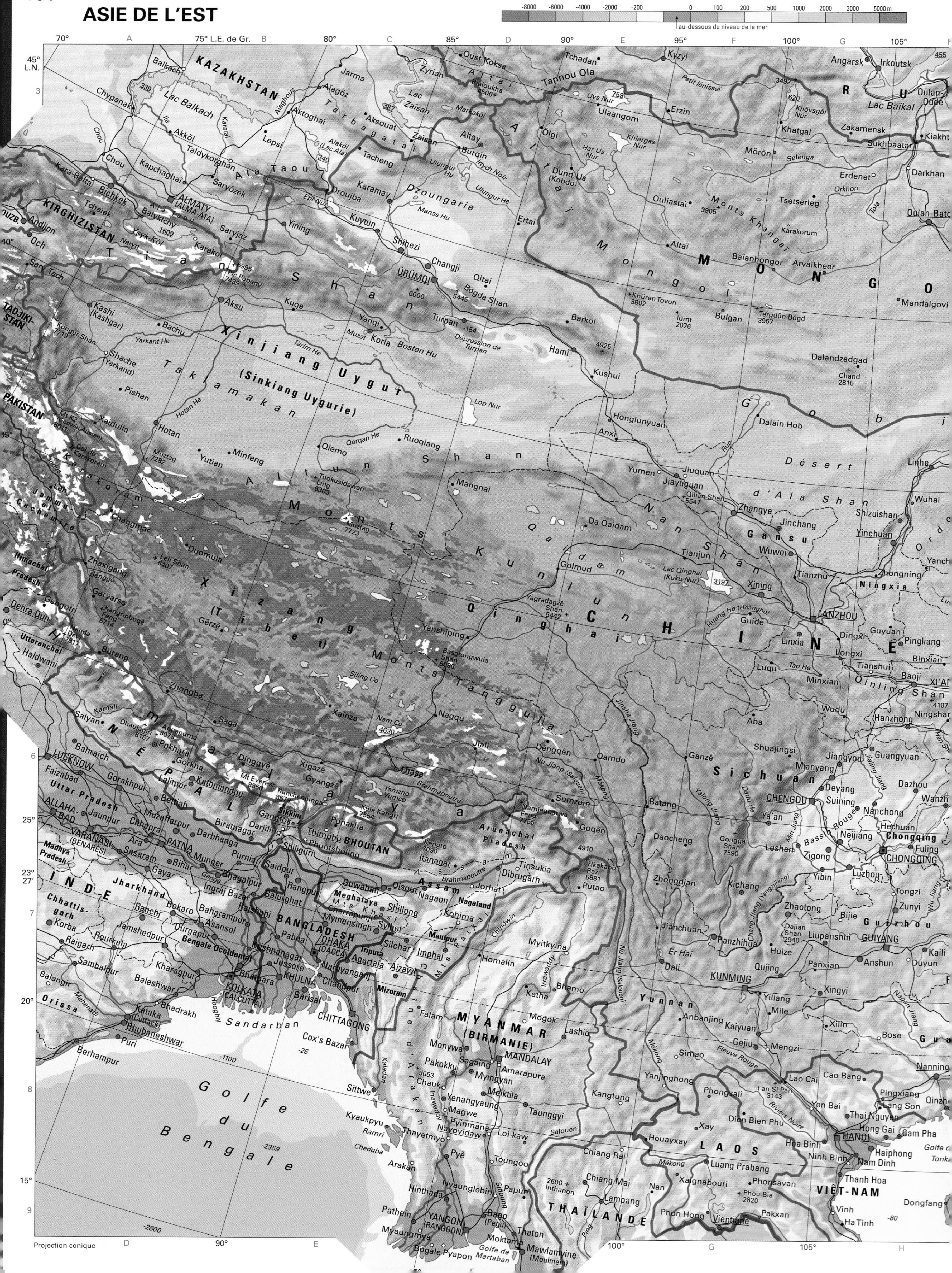

-8000 -6000 -4000 -2000 -200 0 100 200 500 1000 2000 3000 5000m
au-dessous du niveau de la mer

KAZAKHSTAN

KIRGHIZISTAN

TADJIKISTAN

PAKISTAN

Tian Shan

Xinjiang Uygur
(Sinkiang Uygurie)

Taklamakan

ÜRÜMQI

MONGOLIE

Gobi

Désert d'Ala Shan

Xizang
(Tibet)

Monts Kunlun

Qinghai

Gansu

Ningxia

LANZHOU

Monts Tanggula

NEPAL

BHOUTAN

INDE

Uttar Pradesh

Madhya Pradesh

Chhattisgarh

Jharkhand

Bengale Occidental

Orissa

KOLKATA
(CALCUTTA)

BANGLADESH

DHAKA
(DACCA)

CHITTAGONG

Meghalaya

Assam

Nagaland

Manipur

Mizoram

Tripura

Arunachal Pradesh

Sichuan

CHENGDU

Chongqing

CHONGQING

Guizhou

GUIYANG

Yunnan

KUNMING

MYANMAR
(BIRMANIE)

MANDALAY

YANGON
(RANGOON)

Naypyidaw

THAÏLANDE

LAOS

Vientiane

VIÊT-NAM

HANOI

Golfe du Bengale

XI'AN

Qinling Shan

Golfe du Tonkin

Projection conique

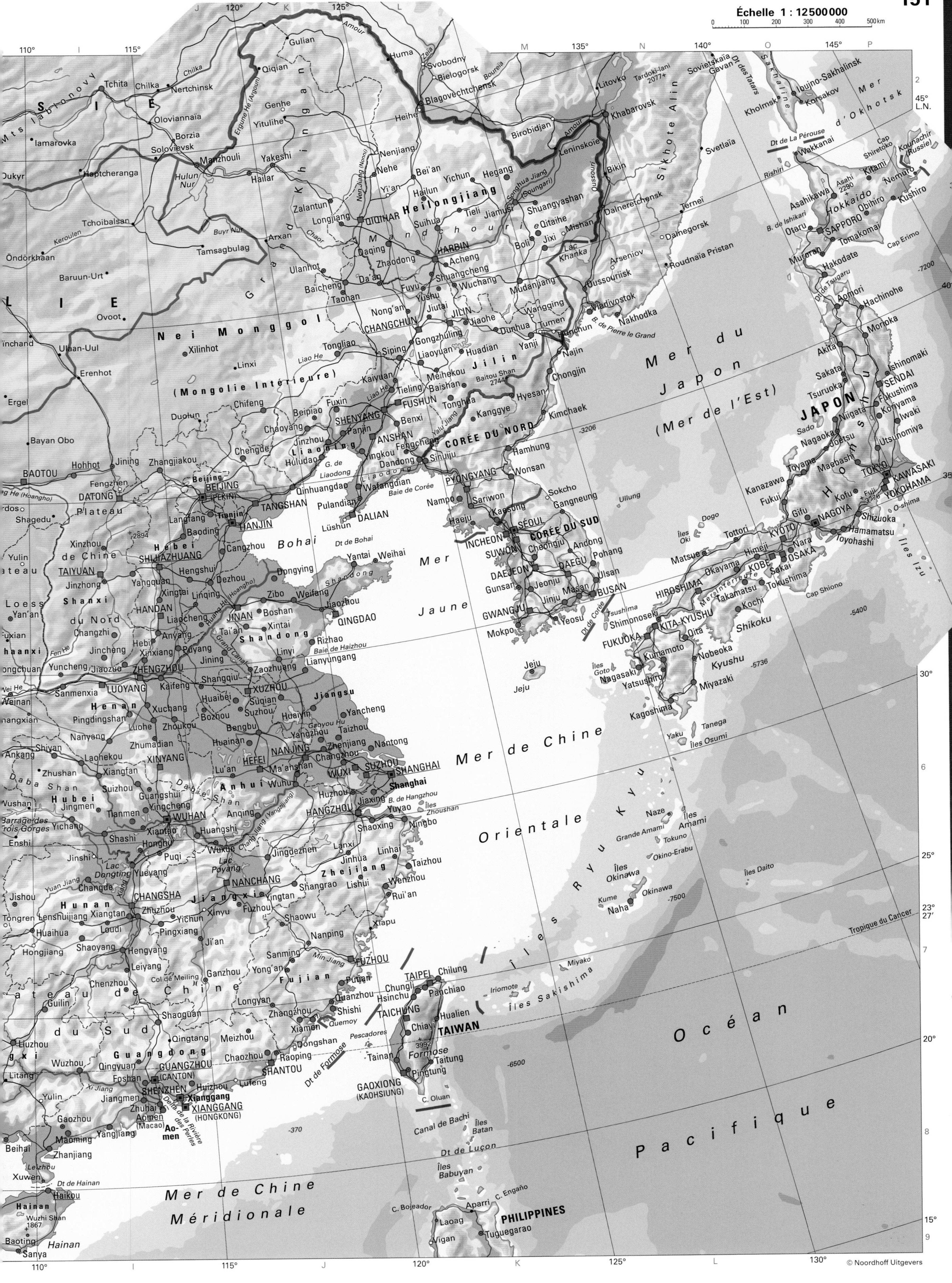

Échelle 1 : 12 500 000

0 100 200 300 400 500 km

S I B É R I E

Mts Iablonovy

Tchita

Chilka

Nertchinsk

Oloviannaïa

Borzia

Soloviévsk

Haptcheranga

Tchoibalsan

Amour

Gulian

Qiqian

Genhe

Yitulihe

Huma

Amour

Svobodny

Bielogorsk

Bouréïa

Litovko

Khabarovsk

Dt des Tatars

Sovietskaïa

Gavan

Tardoki-Iani 2077*

Sikhote Aline

Lamarovka

Ondorkhaan

Kerouin

Baruun-Urt

Tamsagbulag

Ovoot

Ulaan-Uul

Erenhot

Ergel

Bayan Obo

BAOTOU

Hohhot

Fengzhen

DATONG

Manzhouli

Hulun Nur

Hailar

Arxan

Buyr Nur

Yakeshi

Chaor

Zalantun

Longjiang

QIQIHAR

Nehe

Bei'an

Yichun

Hegang

Jiamusi

Qitaihe

Mishan

Shuangyashan

Boli

Dalnerechensk

Ternei

Khankha

Lac

Khanka

Oussouriisk

Roudnaïa Pristan

Arseniov

M a n d c h o u r i e

Heihe

HARBIN

Acheng

Mudanjiang

Wangqing

Nakhodka

Vladivostok

Heilongjiang

Hailun

Suihua

Tieli

Daqing

Zhaodong

Shuangcheng

Wuchang

Yushu

Jiaohe

Dunhua

Tumen

Hunchun

B. de Pierre le Grand

Khabarovsk

Birobidjan

Leninskoïe

Songhua Jiang (Soungari)

Nenjiang (Nen-jiang)

Ulanhot

Baicheng

Da'an

Taonan

Nong'an

Fuyu

CHANGCHUN

JILIN

Jiutai

Najin

Svetlaïa

Hokkaido

Mer

d'Okhotsk

Kholmsk

Ioujno-Sakhalinsk

Korsakov

Cap Shiretoko

Kounachir (Russie)

Kitami

Nemuro

Kushiro

Asahikawa

Asahi 2290

Obihiro

SAPPORO

Tomakomai

Muroran

Hakodate

Aomori

Hachinohe

Morioka

Akita

Sakata

Ishinomaki

SENDAI

Fukushima

Koriyama

Iwaki

Utsunomiya

TOKYO

KAWASAKI

YOKOHAMA

JAPON

Dt de la Pérouse

Wakkanai

Rishiri

B. de Ishikari

Otaru

Cap Erimo

Nei Monggol

(Mongolie Intérieure)

Xilinhot

Linxi

Chifeng

Duolun

Zhangjiakou

Jining

Erenhot

Beijing (Pékin)

Siping

Liaoyuan

Gongzhuling

Tongliao

Liao He

Kaiyuan

Tieling

FUSHUN

Meihekou

Baishan

Baitou Shan 2744

Hyesan

Kanggye

Chongjin

Tonghua

Mer du Japon

(Mer de l'Est)

Sado

Niigata

Nagaoka

Joetsu

Toyama

Kanazawa

Fukui

Nagano

Maebashi

Kofu

Fuji 3776

Gifu

NAGOYA

Shizuoka

Hamamatsu

Toyohashi

KYOTO

OSAKA

KOBE

Nara

Himeji

Sakai

Okayama

HIROSHIMA

Takamatsu

Kochi

Tokushima

Shikoku

Cap Shiono

Îles Izu

O-shima

Fengzhen

Chengde

Chaoyang

Beipiao

Fuxin

Jinzhou

Panjin

SHENYANG

ANSHAN

Benxi

Fengcheng

Dandong

Sinuiju

CORÉE DU NORD

Kimchaek

Hamhung

Wonsan

PYONGYANG

Nampo

Sariwon

Sokcho

Gangneung

Ullung

Îles Oki

Dogo

Matsue

Tottori

Net Intérieure

FUKUOKA

KITA-KYUSHU

Shimonoseki

Oita

Nobeoka

Kumamoto

Nagasaki

Îles Goto

Yatsushiro

Miyazaki

Kyushu

Kagoshima

Tanega

Yaku

Îles Osumi

Liaoning

Jinzhou

Chaoyang

Huludao

Yingkou

Qinhuangdao

Wafangdian

Pulandian

G. de Liaodong

DALIAN

Lüshun

TANGSHAN

TIANJIN

Langfang

Baoding

Cangzhou

Hengshui

Dezhou

Hebei

SHIJIAZHUANG

TAIYUAN

Yangquan

Jinzhou

Xingtai

Shanxi du Nord

Yan'an

Loess

Plateau de Chine

Shaanxi

Yanchuan

Yuncheng

Jiaozuo

Sanmenxia

LUOYANG

Henan

Xuchang

Luohe

Zhengzhou

Kaifeng

Shangqiu

Huaibei

Suzhou

XUZHOU

Zaozhuang

Linyi

Rizhao

Baie de Haizhou

Lianyungang

Yancheng

Jiangsu

Huaiyin

Taizhou

Gaoyou Hu

Yangzhou

Bengbu

Huainan

HEFEI

Anhui

Lu'an

Ma'anshan

NANJING

Changzhou

WUXI

SUZHOU

SHANGHAI

Shanghai

Zhenjiang

Nantong

Bohai

Mer Jaune

INCHEON

SÉOUL

SUWON

Cheongju

DAEJEON

Jeonju

Gunsan

GWANGJU

Mokpo

CORÉE DU SUD

Andong

DAEGU

Pohang

Ulsan

Masan

BUSAN

Jeju

Jeju

Jinju

Yeosu

Dt de Corée

Tsushima

Îles Goto

HANDAN

Anyang

Puyang

JINAN

Boshan

Zibo

Weifang

Jiaozhou

QINGDAO

Shandong

Tai'an

Xintai

Jining

Liaocheng

Dongying

Yantai

Weihai

Dongping

Shandong

Mer de Chine

Orientale

Îles Ryu Kyu

Naze

Îles Amami

Grande Amami

Tokuno

Okino-Erabu

Kume

Îles Okinawa

Okinawa

Naha

Îles Daito

ZHENGZHOU

Xuchang

Zhoukou

Zhumadian

Nanyang

Pingdingshan

Nanyang

XINYANG

Huaian

WUHAN

Wuhan

Huangshi

Ezhou

Xiantao

Honghu

Puqi

Jingdezhen

Lanxi

Jinhua

Linhai

Taizhou

Zhejiang

Wenzhou

Rui'an

HANGZHOU

Jiaxing

B. de Hangzhou

Yuyao

Îles Zhoushan

Ningbo

Shaoxing

Daba Shan

Zhushan

Shiyan

Xiangfan

Jingmen

Hubei

Yichang

Barrage des Trois Gorges

Enshi

Jingzhou

Shashi

Tianmen

Yingcheng

Guangshui

Suizhou

Dabie Shan

Lac Dongting

Yueyang

Changde

Hunan

CHANGSHA

Xiangtan

Zhuzhou

Yiyang

Loudi

Lac Poyang

NANCHANG

Shangrao

Lishui

Yingtan

Jiangxi

Yichun

Xinyu

Fuzhou

Ji'an

Pingxiang

Shaoyang

Hengyang

Leiyang

Chenzhou

Ganzhou

Shaowu

Nanping

Sanming

Yong'an

FUZHOU

Putian

Quanzhou

Shishi

Xiamen

Quemoy

Fujian

Longyan

Zhangzhou

Dongshan

TAIPEI

Chilung

Chungli

Panchiao

Hsinchu

TAICHUNG

Hualien

Chiayi

TAINAN

GAOXIONG (KAOHSIUNG)

Pingtung

Taitung

TAIWAN

Formose 3997

Dt de Formose

Pescadores

Col de Meiling

Hunan

Hongjiang

Huaihua

Tongren

Lengshuijiang

Guilin

Hezhou

Plateau de Chine du Sud

Liuzhou

Wuzhou

Qingyuan

GUANGZHOU (CANTON)

Foshan

SHENZHEN

Zhuhai

Aomen (Macao)

Ao-men

XIANGGANG (HONGKONG)

Xianggang

Delta de la Rivière des perles

Guangdong

Jiangmen

Huizhou

Dongguan

Heyuan

Chaozhou

SHANTOU

Raoping

Meizhou

Qingtang

Shaoguan

Xin River

Zhanjiang

Maoming

Yangjiang

Beihai

Hainan

Wuzhi Shan 1867

Sanya

Haikou

Baoting

Xuwen

Leizhou

Mer de Chine

Méridionale

Canal de Bachi

Batan

Îles Babuyan

C. Engaño

Aparri

Laoag

Vigan

Tuguegarao

PHILIPPINES

Miyako

Iriomote

Îles Sakishima

Îles Izu

Tropique du Cancer

23° 27'

OCÉAN

PACIFIQUE

Mer Jaune

© Noordhoff Uitgevers

CHINE

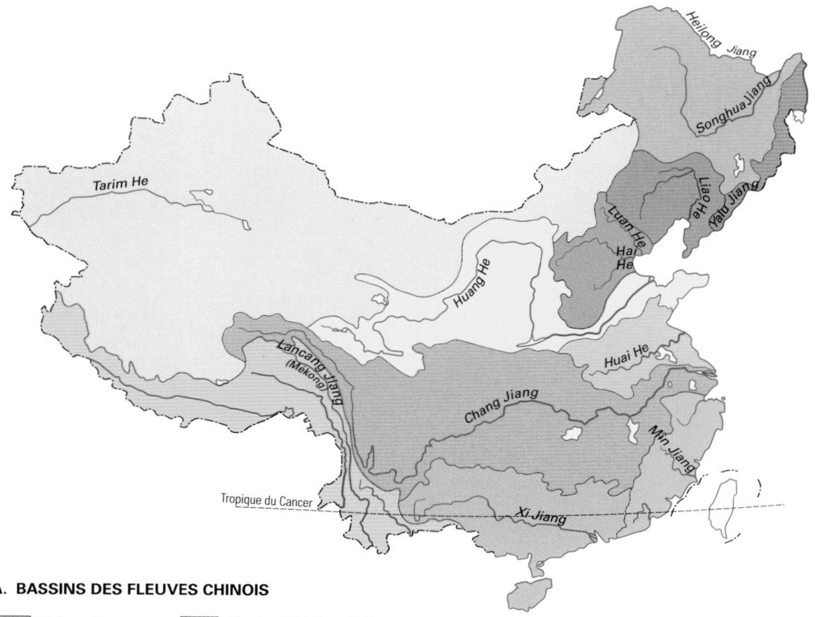

A. BASSINS DES FLEUVES CHINOIS

- Heilong Jiang
- Liao He
- Hai He - Luan He
- Huang He
- Huai He
- Chang Jiang
- Bassins de Zhejiang, Fujian
- Xi Jiang
- Bassins de Chine du Sud-Ouest
- Bassins intérieurs
- Yalu Jiang - Tumen Jiang

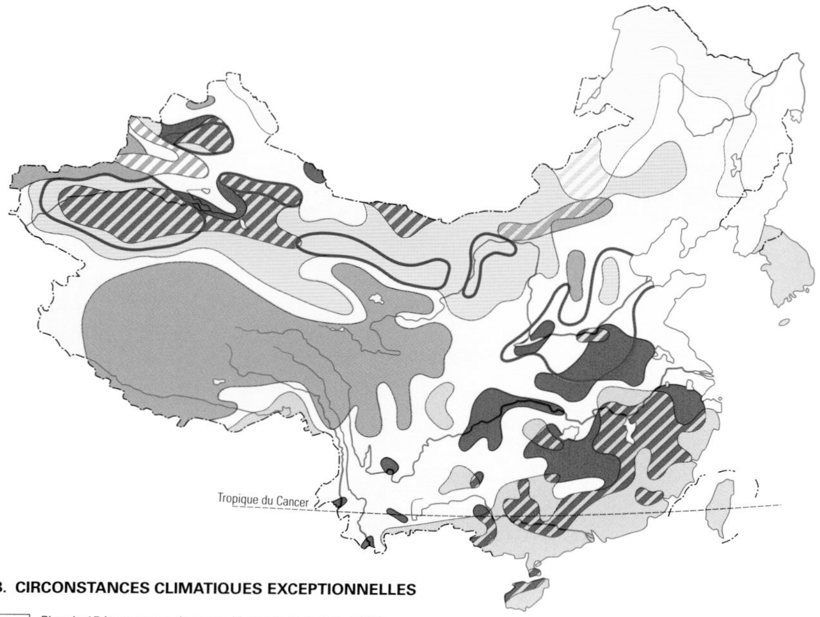

B. CIRCONSTANCES CLIMATIQUES EXCEPTIONNELLES

- Plus de 15 jours par an de temps hivernal très froid (<-30°C)
- Plus de 20 jours par an de temps estival très chaud (>35°C)
- Plus de 5 jours par an de tempêtes pluvieuses (>50mm)
- Plus de 5 jours par an de tempêtes de sable
- Plus de 5 jours par an de tempêtes de grêle
- Plus de 3 jours par an de vents chauds

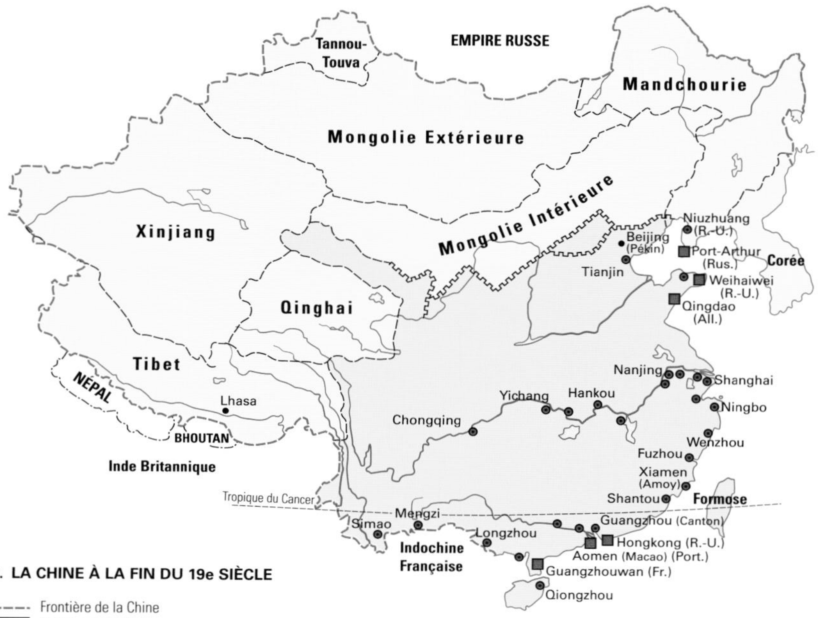

C. LA CHINE À LA FIN DU 19e SIÈCLE

- Frontière de la Chine
- Berceau de la Chine
- Extension de la Chine
- Grande Muraille
- Colonies européennes
- Ports et villes ouverts

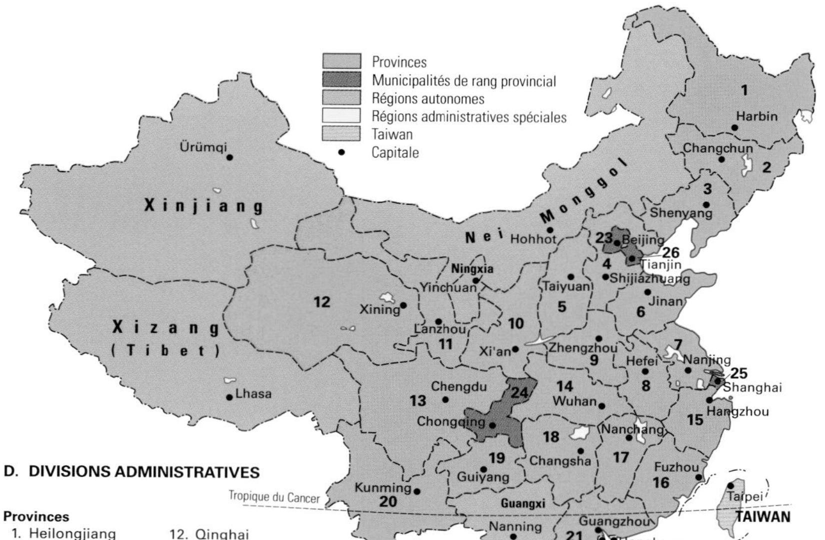

D. DIVISIONS ADMINISTRATIVES

- Provinces
- Municipalités de rang provincial
- Régions autonomes
- Régions administratives spéciales
- Taiwan
- Capitale

Provinces

1. Heilongjiang	12. Qinghai
2. Jilin	13. Sichuan
3. Liaoning	14. Hubei
4. Hebei	15. Zhejiang
5. Shanxi	16. Fujian
6. Shandong	17. Jiangxi
7. Jiangsu	18. Hunan
8. Anhui	19. Guizhou
9. Henan	20. Yunnan
10. Shaanxi	21. Guangdong
11. Gansu	22. Hainan

Municipalités

23. Beijing (Pékin)
24. Chongqing
25. Shanghai
26. Tianjin

Régions administratives spéciales

27. Aomen (Macao)
28. Hongkong

Régions autonomes

Xinjiang
Xizang (Tibet)
Ningxia
Nei Monggol (Mongolie Intérieure)
Guangxi

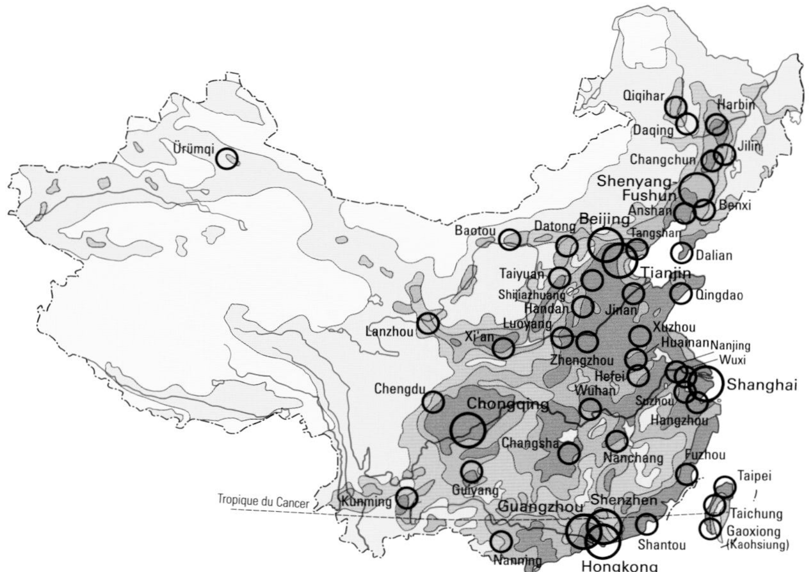

E. DENSITÉ DE LA POPULATION

Habitants par km²
- moins de 1
- 1 - 50
- 50 - 100
- 100 - 200
- 200 ou plus

- Agglomération de 5 M d'habitants ou plus
- Agglomération de 1 à 5 M d'habitants

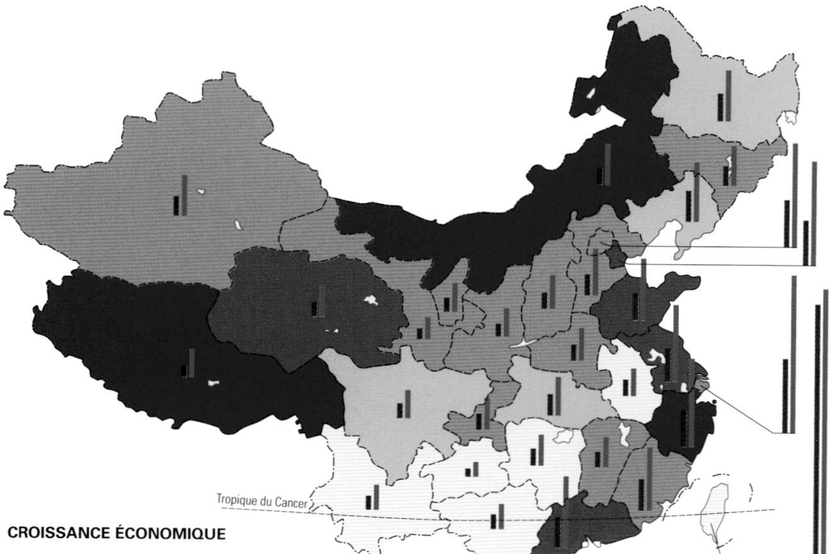

F. CROISSANCE ÉCONOMIQUE

Croissance annuelle moyenne du
Produit Intérieur Brut par habitant
pendant la période 1997-2004 (en %)
- moins de 9
- 9 - 10
- 10 - 12
- 12 - 13
- 13 ou plus

Ensemble du pays: 11,1%

Produit Intérieur Brut par habitant

1 mm = 200 euro
1997
2004

CHINE

A. ÉCONOMIE
1 : 22 500 000

Agriculture

- Agriculture intensive (soja, blé, riz, maïs, kaoliang, orge, millet)
- Polyculture (riz, blé, coton, thé)
- Cultures tropicales
- Association sylviculture, élevage et cultures (soja, blé, kaoliang, maïs)
- Association sylviculture et cultures (riz, thé)
- Sylviculture
- Élevage ovin extensif
- Espace aride peu productif
- Désert

Lieux de l'ouverture

- ● Zone économique spéciale
- ■ Ville côtière ouverte
- ▲ Delta ouvert
- ▦ Péninsule ouverte
- ⊡ Ville ouverte du Golfe de Bohai
- ▤ Zone économique spéciale de Hainan
- ▨ Zone de coopération transfrontalière
- ▲ Ville frontalière ouverte
- Fleuve ouvert
- □ Port fluvial ouvert
- ⍟ Capitale provinciale ouverte
- Shanghai Municipalité de rang provincial
- ○ Région d'administration spéciale

Investissements directs Étrangers
en capital fixe (2006),
en millions de yuan

▷ 319

Source : China
Statistical Yearbook

Mines

- ◆ Minerai de fer
- ◈ Cuivre
- ◆ Bauxite
- ◈ Nickel
- ■ Charbon

Industrie et énergie

- ⚡ Centrale nucléaire
- ⚡ Centrale hydroélectrique
- ⬛ Raffinage pétrolier
- ⬯ Région industrielle
- ✳ Haute technologie
- ★ Uranium
- Champs pétrolifères
- Bassins houillers
- Grands barrages

Transports

- Principale route
- Voie ferrée
- Oléoduc
- Gazoduc

B. SHANGHAI
1 : 300 000

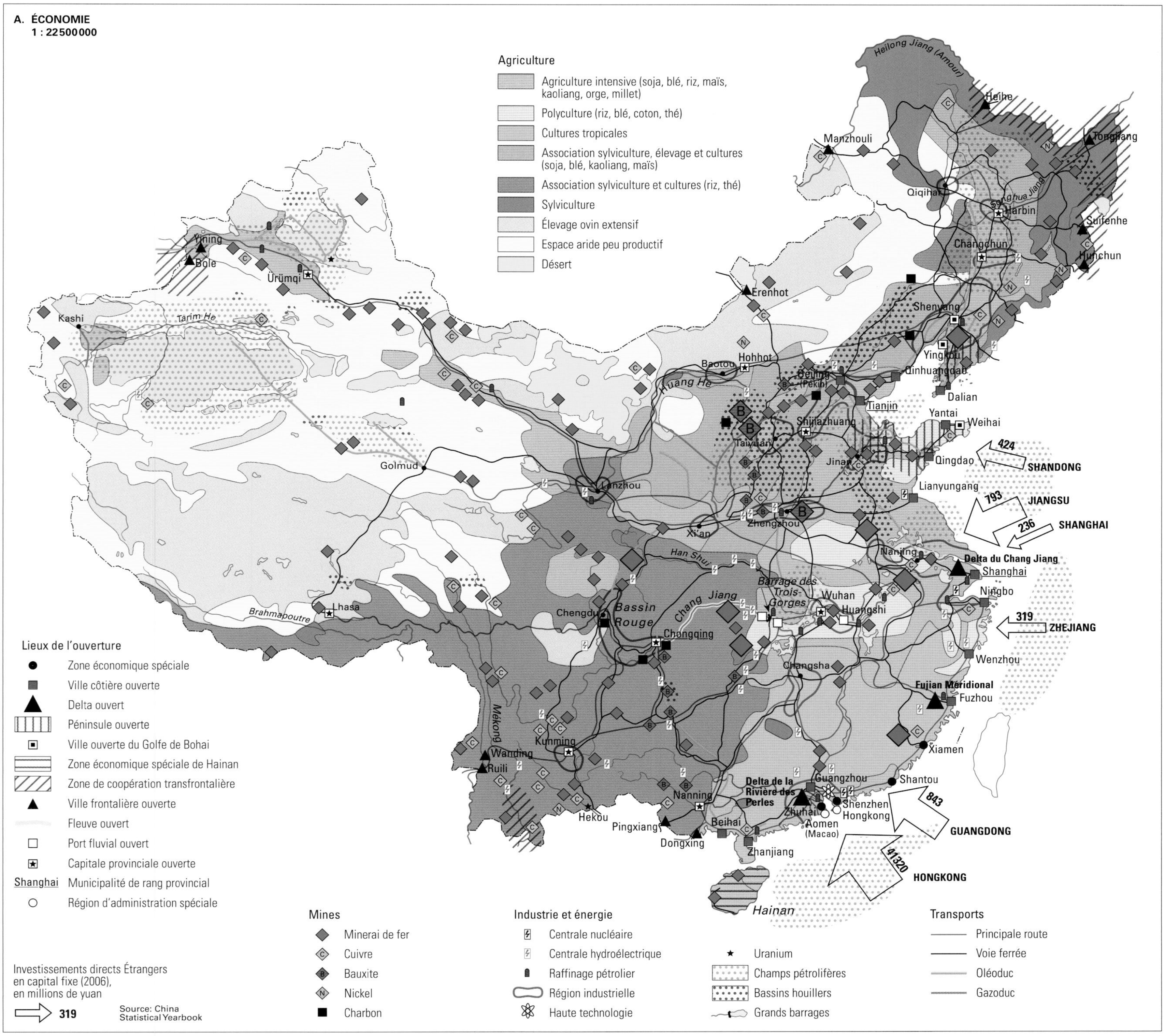

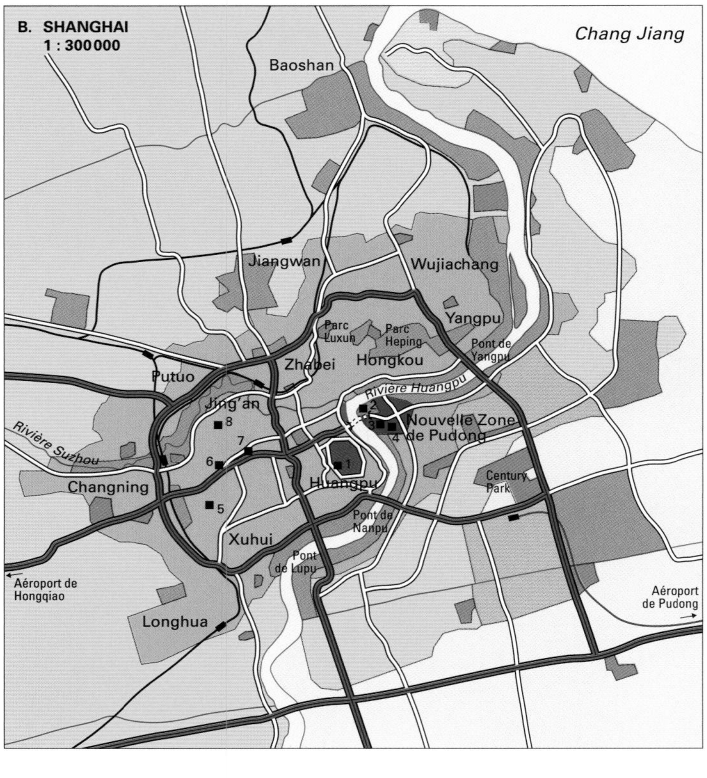

- Vieille ville de Shanghai
- Cité interdite/Palais impérial (Pékin)
- Constructions avant 1949
- Extensions après 1949
- Parc
- Espace périurbain et agricole
- CBD
- Espace industriel, port
- Technopôle
- Zone franche
- Anciens murs de Pékin
- Autoroutes
- Périphériques de Pékin
- Principaux axes routiers
- Chemin de fer et gare
- Train à sustentation magnétique

Shanghai

- Le Bund
1. Temple de Confucius
2. Tour de la TV "Perle de l'Orient"
3. Tour Jinmao
4. Bourse de Shanghai
5. Université de Jiaotong
6. Palais des Enfants
7. Centre des Expositions
8. Temple du Bouddha de Jade

Beijing (Pékin)

1. Palais du Peuple
2. Mausolée de Mao Zedong
3. Musée
4. Temple du Ciel
5. Temple du Soleil
6. Temple de la Terre
7. Temple de la Lune
8. Palais d'Été
9. Ancien Palais d'Été
10. Université de Pékin
11. Centre Olympique

C. BEIJING (PÉKIN)
1 : 300 000

© Noordhoff Uitgevers

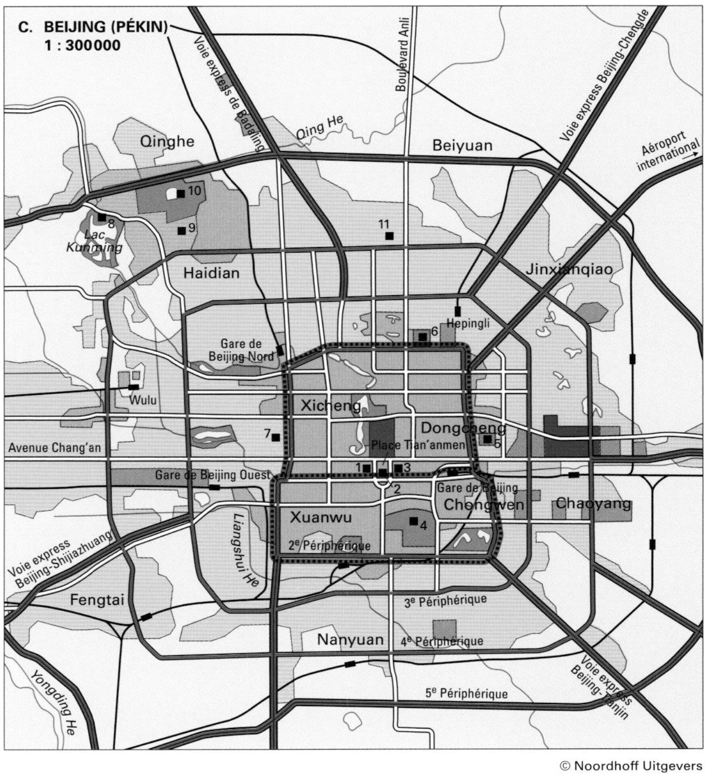

CORÉE DU SUD / TAIWAN

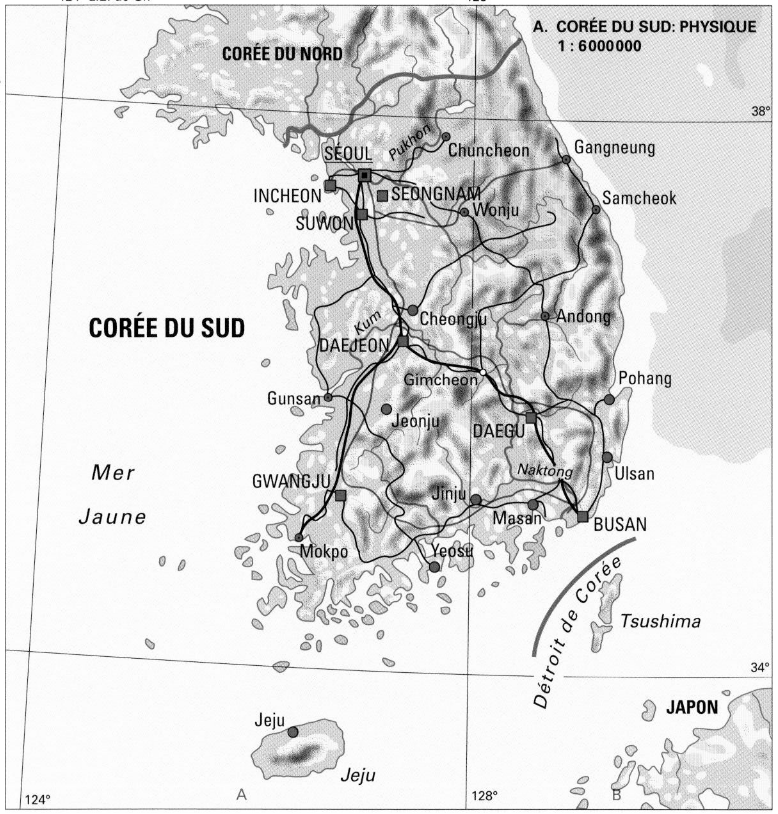

A. CORÉE DU SUD: PHYSIQUE 1 : 6 000 000

-2000 -200 0 100 200 500 1000 1500 3000 m

CORÉE DU NORD

CORÉE DU SUD

CHINE

SEOUL
INCHEON
SUWON
SEONGNAM
Chuncheon
Wonju
Gangneung
Samcheok
Andong
Pohang
Ulsan
BUSAN
DAEGU
Gimcheon
Cheongju
DAEJEON
Jeonju
Jinju
Masan
Gunsan
GWANGJU
Mokpo
Yeosu
Nakdong
Kum

Mer Jaune

Jeju

Détroit de Corée

Tsushima

JAPON

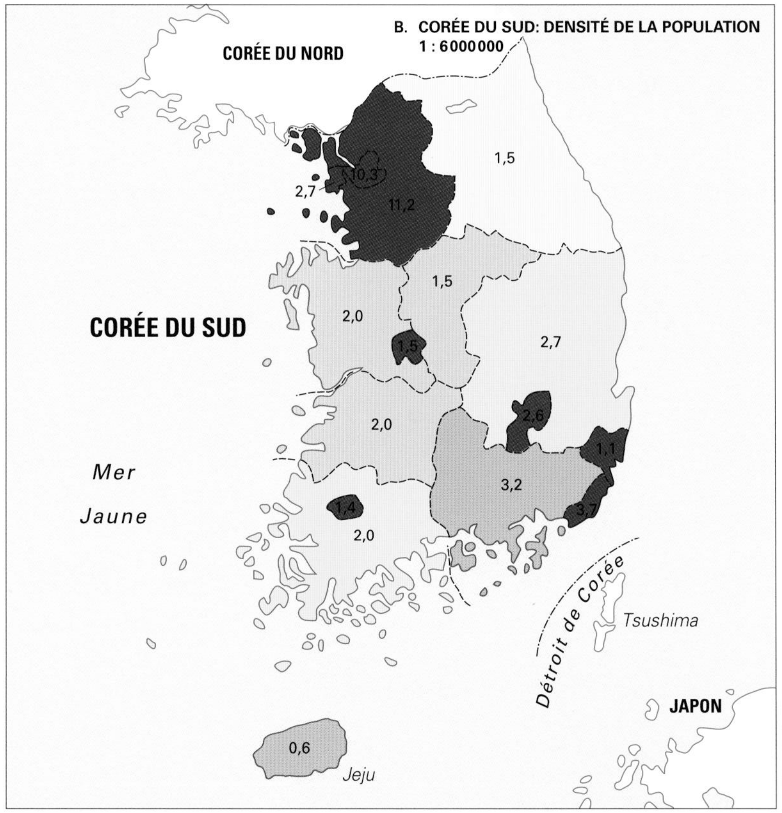

B. CORÉE DU SUD: DENSITÉ DE LA POPULATION 1 : 6 000 000

CORÉE DU NORD

CORÉE DU SUD

11,2
(0,3)
2,7
1,5
2,6
1,5
1,1
3,2
3,2
2,0
2,0
1,4
2,0
0,6

Mer Jaune

Jeju

Détroit de Corée

Tsushima

JAPON

Légende pour B et E:

Habitants par km²
moins de 100
100 - 200
200 - 300
300 - 400
400 - 600
600 - 1000
1000 ou plus

Millions d'habitants
1,5

Données de Taiwan: 2005
Données de Corée du Sud: 2005

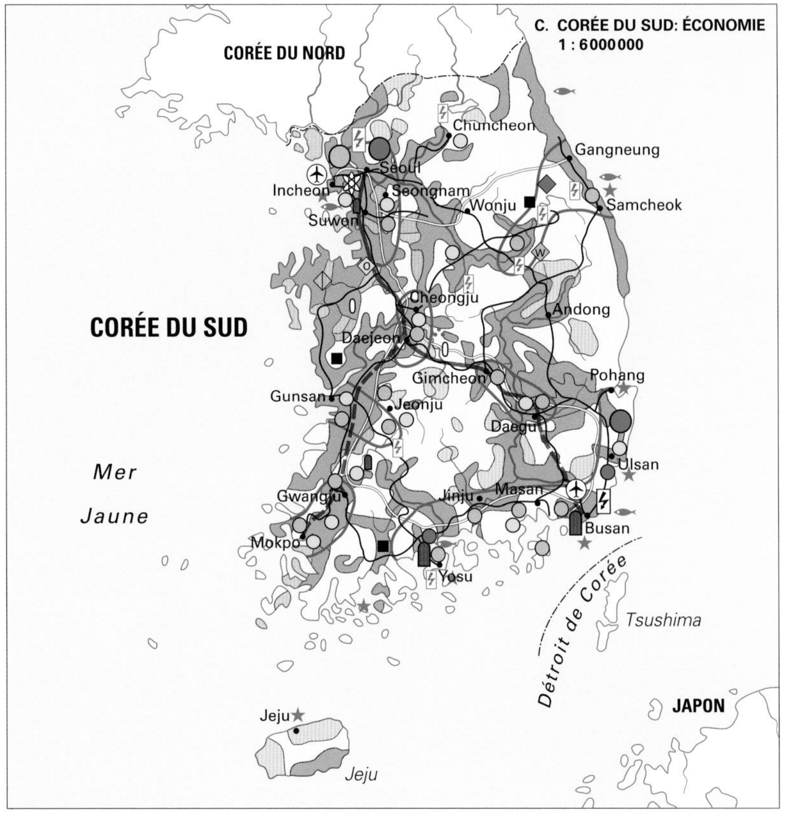

C. CORÉE DU SUD: ÉCONOMIE 1 : 6 000 000

CORÉE DU NORD

CORÉE DU SUD

Incheon
Seoul
Suwon
Seongnam
Chuncheon
Wonju
Gangneung
Samcheok
Andong
Pohang
Cheongju
Daejeon
Gimcheon
Daegu
Ulsan
Jeonju
Jinju
Masan
Busan
Gunsan
Gwangju
Yeosu
Mokpo

Mer Jaune

Jeju

Détroit de Corée

Tsushima

JAPON

Communications
Voie ferrée
Ligne à grande vitesse
Autoroute
Aéroport international

Industrie
Régions industrielles
Ports principaux
Centre d'industrie lourde -sidérurgie, traitement des métaux, chimie de base
Centre d'industrie différenciée -métallurgie, constructions mécaniques, produits chimiques, papier
Centre d'industrie légère -mécanique de précision, textile, agro-alimentaire
Raffinage pétrolier
Haute technologie

Énergie / Mines
Centrale thermique
Centrale hydroélectrique
Centrale nucléaire
Gaz naturel
Charbon
Minerai de fer
Wolfram (tungstène)
Plomb et zinc
Or
Soufre

Légende pour C et F:

Agriculture
Rizières: l'été: riz; l'hiver: céréales, légumes ou jachère
Cultures sèches sur terrasses alluviales
Cultures sèches sur terrasses artificielles
Cultures sèches de plaine
Fruits

Canne à sucre
Tabac
Thé
Mûrier
Aquaculture

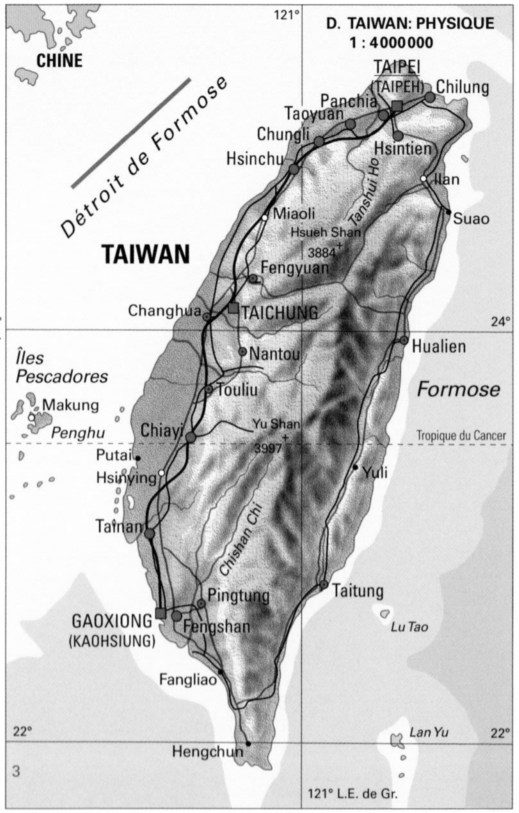

D. TAIWAN: PHYSIQUE 1 : 4 000 000

CHINE

TAIWAN

Îles Pescadores

Makung
Penghu
Putai
Hsiaying
Tainan
GAOXIONG (KAOHSIUNG)
Fengshan
Fangliao
Hengchun
Pingtung
Taitung
Chishan Chi
Yu Shan 3997
Nantou
Toufu
Chiayi
Changhua
TAICHUNG
Fengyuan
Hsueh Shan 3884
Miaoli
Taoyuan
Hsinchu
Panchia
Chungli
Hsintien
TAIPEH TAIPEI
Chilung
Ilan
Suao
Tanshui Ho
Hualien
Yuli
Fangshan
Lu Tao
Lan Yu
Formose

Tropique du Cancer

Détroit de Formose

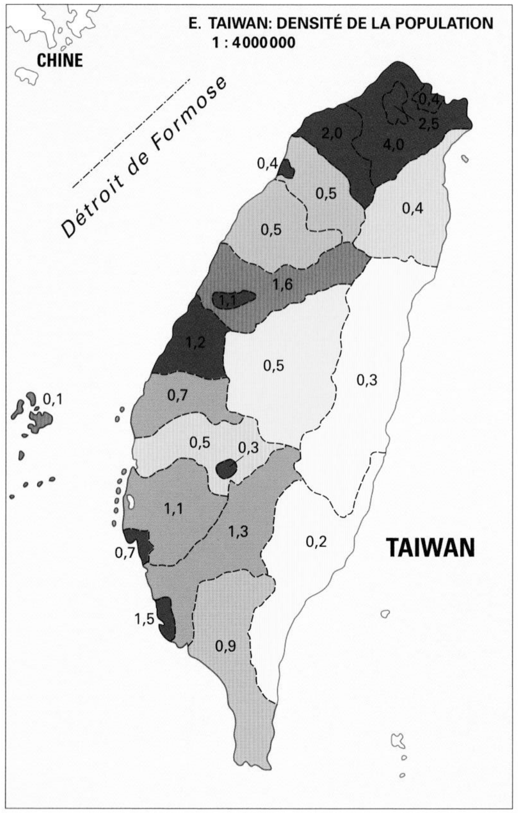

E. TAIWAN: DENSITÉ DE LA POPULATION 1 : 4 000 000

CHINE

TAIWAN

0,1
2,5
4,0
2,0
0,4
0,4
0,5
0,5
1,6
0,5
1,5
1,2
0,7
0,3
0,5
0,3
1,1
0,7
1,5
1,3
0,9
0,2

Détroit de Formose

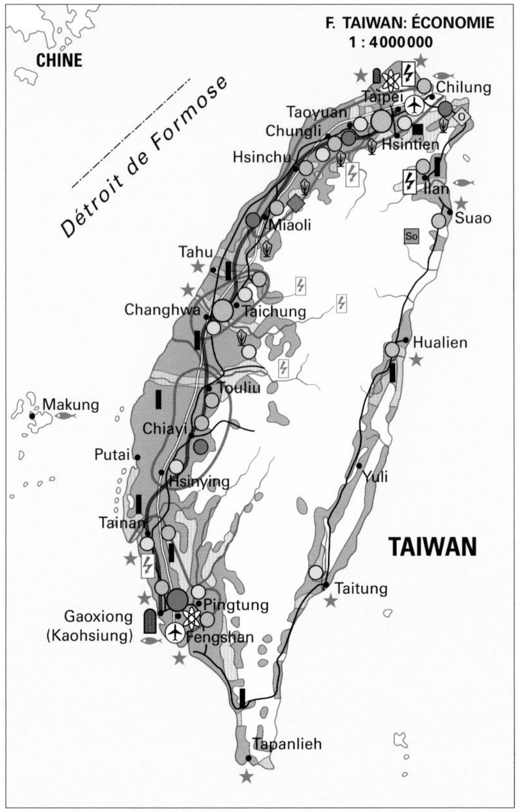

F. TAIWAN: ÉCONOMIE 1 : 4 000 000

CHINE

TAIWAN

Taipei
Taoyuan
Chungli
Hsinchu
Miaoli
Taichung
Tahu
Changhwa
Touliu
Chiayi
Tainan
Putai
Makung
Gaoxiong (Kaohsiung)
Pingtung
Fengshan
Hsinying
Yuli
Hualien
Suao
Ilan
Hsintien
Chilung

Détroit de Formose

© Noordhoff Uitgevers

JAPON TERRE ACTIVE

A. MORPHOTECTONIQUE ET RELIEF SOUS-MARIN
1 : 35 000 000

Profondeur de la mer inférieure à 3000 mètres
Profondeur de la mer supérieure à 3000 mètres
Fosse marine, d'une profondeur supérieure à 7000 mètres
Limite de plaque
Limite de plaque incertaine
Direction de déplacement des plaques
Axe d'une zone à forte activité sismique
Volcan
Localisation de la coupe transversale de la carte D

Plaque eurasiatique
Plaque pacifique
Plaque des Philippines

Bassin des Kouriles
Fosse des Kouriles - Kamtchatka
Arc de Chishima
-5211
-10542
Bassin du Japon
Arc du Japon nord-or.
Fosse du Japon
Bassin du Pacifique nord-occidental
Fosse d'Izu-Ogasawara
-10595
Fosse des Bonins
-9850
Arc d'Izu-Ogasawara
Arc des Mariannes
Fosse des Mariannes
-11034
Fosse de Yap
-8850
Arc de Yap
Fosse de Palau
-8050
Arc des Palau
Crête de Palau-Kyushu
-4225
Fosse de Nankai
Fosse de Nansei-shoto
Arc du Japon sud-ou.
Arc des Ryu Kyu
-6400
Fosse des Ryu Kyu
Arc de Taïwan
-10497
Fosse des Philippines
Arc des Philippines

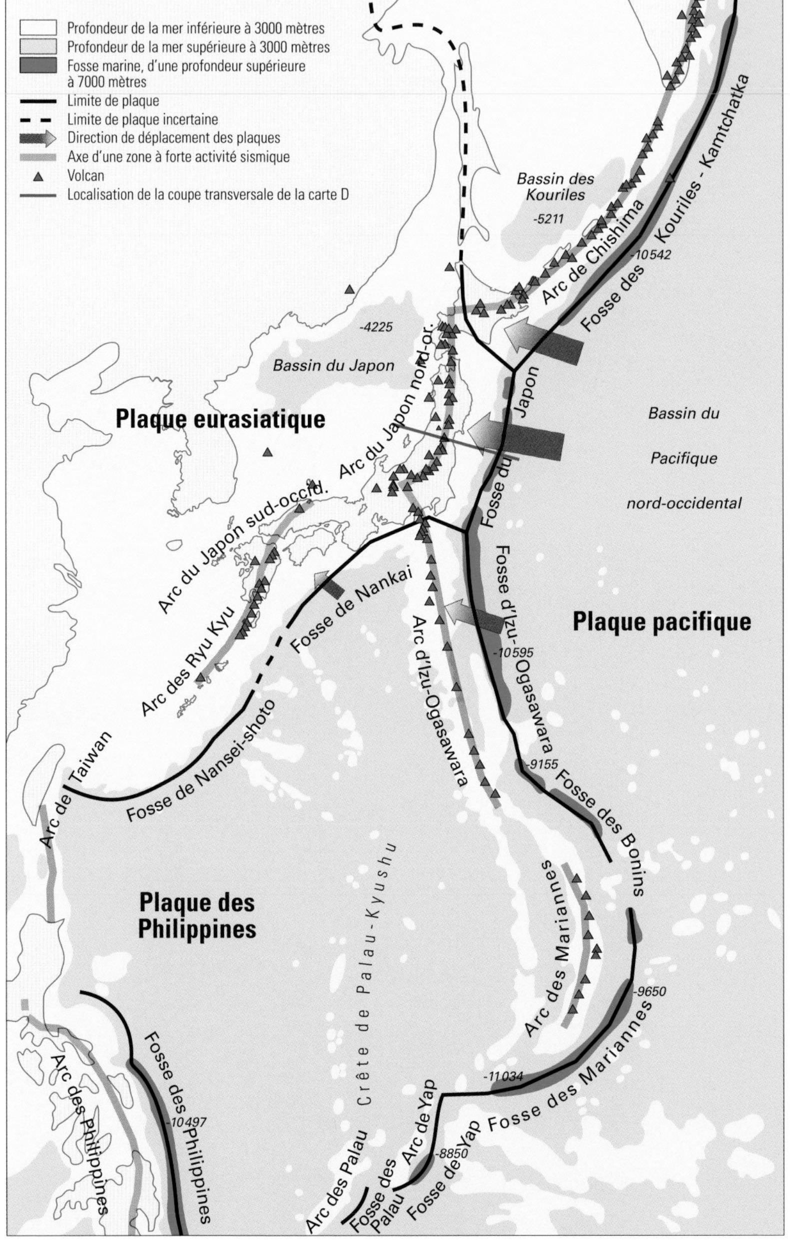

B. TECTONIQUE DES PLAQUES, TREMBLEMENTS DE TERRE ET VOLCANISME
1 : 17 500 000

96 Limite de plaque
Direction de déplacement des plaques, avec indication de la vitesse de déplacement en mm/an
Volcan

Épicentres des tremblements de terre fréquents; épicentres plus profonds que 60 km; magnitude < 6

Région avec des tremblements de terre graves

Magnitude (gravité sur l'échelle de Richter)	Année
6 6-7 7-8 8 ou plus	avant 1600 1600 - 1925 après 1925

Plaque eurasiatique
Plaque pacifique
Plaque des Philippines
86
96
55
42

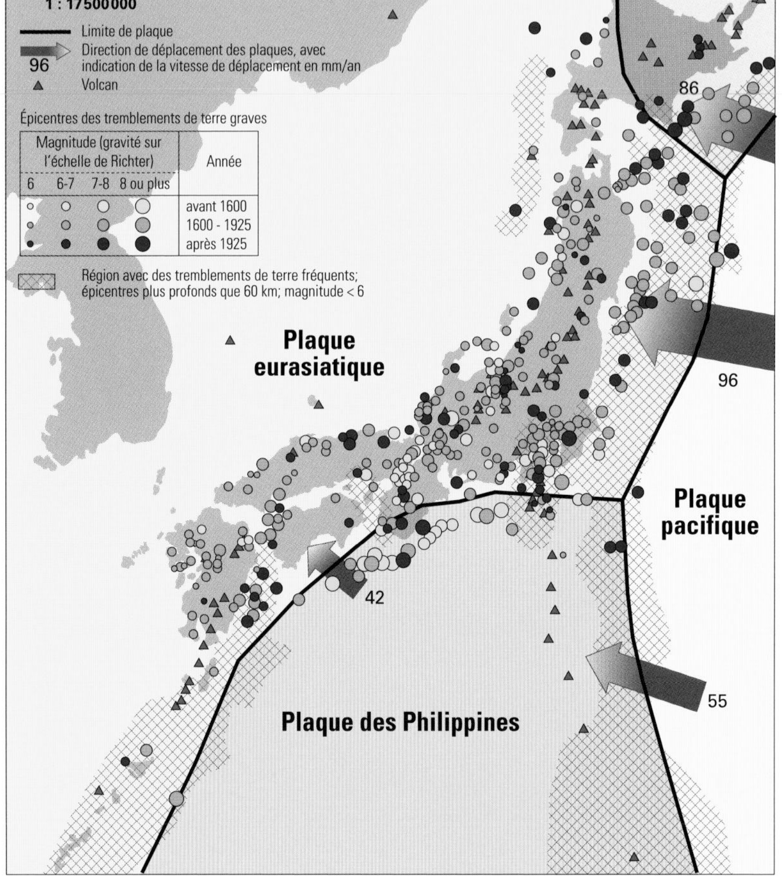

C. CATACLYSMES NATURELS: TYPHONS ET TSUNAMIS
1 : 17 500 000

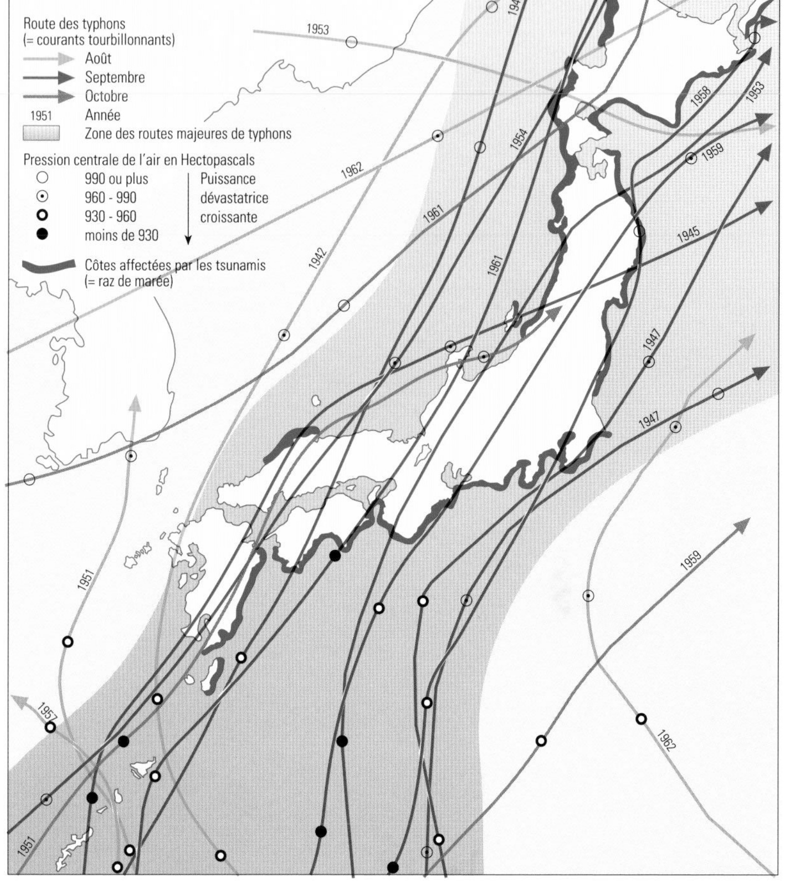

Route des typhons (= courants tourbillonnants)
Août
Septembre
Octobre
1951 Année
Zone des routes majeures de typhons

Pression centrale de l'air en Hectopascals
990 ou plus
960 - 990
930 - 960
moins de 930
Puissance dévastatrice croissante

Côtes affectées par les tsunamis (= raz de marée)

D. COUPES TRANSVERSALES AU TRAVERS DE L'ARC DU JAPON NORD-ORIENTAL

D1. Coupe transversale géologique
Mer du Japon
Fosse du Japon
Océan Pacifique
Pliocène-Pléistocène
Miocène
Pré-Miocène
km 0 2 4 6 8
0 km 50 100

D2. Localisation en profondeur des épicentres des tremblements de terre
km 0 50 100 150 200
100 200 300 400 500 km

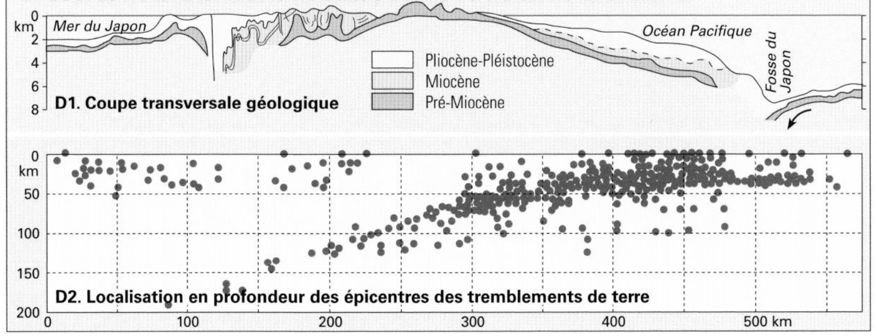

E. CATACLYSMES NATURELS: INONDATIONS
1 : 17 500 000

Régions inondées en pourcentage de la superficie des préfectures (1978-1987)
moins de 1
1 - 2
2 - 3
3 - 5
5 - 10
10 ou plus

Total des superficies inondées par préfecture en ha (1978-1987)
200000 ou plus
150000 - 200000
100000 - 150000
50000 - 100000
moins de 50000

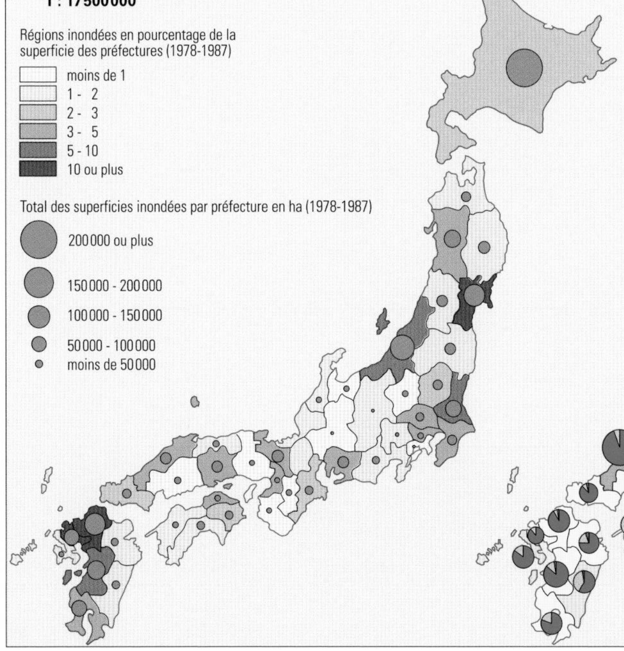

F. INVESTISSEMENTS CONSÉCUTIFS À DES INONDATIONS
1 : 17 500 000

Montant moyen des réparations par catastrophe en millions d'euro (1978-1987)
moins de 250
250 - 375
375 - 500
500 - 625
625 - 750
750 ou plus

Dépenses consacrées à des travaux de réparation en millions d'euro (1979-1989)
2000
1000
500
250
50
typhons
pluies torrentielles
autres

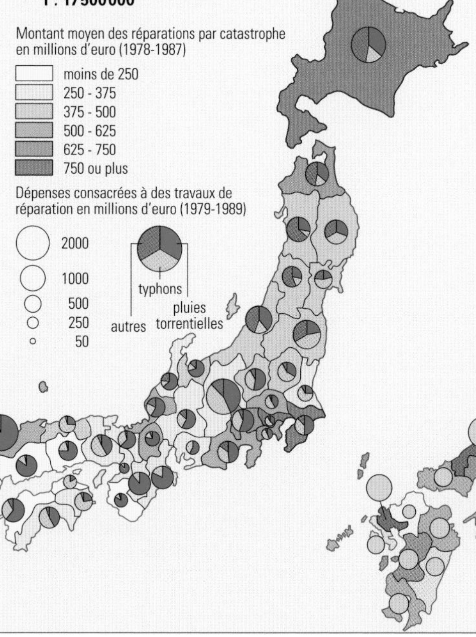

G. MAÎTRISE DES RISQUES NATURELS
1 : 17 500 000

Investissements dans des mesures destinées à minimiser les conséquences des cataclysmes naturels, en pourcentage du total des investissements par préfecture (2002)
moins de 5.0
5.0 - 7.5
7.5 - 10.0
10.0 - 12.5
12.5 - 15.0
15.0 ou plus

Investissements visant à limiter les conséquences des cataclysmes naturels, par préfecture en euro par habitant (2002)
50000
37500
25000
12500
5000

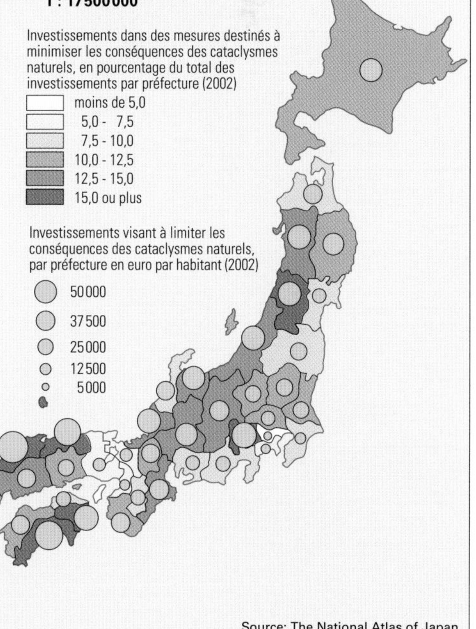

Source: The National Atlas of Japan

JAPON

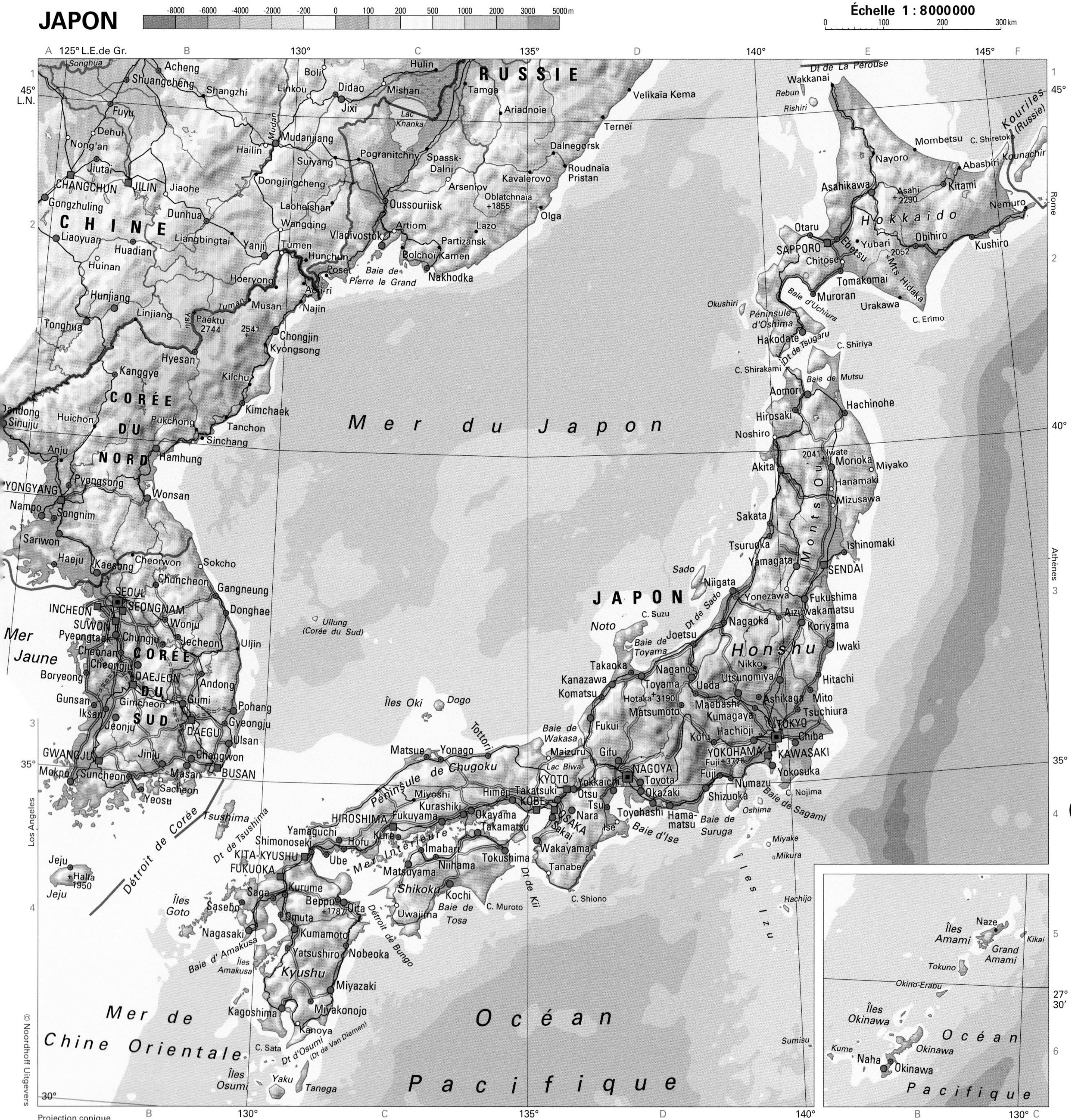

Échelle 1 : 8 000 000

Échelle 1 : 15 000 000

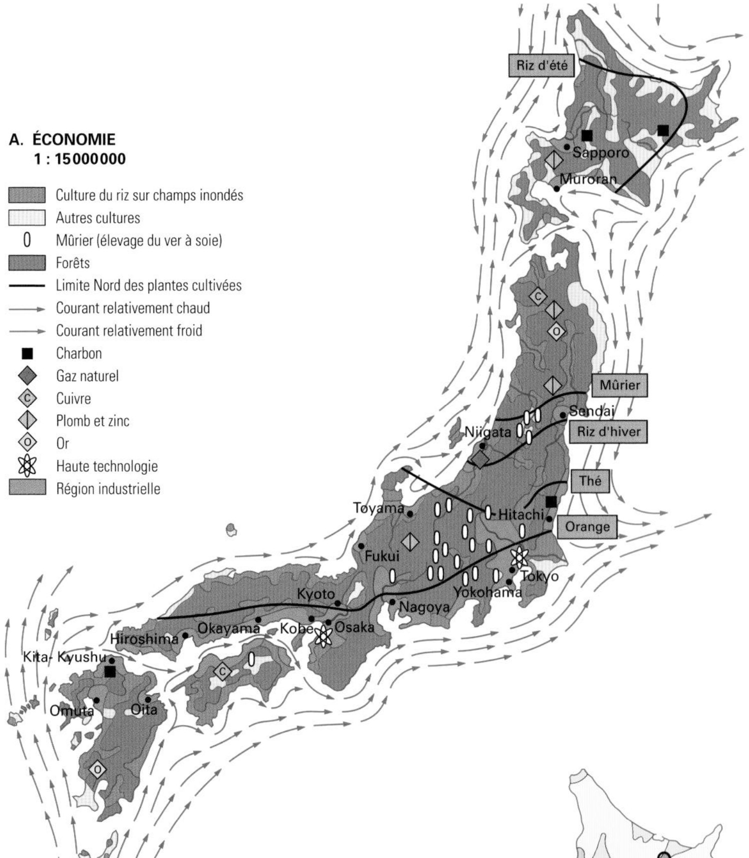

A. ÉCONOMIE
1 : 15 000 000

- Culture du riz sur champs inondés
- Autres cultures
- Mûrier (élevage du ver à soie)
- Forêts
- Limite Nord des plantes cultivées
- Courant relativement chaud
- Courant relativement froid
- Charbon
- Gaz naturel
- Cuivre
- Plomb et zinc
- Or
- Haute technologie
- Région industrielle

Riz d'été Mûrier Riz d'hiver Thé Orange

Sapporo Muroran Sendai Tokyo Hitachi Yokohama Niigata Nagoya Osaka Kyoto Kobe Toyama Fukui Okayama Hiroshima Oita Omuta Kita-Kyushu

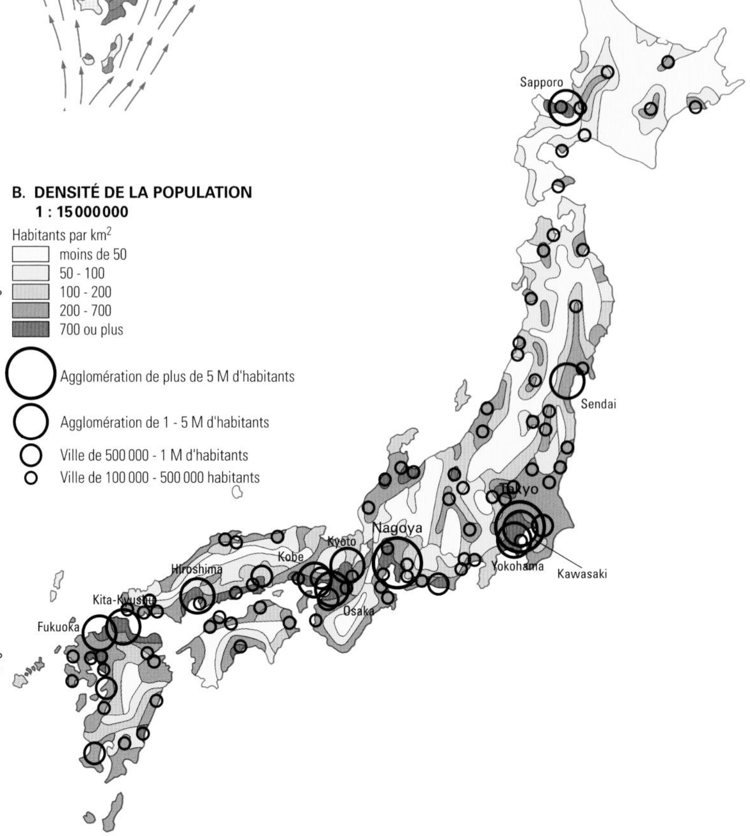

B. DENSITÉ DE LA POPULATION
1 : 15 000 000

Habitants par km²
- moins de 50
- 50 - 100
- 100 - 200
- 200 - 700
- 700 ou plus

- Agglomération de plus de 5 M d'habitants
- Agglomération de 1 - 5 M d'habitants
- Ville de 500 000 - 1 M d'habitants
- Ville de 100 000 - 500 000 habitants

Sapporo Sendai Tokyo Kawasaki Yokohama Nagoya Kyoto Osaka Kobe Hiroshima Kita-Kyushu Fukuoka

---

RUSSIE

CHINE

CORÉE DU NORD

CORÉE DU SUD

HOKKAIDO

HONSHU

SHIKOKU

KYUSHU

Mer du Japon

JAPON

Océan Pacifique

Mer de Chine Orientale

Mer Jaune

Mer de Corée

Détroit de Corée

Monts Ou

Kouriles (Russie)

Îles Izu

Îles Amami

Îles Okinawa

Villes et lieux (Russie / Chine / Corée)
Velikaïa Kema, Dalnegorsk, Roudnaïa Pristan, Olga, Nakhodka, Vladivostok, Partizansk, Spassk-Dalni, Oussouriisk, Artiom, Baie des Pierre le Grand, Posiet, Kraskino, Hunchun, Tumen, Najin, Chongjin, Kimchaek, Tanchon, Sinchang, Hamhung, Wonsan, Kwangson, Pyongsong, Pukchong, Hyesan, Kanggye, Huichon, Kimchon, Kaesong, Haeju, Namp'o, PYONGYANG, Sariwon, Sinuiju, Dandong, Song hua, Acheng, Shuangcheng, Shangzhi, Harbin, CHANGCHUN, Jilin, Yanji, Mudanjiang, Dunhua, Huadian, Liaoyuan, Suyang, Laohagou, Tonghua, Linjiang, Paektu 2744, Musan, Changbaishan, Longjing, Yalu, Sinchon

Villes et lieux (Japon)
Wakkanai, Rebun, Rishiri, Mombetsu, Nayoro, Asahikawa, Asahi 2290, Abashiri, Shiretoko, C. Shiretoko, Kunashir, Nemuro, Kushiro, Obihiro, Yubari, Ebetsu, SAPPORO, Otaru, Chitose, Muroran, Tomakomai, Urakawa, C. Erimo, Mts Hidaka, Hakodate, Péninsule d'Oshima, Dt de Tsugaru, Baie d'Uchiura, Aomori, Hirosaki, C. Shirakami, Mutsu, Baie de Mutsu, C. Shiriya, Noshiro, Akita, Iwate 2041, Morioka, Miyako, Hachinohe, Hanamaki, Mizusawa, Ishinomaki, Yamagata, Tsuruoka, Sakata, Niigata, Sado, Aizuwakamatsu, Fukushima, SENDAI, Iwaki, Nagaoka, Yonezawa, Baie de Sado, Joetsu, Ueda, Utsunomiya, Mito, Tsuchiura, Hitachi, Toyama, C. Suzu, Noto, Takaoka, Nagano, Matsumoto, Hotaka 3190, Maebashi, Kumagaya, Ashikaga, Nikko, TOKYO, Chiba, Kōfu, Hachioji, Kanazawa, Fukui, Komatsu, Gifu, Toyota, NAGOYA, Yokkaichi, Otsu, KYOTO, Nara, Sakai, OSAKA, KOBE, Toyohashi, Hamamatsu, Shizuoka, Numazu, Atami, Fuji 3776, YOKOHAMA, KAWASAKI, Yokosuka, C. Nojima, Baie de Sagami, Oshima, Miyake, Mikura, Baie de Suruga, Baie d'Ise, Lac Biwa, Takatsuki, Wakayama, Tanabe, C. Shiono, Dt de Kii, C. Muroto, Tottori, Dogo, Îles Oki, Yonago, Matsue, Péninsule de Chugoku, Okayama, Kurashiki, Fukuyama, Himeji, Akashi, Tokushima, Takamatsu, Matsuyama, Imabari, Niihama, Baie de Tosa, Kochi, Uwajima, Détroit de Bungo, HIROSHIMA, Hofu, Ube, Shimonoseki, Yamaguchi, KITA-KYUSHU, Kurume, Saga, FUKUOKA, Sasebo, Nagasaki, Baie d'Ariake, Baie d'Amakusa, Îles Amakusa, Kumamoto, Yatsushiro, Beppu, Oita, Nobeoka, Miyakonojo, Miyazaki, Kanoya, Kagoshima, Îles Osumi, C. Sata, Dt d'Osumi, Yaku, Tanega, Naze, Grand Amami, Tokuno, Okino-Erabu, Kume, Naha, Okinawa, Kikai

Villes (Corée du Sud)
INCHEON, SEOUL, SEONGNAM, SUWON, Gimpo, Cheongju, Cheonan, Chungju, Jecheon, Wonju, Chuncheon, Gangneung, Donghae, Samcheok, Uljin, Pohang, Gyeongju, Ulsan, BUSAN, DAEGU, Masan, Jinju, Sacheon, Changwon, GWANGJU, Suncheon, Yeosu, Mokpo, Iksan, Gunsan, JEONJU, DAEJEON, Gongju, Boryeong, Cheonan, Yeosu, JEJU, Jeju, Halla 1950, Sokcho

Dt de Tsushima, Îles Tsushima, Îles Goto

1 : 125° L.E. de Gr.

300 m, 200, 100, 0

5000m, 3000, 2000, 1000, 500, 200, 100, 0, -200, -2000, -4000, -6000, -8000

Rome, Athènes, Los Angeles

Projection conique

JAPON

A. MÉGALOPOLE JAPONAISE ET POURTOUR DE LA MER INTÉRIEURE 1:3000000

B. BAIE D'OSAKA 1:400000

C. BAIE DE TOKYO 1:750000

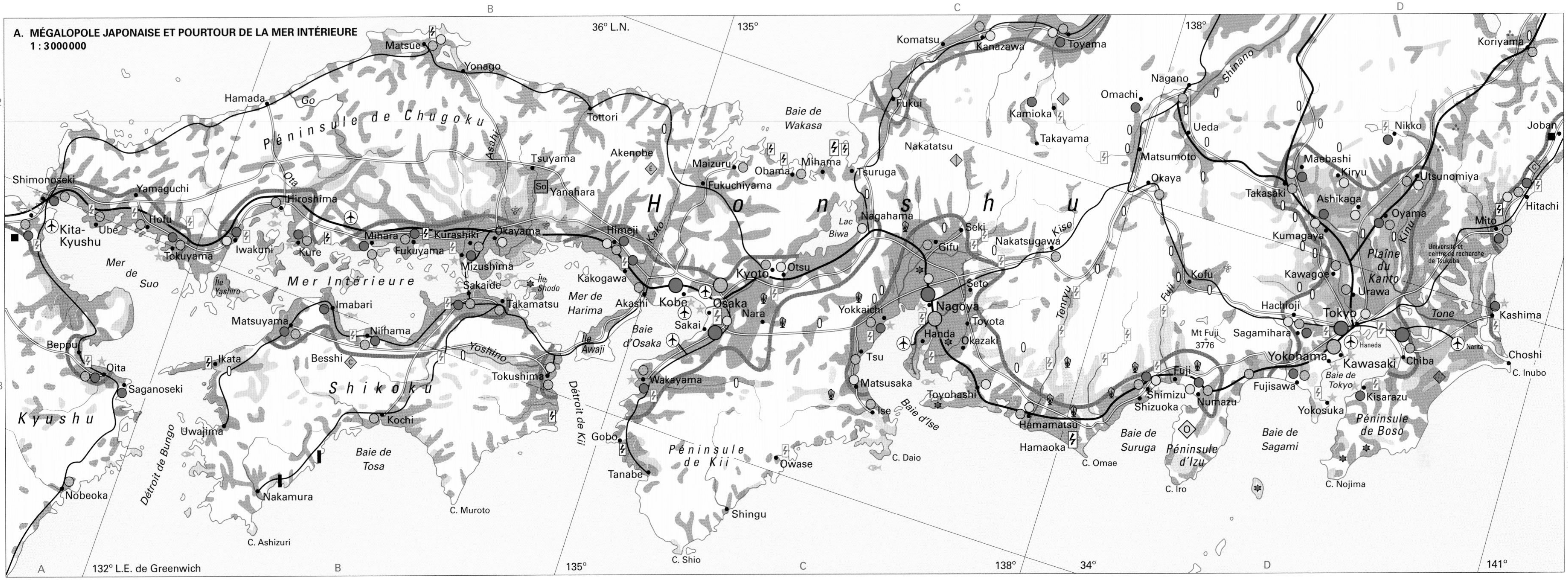

Légende pour A:

Agriculture
- Rizières. L'été: riz; l'hiver: céréales, légumes ou jachère
- Cultures sèches sur terrasses alluviales
- Cultures sèches sur terrasses artificielles
- Cultures sèches de plaine
- Élevage
- Fruits
- Vignoble
- Fleurs
- Canne à sucre
- Mûrier
- Thé
- Tabac
- Aquaculture
- Canal d'irrigation

Communications
- Train à grande vitesse (Shinkansen)
- Autre voie ferrée
- Autoroute
- Aéroport international

Industrie
- Régions industrielles
- Ports principaux
- Centre d'industrie lourde – sidérurgie, traitement des métaux, chimie de base
- Centre d'industrie différenciée – métallurgie, constructions mécaniques, produits chimiques, papier
- Centre d'industrie légère – mécanique de précision, textile, agro-alimentaire

Énergie / Mines
- Centrale thermique
- Centrale hydroélectrique
- Centrale nucléaire
- Gaz naturel
- Charbon
- Plomb et zinc
- Cuivre
- Étain
- Or
- Soufre

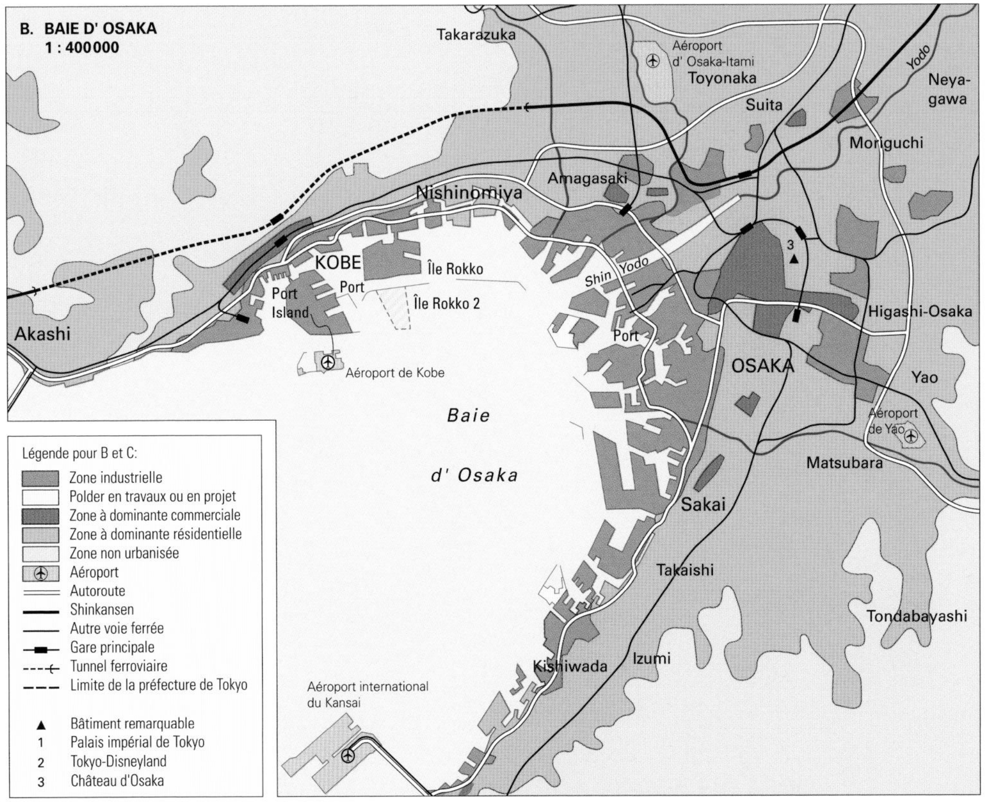

Légende pour B et C:

- Zone industrielle
- Polder en travaux ou en projet
- Zone à dominante commerciale
- Zone à dominante résidentielle
- Zone non urbanisée
- Autoroute
- Shinkansen
- Autre voie ferrée
- Gare principale
- Tunnel ferroviaire
- Aéroport
- Bâtiment remarquable
- 1 Palais impérial de Tokyo
- 2 Tokyo-Disneyland
- 3 Château d'Osaka
- Limite de la préfecture de Tokyo

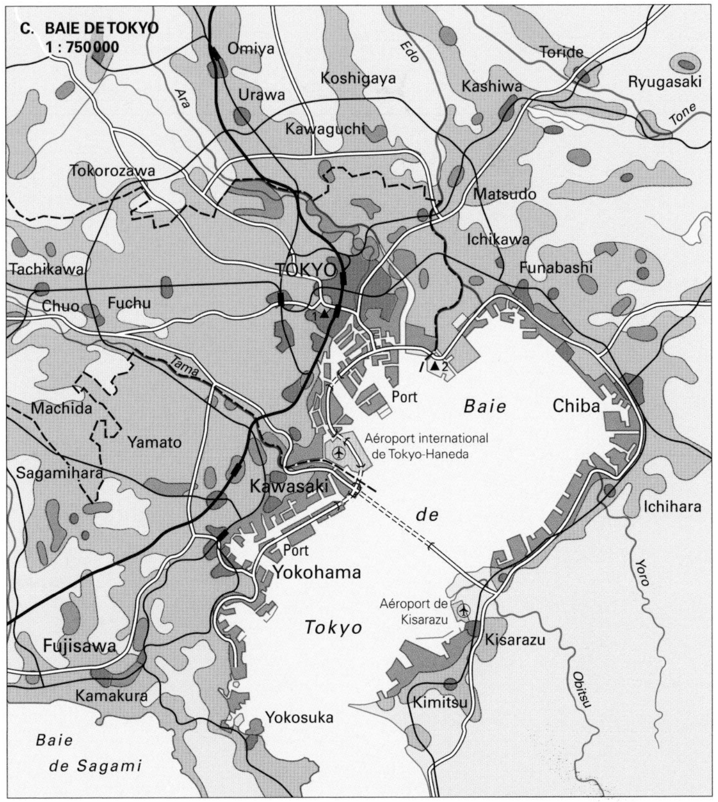

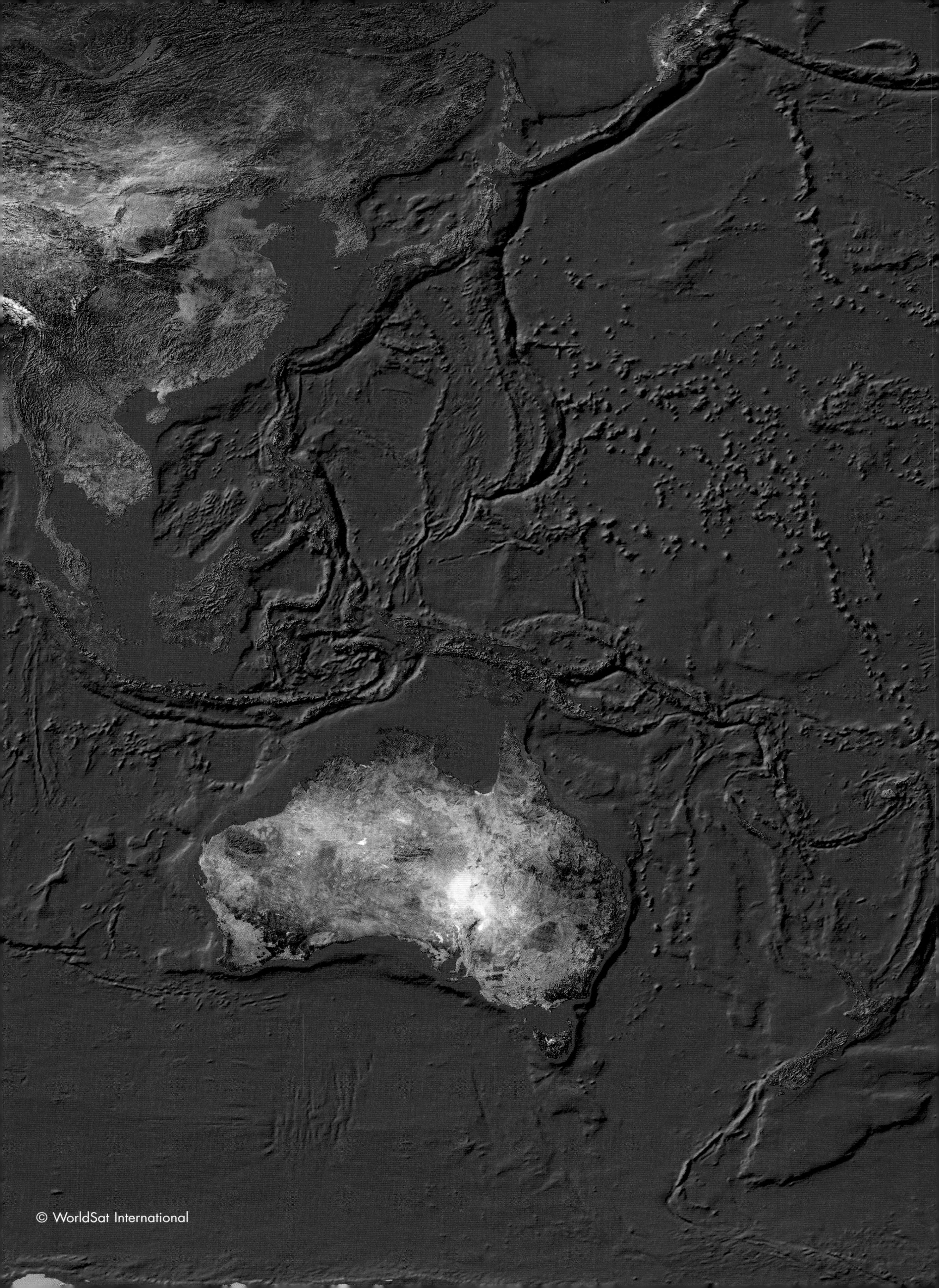

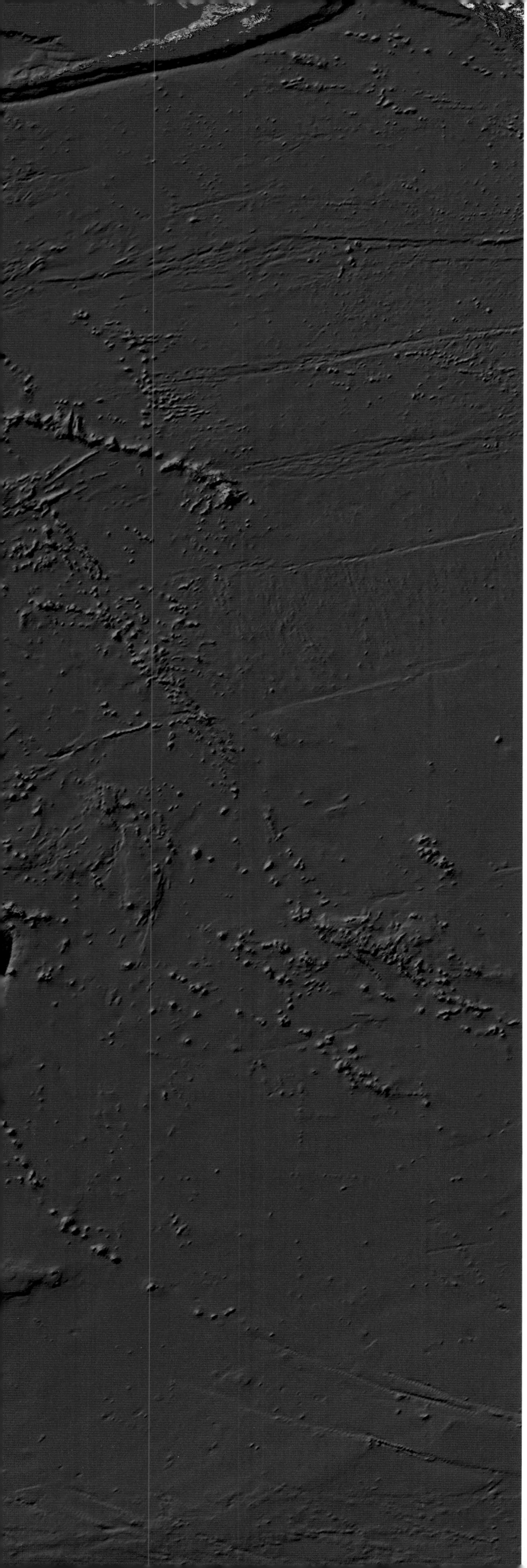

OCÉANIE

L'Océanie est un continent très particulier,
avec une très grande île, l'Australie, au cœur aride
bordé par des zones plus verdoyantes où se concentre
l'essentiel de sa population, et un vaste espace maritime
où émergent çà et là, outre la Nouvelle-Zélande,
des petites îles et de modestes archipels isolés.

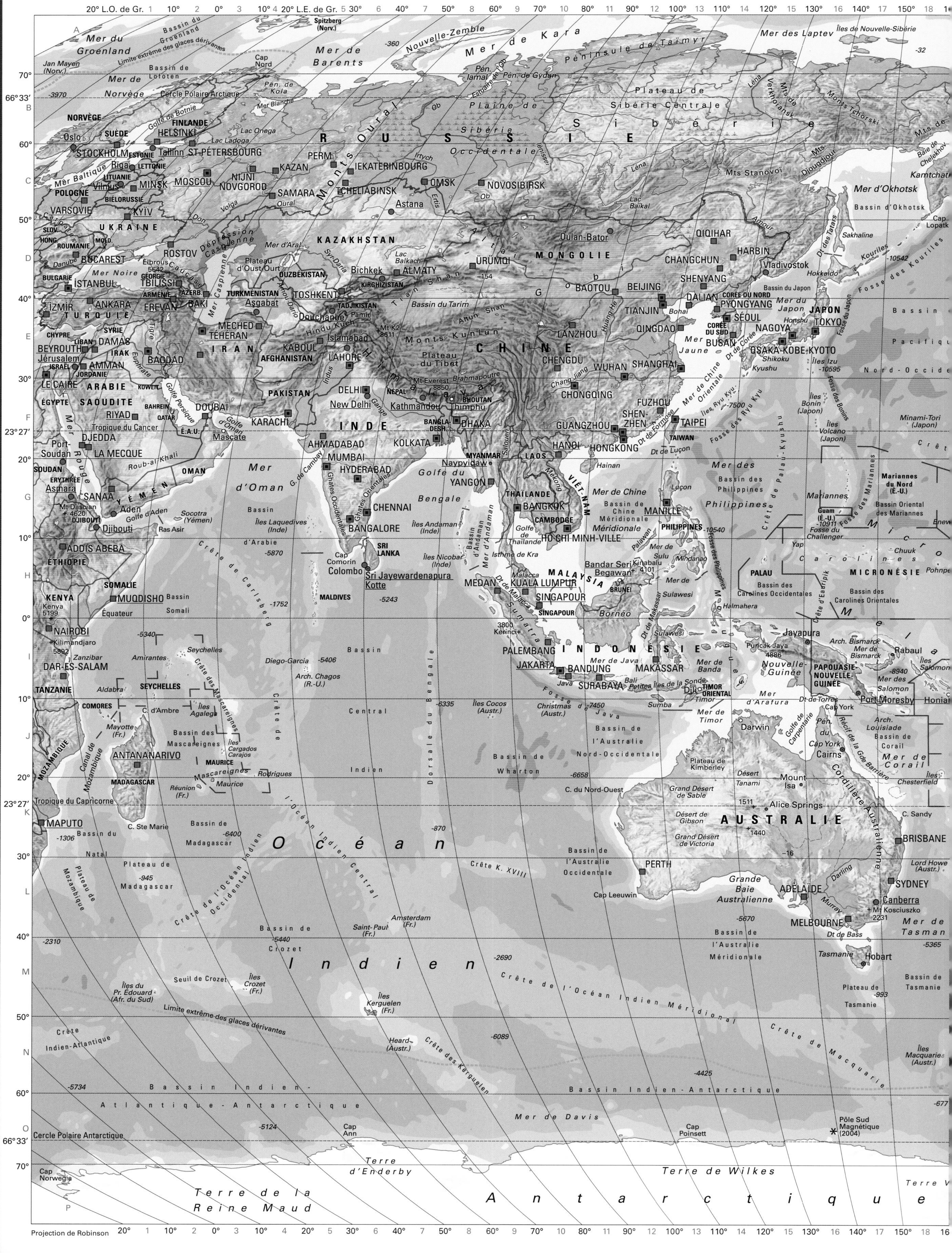

OCÉANS INDIEN ET PACIFIQUE

-8000 -6000 -4000 -2000 -200   0   200 500 1000 2000 3000 5000 m
au-dessous du niveau de la mer

20° L.O. de Gr. 1 10° 2 0° 3 10° 4 20° L.E. de Gr. 5 30° 6 40° 7 50° 8 60° 9 70° 10 80° 11 90° 12 100° 13 110° 14 120° 15 130° 16 140° 17 150° 18

Mer du Groenland
Bassin du Groenland
Jan Mayen (Norv.)
Limite extrême des glaces dérivantes
Spitzberg (Norv.)
Cap Nord
Nouvelle-Zemble
Mer de Kara
Mer des Laptev
Îles de Nouvelle-Sibérie
-360
-32

Mer de Barents
Pén. de Iamal
Pén. de Gydan
Péninsule de Taïmyr
Plateau de Sibérie Centrale

Mer de Norvège
Mer de Lofoten
Cercle Polaire Arctique
Pén. de Kola
Ob
Irtych
Ienisseï
Léna
Mts de Verkhoïansk
Mts Tcherski

NORVÈGE
SUÈDE
HELSINKI
FINLANDE
Mer Blanche
ROUSSIE
Sibérie
Occidentale
Sibérie
Kamtchatka
-3970

Oslo
STOCKHOLM
Golfe de Botnie
Lac Onega
Lac Ladoga
Tallinn
ST-PÉTERSBOURG
PERM
Oural
Ob
Irtych
Mts Stanovoï
Mts Diougdjour
Mer d'Okhotsk

Riga
ESTONIE
LETTONIE
MOSCOU
NIJNI NOVGOROD
KAZAN
IEKATERINBOURG
OMSK
NOVOSIBIRSK
Lac Baïkal
Bassin d'Okhotsk

Mer Baltique
LITUANIE
Vilnius
MINSK
SAMARA
TCHELIABINSK
Astana
Cap Lopatk

POLOGNE
VARSOVIE
BIÉLORUSSIE
Volga
Oural
Eris
Ob
Altaï
KAZAKHSTAN
MONGOLIE
Oulan-Bator
Amour
HARBIN
CHANGCHUN
Vladivostok
Hokkaïdo
Kourîles
Fosse des Kourîles

SLOV.
HONG.
UKRAINE
ROUMANIE
MOLD.
Don
Dépression Caspienne
Mer d'Aral
Syr-Daria
Lac Balkach
Tian Shan
154
QIQIHAR
SHENYANG
DALIAN
PYONGYANG
CORÉE DU NORD
Sakhaline
Dt des Tatars
-10542

BULGARIE
BUCAREST
Danube
ROSTOV
Elbrouz 5642
Caucase
Plateau d'Oust-Ourt
Bichkek
ALMATY
BAOTOU
BEIJING
TIANJIN
Bohai
QINGDAO
SÉOUL
CORÉE DU SUD
PYONGYANG
Mer du Japon
JAPON
TOKYO
Bassin du Japon

ISTANBUL
Mer Noire
GÉORGIE
TBILISSI
ARMÉNIE
AZERB.
BAKI
Mer Caspienne
OUZBÉKISTAN
KIRGHIZISTAN
Amou-Daria
Pamir
Altun Shan
Monts Kunlun
CHINE
LANZHOU
Huang-He
Honshu
NAGOYA
OSAKA-KOBE-KYOTO
Shikoku
Îles Izu

IZMIR
TURQUIE
ANKARA
EREVAN
TOSHKENT
TURKMÉNISTAN
Asgabat
TADJIKISTAN
Douchanbé
Hindu-Kuch
Mt K2 8611
Bassin du Tarim
CHINE
CHENGDU
CHONGQING
WUHAN
Chang Jiang
SHANGHAI
Mer de Chine Orientale
Kyushu
-10595
Nord-Occide

CHYPRE
LIBAN
SYRIE
BEYROUTH
DAMAS
IRAK
BAGDAD
Tigre
Euphrate
IRAN
TÉHÉRAN
MECHED
AFGHANISTAN
KABOUL
Islamabad
LAHORE
Indus
Mt Everest 8850
Plateau du Tibet
Brahmapoutre
FUZHOU
SHEN-ZHEN
TAIPEI
TAIWAN
Îles Bonin (Japon)
Minami-Tori (Japon)

JÉRUSALEM
ISRAËL
AMMAN
JORDANIE
LE CAIRE
ÉGYPTE
ARABIE SAOUDITE
KOWEÏT
BAHREÏN
QATAR
É.A.U.
DOUBAÏ
Mascate
PAKISTAN
DELHI
New Delhi
NÉPAL
Kathmandou
BHOUTAN
Thimphu
BANGLA-DESH
DHAKA
GUANGZHOU
HONGKONG
Dt de Formose
Fosse des Ryu Kyu
Îles Ryu Kyu
Îles Volcano (Japon)

RIYAD
Golfe Persique
OMAN
Golfe d'Oman
KARACHI
INDE
AHMADABAD
G. de Cambay
KOLKATA
MYANMAR
Naypyidaw
HANOI
Mer de Chine Orientale
-7500
Crê

Tropique du Cancer
PORT-SOUDAN
DJEDDA
LA MECQUE
Mer Rouge
Roub-al-Khali
MUMBAI
HYDERABAD
Ghates Occidentales
Ghates Orientales
Golfe du Bengale
Bengale
MYANMAR
LAOS
VIÊT-NAM
HAINAN
Mer de Chine Méridionale
Luçon
MANILLE
Mariannes
Marianne du Nord (E.-U.)
Crête de Palau-Kyushu
Guam (E.-U.)
Fosse des Mariannes
Bassin Oriental des Mariannes

SOUDAN
ÉRYTHRÉE
Asmara
SANAA
YÉMEN
Aden
Golfe d'Aden
Socotra (Yémen)
Mer d'Oman
Bassin d'Arabie
-5870
CHENNAI
BANGALORE
Îles Laquedives (Inde)
Îles Andaman (Inde)
THAÏLANDE
BANGKOK
CAMBODGE
Golfe de Thaïlande
HO CHI MINH-VILLE
Mer de Chine Méridionale
Bassin de Chine Méridionale
PHILIPPINES
-10540
Fosse des Philippines
Fosse du Challenger
-10911

Mt Dachan 4620
DJIBOUTI
Ras Asir
Cap Comorin
SRI LANKA
Colombo
Îles Nicobar (Inde)
Isthme de Kra
Bassin d'Andaman
Malacca
MEDAN
Dt de Malacca
KUALA LUMPUR
MALAYSIA
BRUNEI
Bandar Seri Begawan
Kinabalu 4101
Mer de Sulu
Mindanao
Palawan
Yap
Chuuk
MICRONÉSIE
Pohnpe
Carolines

ADDIS ABEBA
ÉTHIOPIE
Crête de Carlsberg
SRI Jayewardenapura Kotte
MALDIVES
-5243
SINGAPOUR
Sumatra
Bornéo
Mer de Sulawesi
Halmahera
PALAU
Bassin des Carolines Occidentales
Crête d'Eauripik
Bassin des Carolines Orientales

KENYA
Kenya 5199
MUQDISHO
SOMALIE
Bassin Somali
3800
Kérinci
Sulawesi
Dt de Makassar
INDONÉSIE
Jayapura
Puncak Jaya 4886
Nouvelle-Guinée
Arch. Bismarck
Mer de Bismarck
Rabaul
Îles Salomon

NAIROBI
Kilimandjaro 5892
Équateur
Seychelles
Amirantes
Diego-Garcia
Arch. Chagos (R.-U.)
-5406
PALEMBANG
JAKARTA
BANDUNG
Java
SURABAYA
MAKASSAR
Mer de Java
Mer de Banda
Bali
Timor Oriental
Dili
Sumba
PAPOUASIE-NOUVELLE-GUINÉE
Port Moresby
Honiar

DAR-ES-SALAM
TANZANIE
SEYCHELLES
Aldabra
C. d'Ambre
Îles Agalega
Îles Comores
COMORES
Mayotte (Fr.)
Crête des Mascareignes
Bassin des Mascareignes
Bassin Central
-6335
Îles Cocos (Austr.)
Fosse de Java
-7450
Petites Îles de la Sonde
Mer de Timor
Darwin
Golfe de Carpentarie
Pén. du Cap York
Cap York
Dt de Torres
Mer d'Arafura
Arch. Louisiade
Récif de la Grande Barrière
Mer de Corail
Cairns
Bassin de Corail

Canal de Mozambique
MOZAMBIQUE
ANTANANARIVO
MADAGASCAR
MAURICE
Îles Cargados Carajos
Rodrigues
Bassin Indien
Christmas (Austr.)
Java
Bassin de l'Australie Nord-Occidentale
Plateau de Kimberley
Grand Désert de Sable
Désert Tanami
Mount Isa
1511
Chesterfield
Cordillère Australienne
C. Sandy

Tropique du Capricorne
MAPUTO
-1306
C. Ste Marie
Bassin de Madagascar
-6400
Réunion (Fr.)
Maurice
Mascareignes
Dorsale du Bengale
-6658
C. du Nord-Ouest
AUSTRALIE
Alice Springs
1440
Grand Désert de Victoria
BRISBANE
Lord Howe (Austr.)

Plateau de Madagascar
-945
Bassin de Madagascar
Crête K. XVIII
-870
Bassin de l'Australie Occidentale
PERTH
Grande Baie Australienne
Cap Leeuwin
ADÉLAÏDE
Darling
Murray
Mt Kosciuszko 2231
SYDNEY
Canberra
-16

Bassin de Mozambique
Plateau de Mozambique
-2310
Amsterdam (Fr.)
Saint-Paul (Fr.)
Bassin de Crozet
-5440
Océan Indien
-2690
MELBOURNE
Bassin de l'Australie Méridionale
Tasmanie
Dt de Bass
Mer de Tasman
-5365

Crête Indien-Atlantique
Seuil de Crozet
Îles du Pr. Edouard (Afr. du Sud)
Îles Crozet (Fr.)
Îles Kerguelen (Fr.)
Crête de l'Océan Indien Occidental
Crête de l'Océan Indien Central
Crête de l'Océan Indien Méridional
Plateau de Tasmanie
-993
Hobart
Bassin de Tasmanie

Limite extrême des glaces dérivantes
Heard (Austr.)
Crête des Kerguelen
-6089
Crête de Macquarie
Îles Macquarie (Austr.)

Crête Indien-Atlantique
-5734
Bassin Indien-Atlantique-Antarctique
Bassin Indien-Antarctique
-4425
-677

Cercle Polaire Antarctique
-5124
Cap Ann
Cap Poinsett
Mer de Davis
Pôle Sud Magnétique (2004)

Cap Norvegia
Terre d'Enderby
Terre de Wilkes
Terre V

Terre de la Reine Maud
ANTARCTIQUE

Projection de Robinson
20° 1 10° 2 0° 3 10° 4 20° 5 30° 6 40° 7 50° 8 60° 9 70° 10 80° 11 90° 12 100° 13 110° 14 120° 15 130° 16 140° 17 150° 16

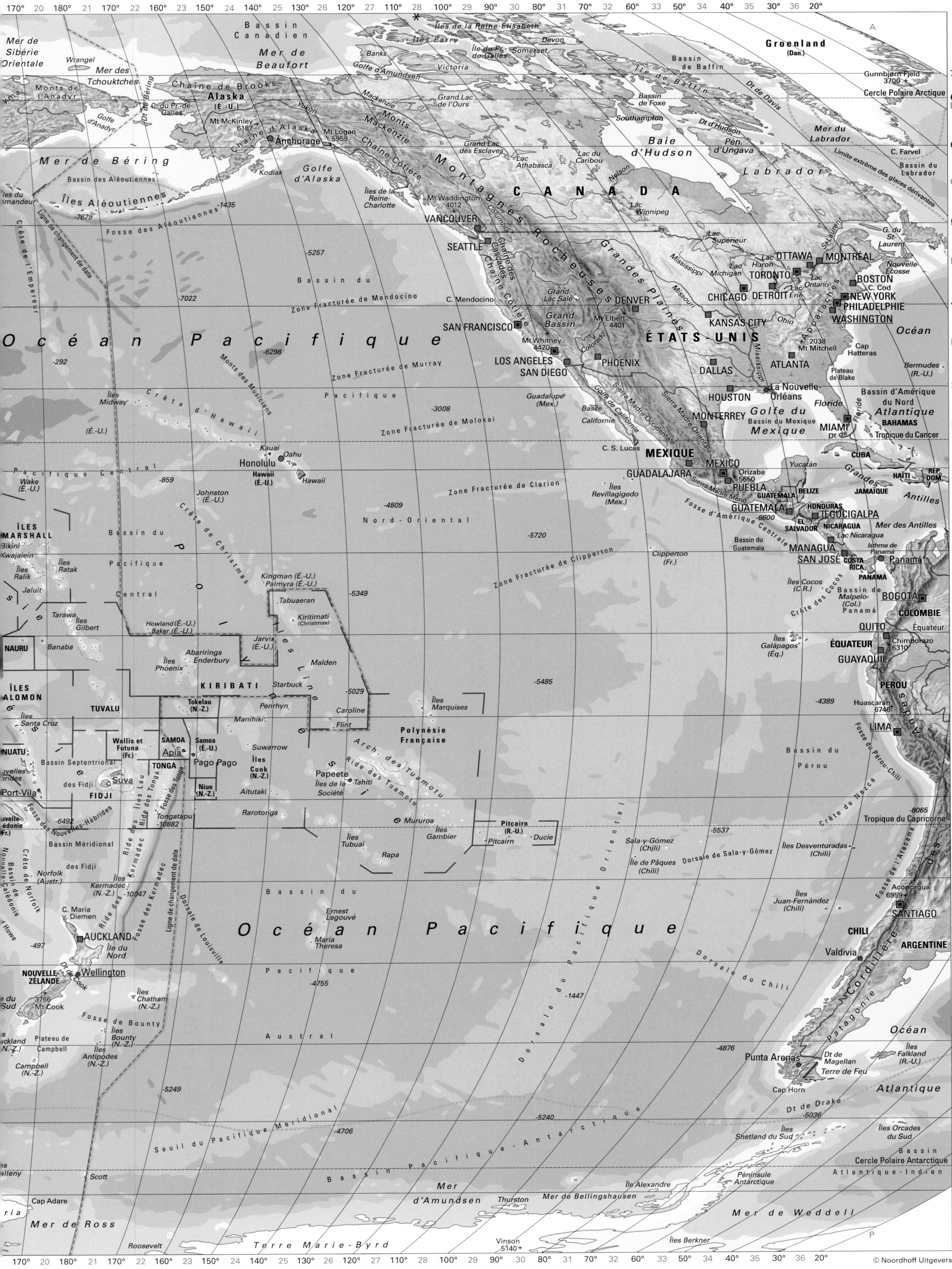

Échelle 1 : 60 000 000

0   500   1000   1500   2000   2500   3000km

170° 20 **180°** 21 **170°** 22 **160°** 23 **150°** 24 **140°** 25 **130°** 26 **120°** 27 **110°** 28 **100°** 29 **90°** 30 **80°** 31 **70°** 32 **60°** 33 **50°** 34 **40°** 35 **30°** 36 **20°**

Mer de
Sibérie
Orientale

Wrangel

Mer des
Tchouktches

Monts de
l'Anadyr

Golfe
d'Anadyr

Mer de Béring

Îles du
Commandeur

Bassin des Aléoutiennes

Îles Aléoutiennes

Crête de l'Empereur

Ligne de changement de date

-7679

Fosse des Aléoutiennes

-1435

Bassin du
Canadien

Chaîne de Brooks

Alaska
(É.-U.)

Mt McKinley
6187

Mt Logan
5959

Chaîne d'Alaska

Anchorage

Kodiak

Golfe
d'Alaska

Dt de Béring

Dt du Pr.-de-
Galles

Yukon

Îles de la
Reine-
Charlotte

Mackenzie

Monts
Mackenzie

Chaîne Côtière

Mt Waddington
4012

VANCOUVER

SEATTLE

-5257

Bassin du

Pacifique

-7022

Zone Fracturée de Mendocino

C. Mendocino

SAN FRANCISCO

Chaîne des Cascades
Chaîne Côtière

Montagnes Rocheuses

Columbia

Mer de
Beaufort

Golfe d'Amundsen

Banks

Victoria

Île du Pr.-
de-Galles

Îles Parry

Devon

Somerset

Île de la Reine-Elisabeth

*

Grand Lac
de l'Ours

Grand Lac
des Esclaves

Lac
Athabasca

Lac du
Caribou

Nelson

Grand Lac
Sale

Denver

Mt Elbert
4401

Grand
Bassin

Mt Whitney
4420

LOS ANGELES
SAN DIEGO

Guadalupe
(Mex.)

Basse
Californie

PHOENIX

Colorado

Sierra Madre Occidentale

Golfe de Californie

C. S. Lucas

MEXIQUE

GUADALAJARA

Orizaba
5650

PUEBLA

MEXICO

Sierra Madre Méridionale

Yucatán

Grand Lac
des Esclaves

C A N A D A

Lac
Winnipeg

Lac
Supérieur

Lac
Michigan

Lac
Huron

OTTAWA

TORONTO

Lac
Ontario

Lac
Érié

MONTRÉAL

BOSTON
C. Cod

Nouvelle-
Écosse

NEW YORK
PHILADELPHIE
WASHINGTON

Bassin
de Baffin

Île de Baffin

Dt de Davis

Southampton

Bassin
de Foxe

Dt d'Hudson

Baie
d'Hudson

Pén.
d'Ungava

Mer du
Labrador

Labrador

Groenland
(Dan.)

Gunnbjørn Fjeld
3700

Cercle Polaire Arctique

C. Farvel

Limite extrême des glaces dérivantes

Bassin du
Labrador

CHICAGO
DETROIT

Missouri

Ohio

Mississippi

KANSAS CITY

ÉTATS-UNIS

DALLAS

HOUSTON

Golfe du
Mexique

MONTERREY

Bassin du Mexique

MIAMI

ATLANTA

Mt Mitchell
2038

Cap
Hatteras

Plateau
de Blake

Floride

Dt de Floride

Bermudes
(R.-U.)

Bassin d'Amérique
du Nord

Atlantique

BAHAMAS

Tropique du Cancer

CUBA

HAÏTI

RÉP.
DOM.

JAMAÏQUE

Antilles

Appalaches

Mississippi

La Nouvelle-
Orléans

Océan

Océan Pacifique

-6298

-292

Îles
Midway
(É.-U.)

Crête d'Hawaii

Zone Fracturée de Murray

Pacifique

Monts des Musiciens

Zone Fracturée de Molokai

-3008

Kauai
Oahu
Honolulu
Hawaii
(É.-U.)
Hawaii

Johnston
(É.-U.)

-859

Pacifique Central

Wake
(É.-U.)

ÎLES
MARSHALL

Bikini
Kwajalein

Îles
Ralik

Îles
Ratak

Jaluit

NAURU

Banaba

Tarawa

Îles
Gilbert

Crête de Christmas

Bassin du

Pacifique

Central

TUVALU

Îles
Santa Cruz

VANUATU

Nouvelles-
Hébrides

Port-Vila

-6492

Howland (É.-U.)
Baker (É.-U.)

Abariringa
Enderbury

Îles
Phoenix

KIRIBATI

Tokelau
(N.-Z.)

Manihiki

SAMOA

Apia

TONGA

Pago Pago

Samoa
(É.-U.)

Wallis et
Futuna
(Fr.)

Bassin Septentrional
des Fidji

Suva

FIDJI

Kingman (É.-U.)
Palmyra (É.-U.)

Tabuaeran

Kiritimati
(Christmas)

Jarvis
(É.-U.)

Malden

Starbuck

Penrhyn

Caroline

Flint

Suwarrow

Îles
Cook
(N.-Z.)

Niue
(N.-Z.)

Aitutaki

-4809

Nord-Oriental

-5720

Zone Fracturée de Clarion

Îles
Revillagigedo
(Mex.)

Clipperton
(Fr.)

GUATEMALA

BELIZE

GUATEMALA

EL
SALVADOR

HONDURAS

TEGUCIGALPA

NICARAGUA

MANAGUA

SAN JOSÉ

Lac Nicaragua

Isthme de
Panamá

COSTA
RICA

PANAMÁ

Panamá

Bassin du
Guatemala

Fosse d'Amérique Centrale

-6600

Îles
Cocos
(C.R.)

Bassin de
Malpelo
(Col.)

Panamá

Crête des Cocos

BOGOTA

COLOMBIE

QUITO

Équateur

ÉQUATEUR

GUAYAQUIL

Îles
Galápagos
(Éq.)

Chimborazo
6310

PÉROU

Huascarán
6746

LIMA

Fosse du Pérou-Chili

Andes

-5485

-4389

-5029

Îles
Marquises

Polynésie
Française

Papeete

Tahiti

Îles de la
Société

Arch. des Tuamotu

Ride des Tuamotu

Mururoa

Îles
Gambier

Îles
Tubuai

Rapa

Rarotonga

Pitcairn
(R.-U.)

Pitcairn

Ducie

Sala-y-Gómez
(Chili)

Dorsale de Sala-y-Gómez

Île de Pâques
(Chili)

-5537

Îles Desventuradas
(Chili)

-8065

Tropique du Capricorne

Crête de Nazca

Dorsale du Pacifique Oriental

Îles
Juan-Fernández
(Chili)

Acongagua
6959

SANTIAGO

CHILI

Valdivia

ARGENTINE

Cordillère des Andes

Patagonie

Fosse de l'Atacama

Bassin du
Pérou

Nord-
Oriental

AUCKLAND

Île du Nord

Wellington

NOUVELLE-
ZÉLANDE

Mt Cook
3766

Île du
Sud

Îles Chatham
(N.-Z.)

Îles
Antipodes
(N.-Z.)

Plateau de
Campbell

Auckland

Banks
Dt de Cook

Îles
Kermadec
(N.-Z.)

Ride des Kermadec

-10047

Bassin Méridional
des Fidji

Crête de
Norfolk

Norfolk
(Austr.)

Bassin de
Nouvelle-
Calédonie

Nouvelle-
Calédonie
(Fr.)

C. Maria
v. Diemen

-497

Fosse des Kermadec

Tongatapu
-10882

Ride des Tonga

Fosse des Tonga

Îles Lau

Ligne de changement de date

Dorsale de Louisville

Bassin du

Pacifique

-4755

Océan Pacifique

-1447

Austral

Îles
Bounty
(N.-Z.)

Fosse de Bounty

-4876

Océan

Punta Arenas

Dt de
Magellan

Terre de Feu

Îles
Falkland
(R.-U.)

Cap Horn

Dt de Drake

-5036

-5240

Atlantique

Îles Orcades
du Sud

Cercle Polaire Antarctique

Bassin
Atlantique-Indien

-5249

-4706

Seuil du Pacifique Méridional

Dorsale du Pacifique-Antarctique

Bassin Pacifique-Antarctique

Mer
d'Amundsen

Thurston

Mer de Bellingshausen

Île Alexandre

Péninsule
Antarctique

Shetland du Sud

Scott

Cap Adare

Mer de Ross

Roosevelt

Terre Marie-Byrd

Vinson
5140

Îles Berkner

Mer de Weddell

© Noordhoff Uitgevers

170° 20 **180°** 21 **170°** 22 **160°** 23 **150°** 24 **140°** 25 **130°** 26 **120°** 27 **110°** 28 **100°** 29 **90°** 30 **80°** 31 **70°** 32 **60°** 33 **50°** 34 **40°** 35 **30°** 36 **20°**

AUSTRALIE ET NOUVELLE-ZÉLANDE

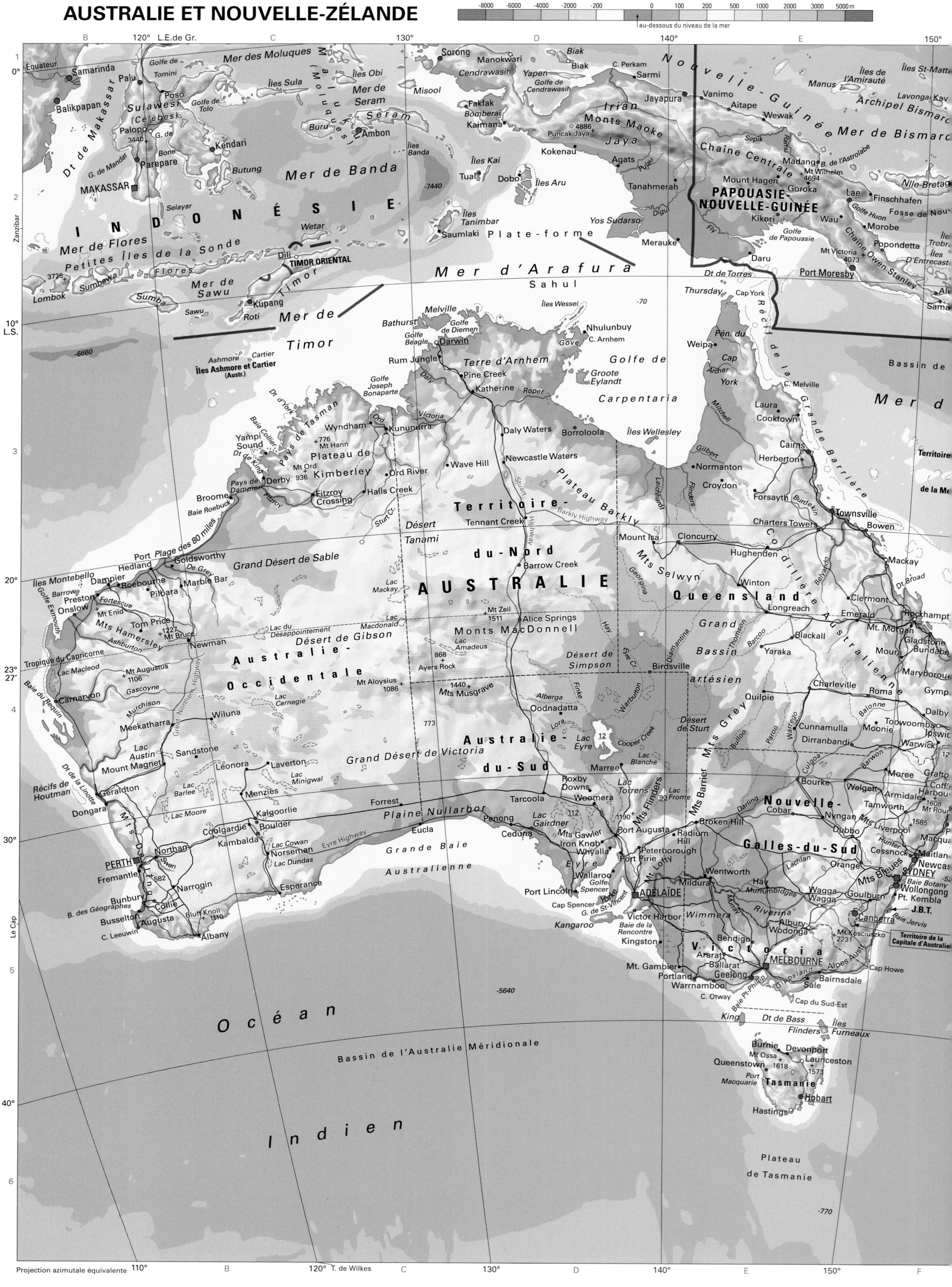

Équateur
Samarinda
Balikpapan Palu
Poso
Palopo 3440
Kendari
MAKASSAR
Sulawesi (Célèbes)
G. de Mandar
Dt de Makassar
Golfe de Tomini
Golfe de Tolo
G. de Bone
Parepare
Butung
Selayar
Buru
Zanzibar

Mer des Moluques
Îles Obi
Îles Sula
Mer de Seram
Seram
Ambon
Îles Banda
Mer de Banda

Sorong
Manokwari
Biak
Biak
C. Perkam
Cendrawasih
Yapen
Golfe de Cendrawasih
Sarmi
Misool
Fakfak
Bomberai
Kaimana
Puncak Jaya 4886
Monts Maoke
Irian Jaya
Kokenau
Agats
Digul
Tanahmerah
Merauke

INDONÉSIE

Nouvelle-Guinée
Vanimo
Aitape
Wewak
Jayapura
Sepik
Ramu
Madang
B. de l'Astrolabe
Mount Hagen
Goroka
Mt Wilhelm 4694
Chaîne Centrale

Manus
Îles de l'Amirauté
Lavongai Kav
Archipel Bismarck
Mer de Bismarck
Nile-Bretag

PAPOUASIE-NOUVELLE-GUINÉE
Kikori
Golfe de Papouasie
Fly
Kikori
Lae
Finschhafen
Fosse de No
Wau
Morobe
Popondetta
Mt Victoria 4073
Chaîne Owen Stanley
Îles Trobr
D'Entrecast
Îles

Îles Banda
Îles Tanimbar
Yos Sudarso
Saumlaki
Plate-forme
Daru
Dt de Torres
Port Moresby

Petites Îles de la Sonde
3726
Sumbawa
Flores
Mer de Flores
Lombok
Sumba
Mer de Sawu
Sawu
Roti
Kupang
Timor
Dili
TIMOR ORIENTAL
Wetar

Mer d'Arafura
Sahul
-70
Thursday
Cap York
Dt de Torres

Mer de
Timor
Mer de
Timor

Ashmore Cartier
Îles Ashmore et Cartier (Austr.)
-6660

Bathurst
Melville
Golfe de Diemen
Darwin
Golfe Beagle
Rum Jungle
Pine Creek
Katherine
Terre d'Arnhem
Daly
Roper

Nhulunbuy
Gove
C. Arnhem
Groote Eylandt
Golfe de
Carpentaria

Weipa
Pén. du
Cap
Archer
York
C. Melville
Laura
Cooktown
Mitchell
Gilbert
Normanton
Croydon
Forsayth
Herberton
Cairns
Grande Barrière
Récif de la
Territoire
de la Me
Mer

Dt d'York
Golfe Joseph Bonaparte
Baie Collier
Yampi Sound
Wyndham
Kununurra
Victoria
Mt Hann 776
Plateau de Kimberley
Mt Ord 936
Pays de Tasman

Daly Waters
Borroloola
Newcastle Waters
Îles Wellesley
Plateau Barkly
Barkly Highway
Leichhardt
Flinders

Wave Hill
Ord River
Halls Creek
Fitzroy Crossing
Derby
Sturt Cr.
Pays de Dampier
Broome
Baie Roebuck

Townsville
Bowen
Charters Towers
Hughenden
Mackay
Dt Broad

Port Hedland
Plage des 80 miles
Goldsworthy
De Grey
Roebourne
Dampier
Pilbara
Marble Bar
Grand Désert de Sable
Désert Tanami
Tennant Creek
Stuart Highway
Barrow Creek
Mount Isa
Cloncurry
Mts Selwyn
Winton
Longreach
Clermont
Emerald
Rockhampt
Mt. Morgan
Gladston
Bundabe

Îles Montebello
Barrow
Preston
Onslow
Golfe Exmouth
Mt Enid
Mts Hamersley
Tom Price 1227
Mt Bruce
Newman
Lac Mackay
Lac Macdonald
Désert de Gibson
Lac du Désappointement
Mt Zeil 1511
Alice Springs
Monts MacDonnell
Lac Amadeus

AUSTRALIE
Queensland
Grand
Bassin
Thomson
Barcoo
Blackall
Yaraka
artésien

Tropique du Capricorne
Lac Macleod
Mt Augustus 1106
Gascoyne
Ashburton
Carnarvon
Baie du Requin
Murchison
Australie-Occidentale
Lac Carnegie
868
Ayers Rock
1440
Mts Musgrave
Mt Aloysius 1086
773
Désert de Simpson
Birdsville
Diamantina
Eyre Cr.
Georgina
Hay
Maryboroug
Charleville
Roma
Gymp
Dalby
Toowoomba
Ipswic

Récifs de Houtman
Géraldton
Dongara
Meekatharra
Sandstone
Wiluna
Laverton
Léonora
Menzies
Grand Désert de Victoria
Australie-du-Sud
Alberga
Oodnadatta
Finke
Lac Eyre
12
Cooper Creek
Désert de Sturt
Warburton
Mts Grey
Mooloo
Cunnamulla
Dirranbandi
Warwick
Lora
Lac Blanche
Quilpie
Culgoa
Balonne
Moree
Grafto
Coffs Harbou
Armidale 1608
Nouvelle-
Galles-du-Sud
Tamworth
Mts Liverpool 1585
Mt Rou

Lac Austin
Mount Magnet
Lac Barlee
Kalgoorlie
Boulder
Coolgardie
Kambalda
Lac Cowan
Lac Dundas
Norseman
Forrest
Plaine Nullarbor
Eyre Highway
Eucla
Marree
Lac Torrens
Roxby Downs
Woomera
Tarcoola
Penong
Ceduna
Lac Gairdner
Mts Gawler
Iron Knob
Whyalla
Mts Flinders
Lac 90 Frome
Broken Hill
Cobar
Bourke
Nyngan
Moonie
Dubbo
Orange
Wagga Wagga
Cessnock
Maitland
Newcas
SYDNEY
Wollongong
Pt. Kembla

PERTH
Fremantle
Swan
582
Bunbury
Collie
Busselton
Augusta
Bluff Knoll 1110
C. Leeuwin
Albany
Narrogin
Northam
Esperance
Grande Baie
Australienne
Port Lincoln
Cap Spencer
Golfe Spencer
York
Port Pirie
Port Augusta
Peterborough
Radium Hill
Mt Lofty
ADÉLAÏDE
Wallaroo
Port Wakefield
Kangaroo
Victor Harbor
Baie de la Rencontre
Kingston
Mildura
Wentworth
Murray
Darling
Murrumbidgee
Wimmera
Albury
Wodonga
Riverina
Lachlan
Hay
Goulburn
Canberra
J.B.T.
Baie Jervis
Mts Bleues
Mt Kosciuszko 2231
Territoire de la Capitale d'Australie

Mt. Gambier
Portland
Warrnambool
C. Otway
Ararat
Ballarat
Bendigo
Geelong
MELBOURNE
Victoria
Gippsland
Sale
Bairnsdale
Alpes Aust
Cap Howe
Baie Pt-Philip
Cap du Sud-Est
King
Dt de Bass
Îles Furneaux
Îles Flinders

Océan
Indien

Bassin de l'Australie Méridionale
-5640
-770

Burnie
Devonport
Mt Ossa 1618
Queenstown
Launceston 1573
Port Macquarie
Tasmanie
Hobart
Hastings
Plateau
de Tasmanie

Échelle 1:17500000

0 100 200 300 400 500 600 700 km

F · Kamtchatka 160° · G · 170°

KIRIBATI

Équateur

Nauru ·
Banaba

NAURU

Nelle-Irlande
baul

Buka
Bougainville
-9140
Arawa

Îles
Ontong Java

Choiseul

ÎLES SALOMON

Mer des
alomon

Santa
Isabel

Malaita

Woodlark

Nouvelle-
Géorgie

Honiara

ch. Louisiade

Guadalcanal

San Cristobal

Mer de Corail

Rennell

Nendo Îles
Santa Cruz

Tikopia

10°

orail

VANUATU

Îles
Banks

Espíritu
Santo

Maewo

Lima

Nouvelles-Hébrides

Océan

Malekula

+1811

Pentecôte
Ambrym
Epi

Îles
Chesterfield

Récifs
D'Entrecasteaux

Efate

Port-Vila
Eromanga

ail

Nouvelle-Calédonie

(Fr.)

Ouvéa
Lifou

Îles
Loyauté

Tana
Anatom
-7570

Fosse des Nouvelles-Hébrides

Récif Saumarez

Nelle-Calédonie

Cato

+1634

Nouméa

Maré

-6492

Hervey
. Sandy
ser

Pacifique

Tropique du Capricorne

Bassin
des Fidji

shine Coast
SBANE
ld Coast
more

Norfolk
(Austr.)

23°
27'

Lord Howe
(Austr.)

Mer de Tasman

C. Maria v. Diemen
Îles Three Kings

30°

Awanu
Whangarei

Russell

de Hauraki

Bassin de

-5365

Auckland
Île du Nord Manukau

Hamilton

Baie Plenty
Tauranga
Rotorua

NOUVELLE-

New Plymouth
Mt Egmont
2518

Lac Taupo

Gisborne

Ruapehu
+2797

Baie Hawke

Wanganui

Napier
Hastings

C. Farewell

Westport
Nelson

Dt de Cook

Palmerston-North

Hokitika
Île du Sud

Blenheim

Lower Hutt
Wellington

Tasmanie

+2340

Alpes de Nlle-Zélande

Baie Pégasus

ZÉLANDE

Cap
Ouest

+3766
Mt Cook

Christchurch

Roxburgh

Timaru
Oamaru

Dt de Foveaux

Dunedin

Îles
Chatham

Stewart
Invercargill

160° · G · Erebus · 170° · H · 180° · I

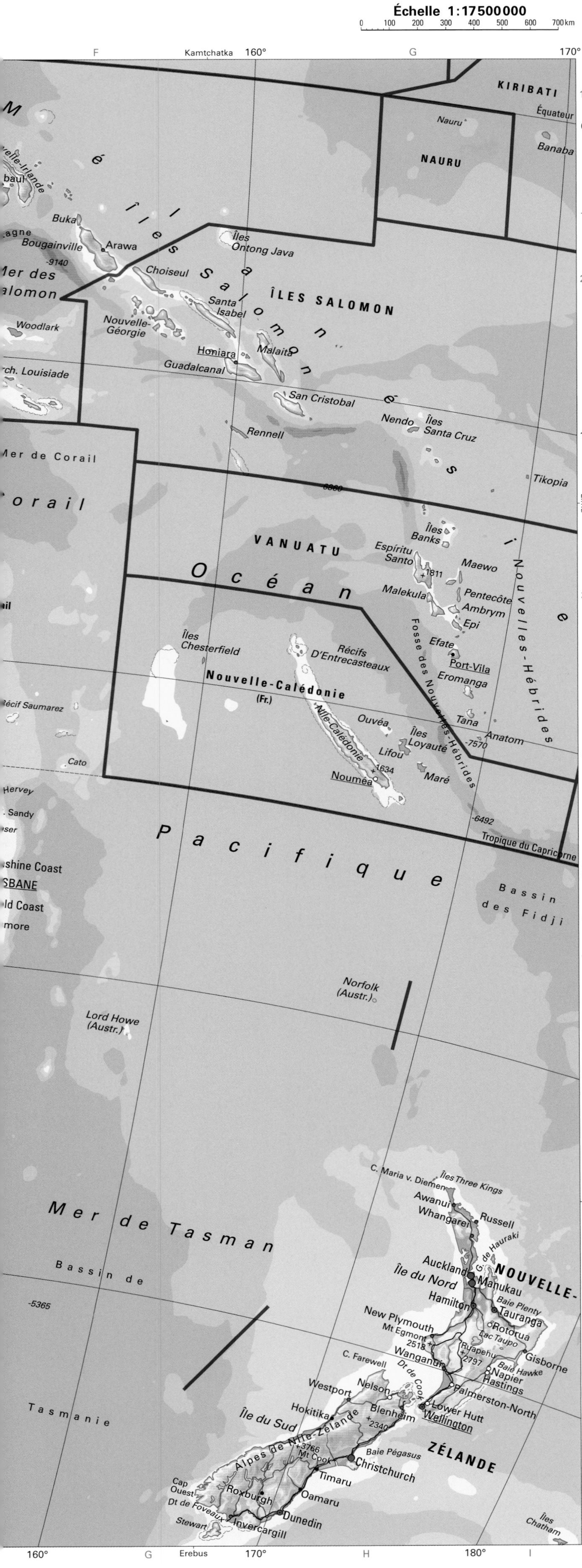

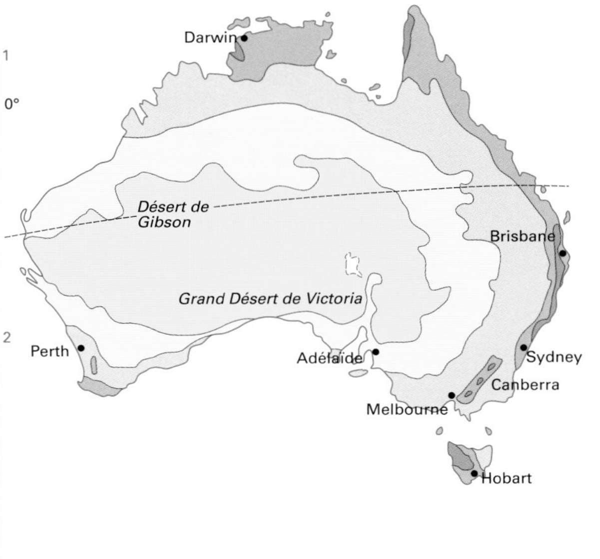

A. PRÉCIPITATIONS
1 : 55 000 000

Darwin

Désert de
Gibson

Grand Désert de Victoria

Perth

Adélaïde

Brisbane

Sydney
Canberra

Melbourne

Hobart

Auckland

Wellington

Christchurch

Précipitations annuelles en mm

	moins de 250
	250 - 500
	500 - 1000
	1000 - 1500
	1500 ou plus

B. UTILISATION DU SOL
1 : 55 000 000

Darwin

Cairns

Brisbane

Perth

Adélaïde

Sydney

Melbourne

Hobart

Auckland

Wellington

Christchurch

Culture (blé)
Élevage intensif (bétail laitier)
Élevage extensif (bovins)
Élevage extensif (ovins)
Forêts
Improductif
Canne à sucre
Bassin artésien
Clôtures contre les dingos et les lapins

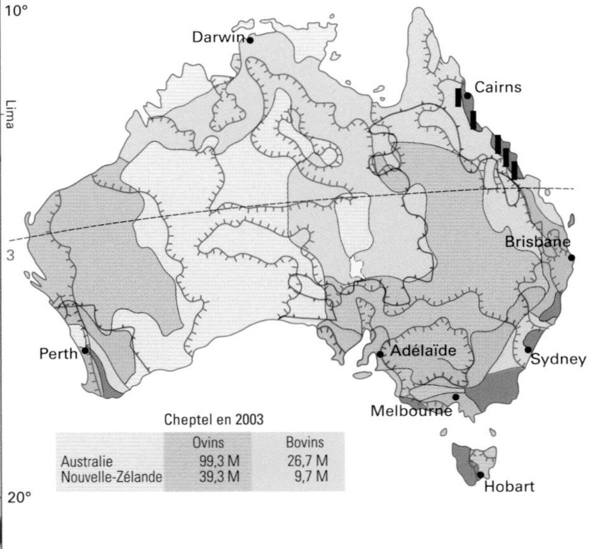

Cheptel en 2003

	Ovins	Bovins
Australie	99,3 M	26,7 M
Nouvelle-Zélande	39,3 M	9,7 M

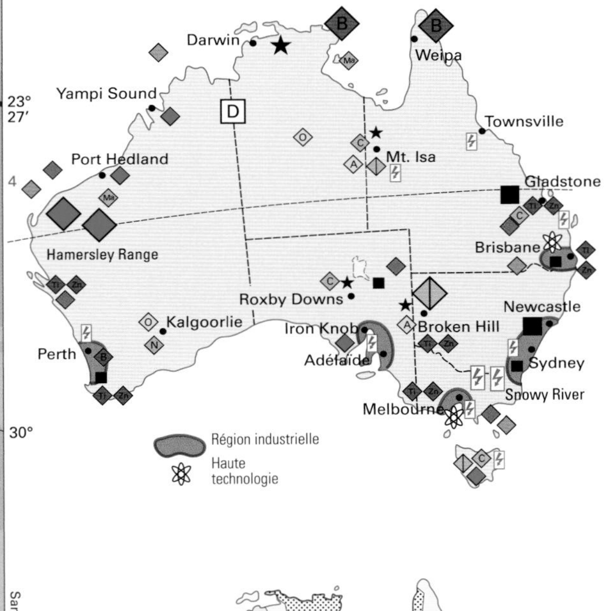

C. MINES ET INDUSTRIE
1 : 55 000 000

Darwin
Weipa

Yampi Sound

D

Port Hedland

Mt. Isa
Townsville

Gladstone

Hamersley Range

Brisbane

Roxby Downs

Newcastle

Kalgoorlie

Iron Knob
Broken Hill

Perth

Adélaïde

Sydney

Melbourne

Snowy River

Auckland

Région industrielle

Haute
technologie

Wellington

Christchurch

★ Uranium
■ Charbon
◆ Pétrole
◆ Gaz naturel
Centrale thermique
Centrale hydroélectrique
Centrale géothermique
Minerai de fer
Manganèse
Nickel
Titane
Zircon/rutile
Cuivre
Plomb et zinc
Or
Argent
Bauxite
D Diamant

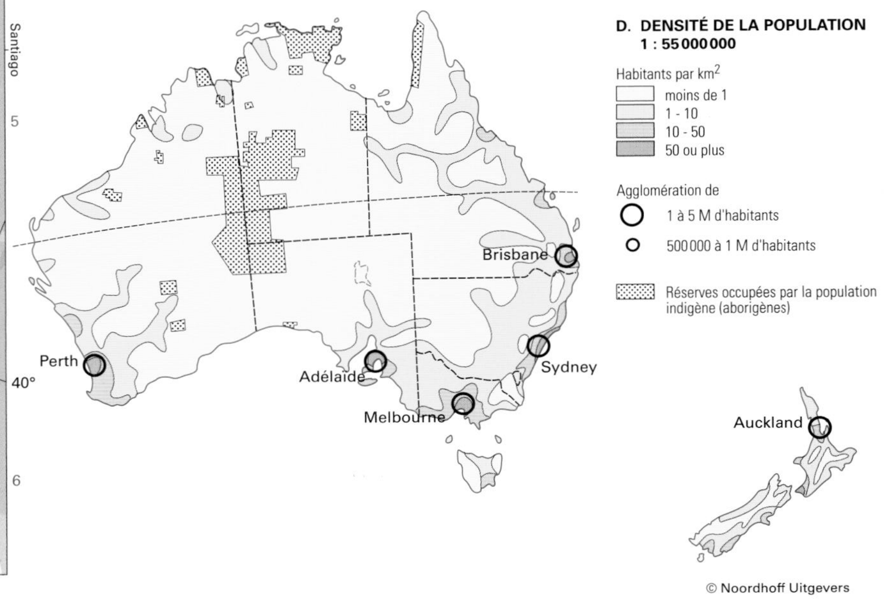

D. DENSITÉ DE LA POPULATION
1 : 55 000 000

Brisbane

Perth

Adélaïde

Sydney

Melbourne

Auckland

Habitants par km²

	moins de 1
	1 - 10
	10 - 50
	50 ou plus

Agglomération de

◯ 1 à 5 M d'habitants

o 500 000 à 1 M d'habitants

Réserves occupées par la population
indigène (aborigènes)

© Noordhoff Uitgevers

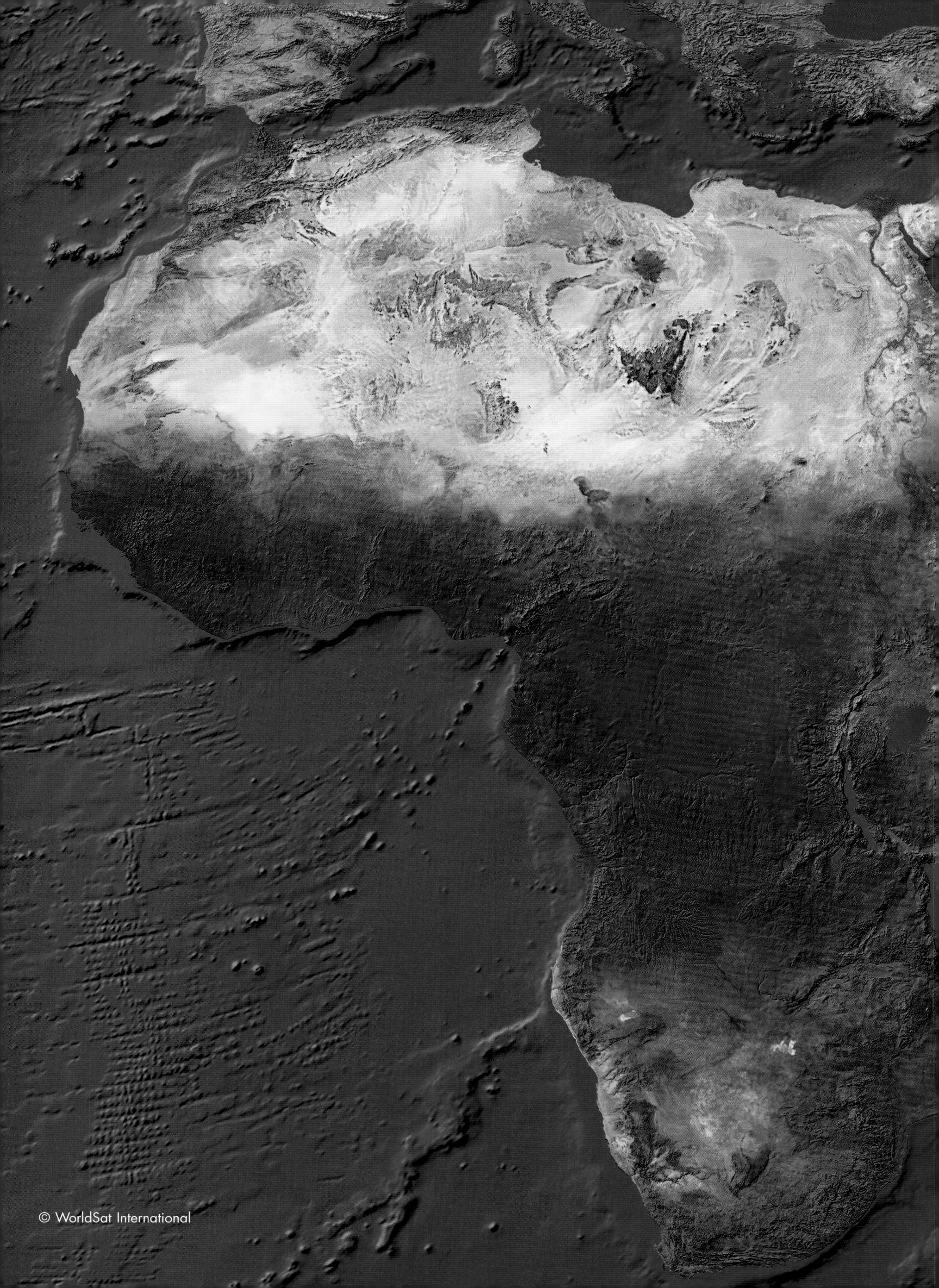

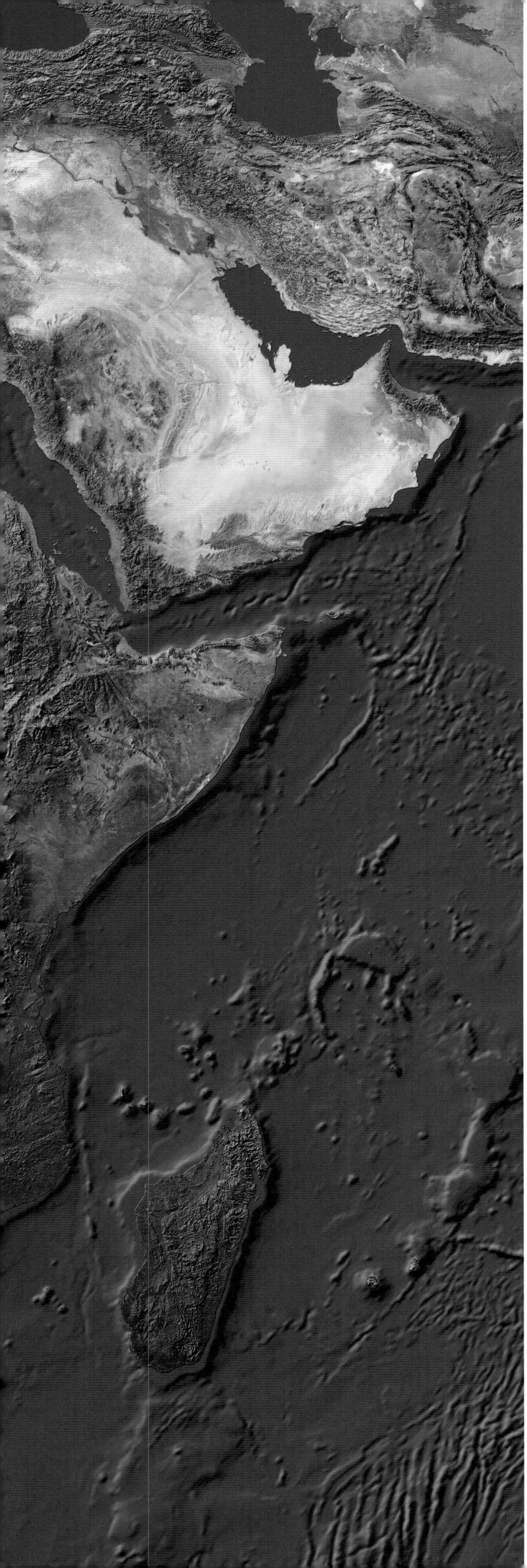

AFRIQUE

La végétation du continent africain est répartie de manière symétrique par rapport à l'équateur: les forêts équatoriales denses et peu habitées au centre du continent, bordées au Sud et au Nord par des forêts claires, puis des savanes puis des steppes, pour enfin arriver aux déserts. Le Sahara est le plus grand désert au monde, avec ses vastes étendues de sable et de sols rocailleux.

AFRIQUE

Échelle 1 : 25 000 000

0 200 400 600 800 1000 km

30° L.O. de Gr. A 20° B 10° C E 20° L.E. de Gr. F

Dallas

Océan Atlantique

Séville Sa. Nevada Mer Méditerranée
Dt de Gibraltar Alger C. Blanc Palerme +3323 Etna Sicile
Oran Tunis Cap Bon Malte Crète
Ch. du Rif +2456 Atlas Tellien +2328 Biskra -29 Golfe de Gabès Djerba -4791
Rabat Hauts Plateaux Atlas Saharien 20 Chott Djerid Tripoli
Casablanca Fès Mouluya Benghazi Golfe de la Grande Syrte Dj. el Akhdar
Madère Porto Santo Marrakech -2600 Ouargla -4300 Plateau de Libye
Arch. de Madère Haut Atlas Toubkal 4165 Béchar Ghadamès Sioua 25
La Palma Tenerife Lanzarote Sidi Ifni Anti Atlas Tafilalt Grand Erg Occidental Grand Erg Oriental Désert de Libye
Pico del Teide 3718 Fuerteventura Draâ Hammada du Draâ Plateau du Tademaït Hammada du Tinrhert Edeyen Awbari Oasis de Fa
Hierro Gran Canaria El Ayoun Touat In Salah Sebha Oasis de Djalo
Îles Canaries C. Bojador Saguia el Hamra Erg Iguidi Gourara Oued Itharhar Ghat Fezzan Edeyen Mourzouk Oasis de Koufra
Tropique du Cancer Erg Chech 2154 Tassili n'Ajjer Dj. es Soda
Ras Nouadhibou (Cap Blanc) -4200 Makteïr El Djouf S Tanezrouft Massif du Hoggar Tamanrasset Hammada Mangueni Serir Tibesti Dj. Uweinat 1934
a 2918 + (Ahaggar) h Tibesti
Îles du Cap Vert Tagant 890 Tafassasset a Plateau de Djado Pic Toussidé 3265 Emi Koussi 3415
Santo Antão Nouakchott Adrar des Iforas r Aïr Tamgak +1988 a Borkou Ennedi +1450
São Vicente Sal Saint-Louis Sénégal Tombouctou Agadez Ténéré 155 Bodélé
Nicolau Boa Vista Dakar Cap Vert Mts Hombori Niger a Kanem Bassin
São Tiago Maio Banjul Gambie Ségou Bani Niamey Sokoto Lac Tchad h Quaddaï El Fasher
Brava Fogo Praia Bissau Casamance Bamako Volta Blanche Sokoto Kano Hadejia Ndjamena e du Tchad Dj. Marra 3070
Arch. des Bissagos 1538+ Fouta Djalon Ouagadougou Volta Noire Lac Kainji Kaduna Bornu Plateau de Jos 1781 Plateau de Bauchi Baguirmi Chari Darfur
Conakry 1948+ S Mts Loma Abuja 2040 Mts Bongo +1400 Katto
Freetown Mts Loma Mt Nimba 1752 Collines Achantis Lac Volta Ibadan Benue Bahr Aouk Chinko
Monrovia -5026 St-Paul Comoé Lomé Cotonou Lagos 2710 l'Adamaoua Bangui Mbomou (Bomu)
Côte des Graines Bandama Abidjan Accra Côte de l'Or Côte des Esclaves Delta du Niger Mt Cameroun 4100 Douala Sanaga Uélé
Côte de l'Ivoire C. Palmas Côte des Trois Pointes Golfe du Bénin Côte des Palmiers Bioko Yaoundé Ngoko Congo Aruwimi Kisangani
Sherbro Cavally B6 Golfe de Guinée Golfe de Bonny Ogooué Bassin du Chutes Boyoma
Océan -5000 Principe Baie Corisco Libreville Mbandaka Tshuapa Lomami
São Tomé C. Lopez Lac Tumba Congo
Équateur -7728 Dorsale Médio-Atlantique Bassin de Guinée Annobón Lac Mai Ndombe Kwa Lukénie Sankuru Luilaba
Brazzaville Pool Malebo Kasai Luaba Portes d'Enfer
-5759 Kinshasa Kwilu Kananga Mbuji-Mayi
Atlantique Matadi Kwango Kasai Katanga
Luanda Cuanza Lufira
Ascension Bassin d'Angola -5157 Lubumbashi
Lobito +2620 Mt Moco Plateau de Bihé Zambèze Kabompo Lusaka
Namibe Cuito Cuando Barotseland Lac Kariba Livingstone
C. Fria Ovamboland Okavango Marais de l'Okavango Chutes Victoria
Kaokoveld Etosha Pan +2134 Bulawayo
B. de la Baleine Brandberg 2610 Damaraland Lac Ngami 950 Makarikari Pan
-649 Mts Auas 2484 Windhoek Kalahari
Tropique du Capricorne Namib Gt Fish Rv. Gaborone Pretoria
B. de Lüderitz Namaland Nosob Johannesburg
Mts Karas 2202+ Molopo Bloemfontein
Bassin du Cap Orange Bechuanaland Meseru
Bosmanland Chute Augrabies Vaal Hauts
C. de Bonne-Espérance B. de Ste-Hélène Kompasberge 2505+ Swartberge Port Elizabeth
Le Cap B. de la Table C. des Aiguilles Gd. Karroo Baie Algoa

Projection azimutale

A. STRUCTURE GÉOLOGIQUE
1 : 75 000 000

MONTS ATLAS
TEIDE
Bassin du Tchad
Bouclier
MT. CAMEROUN
Bassin du Congo
VIRUNGA
africain
Nil
MOUSSA ALI
Grand rift africain
KENYA
KILIMANDJARO
MERU
KARTALA
Zambèze
Orange

- Vieux boucliers (Précambrien)
- Boucliers recouverts de sédiments plus récents et non-plissés
- Roches volcaniques
- Domaine du plissement hercynien
- Domaine du plissement alpin (récent)
- Autres domaines, recouverts de sédiments peu ou pas plissés
- ▲ Volcan en activité
- Zone de fracture

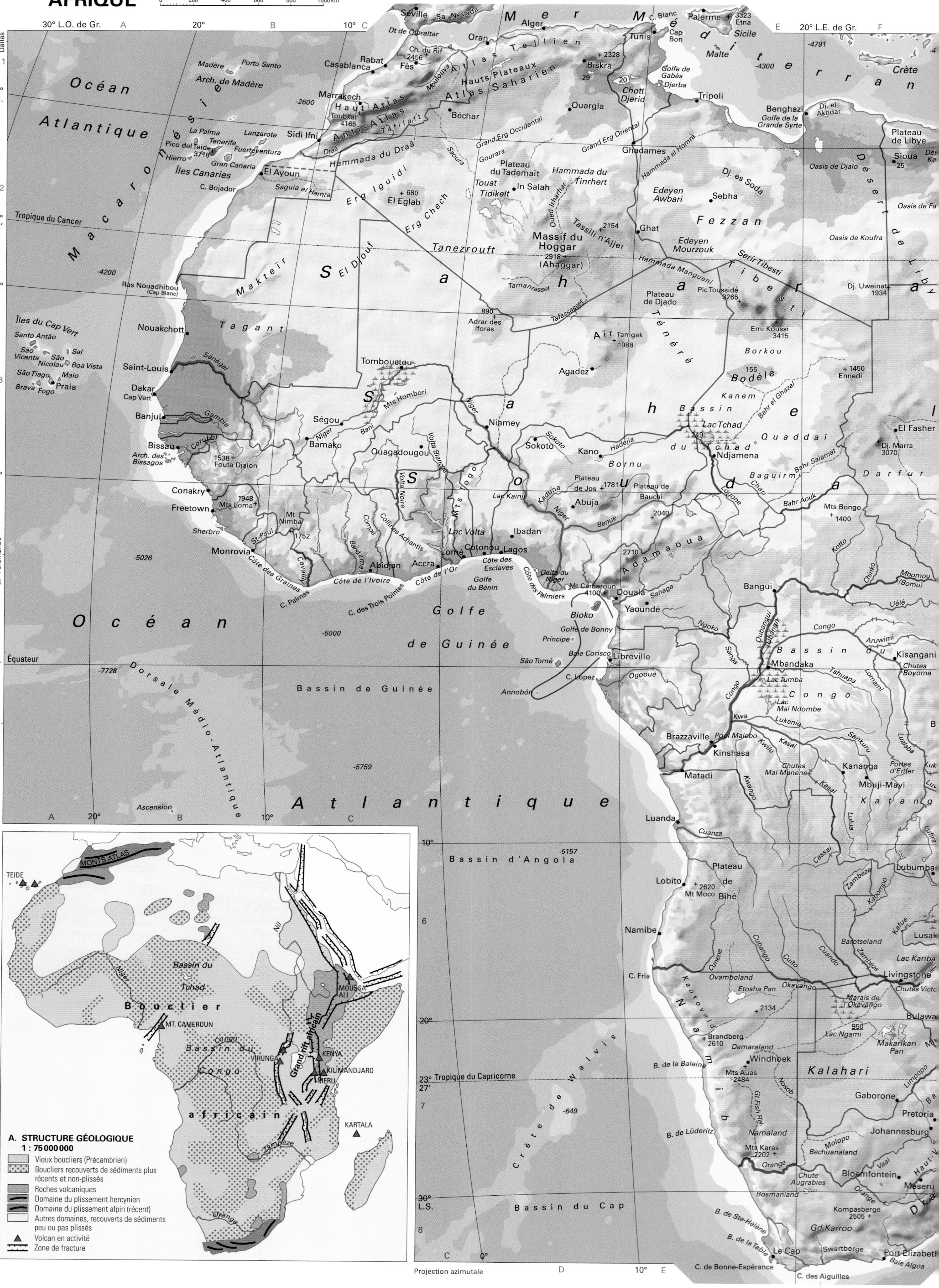

-6000 -4000 -2000 -200 0 100 200 500 1000 2000 3000 5000 m
au-dessous du niveau de la mer

Moscou 40° 50° 60°

Chypre
Beyrouth +2659
Damas
Bagdad
Euphrate
Tigre
Grand Désert Salé
Mésopotamie
Monts Zagros
1

Désert de Syrie
Kuh-i-Dena +4276
Chiraz
lac Bakhtegan
Zahedan
Delhi
30°

Jérusalem -418
Mer Morte
Basra
Golfe Persique
Alexandrie Can. de Suez
Caire -45
Sinai +2637
Désert du Nefoud
Dahana
Aqaba 2403
Médine
Riyad
Doubaï
Bahrein
Qatar
Golfe d'Oman
23° 27'

Khargа
Luxor
Assouan
Lac Nasser
1e Cataracte
Djedda
La Mecque
Dj. Tuwaiq
Roub-al-Khali
3035
20°

Désert de Nubie
Dj. Oda +2259
2635
Port-Soudan
Dawasir
Dahana

Cataracte
3e Cataracte
4e Cataracte
5e Cataracte
Atbara
6e Cataracte
Khartoum
Îles Farasan
Îles Dahlak
3760 Sanaa
Hadramaout
Mukalla
Socotra
3

Steppe Baiyuda
Gezira
Sennar
Nil Bleu
Asmara
Mt Dascien 4620
Massif
Guna 4231
Lac Tana
Éthiopien
Mrs Tchoke 4413
Depr. Danakil -120
Moussa Ali 2029
Bab el Mandeb
Moka
Aden
Golfe d'Aden
Raas Caseyr (C. Guardafui)
-2312

Kordofan
Kodok
Nil Blanc
Addis Abeba
Harer
-174
Baie de Tadjoura
Djibouti
2407
Raas Xaafuun
Hargeysa
Presqu'île
Somali
-5203
10°

Bahr el Ghazal
Canal Jonglei
Sobat
Djimma
Batu 4307
Massif Somali
Ogaden
Sudd
Juba
Omo
Lac Abaya
Chebeli
4

Lac Stéphanie
375
Lac Turkana
Benadir
-5115

Chutes Kabalega
Lac Albert
Lac Kyoga
2805
Nyiru
Djuba
Muqdisho
Lac Edouard
Ruwenzori 5109
Kampala
Elgon 4321
Kenya 5199
Tana
Galana
Nairobi
Équateur 0°

Virunga 4507
Lac Victoria 1134
Kigali
80
Steppe Serengeti
Lac Natron
Meru 4558
Kilimandjaro 5892
Kismaayo
Bassin Somali
-5340
Seychelles

Steppe Eyasi
Lac Eyasi
Pangani
Mombasa
Amirantes
5

Tabora
Steppe Iwembere
Steppe Masai
Pemba
Zanzibar
773
Dodoma
Dar-es-Salam
Lac Tanganyika
Orientale
Ugalla
Rufiji
Mafia

de l'Afrique
Lac Rukwa
Océan

Lac Mweru
4?3
Aldabra
Îles Farquhar
10°

Lac Bangweulu
Lac Malawi
Ruvuma
C. Delgado
Comores
C. d'Ambre

Monts Muchinga
Luangwa
Lugenda
Njazidja
Nosy Be
Maromokotro 2876

Lilongwe
Lac de Cabora Bassa
Zambèze
Lac Chilwa
Mozambique
Mayotte
Antananarivo

Tete
3000 Mlanje
Shire
C. St-André
Baie d'Antongil
6

Harare
Madagascar
Antananarivo

hauteurs Matabele
Beira
2643
Ankaratra
-5322

Matopo
B. de Sofala
Maurice

Save
Mangoky
2666
Pic Boby (Andringitra)
Réunion
20°

Gazaland
Limpopo
C. Ste-Marie

Olifants
Baie de Maputo
Maputo
Mbabane
-4300
23° 27'

sberg
Bassin du Natal
ababa-Ntlenyana
482
Durban
7

Indien
30°

Bassin du Natal

G Îles du Prince Édouard 40° H 50° I 60° J 8

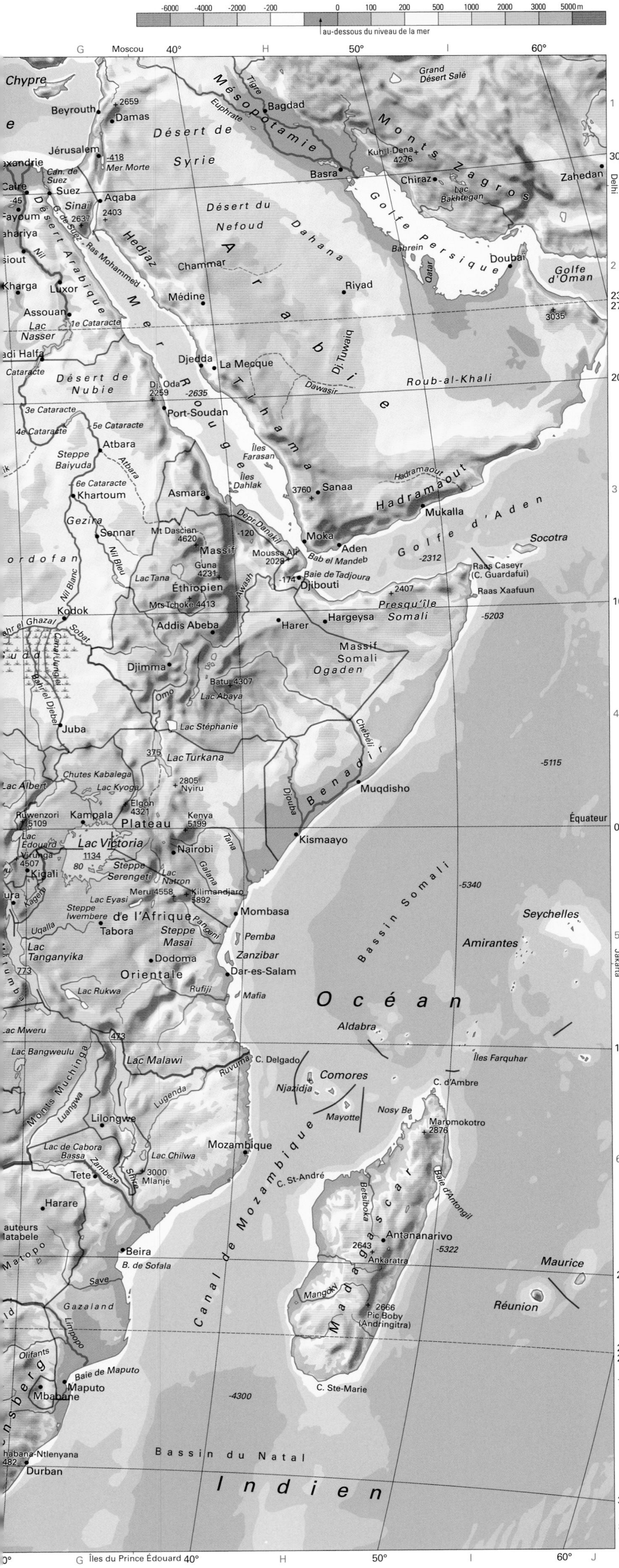

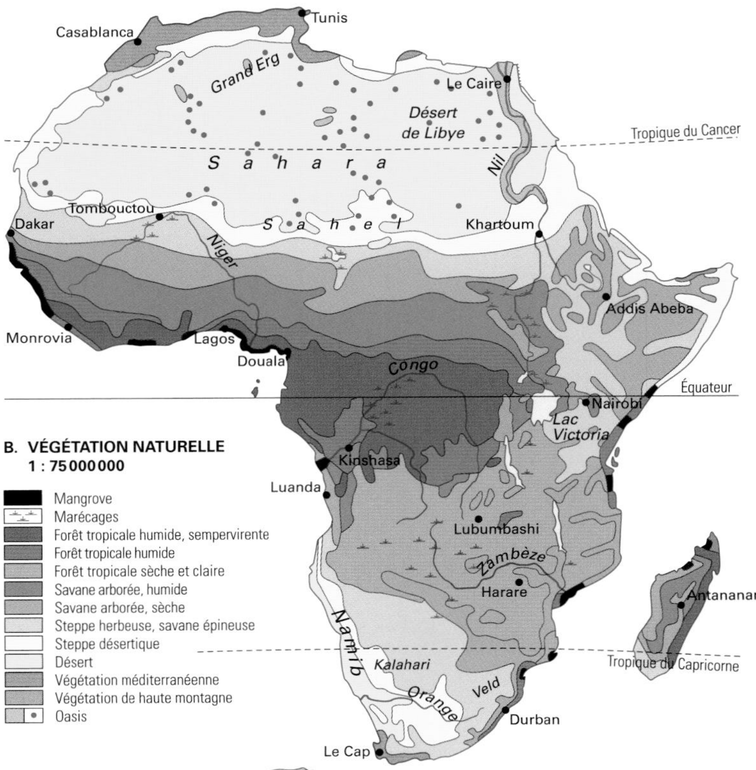

B. VÉGÉTATION NATURELLE
1 : 75 000 000

Casablanca Tunis
Grand Erg
Le Caire
Désert de Libye
Tropique du Cancer
Sahara
Nil
Dakar
Tombouctou
Sahel
Khartoum
Niger
Monrovia
Lagos
Addis Abeba
Douala
Congo
Équateur
Luanda Nairobi
Kinshasa
Lac Victoria
Lubumbashi
Zambèze
Antananarivo
Namib
Harare
Kalahari
Tropique du Capricorne
Orange Durban
Veld
Le Cap

- Mangrove
- Marécages
- Forêt tropicale humide, sempervirente
- Forêt tropicale humide
- Forêt tropicale sèche et claire
- Savane arborée, humide
- Savane arborée, sèche
- Steppe herbeuse, savane épineuse
- Steppe désertique
- Désert
- Végétation méditerranéenne
- Végétation de haute montagne
- Oasis

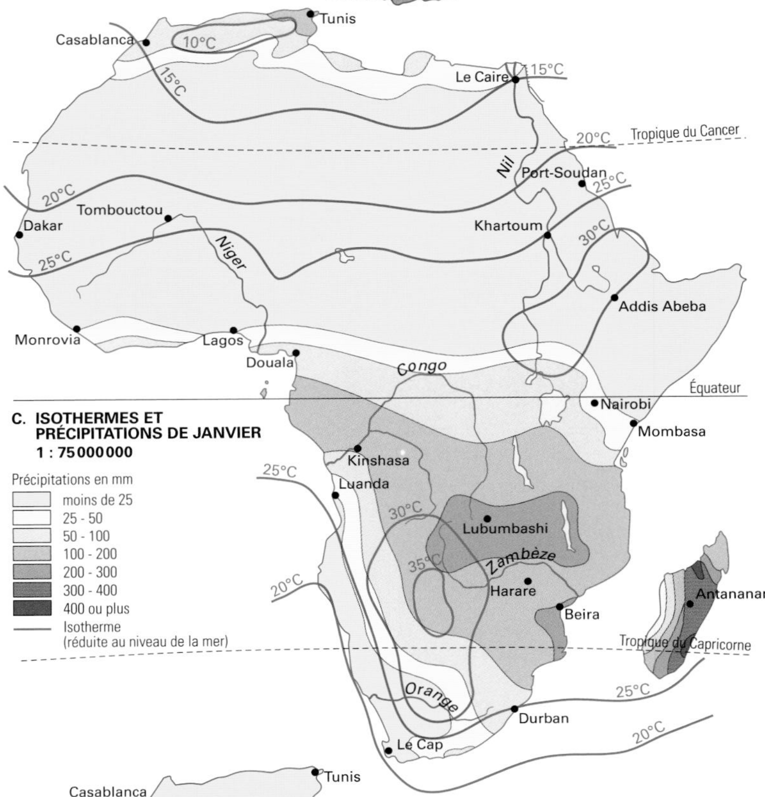

C. ISOTHERMES ET PRÉCIPITATIONS DE JANVIER
1 : 75 000 000

Casablanca 10°C Tunis
15°C Le Caire 15°C
20°C Tropique du Cancer
20°C
Dakar
Tombouctou Port-Soudan 25°C
Niger Khartoum 30°C
25°C
Monrovia Lagos Addis Abeba
Douala Congo
Équateur
25°C Nairobi Mombasa
Kinshasa
Luanda
30°C Lubumbashi
35°C Zambèze
20°C Harare Beira
Antananarivo
Tropique du Capricorne
Orange 25°C
Le Cap Durban 20°C

Précipitations en mm
- moins de 25
- 25 - 50
- 50 - 100
- 100 - 200
- 200 - 300
- 300 - 400
- 400 ou plus
- Isotherme (réduite au niveau de la mer)

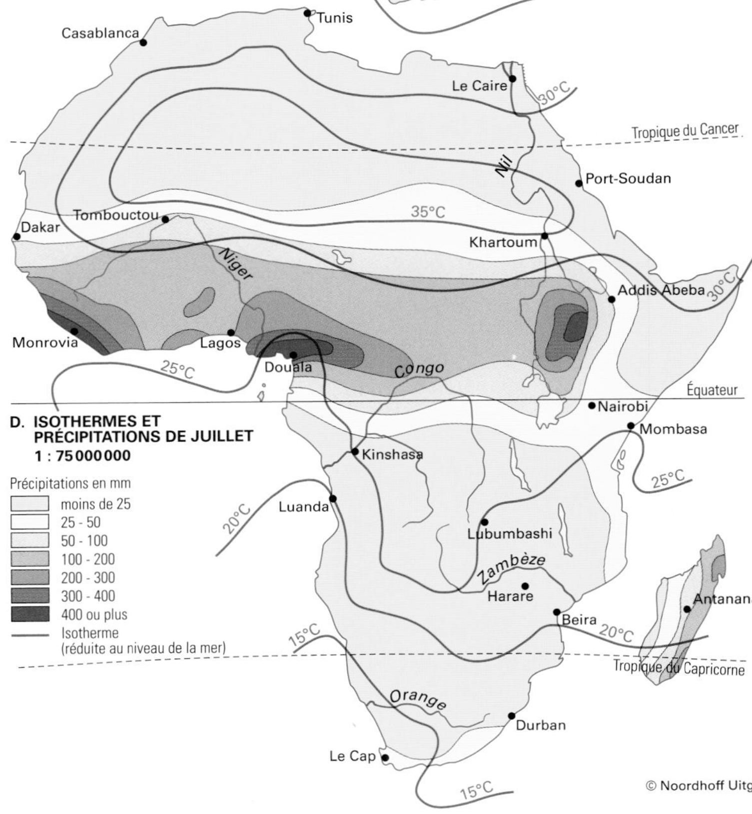

D. ISOTHERMES ET PRÉCIPITATIONS DE JUILLET
1 : 75 000 000

Casablanca Tunis
Le Caire 30°C
Tropique du Cancer
Nil Port-Soudan
Dakar Tombouctou 35°C
Niger Khartoum
Monrovia Lagos Addis Abeba 30°C
Douala Congo
25°C Équateur
Nairobi Mombasa
Luanda Kinshasa
20°C
Lubumbashi 25°C
Zambèze
Harare
Beira Antananarivo
15°C 20°C
Tropique du Capricorne
Orange
Le Cap Durban 15°C

Précipitations en mm
- moins de 25
- 25 - 50
- 50 - 100
- 100 - 200
- 200 - 300
- 300 - 400
- 400 ou plus
- Isotherme (réduite au niveau de la mer)

AFRIQUE POLITIQUE

30° L.O. de Gr.   A   20°   B   10°   20° L.E. de Gr.   F

Océan Atlantique

Mer Méditerranée

Cadix   Séville   Grenade   Málaga   Palerme   Sicile   Catane
Dt. de Gibraltar   Ceuta (Esp.)   Melilla (Esp.)   ALGER   Skikda   Annaba   Bizerte   TUNIS   C. Bon   MALTE   Mer Égée   Crète
Tanger   Tétouan   Oujda   Oran   Tlemcen   Constantine   Kairouan   Sousse
Kénitra   FÈS   Meknès   Saïda   Batna   Sfax   G. de Gabès   Djerba
RABAT   Marrakech   Aïn Sefra   El Djelfa   Laghouat   El Oued   Gabès   TRIPOLI
CASABLANCA   MAROC   Figuig   Ghardaïa   Touggourt   Zuwàra   Al Khums
Safi   Essaouira   Béchar   El Goléa   Ouargla   Hassi Messaoud   Ghadamès   Misurata   Benghazi   El Beida   Derna
Agadir   Igli   Béni Abbès   TUNISIE   Nalut   Surt   Tobrouk
Madère   Porto Santo   Arch. de Madère (Port.)   Funchal
La Palma   Sta. Cruz   Tenerife   Las Palmas   Gran Canaria   Lanzarote   Fuerteventura   Sidi Ifni   Draâ   Timimoun   ALGÉRIE   In Amenas   Marsa el-Brega   Ajdabia   Awjila   Djiarabub   Sioua
Hierro   Îles Canaries (Esp.)   El Ayoun   Tindouf   Adrar   1962   In Salah   Edjelé   LIBYE   Qasr Farafara   ÉG
Tropique du Cancer   C. Boujdour   Boujdour   Bîr Mogreïn   Sahara Occidental   Zouérat   Fdérik   Taoudenni   Bidon V   Djanet   Ghat   Al Qatrun   Koufra
Dakhla   Nouadhibou   Ras Nouadhibou   Atar   Chinguetti   1960   1960   Tamanrasset   Toummo   Bardaï   1951

MAURITANIE   Akjoujt   Araouane   Arlit   Bilma   Faya   1956
CAP VERT   Nouakchott   Tidjikdja   MALI   NIGER   TCHAD
Santo Antão   Mindelo   São Vicente   São Nicolau   Sal   Boa Vista   Rosso   Kiffa   Néma   Tombouctou   Bamba   Gao   Agadez   1960   Nguigmi   Diffa   Lac Tchad   Abéché   El Geneina   El Fasher
Saint-Louis   Louga   Sénégal   Kaédi   Niger   Tahoua   Maradi   Zinder   Nguru   Maiduguri   Ati   Mongo   Nyala   En Du'ein
DAKAR   Thiès   SÉNÉGAL   1960   Kayes   Nioro   Ségou   Niamey   Dosso   Sokoto   Katsina   KANO   Kouséri   Ndjamena   Massenya   Am Timan   SO
Mbour   Kaolack   Bakel   Koulikoro   BAMAKO   OUAGADOUGOU   Kaya   Maradi   KADUNA   Zaria   Maroua   Bongor   Doba   Ndélé   Aweil
Gambie   Banjul   GAMBIE   Bafoulabé   Siguiri   Sikasso   BURKINA FASO   Kandi   Bauchi   Jos   Garoua   Chari   Sarh   Bahr Aouk
Ziguinchor   GUINÉE BISSAU   Labé   Kankan   Bobo-Dioulasso   Bolgatanga   BÉNIN   Minna   NIGERIA   Kaélé   Logone   Moundou   1960   RÉP. CENTRAFRICAINE
Bissau   Bolama   GUINÉE   Mamou   Kindia   Korhogo   CÔTE D'IVOIRE   Tamale   Djougou   Párakou   ABUJA   Jimeta   Ngaoundéré   Bouar   Bandoro   Kaga Bandoro   Mbomou (Bomu)
Arch. des Bissagos 1974   CONAKRY   SIERRA LEONE   Kissidougou   Nzérékoré   GHANA   Bida   Ogbomosho   Ilorin   Benue   Makurdi   Carnot   Bangassou
FREETOWN   1958   1961   Man   Daloa   Bouaké   Sunyani   IBADAN   Oshogbo   Okene   CAMEROUN   Bertoua   Bangui   Bambari
Sherbro   Bo   Bomi Hills   1960   Yamoussoukro   Obuasi   KUMASI   ACCRA   Abeokuta   Enugu   Bamenda   Nkongsamba   Berbérati   Gbadolite   Gemena
Monrovia   Buchanan   1847   Zwedru   Divo   ABIDJAN   Tema   LAGOS   Porto-Novo   Ohitsha   DOUALA   YAOUNDÉ   Buta   Isir
LIBERIA   Greenville   Cavally   Sassandra   Grand-Bassam   Cotonou   Lomé   BENIN   Warri   Aba   Calabar   Kumba   Malabo   Kribi   Lisala   Bumba   Aruwimi
San-Pédro   C. Palmas   Sekondi   Cape Coast   Takoradi   PORT HARCOURT   Bonny   Bioko   GUINÉE ÉQUAT.   Bata   Golfe de Bonny   Ouesso   Congo   Kisangani   Ubundu

Golfe de Guinée
SÃO TOMÉ ET PRINCIPE   Príncipe   São Tomé   1975   Libreville   Ogooué   GABON   CONGO   RÉP. DÉM. DU CONGO
Annobón (G. Éq.)   Port-Gentil   C. López   Lambaréné   Masuku   Mbinda   Lac Mai Ndombe   Inongo   Lualaba   Kindu
Océan Atlantique   Loubomo   BRAZZAVILLE   Bandundu   Ilebo   Lusambo   Kasongo
Pointe-Noire   KINSHASA   Kikwit   Luebo   Kananga   Kabalo   MBUJI-MAYI   Gandajika
Cabinda (Ang.)   Boma   Mbanza-Ngungu   Kwango   Kasaï   Tshikapa   Mwene-Ditu   Bukama
Banana   Matadi   Mbanza Congo   LUANDA   Malange   Saurimo   Kolwezi   LUBUMBASHI   Likasi   Chingola   Kitwe
Nzeto   Uige   Ndalatando   Kwanza   Dondo   Kolwezi   Kabwe   1964
ANGOLA   Porto Amboim   Sumbe   Waku-Kungo   Kuito   1975   Luena   LUSAKA   Mazabuka   Kalomo   Kariba   Livingstone
Lobito   Benguela   Huambo   Lobito   Zambèze   Mongu   Caprivi
Namibe   Matala   Menongue   Cuando   Okavango   Rundu   Hwange   ZI
Tombua   Lubango   Cunene   C. Fria   Oshakati   Etosha Pan   Grootfontein   Maun   BULAWAY
NAMIBIE   Otjiwarongo   Otavi   Lac Ngami   BOTSWANA
Swakopmund   Okahandja   Rietfontein   Windhoek   1966   Selebi   Phikw
Walvis Bay   Rehoboth   Nossob   Molepolole   Mahalapve
Lüderitz   Keetmanshoop   Gobabis   1990   Gaborone   Kanye   PRETORIA   JOHANNESBURG   SOWETO
Alexander Bay   Port Nolloth   Vryburg   Kimberley   1910   Welkom   Kato
Saldanha   Beaufort-West   Sishen   Bloemfontein   AFRIQUE DU SUD   LESOTH   Maser
B. de la Table   Worcester   Oudtshoorn   Mdantsan
LE CAP   Cap de Bonne-Espérance   C. des Aiguilles   PORT ELIZABETH   Baie Algoa   East

Projection azimutale

A. LANGUES
1 : 70 000 000

- ▨ Afrikaans/Anglais
- Langues sémitiques
- Langues chamitiques
- Langues couchitiques
- Langues soudanaises
- Langues bantoues
- Langues Khoisan
- Langues malayo-polynésiennes

Langues berbères   Arabe   Arabe   Touareg   Tibou   Bedja
Mandingue   Krou   Langues soudanaises   Ewe   Yoruba   Ibo   Nueri   Galla   Somali   Amharique   Danakil
Langues bantoues   Swahili   Langues bantoues
Herero   Hottentots   Langues Khoisan   Zoulou   Malgache   Afrikaans

Tropique du Cancer   Équateur   Tropique du Capricorne

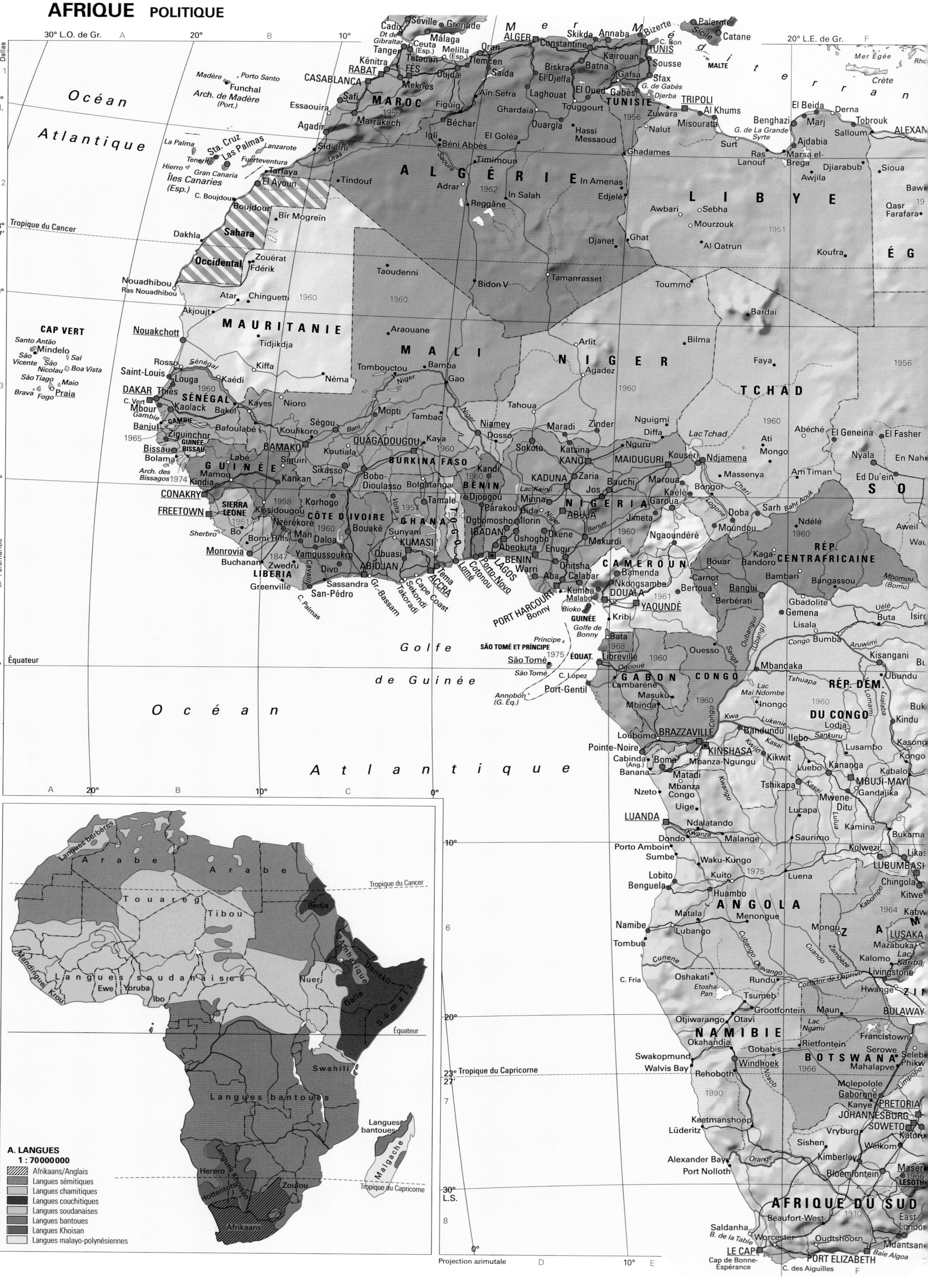

Échelle 1 : 25 000 000
0 200 400 600 800 1000 km
Moscou
CHYPRE
SYRIE
IRAK
IRAN
AFGHANISTAN
BEYROUTH
DAMAS
BAGDAD
TEL AVIV
AMMAN
Jérusalem
JORDANIE
KOWEIT
Golfe Persique
BAHREIN
Manamah
QATAR
Doha
DOUBAÏ
Abou Dhabi
ÉMIRATS ARABES UNIS
Mascate
G. d'Oman
ARABIE SAOUDITE
RIYAD
Médine
DJEDDA
LA MECQUE
Roub-al-Khali
OMAN
YÉMEN
SANAA
Aden
Golfe d'Aden
Socotra (Yémen)
Mer Rouge
ÉRYTHRÉE
Asmara
KHARTOUM
DJIBOUTI
Djibouti
ÉTHIOPIE
ADDIS ABEBA
Ogaden
(1er siècle après J.-C.)
SOMALIE
MUQDISHO
KENYA
NAIROBI
OUGANDA
KAMPALA
Lac Victoria
RWANDA
Kigali
BURUNDI
Bujumbura
TANZANIE
Dodoma
DAR-ES-SALAM
Zanzibar 1964
Océan Indien
SEYCHELLES 1976
Victoria
COMORES 1975
Moroni
Mayotte (Fr.)
Dzaoudzi
MADAGASCAR
ANTANANARIVO (TANANARIVE)
Canal de Mozambique
MOZAMBIQUE
MAPUTO
SWAZILAND
DURBAN
HARARE
Mascareignes
MAURICE
Port-Louis 1968
St-Denis
Réunion (Fr.)
Tropique du Cancer
Équateur
Tropique du Capricorne
B. L'AFRIQUE EN 1937
1 : 75 000 000
MAROC
ALGÉRIE
LIBYE
ÉGYPTE
RIO DE ORO
AFRIQUE OCCID. FRANÇAISE
SOUDAN ANGLO-ÉGYPTIEN
AFRIQUE ORIENT. ITALIENNE
LIBERIA
GOLD-COAST
NIGERIA
CAMEROUN
AFRIQUE ÉQUAT. FRANÇAISE
OUGANDA
COLONIE DU KENYA
CONGO BELGE
TERRIT. DU TANGANYIKA
ANGOLA
RHODÉSIE (NORD)
RHODÉSIE (SUD)
NYASSALAND
SUD-OUEST AFRICAIN
PROTECT. DU BECHUANALAND
MOZAMBIQUE
UNION SUD-AFRICAINE
MADAGASCAR
Territoire
français
britannique
portugais
espagnol
italien
belge
Territoire sous tutelle
française
britannique
belge
Les capitales sont soulignées
1 Ifni (Esp.)
2 Gambie (R.-U.)
3 Guinée portugaise
4 Sierra Leone (R.-U.)
5 Togo (R.-U.)
6 Togo (Fr.)
7 Cameroun (R.-U.)
8 Guinée espagnole
9 Cabinda (Port.)
10 Ruanda-Urundi (Belg.)
11 Swaziland (R.-U.)
12 Basutoland (R.-U.)
13 Somalie française
14 Somalie britannique
C. LA DÉCOLONISATION
AFRIQUE EN 1950
AFRIQUE EN 1956
AFRIQUE EN 1960
AFRIQUE EN 1985
Pays indépendants
Colonies
Part de la population indépendante dans la population totale
27%
39%
76%
99%
D. PRODUIT NATIONAL BRUT
1 : 75 000 000
MAROC 1,1
ALGÉRIE 0,9
TUNISIE 3,2
LIBYE *
ÉGYPTE 2,5
Sahara occidental *
MAURITANIE 1,2
MALI 2,5
NIGER -0,7
TCHAD 2,1
SOUDAN 3,4
ÉRYTHRÉE 0,6
DJIBOUTI -1,9
ÉTHIOPIE 1,5
SOMALIE *
SÉNÉGAL 0,9
GAMBIE 0,2
GUINÉE-BISSAU -2,6
GUINÉE 1,0
SIERRA LEONE -5,5
LIBERIA *
BURKINA FASO 1,3
CÔTE D'IVOIRE -1,1
GHANA 1,9
TOGO 1,4
BÉNIN
NIGERIA 0,8
CAMEROUN 0,5
RÉP. CENTRAFRICAINE -0,6
GUINÉE ÉQUAT. 30,4
GABON -0,1
CONGO -0,2
OUGANDA 3,5
KENYA -0,6
RWANDA -0,1
BURUNDI -2,5
RÉP. DÉM. DU CONGO -6,0
TANZANIE 1,1
ANGOLA -1,2
ZAMBIE -1,1
MALAWI 0,9
MOZAMBIQUE 4,2
MADAGASCAR -1,1
ZIMBABWE -1,9
NAMIBIE 1,3
BOTSWANA 4,2
AFRIQUE DU SUD 0,6
SWAZILAND 2,1
LESOTHO 4,5
Produit National Brut par habitant en euro (2004)
moins de 1000
1000 - 1500
1500 - 2500
2500 - 5000
5000 ou plus
pas de données
3,6 Croissance annuelle moyenne du P.N.B. en % par habitant durant la période 1990-2004
* pas de données

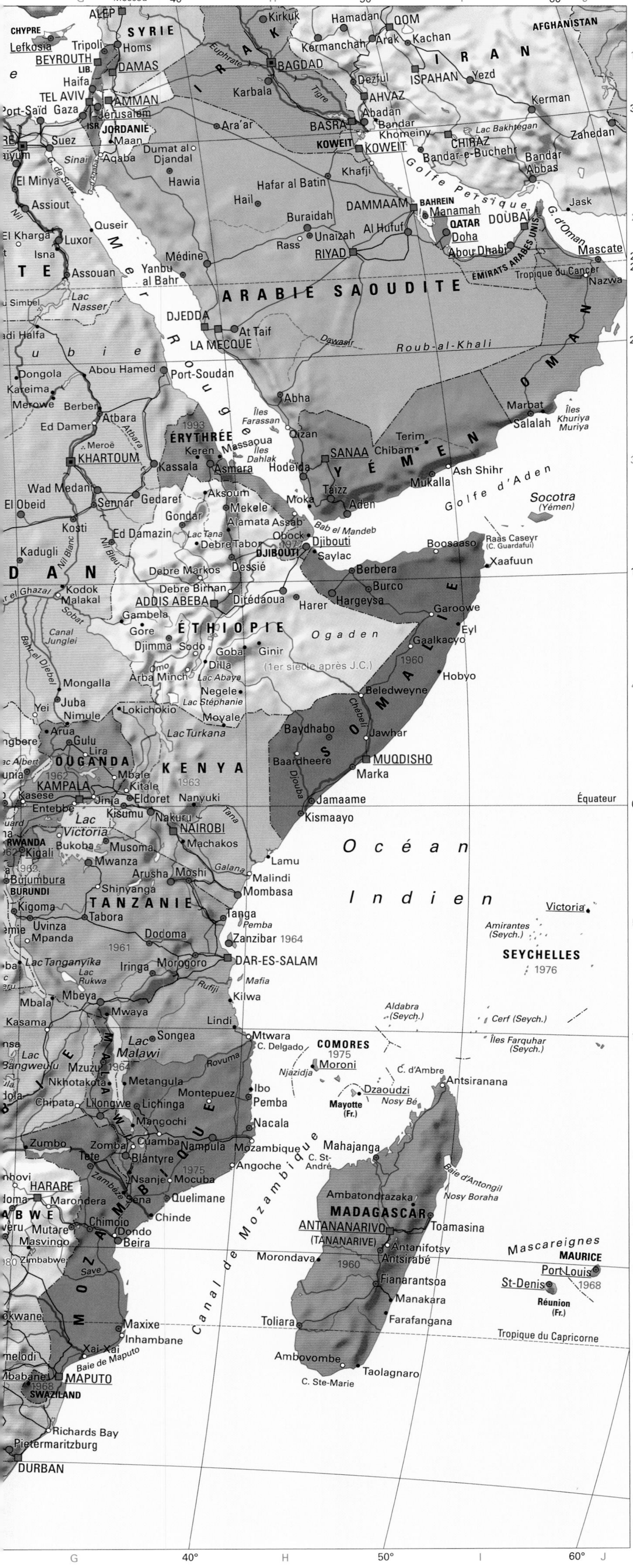

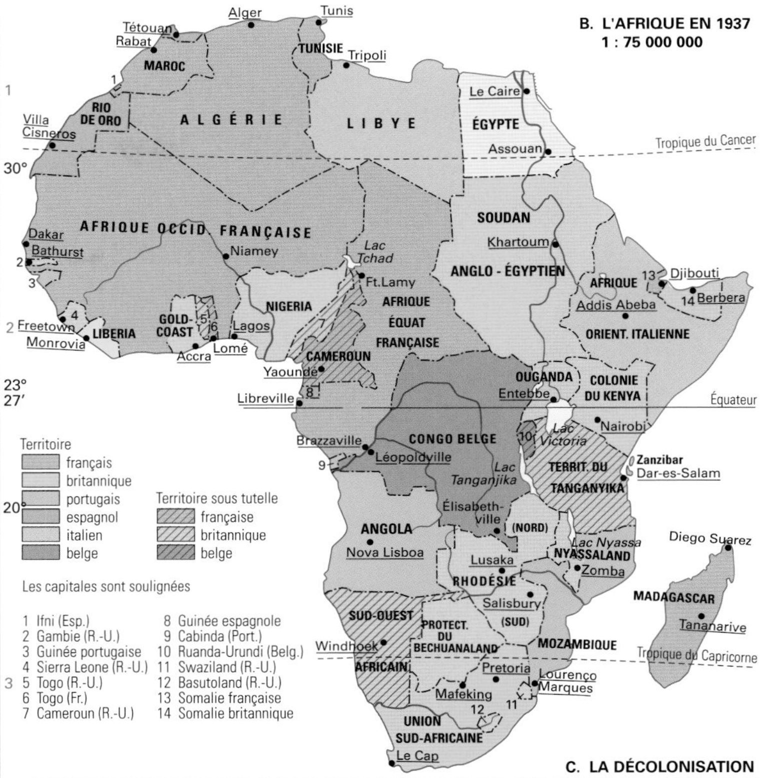

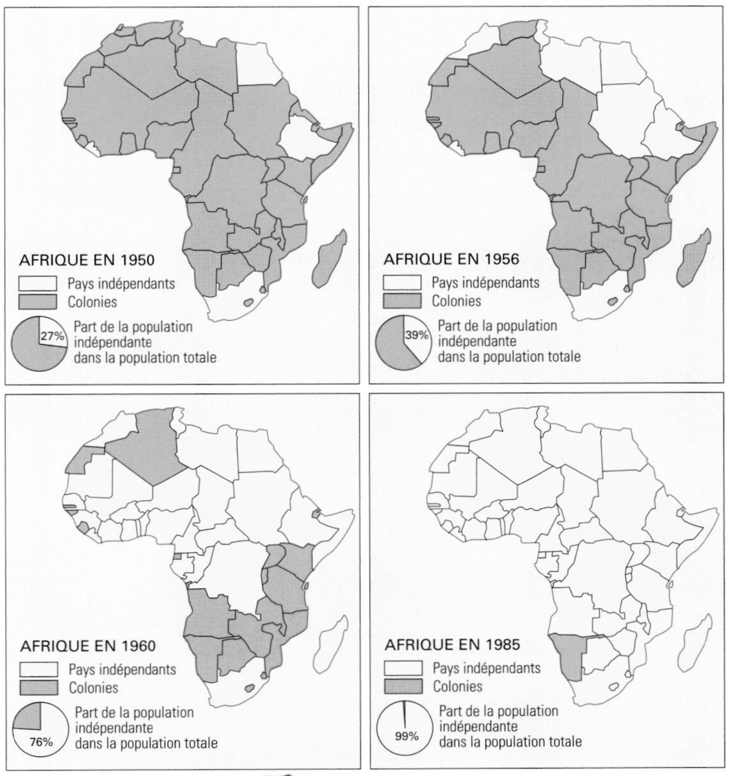

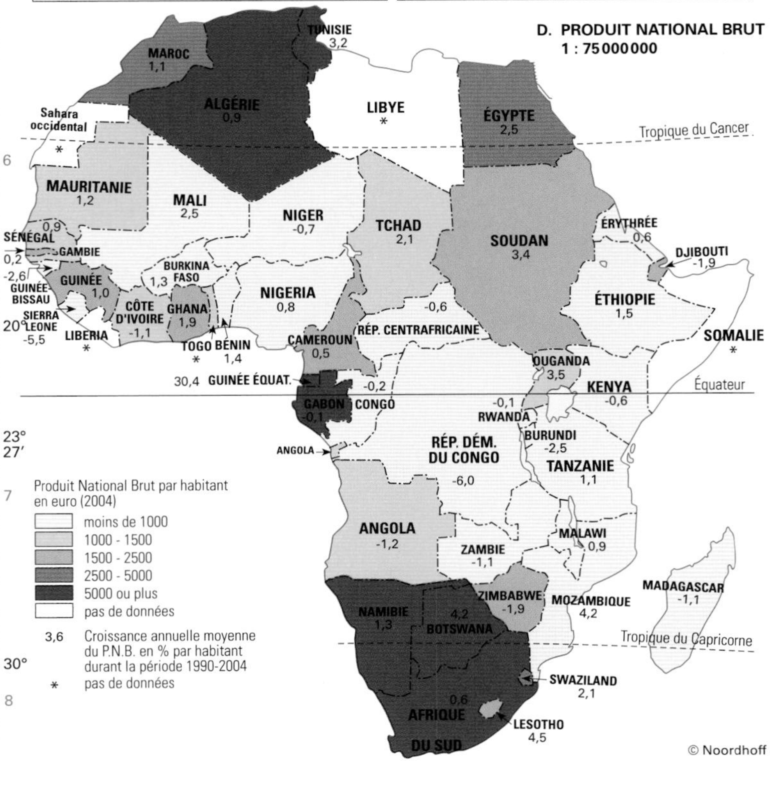

AFRIQUE

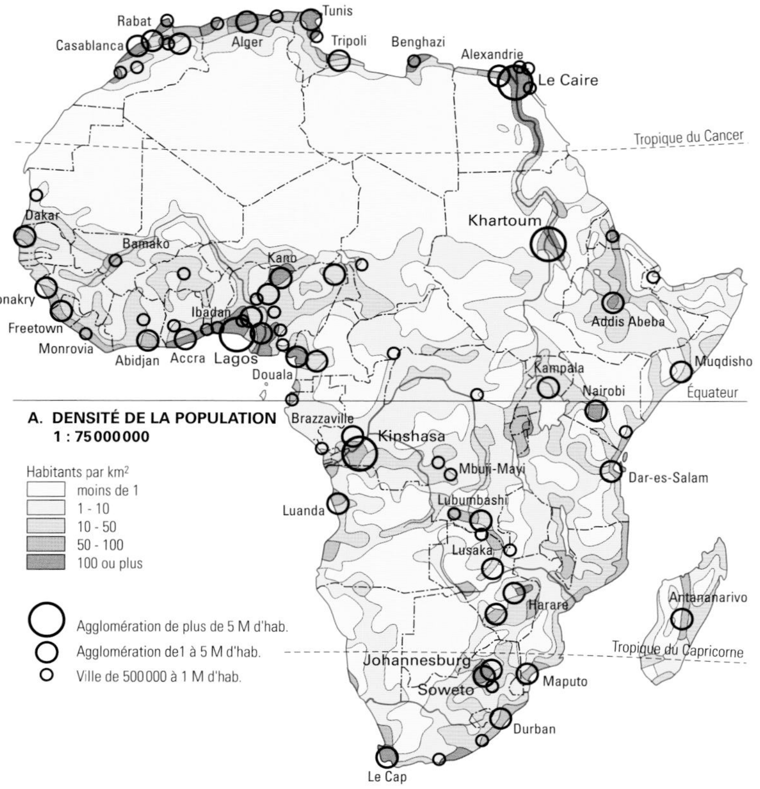

A. DENSITÉ DE LA POPULATION
1 : 75 000 000

Habitants par km²
- moins de 1
- 1 - 10
- 10 - 50
- 50 - 100
- 100 ou plus

○ Agglomération de plus de 5 M d'hab.
○ Agglomération de 1 à 5 M d'hab.
○ Ville de 500 000 à 1 M d'hab.

Rabat, Tunis, Casablanca, Alger, Tripoli, Benghazi, Alexandrie, Le Caire, Dakar, Bamako, Kano, Khartoum, Conakry, Ibadan, Freetown, Monrovia, Abidjan, Accra, Lagos, Douala, Kampala, Nairobi, Addis Abeba, Muqdisho, Brazzaville, Kinshasa, Mbuji-Mayi, Dar-es-Salam, Luanda, Lubumbashi, Lusaka, Antananarivo, Harare, Johannesburg, Soweto, Maputo, Durban, Le Cap

Tropique du Cancer
Équateur
Tropique du Capricorne

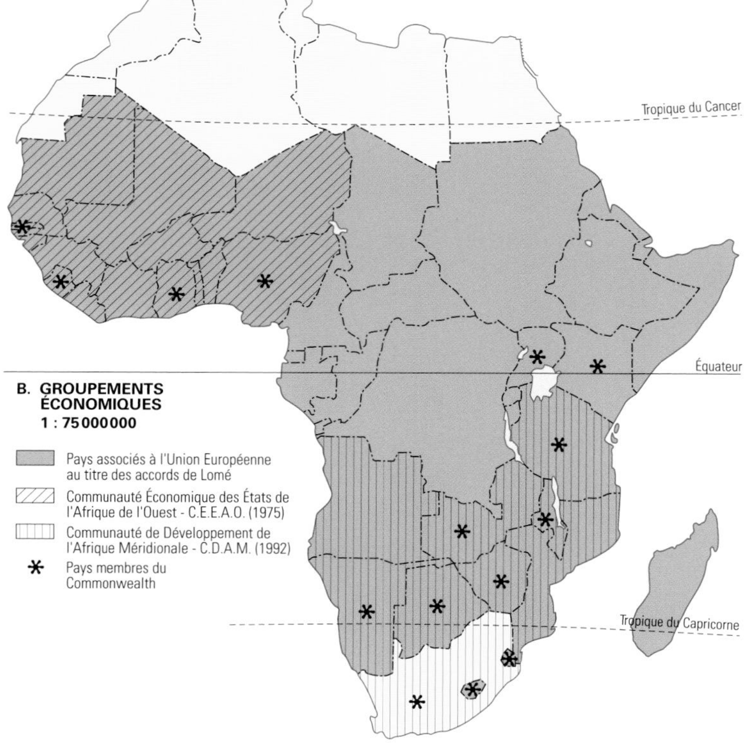

B. GROUPEMENTS ÉCONOMIQUES
1 : 75 000 000

- Pays associés à l'Union Européenne au titre des accords de Lomé
- Communauté Économique des États de l'Afrique de l'Ouest - C.E.E.A.O. (1975)
- Communauté de Développement de l'Afrique Méridionale - C.D.A.M. (1992)
- * Pays membres du Commonwealth

Tropique du Cancer
Équateur
Tropique du Capricorne

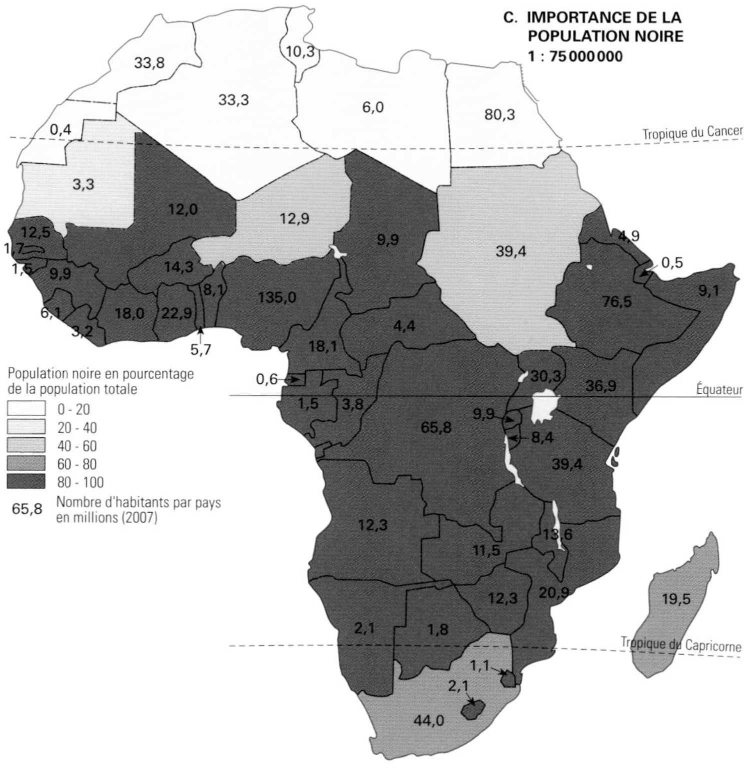

C. IMPORTANCE DE LA POPULATION NOIRE
1 : 75 000 000

33,8 10,3
33,3 6,0 80,3
0,4
3,3
12,5 12,0 12,9 9,9 4,9 0,5
9,9 14,3 39,4 9,1
8,1 135,0 76,5
18,0 22,9
3,2 5,7 18,1 4,4
0,6 30,3 36,9
1,5 3,8 9,9
65,8 8,4
39,4
12,3 13,6
11,5
12,3 20,9 19,5
2,1 1,8
1,1
2,1
44,0

Population noire en pourcentage de la population totale
- 0 - 20
- 20 - 40
- 40 - 60
- 60 - 80
- 80 - 100
65,8 Nombre d'habitants par pays en millions (2007)

Tropique du Cancer
Équateur
Tropique du Capricorne

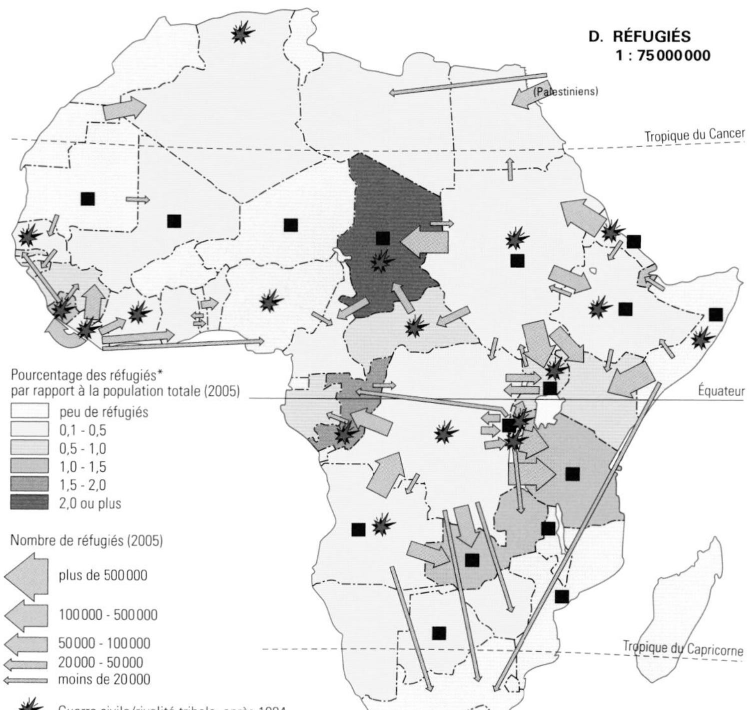

D. RÉFUGIÉS
1 : 75 000 000

(Palestiniens)

Pourcentage des réfugiés* par rapport à la population totale (2005)
- peu de réfugiés
- 0,1 - 0,5
- 0,5 - 1,0
- 1,0 - 1,5
- 1,5 - 2,0
- 2,0 ou plus

Nombre de réfugiés (2005)
- plus de 500 000
- 100 000 - 500 000
- 50 000 - 100 000
- 20 000 - 50 000
- moins de 20 000

- * Guerre civile/rivalité tribale, après 1984
- ■ Famine actuelle ou menaçante

*(dans les camps et/ou aidés par les organisations humanitaires)

Tropique du Cancer
Équateur
Tropique du Capricorne

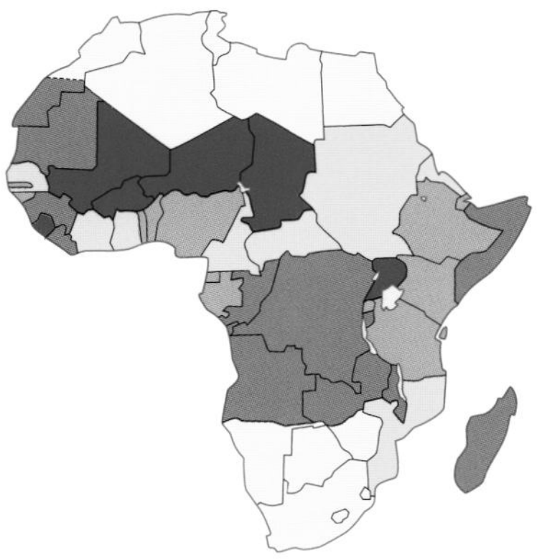

E. TAUX DE NATALITÉ
1 : 150 000 000

Total des naissances pour 1000 habitants (2006)
- moins de 30
- 30 - 35
- 35 - 40
- 40 - 45
- 45 ou plus

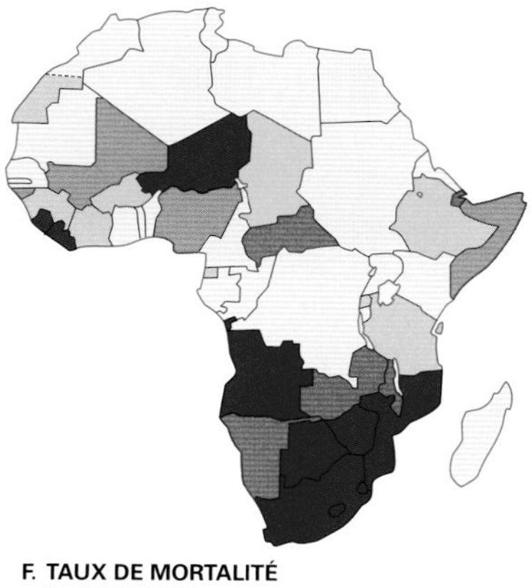

F. TAUX DE MORTALITÉ
1 : 150 000 000

Total des décès pour 1000 habitants (2006)
- moins de 14
- 14 - 16
- 16 - 18
- 18 - 20
- 20 ou plus

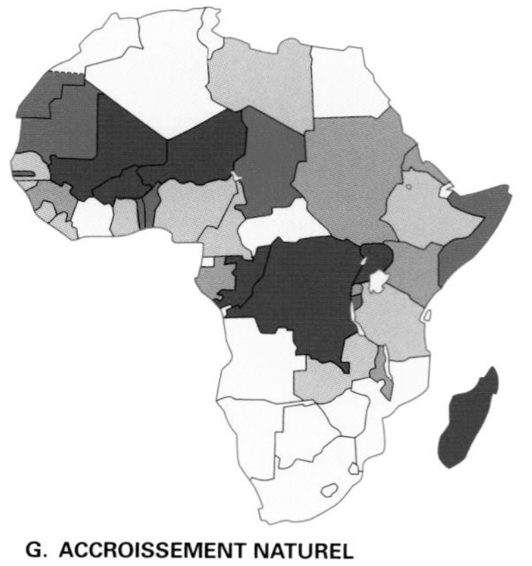

G. ACCROISSEMENT NATUREL
1 : 150 000 000

Nombre de naissances moins nombre de décès pour 1000 habitants (2006)
- moins de 20
- 20 - 23
- 23 - 26
- 26 - 29
- 29 ou plus

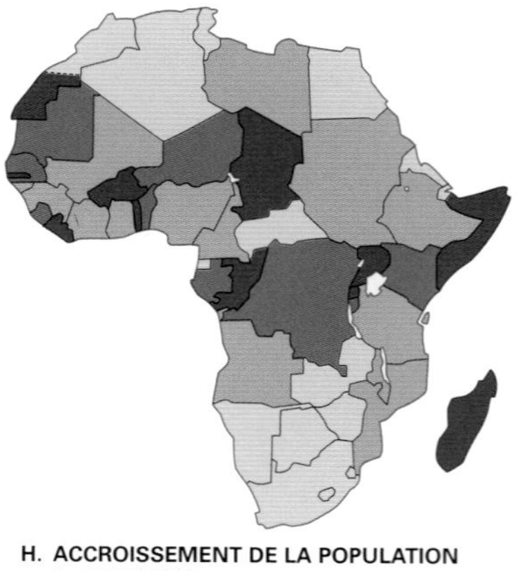

H. ACCROISSEMENT DE LA POPULATION
1 : 150 000 000

Croissance annuelle moyenne de la population en % (1995-2007)
- moins de 2,4
- 2,4 - 2,7
- 2,7 - 3,0
- 3,0 ou plus

AFRIQUE

A. ÉCONOMIE
1 : 40 000 000

Agriculture méditerranéenne
Zone irriguée
Forêts ou savanes modifiées par des cultures de subsistance ou des cultures commerciales (localement)
Steppes à élevage extensif modifiées par des cultures de subsistance ou des cultures commerciales (localement)
Élevage nomade; incultes
Riz
Canne à sucre
Tabac
Café
Cacao
Thé
Agrumes
Olivier
Dattier (oasis)
Clous de girofle
Palmier à huile, arachides
Caoutchouc
Coton
Sisal

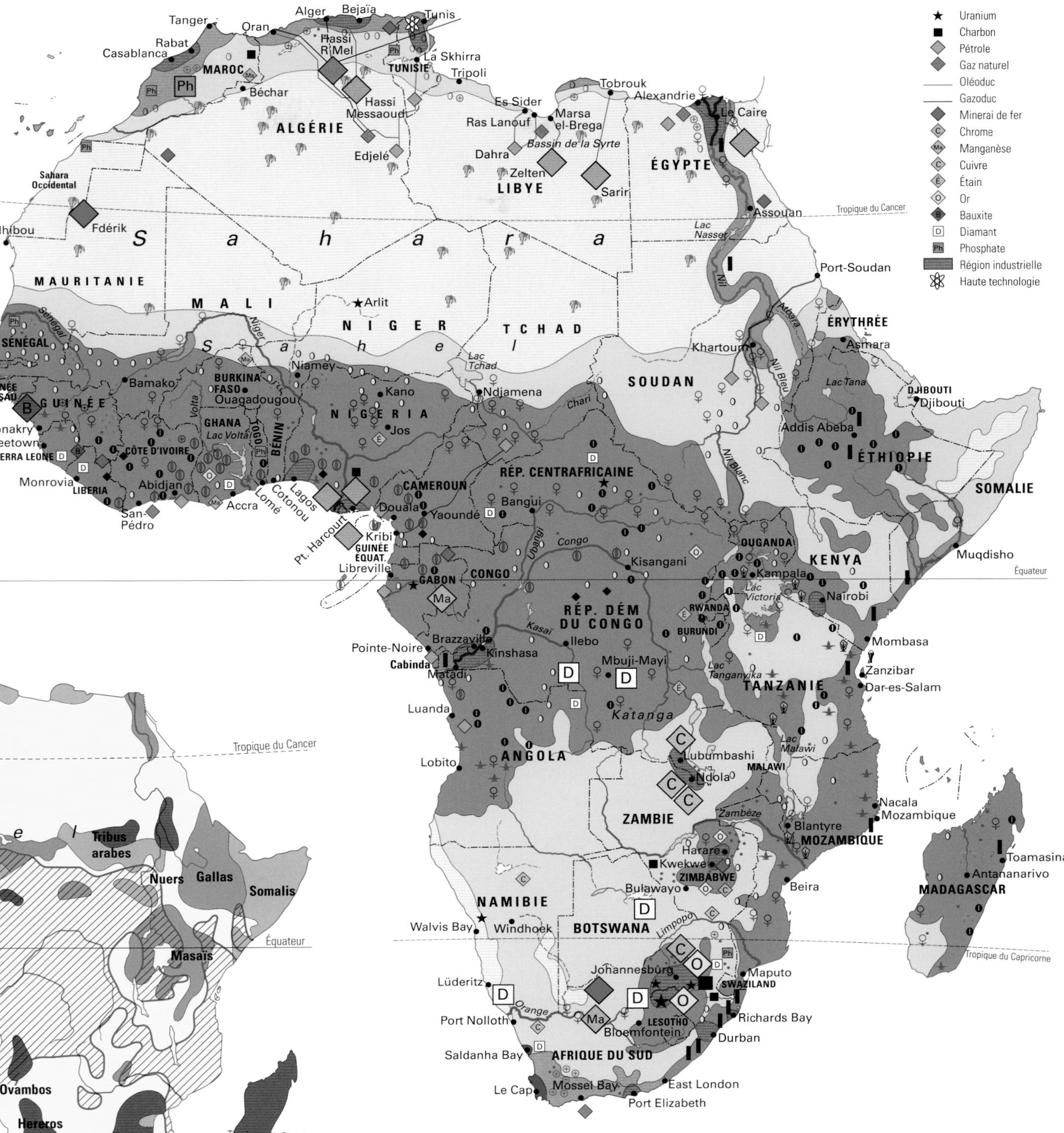

★ Uranium
■ Charbon
◆ Pétrole
◆ Gaz naturel
Oléoduc
Gazoduc
◆ Minerai de fer
Chrome
Manganèse
Cuivre
Étain
Or
Bauxite
Diamant
Phosphate
Région industrielle
Haute technologie

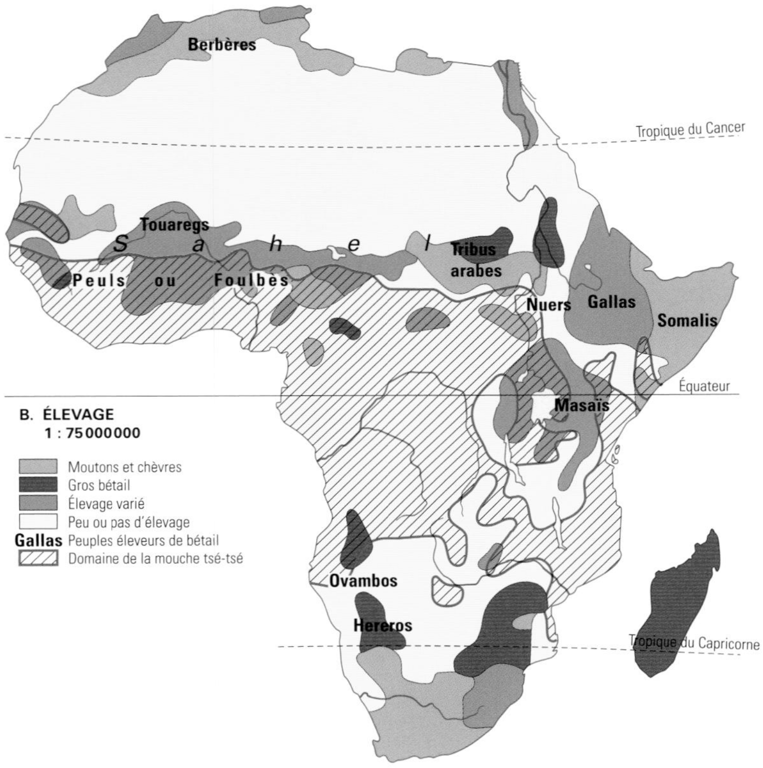

B. ÉLEVAGE
1 : 75 000 000

Moutons et chèvres
Gros bétail
Élevage varié
Peu ou pas d'élevage
Gallas Peuples éleveurs de bétail
Domaine de la mouche tsé-tsé

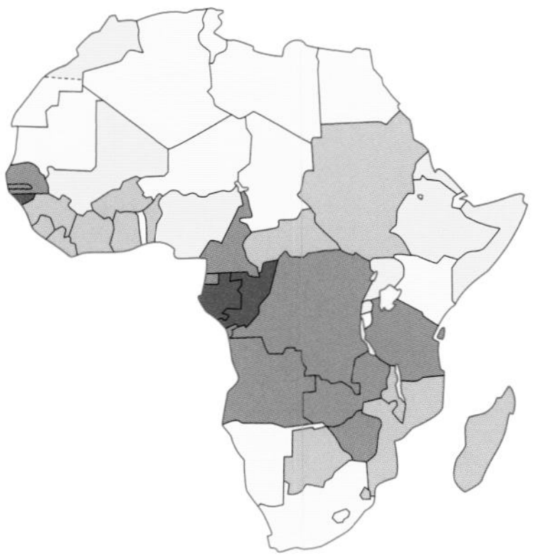

C. SYLVICULTURE
1 : 150 000 000

Pourcentage des forêts par rapport à la superficie totale (2005)
moins de 10
10 - 20
20 - 40
40 - 60
60 ou plus
pas de données

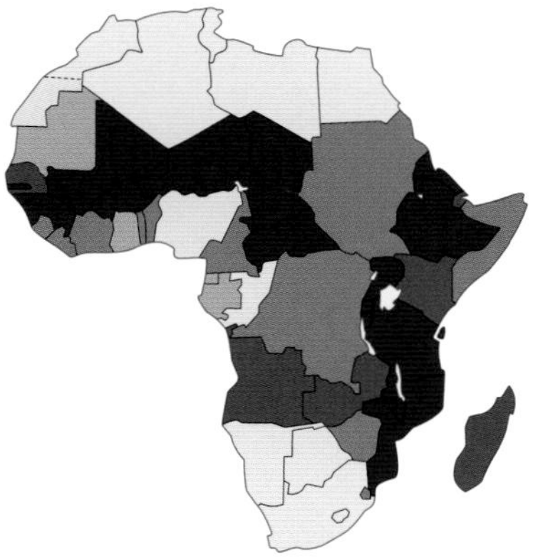

D. ACTIFS DANS LE SECTEUR PRIMAIRE
1 : 150 000 000

Pourcentage de la population active travaillant dans l'agriculture et la pêche (2003)
moins de 50
50 - 60
60 - 70
70 - 80
80 ou plus
pas de données

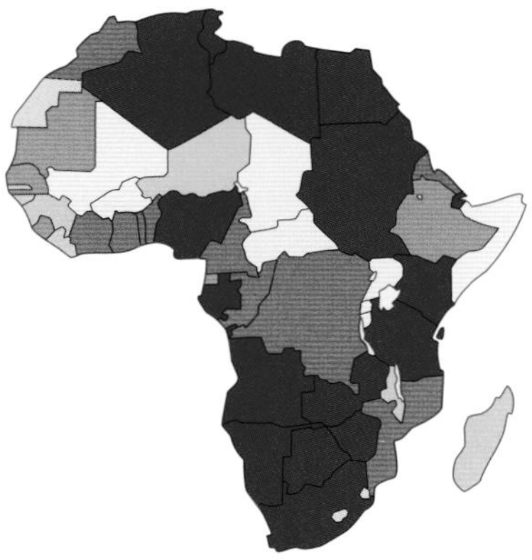

E. CONSOMMATION D'ÉNERGIE
1 : 150 000 000

Consommation d'énergie en kilogrammes équivalent charbon par habitant (2004)
moins de 50
50 - 100
100 - 500
500 - 1000
1000 ou plus
pas de données

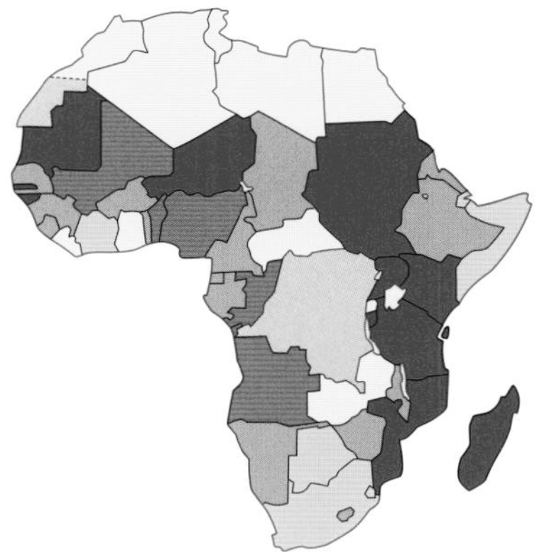

F. URBANISATION
1 : 150 000 000

Taux d'accroissement annuel de la population urbaine pour la période 1990-2003 (en %)
moins de 3,5
3,5 - 4,0
4,0 - 4,5
4,5 - 5,0
5,0 ou plus
pas de données

© Noordhoff Uitgevers

MAROC

Échelle 1 : 7 500 000

-6000 -4000 -2000 -200 0 100 200 500 1000 2000 3000 5000m

0 50 100 150 200 250km

A 16° L.O. de Greenwich B 12° C Lisbonne 8° Dublin D 4° E

PORTUGAL Algarve ESPAGNE
Cap de São Vicente Faro Sierra Nevada Almería
Cadix Jerez de la Frontera Málaga
Algésiras Gibraltar (R.-U.) Oran Arzew
Détroit de Gibraltar Ceuta (Esp.) Mer C. Tres Forcas
Tanger Tétouan Al Hoceima Melilla (Esp.) Beni Saf Méditerranée
Larache Chaouén Nador Ghazaouet Ahfir Sidi bel Abbès
Ksar el Kebir Rif Berkane Oujda Tlemcen
Souk el Arbaâ du Rharb 2456 Taourirt Jerada El Aricha
Ouezzane Sidi Taounate Taza Guercif Aïn Beni Mathar
Kénitra Kacem Fès Hauts Plateaux
Salé Moulay Idriss Meknès Tendrara Aïn Sefra
RABAT Khemisset Sefrou Moyen Atlas Oued Charef
Mohammedia Temara Ifrane Boulemane Moulouya Bouârfa
CASABLANCA Ben Slimane Azrou
Azemmour Berrechid Settat Khenifra Boudenib Béchar
El Jadida Oued Zem Kasbâ Tadla Figuig
El Jorf Lasfar Khouribga Midelt 3737 Kenadsa
Oualidia Fkih Ben Salah Ayachi
MAROC Sidi Bennour Beni Mellal Er Rachidia Abadla Taghit
C. Beddouza Benguerir Azilal Erfoud Igli Béni Abbès
Safi Youssoufia El Kelaâ des Srarhna Demnate Irhil M'Goun Boumalne-Dadès Rissani Grand Erg Occidental
Essaouira Marrakech 4071 Tinerhir Zit Tabelbala Saoura
C. Sim Asni Haut Atlas Dadès Ouarzazate Zagora
Toubkal Anti-Atlas Tazenakht Erg er Raoui Timoudi
C. Rhir +3555 Aoulime 4165 Sous Tagounite Messaoud
Agadir Taroudannt
Aït-Melloul Tiznit Tafraoute Tata Drâa
Sidi Ifni Djebel Bani Tindouf Hammada Tounassine
Bou Izakarn Drâa
C. Drâa Djebel Ouarkziz Iguidi
Guelmime Hammada du Drâa El Eglab ALGÉRIE
Tan-Tan Drâa Chenachane
C. Juby Hawza Al Mahbas
Tarfaya
Laâyoune (El Ayoun) Saguia el Hamra Es Semara Sahara
Lemsid El Hank
C. Bojador El Jat Zemmour Erg Chech Chegga
Galtat Zemmour Bir Moghrein El Hammâmi Taoudenni
Sahara Occidental Tropique du Cancer
Dakhla Bir Enzaran MALI
Baie du Rio de Oro
C. Barbas Azaffal Choûm MAURITANIE
Fdérik Zouérate

Océan Atlantique

Arch. de Madère (Port.)
Madère Porto Santo
Funchal Ilhas Desertas

Ilhas Selvagens

Îles Canaries (Esp.)
La Palma Lanzarote
Santa Cruz de la Palma Arrecife
Puerto de la Cruz Santa Cruz de Tenerife Fuerteventura Puerto del Rosario
La Gomera +3718 Pico del Teide Las Palmas
Valverde Arucas Telde
El Hierro Tenerife Maspalomas
Gran Canaria

ESPAGNE

Tokyo / Los Angeles / La Nouvelle-Orléans / Miami / Projection conique / Lisbonne / Le Caire / Hongkong

A. PRÉCIPITATIONS
1 : 15 000 000

Tanger Oran
Nador
Rabat Fès Oujda
Casablanca Meknès
Safi Figuig
Marrakech Er Rachidia Béchar
Agadir Ouarzazate
Las Palmas
Laâyoune

Précipitations annuelles
moins de 200 mm
200 - 300 mm
300 - 500 mm
500 - 700 mm
700 - 900 mm
900 mm ou plus

B. ARIDITÉ
1 : 15 000 000

Indice d'aridité
1 1,5 2 3 4 5 10 20 50

L'indice d'aridité est le rapport précipitations/évaporation.
Si l'indice vaut 1, l'évaporation annuelle est égale au volume annuel des précipitations.
Pour un indice de 20, l'évaporation est 20 fois supérieure aux précipitations.
Source: U.N. Conference on Desertification 1977

Tanger Oran
Nador
Rabat Fès Oujda
Casablanca Meknès
Safi Figuig
Marrakech Er Rachidia Béchar
Agadir Ouarzazate
(pas de données)
Las Palmas
Laâyoune

© Noordhoff Uitgevers

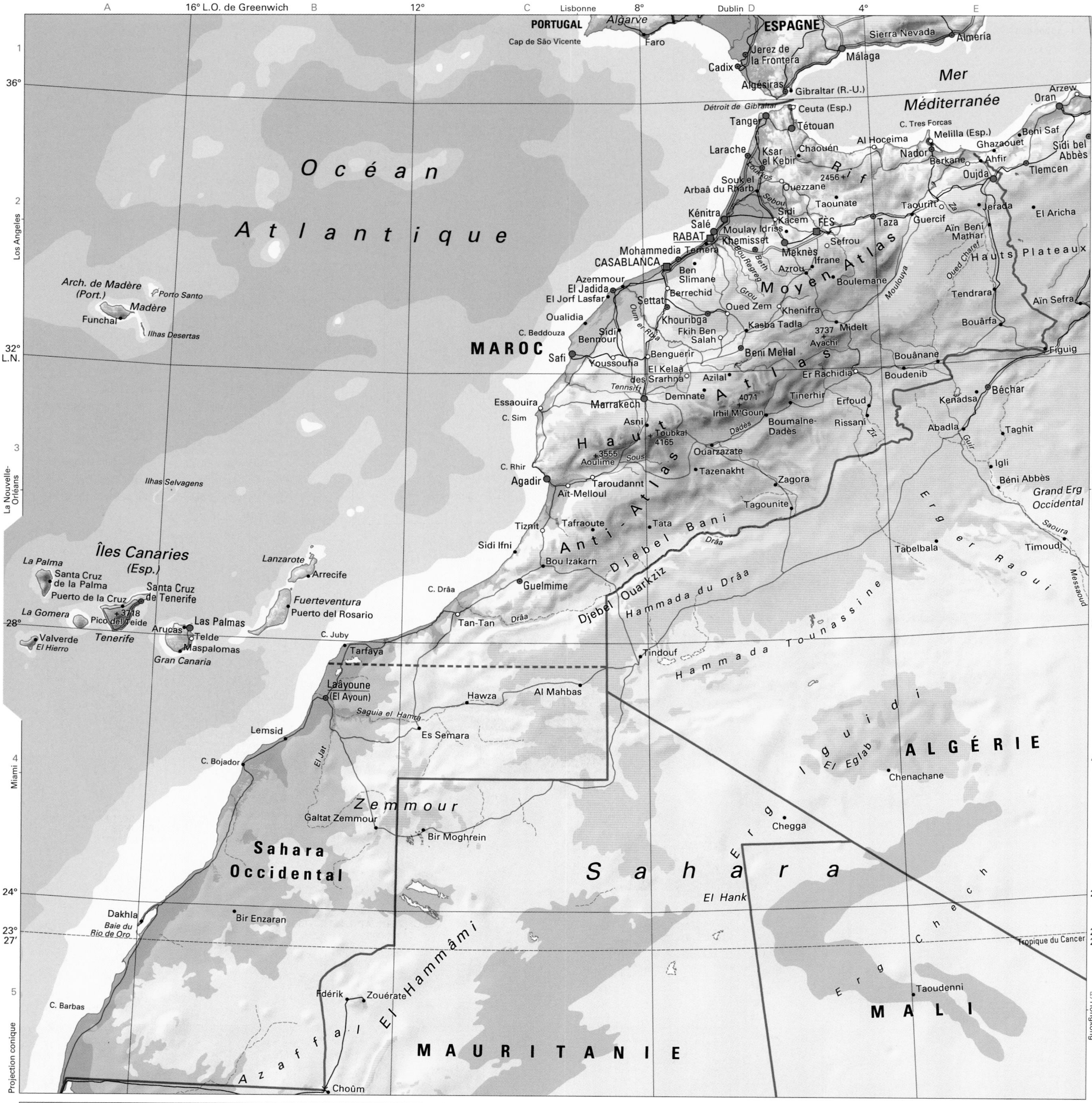

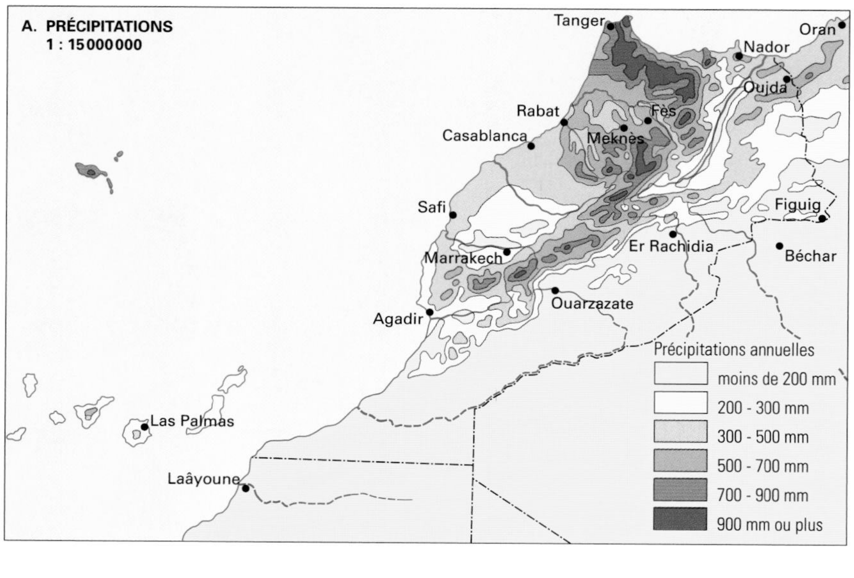

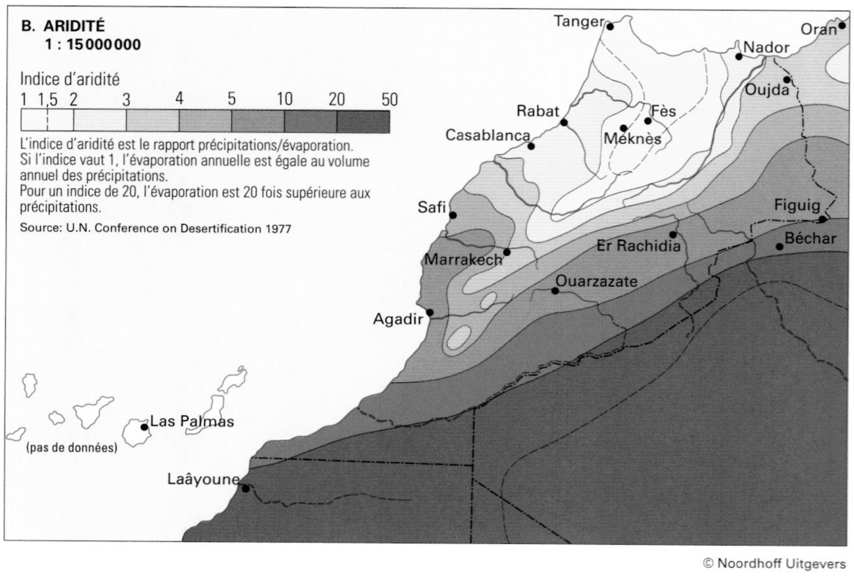

MAROC

© Noordhoff Uitgevers

A. UTILISATION DU SOL ET IRRIGATION
1 : 10000000
Désert
(improductif ou nomadisme basé sur l'élevage)
Territoire montagnard
(improductif ou nomadisme basé sur l'élevage)
Forêts
Steppe avec élevage extensif
en alternance avec des cultures de subsistance
Cultures variées et élevage
Agriculture méditerranéenne
(blé, olive, citron)
Cultures maraîchères et fruitières
Périmètres irrigués
(irrigation généralisée ou
extension prévue à court terme)
Oasis
Vignoble
Citronniers
Oliviers
Dattiers
Port de pêche important
Barrage
Tanger
Tétouan
Al Hoceima
Nador
Oujda
Kenitra
Rabat
Mohammedia
Casablanca
El Jadida
Meknès
Fès
Taza
Khouribga
Safi
Beni Mellal
Figuig
Er Rachidia
Essaouira
Marrakech
Erfoud
Ouarzazate
Agadir
Zagora
Tiznit
Guelmine
Tarfaya
Laâyoune
Es Semara
B. MINES, INDUSTRIE ET TOURISME
1 : 10000000
Tanger
Smir-Restinga
Tétouan
Asilah
Al Hoceima
Nador
Larache
Chaouèn
Oujda
Kenitra
Sidi Kacem
Rabat-Salé
Jerada
Mohammedia
Casablanca
Temara
Meknès
Fès
El Jadida
Azrou
El Jorf Lasfar
Tit-Mellil
Sidi-Hajjaj
Khouribga
Midelt
Bouârfa
Safi
Beni Mellal
Youssoufia
Benguerir
Bine el Ouidane
Marrakech
Essaouira
Meskala
Iminni
Mfis
Oukaïmeden
Bou-Skour
Agadir
Taroudannt
Bou-Azzer
Tarfaya
Laâyoune
Es Semara
Boukra
Charbon
Pétrole
Gaz naturel
Centrale thermique
Centrale hydroélectrique
Oléoduc
Gazoduc
Raffinage pétrolier
Ville industrielle
Centre touristique
Minerai de fer
Cobalt
Manganèse
Cuivre
Plomb et zinc
Zone phosphatière
Phosphate
Bande transporteuse
de phosphate
Tanger
Rabat-Salé
Fès
Casablanca
Meknès
Marrakech
Agadir
C. DENSITÉ DE LA POPULATION
1 : 15000000
Habitants par km² (2004)
moins de 10
10 - 50
50 - 100
100 - 200
200 ou plus
Agglomération de
1 - 5 M d'habitants
500000 - 1 M d'habitants
100000 - 500000 habitants
D. ACCROISSEMENT DE LA POPULATION
1 : 15000000
Augmentation moyenne annuelle de la population
durant la période 1994-2004, par province
moins de 0,6%
0,6 - 0,9%
0,9 - 1,2%
1,2 - 2,4%
2,4% ou plus
E. CONSOMMATION ÉLECTRIQUE
1 : 15000000
Consommation d'électricité par province,
en kWh par habitant (2004)
moins de 35
35 - 70
70 - 140
140 - 280
280 ou plus
F. STRUCTURE DES RECETTES
EXTÉRIEURES
(milliards d'euro)
Tourisme
Phosphate
Envois des travailleurs
émigrés
1,75
1,5
1,25
1,0
0,75
0,5
0,25
1973
1979
1985
1993
G. MARRAKECH
1 : 125000
Médina = partie musulmane d'une ville
Mellah = quartier juif d'une ville
Kashba = place forte
Légende du cadre G:
Médina, mellah, kashba
Centre de la ville européenne
Quartier illégal (bidonville)
Périphérie de la ville européenne
Extension récente (habitat bas)
Ville satellite: (classes populaire et moyenne)
Espace militaire
Espace industriel
Important espace public ou monument
Mur d'enceinte de la ville
Route importance
Limite municipale
Zone du cadre H
Légende du cadre H:
Constructions arabes
Constructions européennes
Parc
Important espace public ou monument
Autre espace
Mur d'enceinte de la ville
Issil
Cité Mohammedia
Akioud
Koudiat
Tagouriant
Sidi M'barek
Aïn Itti
El Harch
Gueliz
Médina
El Askar
Hivernage
Iziki
Laarab
Mellah
Kashba
Sidi Youssef Ben Ali
H. MARRAKECH
(plan urbain)
1 : 15000
Bab Doukkala
Rue Bab el Arcis
MÉDINA
Mosquée Ben Youssef
Medersa Ben Youssef
Mosquée de Bab Doukkala
Rue de Bab Doukkala
Dar el Glaoui
Rue Mouassine
SOUKS
Avenue Mohammed el Mellakh
Rue el Adala
Place de la Liberté
Bab Larissa
Hôtel-de-Ville
Rue Fatima Zohra
Rue Sidi el Yamani
Mosquée et Mouassine
Place Rahba Kedima
Rue Souk Smarine
Avenue Mohammed V
Boulevard de Yarmouk
Rue Abou el Abbès-Sebti
Rue el Koutoubia
Place Djemaa el Fna
HIVERNAGE
Koutoubia
Souk = marché

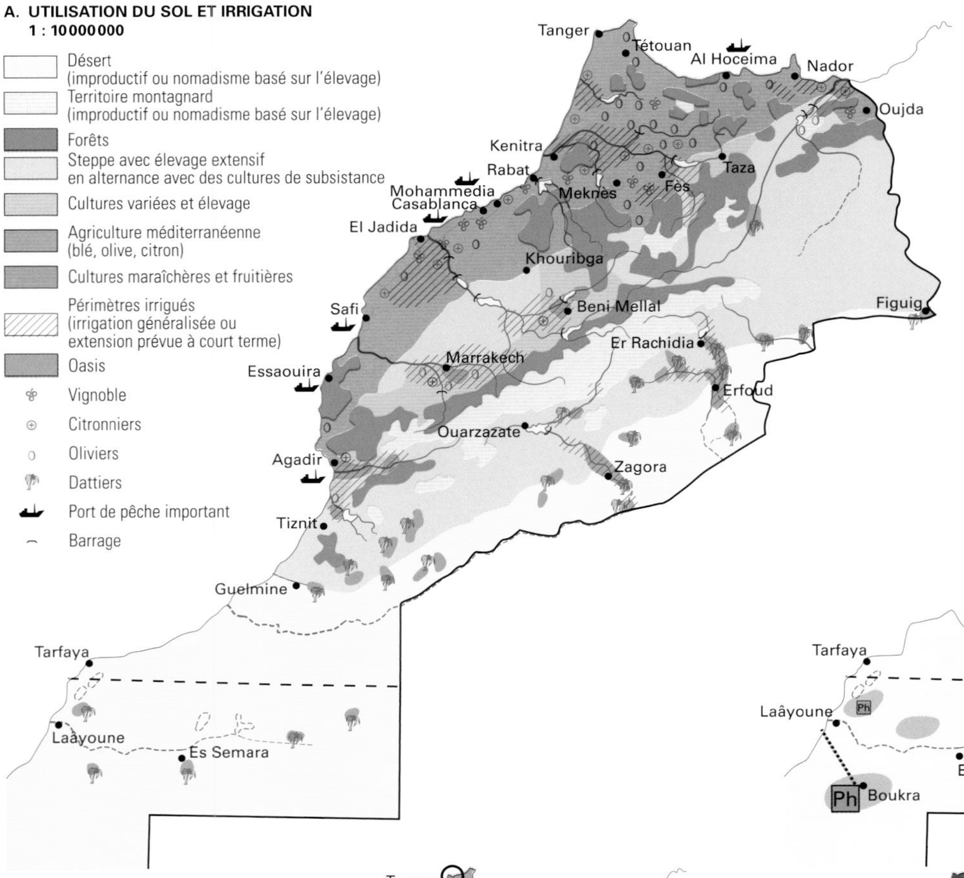

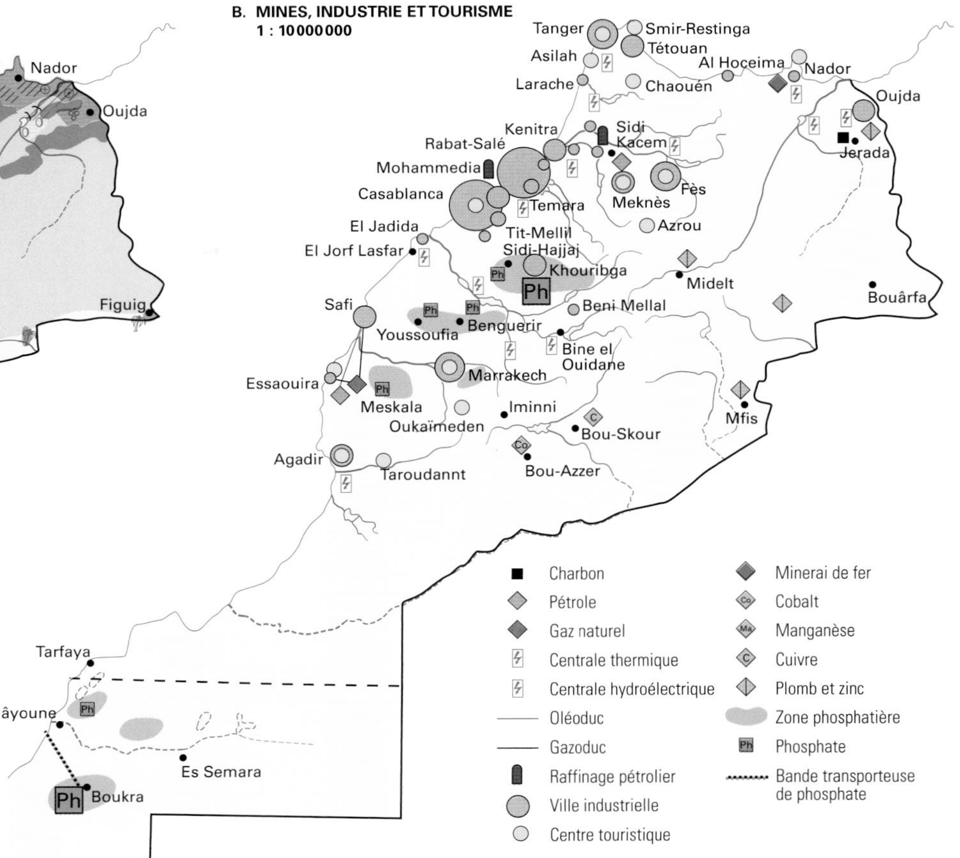

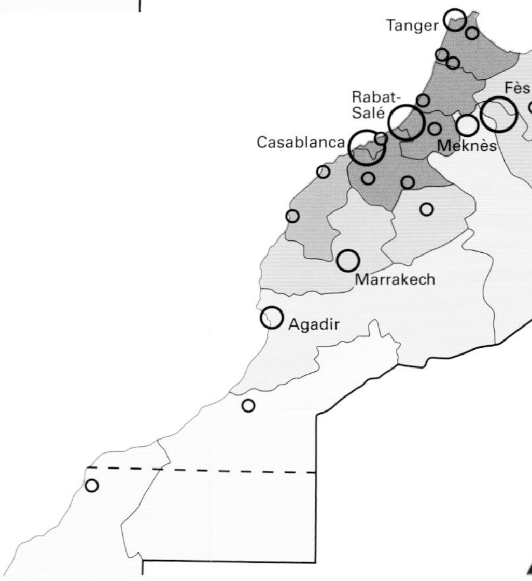

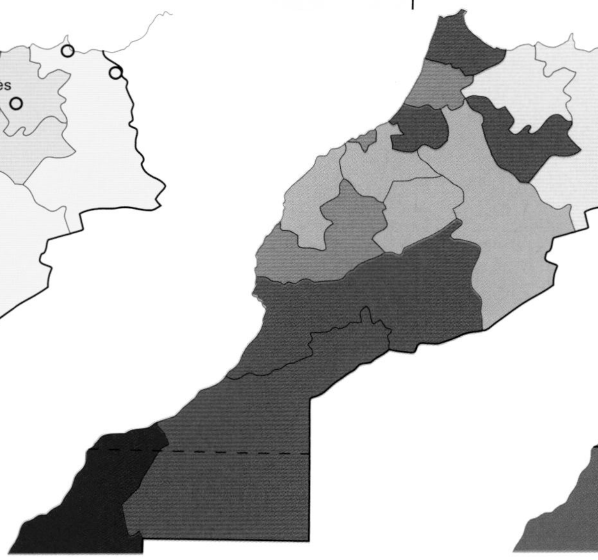

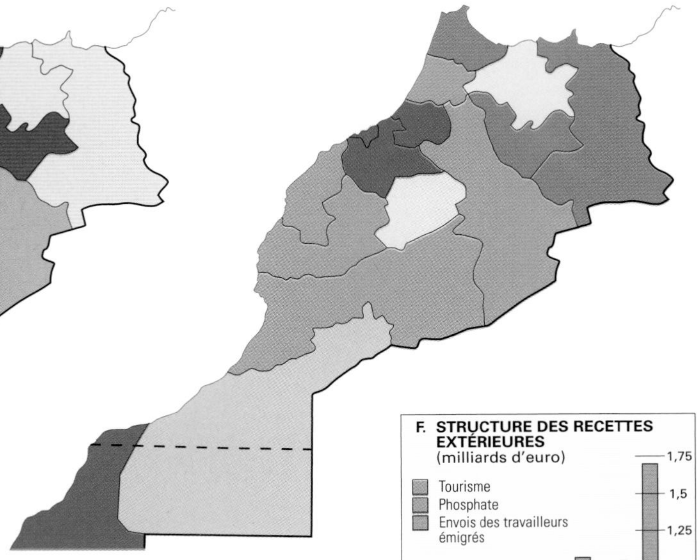

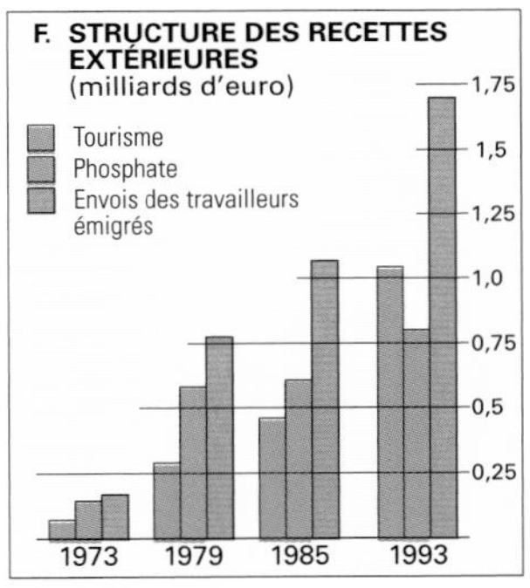

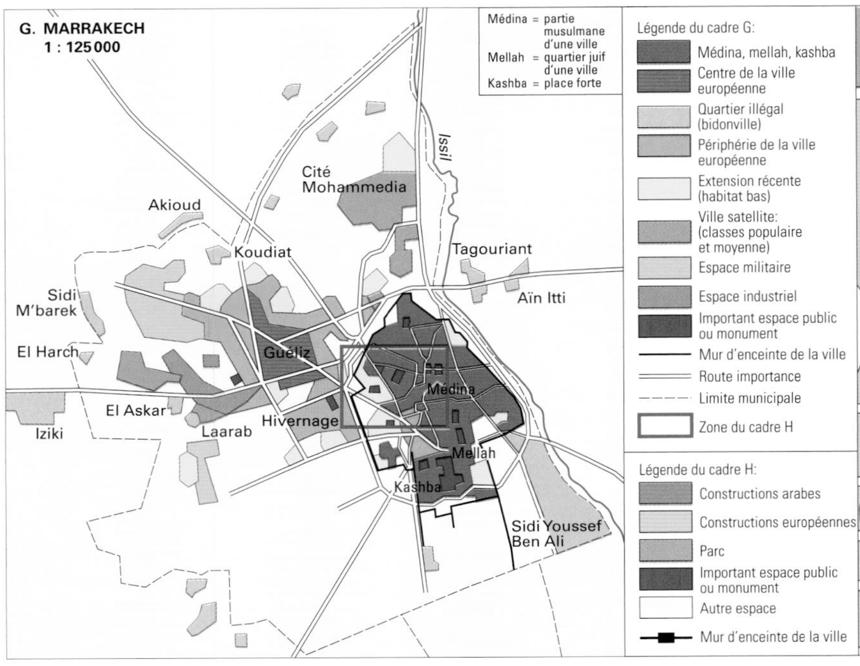

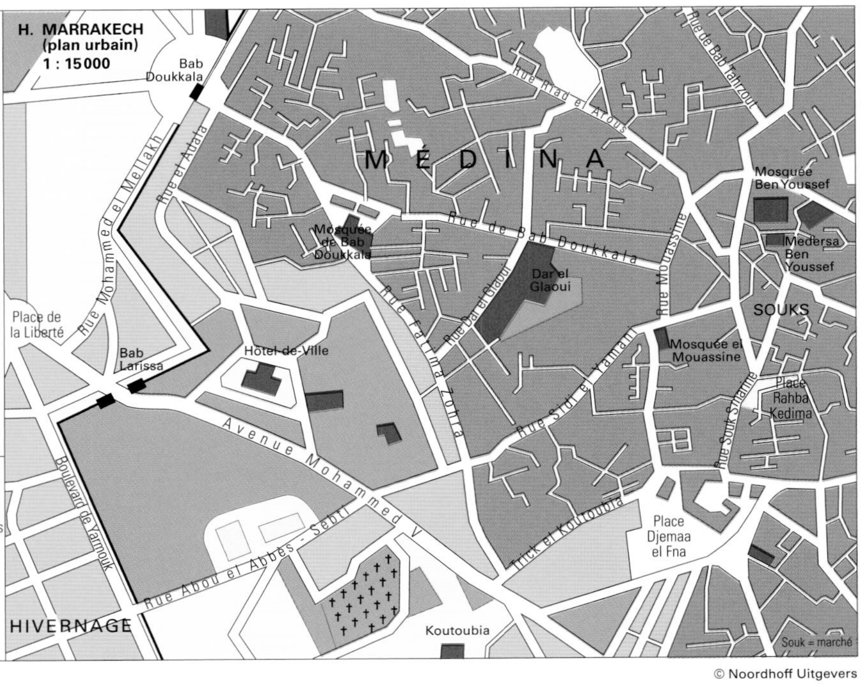

AFRIQUE DU NORD ET DE L'OUEST

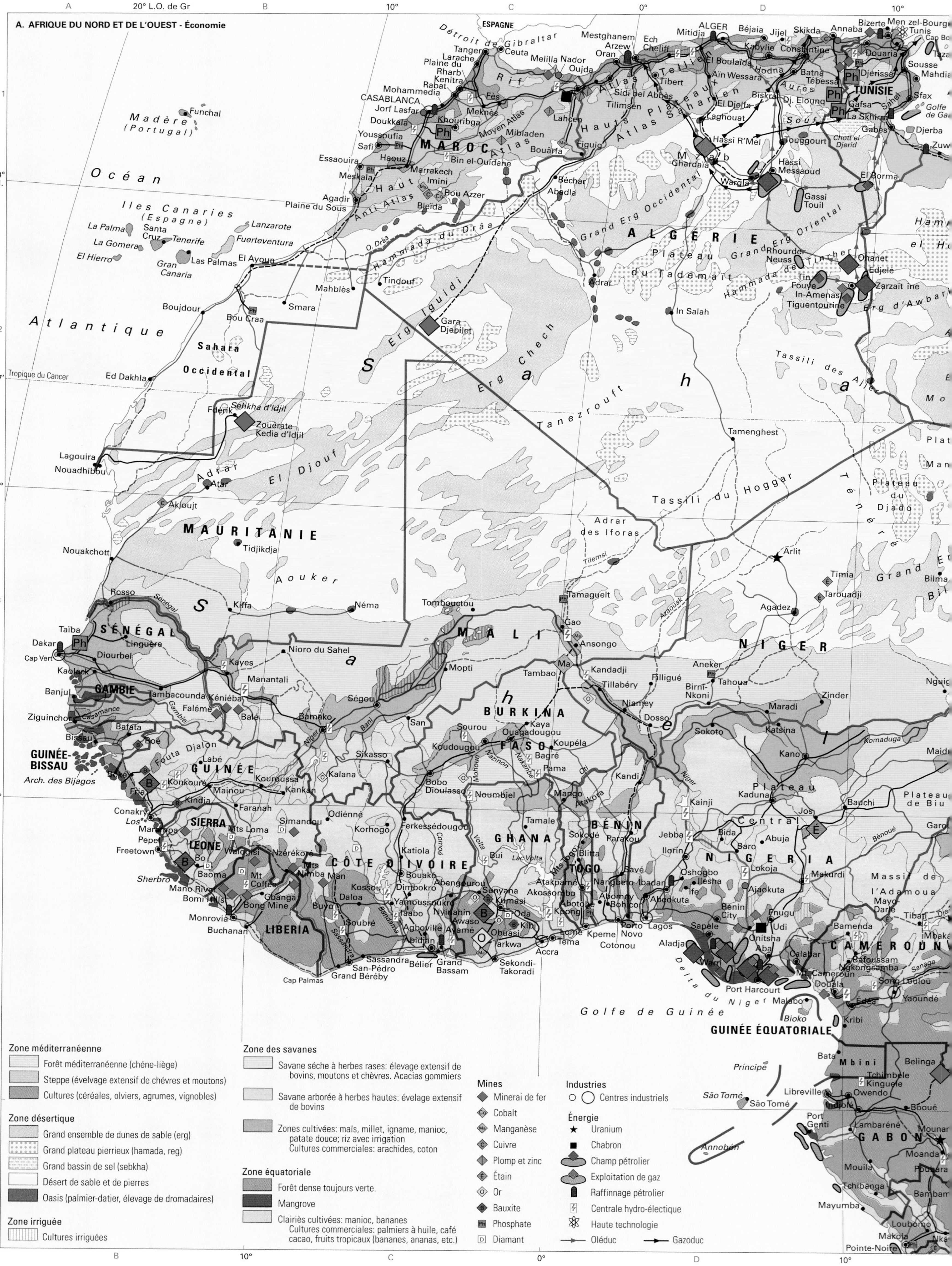

A. AFRIQUE DU NORD ET DE L'OUEST - Économie

Zone méditerranéenne
- Forêt méditerranéenne (chêne-liège)
- Steppe (évelage extensif de chévres et moutons)
- Cultures (céréales, olviers, agrumes, vignobles)

Zone désertique
- Grand ensemble de dunes de sable (erg)
- Grand plateau pierrieux (hamada, reg)
- Grand bassin de sel (sebkha)
- Désert de sable et de pierres
- Oasis (palmier-datier, élevage de dromadaires)

Zone irriguée
- Cultures irriguées

Zone des savanes
- Savane séche à herbes rases: élevage extensif de bovins, moutons et chèvres. Acacias gommiers
- Savane arborée à herbes hautes: évelage extensif de bovins
- Zones cultivées: maïs, millet, igname, manioc, patate douce; riz avec irrigation
  Cultures commerciales: arachides, coton

Zone équatoriale
- Forêt dense toujours verte.
- Mangrove
- Clairiès cultivées: manioc, bananes
  Cultures commerciales: palmiers à huile, café cacao, fruits tropicaux (bananes, ananas, etc.)

Mines
- ◆ Minerai de fer
- ⬧ Cobalt
- ⬧ Manganèse
- ⬧ Cuivre
- ◈ Plomp et zinc
- ⬧ Étain
- ◇ Or
- ◆ Bauxite
- Ph Phosphate
- D Diamant

Industries
- ○ ◯ Centres industriels

Énergie
- ★ Uranium
- ⬢ Chabron
- ⬢ Champ pétrolier
- ⬢ Exploitation de gaz
- ◼ Raffinage pétrolier
- Centrale hydro-électrique
- ⊗ Haute technologie
- → Oléoduc
- → Gazoduc

Échelle 1 : 15 000 000

20° L.E. de Gr.

B. PRÉCIPITATIONS
1 : 37 500 000

Précipitations annuelles en mm
- moins de 100
- 100 - 250
- 250 - 500
- 500 - 1000
- 1000 - 1500
- 1500 - 2000
- 2000 ou plus

C. SAHÉLISATION
1 : 37 500 000

Déplacement des isohyètes vers le Sud
- Isohyètes pour la période 1950-1967
- Isohyètes pour la période 1968-1985

- Déplacement de l'isohyète de 250 mm
- Déplacement de l'isohyète de 500 mm
- Déplacement de l'isohyète de 750 mm

États membres du CILSS
(CILSS = Comité International de Lutte contre la Sécheresse au Sahel)

D. VARIATION DE LA PLUVIOMÉTRIE À LA STATION DE MOPTI

— Total annuel   ⋯⋯ Moyenne 1940 - 1994

E. DENSITÉ DE LA POPULATION
1 : 37 500 000

Habitants par km²
- moins de 2,5
- 2,5 - 10
- 10 - 25
- 25 - 50
- 50 - 100
- 100 ou plus

Agglomération de
- 5 M d'habitants ou plus
- 1 M à 5 M d'habitants
- 500 000 à 1M d'habitants
- 100 000 à 500 000 habitants

© Noordhoff Uitgevers

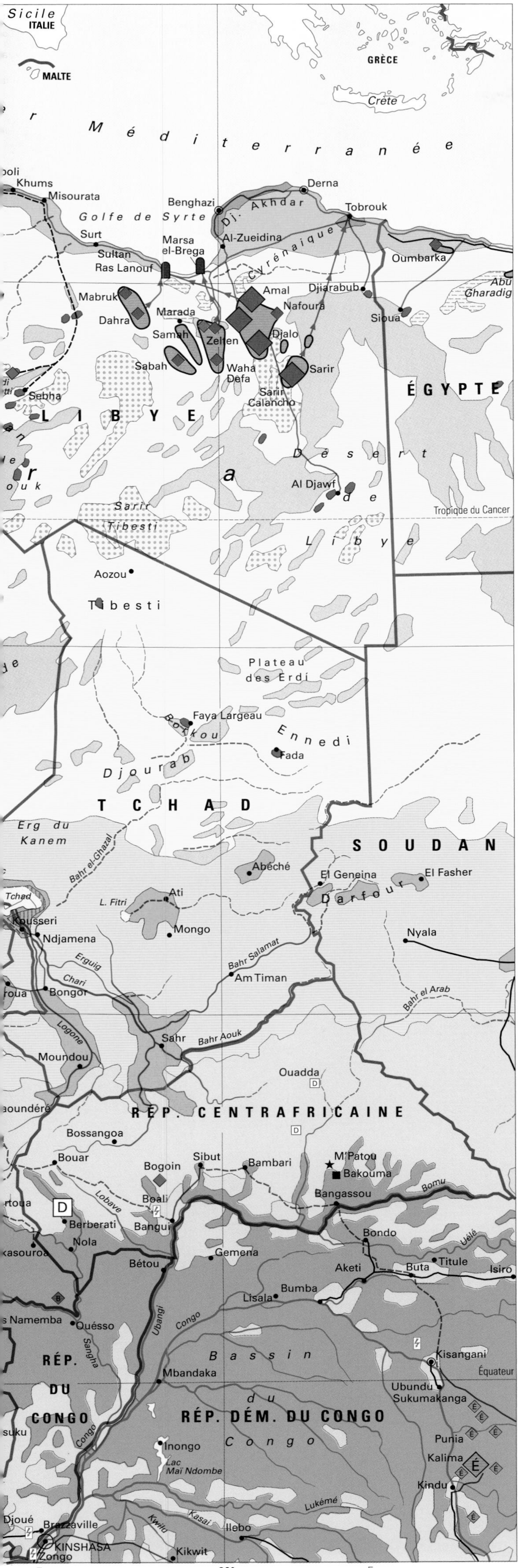

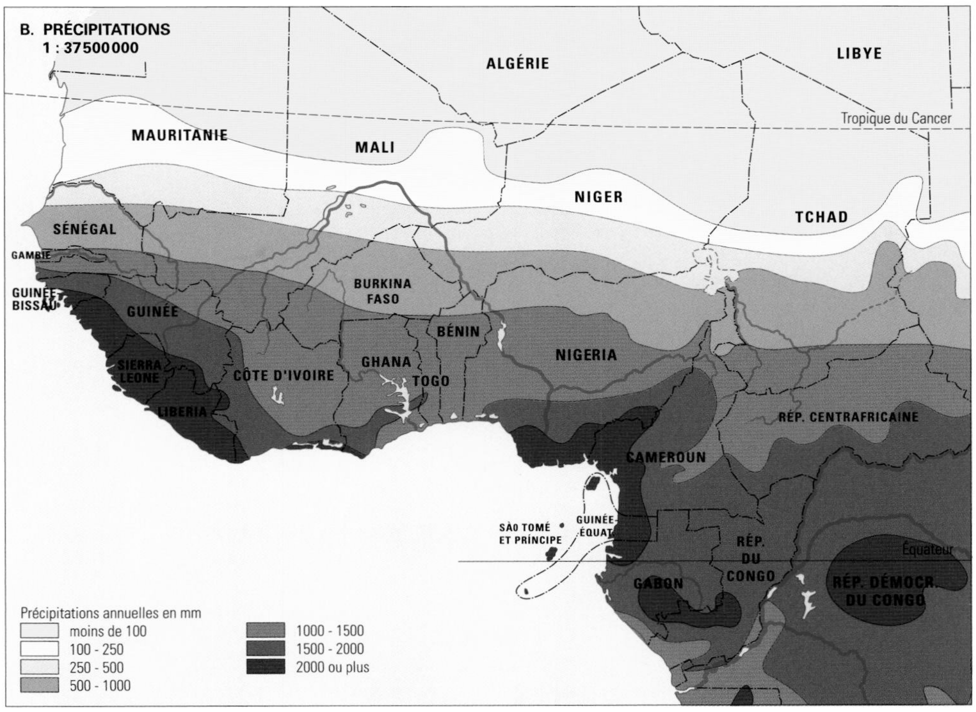

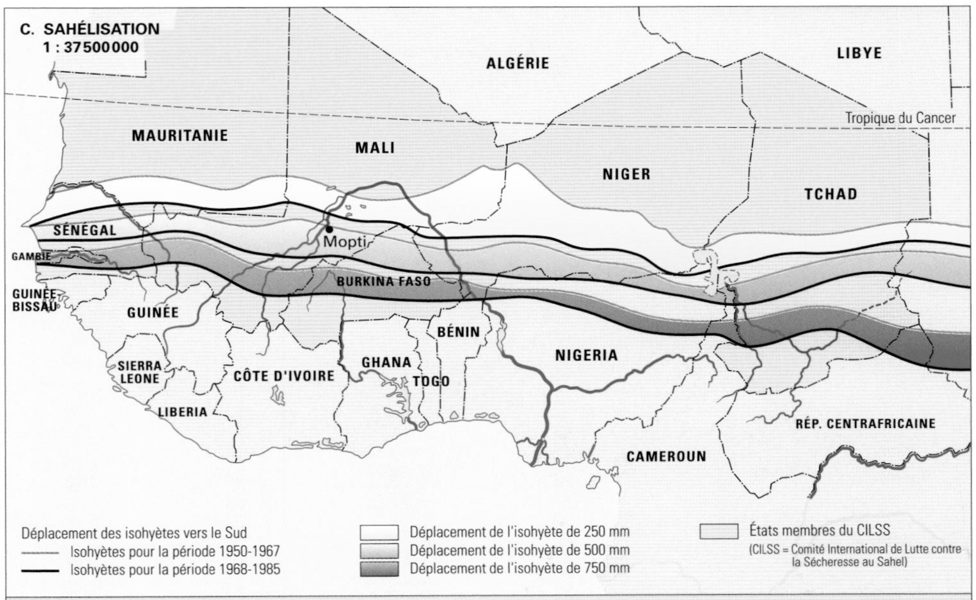

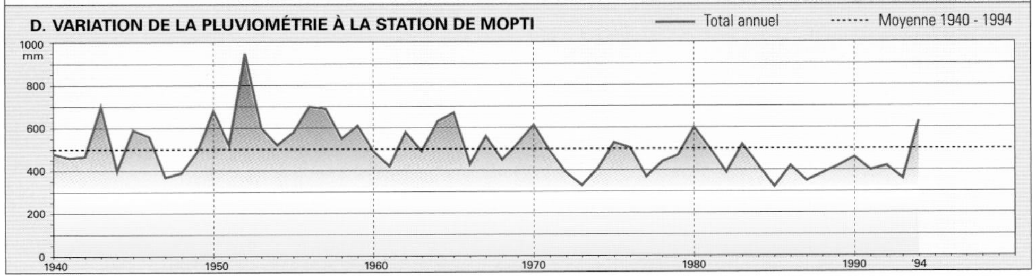

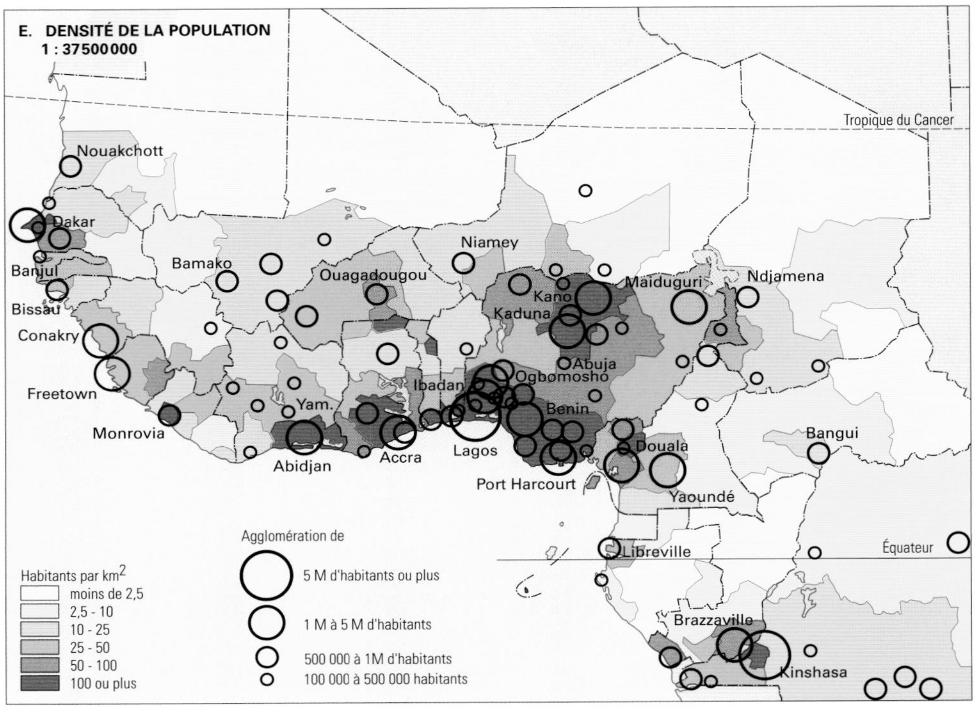

RÉPUBLIQUE DÉMOCRATIQUE DU CONGO

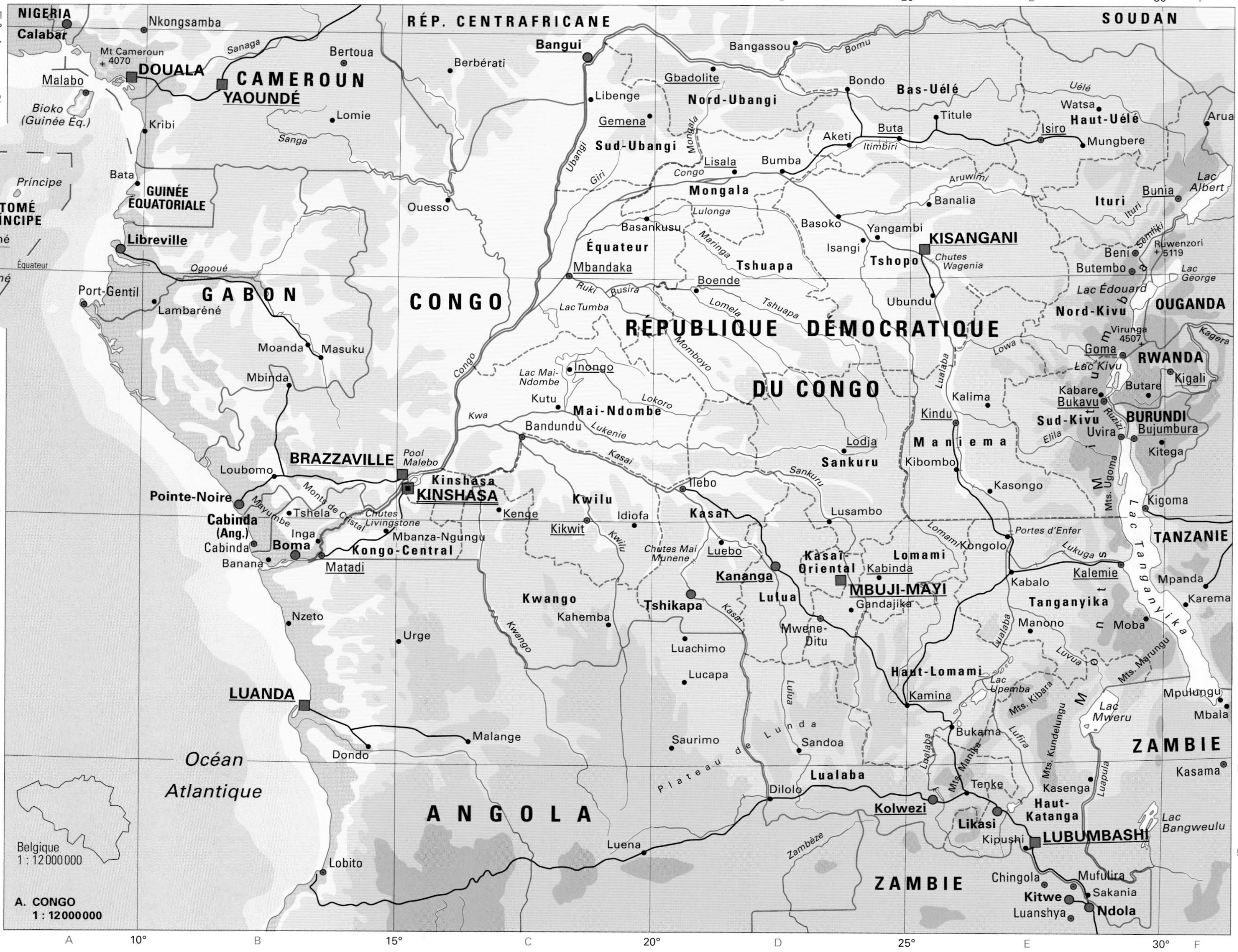

A. CONGO
1 : 12 000 000

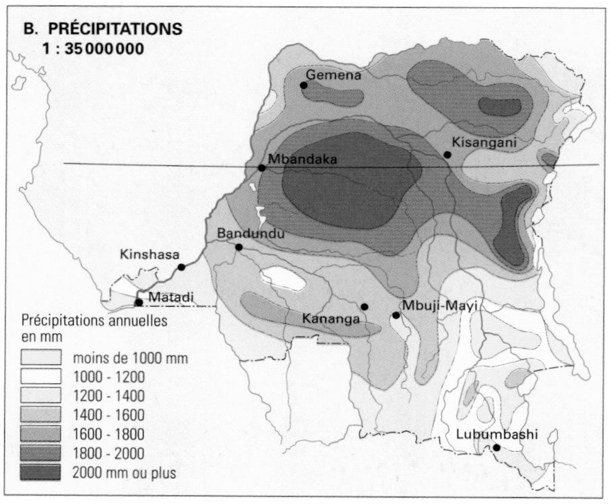

B. PRÉCIPITATIONS
1 : 35 000 000

C. AGRICULTURE, ÉLEVAGE ET PÊCHE
1 : 17 500 000

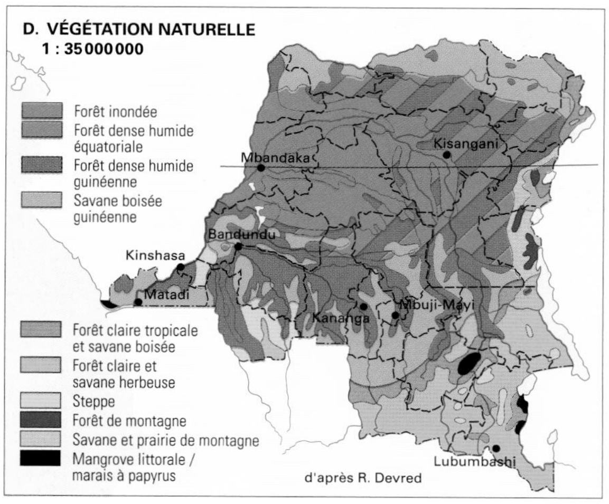

D. VÉGÉTATION NATURELLE
1 : 35 000 000

© Noordhoff Uitgevers

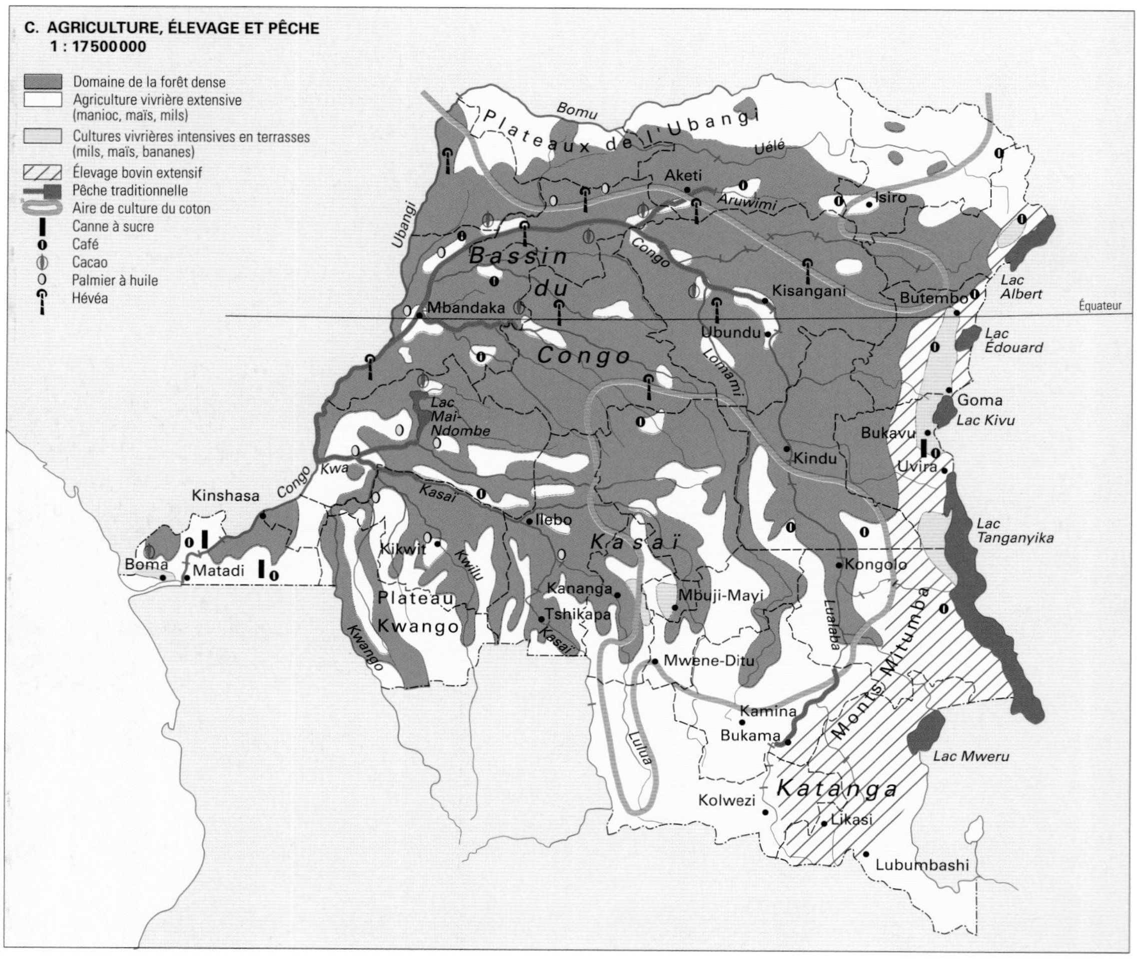

RÉPUBLIQUE DÉMOCRATIQUE DU CONGO

A. NOUVELLE STRUCTURE ADMINISTRATIVE
1 : 17 500 000

Gbadolite
Gemena
Nord-Ubangi
Sud-Ubangi
Lisala
Mongala
Équateur
Mbandaka
Boende
Tshuapa
Inongo
Mai-Ndombe
Kinshasa
Kinshasa
Kenge
Kongo-Central
Matadi
Kwilu
Kikwit
Luebo
Kwango
Kananga
Lulua
Kasaï
Kasaï-Oriental
Mbuji-Mayi
Bas-Uélé
Buta
Haut-Uélé
Isiro
Bunia
Ituri
Tshopo
Kisangani
Nord-Kivu
Goma
Kindu
Bukavu
Maniema
Sud-Kivu
Lodja
Sankuru
Lomami
Kabinda
Kalemie
Tangayika
Haut-Lomami
Kamina
Lualaba
Kolwezi
Haut-Katanga
Lubumbashi

Limite régionale
Limite provinciale
Chef-lieu de province

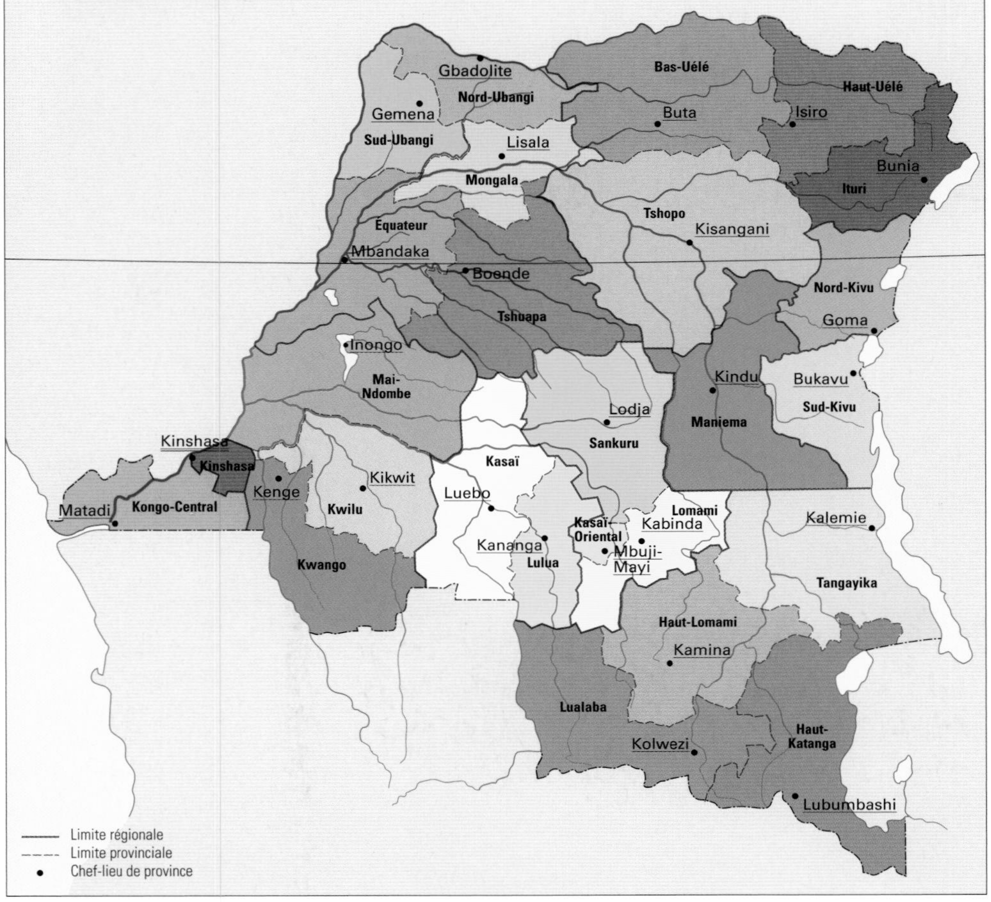

B. STRUCTURE PRÉCÉDENTE
(1996-2008)
1 : 25 000 000

Nord-Ubangi
Sud-Ubangi
Mongala
Bas-Uélé
Haut-Uélé
Province Orientale
Ituri
Équateur
Équateur
Tshopo
Tshuapa
Nord-Kivu
Mai-Ndombe
Sankuru
Kasaï-oriental
Maniema
Sud-Kivu
Bas-Congo
Kinshasa
Cataractes Lukaya
Kwilu
Kasaï
Bandundu
Kasaï-occidental
Kabinda
Tshilenge
Tanganika
Bas-Fleuve
Kwango
Lulua
Haut-Lomami
Katanga
Lualaba
Haut-Katanga
Kolwezi

Limite régionale
Limite sous-régionale

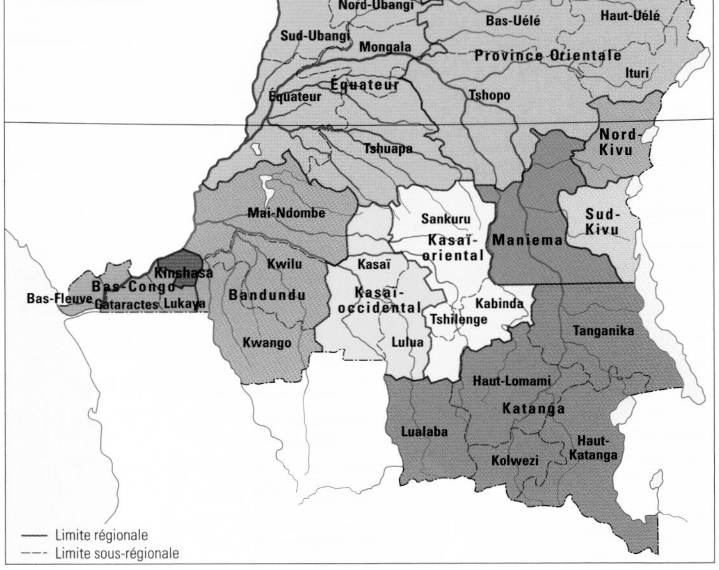

C. STRUCTURE ADMINISTRATIVE EN 1962
1 : 25 000 000

Ubangui
Uélés
Kibali-Ituri
Moyen-Congo
Haut-Congo
Nord-Kivu
Cuvette Centrale
Lac Léopold II
Sankuru
Maniema
Kivu Central
Congo Central
Kwilu
Unité Kasaïenne
Lomami
Luluabourg
Sud-Kasaï
Nord-Katanga
Kwango
Lualaba
Katanga Oriental

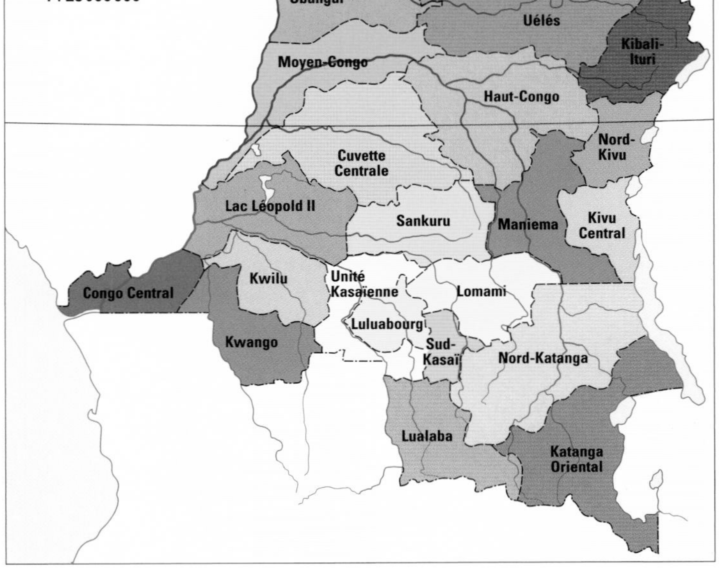

D. DENSITÉ DE LA POPULATION
1 : 17 500 000

Gbadolite
Gemena
Binga
Bumba
Lisala
Isiro
Bunia
Beni
Kisangani
Mbandaka
Butembo
Kalima
Goma
Bukavu
Lodja
Kindu
Uvira
Kinshasa
Bandundu
Kikwit
Ilebo
Mweka
Kasongo
Boma
Mbanza-Ngungu
Kananga
Mbuji-Mayi
Kabinda
Kalemie
Moanda
Matadi
Tshikapa
Bulungu
Gandajika
Mwene-Ditu
Kamina
Kolwezi
Lubumbashi
Likasi
Kipushi

Habitants par km²
moins de 3
3 - 10
10 - 20
20 - 50
50 - 100
100 ou plus
Parcs nationaux
Réfugiés

Agglomération de
1 M d'habitants ou plus
500 000 - 1 M d'habitants
100 000 - 500 000 habitants
50 000 - 100 000 habitants

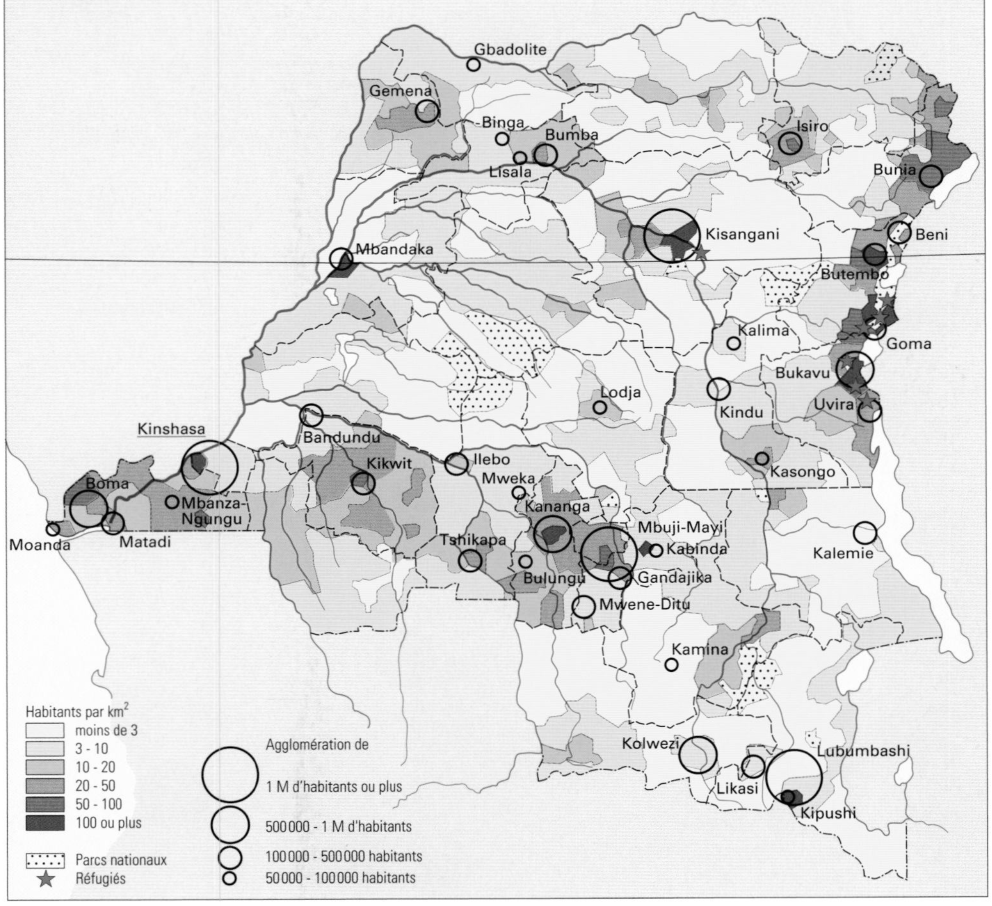

E. DÉCOUPAGE ADMINISTRATIF COLONIAL
1 : 25 000 000

Équateur
Province Orientale
Coquilhatville
Stanleyville
Bukavu
Léopoldville
Léopoldville
Kivu
Kasaï
Luluabourg
Katanga
Élisabethville

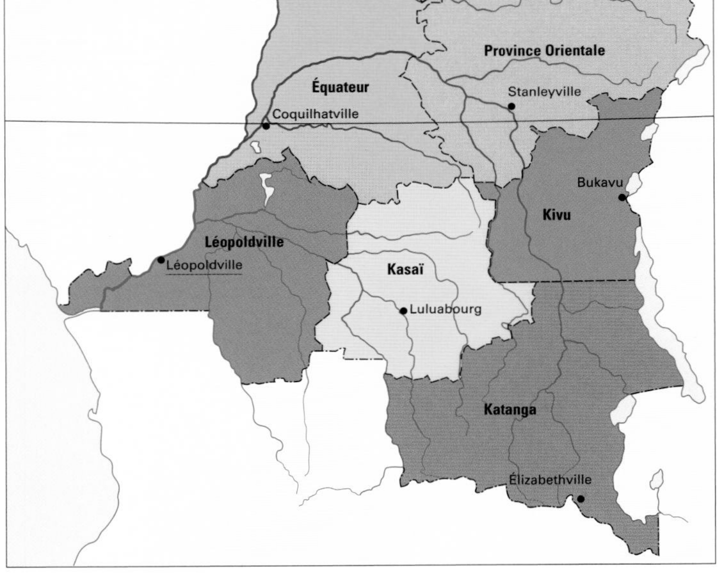

F. ÉVOLUTION DE LA POPULATION 1920 - 2005

M d'hab
60
50
40
30
20
10

1920 1930 1940 1950 1960 1970 1980 1990 2000

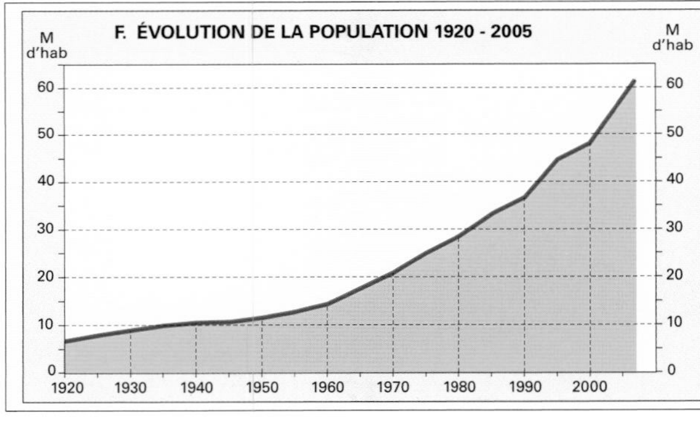

G. PYRAMIDE DES ÂGES EN 2005

≥75
70-74
65-69
60-64
55-59
50-54
45-49
40-44
35-39
30-34
25-29
20-24
15-19
10-14
5- 9
0- 4

Hommes
Femmes

Années 10% 9 8 7 6 5 4 3 2 1 0 1 2 3 4 5 6 7 8 9 10%

H. STRUCTURE RÉGIONALE DE LA POPULATION EN 2002

Équateur 11,3%
Bandundu 12,1%
Bas-Congo 6,7%
Province Orientale 12,4%
Kinshasa 13,5%
Maniema 2,9%
Nord-Kivu 8,6%
Kasaï-Occidental 8,0%
Sud-Kivu 6,9%
Kasaï-Oriental 9,8%
Katanga 7,8%

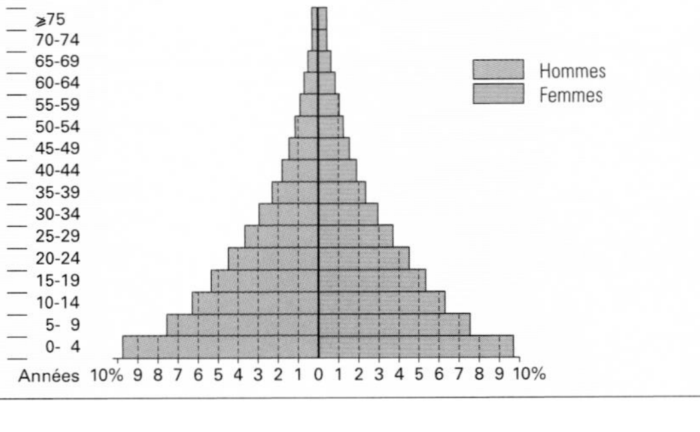

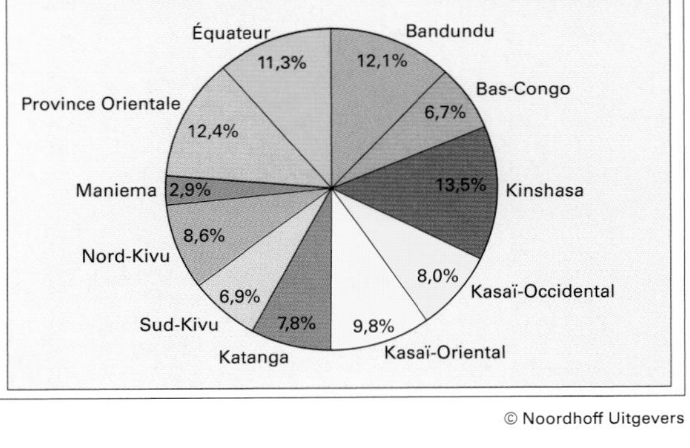

NIGERIA

A. LANGUES ET RELIGIONS
1 : 12 000 000

NIGER

Lac Tchad

Sokoto
Kano
Maiduguri
Kaduna
Minna
Jos
Yola
BÉNIN
Ilorin
Niger
Abuja
Bénoué
Oshogbo
Ibadan
Lokoja
Makurdi
Lagos
Benin City
Enugu
CAMEROUN
Port Harcourt
Calabar

Groupes linguistiques
Afro-asiatique
Niger-Congo
Nilo-saharien

Religions
Islam dominant
Christianisme dominant
Croyances animistes dominantes

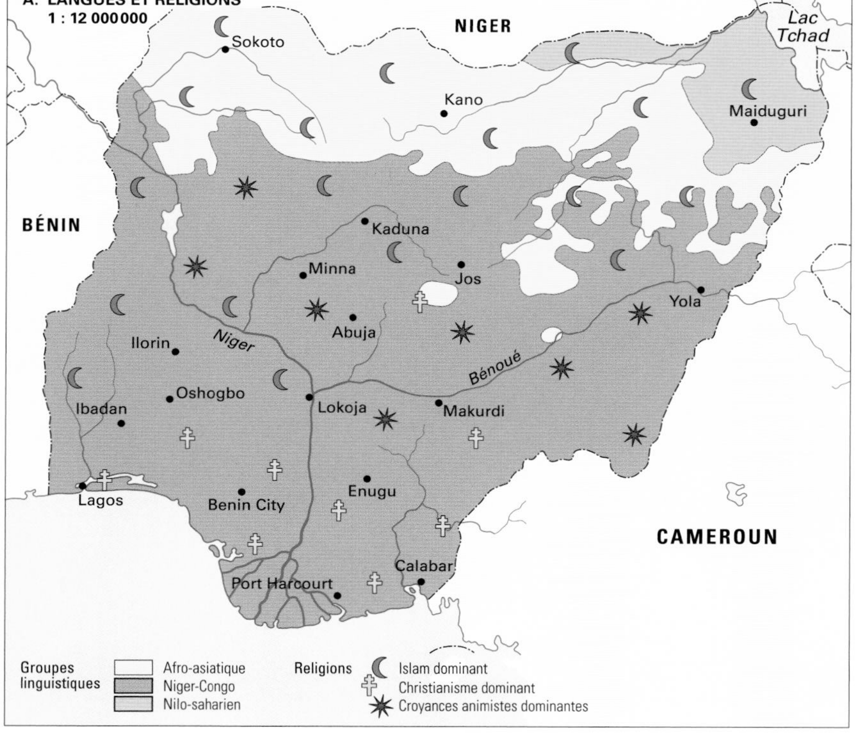

B. UTILISATION DU SOL ET RESSOURCES NATURELLES
1 : 12 000 000

NIGER

Lac Tchad

Sokoto
Kano
Maiduguri
Cultures céréalières
Kaduna
Minna
Jos
Yola
BÉNIN
Cultures céréalières / Plantes à tubercule
Ilorin
Niger
Abuja
Bénoué
Ibadan
Oshogbo
Lokoja
Makurdi
Plantes à tubercule
Benin City
Enugu
Lagos
Sapele
Warri
Aba
Calabar
Forcados
Port Harcourt
Kwa
CAMEROUN
Bonny
Brass
Projet gaz naturel liquide

Steppe herbeuse
Savane sèche
Savane humide
Forêt tropicale humide
Forêt trop. humide, sempervirente
Mangrove
Limite Nord des plantes à tubercule
Limite Sud des cultures céréalières

Énergie et mines
Pétrole
Gaz naturel
Port pétrolier
Charbon
Minerai de fer
Étain

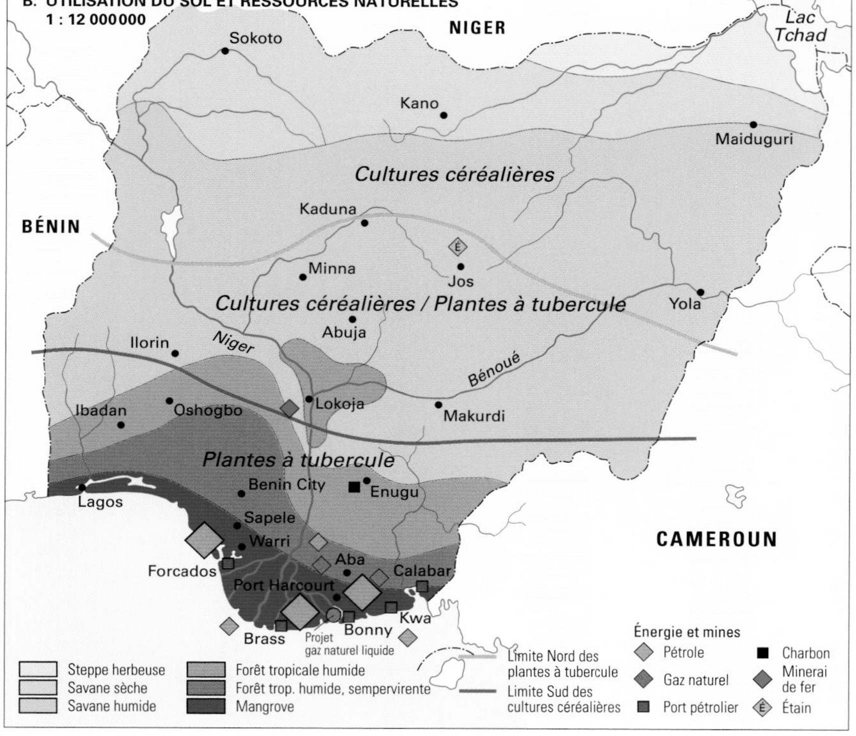

C. DÉCOUPAGE ADMINISTRATIF DEPUIS 1960
1 : 24 000 000

⊙ Capitale fédérale

C1. 1960-1967
Nord
Ouest
Lagos
Est
Biafra

In 1967, les Ibo ont essayé de faire sécession en déclarant l'indépendance du Biafra

C2. 1967-1976
Nord-ouest
Kano
Nord-Central
Nord-Est
Kwara
Plateau de Bénoué
Ouest
Lagos
Centre-Ouest
Centre-Est
Sud-Est
Rivers

C3. 1976-1987
Sokoto
Kano
Borno
Kaduna
Bauchi
Niger
Plateau
Kwara
Abuja
Gongola
Oyo
Ondo
Benue
Lagos
Ogun
Bendel
Anambra
Imo
Cross River
Rivers

C4. 1991-2006
Sokoto
Katsina
Jigawa
Yobe
Zamfara
Kano
Borno
Kebbi
Kaduna
Bauchi
Gombe
Niger
FCT Abuja
Plateau
Adamawa
Kwara
Nassarawa
Taraba
Oyo
Kogi
Benue
Osun
Ekiti
Ondo
Edo
Ogun
Lagos
Delta
Imo
Bayelsa
Rivers

FCT = Federal Capital Territory
Gombe = Nouvel État depuis 2006

1 = Enugu
2 = Anambra
3 = Abia
4 = Akwa-Ibom
5 = Ebonyi

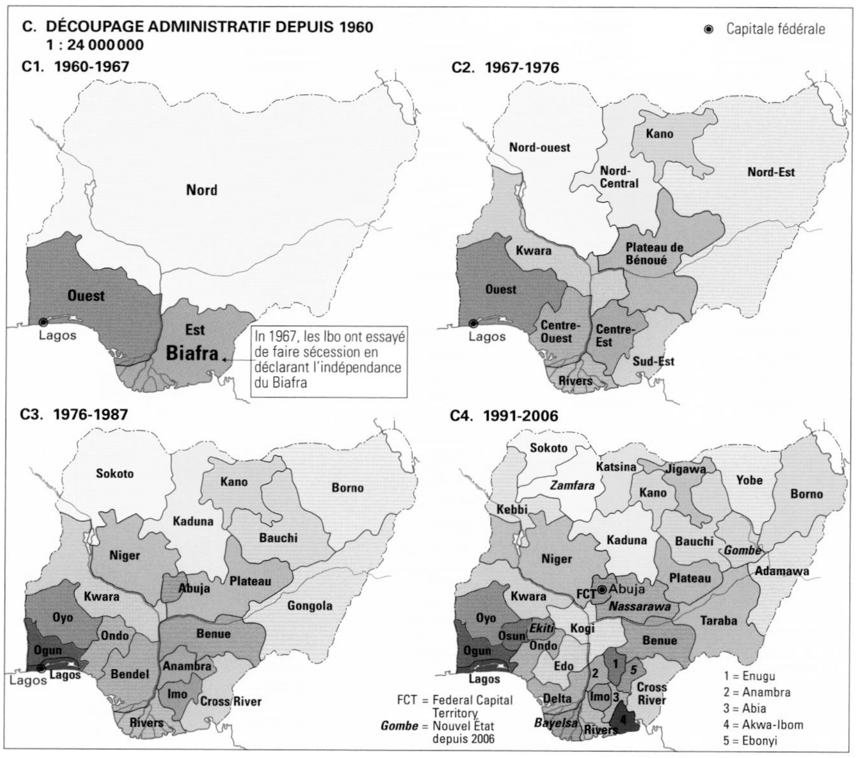

D. GROUPES CULTURELS
1 : 12 000 000

NIGER

Lac Tchad

Sokoto
Kano
Maiduguri
Hausa-Fulani
Kanuri
Kaduna
BÉNIN
Borgu
Minna
Gwari
Jos
Yola
Nupe
Abuja
Plateau
Adamawa
Ilorin
Niger
Bénoué
Oshogbo
Ibadan
Igbirra en Igala
Idoma
Tiv
Makurdi
Yoruba
Edo
Enugu
carte E
Ibo
Lagos
Benin City
Cross River
CAMEROUN
Port Harcourt
Calabar
Ijo

Au sein des grandes aires culturelles, plusieurs langues sont parlées (cf. carte E).
Les sentiments d'appartenance ethnique sont fortement influencés par les origines linguistiques.

Hausa et Fulani
Kanuri
Borgu
Nupe
Gwari
Plateau
Adamawa
Yoruba
Edo
Igbirra et Igala
Idoma
Tiv
Ibo
Cross River
Ijo

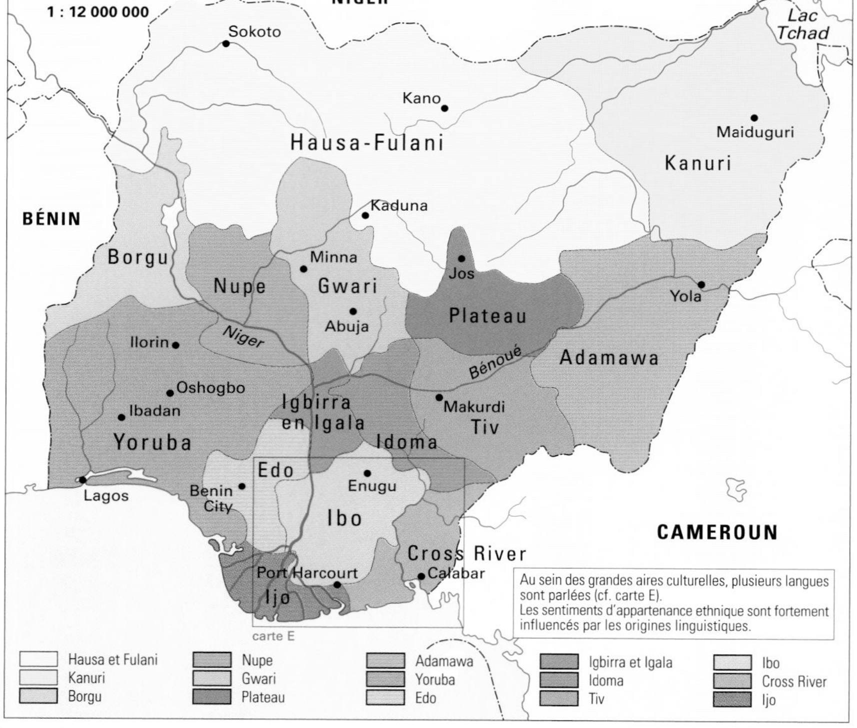

E. SUD-EST DU NIGERIA: GROUPES ETHNO-LINGUISTIQUES
1 : 3 000 000

Igede
Tiv
Idoma
Emai
Etsako
Igala
Enugu
Kukele
Yala
Bekwarra
Esan
Mgbo
Izi
Boki
Ika
Oring
Ezaa
Ikwo
Mbembe
Nsele
Edo
Ibo
Legbo
Lokaa
Agoi
Nkukoli
Bendeghe
Ukwuani
Kohumono
Etung
Urhobo
Agwagwune
Doko
Ejagham
Isoko
Ubaghara
Owerri
Itu Mbon Uzo
Ukwa
Ogba
Ibuoro
Umon
Aba
Ikwere
Echie
Efik
Abua
Anaang
Ibibio
Okobo
Port Harcourt
Ogoni
Oron
Calabar
Ijo
Obolo
Ekit
Ibino
Enwang
CAMEROUN
Iko
Efai

carte F

Groupe linguistique Benue-Congo (dont Delta central)
Ogoni
Delta central
Upper Cross
Lower Cross
Bendi
Banto

Groupe linguistique Kwa
Yoruba
Edo
Idoma
Ibo

Tiv Groupe ethnique
Oron Limite linguistique/de sous-groupe ethnique

Le nom de nombreux peuples dont l'aire d'extension est très limitée ne peut être indiqué (cf. carte F)

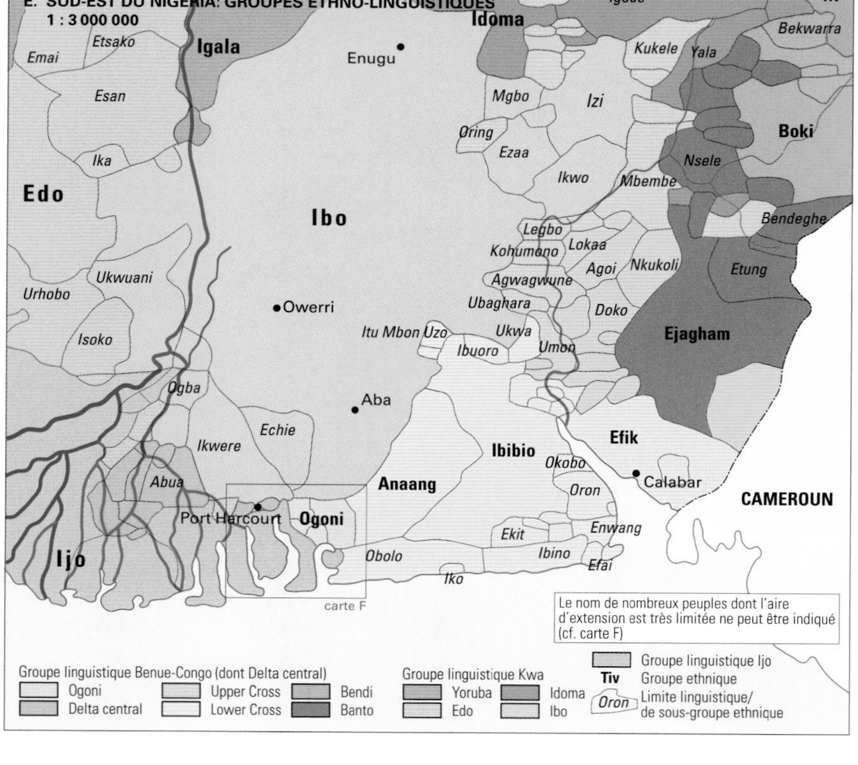

F. RÉGION OGONI: GROUPES ETHNO-LINGUISTIQUES
1 : 500 000

Echie
Ibo
Ikwere
Obohia
Eleme
Ebubu
Baan
Afam
Anaang
Obulom
Ogbronuagum
Kana
Degema
Port Harcourt
Onne
Korokoro
Buguma
Ogoni
Gokana
Bomu
Ijo
Opobo
Obolo
Bonny

Nombre de locuteurs du dialecte Ogoni
50000
25000
5000

Groupe linguistique Ogoni
Ogoni-Ouest
Ogoni-Est

Autres langues Benue-Congo
Delta central
Lower Cross

Groupe linguistique Kwa
Ibo
Edo

Ibo Groupe ethnique
Baan Limite linguistique/de sous-groupe ethnique
Groupe linguistique Ijo

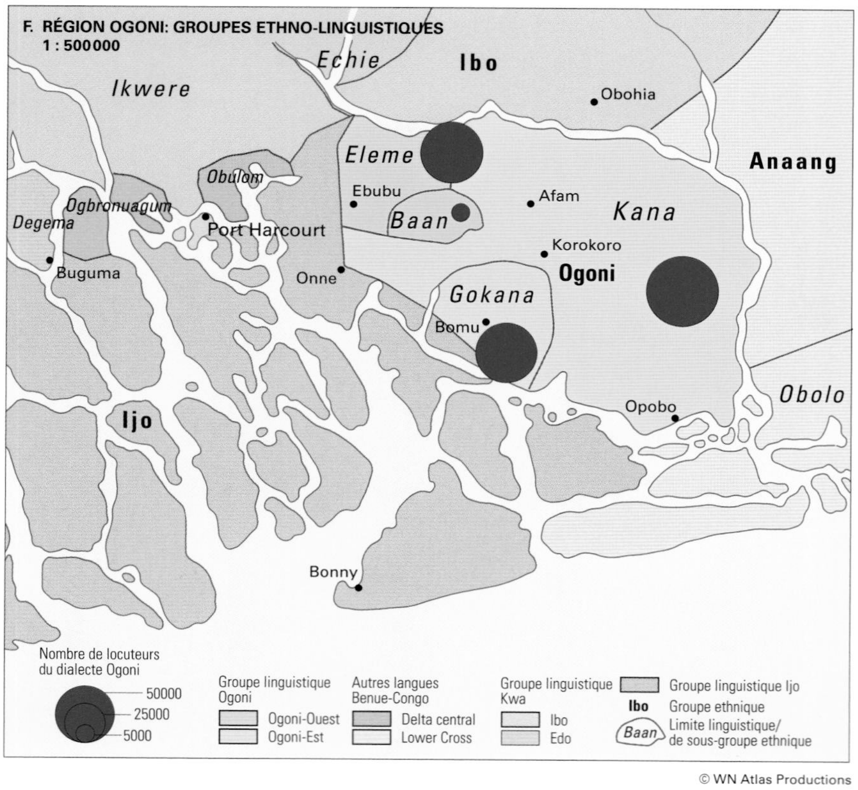

AFRIQUE DU SUD

Échelle 1 : 16 000 000

A. PROVINCES

B. CLIMAT

Précipitations annuelles en mm
- moins de 200
- 200 - 400
- 400 - 600
- 600 - 800
- 800 - 1000
- 1000 ou plus

—— Isotherme annuelle

C. DENSITÉ DE LA POPULATION

Habitants par km²
- moins de 5
- 5 - 10
- 10 - 25
- 25 - 50
- 50 ou plus

5,9 Millions d'habitants (2005)

Agglomération de
- 1 M - 5 M d'hab.
- 500 000 - 1 M d'hab.
- 100 000 - 500 000 hab.

D. AGRICULTURE

- Désert
- Semi-désert et savane avec élevage épars
- Savane et pâturage avec élevage extensif et agriculture éparse
- Forêts

Cultures:
- Agriculture et élevage intensif
- Agriculture méditerranéenne
- Agriculture tropicale
- Irrigation

Barrages capacité en M m³
- moins de 100
- 100 - 1000
- 1000 ou plus

- Tabac
- Vignoble
- Coton
- Agrumes
- Canne à sucre
- Arachides

E. MINES ET ÉNERGIE

- Minerai de fer
- Chrome
- Manganèse
- Nickel
- Vanadium
- Cuivre
- Plomb et zinc
- Platine
- Or
- Phosphate
- Asbeste
- Diamant
- Titane
- Zircon

- Uranium
- Charbon
- Gaz naturel
- Centrale thermique
- Centrale hydro-électrique
- Centrale nucléaire
- Chemin de fer minier

- Bassin du Witwatersrand
- Complexe volcanique du Bushveld

F. INDUSTRIES

- Région industrielle importante
- Région industrielle moins importante
- Sidérurgie
- Construction métallique
- Construction automobile
- Production d'aluminium
- Raffinage pétrolier
- Pétrole synthétique
- Industrie chimique
- Raffinage final de l'or
- Haute technologie

© Noordhoff Uitgevers

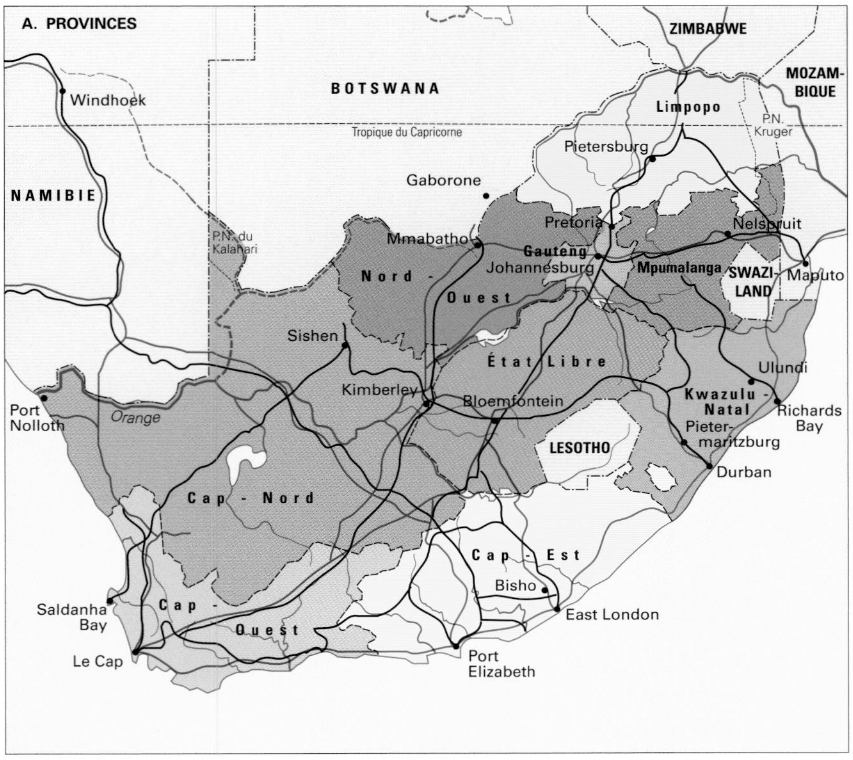

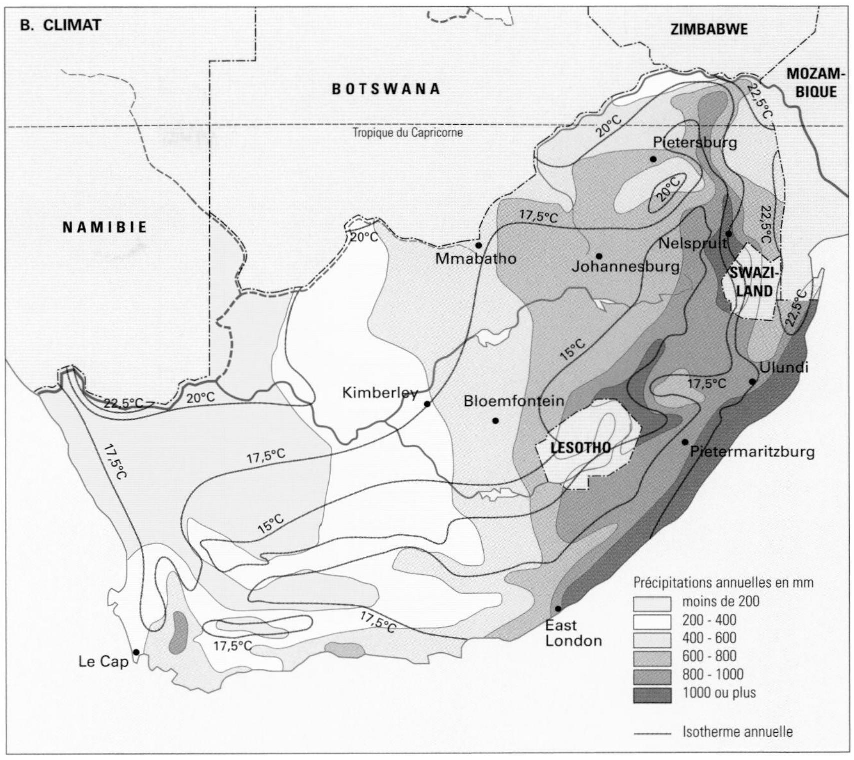

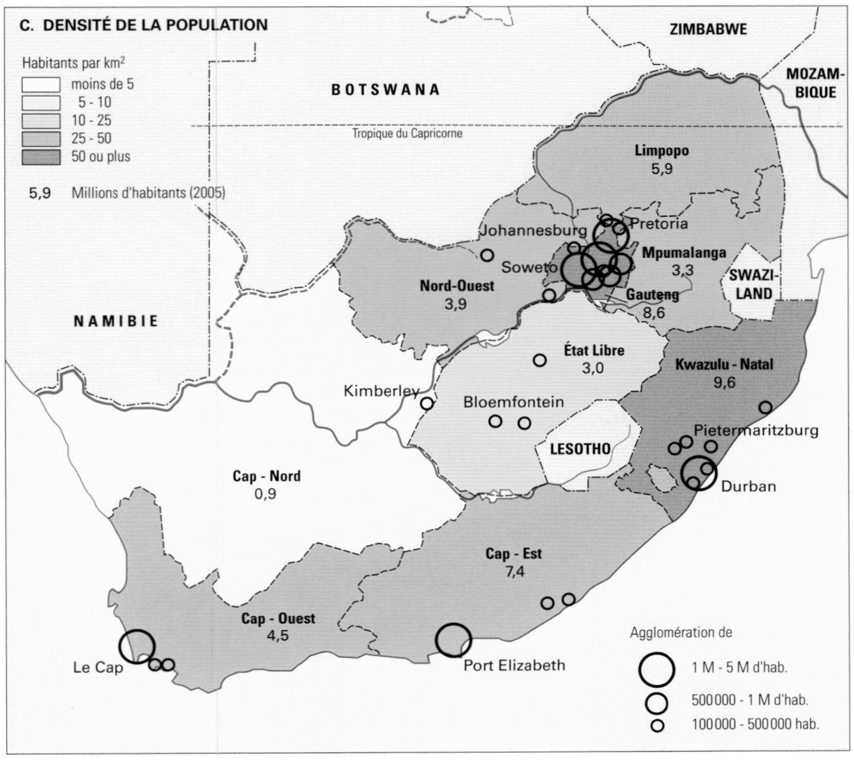

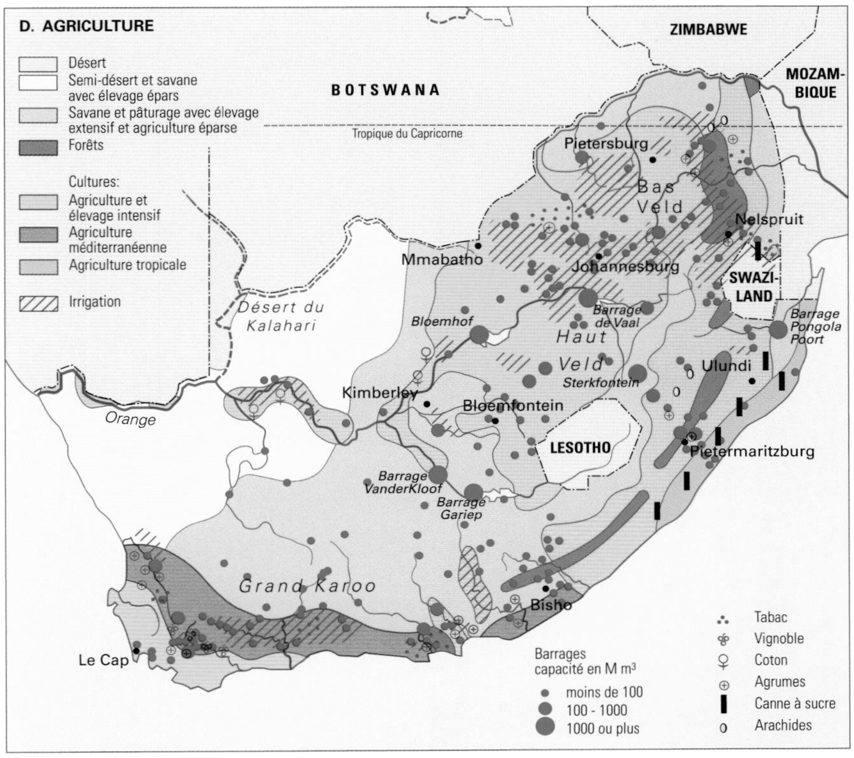

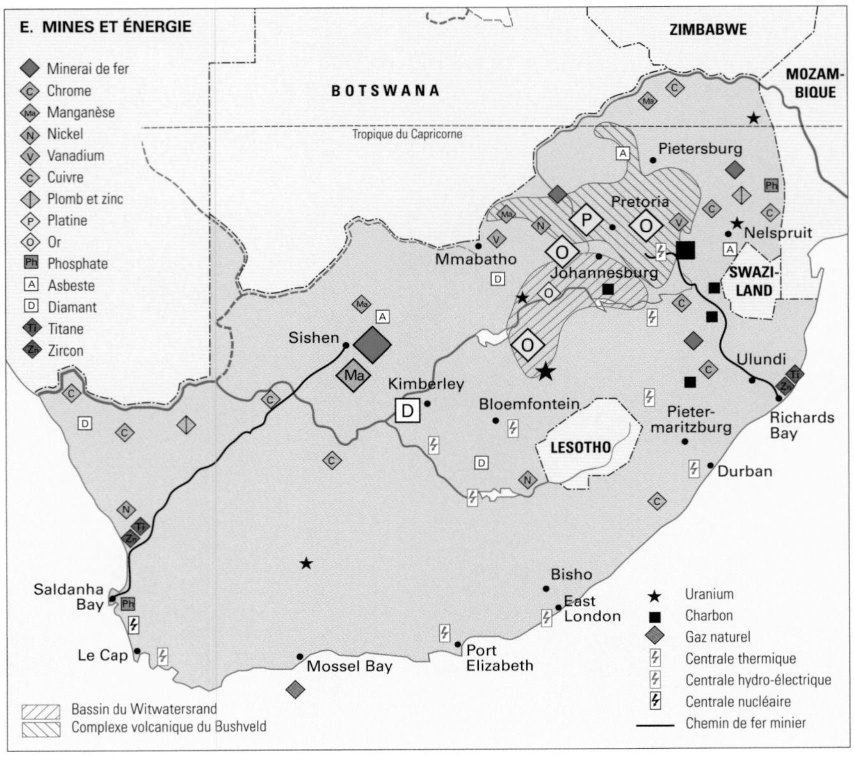

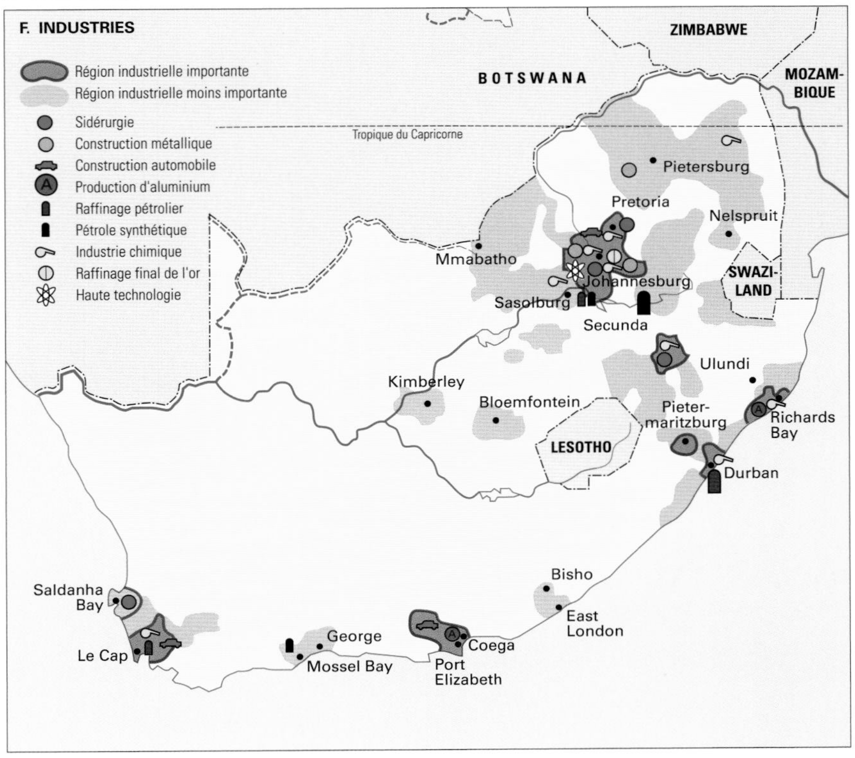

ZONES POLAIRES / FUSEAUX HORAIRES

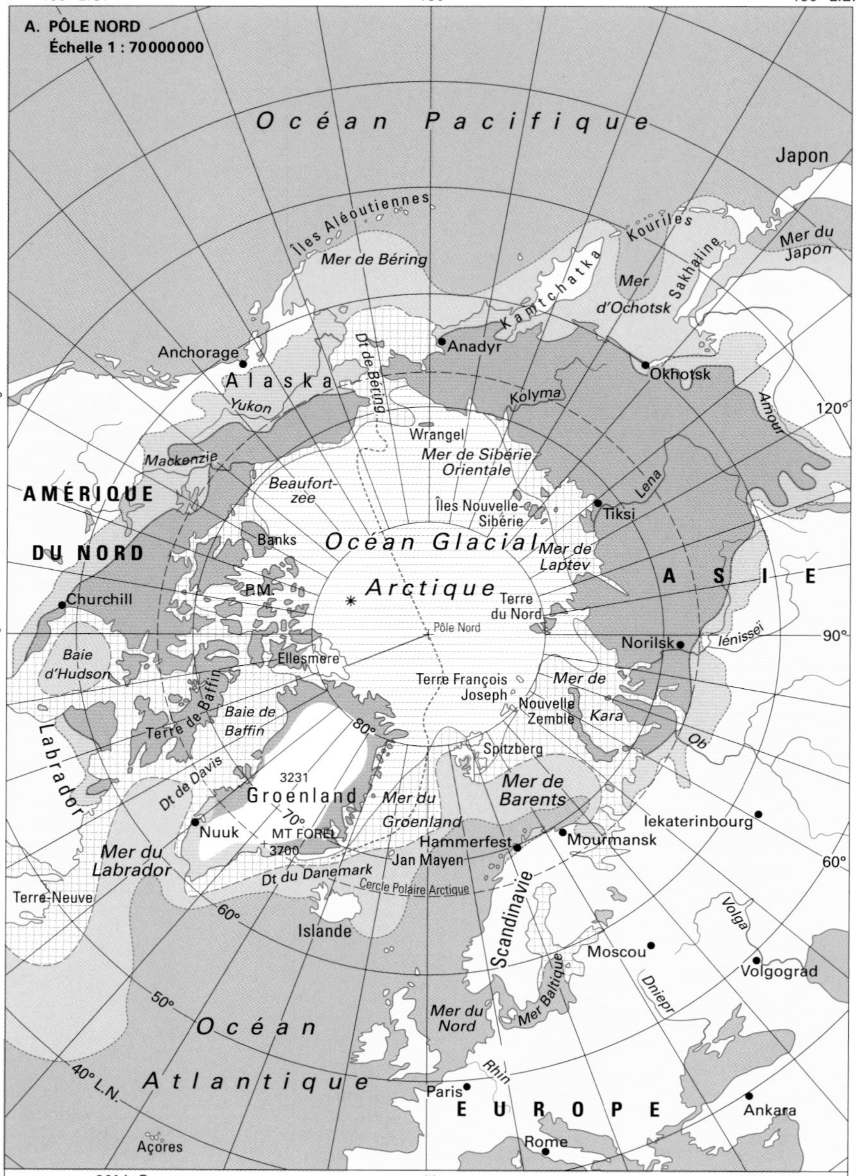

A. PÔLE NORD
Échelle 1 : 70000000

B. PÔLE SUD
Échelle 1 : 70000000

C. FUSEAUX HORAIRES

Projection de Mercator

Situation: Juillet 2008

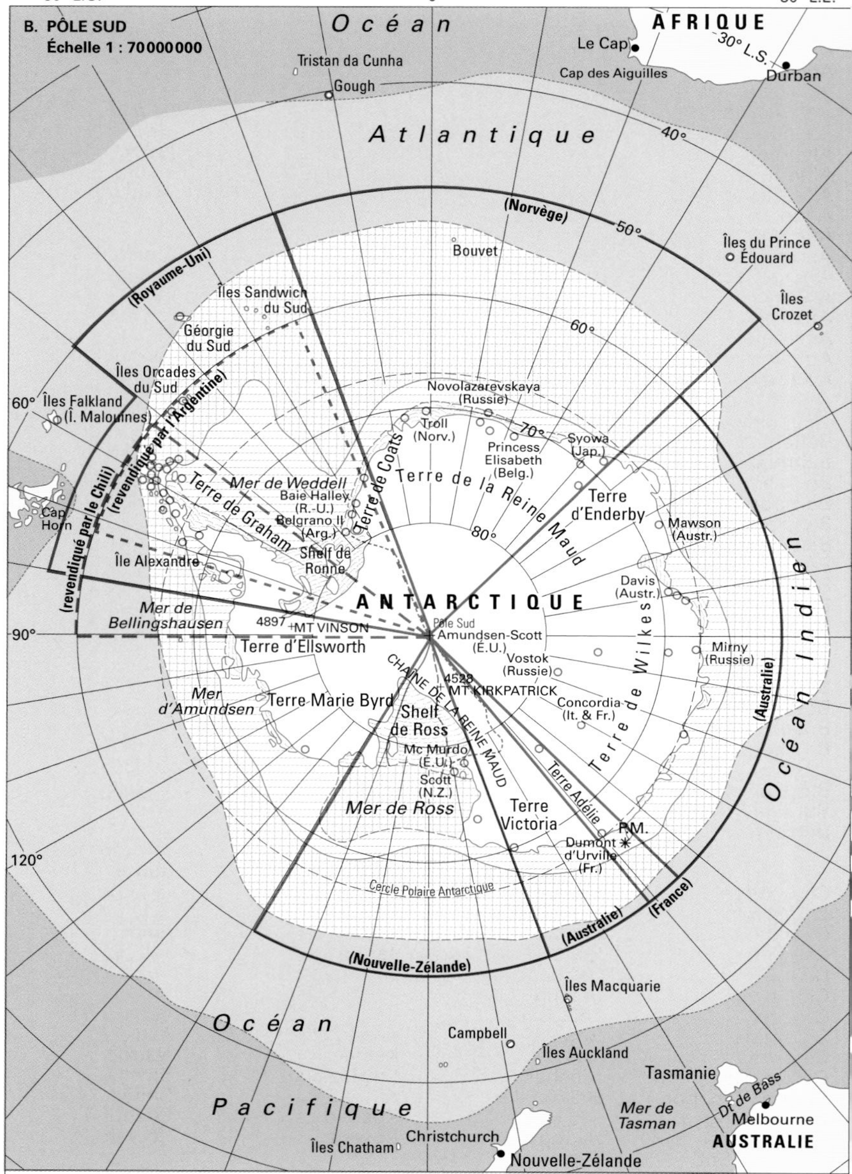

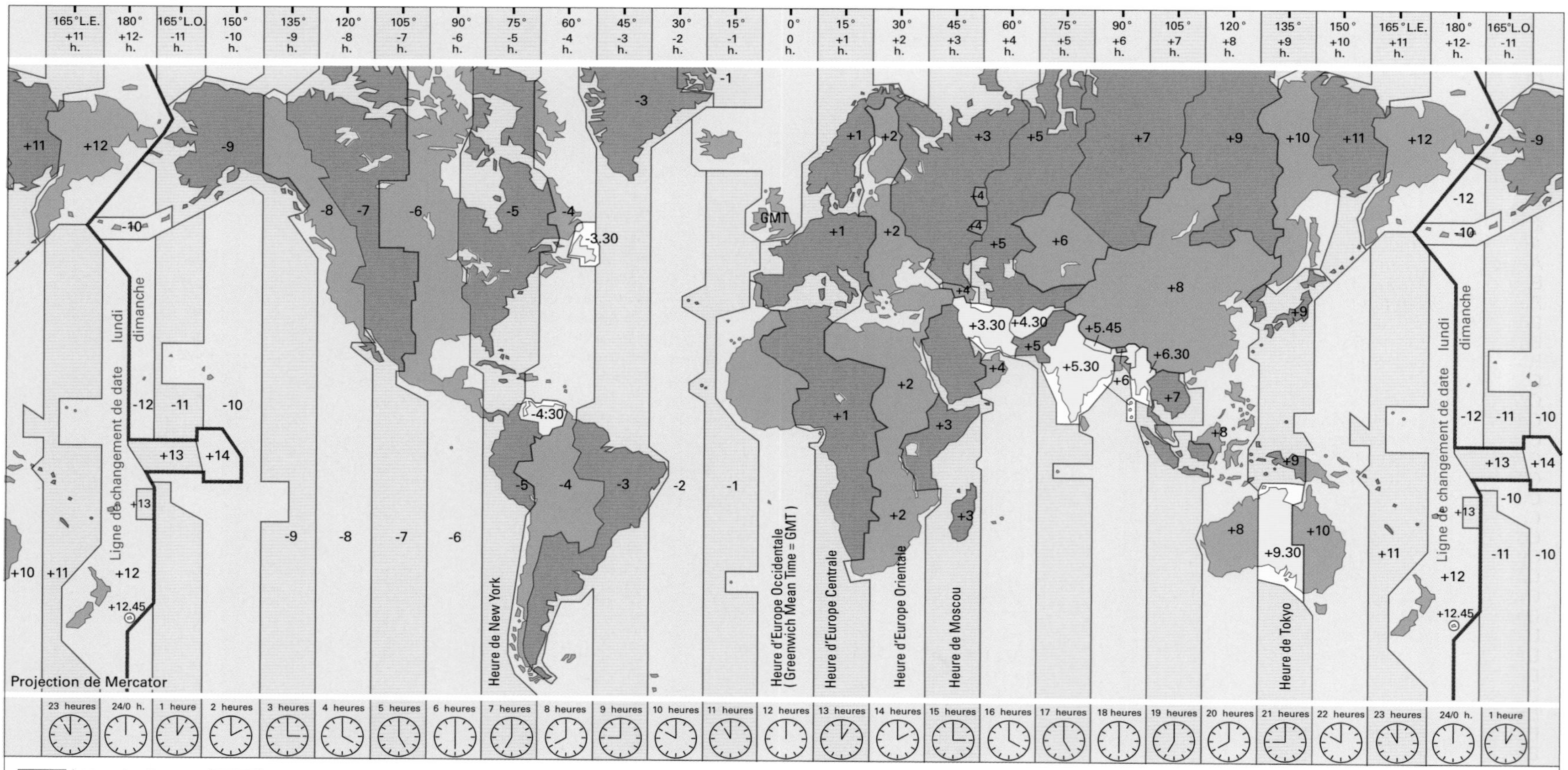

Zones dont l'heure est indiquée par un nombre entier	Zones dont l'heure n'est pas un nombre entier	Les heures notées en haut du tableau et dans les pays indiquent de combien d'heures en plus (+) ou en moins (-) les fuseaux diffèrent de l'heure d'Europe Occidentale (GMT).
	Limites entre fuseaux horaires	Les heures notées en bas du tableau indiquent quelle heure il est dans la zone considérée lorsqu'il est midi à l'heure GMT.

Il n'est pas tenu compte de l'heure dite "heure d'été" (en général, une heure plus tard que celle du fuseau) appliquée par certains pays.

© Noordhoff Uitgevers

PAYS (OU TERRITOIRES) ET CAPITALES

Pays	Capitale	Pays	Capitale	Pays	Capitale	Pays	Capitale
Afghanistan	Kaboul	Égypte	Le Caire	Luxembourg	Luxembourg	Royaume-Uni	Londres
Afrique du Sud		Émirats Arabes Unis	Abou Dhabi	Libye	Tripoli	Russie	Moscou
(administrative)	Pretoria	Équateur	Quito			Rwanda	Kigali
(législative)	Le Cap	Érythrée	Asmara	Macédoine	Skopje		
(judiciaire)	Bloemfontein	Espagne	Madrid	Madagascar	Antananarivo	Sainte-Lucie	Castries
Albanie	Tirana	Estonie	Tallinn	Malawi	Lilongwe	Saint-Kitts-et-Nevis	Basseterre
Algérie	Alger	États-Unis	Washington	Maldives	Malé	Saint-Marin	Saint-Marin
Allemagne	Berlin	Éthiopie	Addis Abeba	Malaysia	Kuala Lumpur,	Saint-Vincent	Kingstown
Andorre	Andorre				Putraya	Salomon (Iles)	Honiara
Angola	Luanda	Fidji	Suva	Mali	Bamako	Salvador (El)	San Salvador
Antigua et Barbuda	Saint John's	Finlande	Helsinki	Malte	La Valette	Samoa	Apia
Arabie Saoudite	Riyad	France	Paris	Maroc	Rabat	São Tomé et Principé	Sao Tomé
Argentine	Buenos Aires			Marshall (Iles)	Majuro (Dalap-	Sénégal	Dakar
Arménie	Erevan	Gabon	Libreville		Uliga Darrit)	Serbie	Belgrade
Australie	Canberra	Gambie	Banjul	Maurice	Port-Louis	Seychelles	Victoria
Autriche	Vienne	Géorgie	Tbilissi	Mauritanie	Nouakchott	Sierra Leone	Freetown
Azerbaïdjan	Baki (Bakou)	Ghana	Accra	Mexique	Mexico	Singapour	Singapour
		Grèce	Athènes	Micronésie		Slovaquie	Bratislava
Bahamas	Nassau	Grenade	Saint George's	(États Féd.)	Palikir	Slovénie	Ljubljana
Bahrein	Manamah	Guatemala	Guatemala	Moldavie	Chişinău	Somalie	Muqdisho
Bangladesh	Dhaka (Dacca)	Guinée	Conakry	Monaco	Monaco	Soudan	Khartoum
Barbade	Bridgetown	Guinée Équatoriale	Malabo	Mongolie	Oulan-Bator	Sri Lanka	Sri
Belgique	Bruxelles	Guinée-Bissau	Bissau	Monténégro	Podgorica		Jayewardenaoura
Belize	Belmopan	Guyana	Georgetown	Mozambique	Maputo		Kotte
Bénin	Porto-Novo			Myanmar	Naypyidaw	Suède	Stockholm
Bhoutan	Thimphu	Haïti	Port-au-Prince			Suisse	Berne
Biélorussie	Minsk	Honduras	Tegucigalpa	Namibie	Windhoek	Surinam	Paramaribo
Bolivie		Hongrie	Budapest	Nauru	Yaren	Swaziland	Mbabane
(officielle)	Sucre			Népal	Kathmandou	Syrie	Damas
(administrative)	La Paz	Inde	New Delhi	Nicaragua	Managua		
Bosnie-Herzégovine	Sarajevo	Indonésie	Jakarta	Niger	Niamey	Tadjikistan	Douchanbé
Botswana	Gaborone	Irak	Bagdad	Nigéria	Abuja	Taiwan	Taipei
Brésil	Brasilia	Iran	Téhéran	Norvège	Oslo	Tanzanie	Dodoma
Brunei	Bandar Seri	Irlande	Dublin	Nouvelle-Zélande	Wellington	Tchad	Ndjamena
	Begawan	Islande	Reykjavík			Thaïlande	Bangkok
Bulgarie	Sofia	Israël	Jérusalem	Oman	Mascate	Timor Oriental	Dili
Burkina Faso	Ouagadougou	Italie	Rome	Ouganda	Kampala	Togo	Lomé
Burundi	Bujumbura			Ouzbékistan	Toshkent	Tonga	Nuku'Alofa
		Jamaïque	Kingston			Trinidad et Tobago	Port of Spain
Cambodge	Phnom Penh	Japon	Tokyo	Pakistan	Islamabad	Tunisie	Tunis
Cameroun	Yaoundé	Jordanie	Amman	Palau	Koror	Turkménistan	Aşgabat
Canada	Ottawa			Panama	Panamá	Turquie	Ankara
Cap Vert	Praia	Kazakhstan	Astana	Papouasie-Nouvelle-		Tuvalu	Funafuti
Chili	Santiago	Kenya	Nairobi	Guinée	Port Moresby		
Chine	Beijing	Kirghizistan	Bichkek	Paraguay	Asunción	Ukraine	Kiev
Chypre	Lefkosia	Kiribati	Bairiki	Pays-Bas	Amsterdam	Uruguay	Montevideo
Colombie	Bogotá	Kosovo	Prishtinë	Pérou	Lima		
Comores	Moroni	Koweit	Koweit	Philippines	Manille	Vanuatu	Port-Vila
Congo (Rép. dém.)	Kinshasa			Pologne	Varsovie	Vatican	Cité du Vatican
Congo (Rép. pop.)	Brazzaville	Laos	Vientiane	Portugal	Lisbonne	Venezuela	Caracas
Corée du Nord		Lesotho	Maseru			Viêt-Nam	Hanoi
(Rép. pop.)	Pyongyang	Lettonie	Rīga	Qatar	Doha		
Corée du Sud	Séoul	Liban	Beyrouth			Yémen	Sanaa
Costa Rica	San José	Liberia	Monrovia	Rép. Centrafricaine	Bangui		
Côte d'Ivoire	Yamoussoukro	Liechtenstein	Vaduz	Rép. Dominicaine	Saint-Domingue	Zambie	Lusaka
Croatie	Zagreb	Lituanie	Vilnius	Rép. Tchèque	Prague	Zimbabwé	Harare
Cuba	La Havane			Roumanie	Bucarest		
Danemark	Copenhague						
Djibouti	Djibouti						
Dominique	Roseau						

ABRÉVIATIONS

Abrév.	Signification	Abrév.	Signification	Abrév.	Signification	Abrév.	Signification
A.	Alpes	É.-U.	États-Unis	Mex.	Mexique	Pt.	Port
Afr. du S.	Afrique du Sud	Fj.	Fjord	Mgne	Montagne	Pta.	Punta
Alb.	Albanie	Fr.	France	Mgnes	Montagnes	Pte.	Pointe
Ang.	Angola	Ft.	Fort	M.N.	Monument National	Pte.	Porte
Arch.	Archipel	G.	Golfe	Mt	Mont, Mount	Pto.	Porto, Puerto
Austr.	Australie	Gd	Grand, Gran, Great	Mte	Monte	Pzo.	Pizzo
B.	Baie, Bay	Gde	Grande	Mti	Monti	R.	Range
Belg.	Belgique	G. Équ.	Guinée Équatoriale	Mts	Monts, Mountains	R.	Rio
Bge	Barrage	G.F.	Guyane Française	MW	Megawatt	Rép.	République
Br.	Britannique	GMT	Greenwich Mean Time	N.	Nord, North	Rép. Dom.	République Dominicaine
Bulg.	Bulgarie	GNL	Gaz naturel liquéfié	Nat.	National	Rés.	Réservoir
C.	Cap, Cabo	Gr.	Gros	N.H.	New Hampshire	R.I.	Rhode Island
C.	Col, Colle	Gr.	Greenwich	Nlle	Nouvelle	Riv.	Rivière, River
Cd.	Ciudad (ville)	Hond.	Honduras	Norv.	Norvège	S.	San, São
CFC	Chlorofluorocarbones	Hong.	Hongrie	Nth.	North	S.	Sud, South, Sur
Ch	Chaîne	Hs.	Hills (collines)	N.-Z.	Nouvelle-Zélande	s/	sur
Ch.	Chili	I.	Ile, Iles, Isle, Island	O.	Ouest	Sept.	Septentrional
Cl.	Canal	INS	Institut National de Statistique	Occid.	Occidental	Seych.	Seychelles
Col.	Colombie	Isr.	Israël	O.P.E.P.	Organisation des Pays	s/s	sous
Conn.	Connecticut	Isth.	Isthme		Exportateurs de Pétrole	St.	Saint, Sankt
Cord.	Cordillère, Cordillera	It.	Italie	Or.	Oriental	Sta.	Santa
C.R.	Costa Rica	Jap.	Japon	Orient.	Oriental	Ste.	Sainte
Cy.	City	Jord.	Jordanie	P.-B.	Pays-Bas	Stes.	Saintes
Dan.	Danemark	km	kilomètre	Pco.	Pico (pic)	Sth.	South
D.C.	District of Columbia	L.	Lac, Lago, Lake, Loch, Lough	Ple.	Péninsule, Presqu'île	Sto.	Santo
Dépr.	Dépression	Lag.	Lagune, Lagoa, Laguna	Pk.	Peak (pic)	T.	Terre
Dés.	Désert	L.E.	Longitude Est	Pl.	Plaine	Tec.	Tonne équivalent charbon
Dj.	Djebel (montagne)	Lib.	Liban	Plat.	Plateau	Terr.	Territoire
Dt.	Détroit	L.N.	Latitude Nord	P.M.	Pôle Magnétique	TGV	Train à Grande Vitesse
DU	Dobson-unité	L.O.	Longitude Ouest	P.N.	Parc National	U.E.	Union Européenne
E.	Est, East	L.S.	Latitude Sud	P.N.B.	Produit National Brut	U.R.S.S.	Union des Républiques
E.A.U.	Émirats Arabes Unis	M.	Millions	Pnt	Point		Socialistes Soviétiques
Eq.	Équateur	Mass.	Massachusetts	Port.	Portugal	Ven.	Venezuela
Esp.	Espagne	Md.	Milliards	Pr.	Prince, Princesse	W.	West (Ouest)
Ét.	Étang	Mérid.	Méridional	Pt.	Petit	Youg.	Yougoslavie

INDEX

Utilisation de l'index

Dans l'index figurent tous les noms géographiques inscrits sur les cartes d'ensemble physiques et politiques, ainsi que sur un certain nombre de cartons ou cartes-annexes. Le système de renvoi à un quadri-latère donné se trouve expliqué ci-dessous.

Ordre des noms géographiques
Les noms sont rangés par ordre alphabétique. L'alphabétisation se fait lettre par lettre, sans tenir compte de l'espace entre mots et traits d'union. Les articles et prépositions sont placés devant l'appellation principale. Exemples: La Panne, Le Havre, Los Angeles, The Wash. Des termes géographiques apparaissent après les noms géographiques; une vue d'ensemble de ces termes est donnée à la page 183. Exemples: Everest, mont; Mexique, golfe du; Ness, loch; Grande, rio; Nevada, sierra. Les noms de pays et localités qui contiennent une appellation géographique, sont inscrits en entier, tels qu'on les prononce. Exemples: Sierra Leone, Rio de Janeiro. Quant aux préfixes tels que Fort, Nouveau, Port, Saint, etc., ils subsistent devant le nom principal.
Quand un sujet possède deux noms différents, ces deux appellations figurent dans l'index. C'est le cas d'une traduction française existante, ou d'appellation traditionnelle, ou encore de graphies en plusieurs langues officielles. Exemples: Beijing - Pékin, Aachen - Aix-la-Chapelle, Helsinki - Helsingfors, Bolzano - Bozen.

Pagination
Le premier nombre après le nom géographique se rapporte à la page où apparaît ce nom. L'addition d'une lettre A, B, C, D se rapporte à un carton figurant sur la même page. Exemple: KwaZulu-Natal 179A.

Renvoi aux subdivisions cartographiques
Les cartes générales et un certain nombre de cartons présentent des subdivisions. Celles-ci sont déterminées par le canevas des méridiens et parallèles; et les parties de ce canevas sont identifiées par les lettres et chifres indiqués en rouge autour du cadre de chacune des cartes. Ainsi on trouve Marseille sur la carte de France (pages 110-111) dans le quadrilatère F5.
Ces indications se trouvent donc dans l'index, après le numéro de page et éventuellement après la lettre identifiant un carton. Exemple: Greenwich 108C C3.
Pour les inscriptions longues, c'est-à-dire s'étendant sur plus d'un quadrilatère, on mentionne le premier et le dernier de ces quadrilatères. Exemple: Sahara 166-167 C2 F2. Sur différentes cartes-annexes, ne figure aucun canevas; dans ce cas, on ne mentionne dans l'index que le numéro de page et la lettre de la carte ou du carton. Exemple: Pôle Sud 180B.

A

Aachen 112 B3
Aalen 112 D4
Aalten 104 E3
Aarau 114-115 C1 D1
Aarberg 114-115 C1
Aare 114-115 C2 D1
Aarschot 104 C4 D4
Aasiaat 48-49 M3
Aba (Chine) 150-151 G5
Aba (Nigeria) 178B
Abadan 142 E3 E4
Abadeh 142 F3
Abadla 172 E3
Abakan 128-129 K4
Abano Terme 115C
Abariringa 160-161 H21 H22
Abashiri 156 E2 F2
Abaya, lac 166-167 G4
Abbeville 110-111 D1 E1
Abbottabad 144 B3
Abéché 168-169 F3
Abengourou 174-175A C4
Åbenrå 112 C1
Abeokuta 168-169 D4
Aberdeen (Chine) 149D
Aberdeen (É.-U.) 68-69 F2 G2
Aberdeen (R.-U.) 106-107 E3 F3
Aberystwyth 106-107 D5
Abha 142 D6
Abia 178C4
Abidjan 168-169 C4
Abilene 68-69 G5
Abisko 102-103 F1
Abitibi 48-49 J4
Abitibi, ceinture argileuse de l' 60B
Abitibi, lac 59 C4
Abitibi-Témiscamingue 65A
Abkhazie 133B
Åbo 102-103 G3
Abomey 174-175A D4
Abondance 114-115 B2
Abou Ali 142 E4 F4
Abou Dhabi 142 F5
Abou el Abbès-Sebti, rue 173H
Abou Madd, ras 142 C5
Abou Shagara, ras 142 C5
Abou Simbel 116-117 K7
Abramtsevo 132F D1
Abrantes 120-121 A3
Abridge 108C C1 D1
Abruzzes 122-123 D3 E3
Abu Gharadig 174-175A F1
Abu Hamed 168-169 G3
Abuja 168-169 D4
Abu Rudeis 143 A4
Acadia National Park 74C
Acajutla 78 A4 B4
Acapulco 68-69 F8
Acaraí, serra 82 E2
Acarigua 78 F5
Accra 168-169 C4 D4
Aceh 146-147 B5
Acheng 150-151 L2
Achères 109C A2
Achgabat = Aşgabat 142 G2
Achill 106-107 A5
Achouanipi, lac 59 E3 F3
Acireale 122-123 E6
Acklins, île 78 E2
Aconcagua 82 C6 D6
Açores 12-13 F18
Acre (État) 83 C3
Acre (rivière) 82 C3
Acre (ville) 141 A3 B3
Acton 108C B2
Adaja 120-121 C2
Adala, rue el 173H
Adam 142 G5
Adamaoua (Cameroun) 166-167 E4
Adamawa (Nigeria) 178C4
Adamello 122-123 C1
Adana 140 D2
Adapazarı 140 C1
Adare, cap 160-161 P20
Adda (champ de gaz) 101 D3
Adda (rivière) 122-123 C1 B2
Ad Dawadimi 142 D5
Addington Park 108C C3 C4
Addis Abeba 168-169 G4
Ad Diwaniyah 142 E3
Addlestone 108C A3
Adelaïde 162-163 D5 E5
Adelboden 114-115 C2
Adélie, terre 180B
Aden 142 E7
Aden, golfe d' 142 E7
Adige 122-123 C1 C2
Adigrat 142 C7 D7
Adirondack, monts 68-69 K3 L3
Adıyaman 140 D2
Adjarie 133B
Adonara 146-147 G7
Adoni 144 C6
Adour 110-111 D5 C5
Adrar (région) 174-175A B2
Adrar (ville) 116-117 D6
Adria 122-123 D2
Adriatique, mer 116-117 G3 H3
Adwa 142 C7
Adygués 128-129 O7 E5
Ærø 112 D1
A Estrada 120-121 A1
Afam 178F
Afghanistan 138-139 I6
Africain, bouclier 18C
Africain, rift 18C
Africaine, plaque 18B
Afrique 10-11 I22 I23
Afrique du Sud 168-169 E8 F8
Afrique Orientale, plateau de l' 166-167 G4 G5
Afula 141 B3
Afyonkarahisar 140 C2
Aga-Bouriatie 133A
Agadez 168-169 D3
Agadir 172 C3
Agalega, îles 160-161 J8
Agartala 144 F5
Agat 101 C1
Agats 146-147 J7
Agboville 174-175A C4
Agde 110-111 E5
Agde, cap d' 110-111 E5
Agen 110-111 D4
Agion Oros, golfe d' 124-125 G5 H6
Agout 110-111 E5
Agra 144 C4
Agri 122-123 E4 F4
Agricola Oriental 77C
Agrigente 122-123 D6
Agrinion 124-125 F6
Agropoli 122-123 E4
Aguanish, rivière 64D F3
Agua Prieta 75B
Aguascalientes (État) 76A
Aguascalientes (ville) 68-69 F7
Águeda 120-121 B2
Águilas 120-121 E4
Agung 146-147 F7
Agusan 146-147 H4
Ahaggar 166-167 D2
Ahfir 172 E2
Ahmadabad 144 B5
Ahmadi 143 E4
Ahmadnagar 144 B6 C6
Ahotohé 174-175A D4
Ahr 112 B3
Ähtävä 102-103 G3
Ahuntsic/Cartierville 65F
Ahvaz 142 E3
Ahwar 142 E7
Aïaghouz 128-129 J5
Aïagöz 150-151 C2
Aïan 128-129 O4
Aigle 114-115 B2 C2
Aigle, rivière de l' 59 G3
Aiguebelle, parc national d' 64A
Aigues-Mortes 110-111 F5
Aiguilles, bassin des 10-11 N22 N23
Aiguilles, cap des 166-167 G8
Ain (rivière) 110-111 F3
Ain (ville) 142 G5
Aïn Beni Mathar 172 E2
Aïn Itti 173G
Aïn Oussera 120-121 G5
Aïn Sefra 116-117 D5 E5
Aïn Témouchent 120-121 E5
Aïn Wessara 174-175A D1
Aïon 128-129 R2
Aïr 166-167 D3
Aire 106-107 F5
Air Force Armament Museum 74F
Airolo 114-115 D2
Aisne (département) 109A
Aisne (rivière) 110-111 F2 E2
Aitape 162-163 E2
Aït-Melloul 172 C3
Aitutaki 160-161 J22
Aiviekste 102-103 H4
Aix-en-Provence 110-111 F5 G5
Aix-la-Chapelle 112 B3
Aix-les-Bains 110-111 F4 G4
Aizawl 144 F5
Aizuwakamatsu 156 D3 E3
Ajaccio 122-123 B4
Ajaccio, golfe d' 122-123 B4
Ajaokuta 174-175A D4
Ajdabia 116-117 I5
Ajjer, tassili des 116-117 E6 F6
Ajjer, tassili n' 166-167 D2
Ajlun 141 B3
Ajmer 144 B4
Ajo, cap 120-121 D1
Ajoie 114-115 B1 C1
Akashi 157A B2 C2
Akdağ 90-91 G5 H5
Akenobe 157A B2
Aketi 176A D2
Akhdar, djebel 142 G5
Akhelóos 124-125 F6
Akimiski, île 59 B3 C3
Akioud 173G
Akita 156 D3 E3
Akjoujt 168-169 B3
Akko 141 A3 B3
Akköl 150-151 B3
Aklavik 48-49 E3
Akmechet 128-129 H5
Akmola = Astana 128-129 I4
Akola 144 C5
Akordat 142 C6
Akossombo 174-175A C4 D4
Akpatok 48-49 L3
Akranes 102A b2
Akron 68-69 J3
Aksouat 150-151 C2
Aksoum 168-169 G3
Aksu 150-151 C3
Aktaou 128-129 G5
Aktöbe 128-129 G4
Aktoghaï 128-129 I5 J5
Akulivik 63A
Akureyri 102A c2
Akwa Ibom 178C4
Akwesasne 63A
Ala, lac 128-129 J5
Alà, monts 122-123 B4
Alabama (État) 68-69 I5
Alabama (fleuve) 68-69 I5
Aladja 174-175A D4
Alagoas 83 G3
Alagón 120-121 B3
Alaitag 144 A2 B2
Alaköl 128-129 J5
Alakourtti 102-103 I2
Al Amarah 142 E3
Åland 102-103 G3
Alanya 140 C2
Alappuzha 144 C8
Alaşehir 124-125 J6
Alashanyouqi 150-151 G3
Alaska 46-47 E3 F3
Alaska, autoroute de l' 46-47 G3 H4
Alaska, chaîne d' 46-47 E3 F3
Alaska, golfe d' 46-47 F4
Alaska, péninsule d' 46-47 D4 E4
Alassio 115C
Alataou 128-129 I5 J5
Alba (champ pétrolier) 101 C2
Alba (ville) 122-123 B2
Albacete 120-121 D3 E3
Alba Iulia 124-125 G2
Albanaises, alpes 124-125 E4 F4
Albanel, lac 59 D3
Albanie 92-93 F4 G4
Albano 122-123 D4
Albany (fleuve) 48-49 J4
Albany (ville, Australie) 162-163 B5
Albany (ville, É.-U., Géorgie) 68-69 J5
Albany (ville, É.-U., New York) 68-69 L3
Albemarle, baie d' 68-69 K4 L4
Alberche 120-121 C2
Alberga 162-163 D4
Albert, canal 104 D3
Albert, lac 166-167 F4 G4
Alberta 48-49 G4
Albertville 110-111 G4
Albi 110-111 E5
Albis 114-115 D1
Albo, mont 122-123 B4
Alborán 120-121 D5
Ålborg 102-103 D4
Albufeira 120-121 A4
Albula 114-115 E2
Albula, col de l' 114-115 E2
Albuquerque 68-69 E4 F4
Alburquerque 120-121 B3
Albury-Wodonga 162-163 E5
Albuskjell 101 C2
Alcalá de Chivert 120-121 F2
Alcalá de Henares 120-121 D2
Alcamo 122-123 D6
Alcañiz 120-121 E2
Alcántara 120-121 B3
Alcaraz, sierra de 120-121 D3
Alcázar de San Juan 120-121 D3
Alcobendas 120-121 D2
Alcoi 120-121 E3
Alcorcón 120-121 C2 D2
Alcúdia 120-121 G3
Alcudia, sierra de 120-121 C3
Aldabra 166-167 H5
Aldan (rivière) 128-129 O3
Aldan (ville) 128-129 N4
Aldan, plateau de l' 128-129 N4
Aldeburgh 106-107 G5 H5
Aldershot 106-107 F6
Al Djawf 142 C4
Aleksandrovsk-Sakhalinski 128-129 P4
Aleksin 126 G3
Alençon 110-111 D2
Alentejo 120-121 A3 B3
Aléoutiennes, bassin des 160-161 C20 C21
Aléoutiennes, fosse des 160-161 D20 C22
Aléoutiennes, îles 160-161 C20 C21
Alep 142 C2
Aléria 122-123 B3
Alert 48-49 L1 M1
Alès 110-111 F4
Ålesund 102-103 C3
Aletschhorn 114-115 D2
Alevin, cap 128-129 P4 Q4
Alexander Bay 168-169 E7
Alexandre, archipel 46-47 G4
Alexandre, île 160-161 O30 O31
Alexandria (É.-U., Louisiane) 68-69 H5
Alexandria (É.-U., Virginie) 73B
Alexandria (Roumanie) 124-125 H3
Alexandrie (Égypte) 116-117 J5
Alexandrie (Italie) 122-123 B2
Alexandroupolis 124-125 H5
Alfios 124-125 F7 G7
Alföld 124-125 E2 F2
Alfortville 109C C3
Algarve 120-121 A4 B4
Alger 116-117 E4
Algérie 168-169 C2 D2
Algésiras 120-121 C4
Alghero 122-123 B4
Algoa, baie 166-167 F8
Algonquin, parc 68-69 K2
Al Hadithah 142 D3
Al Hasa 142 E4
Al Hasakah 140 D2 E2
Al Hayy 142 E3
Al Hillah 142 D3 E3
Al Hoceima 172 D2 E2
Al Hufuf 142 E4
Al Hulwah 142 E5
Aliakmon 124-125 F5
Alicante 120-121 E3
Alice, point' 122-123 F5
Alice Springs 162-163 D4
Alicudi 122-123 E5
Aligarh 144 C4
Ali Sabieh 142 D7
Al Jafr 141 C5
Al Khaburah 142 G5
Al Khaluf 142 G5
Al Kharj 142 E5
Al Khums 116-117 G5
Alkmaar 104 C2
Al Kut 142 E3
Allahabad 144 D4
Al Laja 141 C3
Allakh-Ioun 128-129 O3 P3
Allegheny, monts 68-69 J4 K3
Allemagne 92-93 E3 F3
Allemagne du Nord, plaine d' 90-91 E3 F3
Allen, lough 106-107 B4 C4
Allenby, pont 141 B4
Allentown 68-69 K3
Aller 112 D2 C2
Alley Park 73C D2
Allgäu, alpes de l' 114-115 F1
Al Lidam 142 D5
Allier 110-111 E3
Al Lith 142 D5
Alma 59 D4
Alma-Ata 128-129 I5
Almada 120-121 A3
Almadén 120-121 C3
Al Mafraq 141 B3 C3
Al Mahbas 172 C4
Almansa 120-121 E3
Almanzor 120-121 C2
Almanzora 120-121 D4
Almaty 128-129 I5
Almazán 120-121 D2
Almelo 104 E2
Almere 104 D2
Almería 120-121 D4
Almodóvar del Campo 120-121 C3
Almonte 120-121 C3
Al Mubarraz (Al Hufuf) 142 E4
Al Mubarraz (Najd) 142 E5
Al Muwaylih 142 C4
Alónnisos 124-125 H6
Alor 146-147 G7
Alor Setar 146-147 C4
Alost 104 C4
Alotau 162-163 F3
Aloysius, mont 162-163 C4
Alpes 90-91 E4 F4
Alphen-sur-Rhin 104 C2
Alpilles 110-111 F5
Al Qalibah 142 C4
Al Qatif 142 E4
Al Qatrun 116-117 G7
Al Qunfudha 142 C6 D6
Al Quwara 141 B6
Als 112 C1
Alsace 110-111 G2
Alsace, ballon d' 110-111 G3
Alsace, canal d' 110-111 G2
Alta (fleuve) 102-103 G1
Alta (ville) 102-103 G1
Altafjord 102-103 G1
Altaï (montagne) 128-129 J4
Altaï (République) 128-129 J4 K4
Altaï (territoire) 133A
Altaï (ville) 150-151 F2
Altaï Mongol 150-151 D2 F2
Altamaha 68-69 J5
Altamira (grotte) 120-121 C1
Altamira (ville) 83 E3
Altamura 122-123 F4
Altay 150-151 D2
Altdorf 114-115 D2
Altea 120-121 E3 F3
Altenburg 112 E3
Altkirch 114-115 C1
Alton 68-69 H4 I4
Altoona 73B
Altstätten 114-115 E1
Altun Shan 150-151 C4 E4
Al Ubaylah 142 F5
Al Wajh 142 C4
Alwar 144 C4
Alwyn 101 C1
Alytus 102-103 H5
Alz 112 E4
Alzira 120-121 E3
Al-Zueidina 174-175A F1
Amadeus, lac 162-163 D4
Amadjuak, lac 48-49 K3 L3
Amagasaki 157B
Amahai 146-147 H6
Ama Keng 149C A1
Amakusa, baie d' 156 B4
Amakusa, îles 156 B4
Amal 174-175A F2
Amalfi 122-123 E4
Amami, îles 156 B5
Amapá (État) 83 E2
Amapá (ville) 83 E2 F2
Amarapura 146-147 B1
Amarillo 68-69 F4
Amasya 140 D1
Amazone 82 D3 F2
Amazonie 83 D3
Ambala 144 C3
Ambartchik 128-129 R3
Ambato 83 C3
Ambatondrazaka 168-169 H6
Ambelau 146-147 H6
Amberg 112 D4
Amblève 104 D4
Ambon (île) 146-147 H6
Ambon (ville) 146-147 H6
Ambovombe 168-169 H7
Ambre, cap d' 166-167 H6 I6
Ambrose Channel 73C B4
Ambrym 162-163 G3
Amden 114-115 E1
Amderma 128-129 H3
Ameland (champ de gaz) 101 D3
Ameland (île) 104 D1
American Textile History Museum 74C
Amérique Centrale 10-11 H12 H15
Amérique Centrale, fosse d' 160-161 G28 G29
Amérique du Nord 10-11 D9 E12
Amérique du Nord, bassin d' 10-11 F14 G15
Amérique du Sud 10-11 J14 K15
Amersfoort 104 D2
Ames 68-69 H3
Amethyst 101 C3
Amfissa 124-125 F6 G6
Amga 128-129 N3 O3
Amgoun 128-129 O4
Amguid 116-117 F6
Amherst 59 F4
Amiata, mont 122-123 C3
Amiens 110-111 D2
Amindivi 144 B7
Amirantes 166-167 I5
Amirauté, îles de l' 162-163 E2
Amman 141 B4 C4
Ammer, lac 112 D4 D5
Amol 142 F2
Amorgós 124-125 H7 I7
Amos 59 C4
Amou-Dario 128-129 H5 H6
Amour (fleuve) 128-129 N4 O4
Amour (région) 133A
Ampato 82 C4
Amqui 59 E4
Amravati 144 C5
Amriswil 114-115 E1
Amritsar 144 B3 C3
Amsteg 114-115 D2
Amstelveen 104 C2
Amsterdam (île) 160-161 L10 L11
Amsterdam (ville) 104 C2 D2
Amsterdam au Rhin, canal d' 104 D2 D3
Am Timan 168-169 F3
Amundsen, golfe d' 48-49 F2 G3
Amundsen, mer d' 160-161 O27 P27
Amundsen-Scott 180B
Amuntai 146-147 F6
Anabar 128-129 M2
Anaco 78 G5
Anaconda 68-69 D2
Anadyr (fleuve) 128-129 S3 R3
Anadyr (ville) 128-129 S3 T3
Anadyr, golfe d' 128-129 S3 T3
Anadyr, monts de l' 128-129 R3 S3
Anáfi 124-125 H7
Anaheim 68-69 C5
Anáhuac, plateau d' 68-69 F7
Anaimudi 144 C7
Anambas, îles 146-147 D5
Anambra 178C4
Anantapur 144 C7
Anapa 126 G5
Anápolis 83 E4 F4
Anatolie 90-91 G5 H5
Anatom 162-163 G4 H4
Anbanjing 150-151 G7
Anchorage 46-47 F3
Ancône 122-123 D3
Andalousie 120-121 B4 D4
Åndalsnes 102-103 C3 D3
Andaman, bassin d' 160-161 H12 G12
Andaman, îles 146-147 A3
Andaman, mer d' 146-147 A3 B4
Andaman Centrale 146-147 A3
Andaman du Nord 146-147 A3
Andaman du Sud 146-147 A3
Andenne 104 D4
Anderlecht 104 C4
Andermatt 114-115 D2
Anderson 48-49 F3
Andes, cordillère des 82 C3 C6
Andfjord 102-103 F1
Andhra Pradesh 144 C6 D6
Andijon 128-129 I5
Andong 154A B2
Andorre (État) 120-121 F1
Andorre (ville) 120-121 F1
Andøya 102-103 E1
Andrade 75A
Andrésy 109C A1
Andrew 101 C2
Andria 122-123 F4
Andringitra 166-167 H7
Andros (Bahamas) 78 D2
Andros (Grèce) 124-125 H7
Andújar 120-121 C3 D3
Aneker 174-175A D3
Aneto 120-121 F1
Angangueo 76F
Angara 128-129 L4 K4
Angarsk 128-129 L4
Ånge 102-103 E3
Ángel, chute 78 G5
Ángel de la Guarda 68-69 D6
Angeles 146-147 G2
Ängelholm 102-103 E4
Ångermanälv 102-103 F3 F2
Angers 110-111 C3
Angkor 146-147 C3
Anglesey 106-107 D5
Angleterre 106-107 F5 G5
Anglia 101 C3
Anglo-Normandes, îles 106-107 E6
Ang Mo Kio 149C B1
Angoche 168-169 H6
Angola 168-169 E6 F6
Angola, bassin d' 10-11 K21
Angostura, chutes 82 C2
Angoulême 110-111 D4
Anguilla 78 G3
Anholt 102-103 D4
Anhui 150-151 J5
Anie, pic d' 110-111 C5
Aniene 122-123 D4
Aniva, baie d' 156 E1
Anjou (région) 110-111 C3
Anjou (ville) 65F
Anju 156 B3
Ankang 150-151 H5 I5
Ankara 140 C2
Ankaratra 166-167 H6 H7
Anklam 112 E2
Anli, boulevard 153F
Ann, cap 160-161 O8
Annaba 116-117 F4
Annaberg-Buchholz 112 E3
Annacis Island 57C
An Nadjaf 142 D3
Annamitique, chaîne 146-147 C2 D2
Annapolis 68-69 K4
Annapurna 144 D4 E4
Ann Arbor 68-69 J3
An Nasiriyah 142 E3
Annecy 110-111 G4
Annecy, lac d' 114-115 B3
Annemasse 114-115 B2
Annieville 57C
Anniviers, val d' 114-115 C2
Annobón 166-167 D5
Anqing 150-151 J5
Ansbach 112 D4
Anshan 150-151 K3
Anshun 150-151 H6
Ansongo 174-175A D3
Antakya 140 D2
Antalya 140 C2
Antananarivo 168-169 H6
Antanifotsy 168-169 H6 I6
Antarctique 10-11 Q22 Q27
Antarctique, cercle polaire 10-11 P13 P37
Antarctique, péninsule 160-161 O32 O33
Antarctique, plaque 18B
Antequera 120-121 C4
Anthony, île 55D
Anti Atlas 172 C3 D3
Antibes 110-111 G5
Anticosti, île d' 64D F4
Anticosti, parc national d' 64A
Anticythère 124-125 G8
Antifer, cap d' 110-111 C2 D2
Antigorio, val 114-115 D2
Antigua 78 G3
Antigua-et-Barbuda 78 G3
Anti-Liban 141 C2
Antilles, mer des 10-11 H13 H14
Antilles du Sud, bassin des 10-11 O16 O17
Antilles Néerlandaises 78 F4 G3
Antioche, pertuis d' 110-111 C3
Antipodes, îles 160-161 N20 N21
Antofagasta 83 C5
Antongil, baie d' 166-167 H6 I6
Antony 109C B3
Antrim 106-107 C4 D4
Antsirabe 168-169 H6
Antsiranana 168-169 H6 I6
Antwerpen 104 C3
Anuc, lac 59 C2
Anuradhapura 144 C8 D8
Anvers (province) 104 C3
Anvers (ville) 104 C3
Anxi 150-151 F3
Anyang 150-151 I4 J4
Anza 114-115 D3
Anzio 122-123 D4
Aoji-ri 156 C2
Aomen (province) 150-151 I7
Aomen (ville) 150-151 I7
Aomori 156 E2
Aoral 146-147 C3
Aoste 122-123 A2
Aouk, bahr 166-167 E4 F3
Aouker 174-175A C3
Aoulime 172 C3
Aozou 174-175A E2
Apalachee, baie 68-69 J6
Apalachicola National Forest 74F
Aparri 146-147 G2
Apatity 102-103 J2
Apeldoorn 104 D2
Apennins 122-123 B2 E4
Apia 160-161 J21
Apo 146-147 G4 H4
Apolda 112 D3
Appalaches 46-47 L6 M5
Appalaches, basses-terres des 60B
Appalaches, gisements des 70B
Appalaches, région des 50B
Appenzell 114-115 E1
Appingedam 104 E1 F1
Appio Latino 122A
Appleton 68-69 I3
Apupaluq 63A
Apure 82 D2
Aqaba 141 B6
Aqaba, golfe d' 116-117 K6
Aquitaine 110-111 C4 D4
Ara (fleuve) 157C
Ara (ville) 144 D4
Ara'ar 142 D3
Araba 141 B5
Arabe, bouclier 18C
Arabie 136-137 G7 G8
Arabie, bassin d' 160-161 G9 H9
Arabie Saoudite 138-139 F7 H7
Arabique, désert 116-117 K6 K7
Arabique, plaque 18B
Aracajú 83 G4
Arad (Israël) 141 B4
Arad (Roumanie) 124-125 F2
Arafura, mer d' 160-161 I16 J16
Aragats 90-91 I4
Aragón (communauté autonome) 120-121 E2
Aragón (rivière) 120-121 E1
Araguaia 82 E4 F3
Arak 142 E3 F3
Arakan 146-147 A2
Arakan, chaîne d' 146-147 A1 A2
Aral 128-129 H5
Aral, mer d' 128-129 G5 H5
Aralsk 128-129 H5
Aran, îles 106-107 A5 B5
Aranda de Duero 120-121 D2
Aranjuez 120-121 D2
Aranyaprathet 146-147 C3
Araouane 168-169 C3
Ararat (ville) 162-163 E5
Ararat (volcan) 140 E2
Aras 142 E2
Arauca (rivière) 78 F5
Arauca (ville) 78 E5
Aravalli, monts 144 B5 B4
Arawa 162-163 F2
Araxe 133B
Arbil 142 D2
Arbon 114-115 E1
Arbroath (champ pétrolier) 101 C2
Arbroath (ville) 106-107 E3
Arcachon 110-111 C4
Arc de Triomphe 109B
Archer 162-163 E3
Archipel-de-Mingan, parc national de l' 64A
Arcos de la Frontera 120-121 C4
Arctic Bay 48-49 J2
Arctique, basses-terres de l' 50B
Arctique, cercle polaire 10-11 C2 C45
Arctique, plaine côtière de l' 50B
Arcueil 109C C3
Arda 124-125 H5
Ardabil 142 E2
Årdalstangen 102-103 C3 D3
Ardèche 110-111 F4
Ardenne 104 D5 E4
Ardila 120-121 B3
Ardrossan 106-107 D4
Åre 97A
Arecibo 78 F3
Arenal 77E
Arendal 102-103 D4
Arequipa 83 C4 D4
Åreskutan 102-103 E3
Areuse 114-115 B2
Arezzo 122-123 C3 D3
Arga 120-121 E1
Argens 110-111 F5 G5
Argent, côte d' 110-111 C5
Argentan 110-111 D2
Argentario, mont 122-123 C3
Argentera 110-111 G4
Argenteuil 109C B2
Argentière 114-115 B3
Argentin, bassin 10-11 M15 N16
Argentine 83 D6
Argentino, lago 82 C8
Argeş 124-125 H3
Argonne 110-111 F2
Argos 124-125 G7
Argostólion 124-125 F6
Argoun 128-129 M4
Argun 150-151 K1
Argyll 101 C2
Århus 102-103 D4
Ariadnoïe 156 C1 D1
Ariano Irpino 122-123 E4
Arica 83 C4
Ariège 110-111 D5
Aripuanã 82 D3
Arizona 68-69 D5
Arjeplog 102-103 F2
Arkalyk 128-129 H4
Arkansas (État) 68-69 H4
Arkansas (rivière) 68-69 F4 H4
Arkhangelsk (région) 133A
Arkhangelsk (ville) 128-129 F3
Arklow 106-107 C5 D5
Arkona, cap 112 E1
Arlanza 120-121 D1
Arlanzón 120-121 D1
Arlberg 114-115B
Arlberg, col de l' 114-115 F1
Arles 110-111 F5
Arlington (Texas) 68-69 G5
Arlington (Virginie) 73B
Arlit 168-169 D3
Arlon 104 D5
Armada 101 C2
Armagh 106-107 C4
Armagnac 110-111 D5

E

F

Hamilton (R.-U.) 106-107 D4 E4
Hamilton, anse de 59 G3
Hamina 102-103 H3
Hamm 112 B3 C3
Hammamet, golfe de 116-117 G4
Hammam Lif 122-123 C6
Hammar, lac d' 142 E3
Hammerfest 102-103 G1 H1
Hammersmith 108C B2
Hampshire 108A
Hampstead (Canada) 65F
Hampstead (É.-U.) 108C B2
Hampstead Heath 108C B2
Hampton 73B
Hampton Court Park 108C A3
Hanamaki 156 E3
Hanau 112 C3
Handa 157A C2
Handan 150-151 I4
Haneda 157A D2
Hangö 102-103 G4
Hangzhou 150-151 J5 K5
Hangzhou, baie de 150-151 K5
Hanish, îles 142 D7
Hanjiang 150-151 J6 K6
Hanko 102-103 G4
Hann, mont 162-163 C3
Hannah, baie 59 B3 C3
Hannibal 68-69 H4
Hannover 113C
Hanö, baie de 102-103 E5
Hanoi 146-147 D1
Hanover 82 C8
Hanovre 112 C2 D2
Hanstholm 102-103 C4 D4
Han-sur-Lesse 104 D4
Hanzhong 150-151 H5
Haora 144 E5
Haouz 174-175A C1
Haparanda 102-103 G2
Haptcheranga 150-151 I2
Haradh 142 E5
Harald 101 D2
Harappa 144 B3
Harare 168-169 G6
Harbin 150-151 L2
Hårby 112 C1 D1
Hardangerfjord 102-103 C4 C3
Hardangervidda 102-103 C3
Hardenberg 104 E2
Harderwijk 104 D2
Harding 101 C2
Harer 168-169 H4
Hargeysa 142 D8 E8
Harghita, monts 124-125 H2
Hari 146-147 C6
Haridwar 144 C3
Harima, mer de 157A B2
Harirud 128-129 H6
Harlem 73C C2
Harlem River 73C C2 C1
Harlingen (É.-U.) 68-69 G6
Harlingen (Pays-Bas) 104 D1
Harlow 106-107 G6
Harney, bassin de 68-69 B3 C3
Harney, pic 68-69 F3
Härnösand 102-103 F3
Harricana 59 C3
Harricana, moraine de 60C
Harrington Harbour 59 G3
Harris 106-107 C3
Harris, détroit de 106-107 C3
Harrisburg 68-69 K3
Harrison, cap 59 G3
Harrogate 106-107 F4
Harrow 108C A2
Harry S. Truman, lac 68-69 H4
Harsprånget 103E
Harstad 102-103 F1
Hart Fell 106-107 E4
Hartford 68-69 L3
Hartland, pointe 106-107 D6
Hartlepool 106-107 F4
Hartley 108C D3
Haruku 146-147 H6
Har Us Nur 150-151 E2
Harvard University 74C
Harwich 106-107 G6
Haryana 144 C4
Harz 112 D3
Har Zin 141 B5
Haskovo 124-125 H5
Haslital 114-115 D2
Hasselt 104 D4
Hassi Messaoud 116-117 F5
Hassi R'Mel 174-175A D1
Hastings (Australie) 162-163 E6
Hastings (Nouvelle-Zélande) 162-163 H5
Hastings (R.-U.) 106-107 G6
Hatfield 108A
Ha Tien 146-147 C3
Ha Tinh 146-147 D2
Hattem 104 E2
Hatteras, cap 68-69 K4 L4
Hattiesburg 68-69 I5
Hat Yai 146-147 B4 C4
Haugesund 102-103 C4
Hauki, lac 102-103 H3 I3
Hauraki, golfe de 162-163 H5
Hauran 141 B2 C3
Hausruck 112 E4
Haut Atlas 172 C3 D3
Haut-Canada 50B
Haute-Autriche 112 E4 F5
Haute Engadine 114-115 E2 F2
Haute-Normandie 110-111 D2
Hautes Fagnes 104 D4 E4
Hautes-Gorges-de-la-Rivière-Malbaie, parc national des 64A
Hautes Tatras 116-117 I2
Hautes Tauern 112 E5
Hautes-terres appalachiennes, moraine des 60C
Hautes-Terres-du-Cap Breton, parc national des 55D
Haut-Katanga 176A E5
Haut-Lomami 176A D4 E4
Hauts-de-Seine 109C B2
Hauts Plateaux 90-91 E5
Haut-Uélé 176A E2
Haut-Veld 166-167 F7
Havant 106-107 F6
Havel 112 E2
Havel, canal de la 113H
Haven 101 D3
Haverhill 108A
Havre-Aubert 59A
Havre-aux-Maisons 59A
Havre-Saint-Pierre 59 F3
Hawaii (État) 160-161 G22 G23
Hawaii (île) 160-161 G23
Hawaii, crête d' 160-161 F21 F22
Hawia 142 C4
Hawick 106-107 E4
Hawke 59 G3
Hawke, baie 162-163 H5
Hawra 142 E7
Hawthorne 73C A1
Hawza 172 C4
Hay (rivière) 162-163 D4
Hay (ville) 162-163 E5
Hayes (fleuve) 48-49 I4
Hayes (ville, Londres-Ouest) 108C A2
Hayes (ville, Londres-Sud-Est) 108C C3
Hayes, presqu'île de 48-49 L2
Hay River 48-49 G3
Hayward 73A
Hazaran, kuh-e 142 G4
Hazebrouck 104 A4
Hazelton 48-49 F4
Heard 160-161 N9 N10
Hearst 48-49 J5
Heather 101 C1
Heathrow 108C A3
Hebei 150-151 I4 J4
Hebi 150-151 I4
Hébrides 106-107 C3 C2
Hébron 141 B4
Hebron 59 F2
Hecate, détroit d' 48-49 E4
Hechuan 150-151 H5
Hecla, parc provincial 55D
Hedjaz 142 C4 C5
Heerenveen 104 D2 E2
Heerhugowaard 104 C2
Heerlen 104 D4 E4
Hefei 150-151 J5
Hegang 150-151 L2 M2
Heide 112 C1
Heidelberg 112 C4
Heidenheim 112 D4
Heihe 150-151 L1
Heilbronn 112 C4
Hei Ling 149D
Heilongjiang 150-151 L2
Heimaey 102A b3 c3
Heimdal 101 C2
Hekla 102A c2
Helagsfjället 102-103 E3
Helder 101 C3 D3
Helena 68-69 D2
Héligoland 112 B1
Héligoland, baie d' 112 C2 C1
Hellevoetsluis 104 B3 C3
Hellín 120-121 E3
Helme 112 D3
Helmond 104 D3
Helmsdale 106-107 E2
Helsingborg 102-103 E4
Helsingfors 102-103 H3 H4
Helsingør 102-103 D4 E4
Helsinki 102-103 H3
Hemlo 48-49 J5
Henan 150-151 I5
Henares 120-121 D2
Hendaye 110-111 C5
Hengchun 154D A3
Hengelo 104 E2
Hengshui 150-151 J4
Hengyang 150-151 I6
Hennigsdorf 113H
Henriette-Marie, cap 59 B2
Hepingli 153F
Héraklion 124-125 H8
Herat 128-129 H6
Hérault 110-111 E5
Herberton 162-163 E3
Herblay 109C B1
Herdhubreidh 102A c2 d2
Hereford 106-107 E5
Hérens, val d' 114-115 C2
Herentals 104 C3 D3
Herford 112 C2
Héricourt 114-115 B1
Herisau 114-115 E1
Hermon 141 B2
Hermosillo 68-69 D6 E6
Herning 102-103 D4
Hérons, île aux 64C
Herrera del Duque 120-121 C3
Hertfordshire 108A
Hervey, baie 162-163 F4
Herzliya 141 A3
Hesbaye 104 C4 D4
Hessen 112 C3
Hewett 101 C3
Heysham 106-107 E4 E5
Hialeah 68-69 J6
Hialeah Race Track 74G
Hibbing 68-69 H2
Hidaka, monts 156 E2
Hidalgo 76A
Hidalgo del Parral 68-69 E6
Higashi-Osaka 157B
Highlands du Sud 106-107 D4 E4
High Wycombe 108A
Hiiumaa 102-103 G4
Hijana, lac 141 C2
Hild 101 C1
Hildesheim 112 C2 D2
Hillegom 104 C2
Hillingdon 108C A2
Hillside 73C A3
Hill-Stead Museum 74C
Hillswick 106-107 F1
Hilmend 128-129 H6
Hilversum 104 D2
Himachal Pradesh 144 C3
Himalaya 136-137 J6 L7
Himeji 156 C3 C4
Hindu Kuch 144 A3 B2
Hinkley Point 107E
Hinnøya 102-103 E1 F1
Hinthada 146-147 A2 B2
Hinton 48-49 G4
Hirosaki 156 D2 E2
Hiroshima 156 C4
Hirson 110-111 F2
Hirtshals 102-103 D4
Hisar 144 C4
Hisma 142 C4
Historic Deerfield 74C
Hit 92-93 I5
Hitachi 156 E3
Hitra 102-103 D3
Hivernage 173G
Hjälmar, lac 102-103 E4 F4
Hkakabo Razi 150-151 F6
Hoangho 150-151 G4 J4
Hobart 162-163 E6
Hoboken 73C B2
Hobyo 168-169 H4 I4
Hochgolling 112 E5 F5
Hô Chi Minh-ville 146-147 D3
Hochvogel 114-115 F1
Hodeïda 142 D7
Hódmezővásárhely 124-125 F2
Hodna, chott el 116-117 E4
Hoek van Holland 104 B3 C3
Hoeryong 156 B2
Hof 112 D3
Höfdhakaupstadhur 102A b2
Höfn 102A d2
Hofsjökull 102A c2
Hofu 156 C4
Hoggar, massif du 116-117 F7
Hohenems 114-115 E1
Hoher Riffler 114-115 F1
Hohhot 150-151 I3
Hoi An 146-147 D2
Hokitika 162-163 G6 H6
Hokkaido 156 E2
Holguín 78 D2
Hollande Méridionale 104 C3
Hollande Septentrionale 104 C2 D2
Hollande Septentrionale, canal de 104 C2
Holland Tunnel 73C B2
Hollywood 74G
Holman 48-49 G2
Holon 141 A3 A4
Holsteinsborg 48-49 M3
Holyhead 106-107 D5
Holzminden 112 C3
Homalin 150-151 F7
Hombori, monts 166-167 C3
Homel 126 F3
Homestead 74G
Homra, hammada el 166-167 E2
Homs 142 C3
Hondo 78 B3
Honduras 78 B3 B4
Honduras, golfe du 78 B3
Hønefoss 102-103 D3
Honfleur 110-111 C2 D2
Hong Gai 146-147 D1
Honghu 150-151 I5 I6
Hongjiang 150-151 H6 I6
Hongkong 150-151 I7 J7
Hongkong, île de 149A C3
Hongkou 153E
Honglunyuan 150-151 F3
Hongqiao, aéroport de 153E
Hongrie 92-93 F4 G4
Hongroise, grande plaine 90-91 F4 G4
Honguedo, détroit d' 59 E4 F4
Honiara 162-163 F2
Honolulu 160-161 F22 F23
Honshu 156 D3 E3
Hood, mont 68-69 B2
Hoogeveen 104 E2
Hoogezand 104 E1
Hooghly 144 E5
Hoorn 104 D2
Hoover Dam 68-69 D4
Hopedale 59 F2 G2
Hopes Advance, cap 59 E1
Horgen 114-115 D1
Horizon 101 C3 D3
Horlivka 126 G4
Horn 102A b1
Horn, cap 82 D8
Hornavan 102-103 F2
Hornchurch 108C D2
Hornsey 108C B2
Horsens 102-103 D5
Horsley 108C A4
Horten 102-103 D4
Hortobágy 124-125 F2
Hoshiarpur 144 C3
Hotaka 156 D3
Hotan 150-151 C4
Hotan He 150-151 C4
Hot Springs 68-69 G5 H5
Houat 110-111 B3
Houayxay 146-147 C1
Houffalize 104 D4
Houilles 109C B2
Hounslow 108C A3
Houston 68-69 G6
Houtman, récifs de 162-163 B4
Hove 106-107 F6
Howe, cap 162-163 F5
Howland 160-161 H21
Hoy 106-107 E2
Høyanger 102-103 C3
Hoyerswerda 112 E3 F3
Hpa-an 146-147 B2
Hrodna 126 D3
Hron 124-125 E1
Hsinchu 154D A1
Hsintien 154D B1
Hsinying 154D A2
Hsüeh Shan 154D A1 B1
Huacho 83 C4
Huadian 150-151 L3
Hua Hin 146-147 B3 C3
Huaibei 150-151 J5
Huai He 150-151 J5
Huaihua 150-151 I6
Huainan 150-151 J5
Hualien 154D B2
Huallaga 82 C3
Huambo 168-169 E6
Huancayo 83 C4
Huang He 150-151 G4 J4
Huangpu (quartier) 153E
Huangpu (rivière) 149A A1
Huangshi 150-151 J5
Huánuco 83 C4
Huaraz 83 C3
Huascarán 82 C3
Hubei 150-151 I5
Hubli 144 C6 C7
Huddersfield 106-107 F5
Hudiksvall 102-103 F3
Hudson 68-69 L3
Hudson, baie d' 48-49 J4
Hudson, détroit d' 48-49 K3 L3
Hudson, région d' 50B
Hudsonien, plateau 60B
Hudsoniennes, cuestas 60B
Hue 146-147 D2
Huebra 120-121 B2
Hueiyin 150-151 J5
Huelva 120-121 B4
Huércal 120-121 D4 E4
Huesca 120-121 E1
Hughenden 162-163 E4
Huichon 156 B2
Huila 82 C2
Huinan 156 B2
Huitième Degré, passage du 144 B8
Huize 150-151 G6
Huizhou 150-151 I7 J7
Hulin 156 C1
Hull 65H
Hulst 104 B3 C3
Huludao 150-151 J3 K3
Hulun Nur 150-151 J2
Huma 150-151 L1
Humaitá 83 D3
Humber 106-107 F5
Humberside 107D
Humboldt 68-69 C3
Humboldt, glacier de 48-49 L2 M2
Húna, baie 102A b1 b2
Hunan 150-151 I6
Hunchun 156 C2
Hunedoara 124-125 G3
Hunjiang 156 B2
Hunsrück 112 B4
Hunte 112 C2
Hunter 162-163 E5 F5
Hunter's Point 63A
Hunterston 107E
Huntington 68-69 J4
Huntington Beach 73A
Huntsville (Canada) 59 C4
Huntsville (É.-U.) 68-69 I5
Huon, golfe 162-163 E2
Huron, lac 68-69 J2 J3
Hürth 104 E4
Húsavík 102A c1
Huskvarna 102-103 E4
Husnes 103E
Husum 112 C1
Hutchinson 68-69 G4
Hutte Sauvage, lac de la 59 E2 F2
Hutton 101 C1
Huy 104 D4
Huzhou 150-151 J5 K5
Hvannadalshnúkur 102A c2
Hvar 124-125 D4
Hvítá (Sudhurland) 102A b2 c2
Hvítá (Vesturland) 102A b2
Hwange 168-169 F6
Hyde 101 C3
Hyde Park 108C B2
Hyderabad (Inde) 144 C6
Hyderabad (Pakistan) 144 A4
Hydra 124-125 G7
Hyères 110-111 G5
Hyères, îles d' 110-111 G5
Hyesan 156 B2

I

Iablonovy, monts 128-129 M4
Iakoutsk 128-129 O3
Ialomița 124-125 I3
Iamal, péninsule 128-129 I3 I2
Iamalo-Nénets 128-129 I3
Iamantaou 128-129 G4
Iamarovka 150-151 I1
Iambourg 128-129 I3 J3
Iana 128-129 O3
Iana, baie de la 128-129 O2
Ianski 128-129 O3
Iaouza 132F C2
Iaroslavl (région) 133A
Iaroslavl (ville) 126 G2
Iar Sale 128-129 H3 I3
Iasenevo 132F B3
Iași 124-125 I2
Ibadan 168-169 D4
Ibagué 83 C2
Iban, monts 146-147 E5 F5
Ibar 124-125 F4
Ibb 142 D7
Ibérique, péninsule 90-91 D4 D5
Ibériques, monts 120-121 D1 E2
Iberville, mer d' 60C
Ibirapuera 86D
Ibiza (île) 120-121 F3
Ibiza (ville) 120-121 F3
Ibn Sina, pic 144 B2
Ibo 168-169 H6
Ibri 142 G5
Içá 82 C3 D3
Ica 83 C4
Ichalkaranji 144 B6 C6
Ichihara 157C
Ichikawa 157C
Ichim (rivière) 128-129 H4 I4
Ichim (ville) 128-129 I4
Ida, monts 124-125 H8
Idaho 68-69 C3 D3
Idaho Falls 68-69 D3
Idar-Oberstein 112 B4
Idiofa 176A C3
Idjil, kedia d' 174-175A B2
Idjil, sebkha d' 174-175A B2
Idlib 140 D2
Idrija 122-123 E1
Ieïsk 126 G4
Iekaterinbourg 128-129 G4 H4
Ielets 126 G3
Iénisseï 128-129 K4 J3
Iénisseïsk 128-129 K4
Iesi 122-123 D3
Ievpatoria 126 F4
Ife 174-175A D4
Ifni 169B
Iforas, adrar des 166-167 D3
Ifrane 172 D2
Igarka 128-129 J3
Iglesias 122-123 B5
Igli 116-117 D5
Igloolik 48-49 J3
Ignalina 103E
Igor 101 D3
Igoumenitsa 124-125 F6
Iguaçu 82 E5
Iguaçu, chutes de l' 82 E5
Igualada 120-121 F2
Iguidi, erg 166-167 C2
Iijoki 102-103 H2
Iisalmi 102-103 H3 I3
Ijevsk 128-129 G4
IJmuiden 104 C2
IJssel 104 E2
IJssel, lac d' 104 D2
Ikaria 124-125 H7 I7
Ikata 157A B3
Iksan 156 B3
Ilagan 146-147 G2
Ilam 142 E3
Ilan 154D B1
Ilanz 114-115 E2
Ile 128-129 I5
Île-Akimiski, sanctuaire d'oiseaux de l' 55D
Ilebo 176A D3
Île Bonaventure-et-du-Rocher-Percé, parc de l' 64A
Île-Bylot, sanctuaire d'oiseaux de l' 55D
Île-de-France 110-111 E2
Île-du-Prince-Édouard 48-49 L5
Île-du-Prince-Édouard, parc national de l' 55D
Île-Kendall, sanctuaire d'oiseaux de l' 55D
Île-Reindeer, sanctuaire d'oiseaux de l' 55D
Îles-de-Boucherville, parc national des 64A
Îles-de-la-Baie-Géorgienne, parc national des 55D
Îles de la Mer de Corail, territoire des 162-163 F3
Îles-du-Saint-Laurent, parc national des 55D
Ilesha 174-175A D4
Îles Lau, ride des 160-161 K21
Îles Salomon 160-161 I19
Îles Sandwich du Sud, fosse des 10-11 O18 P18
Ilford 108C C2
Ilhéus 83 G4
Iligan 146-147 G4
Ilizi 116-117 F6
Ill (Autriche) 114-115 E1
Ill (France) 114-115 C1
Illampu 82 D4
Iller 112 D4
Illimani 82 D4
Illinois (État) 68-69 H3 I3
Illinois (rivière) 68-69 H4 H3
Illitchivsk 126 F4
Ilmen, lac 126 F2
Ilo 83 C4
Iloilo 146-147 G3
Ilorin 168-169 D4
Ilulissat 48-49 M3 N3
Ilz 112 E4
Imabari 156 C4
Imandra, lac 102-103 I2 J2
Imataca, sierra 82 D2
Imatra 102-103 I3
Imbros 124-125 H4
Imini 174-175A C1
Iminni 173B
Immenstadt 112 C5 D5
Immingham 106-107 F5 G5
Imo 178C4
Imola 122-123 C2
Imperatriz 83 F3
Imperia 122-123 B3
Imperial Dam 68-69 D5
Impérial d'Aragón, canal 120-121 E2
Impériale, vallée 68-69 C5 D5
Imphal 144 F5
In Amenas 116-117 F6
Inanwatan 146-147 I6
Inari 102-103 H1
Inari, lac 102-103 H1
Inca 120-121 G3
Incheon 154A A2
Inchon = Incheon 154A A2
Indalsälv 102-103 F3
Inde 138-139 J7 K7
Indefatigable 101 C3
Indes Neerlandaises 139A
Indiana 68-69 I3
Indianapolis 68-69 I4 J4
Indien, bassin central 160-161 I10 J11
Indien, bouclier 18C
Indien, océan 160-161 K9 M11
Indien-Antarctique, bassin 160-161 N12 N16
Indien-Antarctique, crête 160-161 N4 N5
Indien-Atlantique-Antarctique, bassin 160-161 N4 O8
Indigirka 128-129 P3
Indjolé 174-175A D4 E4
Indo-australienne, plaque 18B
Indochine 136-137 M8
Indonésie 138-139 M10 P10
Indore 144 B5 C5
Indre 110-111 D3
Indus 144 C3 A5
İnebolu 140 C1
İnegöl 124-125 J5
Infiernillo, presa del 68-69 F8
Inga 176A B4
Inglewood 73A
Ingoda 128-129 M4
Ingolstadt 112 D4
Ingouchie 128-129 O7 F5
Ingraj Bazar 144 E4
Inhambane 168-169 G7
Inírida 82 D2
Inkoo 103E
Inn 112 E4
Innertkirchen 114-115 D2
Innsbruck 112 D5
Innuitienne, région 50B
Inongo 176A C3
In Salah 116-117 E6
Intérieure, mer 156 C4
Intérieures, plaines 50B
Interlaken 114-115 C2
Inthanon 146-147 B2
Inubo, cap 157A D2 E2
Inukjuak 59 C2
Inuvik 48-49 E3
Inveraray 106-107 D3
Invercargill 162-163 G6 H6
Inverness 106-107 D3 E3
Ioánnina 124-125 F6
Iochkar-Ola 128-129 F4
Iona 106-107 C3
Ionienne, mer 116-117 H4
Ioniennes, îles 124-125 E6 F7
Ios 124-125 H7
Ioudino 132F A3
Iougo-Zapad 132F B3
Ioujno-Sakhalinsk 128-129 P5
Ioukaghirs, plateau des 128-129 Q3
Ioultin 128-129 T3
Iowa 68-69 G3 H3
Iowa City 68-69 H3
Ipanema 86C
Ipel' 124-125 E1
Ipoh 146-147 C5
Ipswich (Australie) 162-163 F4
Ipswich (R.-U.) 106-107 G5
Iqaluit 48-49 L3
Iquique 83 C5
Iquitos 83 C3
Irajá 86C
Irak 138-139 G6
Iran 138-139 H6
Iran, plateau d' 136-137 G6 I6
Iranienne, plaque 18B
Irapuato 68-69 F7
Irazú 78 C4
Irbid 141 B3
Irbit 128-129 H4
Irharhar 116-117 F6
Iringa 168-169 G5
Iriomote 150-151 K7
Irkout 128-129 L4
Irkoutsk (région) 133A
Irkoutsk (ville) 128-129 L4
Irlande (État) 92-93 D3
Irlande (île) 90-91 D3
Irlande, mer d' 106-107 D4 E4
Irlande du Nord 106-107 C4
Iro, cap 157A D2
Iron Knob 162-163 D5
Iroquois, lac 60C
Irrawaddy 150-151 F7 E8
Irtych 128-129 I4
Irtychsk 128-129 I4
Irun 120-121 E1
Irvine (É.-U.) 73A
Irvine (R.-U.) 106-107 D4
Irvington 73C A2
Isabela 146-147 G4
Ísafjardhardjúp 102A a1 b1
Ísafjördhur 102A a1 b1
Isangi 176A D2
Isar 112 E4
Isarco 122-123 C1
Ischia 122-123 D4
Ise 156 D4
Ise, baie d' 156 D4
Iselle 114-115 D2
Iseo 122-123 C2
Iseo, lac d' 122-123 C2
Isère 110-111 G4 F4
Isernia 122-123 E4
Ishikari, baie de 150-151 N3 O3
Ishinomaki 156 E3
Isiro 176A E2
Iskär 124-125 G4
İskenderun 140 D2
İskenderun, golfe d' 140 C2 D2
Islamabad 144 B3
Islande 92-93 B2 C2
Islay 106-107 C4
Isle 110-111 D4
Islington (Canada) 57A
Islington (R.-U.) 108C B2 C2
Ismaïlia 116-117 K5
Ismail Samani, pic 128-129 I6
Isonzo 122-123 D2
Ispahan 142 F3
Isparta 140 C2
Israël 138-139 F6
Isset 128-129 H4
Issil 173G
Issoire 110-111 E4
Issoudun 110-111 D3
Issy-les-Moulineaux 109C B3
İstanbul 140 B1
Istrie 124-125 B3 C3
Itaipu, barrage d' 83 E5
Itaituba 83 E3
Italia, corso d' 122A
Italie 92-93 F4
Itambé 82 F4
Itanagar 144 F4
Itatiaya 82 F5
Ithaque 124-125 F6
Itimbiri 176A D2
Itouroup 128-129 P5
Ittoqqortoormiit 46-47 R2 S2
Ituri (province) 176A E2
Ituri (rivière) 176A E2
Itzehoe 112 C2
Iumt 150-151 F3
Ivalo 102-103 H1
Ivalojoki 102-103 H1
Ivano-Frankivsk 126 D4
Ivanovo (région) 133A
Ivanovo (ville) 126 H2
Ivdel 128-129 H3
Ivittuut 48-49 N3
Ivoire, côte de l' 168-169 C4
Ivrée 122-123 A2 B2
Ivry 109C C3
Ivujivik 59 C1
Ivvavik, parc national 55D
Iwaki 156 E3
Iwakuni 157A B2
Iwate 156 E3
Iwembere, steppe 166-167 G5
Ixtlán de Juárez 76F
Iziki 173G
Izmaïlovo 132F C1
Izmaïlovo, parc d' 132F C2
Izmajil 124-125 J3
İzmir 140 B2
İzmir, golfe d' 124-125 I6
İzmit 140 C1
İzmit, golfe d' 124-125 J5
Iznalloz 120-121 D4
Iznik 124-125 J5
Iznik, lac 124-125 J5
Iztacalco 77C
Iztapalapa 77C
Izu, îles 156 D4
Izu, péninsule d' 157A D2
Izumi 157B

J

Ja'ar 142 E7
Jabalón 120-121 D3
Jabalpur 144 D5
Jaca 120-121 E1
Jacarepaguá 86C
Jacarepaguá, lagune de 86C
Jáchymov 112 E3
Jackson (Mississippi) 68-69 H5 I5
Jackson (Tennessee) 68-69 I4
Jackson Heights 73C C2
Jacksonville (Caroline du Nord) 68-69 K5
Jacksonville (Floride) 68-69 J5 K5
Jacmel 78 E3
Jacobabad 144 A4
Jacques-Cartier, détroit de 59 F3 F4
Jacques-Cartier, mont 59 E4 F4
Jacques-Cartier, parc national de la 64A
Jade, golfe de la 112 C2
Jaén (Espagne) 120-121 D4
Jaén (Pérou) 83 C3
Jaffna 144 D8
Jagodina 124-125 F3
Jahrom 142 F4
Jailolo 146-147 H5
Jaipur 144 B4 C4
Jaïyk 128-129 G5
Jajce 124-125 D3
Jakarta 146-147 D7
Jakarta, daerah khusus ibukota 146-147 D7
Jakobshavn 48-49 M3 N3
Jakobstad 102-103 G3
Jalalabad 144 C3
Jalandhar 144 C3
Jalapa = Xalapa 68-69 G8
Jalgaon 144 C5
Jalisco 76A
Jalna 144 C6
Jalón 120-121 E2
Jaluit 160-161 H19
Jamaame 168-169 H4
Jamaica Bay 73C C3 D3
Jamaïque 78 D3
Jambi (province) 146-147 C6
Jambi (ville) 146-147 C6
Jambol 124-125 I4
Jambyl = Taraz 128-129 I5
James, baie 48-49 J4 K4
James, région de 50B
James River 68-69 G2
Jammer, baie 102-103 D4
Jammu 144 B3 C3
Jammu-et-Cachemire 144 B3 C3
Jamnagar 144 A5 B5
Jamshedpur 144 D5 E5
Jämtland 102-103 E3
Jangakazaly 128-129 H5
Jangaözen 142 F1
Jan Mayen 90-91 D1
Jantra 124-125 H4
Januária 83 F4
Japon 138-139 Q6
Japon, bassin du 160-161 D16
Japon, fosse du 160-161 E17
Japon, mer du 150-151 M3 N4
Japurá 82 D3
Jarama 120-121 D2
Jari 82 E2 E3
Jarma 150-151 C2
Jarosh 141 B3
Jarvis 160-161 I22
Jask 142 G4
Jasper 48-49 G4
Jasper, parc national de 55D
Jaune, mer 150-151 K4
Jaun Pass 114-115 C2
Jaunpur 144 D4
Java 146-147 D7
Java, fosse de 160-161 I13 J14
Java, mer de 146-147 D6 E7
Javalambre 120-121 E2
Jawa Barat 146-147 D7
Jawa Tengah 146-147 D7 E7
Jawa Timur 146-147 E7
Jawhar 168-169 H4
Jaya, puncak 146-147 J6
Jayapura 146-147 J6 K6
Jayawijaya, monts 146-147 J6 K6
Jaz Murrian, lac de 142 G4
Jean-Lesage, aéroport international 64D
Jebba 174-175A D4
Jecheon 156 B3
Jefferson, mont 68-69 B3
Jefferson City 68-69 H4
Jeju (île) 154A A3
Jeju (ville) 154A A3
Jelanie, cap 128-129 H2 I2
Jeleznodorojny 132F D2
Jelgava 102-103 G4 H4
Jemaja 146-147 D5
Jember 146-147 E7
Jena 112 D3
Jenin 141 B3
Jeonju 154A A2
Jequitinhonha 82 F4 G4
Jerada 172 E2
Jérémie 78 E3
Jerez de la Frontera 120-121 B4
Jerez de los Caballeros 120-121 B3
Jéricho 141 B4
Jersey 106-107 E7
Jersey City 68-69 L3
Jérusalem 141 A4 B4
Jervis, baie 162-163 F5
Jessore 144 E5 F5
Jezkazghan 128-129 H5 I5
Jezzine 141 B2
Jhang 144 B3
Jhansi 144 C4
Jharkand 144 D5 E5
Jhelum 144 B3
Jiali 150-151 E5
Jialing Jiang 150-151 H5
Jiamusi 150-151 L2 M2
Ji'an 150-151 J6
Jianchuan 150-151 G6
Jiangmen 150-151 I7
Jiangsu 150-151 J5 K5
Jiangwan 153E
Jiangxi 150-151 I6 J6
Jiangyou 150-151 G5 H5
Jiaohe 156 B2
Jiaotong, université de 153E
Jiaozhou 150-151 K4
Jiaozuo 150-151 I4
Jiaxing 150-151 K5
Jiayuguan 150-151 F4
Jigansk 128-129 N3
Jigawa 178C4
Jijel 116-117 F4
Jijiga 142 D8
Jilin (province) 150-151 L3
Jilin (ville) 150-151 L3
Jiloca 120-121 E2
Jimeta 168-169 E4
Jinan 150-151 J4
Jinchang 150-151 G4
Jincheng 150-151 I4
Jing'an 153E
Jingdezhen 150-151 J6
Jingmen 150-151 I5
Jinhua 150-151 J6 K6
Jining (Mongolie Intérieure) 150-151 I3
Jining (Shandong) 150-151 J4
Jinja 168-169 G4
Jinju 154A A2
Jinmao, tour 153E
Jinsha Jiang 150-151 F5
Jinshi 150-151 I6
Jinxianqiao 153F
Jinzhong 150-151 I4
Jinzhou 150-151 J3 K3
Jiparaná 82 D4
Ji-Paraná 83 D4
Jishou 150-151 H6
Jiu 124-125 G3
Jiuquan 150-151 F3 F4
Jiutai 150-151 L3
Jixi 150-151 M2
Jizera 112 F3
Jizreel, plaine de 141 B3
João Pessoa 83 G3
Jodhpur 144 B4
Joensuu 102-103 I3
Joetsu 156 D3

Johannesburg 168-169 F7
John F. Kennedy International Airport 73C D3
John F. Kennedy Space Center 74F
Johnson City 68-69 J4
Johnston 160-161 G22
Johor, détroit de 149C A1 B1
Johor Baharu 146-147 C5 D5
Joinville 83 F5
Jokkmokk 102-103 F2
Jökulsá 102A c2
Joliet 68-69 I3
Joliette 59 D4
Jolo (île) 146-147 G4
Jolo (ville) 146-147 G4
Jones, détroit de 48-49 J2
Jönköping 102-103 E4
Jonquière 65G
Joplin 68-69 H4
Jordanie 138-139 F6
Jorf Lasfar 172 C2
Jorhat 144 F4
Jos 168-169 D3
Jos, plateau de 166-167 D3
Joseph, lac 59 E3 F3
Joseph Bonaparte, golfe 162-163 C3
Jostedalsbre 102-103 C3
Jotunheimen 102-103 C3 D3
Jounieh 141 B1
Jourdain 141 B3
Joure 104 D2
Joux, lac de 114-115 B2
Joux, vallée de 114-115 B2
Jouy-en-Josas 109C B3
Juan de Fuca, détroit de 46-47 H5
Juan-Fernández, îles 82 B6 D6
Juazeiro 83 F3 G3
Juazeiro do Norte 83 F3 G3
Juba 168-169 G4
Jubaïl 141 B1
Jubbega 82 D1 E1
Juby, cap 172 B3
Júcar 120-121 E3
Judée 141 B4
Juist 112 B2
Juive, région 128-129 O5
Juiz de Fora 83 F5
Jujuy 87A
Juliaca 83 C4
Juliana, canal 104 D4 D3
Julianehåb 48-49 N3
Juliennes, alpes 122-123 D1 E1
Juliers, col du 114-115 E2
Junagadh 144 A5 B5
Jundiaí 83 F5
Juneau 46-47 G4
Jungfrau 114-115 C2
Junglei, canal 166-167 G4
Junin 83 D6
Jura (île) 106-107 C4 D3
Jura (montagne) 114-115 B2 C1
Jura, détroit de 106-107 D4 D3
Jura Souabe 112 C4 D4
Jūrmala 102-103 G4
Jurong 149C A2
Jurong, île de 149C A2
Juruá 82 D3
Juruena 82 E3
Jutland 102-103 D5 D4
Juvisy-sur-Orge 109C C4
Jytomyr 126 E3
Jyväskylä 102-103 H3

K

Kabalega, chutes 166-167 G4
Kabalo 176A E4
Kabardes et Balkars 128-129 O7 F5
Kabare 176A E3
Kabinda 176A D4 E4
Kabompo 166-167 F6
Kaboul (rivière) 144 A3 B3
Kaboul (ville) 144 A3
Kabwe 168-169 F6
Kabylie 174-175A D1
Kachan 142 F3
Kadan 146-147 B3
Kadugli 168-169 G3
Kaduna (État) 178C4
Kaduna (rivière) 166-167 D4 D3
Kaduna (ville) 168-169 D3
Kaédi 168-169 B3
Kaemchahr 142 F2
Kærgård 101 E3
Kaesong 156 B3
Kafue 166-167 F6
Kaga-Bandoro 168-169 E4
Kagera 166-167 F5 G5
Kagoshima 156 B4 C4
Kahayan 146-147 E6
Kahemba 176A C4
Kahnawake 64C
Kahramanmaraş 140 D2
Kai, îles 146-147 I7
Kaieteur, chute 78 H5
Kaifeng 150-151 I5 J5
Kaili 150-151 H6
Kaimana 146-147 I6
Kainji, lac 166-167 D3
Kaipokok, baie 59 G2
Kairouan 116-117 F4 G4
Kaiserslautern 112 B4
Kaiyuan (Liaoning) 150-151 K3
Kaiyuan (Yunnan) 150-151 G7
Kajaani 102-103 H2 I2
Kajang 149E
Kakhovka, réservoir de 126 F4 G4
Kakinada 144 D6
Kako 157A B2
Kakogawa 157A B2
Kalabaka 124-125 F6 G6
Kaladan 150-151 E7
Kalahari 166-167 F7
Kalahari, parc national du 179A
Kalámai 124-125 F7 G7
Kalamazoo 68-69 I3
Kalana 174-175A C3
Kalasin 146-147 C2
Kalat (Afghanistan) 144 A3
Kalat (Pakistan) 144 A4
Kalemie 176A E4
Kalevala 102-103 I2
Kálfafell 102A c3 d3
Kalgoorlie 162-163 C5
Kaliakra, cap 124-125 J4
Kalima 176A E3
Kalimantan 146-147 E5 F5
Kalimantan Barat 146-147 D6 E6
Kalimantan Selatan 146-147 F6
Kalimantan Tengah 146-147 E6
Kalimantan Timur 146-147 F5
Kaliningrad (Kaliningrad) 102-103 F5 G5
Kaliningrad (Moscou) 132F D1
Kalixälv 102-103 G2
Kall, lac 102-103 E3
Kalla, lac 102-103 H3 I3
Kalmar 102-103 E4 F4
Kalmar, détroit de 102-103 F4
Kalmoukie 128-129 F5
Kalomo 168-169 F6
Kalouga (région) 133A
Kalouga (ville) 126 G3
Kalyan 144 B6
Kalymnos 124-125 I7
Kama 90-91 J3
Kamakura 157C
Kamar, baie 142 F6
Kamaran 142 D6
Kambalda 162-163 B5 C5
Kamčija 124-125 I4
Kamenjak, cap 122-123 D2
Kamenskoïe 128-129 R3
Kamensk-Ouralski 128-129 H4
Kamichli 142 D2
Kamina 176A E4
Kamioka 157A C1
Kamloops 48-49 F4 G4
Kampala 168-169 G4
Kampar 146-147 C5
Kampen 104 D2 E2
Kamphaeng Phet 146-147 B2 C2
Kampot 146-147 C3
Kamrau, golfe de 146-147 I6
Kamtchatka (péninsule) 128-129 Q4
Kamtchatka (région) 133A
Kananga 176A D4
Kanazawa 156 D3
Kanchenjunga 144 E4
Kanchipuram 144 C7 D7
Kandadji 174-175A D3
Kandahar 128-129 H6
Kandalakcha 102-103 J2
Kandalakcha, golfe de 102-103 J2
Kander 114-115 C2
Kandersteg 114-115 C2
Kandi 168-169 D4
Kandla 144 B5
Kandy 144 D8
Kane, bassin de 46-47 M2 N2
Kanem 166-167 E3
Kanesatake 63A
Kangan 142 F4
Kangaroo 162-163 D5
Kangean, îles 146-147 F7
Kangerlussuaq 48-49 M3 N3
Kanggye 156 B2
Kangiqsualujjuaq 59 E2
Kangiqsujuaq 59 D1 E1
Kangirsuk 59 D1 E1
Kangnung = Gangneung 154A B2
Kangrinboqê Feng 150-151 C5
Kangto 150-151 E6
Kangtung 146-147 B1
Kanine, péninsule de 128-129 F3
Kankan 168-169 C3
Kano (État) 178C4
Kano (ville) 168-169 D3
Kanpur 144 D4
Kansai, aéroport de 157B
Kansas (État) 68-69 G4
Kansas (rivière) 68-69 G4
Kansas City 68-69 H4
Kansk 128-129 K4
Kanto, plaine du 157A D1
Kanye 168-169 F7
Kaohsiung 154D A2
Kaokoveld 166-167 E6 E7
Kaolack 168-169 B3
Kapchaghaï 150-151 B3
Kapela, monts 124-125 C3
Kapfenberg 124-125 C2
Kapos 124-125 E2
Kaposvár 124-125 D2
Kapotnia 132F C3
Kaprun 112 E5
Kapuas 146-147 E6
Kapuas Hulu, monts 146-147 E5
Kara, détroit de 128-129 G3 G2
Kara, mer de 128-129 H2
Kara-Balta 150-151 A3
Karabük 140 C1
Karachi 144 A4
Karaganda 128-129 I5
Karaghandy 128-129 I5
Karaginsk 128-129 R4
Karaj 142 F2
Karakalpalkie, république de 128-129 G5 H5
Karakelong 146-147 H5
Karakol 150-151 B3
Karakoram 144 C2 C3
Karakoram, col de 144 C2
Karakorum 150-151 G2
Kara-Koum 128-129 G5 H5
Kara-Koum, canal du 128-129 H6
Karamay 150-151 C2
Karangetang 146-147 G5 H5
Karas, monts 166-167 E7
Karasjok 102-103 H1
Karatal 150-151 B2
Karataou 128-129 H5
Karatchaïs-Tcherkesses 128-129 O7 E5
Karawang 146-147 D7
Karawanken 124-125 B2 C2
Karbala 142 D3
Karditsa 124-125 F6
Kărdžali 124-125 H5
Kareima 168-169 G3
Karema 176A F4
Kariba, lac 166-167 F6
Karima 174-175A F5
Karimata, détroit de 146-147 D6
Karimata, îles 146-147 D6
Karimnagar 144 C6
Karlovac 124-125 C3 D3
Karlovy Vary 112 E3
Karlshamn 102-103 E4
Karlskoga 102-103 E4
Karlskrona 102-103 E4 F4
Karlsruhe 112 C4
Karlstad 102-103 E4
Karmøy 102-103 C4
Karnak 116-117 K6
Karnali 144 D4
Karnataka 144 B7 C7
Kárpathos 124-125 I8
Kars 140 E1
Karsakbaï 128-129 H5
Karst, plateau du 124-125 C3
Kårstø 101 D2
Kartaly 128-129 G4 H4
Karun 142 E3
Karungi 102-103 H2
Karwaw, ras 142 G6
Kasai 166-167 F5 E5
Kasaï 176A D3
Kasaï Oriental 176A D4
Kasama 168-169 F5 G5
Kasar, ras 142 C6
Kasbah, ras al 141 A7
Kasba Tadla 172 D2
Kasenga 176A E5
Kasese 168-169 F4 G4
Kashba 173G
Kashi 150-151 B4
Kashima 157A D2 D1
Kashiwa 157C
Kasiruta 146-147 H6
Kaskinen 102-103 G3
Kaskö 102-103 G3
Kasongo 176A E3
Kásos 124-125 I8
Kassala 168-169 G3
Kassandra 124-125 G5 G6
Kassandra, golfe de 124-125 G5 H6
Kassel 112 C3
Kasserine 116-117 F4
Kastoria 124-125 F5
Kasur 144 B3
Katahdin, mont 68-69 M2
Kataka 144 E5
Katanga 166-167 F5
Katchall 146-147 A4
Katchouga 128-129 L4
Katerini 124-125 G5
Katha 150-151 F7
Katherine 162-163 D3
Kathiavar 144 A5 B5
Kathmandou 144 E4
Katiola 174-175A C4
Katong 149C C2
Katorus 168-169 F7
Katoun 128-129 J4
Katowice 126 C3
Katrine, loch 106-107 D3
Katschberg 114-115B
Katsina (État) 178C4
Katsina (ville) 168-169 D3
Kattara, dépression de 116-117 J6 J5
Kattegat 102-103 D4 E4
Kattina, lac 141 C1
Katwijk 104 C2
Kauai 160-161 F22 F23
Kaufbeuren 112 D5
Kaunas 102-103 G5
Kau Sai 149D
Kautokeino 102-103 G1 H1
Kavadarci 124-125 F5 G5
Kavajë 124-125 E5
Kavála 124-125 H5
Kavalerovo 156 C2 D2
Kavaratti 144 B7
Kavieng 162-163 F2
Kawagoe 157A D2
Kawaguchi 157C
Kawasaki 156 D3 E3
Kawawachikamach 63A
Kaya 168-169 C3
Kayan 146-147 F5
Kayes 168-169 B3
Kayseri 140 D2
Kazakhstan 138-139 H5 J5
Kazakhstan, hauteurs du 128-129 I5
Kazan 128-129 F4 G4
Kazan, région de 50B
Kazanlăk 124-125 H4
Kazatchie 128-129 O2 P2
Kazbek 142 D1
Kaz Dağı 124-125 I6
Kazerun 142 F4
Kéa 124-125 H7
Kearny 73C A2 B2
Kebbi 178C4
Kebnekaise 102-103 F2
Kecskemét 124-125 E2 F2
Kėdainiai 102-103 G5
Kediri 146-147 E7
Keetmanshoop 168-169 E7
Keflavík 102A b3
Kehl 112 B4
Keitele, lac 102-103 H3
Keith 106-107 E3
Kejimkujik, parc national 55D
Kelang (fleuve) 149E
Kelang (ville) 146-147 C5
Kelasa, détroit de 146-147 D6
Kelibia 122-123 C6
Kelimutu 146-147 G7
Kelloselkä 102-103 H2 I2
Kelowna 48-49 G4 G5
Keluang 146-147 C5
Kemano 48-49 F4
Kembolcha 142 C7 D7
Kemerovo (région) 133A
Kemerovo (ville) 128-129 J4
Kemi 102-103 H2
Kemi, lac 102-103 H2
Kemijärvi 102-103 H2
Kemijoki 102-103 H2
Kempten 112 C5 D5
Kenadsa 172 E3
Kendal 106-107 E4
Kendall 74G
Kenge 176A C3
Kéniéba 174-175A B3
Kenitra 172 D2
Kenmare 106-107 B6
Kenmare River 106-107 A6 B6
Kennet 106-107 F6
Kennewick 68-69 C2
Kenora 48-49 I5
Kenosha 68-69 I3
Kensington 108C B2
Kent 108A
Kentucky (État) 68-69 I4
Kentucky (rivière) 68-69 J4
Kenya (État) 168-169 G4
Kenya (mont) 166-167 G4
Kepulauan Riau 146-147 D5
Kerala 144 C7
Keren 142 C6
Kerguelen, crête des 160-161 N10 N11
Kerguelen, îles 160-161 M10
Kerinci 146-147 C6
Kerkenna, îles 116-117 G5
Kerkrade 104 E4
Kermadec, dorsale des 160-161 L20 K21
Kermadec, fosse des 160-161 L21 K21
Kermadec, îles 160-161 K20 L21
Kerman 142 G3
Kerman, désert de 142 G4
Kermanchah 142 E3
Keroulen 150-151 I2
Kerry, cap 106-107 A5 B5
Kertch 126 G4
Kertch, détroit de 90-91 H4
Kesagami, lac 59 B3
Kesch, piz 114-115 E2
Keswick 106-107 E4
Keszthely 124-125 D2
Ket 128-129 J4
Ketapang 146-147 E6
Ketchikan 48-49 E4 F4
Kettering 106-107 F5
Keweenaw, pointe 68-69 I2
Kew Gardens 108C A3
Key Biscayne 74G
Key Largo Undersea Park 74F
Keys 142 F4
Key West 68-69 J7
Key West Naval Air Station 74F
Khabarovsk (territoire) 133A
Khabarovsk (ville) 128-129 O5
Khafji 142 E4
Khaiber, col de 144 B3
Khakassie 128-129 J4 K4
Khalkis 124-125 G6
Khamis Muchaït 142 D6
Khammam 144 D6
Khammouan 146-147 C2 D2
Khanabad 144 A2 B2
Khandwa 144 C5
Khandyga 128-129 O3
Khanewal 144 B3
Khangaï, monts 150-151 F2 G2
Khanka, lac 128-129 O5
Khanpur 144 B4
Khanty-Mansi 128-129 I3
Khanty-Mansiisk 128-129 H3
Khan Yunus 141 A4
Kharagpur 144 E5
Kharg 142 E4 F4
Kharga, oasis de 116-117 K6
Kharkiv 126 G3
Khartoum 168-169 G3
Khashm el Girba 142 C7
Khasi, monts 150-151 E6
Khatanga (fleuve) 128-129 L2
Khatanga (ville) 128-129 L2
Khatanga, baie de 128-129 M2 N2
Khatgal 150-151 G1
Khemis Miliana 120-121 G4
Khemisset 172 D2
Khenifra 172 D2
Kherson 126 F4
Kheta 128-129 K2 L2
Khiargas Nur 150-151 E2
Khibiny 102-103 J2
Khimki 132F B1
Khimki, réservoir de 132F B1
Khimki-Khovrino 132F B1
Khíos (île) 124-125 H6
Khíos (ville) 124-125 I6
Khirr 142 D3
Khiva 128-129 G5 H5
Khmelnytsky 126 E4
Kholm 144 A2
Kholmsk 128-129 O5 P5
Khomeinychahr 142 F3
Khon Kaen 146-147 C2
Khopor 128-129 F5 F4
Khorasan 142 G2 G3
Khorat, plateau de 146-147 C2
Khorramabad 142 E3
Khorramchahr 142 E3
Khorugh 144 B2
Khouribga 172 D2
Khövsgöl Nur 150-151 G1
Khulna 144 E5 F5
Khuriya Muriya, îles 142 G6
Khurmah 142 D5
Khuzestan 142 E3 F3
Khvoy 142 D2 E2
Kiakhta 128-129 L4
Kianta, lac 102-103 H2 I2
Kibara, monts 176A E4
Kibi 174-175A C4
Kibombo 176A D3 E3
Kičevo 124-125 F5
Kidderminster 106-107 E5
Kiel 112 D1
Kiel, canal de 112 C2 C1
Kielce 126 C3 D3
Kiev 126 F3
Kiffa 168-169 B3
Kifissos 124-125 G6
Kigali 176A F3
Kiggaluk 63A
Kigoma 168-169 F5 G5
Kii, détroit de 156 C4 D4
Kii, péninsule de 157A C3 C2
Kikai 156 C5
Kikinda 124-125 F3
Kikori 162-163 E2
Kikwit 176A C4
Kilbrannan, détroit de 106-107 D4
Kilchu 156 B2
Kildin 102-103 J1
Kilija 124-125 J3
Kilimandjaro 166-167 G5
Kilkenny 106-107 C5
Kilkis 124-125 G5
Killarney 106-107 B5
Killeen 68-69 G5
Killingholme 101 B3
Killiniq (île) 59 F1
Killiniq (ville) 63A
Killybegs 106-107 B4
Kilmarnock 106-107 D4 E4
Kilwa 168-169 G5 H5
Kimberley (Afrique du Sud) 168-169 F7
Kimberley (Canada) 48-49 G5
Kimberley, plateau de 162-163 C3
Kimchaek 156 B2 C2
Kimchon = Gimcheon 154A A2 B2
Kimito 102-103 G3
Kimitsu 157C
Kimmirut 48-49 L3
Kinabalu 146-147 F4
Kindia 168-169 B3
Kindu 176A E3
Kinechma 126 H2
King 162-163 E5
King, détroit de 162-163 C3
King George's Reservoir 108C C1
Kingman 160-161 H22 H23
Kings, pics 68-69 D3 E3
King's Cross Station 108B
King's Lynn 106-107 G5
Kingston (Canada) 48-49 K5
Kingston (Jamaïque) 78 D3
Kingston Southeast 162-163 D5
Kingston upon Hull 106-107 F5 G5
Kingston upon Thames 108C A3 B3
Kingstown 78 G4
Kinguele 174-175A E4
Kinlochleven 106-107 D3
Kinnaird, cap 106-107 E3
Kinneret, lac de 141 B3
Kinshasa 176A C3
Kintyre 106-107 D4
Kinu 157A D1
Kiousiour 128-129 N2
Kipushi 176A E5
Kirensk 128-129 L4 M4
Kirghizistan 138-139 J5
Kiribati 160-161 I21 I22
Kırıkkale 140 C2
Kiritimati 160-161 H23
Kirkcaldy 106-107 E3
Kirkenes 102-103 I1
Kirkland 65F
Kirkland Lake 48-49 J5
Kırklareli 124-125 I5
Kirkpatrick, mont 180B
Kirkuk 142 D2
Kirkwall 106-107 E2
Kirov 133A
Kirovohrad 126 F4
Kirovsk 128-129 E3
Kirthar, monts 144 A4
Kiruna 102-103 G2
Kiryu 157A D1
Kisalföld 124-125 D2
Kisangani 176A E2
Kisar 146-147 H7
Kisarazu 157A D2
Kisarazu, aéroport de 157C
Kishiwada 157B
Kishn 142 F6
Kishon 141 B3
Kiskunhalas 124-125 E2
Kismaayo 168-169 H5
Kiso 157A C2
Kissamos 124-125 G8
Kissidougou 168-169 B4 C4
Kisumu 168-169 G5
Kita-Kyushu 156 B4 C4
Kitale 168-169 G4
Kitami 156 E2
Kitchener 48-49 J5
Kitcisakik 63A
Kitega 176A E3 F3
Kitigan Zibi 63A
Kitimat 48-49 E4 F4
Kittiwake 101 B2 C2
Kitwe 168-169 F6
Kitzbühel 112 E5
Kivu, lac 166-167 F5 G5
Kızılırmak 140 C1
Kjustendil 124-125 G4
Kladno 112 E3 F3
Klagenfurt 112 F5
Klaipėda 102-103 G5
Klamath Falls 68-69 B3
Klarälv 102-103 E3
Klausen, col de 114-115 D2
Klazienaveen 104 E2 F2
Kleines Walsertal 114-115 F1
Klettgau 114-115 D1
Kleve 104 E3
Kliazma 126 G2 H2
Klin 126 G2
Klínovec 112 E3
Klintsy 126 F3
Kliouchev, volcan 128-129 Q4 R4
Klosters 114-115 E2
Klostertal 114-115 E1
Kloten 114-115 D1
Klotz, lac 59 D1
Kluane, lac 48-49 E3
Kluane, parc national 55D
Kluane, sanctuaire d'oiseaux 55D
Knin 124-125 C3 D3
Knokke 104 B3
Knossos 124-125 H8
Knoxville 68-69 J4
Knud Rasmussen, terre de 48-49 N1 M2
Kobdo 150-151 E2
Kobe 156 C4 D4
Kobe, aéroport de 157B
Koblenz 113C
Kočani 124-125 G5
Kochi (Inde) 144 C8
Kochi (Japon) 156 C4
Kodiak 46-47 E4
Kodok 168-169 G4
Kofarnihon 144 A2 B2
Kofu 156 D3
Kogaluc 59 C2
Kogaluk 59 F2
Køge, baie de 48-49 O3
Kogi 178C4
Kohat 144 B3
Koh-i-Baba 128-129 H6
Kohima 144 F4
Kohtla-Järve 102-103 H4
Kojoukhovo 132F D2
Kokand 128-129 H5 I5
Kökchetaou 128-129 H4 I4
Kokemäki 102-103 G3
Kokenau 146-147 J6
Kokkola 102-103 G3 H3
Koksoak 59 E2
Kola 102-103 J1
Kola, baie de 102-103 J1
Kola, péninsule de 128-129 E3
Kolaka 146-147 G6
Kolar 144 C7
Kolgouïev 128-129 F3
Kolhapur 144 B6
Kolkasrags 102-103 G4
Kolkata 144 E5
Kollam 144 C8
Kollsnes 101 D1
Köln 112 B3
Kołobrzeg 102-103 E5
Kolomna 126 G2 H2
Kolpachevo 128-129 I4 J4
Kolpino 126 F2
Kolwezi 176A D5 E5
Kolyma 128-129 Q3
Kolyma, monts de la 128-129 Q3 R3
Komaduga 174-175A E3
Komárno 124-125 E2
Komatsu 157A C1
Komis 128-129 G3
Komló 124-125 E2
Komodo 146-147 F7
Kom Ombo 116-117 K7
Komotiní 124-125 H5
Kompasberge 166-167 F8
Kompong Cham 146-147 D3
Kompong Chhnang 146-147 C3 D3
Kompong Som 146-147 C3
Komsomolets 128-129 K1 M1
Komsomolsk 128-129 O4 P4
Kong 146-147 D2
Kongo-Central 176A B4 C4
Kongolo 176A E4
Kongsberg 102-103 D4
Kongsvinger 102-103 E3
Kongur Shan 150-151 B4
Köniz 114-115 C2
Konkouré 174-175A B3
Konocha 128-129 F3
Konotip 126 F3
Kon Tum 146-147 D3
Konya 140 C2
Konz 104 E5
Kootenay 68-69 C1 C2
Kootenay, lac 48-49 G5
Kootenay, parc national 55D
Kopaonik 124-125 F4
Köpenick 113H
Koper 124-125 B3 C3
Kopet Dag 142 G2
Korba 144 D5
Korçë 124-125 F5
Korčula 124-125 D4
Kordofan 166-167 F3 G3
Korf 128-129 R3
Korhogo 168-169 C4
Koriak 133A
Koriakie 133A
Koriatski, monts 128-129 R3 S3
Koriyama 156 E3
Korla 150-151 D3
Koroc 59 E2 F2
Korokoro 178F
Koronadal 146-147 G4
Koróni 124-125 F7
Koror 146-147 I4 J4
Kőrös 124-125 F2
Korosten 126 E3
Korsakov 128-129 P5
Korsør 102-103 D5
Kos 124-125 I7
Kosciuszko, mont 162-163 E5 F5
Koshigaya 157C
Kosino 132F D2
Kosovo 92-93 G4
Kosovo Polje 124-125 F4
Kosovska Mitrovica = Mitrovicë 124-125 F4
Kossou 174-175A C4
Kostanaï 128-129 H4
Kosti 168-169 G3
Kostomukcha 102-103 I2 J2
Kostroma (région) 133A
Kostroma (ville) 126 H2
Kostrzyn 112 F2
Koszalin 102-103 F5
Kota 144 C4
Kota Baharu 146-147 C4
Kotabaru 146-147 F6
Kota Bharu 146-147 C4
Kotabumi 146-147 C6 D6
Kota Kinabalu 146-147 E4 F4
Kotamobagu 146-147 G5 H5
Kotelny 128-129 O2
Kotka 102-103 H3
Kotlas 128-129 F3
Kotor 124-125 E4
Kotor, baie de 124-125 E4
Kotouï 128-129 L3
Kotto 166-167 F4
Kotzebue, baie de 46-47 D3
Kouban 128-129 F5
Kouchibouguac, parc national 55D
Koudiat 173G
Koudougou 174-175A C3
Koufra 116-117 I7
Koufra, oasis de 116-117 I7
Kouito, lac 102-103 I2
Koukdjuak 48-49 K3
Koulikoro 168-169 C3
Koulob 144 A2
Koulounda, steppe 128-129 I4 J4
Koulsari 128-129 G5
Kouma 128-129 F5
Kounachir 128-129 P5
Kountsevo 132F B2
Koupéla 174-175A D3
Koura 128-129 F5 F6
Kourgan (région) 133A
Kourgan (ville) 128-129 H4
Kourghonteppa 144 B2
Kouriles 128-129 P5 Q5
Kouriles, détroit des 128-129 Q4
Kouriles, fosse des 160-161 D17 D18
Koursk (région) 133A
Koursk (ville) 126 G3
Kourski Zalev 102-103 G5
Kouséri 168-169 E3
Kousséri 174-175A E3
Koussi, emi 166-167 E3
Koutaïsi 142 D1
Koutiala 168-169 C3
Koutoubia 173H
Koutoubia, trick el 173H
Kouvola 102-103 H3
Kovda, lac 102-103 I2
Kovel 126 D3
Kovic 59 C1
Kovic, baie 59 C1
Kovrov 126 H2
Koweït (État) 138-139 G7
Koweït (ville) 142 E4
Kowloon 149A B3 C3
Koyukuk 46-47 E3
Kozáni 124-125 F5
Kozhikode 144 B7 C7
Kpeme 174-175A D4
Kpong 174-175A D4
Kra, isthme de 146-147 B3 B4
Kragerø 102-103 D4
Kragujevac 124-125 F3
Krakatau 101 D3
Krakatau 146-147 C7 D7
Kraków 126 D4
Kraljevo 124-125 F4
Kramatorsk 126 G4
Kramfors 102-103 F3
Kranj 124-125 C2
Kranji 149C A1 B1
Krasnodar (territoire) 133A
Krasnodar (ville) 128-129 E5 F5
Krasnogorsk 132F A1
Krasnoïarsk (territoire) 133A
Krasnoïarsk (ville) 128-129 K4
Krasnopresnenskaïa 132F B2
Kratie 146-147 D3
Krefeld 112 B3
Krementchouk 126 F4
Kresta, baie 128-129 T3
Kreuzberg 113H
Kreuzlingen 114-115 E1
Kribi 168-169 E4
Kriens 114-115 D1
Krishna 144 C6
Kristiansand 102-103 D4
Kristianstad 102-103 E5
Kristiansund 102-103 C3
Kristiinankaupunki 102-103 F3 G3
Kristinestad 102-103 G3
Krivoï Rog 126 F4
Krk 124-125 C3
Krommenie 104 C2
Kronchtadt 126 E1
Krong Koh Kong 146-147 C3
Kronstadt 126 E1
Kruger, parc national de 179A
Krui 146-147 C7
Krujë 124-125 E5 F5
Kruševac 124-125 F4
Krylatskoïe 132F B2
Kryvy Rih 126 F4
Ksar Chellala 120-121 F5 G5
Ksar el Boukhar 120-121 G5
Ksar el Kebir 172 D2
Kuala Lumpur (État) 149E
Kuala Lumpur (ville) 146-147 C5
Kuala Lumpur City Center 149E
Kuala Lumpur International 149E
Kuala Lumpur Tower 149E
Kuala Terengganu 146-147 C4
Kuantan 146-147 C5
Kubena, lac 126 G2 H2
Kuchenspitze 114-115 F1
Kuching 146-147 E5
Kuçovë 124-125 E5
Kudat 146-147 F4
Kudus 146-147 E7
Kufstein 112 E5
Kugaaruk 48-49 J3
Kugluktuk 48-49 G3
Kuhrud, monts 142 F3 G4
Kuito 168-169 E6
Kukawa 168-169 E3
Kukës 124-125 F4
Kuku Nur 150-151 F4
Kula Kangri 144 F4
Kulim 146-147 C4
Kulmbach 112 D3
Kulon, ujung 146-147 C7 D7
Kum 154A A2
Kumagaya 156 D3
Kumamoto 156 C4
Kumanovo 124-125 F4 G4
Kumasi 168-169 C4
Kumba 168-169 D4
Kumbakonam 144 C7 D7
Kume 150-151 L6
Kumzar 142 G4
Kundelungu, monts 176A E5 E4
Kunduz 144 A2
Kungsbacka 102-103 E4
Kunlun, monts 150-151 D4 F4
Kunming 150-151 G6
Kunming, lac 153F
Kunsan = Gunsan 154A A2
Kununurra 162-163 C3 D3
Kuopio 102-103 H3
Kupa 124-125 C3
Kupang 146-147 G8
Kuqa 150-151 C3
Kuraiba 141 B7
Kurashiki 156 C4
Kurdistan 142 D2
Kurdistan, monts du 90-91 I5
Kure 156 C4
Kuressaare 102-103 G4
Kurmuk 142 B7
Kurnool 144 C6
Kurume 156 C4
Kuş, lac 124-125 I5
Kuşadası 124-125 I7
Kushiro 156 E2
Kushui 150-151 E3 F3
Kuskokwim 46-47 D3 E3
Küsnacht 114-115 D1
Kütahya 140 B2
Kutch, golfe de 144 A5 B5
Kutu 176A C3
Kuujjuaq 59 E2
Kuujjuarapik 59 C2
Kuytun 150-151 C3
Kvaløya 102-103 F1
Kvarner 124-125 C3
Kwa (rivière) 176A C3
Kwa (ville) 178B
Kwajalein 160-161 G19 H19
Kwangju = Gwangju 154A A2
Kwango (province) 176A C4
Kwango (rivière) 166-167 E5
Kwara 178C4
KwaZulu-Natal 179A
Kwilu (province) 176A C3
Kwilu (rivière) 166-167 E5
Kwoka 146-147 I6
Kwun Tong 149D
Kyaikkami 146-147 B2
Kyaikto 146-147 B2
Kyaukme 146-147 B1
Kyaukpyu 146-147 A2
Kyïv 126 F3
Kyle of Lochalsh 106-107 D3
Kyllini 124-125 G6
Kyoga, lac 166-167 G4
Kyongju = Gyeongju 156 B3 C3
Kyongsong 156 B2 C2
Kyoto 156 D3 D4
Kyparissía 124-125 F7
Kyparissía, golfe de 124-125 F7
Kythnos 124-125 H7
Kyushu 156 C4
Kyzyl 128-129 K4
Kyzyl-Koum 128-129 H5
K. XVIII, crête 160-161 L12
K2, mont 144 C2

L

La Alcarria 120-121 D2
Laarab 173G
Laâyoune 172 B4
La Baie 65G
La Baule 110-111 B3

TERMES GÉOGRAPHIQUES

Adrar [Ber.]	colline, montagne	Hai [Ch.]	baie, golfe
Aïn [Ar.]	source	Haff [All.]	lagune
Alföld [Hong.]	plaine	Hammada [Ar.]	plateau (dans les déserts)
Anger [Norv.]	baie étroite	Hamn [Norv., Su.]	port
Arena [Esp.]	sable, plage	Harbour [Angl.]	port
		Hassi [Ar.]	source
Bab [Ar.]	détroit	Havn [Dan.]	port
Bad [Hin.]	ville	He [Ch.]	rivière
Bahia [Port.]	baie	Heights [Angl.]	hauteurs
Bahía [Esp.]	baie	Hetta [Norv.]	mont
Bahr [Ar.]	rivière, lac, baie	Highway [Angl.]	autoroute
Balkan [Bl.]	montagne	Höfn [Isl.]	port
Bandar [Per., Ar., Ind.]	port	Holm [Dan., Norv., Su]	île
Banja [Sc.]	bain	Horn [All.]	sommet
Banská [Tch.]	mont	Huk [Dan., Norv., Su.]	point
Beach [Angl.]	plage	Huta [Pol.]	haut-fourneau, fonderie
Belt [Dan.]	détroit		
Ben [Gaél.]	mont	Inlet [Angl.]	anse, crique
Bir [Ar.]	source	Irmak [Tu.]	fleuve
Boca [Port., Esp.]	embouchure	Isla [Esp.]	île
Bog [Angl.]	marais	Island [Angl.]	île
Bolsón [Esp.]	bassin	Isle [Angl.]	île
Börde [All.]	plaine fertile		
Borough [Angl.]	village, ville	Järvi [Fin.]	lac
Bre [Norv.]	glacier	Jiang [Ch.]	rivière
Buri [Th.]	ville	Joki [Fin.]	rivière
By [Dan., Norv., Su.]	ville, village	Jökull [Isl.]	glacier
Caatinga [Bré.]	bois	Kaise [Lapon]	mont
Cabeza [Esp.]	montagne, sommet	Kaupunki [Fin.]	ville
Cabo [Port., Esp.]	cap	Khangaï [Mon.]	région boisée
Câmp [Roum.]	plaine, champ	Khoi [Rs.]	toundra
Campagna [It.]	champ, région, pays	Kita [Jap.]	nord
Campo [Port., Esp., It.]	champ	Klint [Dan., Norv., Su.]	falaise
Cañada [Esp.]	col, vallée	Köbing [Dan.]	petite localité
Cerro [Esp.]	colline, hauteur escarpée	Koul [Tdj.]	lac
Chaco [Esp.]	plaine	Koum [Turk.]	désert sableux
Channel [Angl.]	canal, bras de mer	Koh [Hin., Ou.]	mont
Chapada [Port.]	plateau	Kong [Th.]	rivière
Chatt [Ar.]	rivière	Köping [Su.]	marché, village
Chiang [Th.]	ville	Koski [Fin.]	chute d'eau
Chott [Ar.]	lac salé	Kota [Ind., Ml.]	ville
Cima [Port., Esp., It.]	sommet	Krasno [Rs.]	rouge
Città [It.]	ville	Kuala [Ind., Ml.]	embouchure
Ciudad [Esp.]	ville	Kuh [Per.]	mont, montagne
Coast [Angl.]	côte	Kumpu [Fin.]	colline
Colle [It.]	col, colline	Kylä [Fin.]	village
Colorado [Esp.]	coloré		
Cordillera [Esp.]	chaîne de montagne	Lago [It., Port., Esp.]	lac
Costa [Esp., Port.]	côte, rivage	Lagoa [Port.]	lac
Cuchilla [Esp.]	chaîne de montagne	Ling [Ch.]	chaîne de montagne
		Linna [Fin.]	château
Dağ [Tu.]	montagne	Llano [Esp.]	plaine, steppe
Dar [Ar.]	région	Loch, Lough [Gaél.]	lac, baie
Dario [Turk.]	rivière		
Debre [Amh.]	colline	Mar [Esp., Port.]	mer
Desh [Hin., Ou.]	pays	Mark [Dan., Norv., Su.]	région, pays
Djebel [Ar.]	montagne	Marsa [Ar.]	baie, port
		Marschen [All.]	marais
Edeyen [Ber.]	désert de sable	Mato [Port.]	bois, buissons épais
Embalse [Esp.]	lac de barrage	Monte[s] [Esp., Port.]	mont, montagne
Erg [Ar.]	désert de sable	Moor [Angl.]	lande, marais
		Most [Tch.]	pont
Fall [Angl.]	chute, cataracte	Mount [Angl.]	sommet, mont
Fell [Isl.]	montagne		
Firth [Angl.]	bras de mer, baie	Nagar [Hin., Ou.]	ville
Fjäll [Su.]	mont, montagne	Nakhon [Th.]	ville
Fjord [Dan., Norv., Su.]	bras de mer, baie	Nam [Th.]	rivière
Fjördhur [Isl.]	bras de mer, baie	Nefoud [Ar.]	désert de sable
Fonni [Norv.]	glacier	Nes [Isl., Norv.]	langue de terre
Förde [All.]	golfe	Nevada [Esp.]	enneigé
Foreland [Angl.]	langue de terre, cap	Nur [Mon.]	lac
Fors [Su.]	chute d'eau	Nusa [Ind.]	île
Gáisá [Lapon]	sommet de montagne	Ø [Dan.]	île
Gate [Angl.]	porte	Oust [Rs.]	embouchure
Gavan [Rs.]	port	Oros [Gr.]	montagne
Ghat [Hin., Ou.]	col	Ostrov [Tch., Rs.]	île
Ghor [Ar.]	dépression, plaine	Otok [Sc.]	île
Gobi [Mon.]	désert	Øy [Norv.]	île
Gora [Bl., Sc., Rs.]	montagne	Øya [Norv.]	île
Gorod [Rs.]	ville		
Gorsk [Rs.]	ville	Pais [Port.]	pays, région
Góry [Pol.]	montagne	Pampa [Esp.]	plaine herbeuse
Grad [Bl., Sc., Rs.]	ville	Pantanal [Port.]	marais
Gunung [Ind.]	montagne	Pantano [Esp.]	marais, lac de barrage

Parbat [Hin., Ou.]	mont, montagne
Peak [Angl.]	sommet, pic
Peña [Esp.]	rocher, falaise
Phnom [Kh.]	mont
Pico [Esp., Port.]	mont, sommet
Piz [It.]	mont, sommet
Pizzo [It.]	mont, sommet
Plain [Angl.]	plaine
Planina [Sc., Bl.]	montagne
Plata [Esp.]	argent
Playa [Esp.]	côte, plage
Point [Angl.]	cap, langue de terre
Polis [Gr.]	ville
Polje [Sc.]	plaine, dépression, bassin
Pool [Angl.]	lac, étang
Porto [It.]	port
Pôrto [Port.]	port
Pradesh [Hin.]	État
Pueblo [Esp.]	village, ville
Puerto [Esp.]	port
Puig [Cat.]	sommet, pic
Punta [Esp., It.]	cap, isthme
Pur [Hin., Ou.]	ville
Qaidam [Mon.]	marais salé
Range [Angl.]	chaîne de montagne
Ras [Ar., Per.]	cap
Reef [Angl.]	récif
Ria [Esp., Port.]	embouchure, golfe, baie
Rio [Esp., It., Port.]	rivière
Riviera [It.]	côte
Salar [Esp.]	marais salé, plaine salée
Salina [Esp.]	marais salé, plaine salée
Sap [Kh.]	eau douce, lac
Sasso [It.]	sommet, mont
Sebkha [Ar.]	marais salé
Şehir [Tu.]	ville
Selkä [Fin.]	montagne
Selva [Esp.]	forêt, bois
Serir [Ar.]	désert de cailloux
Serra [Port.]	chaîne de montagne
Serranía [Esp.]	chaîne de montagne
Shan [Ch.]	chaîne de montagne
Shima [Jap.]	île
Shire [Angl.]	comté
Shui [Ch.]	rivière
Sierra [Esp.]	mont, chaîne de montagne
Skog [Norv., Su.]	bois
Sông [Ann.]	rivière
Sound [Angl.]	détroit
Spitze [All.]	sommet, pic
Stadhur [Isl.]	ville
Sund [Dan., Norv., Su.]	détroit
Târg [Roum.]	marché, ville
Tassili [Ber.]	plateau
Temir [Tu.]	fer
Tenggara [Ind.]	sud-est
Tierra [Esp.]	pays
Tjåkko [Lapon]	mont
Tonle [Kh.]	lac
Tunturi [Fin.]	mont
Ujung [Hin., Ml.]	cap
Umm [Ar.]	source
Vaara [Fin.]	colline, mont
Város [Hong.]	ville
Vidda [Norv.]	plateau
Vik [Isl., Su.]	baie
Vila [Port.]	ville
Villa [It., Esp.]	ville, village
Wadi [Ar.]	lit de rivière à sec
Wald [All.]	forêt
Windward [Angl.]	côté du vent
Wold [Angl.]	lande, colline
Yama [Jap.]	mont
Zemlia [Rs.]	terre, région
Zhuang [Ch.]	village

Abréviations des langues

[All.]	Allemand	[Gaél.]	Gaélique	[Ou.]	Ourdou
[Amh.]	Amharique	[Gr.]	Grec	[Per.]	Perse
[Angl.]	Anglais	[Hin.]	Hindi	[Pol.]	Polonais
[Ann.]	Annamite	[Hong.]	Hongrois	[Port.]	Portugais
[Ar.]	Arabe	[Ind.]	Indonésien	[Roum.]	Roumain
[Ber.]	Berbère	[Isl.]	Islandais	[Rs.]	Russe
[Bl.]	Bulgare	[It.]	Italien	[Sc.]	Serbo-croate
[Bré.]	Brésilien	[Jap.]	Japonais	[Su.]	Suédois
[Cat.]	Catalan	[Kh.]	Khmer	[Tch.]	Tchèque/Slovaque
[Ch.]	Chinois	[Lapon]	Lapon	[Tdj.]	Tadjik
[Dan.]	Danois	[Ml.]	Malais	[Th.]	Thai
[Esp.]	Espagnol	[Mon.]	Mongol	[Turk.]	Turkmène
[Fin.]	Finnois	[Norv.]	Norvégien	[Tu.]	Turc

COORDONNÉES GÉOGRAPHIQUES

A

Abadan	30.20 N	48.16 E
Abidjan	5.19 N	4.01 O
Abou Dhabi	24.28 N	54.22 E
Abuja	9.10 N	7.06 E
Acapulco	16.51 N	99.55 O
Accra	5.33 N	0.15 O
Aconcagua	32.38 S	70.00 O
Adana	37.05 N	35.20 E
Addis Abeba	9.03 N	38.50 E
Adélaïde	34.56 S	138.36 E
Aden	12.48 N	45.00 E
Agra	27.18 N	78.00 E
Ahmadabad	23.04 N	72.38 E
Aix-la-Chapelle	50.47 N	6.05 E
Ajaccio	41.55 N	8.43 E
Albany	42.40 N	73.50 O
Alep	36.10 N	37.18 E
Alexandrie	31.13 N	29.55 E
Alger	36.50 N	3.00 E
Alicante	38.21 N	0.29 O
Alice Springs	23.42 S	133.52 E
Allahabad	25.32 N	81.53 E
Almaty	43.15 N	76.57 E
Alost	50.56 N	4.02 E
Amboine	3.45 S	128.17 E
Amman	31.57 N	35.57 E
Amritsar	31.43 N	74.52 E
Amsterdam	52.21 N	4.54 E
Anchorage	61.12 N	149.48 O
Andorre	42.30 N	1.32 E
Angkor	13.52 N	103.50 E
Ankara	39.55 N	32.50 E
Annapurna	28.34 N	83.50 E
Anshan	41.00 N	123.00 E
Antananarivo	18.52 S	47.30 E
Antofagasta	23.32 N	70.21 O
Anvers	51.13 N	4.25 E
Aomen	22.00 N	113.00 E
Apia	13.48 S	171.45 O
Aqaba	29.31 N	35.00 E
Ararat	39.50 N	44.20 E
Århus	56.10 N	10.13 E
Arlon	49.34 N	5.32 E
Ascension	8.00 S	14.15 O
Aşgabat	37.57 N	58.23 E
Asmara	15.20 N	38.53 E
Assouan	24.05 N	32.53 E
Astana	51.11 N	71.27 E
Asunción	25.25 S	57.30 O
Athènes	38.00 N	23.44 E
Atlanta	33.45 N	84.23 O
Auckland	36.52 S	174.46 E
Austin	30.15 N	97.42 O

B

Bagdad	33.14 N	44.20 E
Bago	17.17 N	96.29 E
Baguio	16.24 N	120.36 E
Bakou	40.22 N	49.53 E
Bâle	47.33 N	7.36 E
Baltimore	39.20 N	76.38 O
Bamako	13.28 N	7.59 O
Banda Aceh	5.10 N	95.10 E
Bandar Seri Begawan	5.00 N	114.59 E
Bandung	7.00 S	107.22 E
Bangalore	13.03 N	77.39 E
Bangkok	13.50 N	100.29 E
Bangui	4.23 N	18.37 E
Banjarmasin	3.18 S	114.32 E
Banjul	13.28 N	16.39 O
Baotou	40.28 N	110.10 E
Barcelone	41.25 N	2.10 E
Bari	41.07 N	16.52 E
Basilan	6.37 N	122.07 E
Basra	30.30 N	47.47 E
Bastia	42.41 N	9.26 E
Bastogne	50.00 N	5.43 E
Bata	1.51 N	9.46 E
Batangas	13.45 N	121.04 E
Battambang	13.14 N	103.15 E
Beijing	39.55 N	116.23 E
Beira	19.49 S	34.52 E
Belém	1.18 S	48.27 O
Belfast	54.35 N	5.56 O
Belgrade	44.50 N	20.30 E
Belmopan	17.15 N	88.47 O
Belo Horizonte	19.54 S	43.56 O
Benghazi	32.07 N	20.04 E
Bengkulu	3.46 S	102.18 E
Bergen	60.23 N	5.20 E
Berlin	52.32 N	13.25 E
Berne	46.57 N	7.26 E
Bhamo	24.00 N	96.15 E
Bhopal	23.20 N	77.25 E
Bichkek	42.54 N	74.36 E
Bilbao	43.15 N	2.56 O
Birmingham	52.30 N	1.50 O
Bissau	11.52 N	15.39 O
Blanc, mont	45.50 N	6.52 E
Blankenberge	51.19 N	3.08 E
Blantyre	15.46 S	35.00 E
Bobo-Dioulasso	11.11 N	4.18 O
Bogor	6.45 S	106.45 E
Bogotá	4.38 N	74.06 O
Bologne	44.30 N	11.20 E
Bonn	50.44 N	7.06 E
Bordeaux	44.50 N	0.34 O
Bosphore	41.06 N	29.04 E
Boston	42.15 N	71.07 O
Bouaké	7.42 N	5.00 O
Brasília	15.49 S	47.39 O
Bratislava	48.10 N	17.10 E
Brazzaville	4.14 S	15.14 E
Brême	53.05 N	8.48 E
Brenner, col du	47.00 N	11.30 E
Brest	48.24 N	4.29 O
Brisbane	27.30 S	153.00 E
Bristol	51.27 N	2.35 O
Brno	49.13 N	16.40 E
Bruges	51.13 N	3.14 E
Bruxelles	50.50 N	4.21 E
Bucarest	44.25 N	26.07 E
Budapest	47.30 N	19.03 E
Buenos Aires	34.20 S	58.30 O
Buffalo	42.54 N	78.51 O
Bujumbura	3.22 S	29.19 E
Bukavu	2.30 S	28.50 E
Busan	35.08 N	129.05 E

C

Cabinda	5.33 S	12.12 E
Caen	49.11 N	0.21 O
Cagayan de Oro	8.13 N	124.30 E
Cagliari	39.13 N	9.07 E
Cairns	16.51 S	145.43 E
Calais	50.57 N	1.50 E
Calbayog	12.04 N	124.36 E
Calgary	51.03 N	114.05 O
Cali	3.26 N	76.30 O
Cam Ranh	11.54 N	109.09 E
Camagüey	21.23 N	77.55 O
Cameroun, mont	4.12 N	9.11 E
Canberra	35.18 S	149.08 E
Canton	40.50 N	81.23 O
Caracas	10.30 N	66.58 O
Cardiff	51.29 N	3.13 O
Casablanca	33.39 N	7.35 O
Catane	37.31 N	15.04 E
Cayenne	4.56 N	52.18 O
Cebu	10.22 N	123.49 E
Cervin, mont	45.59 N	7.39 E
Chandigarh	30.51 N	77.13 E
Changchun	43.55 N	125.25 E
Charleroi	50.25 N	4.27 E
Charlottetown	46.14 N	63.08 O
Chengdu	30.30 N	104.10 E
Chennai	13.08 N	80.15 E
Cherrapunji	25.13 N	91.44 E
Chiang Mai	18.38 N	98.44 E
Chicago	41.49 N	87.37 O
Chiraz	29.32 N	52.27 E
Chişinău	47.00 N	28.50 E
Chittagong	22.26 N	90.51 E
Chongqing	29.38 N	107.30 E
Christchurch	43.33 S	172.40 E
Churchill	58.47 N	94.12 O
Cincinnati	39.08 N	84.30 O
Cirebon	6.50 S	108.33 E
Ciudad Juárez	31.44 N	106.28 O
Clermont-Ferrand	45.47 N	3.05 E
Cleveland	41.30 N	81.42 O
Coimbatore	11.03 N	76.56 E
Cologne	50.56 N	6.55 E
Colombo	6.58 N	79.52 O
Columbus	40.00 N	83.00 O
Conakry	9.31 N	13.43 O
Concepción	36.51 S	72.59 O
Constanţa	44.12 N	28.40 E
Constantine	36.22 N	6.40 E
Cook, mont	43.37 S	170.08 E
Copenhague	55.40 N	12.35 E
Córdoba	30.20 S	64.03 O
Cork	51.54 N	8.28 O
Cotonou	6.24 N	2.31 E
Courtrai	50.50 N	3.17 E
Cracovie	50.03 N	19.55 E
Curitiba	25.20 S	49.15 O
Cusco	13.36 S	71.52 O

D

Daegu	35.49 N	128.41 E
Da Lat	11.56 N	108.25 E
Dalian	38.54 N	121.35 E
Da Nang	16.08 N	108.22 E
Dakar	14.38 N	17.27 O
Dallas	32.45 N	96.48 O
Damas	33.31 N	36.18 E
Damavand	36.05 N	52.05 E
Dammaam	26.27 N	49.59 E
Dardanelles	40.05 N	25.50 E
Dar-es-Salam	6.51 S	39.18 E
Darwin	12.28 S	130.50 E
Davao	7.05 N	125.30 E
29.12	N 81.01	O
Debrecen	47.30 N	21.37 E
Delhi	28.54 N	77.13 E
Denpasar	8.35 S	115.10 E
Denver	39.44 N	104.59 O
Detroit	42.22 N	83.10 O
Dhaka	23.45 N	90.29 E
Dhaulagiri	28.42 N	83.31 E
Dien Bien Phu	21.38 N	102.49 E
Dijon	47.19 N	5.01 E
Dili	8.35 S	125.35 E
Djedda	21.30 N	39.15 E
Djerba	33.52 N	10.51 E
Djibouti	11.36 N	43.09 E
Dnipropetrovsk	48.27 N	34.59 E
Dodoma	6.10 S	35.40 E
Donetsk	48.00 N	37.48 E
Dortmund	51.32 N	7.27 E
Douala	4.04 N	9.43 E
Douchanbe	38.38 N	68.51 E
Douglas	54.09 N	4.28 O
Dresde	51.03 N	13.45 E
Dublin	53.20 N	6.15 O
Dubrovnik	42.40 N	18.07 E
Duisbourg	51.25 N	6.46 E
Duluth	46.50 N	92.07 O
Dunedin	45.52 S	170.30 E
Dunkerque	51.03 N	2.22 E
Durban	29.53 S	31.00 E

E

Édimbourg	55.57 N	3.12 O
Edmonton	53.33 N	113.28 O
Eilat	29.34 N	34.57 E
Eindhoven	51.26 N	5.30 E
Elbrous	36.00 N	52.00 E
Elgon, mont	1.08 N	34.3 E
El Paso	31.47 N	106.27 O
Erevan	40.11 N	44.30 E
Esch	49.32 N	6.00 E
Essen	51.26 N	6.59 E
Etna	37.45 N	15.00 E
Ettelbruck	49.52 N	6.05 E
Eureka	80.15 N	85.00 O
Everest, mont	28.00 N	86.57 E

F

Fairbanks	64.50 N	147.50 O
Faisalabad	31.29 N	73.06 E
Faro	37.01 N	7.56 O
Florence	43.47 N	11.15 E
Fortaleza	3.35 S	38.31 O
Fort-de-France	14.37 N	61.06 O
Fort Lauderdale	26.07 N	80.09 O
Francfort	50.06 N	8.41 E
Fredericton	45.57 N	66.40 O
Freetown	8.30 N	13.17 O
Fuji	35.23 N	138.44 E
Funchal	32.38 N	16.54 O
Fushun	41.50 N	124.00 E
Fuzhou	26.02 N	119.18 E

G

Gaborone	24.45 S	25.55 E
Gand	51.02 N	3.42 E
Gaoxiong	22.35 N	120.25 E
Gaspé	48.50 N	64.29 O
Gaza	31.30 N	34.29 E
Gdańsk	54.22 N	18.41 E
General Santos	6.07 N	125.11 E
Gênes	44.24 N	8.56 E
Genève	46.13 N	6.09 E
Genk	50.58 N	5.30 E
Georgetown (Guyana)	7.45 N	58.04 O
Georgetown (Îles Cayman)	19.18 N	81.23 E
Gibraltar	36.08 N	5.22 O
Glasgow	53.52 N	4.14 O
Göteborg	57.45 N	12.00 E
Graz	47.05 N	15.22 E
Grenoble	45.10 N	5.43 E
Griz Nez, cap	50.52 N	1.35 E
Groningue	53.13 N	6.35 E
Guadalajara	20.41 N	103.21 O
Guaíra, chutes	24.03 S	44.02 O
Guangzhou	23.07 N	113.15 E
Guantánamo	20.10 N	75.10 O
Guatemala	14.37 N	90.32 O
Guayaquil	2.16 S	79.53 O
Gwadar	25.15 N	62.29 E

H

Haifa	32.48 N	35.00 E
Haikou	20.00 N	110.20 E
Haiphong	20.52 N	106.40 E
Halifax	44.39 N	63.36 O
Hambourg	53.33 N	10.00 E
Hamilton	43.15 N	79.52 O
Hangzhou	30.17 N	120.12 E
Hanoi	21.04 N	105.50 E
Hanovre	52.24 N	9.44 E
Harare	17.50 S	31.03 E
Harbin	45.40 N	126.30 E
Hasselt	50.56 N	5.20 E
Hatteras, cap	35.14 N	75.31 O
Héligoland	54.09 N	7.52 E
Helsinki	60.08 N	25.00 E
Héraklion	35.20 N	25.12 E
Herat	34.28 N	62.13 E
Hermon, mont	33.26 N	35.51 E
Hiroshima	34.22 N	132.25 E
Hô Chi Minh-Ville	10.46 N	106.34 E
Homs	34.42 N	36.52 E
Hongkong	21.45 N	115.00 E
Honolulu	21.25 N	157.50 O
Horn, cap	56.00 S	67.00 O
Houston	29.46 N	95.21 O
Huascarán	9.05 S	77.50 O
Hué	16.28 N	107.42 E
Hungnam	39.57 N	127.35 E
Huy	50.31 N	5.14 E
Hyderabad (Inde)	17.29 N	79.28 E
Hyderabad (Pakistan)	25.29 N	68.28 E

I

Iakoutsk	62.10 N	129.50 E
Ibadan	7.23 N	3.56 E
Ibiza	38.54 N	1.26 E
Iekaterinbourg	56.50 N	60.30 E
Ilebo	4.19 S	20.35 E
Ilimani	16.50 S	67.38 O
Iloilo	10.49 N	112.33 E
Imphal	24.42 N	94.00 E
Indianapolis	39.45 N	86.08 O
Indore	22.42 N	75.54 E
Innsbruck	47.17 N	11.25 E
Inuvik	68.40 N	134.10 O
Ipoh	4.45 N	101.05 E
Irkoutsk	52.16 N	104.20 E
Iskenderun	36.45 N	36.15 E
Islamabad	33.42 N	73.08 E
Ispahan	32.38 N	51.30 E
İstanbul	41.02 N	29.0
İzmir	38.25 N	27.0

J

Jaffna	9.44 N	80.0
Jaipur	27.00 N	75.5
Jakarta	6.17 S	106.45
Jamshedpur	22.52 N	86.11
Jéricho	31.51 N	35.28
Jérusalem	31.46 N	35.14
Jinan	36.40 N	117.01
Jodhpur	26.23 N	73.00 E
Johannesburg	26.10 S	28.02 E
Jungfrau	46.33 N	7.58 E

K

K2, mont	36.06 N	76.38 E
Kaboul	34.39 N	69.14 E
Kagoshima	31.35 N	130.31 E
Kalemie	5.56 S	29.12 E
Kaliningrad	54.43 N	20.30 E
Kamina	8.44 S	25.00 E
Kampala	0.20 N	32.35 E
Kampot	10.41 N	104.07 E
Kananga	5.53 S	22.26 E
Kanchenjunga	27.30 N	88.18 E
Kandahar	31.43 N	65.58 E
Kandy	7.18 N	80.42 E
Kanpur	26.00 N	82.45 E
Kansas City	39.06 N	94.39 O
Karachi	24.59 N	68.56 E
Karaghandy	49.50 N	73.10 E
Karakoram, col de	35.35 N	77.45 E
Kathmandou	27.49 N	85.21 E
Kazan	55.49 N	49.08 E
Kenya, mont	0.10 S	37.20 E
Kerinci	1.45 S	101.18 E
Key West	24.33 N	81.46 O
Kharkiv	50.00 N	36.15 E
Khartoum	15.33 N	32.32 E
Khon Kaen	16.26 N	102.50 E
Khulna	22.50 N	89.38 E
Khyber, col de	34.28 N	71.18 E
Kiel	54.20 N	10.08 E
Kiev	50.25 N	30.30 E
Kigali	1.56 S	30.04 E
Kikwit	5.02 S	18.51 E
Kilimandjaro	2.50 S	35.15 E
Kinabalu	5.45 N	115.26 E
Kingston	18.00 N	76.45 O
Kinshasa	4.18 S	15.18 E
Kirkuk	35.28 N	44.22 E
Kisangani	0.33 N	25.14 E
Kismaayo	0.22 S	42.31 E
Kisumu	0.08 S	34.47 E
Kita-Kyushu	34.15 N	130.23 E
Kochi (Inde)	9.58 N	76.19 E
Kolkata	22.32 N	88.22 E
Kongur Shan	38.20 N	75.28 E
Kota Kinabalu	5.55 N	116.05 E
Koweït	29.04 N	47.59 E
Krasnoïarsk	56.01 N	92.50 E
Kuala Lumpur	3.08 N	101.42 E
Kuala Terengganu	5.20 N	53.08 E
Kuching	1.30 N	110.26 E
Kunming	25.10 N	102.50 E
Kyoto	35.00 N	135.46 E

L

Lagos	6.27 N	3.28 E
La Havane	23.08 N	82.23 O
La Haye	52.07 N	4.17 E
La Louvière	50.28 N	4.11 E
La Mecque	21.27 N	39.45 E
La Nouvelle-Orléans	30.00 N	90.05 O
Lanzhou	35.55 N	103.55 E
La Paz	16.31 S	68.03 O
La Pérouse, détroit de	45.45 N	141.20 E
La Rochelle	46.10 N	1.10 O
Las Palmas	28.08 N	15.27 O
Las Vegas	36.12 N	115.10 O
La Valette	35.54 N	14.32 E
Lausanne	46.32 N	6.39 E
Le Caire	30.03 N	31.15 E
Le Cap	33.56 S	18.28 E
Leeds	53.50 N	1.35 O
Lefkosia	35.10 N	33.22 E
Legaspi	13.09 N	123.44 E
Le Havre	49.30 N	0.06 E
Leipzig	51.20 N	12.25 E
Le Mans	48.00 N	0.12 E
León	21.08 N	101.41 O
Lerwick	60.09 N	1.09 O
Lhasa	29.41 N	91.12 E
Libreville	0.23 N	9.25 E
Liège	50.38 N	5.35 E
Likasi	10.58 S	26.47 E
Lille	50.38 N	3.04 E
Lilongwe	18.58 S	33.49 E
Lima	12.06 S	76.55 O
Limoges	45.50 N	1.16 E
Linz	48.19 N	14.18 E
Lisbonne	38.44 N	9.08 O
Liverpool	53.25 N	2.55 O
Ljubljana	46.04 N	14.30 E
Lobito	12.20 S	13.34 E
Łódź	51.49 N	19.28 E
Logan, mont	60.54 N	140.33 O
Lomé	6.10 N	1.21 E
Londres	51.30 N	0.10 O
Los Angeles	34.00 N	118.15 O
Louvain	50.53 N	4.42 E
Louvain-la-Neuve	50.42 N	4.37 E
Luanda	8.50 S	13.15 E

Lubumbashi	11.41 S	27.29 E
Lucknow	26.54 N	80.58 E
Lusaka	15.28 S	28.16 E
Luxembourg	49.36 N	6.09 E
Luxor	25.41 N	32.39 E
Lyon	45.46 N	4.50 E

M

Maastricht	50.52 N	5.43 E
Madrid	40.25 N	3.43 O
Madurai	9.57 N	78.04 E
Magdebourg	52.08 N	11.37 E
Magellan, détroit de	52.30 S	68.45 O
Makassar	5.08 S	119.28 E
Malacca	2.11 N	102.15 E
Málaga	36.43 N	4.25 O
Malang	8.06 S	112.50 E
Malé	4.10 N	73.30 E
Malines	51.02 N	4.29 E
Malmö	55.35 N	13.00 E
Managua	12.10 N	86.16 O
Manamah	26.01 N	50.33 E
Manaus	3.01 S	60.00 O
Manchester	53.30 N	2.15 O
Mandalay	22.00 N	96.08 E
Mangalore	12.53 N	74.52 E
Manille	14.37 N	121.00 E
Mannheim	49.29 N	8.29 E
Maputo	25.58 S	32.35 E
Maracaibo	10.38 N	71.45 O
Mariehamn	58.51 N	15.09 E
Marrakech	31.38 N	8.00 O
Marseille	43.18 N	5.22 E
Mascate	23.23 N	58.30 E
Maseru	29.19 S	27.29 E
Matadi	5.50 S	13.32 E
Mawlamyine	16.30 N	97.39 E
Mazar-i-Charif	36.48 N	67.12 E
Mbabane	26.20 S	31.08 E
Mbandaka	0.03 N	18.16 E
Mbuji-Mayi	6.10 S	23.39 E
McKinley, mont	63.00 N	151.02 O
Meched	36.17 N	59.30 E
Medan	3.35 N	98.35 E
Medellín	6.15 N	75.34 O
Médine	24.26 N	39.42 E
Melbourne	37.45 S	144.58 E
Memphis	35.07 N	90.03 O
Mendoza	32.48 S	68.45 O
Mérida (Mexique)	20.58 N	89.37 O
Mérida (Venezuela)	8.30 N	71.15 O
Messine	38.11 N	15.33 E
Metz	49.08 N	6.10 E
Mexico	19.28 N	99.09 O
Miami	25.45 N	80.11 O
Milan	45.28 N	9.12 E
Milwaukee	43.03 N	87.55 O
Minneapolis	44.58 N	93.15 O
Minsk	53.51 N	27.30 E
Mombasa	4.04 S	39.40 E
Monaco	43.45 N	7.25 E
Moncton	46.07 N	64.51 O
Monrovia	6.20 N	10.46 O
Mons	50.28 N	3.58 E
Monterrey	25.43 N	100.19 O
Montevideo	34.50 S	56.10 O
Montpellier	43.36 N	3.53 E
Montréal	45.30 N	73.35 O
Moroni	11.40 S	43.16 E
Moscou	55.45 N	37.42 E
Mossoul	36.00 N	42.53 E
Mostar	43.20 N	17.49 E
Mourmansk	68.58 N	33.05 E
Mulhouse	47.45 N	7.20 E
Mumbai	18.58 N	72.50 E
Munich	48.08 N	11.33 E
Muqdisho	2.02 N	45.21 E

N

Nagasaki	32.48 N	129.53 E
Nagoya	35.09 N	136.53 E
Nagpur	21.12 N	79.09 E
Naha	26.02 N	127.43 E
Nairobi	1.17 S	36.50 E
Nampula	15.07 S	39.15 E
Namur	50.28 N	4.52 E
Nancy	48.41 N	6.12 E
Nanga Parbat	35.20 N	74.35 E
Nanjing	32.04 N	118.46 E
Nanning	22.56 N	108.10 E
Nantes	47.14 N	1.35 O
Naples	40.50 N	14.15 E
Naplouse	32.13 N	35.16 E
Nassau	25.05 N	77.20 O
Ndjamena	12.10 N	14.59 E
New Delhi	28.48 N	77.18 E
New York	40.40 N	73.58 O
Niagara, chutes du	43.06 N	79.04 O
Niamey	13.32 N	2.05 E
Nice	43.42 N	7.16 E
Nieuport	51.09 N	2.43 E
Nijni Novgorod	56.20 N	44.00 E
Nord, cap	71.11 N	25.40 E
Norfolk	36.55 N	76.15 O
Norman Wells	65.26 N	127.00 O
Nouadhibou	20.54 N	17.01 O
Nouakchott	18.09 N	15.58 O
Nova Iguaçu	22.45 S	43.27 O
Novi Sad	45.15 N	19.51 E
Novosibirsk	55.04 N	83.05 E
Nuremberg	49.27 N	11.04 E

O

Oaxaca	17.03 N	96.42 O
Odessa	46.28 N	30.44 E
Okinawa	26.50 N	127.25 E
Olympe	40.06 N	22.23 E
Omaha	41.18 N	95.57 O
Omsk	55.00 N	73.24 E
Oran	35.45 N	0.38 O
Orizaba	18.52 N	97.05 E
Orlando	28.30 N	81.25 O
Osaka	34.40 N	135.27 E
Oslo	59.55 N	10.45 E
Ostende	51.13 N	2.55 E
Ottawa	45.25 N	75.43 O
Ouagadougou	12.20 N	1.40 O
Oufa	54.44 N	55.56 E
Oulan-Bator	47.56 N	107.00 E

P

Padang	1.01 S	100.28 E
Palembang	2.57 S	104.40 E
Palerme	38.08 N	13.23 E
Palk, détroit de	10.00 N	79.23 E
Palma	39.35 N	2.39 E
Panaji	15.33 N	73.52 E
Panamá	30.08 N	85.39 O
Paramaribo	5.50 N	55.15 O
Paris	48.52 N	4.50 E
Patan	27.23 N	85.24 E
Pathein	16.46 N	94.47 E
Patna	25.37 N	85.08 E
Perm	58.00 N	56.15 E
Perth	31.57 S	115.52 E
Peshawar	34.01 N	71.34 E
Philadelphie	40.00 N	75.13 O
Phnom Penh	11.39 N	104.53 E
Phoenix	33.30 N	112.00 O
Pinang	5.21 N	100.09 E
Pittsburgh	40.26 N	80.01 O
Plzeň	49.45 N	13.25 E
Podgorica	42.28 N	19.17 E
Pointe-à-Pitre	16.15 N	61.32 O
Pointe-Noire	4.46 S	11.53 E
Poitiers	46.35 N	0.20 E
Pondichéry	11.58 N	79.48 E
Popocatepetl	19.01 N	98.38 O
Port-au-Prince	18.35 N	72.20 O
Port Elizabeth	33.58 S	25.36 E
Port-Gentil	0.40 S	8.50 E
Portland	45.31 N	123.41 O
Port Louis	20.10 S	57.30 E
Porto	41.09 N	8.37 O
Pôrto Alegre	29.58 S	51.11 O
Port of Spain	10.44 N	61.24 O
Porto-Novo	6.30 N	2.47 E
Port-Soudan	19.22 N	37.08 E
Potosí	19.42 S	65.42 O
Poznań	52.25 N	16.53 E
Prague	50.06 N	14.26 E
Praia	14.55 N	23.30 O
Pretoria	25.45 S	28.12 E
Prince George	53.55 N	122.50 O
Prince Rupert	54.20 N	130.20 O
Prishtinë	42.39 N	21.10 E
Prudhoe Bay	70.40 N	147.25 O
Puna	18.38 N	73.53 E
Puncak Jaya	4.00 S	131.15 E
Pyongyang	39.03 N	125.48 E

Q

Qingdao	36.05 N	120.10 E
Qom	34.28 N	50.53 E
Québec	46.49 N	71.13 O
Quetta	30.19 N	67.01 E
Qui Nhon	13.51 N	109.03 E
Quito	0.17 S	78.32 O

R

Rabat	34.02 N	6.51 O
Rainier, mont	46.52 N	121.45 O
Rangpur	25.48 N	89.19 E
Ratisbonne	49.01 N	12.06 E
Rawalpindi	33.40 N	73.10 E
Recife	8.09 S	34.59 O
Reggio di Calabria	38.07 N	15.39 E
Regina	50.25 N	104.39 O
Reims	49.15 N	4.02 E
Rennes	48.05 N	1.41 O
Reykjavík	64.09 N	21.58 O
Rhodes	36.26 N	28.13 E
Riga	56.57 N	24.06 E
Rio de Janeiro	22.50 S	43.20 O
Riyad	24.31 N	46.47 E
Robson, mont	53.07 N	119.09 O
Rome	41.53 N	12.30 E
Rostov	47.15 N	39.45 E
Rotterdam	51.55 N	4.29 E
Rouen	49.26 N	1.05 E
Roulers	50.57 N	3.08 E
Rovaniemi	66.34 N	25.48 E

S

Sacramento	38.35 N	121.30 O
Saguenay	48.26 N	71.04 O
Saint-Domingue	18.30 N	69.55 O
Sainte-Hélène	15.55 S	18.10 E
Saint-Étienne	45.26 N	4.23 E
Saint John	45.16 N	66.03 O
Saint John's	47.34 N	52.43 O
Saint Louis (États-Unis)	38.39 N	90.15 O
Saint-Louis (Sénégal)	16.01 N	16.30 O
Saint-Marin	43.55 N	12.28 E
Saint-Nicolas	51.10 N	4.08 E
Saint-Pétersbourg	59.55 N	30.20 E
Salt Lake City	40.45 N	111.52 O
Salvador	12.59 S	38.27 O
Salzbourg	47.48 N	13.03 E
Samara	53.10 N	50.10 E
Samarqand	39.40 N	66.48 E
Sanaa	15.17 N	44.05 E
San Antonio	29.25 N	98.30 O
San Diego	32.43 N	117.10 O
San Francisco	37.45 N	122.26 O
San Jose	9.57 N	84.05 O
San Juan	18.30 N	66.10 O
San Pedro	4.44 N	6.37 O
San Salvador	13.45 N	89.11 O
Santa Cruz (Tenerife)	28.27 N	16.14 O
Santiago	33.26 S	70.40 O
Santiago de Cuba	20.00 N	75.50 O
São Paulo	23.34 S	46.38 O
São Tomé	0.20 N	6.44 E
Sapporo	43.02 N	141.29 E
Saragosse	41.39 N	0.54 O
Sarajevo	43.52 N	18.26 E
Saratov	51.34 N	46.02 E
Saskatoon	52.07 N	106.38 O
Sault Sainte-Marie	46.30 N	84.20 O
Savannakhet	16.33 N	104.45 E
Schefferville	54.52 N	67.01 O
Seattle	47.36 N	122.20 O
Sébastopol	44.36 N	3132 E
Sekondi	4.59 N	1.43 O
Semarang	7.03 S	110.27 E
Semeru	8.06 S	112.55 E
Sendai	38.18 N	141.02 E
Séoul	37.35 N	127.03 E
Sept-Îles	50.06 N	66.23 O
Séville	37.23 N	6.00 O
Shanghai	31.14 N	121.27 E
Shantou	23.20 N	116.40 E
Sheffield	53.23 N	1.30 O
Shenyang	41.45 N	123.22 E
Sherbrooke	45.25 N	71.54 O
Singapour	1.18 N	103.52 E
Sittwe	20.09 N	92.54 E
Skopje	42.00 N	21.28 E
Sofia	42.40 N	23.18 E
Songkhla	7.09 N	100.34 E
Split	43.31 N	16.28 E
Srinagar	34.11 N	74.49 E
Stanley	51.46 S	57.59 O
Stockholm	59.20 N	18.05 E
Strasbourg	48.35 N	7.45 E
Stuttgart	48.47 N	9.12 E
Sucre	19.06 S	65.16 O
Sudbury	46.28 N	81.00 O
Suez	29.59 N	32.33 E
Surabaya	7.23 S	112.45 E
Surakarta	7.35 S	110.45 E
Surat	21.08 N	73.22 E
Suzhou	31.19 N	120.37 E
Sydney	33.53 S	151.10 E

T

Tabriz	38.00 N	46.13 E
Taichung	24.10 N	120.42 E
Tainan	23.08 N	120.18 E
Taipei	25.02 N	121.38 E
Taiyuan	37.32 N	112.38 E
Tallinn	59.25 N	24.45 E
Tampa	27.57 N	82.25 O
Tampere	61.32 N	23.45 E
Tampico	22.14 N	97.51 O
Tangshan	39.38 N	118.11 E
Tarente	40.28 N	17.15 E
Tarsus	36.55 N	34.54 E
Tbilissi	41.13 N	44.49 E
Tcheliabinsk	55.10 N	61.24 E
Tegucigalpa	14.08 N	87.15 O
Téhéran	35.45 N	51.30 E
Tel Aviv	32.03 N	34.46 E
Thessalonique	40.38 N	22.58 E
Thiruvananthapuram	8.34 N	76.58 E
Thunder Bay	48.28 N	89.12 O
Tianjin	39.08 N	117.14 E
Tijuana	32.29 N	117.01 O
Tirana	41.20 N	19.49 E
Toamasina	18.10 S	49.23 E
Toshkent	41.16 N	69.13 E
Tokyo	35.41 N	139.44 E
Tombouctou	16.49 N	2.59 O
Toronto	43.40 N	79.23 O
Toulon	43.07 N	5.56 E
Toulouse	43.37 N	1.27 E
Tournai	50.36 N	3.23 E
Trieste	45.40 N	13.46 E
Trincomalee	8.39 N	81.12 E
Tripoli (Liban)	34.25 N	35.50 E
Tripoli (Libye)	32.49 N	13.07 E
Trois-Rivières	46.21 N	72.35 O
Tsugaru, détroit de	41.25 N	140.20 E
Tunis	36.50 N	10.13 E
Tupungato	33.22 S	69.47 O
Turin	45.04 N	7.40 E
Turku	60.27 N	22.15 E
Turnhout	51.19 N	4.57 E

U

Uranium City	59.34 N	108.59 O
Ürümqi	43.49 N	87.43 E
Utrecht	52.06 N	5.07 E

V

Vaduz	47.09 N	9.31 E
Valence (Espagne)	39.28 N	0.22 O
Valparaíso	33.02 S	71.32 O
Vancouver	49.16 N	123.06 O
Varanasi	25.25 N	83.00 E
Varsovie	52.15 N	21.00 E
Vatican, cité du	41.54 N	12.27 E
Venise	45.26 N	12.20 E
Ventoux, mont	44.10 N	5.17 E
Veracruz	19.13 N	96.07 O
Verkhoïansk	67.35 N	133.25 E
Vérone	45.27 N	11.00 E
Verviers	50.35 N	5.52 E
Vésuve	40.50 N	14.22 E
Victoria (Seychelles)	4.38 S	55.28 E
Victoria (Canada)	48.26 N	123.23 O
Victoria, chutes	17.58 S	25.52 E
Vienne (Autriche)	48.13 N	16.22 E
Vientiane	18.07 N	102.33 E
Vilnius	54.41 N	25.19 E
Vladivostok	43.10 N	131.56 E
Volgograd	48.44 N	44.25 E
Voronej	51.40 N	39.10 E

W

Walvis Bay	23.00 S	14.28 E
Washington	38.50 N	77.00 O
Wellington	41.17 S	174.47 E
Whitehorse	60.39 N	135.01 O
Whitney, mont	36.34 N	118.18 O
Windhoek	22.34 S	17.06 E
Windsor	42.18 N	83.01 O
Winnipeg	49.53 N	97.09 O
Wrocław	51.05 N	17.00 E
Wuhan	30.30 N	114.15 E

X

Xiamen	24.28 N	118.20 E
Xi'an	34.20 N	109.00 E
Xining	36.52 N	101.36 E

Y

Yamoussoukro	6.49 N	5.17 O
Yangon	16.46 N	96.09 E
Yaoundé	3.51 N	11.31 E
Yellowknife	62.29 N	114.38 O
Yinchuan	38.22 N	106.22 E
Yogyakarta	7.50 S	110.20 E
Yokoharna	35.37 N	139.40 E

Z

Zagreb	45.48 N	15.58 E
Zamboanga	6.58 N	122.02 E
Zanzibar	6.12 S	39.12 E
Zeebrugge	51.19 N	3.12 E
Zermatt	46.01 N	7.45 E
Zhengzhou	34.46 N	113.42 E
Ziguinchor	12.35 N	16.16 O
Zürich	47.23 N	8.33 E

INDEX DES CART

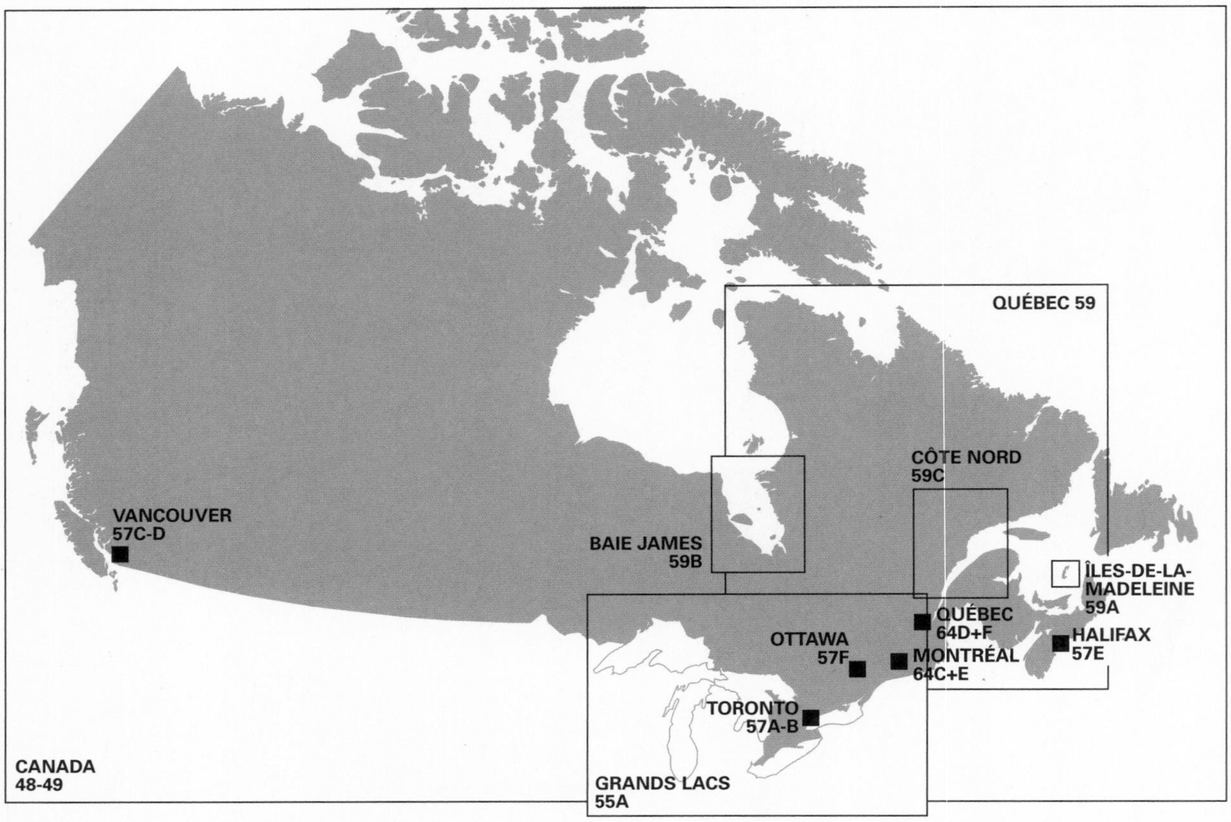

QUÉBEC 59

CÔTE NORD
59C

BAIE JAMES
59B

ÎLES-DE-LA-
MADELEINE
59A

QUÉBEC
64D+F

VANCOUVER
57C-D

OTTAWA
57F

MONTRÉAL
64C+E

HALIFAX
57E

TORONTO
57A-B

CANADA
48-49

GRANDS LACS
55A

Les plans de ville et les cartes thématiques
importantes sont aussi indiqués sur le
signet des continents.

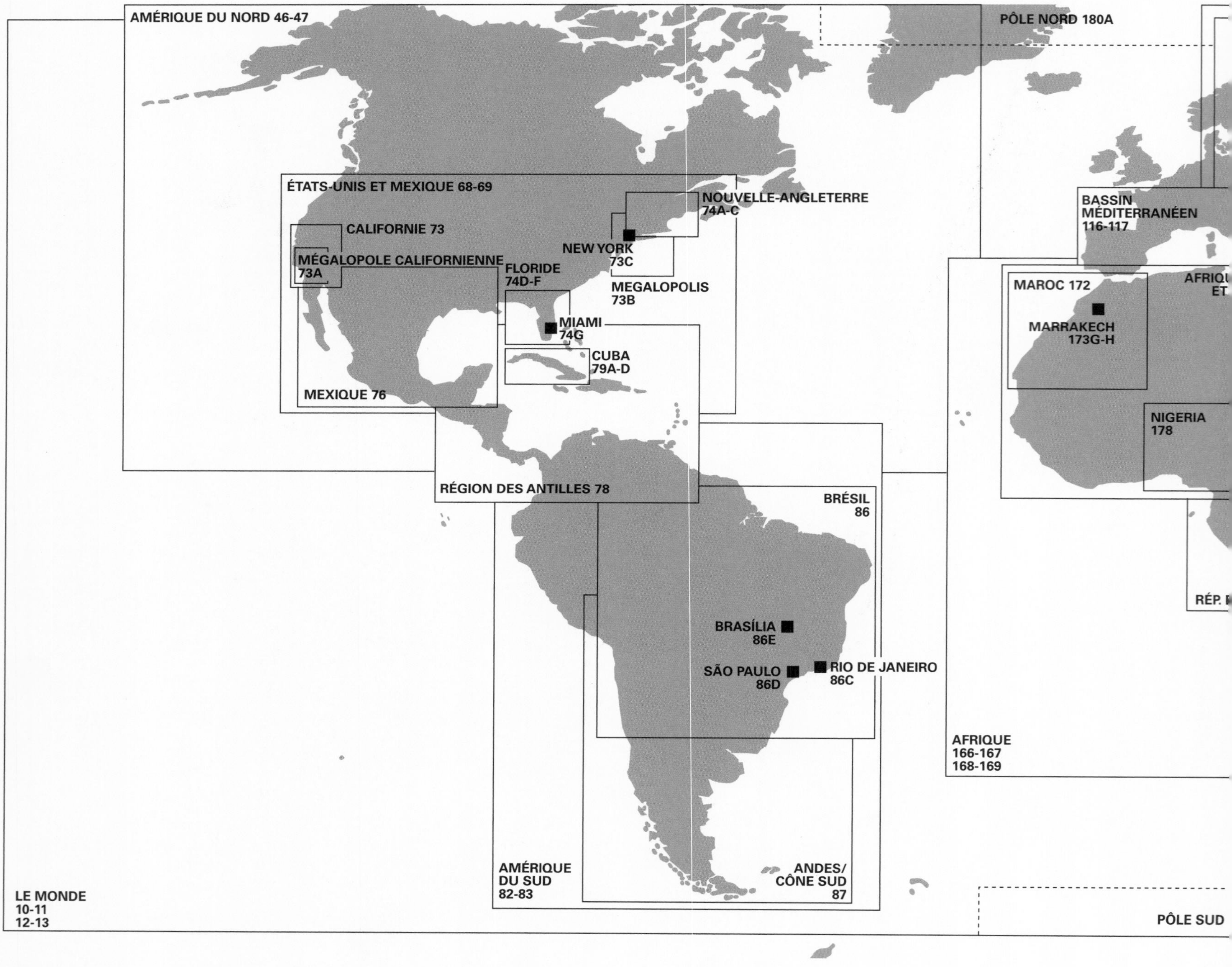

AMÉRIQUE DU NORD 46-47

PÔLE NORD 180A

ÉTATS-UNIS ET MEXIQUE 68-69

NOUVELLE-ANGLETERRE
74A-C

BASSIN
MÉDITERRANÉEN
116-117

CALIFORNIE 73

MÉGALOPOLE CALIFORNIENNE
73A

NEW YORK
73C

MAROC 172

AFRIQU
ET

FLORIDE
74D-F

MEGALOPOLIS
73B

MARRAKECH
173G-H

MIAMI
74G

CUBA
79A-D

NIGERIA
178

MEXIQUE 76

RÉGION DES ANTILLES 78

BRÉSIL
86

RÉP.

BRASÍLIA
86E

RIO DE JANEIRO
86C

AFRIQUE
166-167
168-169

SÃO PAULO
86D

LE MONDE
10-11
12-13

AMÉRIQUE
DU SUD
82-83

ANDES/
CÔNE SUD
87

PÔLE SUD